LA MONTAGNE EST JEUNE

Han Suyin est née en Chine du Nord, de père chinois et de mère belge. Elle commence à Pékin des études de médecine qu'elle poursuit à Bruxelles. Eurasienne, elle choisit d'emprunter sa science à l'Occident pour mieux servir sa patrie d'élection, la Chine. Elle interrompt ses études quand éclate le premier conflit sino-japonais et rentre en Chine où elle épouse Tan Pao-Houang. Ce mariage sera malheureux. Elle écrit alors son premier livre (Destination Tchoungking), adopte une petite Chinoise (Yung-mei) et accompagne son mari nommé attaché militaire, à Londres. Rappelé en Chine, ce dernier trouve la mort en 1947 au cours de la lutte contre les communistes. Han Suyin reprend ses études à Londres où elle exerce un an puis réside à Hong Kong. Elle rencontre à cette époque le journaliste Ian Morrison et cette merveilleuse rencontre sera le sujet de l'un de ses romans mondialement connus : Multiple Splendeur. Remariée en 1952 avec Leonard Comber (elle divorcera en 1961), elle s'installe en Malaisie mais va chaque année en Chine populaire. Par la suite elle se fixe à Singapour où elle poursuit une double carrière de médecin et d'écrivain jusqu'à ce que le succès mondial de son œuvre l'entraîne à se consacrer entièrement à son métier d'écrivain : romans (Jusqu'au matin, La Cité des sortilèges), témoignages sur la Chine, livres historiques et autobiographiques. Son mariage avec le colonel indien Vincent Ruthnasamy, ingénieur à Khatmandou, n'empêche pas son retour en Chine et ses séjours aux États-Unis où elle prononce de nombreuses conférences.

Froide, renfermée, ne pouvant même plus exercer son talent d'écrivain, voilà ce qu'est devenue Anne Ford après six ans de mariage avec John qu'elle peut à peine supporter. Pour essayer de changer cet état de choses, elle sollicite et obtient un poste de professeur à Khatmandou. Dès son arrivée, Anne, subissant le charme de ce pays fascinant aux traditions millénaires, recommence à écrire, à être heureuse. En dépit de tous les obstacles, elle aimera avec passion Unni Menon, un ingénieur népalais, et vivra une fantastique aventure au pied de Mana Mani, la montagne jeune.
La Montagne est jeune est un superbe roman d'amour où Han Suyin met son grand talent et sa vaste culture au service d'une meilleure compréhension de l'Orient.

HAN SUYIN

La Montagne est jeune

ROMAN

TRADUIT DE L'ANGLAIS
PAR RENÉE VILLOTEAU

STOCK

Titre original :
THE MOUNTAIN IS YOUNG

PRINCIPAUX PERSONNAGES

John Ford. Fonctionnaire colonial à la retraite.

Anne Ford. Anglaise comme lui, belle et fantasque. Écrivain. A la recherche d'elle-même.

Leo Bielfeld. Appartient aux services de l'O.N.U. au titre d'expert « en Bon Vouloir International ».

François Lunéville. Reporter-photographe. Français.

Unni Menon. Incarnation moderne du dieu Krichna.

Paul Redworth. Résident britannique à Khatmandou.

Martha Redworth. Spécialiste de la culture des pois de senteur.

Vassili. Directeur du *Royal Hotel*.

Hilde. Une déesse nordique.

Le Général Kumar. Un vrai vivant.

Sa Maharani. La femme la plus sereine du monde.

Deepah. Fils du Général.

Lakshmi. Fille du Général.

Sri Ranchit. Un beau « traître » à la peau mate.

Rukmini. Sa Maharani, la plus belle femme du monde après l'épouse du Feld-Maréchal.

Le Feld-Maréchal. Un philosophe.

Sa Maharani. La plus belle femme du monde.

Le Père MacCullough. L'inévitable prêtre, indestructible et bien informé.

Isabel Maupratt. Directrice de l'Institut Féminin.

L'Histoire (Miss Newell). Professeur d'histoire.

La Géographie (Miss Potter). Professeur de géographie.

Suragamy McIntyre. Professeur de gymnastique.

Mutti Aruvayachelivaramgapathy. Fiancé de Suragamy, chrétien et homme d'affaires.

Le docteur Frederic Maltby. Médecin-chef de l'hôpital de Khatmandou.

Eudora Maltby. Compose de la musique «inspirationnelle».

Le Très Précieux Rampoche de Bongsor. La plus belle fripouille de la région des monts Himalaya.

Chérie. Fille du Rampoche.

Mariette Valport. Française, auteur de *Hommes des cinq continents.*

Le Colonel Jaganathan. Ingénieur, travaille à la construction de la route reliant Khatmandou à l'Inde.

Le Major Pemberton. Officier de Ghurkas.

Enoch P. Bowers. Président du Club de la Vallée.

Mike Young. Ingénieur américain.

Michael Toast. Imprésario. Anglais.

Sharma. Révolutionnaire népalais.

Le poète hindou.

Pat. Une artiste peintre américaine aux ongles sales.

Mita et Regmi. Domestiques du Général, mis par lui au service d'Anne.

Le professeur Rimskov. Spécialiste des questions thibétaines.

Suriyah. Une prostituée de Khatmandou.

Le Swami de Bidahari. Personnage muet.

Première partie

La Plaine

Et demain pleure dans une cage aveugle
....
Mais la route est longue dans les ténèbres.
(DYLAN THOMAS).

« Un instant, s'il vous plaît, Missié! Madame, s'il vous plaît! Sahib, Sahib!»

Le diseur de bonne aventure les poursuivait en sautillant, et de petits nuages de poussière jaillissaient des semelles de ses sandales. Son bâton luisait, comme la sueur sur son visage barbu. Sa bouche aux lèvres pleines était fraîche, rouge et souriante, nettement soulignée par tout le poil noir qui l'encadrait.

« Qu'est-ce que c'est encore? demanda John Ford sans s'arrêter, après un bref regard en arrière. Que nous veut cet idiot? Tu le sais, toi?»

Anne répondit:

« Tu l'as déjà vu hier soir.

— Je l'ai vu hier soir? Moi? Qu'est-ce que tu me racontes?»

La voix de John manifestait la stupéfaction, de manière aussi banale que s'il s'était borné à lever les sourcils; c'était l'intonation de surprise qu'il employait dans les moments où, sachant fort bien ce que voulait dire Anne, il ne lui en extorquait pas moins, pour la contraindre en quelque sorte à constater son existence, des réponses monosyllabiques, des explications réticentes, des phrases qu'elle s'appliquait à faire aussi brèves que possible. Ainsi arrachait-il à son humeur taciturne, comme à un dos hostile tourné contre lui, une confirmation rassurante des liens qui les unissaient. Il s'efforçait de l'atteindre en lançant entre elle et lui un pont de syllabes, en l'obligeant à parler, à rompre ainsi la solitude qu'elle lui imposait par sa seule présence.

Il aurait voulu qu'Anne lui dît : « C'est le devin sikh que nous avons vu arriver vers nous en se dandinant, hier soir après le dîner, quand nous étions installés sous le ventilateur de la véranda de l'hôtel. » Mais elle disparaissait au fond de son mutisme, telle une pierre dans l'eau. Il en était à la fois furieux et effrayé. Pareille attitude le laissait seul aux prises avec des incidents dont ils ne soufflaient mot, à jamais passés sous silence, comme celui de ce matin dans leur chambre. Pour s'évader, il n'avait d'autre ressource que de lui poser des questions haineuses, ramassant, eût-on pu dire, les banalités quotidiennes de leur vie, pour lancer contre Anne des paroles, comme on jette du gravier contre une fenêtre close.

« Quand suis-je censé avoir vu ce type-là, et où ? »

Si seulement Anne consentait à se comporter comme elle le faisait pendant leur première année de vie commune, aussitôt après leur mariage! En ce temps-là, à son « Quoi ? Qu'est-ce que c'est ? Que veux-tu dire ? » (toujours brusque, accompagné d'un mouvement sec de la tête destiné à souligner la précision virile des questions et accentué par un regard fulgurant — le ton employé par lui pendant les quinze années où il remplissait les fonctions d'administrateur dans une colonie africaine devenue aujourd'hui autonome), elle aurait répondu par un rire nerveux, avec cette gaieté d'adolescente, perplexe et embarrassée, qui était sa réaction devant les plaisanteries qu'elle ne comprenait pas. Il avait connu chez elle cette timidité, cette crainte de le vexer, et cela lui plaisait, de même que certains hommes se plaisent à maintenir leur épouse dans un état de docilité servile, tout comme ils s'attendent à ce que leur chien les accueille en agitant la queue quand ils rentrent chez eux. Il se réjouissait de la faire sursauter quand il se mettait soudain à glapir des questions et de la voir toute saisie — car les bruits trop forts, les intonations cassantes, les portes claquées, manifestations de la violence humaine, lui causaient une frayeur démesurée. Pourtant, elle n'avait pas peur du tonnerre. A cette époque donc, elle lui répondait comme pour s'excuser, par de petits rires qu'il trouvait agréables. Par la suite les rires se firent plus rares, ils se réduisirent pour disparaître finalement, remplacés par un air importuné, une cendre d'ennui, semblable à une couche de poussière accumulée sur un miroir.

« Ne me pose plus la question, je te prie. Tu le sais aussi bien que moi. »

Plus tard encore, au cours de leur troisième année de mariage, elle avait commencé à perdre son sang-froid. Les yeux dilatés, la mâchoire saillante, elle nouait ses mains derrière son dos pour cacher sa nervosité. Ce comportement fascinait John, le soulevait de plaisir et le plongeait dans un état voisin de l'exaltation :

« Voyons, ne crie pas comme cela ! A l'instant même tu criais. Mais oui, j'appelle cela crier, le ton de ta voix montait de plus en plus. Oh ! mais si ! Tu deviens bien nerveuse, ma petite. Vraiment, tu devrais te dominer. Bien sûr, tu es une artiste, et patati et patata, mais ce n'est pas une raison pour te montrer si fébrile. L'âge et l'ambiance, je suppose. Tu as l'air complètement à plat. »

Parfois il ajoutait :

« Après tout, je suis ton mari, sais-tu bien. »

Depuis un an elle avait adopté une technique destinée, jugeait-il, à lui être désagréable : le silence.

En ce moment il attendait une réponse, il l'attendait avec une avidité telle qu'il était couvert de sueur : elle allait s'humecter les lèvres, il percevrait une légère palpitation des muscles de la gorge, annonciatrice de paroles. Mais il ne put discerner la moindre altération sur le visage vide, lointain. Le diseur de bonne aventure les avait rattrapés, levant sa main qui tenait le bâton, comme pour arrêter un taxi. Un mince bracelet de fer encerclait son poignet, son turban était d'un vert citron, clair et frais.

John s'arrêta, se tourna vers le Sikh, les poings à demi serrés, solidement amarré sur ses pieds, la lèvre inférieure saillante, la tête en avant, ses grands yeux bleus fixés sur les yeux de velours brun. Puis, aussi brusquement qu'il l'avait prise, il abandonna sa posture de pugiliste, fit mine de reconnaître l'homme. Son front se dérida, il avança la main et se mit à jouer un nouveau jeu devant Anne, sentant bien que cette comédie l'irritait, incapable pourtant de ne pas s'écouter parler en présence de sa femme.

« Mais, ma parole, c'est vous, maître ! (John se targuait de savoir parler aux indigènes : « J'ai toujours pu causer avec eux, jamais eu le moindre ennui. ») Au premier abord, je ne vous avais pas reconnu. »

Se tournant vers Anne, il ajouta :

« Ma chérie, ce monsieur est le devin que nous avons déjà vu hier soir. »

Le Sikh fit le salut militaire et prit un air

solennel en entendant John mentionner sa profession.

« Oui, Missié, mais je suis encore autre chose, pas seulement prédire l'avenir. Je suis aussi un Yoghi, un sage. Voyez ceci. »

D'une poche de côté, il tira un rosaire aux grains bruns qu'il se mit à manipuler rapidement, en émettant des sons plaintifs qui étaient en réalité une prière, après quoi il le remit en place.

« Et puis encore ceci. »

D'une autre poche, il fit surgir la photographie tout éraillée d'un vieillard à longue barbe blanche, le front et le nez pareils aux images conventionnelles de Jésus, comme les ont souvent les ascètes indiens, la tête entourée d'un halo de cheveux blancs bouclés et vaporeux, mais dans la « position du lotus » qui est celle de la méditation, parmi des vases d'où sortaient des objets ressemblant à des zinnias en papier.

« Ça, Missié, Swami Narayanda, mon maître, grand Guru, Gurudev... un saint homme, très célèbre, tous les pays connaître Swami Narayanda. »

Alors, de l'intérieur de son vêtement, il tira, comme une relique extrêmement précieuse, des feuillets très fatigués, les uns bleus, les autres blancs, une liasse de lettres.

« Cette lettre, d'un général anglais, très célèbre, grand homme, aide de camp du dernier vice-roi des Indes. S'il vous plaît, lisez-la.

— Il est bien certain que ce monsieur semble ajouter foi lui-même à ses prédictions... lut John. Ah, ah, ah !

— Ajouter foi à ses prédictions, répéta le devin, rayonnant à la fois de sueur et d'orgueil. Les généraux anglais ne mentent jamais, tout le monde sait. La parole d'un Anglais. Et maintenant, Missié, Madame, je voudrais vous aider, oui, vous, pas gagner argent, argent peu importe, ne donnez pas d'argent. Seulement vous aider. Votre main droite, excusez-moi, Madame. Ah, ah, ah, ah!»

Il saisit dans la sienne la main droite d'Anne, en contempla la paume avec une attention extraordinaire, puis ferma les yeux si fort que la peau brune se plissa vers les tempes.

«Je vais vous dire... *tout*, affirma-t-il, en décrivant de sa main libre un large demi-cercle dans l'espace, quelque chose pour changer toute votre vie. Seulement vingt roupies, acheva-t-il en ouvrant les yeux et en laissant retomber la main d'Anne.

— Vingt roupies, dites-vous, maître? Oh, mais c'est trop, beaucoup trop!»

Sur ce ton de bonhomie appuyée et ironique souvent employé aux derniers temps de l'administration coloniale, John se mit à parlementer avec le Sikh, heureux parce que tout en se faisant appeler «Missié» il contraignait le diseur de bonne aventure à multiplier les sourires, les discours et les protestations (Mais, Missié, c'est pas cher, rien dire que vérité... Non, Missié, je ne triche jamais, pouvez demander au Swami... au Général), enchanté aussi parce qu'il l'amenait, petit à petit, lentement, à baisser ses prix, roupie par roupie. Il sentait derrière lui Anne immobile et — du moins il l'espérait — attentive à la scène qui se déroulait. Mais elle s'écarta, fit un pas vers un arbre qui bordait la route et, appuyée contre le tronc, leva les yeux vers les branches où les feuilles pointaient comme des oreilles aux aguets. Ces feuilles retenaient son intérêt comme si une voix précise et sèche lui avait dit à l'oreille : «Voici un arbre couvert de feuilles. Tu en as demandé le nom et maintenant tu l'as oublié. Les Indiens utilisent le suc de ses menues branches, mélangé de sel, pour se nettoyer les dents. » Elle ne voyait plus le tissu vert et charnu enserré dans l'épiderme, frais et vivant sous la peau verte.

« C'est l'arbre-je-ne-sais-plus-quoi, se répétait-elle mentalement. Des mots arides... Documentation... Les Indiens utilisent les menues branches... »

« Anne, voyons, Anne, pour l'amour du Ciel, voudrais-tu répondre quand on te parle ? »

John la regardait d'un air furibond. Elle lui jeta un coup d'œil, puis détourna la tête et c'est sur un tout autre ton qu'il ajouta :

« J'ai marchandé, il ne demande plus que six roupies. Veux-tu qu'il te prédise l'avenir, oui ou non ? »

Elle revint vers les deux hommes et tendit sa paume droite au devin, tandis que John se dirigeait à son tour vers l'arbre sous lequel elle se tenait tout à l'heure. Le devin inclina son turban sur la main de la jeune femme et la considéra longuement. Anne sentait l'odeur de son corps trapu — poulet, beurre de buffle et sueur — et c'était tout. S'il avait été un arbre, il n'aurait pas compté davantage pour elle. C'est un Sikh. C'est un turban vert citron. Il y a une tête d'homme sous ce turban. Elle se sentait si fatiguée qu'elle aurait voulu fermer les yeux et dormir ainsi, tout debout.

« Ah, ah, dit le Sikh d'un air furtif, sans regarder John planté à dix mètres de là. Votre cœur, Memsahib, votre cœur pareil à papillon. Les gens vous croient dame bien raisonnable, toujours sage, toujours convenable, mais vous pas comme cela. Vous comme eau courante, comme papillon qui cherche une fleur, qui cherche, qui désire.

— Vous vous trompez tout à fait, dit Anne avec une sincérité absolue. Je ne cherche rien et je ne désire rien.

— C'est ce que vous voulez croire, ce que vous vous forcez à croire, poursuivit le Sikh, impitoyable. Vous désirez penser : je ne sens pas, moi très contente, moi heureuse. Mais ça pas vrai. Pas la vraie femme. Vous, trouver un jour. Maintenant, avoir yeux et pas voir, avoir oreilles mais pas écouter votre cœur. Vous, voir autres choses, regarder autres personnes et les écouter, toujours très intelligente, mais pas vous-même. Cette année vous allez voir et entendre. Cette année », répéta-t-il d'une voix forte.

Les Ford regagnèrent leur hôtel en cherchant l'ombre des banyans et des mohurs dorés. Il y avait eu là autrefois un cantonnement et la route était bordée des deux côtés par d'assez grands bungalows un peu délabrés, entourés de jardins. Ils prirent à droite et débouchèrent dans la rue conduisant à l'hôtel, bordée de boutiques où l'on vendait, à l'usage des touristes, de la joaillerie, des saris et de la maroquinerie. Devant chaque éventaire se tenait un marchand, mince et brun, aux yeux pénétrants et à la voix douce, vêtu d'un veston à l'occidentale, les jambes serrées dans le dhoti blanc.

« Sahib, Memsahib, entrez, entrez, vous n'avez rien à perdre. Entrez, jetez un coup d'œil. J'ai là des rubis, des saphirs, des diamants, des topazes. Entrez, vous trouverez ce que votre cœur désire. »

Sur la véranda de l'hôtel ornée de palmiers dans des potiches de cuivre, de chaises cannées, de chromos poussiéreux souillés par les mouches représentant des anges ou des paysages suisses, un nouveau contingent de touristes venait d'arriver : l'habituelle troupe d'Américains cent pour cent, gens d'âge plus que mûr faisant le tour du monde en avion, trop vêtus, surchargés de plaids de voyage, de manteaux, d'imperméables, de sacs fourre-tout, de parapluies, leurs pieds gonflés enfermés dans de lourdes chaussures de marche, les femmes en chapeaux de paille fleuris garnis de voilettes. Ils restaient là, pétrifiés de fatigue, engourdis d'être restés longtemps assis, transpirant sous les ventilateurs qui fonctionnaient à toute allure en grinçant. La plupart buvaient du Coca-Cola, les plus hardis prenaient un jus d'orange, non sans demander s'il n'y avait pas de danger, et puis pouvaient-ils avoir de la glace ? Les verres étaient-ils stérilisés ? Etait-il vrai qu'il y eût le choléra à Agra :

« Oh, non, Madame, à Calcutta seulement et peut-être à Delhi, mais pas à Agra ; ici, c'est la variole que nous avons, répondait le commis de la réception.

— Chéri, bois ton jus d'orange sans poser les lèvres sur le rebord du verre », recommandait une vieille dame à cheveux blancs, à l'intention de son mari qui portait un appareil acoustique.

Sur l'un des côtés de la véranda, face aux touristes et avançant petit à petit vers eux en glissant sur leurs jambes croisées, un petit bataillon de marchands, accroupis sur le sol, offraient des bracelets en verre peint ou en bois, des gongs, des plateaux et des clochettes en cuivre, des boîtes à cigarettes avec le Taj Mahal en incrustation de nacre, des statuettes en ivoire représentant des paons, des éléphants ou le Taj Mahal, ou encore des danseuses au buste nu et aux yeux peints. En bas, dans le jardin, couvant les Américains du regard et jouant de la flûte comme pour les séduire, on voyait des charmeurs de serpents et des diseurs de bonne aventure, ceux-ci faisant avec leurs mains un geste d'appel, à la manière asiatique, paumes en avant, les doigts rabattus. Sur des tables où s'amoncelaient les soies et les brocarts, deux gros Bengalis déployaient des mètres d'étoffes aux couleurs éclatantes : saris bleus, verts ou vieil or.

Anne et John s'assirent sur des chaises cannées devant une petite table, un peu à l'écart des touristes et de leur bavardage.

« Mais *où donc* étions-nous hier soir ?

— Est-ce à Karachi ou à Colombo que nous avons acheté cette tunique chinoise ?

— Le programme prévoit : le matin, visite du Taj Mahal, déjeuner à l'hôtel ; l'après-midi, achats dans les magasins, et le soir Delhi.

— Bénarès... Est-ce là que nous avons vu la vache, Papa ?

— C'est fait à la main ?

— Même les cubes de glace sont chauds dans cette gargote.

— Je tiens absolument à ce que ce soit fait à la main.

— Eh bien, je vous fiche mon billet qu'on paierait ça moins cher à New York.

— En deux jours, voilà la troisième fournée de ces satanés touristes, dit John. Bon Dieu, qu'il fait chaud !

Avec un air maussade qu'il s'efforçait de rendre pathétique, il se renversa lourdement sur le dossier de sa chaise, affectant l'épuisement. Derrière le front étroit et les beaux traits crispés par l'irritation, on devinait quelque chose qui ressemblait à du chagrin. Anne se sentit envahie par un sentiment familier, compassion et dégoût à la fois, mélange indissoluble de remords et de répulsion,

18

qui la poussa à poser une main sur le bras de John.

«Pas ici, avec tous ces gens autour de nous», dit-il en retirant son bras d'un geste impatienté.

La main d'Anne s'écarta. Ce n'était jamais qu'une rebuffade de plus. Un jour, pendant leur première année de mariage, elle avait acheté une robe neuve: «Comment me trouves-tu?» s'entendait-elle encore lui crier gaiement (car elle était gaie à cette époque) quand il revint du bureau à midi. Elle avait pris John par les épaules et le faisait tournoyer: «Oh, pas en ce moment, pas devant *les gens*», avait-il dit, le sourcil froncé, en repoussant vivement ses mains. Alors seulement elle avait remarqué la présence des deux collègues qui l'accompagnaient. Aujourd'hui, elle n'avait absolument plus rien à lui dire.

Sa main au creux des genoux, Anne, murée en elle-même et délivrée de tout sentiment de culpabilité, pouvait désormais évoquer la scène du matin, la *connaître*, se la raconter en silence. Une catastrophe. Sa faute, à elle, certes c'était sa faute. Eh bien oui. Elle n'y pouvait rien, elle était faite ainsi. Frigidité. John l'avait dit, le docteur l'avait dit. D'innombrables femmes sont dans le même cas. Pour elles la vie sexuelle ne signifie rien. Froide, frigide, elle n'éprouvait aucun besoin sexuel, ni rien qui y ressemblât. Peut-être vieillissait-elle.

Cela aussi datait de loin. Ils s'étaient mis à coucher ensemble de moins en moins, une fois par mois, puis au bout de six semaines, deux mois, trois mois. Ce matin, à Agra, c'était la première fois depuis presque cinq mois. Et pourtant elle n'en avait aucune envie. Avec une parfaite sérénité, elle reconnaissait qu'elle n'en avait aucune envie. Ainsi donc c'était sa faute, comme l'affir-

mait John. Mais elle ne se souciait nullement de
remédier à cet état de choses. Elle avait même
éprouvé un certain plaisir en entendant le docteur
prononcer le mot frigidité. Elle trouvait à ce terme
une vertu défensive.

Ce matin, John s'était éveillé dans le lit jumeau
placé à côté du sien. A son tour, elle s'était éveillée
et elle avait vu le regard de John fixé sur elle ;
après quoi il avait roulé de son lit dans celui de sa
femme avec son ricanement habituel, et bientôt il
était sous le drap, collé contre son corps. Puis il
s'était mis à fouiller sa poitrine d'une main
maladroite, geste mécanique qui ne lui procurait
ni sensation ni plaisir, constituant si visiblement
une simple formalité qu'elle éprouvait toujours en
pareil cas l'impression d'avoir les seins trop
petits. Puis ses paroles, toujours les mêmes :
« Vilain, vilain. » Après quoi il s'était levé pour
s'assurer que la porte était bien fermée à clef, pour
ajuster le rideau de la fenêtre, pour aller uriner
dans la salle de bains. Ensuite il était revenu vers
elle et elle attendait, attendait, de tout son corps,
raidie, crispée, glacée, se retenant à grand-peine
de crier. A nouveau ce fut la main fouillant dans
son pyjama, tandis qu'elle détournait le visage
pour éviter la bouche de l'homme, puis les genoux
pressés entre ses cuisses pour les écarter, et la
sensation de douleur.

Certaines fois il avait tenté de la pénétrer sans
y parvenir, et après quelques secondes elle l'avait
senti devenir mou, s'affaisser, puis il était
retourné dans son lit. Ce matin, il avait réussi à se
frayer un chemin en elle. Depuis longtemps elle ne
se comportait plus comme le font d'ordinaire avec
leur mari les épouses indifférentes ou les prostituées avec leurs clients — dans la même intention,
pour abréger la corvée — qui jouent la comédie,

battent mécaniquement des poignets sur le lit, et crient : « Ah, ah », excédées, se demandant quand s'arrêtera le corps qui se balance sur elles. Cette fois-ci il était venu, sa bouche répandant en même temps de la salive sur les cheveux d'Anne ; elle s'était levée très vite pour aller à la salle de bains et se laver le corps tout entier, même les cheveux.

En affirmant qu'Anne était frigide et n'éprouvait qu'aversion pour les jeux de l'amour, on donnait du même coup de son attitude une explication acceptable et même vaguement satisfaisante, grâce à laquelle John se sentait à l'abri. Après tout, Anne n'était pas de celles qui ouvrent leurs cuisses à n'importe qui. Elle avait depuis longtemps oublié ce chagrin, cette vieille histoire d'amour du temps de sa prime jeunesse. Oui, sa froideur même était pour lui une sécurité.

Ils étaient maintenant revenus dans la moiteur de la chambre d'hôtel où régnait une faible odeur de lysol ; les couvre-pieds rayés, tirés sur les lits jumeaux, semblaient avoir effacé la scène du matin.

« Bon Dieu, même ici on étouffe ! »

John mit en marche le ventilateur en poussant un bruyant soupir. Même pendant le jour les moustiques fredonnaient dans les coins humides et sombres.

Anne s'assit sur une chaise.

« Tu as l'air de n'en plus pouvoir, on dirait que tu as la migraine ou mal aux reins », dit John.

Débordant aussitôt de sollicitude, il sortit les deux oreillers, la força à s'étendre, lui souleva les pieds. Il s'affairait, insistait pour qu'elle prît de l'aspirine, sonna le garçon pour demander un verre d'eau.

« Il y a de l'eau dans le Thermos », dit Anne, et

elle songeait : « Il est toujours bien plus heureux quand je suis malade. »

« Je crois que je vais prendre une douche avant de déjeuner », dit John, et il commença à retirer ses vêtements.

Quand il s'assit pour délacer ses souliers, un filet de sueur coula parmi les poils sombres de sa poitrine trop blanche. Il leva les bras en faisant jouer ses muscles devant le miroir. Il avait les jambes velues, le ventre et les fesses pâles. Autrefois il était très mince et très sportif et, quand il se regardait dans la glace, il y voyait l'image d'un athlète en pleine forme et non pas celle d'un homme de quarante-trois ans un peu avachi.

Il se dégageait de ses aisselles une odeur douceâtre, très différente de celle du diseur de bonne aventure.

« Je vais prendre une douche », répéta-t-il d'une voix forte.

Il alla vers la salle de bains, la porte grinça, l'eau se mit à pleurnicher avec accompagnement de gargouillis dans la tuyauterie, mais l'odeur demeurait dans la pièce, éparpillée par le ventilateur.

« Je ne peux plus le supporter », se disait Anne. Il lui semblait voir ces mots comme si elle les lisait tapés à la machine sur une feuille de papier blanc. Ils lui paraissaient grandiloquents, vides de sens. Qu'est-ce donc qu'elle ne pouvait pas supporter ? Elle ferma les yeux. Qu'avait raconté le diseur de bonne aventure ? Elle ne le savait pas au juste.

Le soir, en compagnie de leur grand ami Leo Bielfeld, ils allèrent voir le Taj Mahal éclairé par la pleine lune.

Leo Bielfeld les faisait rire. Ils riaient tous deux en même temps quand Leo lançait des plaisanteries, et l'on aurait dit qu'ils partageaient la même gaieté. Souvent, le soir, John s'attardait avec Leo à boire du whisky et à rire. L'étroit visage de Leo se contorsionnait, ses mains gesticulaient, il mimait des anecdotes amusantes, sa voix prenait les accents et les intonations les plus divers, depuis le timbre arrogant, flûte et nasal d'une fille de la Révolution Américaine, jusqu'au ton haut perché, accompagné d'une mimique incompréhensible, que prend un Cinghalais s'exprimant en anglais.

Leo occupait à l'O.N.U. un poste lucratif qui, en dehors de l'argent, lui procurait le temps et la latitude de faire tout ce qu'il lui plaisait. Officiellement il était conseiller technique en matière de bon vouloir international, titre imprimé tout au long sur ses cartes de visite :

LEO BIELFELD

Organisation des Nations Unies
Conseiller technique en matière de
Bon Vouloir International.
New York, Londres, Rome et Asie.

Leo parcourait le monde, s'arrêtant parfois pendant quelques semaines ou quelques mois là où l'envie lui en prenait, et il rédigeait des rapports d'un volume phénoménal. Ces compilations étaient parsemées de graphiques montrant les courbes ascendantes du Bon Vouloir, indiquées en décimales par unités de B.V.I. (mesure que Leo avait fait homologuer dix ans auparavant). Il avait un jour établi un relevé montrant une augmentation de 0,4 B.V.I. par tête, parmi

38 976 Intouchables, répartis dans vingt commu-
nautés, à Cochin et à Travancore, dans le sud de
l'Inde. Ses statistiques, basées sur des chiffres
montrant que des tendances harmonisatrices
venaient s'opposer aux propensions dissociantes,
étaient considérées comme très importantes.
Ainsi, entre autres éléments d'information, l'ac-
croissement notable de l'achat sur place du papier
hygiénique par sept grands hôtels de Calcutta
l'avait amené à conclure à une nette augmentation du nombre de touristes américains qui
confiaient leur corps à des produits indiens, étant
donné que les Indiens ignorent l'usage du papier
hygiénique, préférant se laver à grande eau. Une
interview accordée en exclusivité par Leo Bielfeld
au *New York Times* et intitulée «Progrès du Bon
Vouloir à travers le Monde» avait suscité des
controverses; deux sénateurs accusèrent Leo
d'être sympathisant communiste, le groupe afro-
asiatique le félicita de collaborer à l'établissement
de la paix mondiale. Pour le moment, Leo était à
Agra avec Anne et John Ford.

Les Ford avaient fait sa connaissance quatre
mois plus tôt, en novembre, à trois heures du
matin, par une chaleur étouffante, alors qu'il
débarquait à l'aéroport de Dumdum, à Calcutta.
Ils le virent s'approcher, vague silhouette estom-
pée par les nuages d'insectes nocturnes qui
tourbillonnaient autour de lui et dans le halo des
lumières au néon.

«Mr. Ford, Mrs. Ford... je suis ravi, enchanté...
comme c'est aimable à vous d'être venus m'accueillir!»

Leo parlait avec un charmant accent autri-
chien.

« Oui, votre ami François, François Lunéville,
m'a beaucoup parlé de vous, mais vous n'auriez

pas dû vous donner la peine de venir à ma rencontre. Il est si tard... je veux dire si tôt.»

Gagnés par l'entrain joyeux qu'il manifestait à trois heures du matin, Anne et John se sentaient légers, détendus, affables. Leo cilla et se donna une tape sur l'œil. Un insecte y avait pénétré. Il éternua. Anne sourit, les lèvres doucement incurvées :

«Ces mouches vertes sont une calamité. Voici un mouchoir, laissez-moi la retirer.

— Mouches vertes, mouches vertes! C'est bien la première fois que j'entends appeler mouches vertes des fourmis ailées», dit John sur un ton indulgent.

Leo parla tout le long du chemin tandis que le taxi les emmenait vers Calcutta, dans le confortable appartement des Ford, où il habiterait en qualité d'invité payant. Volubile, amusant, il les ahurit par l'éloquence de ses mains et par ses inflexions de voix, changeantes comme les images d'un kaléidoscope. Le lendemain, il entreprit de faire la cour à Anne.

Dans le vaste living-room, Anne était assise à son bureau devant sa machine à écrire, en face d'une feuille de papier blanc. Par les portes-fenêtres à petits balcons donnant sur l'une des plus larges avenues de Calcutta montait un bruit confus, semblable à un perpétuel gargouillement d'entrailles, rumeur de la circulation dans cette ville immense et crasseuse.

«Trente-quatre cas seulement de choléra la semaine dernière; il ne s'agit pas encore d'une épidémie, déclare le ministre de la Santé.»

Tout en lisant cette phrase à haute voix dans le *Times of India* qu'il tenait à la main, Leo vint s'asseoir aux pieds d'Anne sur un tabouret de cuir rond.

«*Et cette paisible rumeur*[1]. Anne, comment pouvez-vous travailler avec un bruit pareil?

— J'aime cela, dit-elle.

— Certes, votre charmante prose mérite toutes les commodités», dit Leo, qui, en dépit de ses prétentions à la finesse gauloise, n'en conservait pas moins une once d'esprit germanique.

Anne tressaillit et Leo eut l'impression d'avoir frappé un enfant.

«Je ne voulais pas vous blesser, Anne.

— Vous ne m'avez pas blessée, seulement je me sais incapable d'écrire.

— Allons donc, Anne, votre livre...

— Il y a dix ans de cela. Depuis je n'ai écrit que pour des magazines.

— Mais, Anne, pour écrire des nouvelles, il faut aussi un génie particulier.

— Je vous en prie!» fit-elle.

Leo la tenait maintenant embrassée, mais pour une fois il sentait que ce n'était pas là de sa part un mouvement prémédité.

«Ma chère Anne, je vous en prie, ne parlez pas ainsi. J'ai adoré votre livre, j'aime aussi beaucoup vos nouvelles. Allons, voyons, ne pleurez pas.»

Elle ne pleurait pas. Son visage exprimait l'embarras, l'obstination, la surprise. Leo sentait s'éveiller en lui le besoin de protéger et, du même coup, le désir amoureux. Toujours la même chose: les femmes s'apitoyaient sur elles-mêmes et cela se terminait dans un lit. Après quoi tout allait mieux.

Il voulut lui couvrir le visage de baisers, cela plaît parfois aux femmes, elles aiment qu'on sèche leurs larmes avec des baisers.

Puisque Anne ne pleurait pas, il chercha sa

---

1. La citation de Verlaine est en français dans le texte.

bouche, mais il s'aperçut qu'elle couvrait ses lèvres de sa main. Il baisa cette main et Anne se leva de sa chaise. Glissant les bras autour de la taille de la jeune femme, il se caressa le visage sur sa robe, contre son ventre. Il remarqua qu'elle avait le ventre plat, les cuisses longues, fermes, ni maigres ni grosses. Simulant une passion qu'il éprouvait d'ailleurs à moitié, il se redressa. Une main toujours autour de la taille d'Anne, il allongea l'autre main vers les seins menus, hauts, en quelque sorte virginaux : « Ma foi, se dit-il, elle est rudement bien faite. Pas de courbes à effet ; elle doit être formidable au lit. »

« Ma chérie, murmura-t-il, oh, ma chérie.

— Non », dit-elle.

Leo se retrouva assis sur le tabouret de cuir, en train de s'essuyer les mains avec son mouchoir.

Elle lui tendit une cigarette. Il la prit, l'alluma, souffla un cercle de fumée et se sentit soudain ridicule.

« Le diable m'emporte, Anne, dit-il, auprès de vous on perd la tête, vous savez.

— J'en suis navrée, dit-elle d'une voix neutre, proprement exaspérante.

— Vous avez un charme fou.

— Merci. »

Leo se pencha, fit une nouvelle tentative, les yeux dilatés, les lèvres arrondies comme pour un baiser.

« Chérie, ma chérie, un baiser, un seul !

— Vous n'avez pas l'air de comprendre, dit Anne d'un ton incrédule. Je ne suis pas fâchée. Pas du tout. Ce n'est que naturel, j'imagine, mais je ne vous crois pas.

— Qu'est-ce que vous ne croyez pas ? Que je vous aime ? » D'un geste de la main, Anne sembla écarter la phrase.

« Non, je vous en prie, pas cela ! Ne prononçons même pas le mot amour, il se situe dans une tout autre dimension. Seulement voyez-vous, je n'arrive pas à croire... je n'arrive pas à croire qu'un homme me désire vraiment, en tant que femme — je veux dire qu'il se sente attiré vers moi.

— Mais c'est ridicule. Voyons, vous êtes belle, dit Leo, pas jolie, mais belle.

— Je ne sais pas, je ne sais rien. Simplement je ne le crois pas. Je ne désire rien, je veux que personne ne me touche. Surtout n'allez pas vous méprendre, ce n'est pas une question personnelle. Ce n'est pas parce qu'il s'agit de vous. C'est moi qui suis en cause. Je crois que je n'éprouve aucune émotion sexuelle... aucune émotion sexuelle, répéta-t-elle. Ce n'est pas dans ma nature. »

Si elle était sortie de la pièce à ce moment-là, il l'aurait poursuivie, certain d'avoir affaire à une coquette d'un nouveau genre. Les femmes ont tant de façons d'exprimer leurs désirs. Il en avait vu venir à lui prétendant n'éprouver aucune émotion, lui déclarant : « Je vous avertis, je suis frigide » à l'instant même où elles se mettaient au lit avec lui. Ce qui d'ailleurs l'excitait à accomplir des prouesses exceptionnelles... le procédé donnait d'excellents résultats. Mais le calme manifesté par Anne semblait parfaitement sincère. Elle ne s'en alla pas ; elle demeura sur sa chaise à fumer en regardant vaguement vers le balcon, aussi à l'aise que s'il ne s'était rien passé.

Par la suite, il renouvela ses tentatives — habitant chez eux, c'était facile. Non pas que John travaillât, mais il se donnait des tâches à accomplir : « J'ai une lettre à poster, disait-il, il faut que je la mette à la Grande Poste, sinon elle n'arriverait pas. Vous venez, Leo ? » Leo racontait un mensonge : « Excusez-moi, je n'ai que le temps de filer, je dois interviewer le maire. » Certes Anne repoussait ses avances avec une sorte d'indifférence lassée, sans ennui ni plaisir, sans chercher à l'éviter ensuite, mais il ne s'en acharnait pas moins à la conquérir. Car c'était un petit homme combatif et, s'il recherchait les succès féminins avec une ardeur peu commune, c'était par vanité plutôt que par véritable goût. Au début, il n'arrivait absolument pas à croire qu'il n'y eût pas là de la part d'Anne une attitude et il cherchait à la faire changer d'avis grâce à des attaques redoublées, tant verbales que physiques ; mais il se heurtait toujours au même refus, qu'elle formulait en s'excusant presque : « Je sais que vous cherchez à me plaire, à me convaincre que je suis séduisante », semblait-elle lui dire quand elle le repoussait. Puis elle l'oubliait instantanément et bientôt, penchée au-dessus du balcon, le regard perdu au loin, elle s'enfonçait dans une rêverie glacée, un peu hagarde.

« Mais, bon Dieu, n'avez-vous jamais envie d'un homme ?

— Non.

— Et John ?

— C'est mon mari.

— J'ai idée qu'il ne vaut pas cher à ce point de vue, lui dit un jour Leo.

— Je suis très attachée à John, répondit-elle d'une voix qui faisait songer à une pierre grise.

— John partage-t-il cette façon de voir ? »

Par son silence, elle sembla avoir oublié la présence de Leo.

Du point de vue de Freud et de Jung, tout cela s'expliquait et Leo ne se priva pas de l'expliquer tout au long. Elle l'écouta, poliment d'abord, puis d'un air absent. Il lui prêta des livres.

« N'avez-vous pas aimé à la page 23 le passage où...

— Je ne comprends pas.

— Vous n'allez pas me dire que vous ne comprenez pas ce qu'ils font ?

— Non, je veux dire que je ne comprends pas pourquoi on ajoute tant d'importance à ces histoires-là. »

Un jour il cria presque :

« Mais Anne, ce n'est pas normal !

— Peut-être ne suis-je pas normale », répondit-elle avec une nuance de soulagement dans la voix.

C'était ce qu'avaient dit le docteur et John ; maintenant Leo le répétait à son tour.

« Je suis morte, bien gentiment », dit-elle, et cette fois ce fut au tour de Leo de ne rien trouver à répondre.

François Lunéville, un photographe français, avait parlé des Ford à Leo quand celui-ci était passé par Paris pour aller en Inde.

« Si leur chambre d'amis est libre, vous devriez habiter chez eux à Calcutta. Ils ont un appartement agréable, bien plus confortable que les hôtels et bien meilleur marché. Anne Ford est charmante. »

Ils avaient longuement parlé d'Anne, Leo n'ayant nulle envie « de se mettre la corde au cou » selon sa formule, et de coucher avec son hôtesse par pure courtoisie.

« Rien à faire, dit François. Jolie silhouette, élancée, mais aucun sex-appeal. Et pourtant il y a quelque chose... le feu sous la glace, un *je ne sais quoi*. Nous autres photographes professionnels qui courons le monde à toute vitesse en prenant des clichés, avec l'éternel souci de donner à nos lecteurs l'impression de la vie (en général les gens "lisent" les photos et négligent tout ce qui est écrit autour), nous n'avons pas le temps de vivre nous-mêmes, de suivre jusqu'au bout le déroulement d'un événement privé dans notre existence personnelle. Si bien qu'après avoir habité pendant deux mois avec eux je n'étais pas plus renseigné.

— Comment est le mari?

— Vraiment très bien. Ce que les Anglais appellent un chic type. C'est, je crois, un ancien fonctionnaire colonial qui a pris sa retraite de bonne heure. L'appartement est la propriété de son frère, un baronnet ou quelque chose de ce genre, d'après ce que John m'a laissé entendre, qui habite actuellement dans le Surrey un domaine écrasé d'impôts. John ne travaille pas, ils vivent de sa pension, qui, j'en ai l'impression, n'est pas très forte. Il est à la dévotion de sa femme, à la manière anglaise, il cherche sans cesse à capter son attention, parle très fort et s'écoute parler. Rien de ce qu'il dit ou fait n'a l'air tout à fait réel et tout tombe à plat, parce qu'elle reste perdue dans ses rêves sans le regarder ni lui parler.

— Couchent-ils ensemble?» demanda Leo.

François leva les mains, avec ce geste familier aux Français:

«Qui connaît, mon cher, les mystères d'un couple marié? La chambre conjugale, qui peut savoir ce qui s'y passe? Terriblement morne et terne, sans doute, mais je n'ai pas étudié leurs habitudes d'alcôve.»

Après réflexion, il ajouta:

«Anne a une belle bouche. Il faut toujours regarder une photo la tête en bas, c'est la meilleure manière de découvrir l'harmonie de la composition. Ainsi, pour ses lèvres, leur beauté ne saute pas aux yeux, sauf quand elle est étendue et qu'on la regarde d'en haut. Mais non, mais non, Leo, c'était parfaitement comme il faut... Ça se passait à un pique-nique, il y avait là des tas de gens et elle était allongée dans l'herbe, les mains croisées sur ses yeux. C'est pourquoi je dis un je ne sais quoi. »

Leo passa novembre et décembre à Calcutta chez les Ford, faisant alterner l'étude psychologique de ce qu'il appelait « le cas d'Anne », avec les instants de plaisir, plus ou moins satisfaisants, que lui procuraient de brèves rencontres avec d'autres amies plus complaisantes, appartenant à la société cosmopolite de la ville. Il racontait ses succès à Anne avec la plus absolue sincérité. Quand il ne cherchait pas à la séduire — envie qui lui prenait par accès — il lui parlait de lui-même sans le moindre embarras, pendant de longues heures. Elle l'écoutait, sans jamais rien lui confier en retour.

« J'ai dû avoir près d'un millier de femmes dans ma vie, l'autre soir j'en faisais le compte. L'an dernier, par exemple, huit à New York en six semaines à peu près, environ douze à Londres. Ici, je viens d'avoir ma dix-septième. Je suis arrivé au total de 969, sans compter celles que j'ai oubliées. »

Maintenant, après avoir séjourné deux mois dans le sud de l'Inde, il venait de retrouver les Ford à Agra, pour y passer quelques jours de vacances avec eux selon un plan prévu. Aux côtés d'Anne, il suivait le chemin dallé de marbre qui borde la pièce d'eau du Taj Mahal, miroir sombre dans lequel, pâle et bulbeux, le reflet du mausolée, tel Narcisse, semblait renvoyer au monument sa propre image. Cette vue lui rappelait, racontait-il, une jeune Suédoise aux lourds seins blancs :

« Littéralement d'une blancheur de neige. Au bout d'un certain temps, ça m'est devenu intolérable. J'avais l'impression de serrer entre mes bras deux igloos. »

Anne s'appuya contre le parapet de marbre. Sous la haute lune ronde qui voguait seule dans le ciel, le dôme central du Taj Mahal répandait un éclat livide qui faisait songer à celui d'un ver luisant. A sa base, dans l'ombre bleue, des prostituées voilées, réunies par petits goupes, faisaient tinter leurs bracelets et les anneaux d'argent de leurs chevilles. Des Indiens arpentaient la terrasse, conscients de leur supériorité virile, les cheveux lustrés et encore humides de brillantine, le blanc des yeux presque étincelant. Derrière le monument, au-dessous de l'endroit où se tenait Anne, la rivière, très basse — on était en hiver — glissait son mince filet d'eau entre des bancs de sable. La rive opposée n'offrait aux regards qu'une étendue pâle et inculte.

Tandis que John s'attardait aux abords de l'ombre emplie par les rires étouffés des femmes, Leo entoura soudain Anne de son bras.

« Oh, je vous en prie », dit-elle en le repoussant brusquement avec une violence qu'elle n'avait jamais montrée jusqu'alors.

« Bon Dieu, est-ce donc tellement désagréable ? »

Ils se regardaient, le visage tendu par une colère qui était presque de la haine.

« Fort bien, je ne vous ennuierai plus », dit-il, comme il l'avait déjà dit maintes fois.

« Elle n'est pas mon type », songeait-il, furieux, car son goût allait aux femmes bien en chair, à ces filles aux formes somptueuses qui peuplent les couvertures des périodiques illustrés aux étalages des marchands de journaux, dans les aéroports où l'amenaient à tout moment ses courses errantes :

« Le diable emporte cette dinde, elle est franchement idiote, il n'y a pas une étincelle dans ce corps. Rien, si ce n'est par instants le souvenir d'une certaine douceur dans sa façon de parler. »

John s'approcha d'eux et déclara qu'il se faisait tard. Tournant le dos à la splendeur glacée qu'ils étaient venus contempler, ils reprirent leur taxi dans le clair de lune poudreux pour retourner vers l'hôtel — et vers un dîner tardif, servi dans l'affreuse salle à manger qui faisait songer à un puits, avec ses colonnes, ses ventilateurs, ses tables, ses garçons, tout cela de la même couleur, un blanc sale, gris et poussiéreux.

« Agneau des montagnes et petits pois, lisait Leo sur le menu. Au déjeuner, c'était du mouton sauvage aux choux, n'est-ce pas ? Ici les repas sont certainement un reste de la colonisation britannique, même s'il n'en subsiste pas d'autre vestige. Quelle différence y a-t-il entre l'agneau des montagnes et le mouton sauvage ? demanda-t-il au maître d'hôtel.

— C'est la même chose, Sahib, du mouton congelé d'Australie.

— Une lettre recommandée pour vous, Sahib. »

A côté de John, un garçon présentait une lettre sur un plateau.

« Mrs. John Ford, 134 Hoogly Avenue, Calcutta. Cela a été renvoyé ici », dit John qui se préparait à prendre connaissance du message quand la main d'Anne se tendit à travers la table.

« C'est pour moi, je crois. »

Il évita de la regarder tandis qu'elle ouvrait l'enveloppe. Cherchant à dissimuler l'impression de gêne sous un flot de paroles, Leo se mit à expliquer quelle importance les Indiens attachaient à la couleur de la peau.

« La question du pigment compte pour eux autant que pour nous, mon cher. Il n'y a qu'à voir les annonces matrimoniales dans les journaux. " On désire jeune fille de bonne famille, teint clair exigé. " Partout on insiste sur ce point. Même dans les ministères, m'a-t-on dit, on n'aime pas voir les Indiens du Sud occuper de trop nombreux postes : ils sont plus intelligents, plus instruits, mais, suprême grief, ils ont la peau sombre. »

« Chère Mrs. Ford, lut Anne, la demande que vous nous avez adressée au sujet du poste de professeur d'anglais à l'Institut Féminin de Khatmandou, au Népal, a été prise en considération par le Conseil d'Administration et nous avons le grand plaisir de vous annoncer que votre candidature a été agréée, sur la recommandation de la directrice, Miss Isabel Maupratt, qui fut, paraît-il, votre condisciple à Shanghaï. Miss Maupratt nous a parlé de votre livre et nous serons enchantés de compter parmi nous un véritable écrivain. Le contrat est établi pour une durée de six mois, à dater du 15 mars, renouvelable à la fin du semestre. Nous ne sommes pas en mesure de vous proposer un contrat de plus longue durée, ceci étant contraire à la politique du gouvernement du Népal. Le traitement... »

« Eh bien, fit John, voilà une longue lettre. Ta soupe refroidit. »

C'était maintenant qu'il fallait parler. En présence de Leo. Une fois dans leur chambre, seuls tous les deux, ce serait impossible.

« Je vais travailler », dit Anne.

Elle abaissa les yeux sur sa soupe, prit sa cuiller et se mit à manger sans regarder les deux hommes.

« Travailler ? »

Incrédule, John reposa sa cuiller. Une expression de profonde surprise se composait lentement sur son visage.

« Travailler ? »

Leo semblait un peu éberlué, mais il se ressaisit très vite et se mit à rire à gorge déployée :

« Ma chère, chère Anne, c'est charmant et vraiment fantastique. Quel genre de travail ?

— Professeur d'anglais à l'Institut Féminin de Khatmandou.

— Qu'est-ce que c'est que ça ? Quoi ? Qu'est-ce que tu as dit ? Professeur ? A Khatmandou ? Où diable ça peut-il être ? Je ne crois pas un mot de cette histoire. Comment cela s'est-il fait ? C'est la première fois que j'en entends parler.

— Naturellement, dit Anne d'une voix sourde, retrouvant soudain ce ton de violence contenue qu'elle avait pris tout à l'heure pour parler à Leo sur la terrasse du Taj Mahal illuminée par la lune. Je n'en avais soufflé mot à personne.

— Veux-tu t'expliquer, s'il te plaît ? ordonna John.

— J'ai écrit pour poser ma candidature, il n'y a rien à expliquer.

— Tu veux dire que tu as écrit pour postuler un emploi à Khatmandou et que tu ne m'en as jamais rien dit, *à moi* ? Khatmandou ? A propos, où est-ce, Leo ? Au Népal ? Au Népal, dans l'Himalaya ? Près de la frontière thibétaine. »

Comme on plonge pour sauver un noyé, Leo se jeta à l'eau :

« John, s'écria-t-il, c'est vraiment merveilleux et charmant ! Bien sûr Anne a voulu nous en faire la surprise, c'est une plaisanterie, une admirable plaisanterie. Elle a écrit pour postuler un emploi et elle l'a obtenu. Ah, ah, que c'est donc délicieux et bien féminin ! Ah, ah, ah !

— Ce n'est pas une plaisanterie, dit Anne, j'ai sollicité le poste et je vais partir pour Khatmandou... répéta-t-elle.

— Eh bien, je dois dire... » commença John.

Puis il se tut. John regardait Leo, Leo regardait Anne. Les yeux d'Anne demeuraient fixés sur son potage ; d'un geste mécanique, elle portait la cuiller à sa bouche, puis vers l'assiette. Son autre main, posée sur la table, serrait l'enveloppe.

« *Himmel,* songeait Leo, le feu sous la glace. Le voilà bien là. »

Il se rappelait son explosion de haine sur la terrasse, sa violence tendue et contenue. Soudain il eut un peu peur d'elle :

« Eh bien, Anne, dit-il gauchement, tous mes vœux vous accompagnent à Khatmandou.

— Merci, Leo. Comment se rend-on à Khatmandou, le savez-vous ? » demanda-t-elle.

Deuxième partie

La Vallée

Sur les pentes de l'Himalaya, entre le Thibet et l'Inde, s'étend le royaume du Népal. Enserré de toutes parts et coupé du reste du monde par ses imposantes montagnes, le Népal demeurait un territoire isolé, dont les gouvernants décourageaient vivement la venue des voyageurs et l'influence des mœurs étrangères.

Depuis 1951 tout a changé. Jusqu'alors le Népal était soumis à un régime despotique. De 1850 à 1950, les premiers ministres héréditaires, issus de la famille Rana, exercèrent le pouvoir suprême sous l'égide de rois privés de toute autorité. En 1950, à la suite d'une révolution de palais, le roi reprit le pouvoir, un ministère populaire fut formé et la domination des Ranas se trouva désormais abolie.

On peut diviser sommairement le Népal en trois régions : le haut pays de l'Himalaya, les contreforts de la chaîne et la jungle du Teraï, terre basse, marécageuse, infestée de malaria, mais renommée pour ses chasses au tigre et au rhinocéros.

Les contreforts de l'Himalaya, où habite la majeure partie de la population, forment plusieurs vallées fertiles, dont la plus large est celle de Khatmandou, située à 1 500 mètres d'altitude. C'est le centre administratif, économique et culturel du royaume. Elle occupe une surface d'environ trente-deux kilomètres sur vingt-huit, et est en majeure partie habitée par les Nevâris, artisans d'une habileté consommée. Les trois principales villes de la vallée, Khatmandou, Patan et Bhadgaon, ont une très ancienne et très glorieuse histoire. Leurs artistes et leurs architectes ont influencé les artisans chinois, et ce sont des architectes népalais qui passent pour avoir construit les temples et les monastères de Lhassa, au Thibet.

Jusqu'en 1951, il n'existait pas d'autre moyen d'accès au Népal que d'étroits chemins muletiers, souvent trop raides pour les chevaux, traversant les montagnes, soit pour venir des Indes, au sud, soit pour aller au nord vers le Thibet. Aujourd'hui une route accessible aux autos, construite par les ingénieurs de l'armée indienne, relie la vallée de Khatmandou à l'Inde. Jusqu'à ce que la route fût achevée (en 1956), l'avion était le seul moyen de transport pratique et rapide pour se rendre au Népal.

En 1955, l'ère du tourisme s'ouvrit avec l'arrivée de douze voyageurs — dix Américains et deux Brésiliens — pilotés par l'Agence Cook. En 1955, le Népal devint membre de l'O. N. U.

En mai 1956, le roi fut couronné au cours d'une cérémonie d'une splendeur fabuleuse filmée en cinérama et à laquelle assistaient soixante correspondants de presse étrangers.

(Extrait de *Focus*, publié par la Société Américaine de Géographie.)

Chapitre premier

Le cou tendu, Isabel Maupratt scrutait le ciel. Sur ses bras croisés appuyés à la clôture qui cernait le terrain d'atterrissage reposaient ses seins lourds, et elle en éprouvait une sensation agréable. Elle baissa la tête et glissa un regard dans le sillon qui les séparait. Pareils à deux colombes, à deux colombes au repos. Ces mots, doux comme un roucoulement, rôdaient dans cette région nébuleuse, crépusculaire du moi où Isabel, célibataire de trente-sept ans, était une autre personne que Miss Maupratt, licenciée ès lettres, fille de missionnaires et directrice de l'Institut Féminin de Khatmandou.

Des colombes. Ces mots lui paraissaient tout naturels, sanctifiés qu'ils étaient par la grosse Bible noire de famille apportée deux ans plus tôt par Miss Maupratt pour accomplir la tâche du Seigneur à Khatmandou. Chaque après-midi à 14 h 30, sauf le samedi, jour de repos au Népal, un Dakota transportant des passagers, du fret et le courrier, décollait de Patna, dans la plaine indienne, survolait la chaîne des collines du Sud et les vallées du Népal, pour venir atterrir à Gaucher, le nouvel aéroport de la capitale. Le trajet durait cinquante minutes. Ce jour-là, une houle de nuages semblables à des voiles gonflées, soyeux sous les reflets du soleil, s'amoncelait au-dessus des premiers contreforts, masquant les hauteurs du second plan et les sommets neigeux qui fermaient l'horizon. L'avion était peut-être là, dans la masse nuageuse, le pilote s'efforçant de trouver la vallée, décrivant des cercles jusqu'au moment où une fissure lui montrerait Khatmandou, ses flèches dorées, ses pagodes aux multiples toits étincelants et la tour blanche appelée Folie de Bhim Seng, pareille à un doigt levé vers le ciel bleu.

« Anne, se dit Isabel Maupratt, Anne, au bout de tant d'années. »

Autour d'elle s'étendait la magnifique vallée de Khatmandou, flottant dans une lumière d'or. Un paysage de Cézanne, éclairé par les bleus et les verts, les roses et les jaunes du printemps hima-layen. Sur la crête des douces collines aux contours évasés qui délimitaient la vallée, les arbres ondulaient comme des plumes, les haies étaient chargées de fleurs, l'air semblait empreint d'une fraîcheur transparente, une fraîcheur de pomme, celle de la sève nouvelle, de l'herbe tendre, des bourgeons gonflés mêlée à la fraîcheur péné-trante de la neige des montagnes. A travers les champs verts qui conduisaient au temple saint de Pashupatinath, non loin de l'aéroport, s'avançait une file ininterrompue de Népalais, hommes et femmes, des fleurs dans les cheveux ou sur l'oreille, qui allaient adorer leurs dieux. Deux Thibétains aux moustaches tombantes, au crâne tondu, et portant des caméras, vêtus de lourdes robes violettes dont une manche vide pendait derrière leur dos, la taille entourée de ceintures écarlates et jaunes, chaussés de bottes montant jusqu'aux genoux, s'appuyaient sur la clôture à quelques mètres d'Isabel, attendant eux aussi l'avion. Plusieurs petits mendiants, gris de poussière, leurs bonnets népalais tissés à la main posés de côté d'un air désinvolte (à la mode du Népal) sur leurs cheveux parsemés de poux, guignaient Miss Maupratt par derrière et se livraient à des commentaires gaillards et précis. Miss Maupratt saisit par hasard une de leurs paroles et croisa les bras plus fort sur sa poitrine. Quels affreux polissons, quels sales gamins! Les Népalais étaient tous les mêmes, ils n'avaient qu'*une seule chose* en tête, tout le temps. Même les enfants. Il fallait avoir un œil d'aigle pour surveiller les élèves de l'Institut, sinon elles passeraient tout leur temps à chuchoter dans les coins, à caresser leurs bracelets de mariage, en riant de cet éternel rire cristallin qu'Isabel trouvait si insipide... comme si la vie était toujours merveilleuse, comme s'il n'y avait pas les mêmes âmes à sauver, le péché, la nécessité de souffrir pour son propre bien. C'était à cause de ces... ces sculptures et de ces dessins abominables qu'on voyait partout, songeait Isabel Maupratt, agitée par l'étrange frémissement qui s'emparait d'elle chaque fois qu'elle y pensait. Ces objets horribles — oui, horribles, elle faisait tout son possible pour ne *jamais* les regarder. Quand Miss Maupratt passait devant un temple, elle assujettissait à fond ses lunettes de soleil et poursuivait rapidement sa route. Il ne fallait surtout pas lever les yeux:

« Dégoûtant, dégoûtant! » disait-elle tout haut, d'une voix chevrotante.

La terre trembla autour d'elle et un moment s'écoula avant qu'Isabel se rendît compte que l'agitation de ses pensées n'y était pour rien, mais qu'il s'agissait d'un phénomène extérieur, d'une vibration du sol et de l'air. L'avion approchait de la Vallée, bruyant bien qu'encore invisible. Les deux tentes légères plantées sur le terrain d'atterrissage, qui servaient de bureaux pour les services de la douane et des passeports, semblaient vaciller. Par les ouvertures, on en vit sortir deux beaux jeunes Népalais, portant les souples bonnets noirs, les redingotes noires boutonnées et les jodhpurs blancs des fonctionnaires. D'un air méditatif, ils considérèrent le ciel où, tel un grand dieu-oiseau, un Garuda d'argent, l'avion apparaissait, tandis que les Thibétains s'exclamaient en se le désignant l'un à l'autre. Le Dakota tourna autour de l'aéroport, perdit de la hauteur après avoir décrit une large boucle et toucha soudain terre, semblant avaler la longue bande blanche de la piste d'envol, accourant à toute vitesse vers Miss Maupratt. Pendant un instant d'égarement, Isabel Maupratt s'imagina projetée au sol sur le dos par cette énorme masse ailée qui allait rouler sur son corps.

L'avion s'immobilisa, puis tourna, lent et maladroit, tandis que les hélices semblaient renverser leur mouvement. Miss Maupratt se redressa : « Je me demande si je vais la reconnaître.» Des Népalais vêtus de lainage gris tissé à la main, les cuisses nues jusqu'à la naissance des fesses, poussèrent l'échelle contre la porte de l'avion prête à s'ouvrir, exploit qu'ils accomplirent avec accompagnement de rires et de plaisanteries obscènes. Des employés indiens de la ligne aérienne, grands et très bruns, en pantalons de marin et chemise blanche, gravirent l'échelle sans se presser, du long pas nonchalant d'hommes conscients de leur qualité de mâle et se sachant par conséquent désirables. Bientôt ils redescendirent et les passagers surgirent derrière eux l'un après l'autre : cinq Népalaises, vertes et moites, encore en proie au mal de l'air, empêtrées dans l'ourlet de leur sari, puis une Thibétaine au visage de cuivre encadré de splendides tresses, lourdes et épaisses, parée de grands bijoux d'or incrustés de turquoises, chargée d'un bébé, d'un grand sac fourre-tout en plastique et d'un ventilateur électrique, entourée d'une petite troupe d'adolescents thibétains, les filles en uniforme de couvent, les garçons en veste de sport de velours émeraude. Les deux hommes qui l'attendaient lui lancèrent un appel guttural et les adolescents agitèrent les mains en poussant des cris. Un officier de Ghurkas britannique, avec une épaisse moustache en croc, portant un sac de cuir ventru, vint ensuite, suivi de deux fonctionnaires népalais munis de parapluies noirs accrochés dans le dos au col de leur veste, puis de quatorze touristes américains, avec manteaux, sacs, appareils photographiques, cannes, feutres souples et chapeaux fleuris.

« Des Américains. » Un murmure respectueux s'éleva et flotta parmi les mendiants, maintenant multipliés, cohue où se mêlaient les âges et les sexes. Puis, ainsi qu'une bourrasque soudaine, ils déferlèrent en direction de l'avion, agitant une crête écumante de mains, comme pour agripper l'opulence qui descendait l'échelle de l'appareil.

« Vingt années. Je me demande si je vais la reconnaître. » Vingt ans plus tôt, les parents d'Isabel dirigeaient une école de mission à Shanghaï. Anne y était interne. Elle faisait partie de cette petite poignée d'Eurasiennes, de Russes blanches et d'enfants illégitimes qui n'allaient jamais chez elles pour les vacances. Isabel voyait encore les lèvres pincées de sa mère et entendait sa voix quand elle lui disait : « Ma chérie, *il faut* que nous soyons gentilles avec Anne, sa mère est actrice. »

Un jour la mère d'Anne était venue la voir, et Isabel se rappelait la robe de soie rose, le boa de plumes gris perle, les souliers à boucle, l'arrêt du pousse-pousse qui l'avait amenée devant la grille à l'heure de la récréation, et Anne courant, courant, mais *pour s'enfuir*, tandis qu'Isabel, sidérée, suivait des yeux les minces jambes brunes, puis revenait vers la femme en rose qui descendait maladroitement du rickshaw avec quatre boîtes de chocolats dans les bras. (Isabel voyait encore briller les rubans d'argent et d'or qui les entouraient.)

Et maintenant Isabel était là, dans ce Khatmandou, et Anne... mais cette fois Anne arrivait, descendait l'échelle, vêtue d'une robe marron clair étroitement ajustée sur son corps mince, les pieds nus dans des sandales, ses cheveux sombres volant au vent, exactement la même qu'autrefois, avec cet air extraordinaire d'apparente docilité — la docile Anne, aux soudaines fureurs et aux longs silences, s'avançait tout droit vers Isabel.

« Anne ! cria Isabel, hou, hou, Anne, A-anne ! »

L'instant d'après elle serrait dans ses bras Anne, qui lui avait tendu la main, et elle s'entendait lui dire d'une voix haut perchée :

« Ma chérie, quel plaisir ! C'est vraiment trop, trop merveilleux, après tant d'années. Je n'aurais jamais rêvé... Avez-vous reçu ma lettre ? Oh, mais bien sûr, puisque vous m'avez répondu ! Que je suis sotte ! Mais vous n'avez pas changé le moins du monde, c'est merveilleux !

— Vous n'avez guère changé, non plus, Isabel. »

Anne avait toujours cette bizarre façon d'articuler chaque mot très exactement, en faisant même

46

sentir la ponctuation, comme si elle tapait à la machine, ce qui établissait aussitôt les distances. Elle ne regardait pas Isabel, mais le paysage de la Vallée qui l'entourait ; ses yeux et sa tête suivaient la ligne des collines, et la flaque d'or du soleil la faisait un peu loucher.

« Khatmandou », dit-elle en avalant sa salive, et elle ouvrit la bouche comme si elle avait du mal à respirer.

« Ma chérie, c'est l'altitude, nous sommes ici à près de 1 500 mètres, au début, c'est un peu éprouvant. Avez-vous le cœur solide ? Le mien n'est pas excellent, vous le savez. Si vous vous en souvenez, j'ai eu du rhumatisme aigu à Shanghaï pendant notre dernière année d'école. »

Anne inclina la tête, mais son visage se referma soudain quand Isabel, d'un geste affectueux, lui serra un peu le bras.

« Je me sens très bien, c'est seulement parce que je trouve ce pays tellement joli !

— Je savais bien qu'il vous plairait. Quel bonheur de songer que vous le trouvez si charmant ! Oui, c'est *vraiment* une jolie vallée. L'hiver, on voit les sommets neigeux toute la journée, bien que parfois ils se couvrent de nuages après le déjeuner. Seulement il y a *les gens* ajouta-t-elle à voix basse. Ma chérie, vous vous apercevrez que tout est bien différent ici. Ils sont d'une ignorance... on s'efforce de les aider... ils ne s'aident pas le moins du monde.

— Voici John, mon mari », dit Anne.

John avait été retardé par un ménage sikh accompagné d'un petit garçon de sept ans qui hurlait et refusait de quitter l'avion. Comme tous les enfants gâtés en Asie, il avait fallu le cajoler le caresser, le supplier jusqu'à ce qu'il consentît à descendre l'échelle, marche par marche, tandis que son énorme père barbu bloquait le passage et applaudissait à chacun de ses pas. Isabel échangea une poignée de main avec John, et John vit une grande femme, assez forte, à l'air autoritaire, au menton saillant.

« Voici Isabel Maupratt », dit Anne.

John jugea aussitôt qu'Isabel devait être capable, sérieuse et douée de bon sens. Le genre de femme qu'on rencontre aux colonies dans les services d'assistance sociale ou parmi les infirmières majors dirigeant des hôpitaux.

« Eh bien, nous n'allons pas rester debout ici toute la journée, dit-il d'un air aimable. Commençons par récupérer les bagages, si du moins les gars de Patna ne se sont pas trompés d'avion en les chargeant. Jamais je n'ai vu un chaos tel qu'à Patna. Comment les choses finissent-elles tout de même par se faire, cela me dépasse !

« Voyons... les passeports. Où faut-il aller pour faire viser les passeports ? Sous ces tentes ? Sapristi, c'est plutôt primitif ici, il me semble ? Et où sont les passeports, Anne ? C'est moi qui les ai ? Pas le tien, je suis absolument certain de n'avoir pas... oh, le voici ! D'ailleurs, il vaut mieux mettre tous les papiers ensemble. »

Comme toujours, les débrouillards et les impatients trouvèrent le moyen de compliquer la simple opération consistant à attendre que fût achevé le tri des bagages. John et les touristes erraient, s'agitaient en tous sens, réclamant à grands cris leurs colis, demandant qu'on visât leurs passeports, brisant ainsi le bel élan de l'arrivée en menues particules d'appréhension, d'inquiétudes et de questions, si bien que le souvenir du changement, la rapide montée la plaine brûlante de l'Inde vers la fraîche vallée du Népal, devenait comme une gomme mâchée, une masse amorphe et sans saveur. Anne demeurait là sans rien faire, à la vive irritation de John et d'Isabel. Elle s'était éloignée d'eux, elle n'était plus avec eux. Elle regardait les collines, les champs, les mendiants. John arpentait le terrain, son appareil photographique cliquetant et ballottant sur sa poitrine, s'engouffrait sous les tentes, en ressortait. On n'avait pas encore commencé à décharger les bagages, et les passeports étaient toujours serrés en pile instable contre la poitrine de l'hôtesse de l'air, une grande fille vêtue d'un sari que le vent semblait sculpter sur elle.

« Il y a un tel manque d'organisation dans ce pays! dit Isabel. Mais je vois que John sait se débrouiller. Dieu merci, nous avons avec nous un homme pour mettre un peu d'ordre dans tout cela, sinon nous resterions ici toute la nuit à attendre. »

Isabel s'aperçut alors qu'Anne avait déposé à terre son sac et sa machine à écrire.

« Oh, faites attention, mon petit. Si vous voulez bien, je vais m'en charger. Les gens d'ici ont les doigts si agiles! Il ne faut jamais, jamais rien laisser traîner et toujours mettre tout sous clef.

— Je ne mets jamais rien sous clef, dit Anne d'un air hostile.

— Eh bien, vous y serez obligée à Khatmandou. Même au *Royal Hotel*, où les garçons sont tous triés sur le volet, une touriste a perdu une bague en diamants qu'elle avait laissée dans sa chambre. Elle était sortie sans fermer à clef : cela a été fait en quelques instants.

— Elle l'aura probablement retrouvée dans son sac par la suite », dit Anne.

Isabel lui lança un regard aigu. Anne n'avait pas changé! Docile, paisible, obéissante même — et puis survenait la brusque flambée, la foudre dans un ciel bleu. Vingt ans s'étaient écoulés et Isabel éprouvait une impression bizarre, pénible et pourtant agréable en se rappelant l'école et Anne punie, Anne debout derrière le tableau noir, coiffée d'un bonnet sur lequel était écrit *Le Démon est en moi.*

« Je n'arrive pas à comprendre cette enfant. (La voix sèche de sa mère traversait ces vingt années.) J'ai prié, tant prié *pour* elle et *avec* elle. Et je suis sûre que mes prières sont entendues. Pas plus tard que la semaine dernière, elle était désolée d'avoir été si méchante, et puis la voilà qui recommence à pécher. Je lui ai expliqué que ses péchés faisaient souffrir Jésus et, le croirais-tu, elle m'a répondu que cela lui était égal ! C'est Satan, de toute évidence, qui se manifeste à travers cette enfant. Oh, Isabel, il nous faut prier pour elle, avec beaucoup de ferveur. »

Et Isabel avait prié pour Anne avec ferveur. Aujourd'hui, elle n'arrivait plus à savoir quels étaient les péchés d'Anne, mais elle se rappelait nettement les prières qu'elle disait pour elle, ses genoux douloureux, la joie exaltante qu'elle éprouvait à prier pour Anne.

John revenait plein d'importance, harassé et heureux : « Tout est en ordre, annonça-t-il, on sort enfin les bagages. Grands dieux, quelle pagaille ! Personne n'est au courant de rien dans cet endroit. »

Devant les tentes, on avait installé deux petites tables auxquelles s'étaient assis les fonctionnaires népalais. C'étaient de minces jeunes gens à l'air doux, qui paraissaient avoir dix-neuf ans, avec des cheveux bouclés et brillants, de longs yeux obliquant légèrement vers les tempes. Leurs traits offraient un mélange des types indien et mongol, visages ovales, nez droits aux sourcils arqués, une peau et des dents admirables.

«Ce sont des Nevâris, les aborigènes de la vallée de Khatmandou, expliqua Isabel à John. De fort beaux hommes. Certains prétendent que c'est le peuple le plus artiste du monde. D'ailleurs vous verrez leurs temples, leurs pagodes, leurs maisons. Vous ne *pouvez* pas n'en pas voir ici, la Vallée est littéralement jonchée de sculptures. Personnellement, je ne les apprécie guère : c'est vraiment dommage que des gens si bien physiquement créent des objets aussi révoltants. *Moi*, je n'arrive pas à trouver cela beau ; mais il ne faut pas qu'à peine arrivés vous soyez prévenus contre le pays. »

John la regarda d'un air admiratif :

« C'est fort intéressant, dit-il en hochant la tête, comme si une question des plus importantes était en jeu, tout en dévisageant les fonctionnaires. Pour moi, j'aurais cru ces gens-là sans énergie, efféminés, à la suite sans doute de mariages consanguins. (Isabel acquiesça d'un signe de tête énergique.) C'est curieux que nous en ayons fait de si bons soldats. Les Ghurkas sont originaires de ce pays, n'est-ce pas ?

— Mais les Ghurkas appartiennent à une race toute différente. Ils viennent des collines situées à l'ouest du Népal, un grand nombre d'entre eux ne sont même jamais allés à Khatmandou, précisa Isabel. En fait, il existe au Népal toute une série de groupes ethniques : Thibétains, Botthyas, Gurungs, Limbus, tous très différents les uns des autres. Les aborigènes de la vallée de Khatmandou sont, comme je vous le disais, des Nevâris. Race sujette, bien entendu : pendant des dizaines d'années ils ont été gouvernés par les Ranas. Les Ranas ne forment en réalité qu'une seule grande famille, issue d'une caste guerrière de l'Inde, les Rajpoutes. Actuellement, ils ne gouvernent plus le pays ; mais ils sont encore très puissants.

— Ces Nevâris sont mous comme des chiffes, affirma John, je vois bien maintenant qu'ils sont très différents de *nos* Ghurkas, petits et râblés d'une endurance exceptionnelle. Très intéressant, vraiment », répéta-t-il.

Avec une sérénité imperturbable, les deux jeunes fonctionnaires continuaient à remplir des formules en quatre exemplaires. Les touristes américains, furieux, passaient et repassaient devant eux comme des lions en cage. Une foule de porteurs, aussi dépenaillés que des mendiants, si ce n'est qu'ils n'avaient même pas de pantalons, emplissaient l'air de rires bruyants, tandis qu'ils allaient et venaient en courant de l'avion aux tentes, transportant des boîtes et des caisses, des valises et des sacs, qu'ils laissaient choir au hasard. Les cris de colère des touristes n'avaient d'autre résultat que de les exciter davantage à jouer ainsi à pile ou face avec les colis. « La douhâne, la douhâne », s'esclaffaient-ils en se précipitant pour aller chercher un nouveau chargement. Impassibles comme des dieux de pierre, les deux douaniers continuaient à écrire, en hochant aimablement la tête chaque fois qu'ils rendaient un passeport visé à son propriétaire, et se bornaient à jeter un regard rapide sur le contenu des bagages qui les entouraient.

« Mon sac, oh, mon sac ! » cria une voix perçante.

Une petite femme rondelette, sanglée dans un manteau bleu clair, un chapeau garni d'une plume sur ses cheveux artificiellement blonds, était aux prises avec un Népalais aux jambes nues, de la taille d'un enfant de douze ans, qui cherchait à

52

s'emparer d'un sac volumineux. John pétrifia le gamin en braquant soudain vers lui un index redoutable et en criant d'une voix de commandement :

«Pose cela par terre, par terre immédiatement!»

Le gamin rit, laissa tomber le sac aux pieds d'Anne, et s'en fut d'un pas nonchalant, acclamé par tous ses amis. Anne se baissa pour ramasser le sac et le remettre à sa propriétaire. Il portait, gravée en lettres noires dans le cuir, l'inscription : «Eudora Maltby, professeur de musique inspirationnelle. New York et Londres.»

«Oh, merci, merci, gémit Eudora Maltby. Oh mon Dieu, cela débute *tellement* mal! Etant donné la façon dont ils ont traité mes bagages, je ne sais absolument pas comment je vais pouvoir concentrer ma pensée sur l'idéal de beauté que je suis venue, je le sais, apporter à ces gens.»

Isabel la dévisagea :

«On fait de son mieux, dit-elle. Bien sûr il ne faut pas s'attendre à obtenir la perfection. Ici, dans l'Himalaya, nous ne pouvons guère que déblayer le terrain. Le Thibet et la Chine Rouge sont à nos portes.

— J'espère que l'hôtel est propre, je ne peux pas supporter la saleté. J'ai câblé tout spécialement pour savoir s'il y avait des installations sanitaires modernes. Sinon, je n'aurais pas pu venir.»

Et maintenant tout rentrait dans l'ordre. Les porteurs poussèrent les bagages de John et d'Anne dans la jeep d'Isabel. D'autres jeeps — les taxis et les voitures particulières de Khatmandou — emmenèrent les touristes au *Royal Hotel*. Pleine de sollicitude, Isabel jeta son manteau sur les épaules d'Anne :

«Il fait froid ici, ma chérie, on gèle dès que le

soleil est couché et vous n'avez que votre robe. Où est votre manteau ?

— Quelque part dans mes bagages, dit Anne, j'ai oublié de l'en sortir.

— Ça, c'est tout à fait Anne, dit John. Elle oublierait sa tête si elle n'était pas vissée sur son corps. Je me demande ce qu'elle deviendrait s'il lui fallait voyager seule. Etait-elle déjà comme cela à l'école, Miss Maupratt ?

— Oh non, Anne n'oubliait jamais *rien*, n'est-ce pas, Anne ? dit Isabel, loyalement.

— Dites-moi, où donc est le mont Everest ? dit John. J'ai jeté un coup d'œil par la vitre de l'avion pendant que nous survolions la chaîne du Sud, mais je n'ai rien pu voir. Grosse déception.

— On n'aperçoit pas le mont Everest de la vallée de Khatmandou, dit Isabel. D'autres sommets, oui, mais pas l'Everest.

— Dommage. Je me réjouissais de voir d'ici l'Everest et peut-être de faire quelques ascensions. Dans ma jeunesse, j'étais bon grimpeur, vous savez. »

A grand renfort de grincements dans les engrenages, la jeep démarra et se mit en devoir de parcourir les dix kilomètres de la route — non goudronnée — reliant l'aéroport de Gaucher à la ville de Khatmandou. Le soleil s'enfonçait derrière les collines ; tout à coup la lumière baissa, puis disparut complètement, et il se mit à faire très froid.

Chapitre 2

Journal   Khatmandou, un mot, une volée de
d'Anne   cloches — cloches de bronze,
             douces et graves, dont le prodi-
gieux écho retentit parmi les montagnes. Je l'ai
entendu pour la première fois à Calcutta, à un
cocktail donné par le consul de France en l'honneur du photographe François Lunéville, qui était
alors notre invité payant.

« Khatmandou, dit le Consul de France.

— Qu'avez-vous dit ? »

Quelque chose, un souffle prémonitoire, vibra
dans ma chevelure, je sentis ma peau se hérisser
sous l'effet insolite de la chair de poule.

« Khatmandou, répéta-t-il.

— Où est-ce ?

— Au Népal, la terre des dieux. Vous devriez y
aller, Madame. C'est encore l'Eldorado. Des pics
neigeux et des temples, des tigres et des roses, des
palais et des dieux, des dieux à n'en plus finir.
Tout le monde est dieu là-bas, hommes et bêtes,
pierres et arbres. »

Khatmandou. Echo des cloches de la montagne,
tintant, s'attardant, résonnant, se répercutant
d'une pente à l'autre. Quelques jours plus tard,
l'écho se fit mot, en caractères imprimés, sous
forme d'une annonce parue dans le *Statesman* de

Calcutta : « On demande un professeur d'anglais (dame) pour l'Institut Féminin de Khatmandou, Népal. » Je fus incapable de résister à l'appel de Khatmandou et j'écrivis pour poser ma candidature. Sans en parler à John. Sur ces entrefaites, François nous quitta pour s'en aller faire un reportage photographique en Indochine et son ami Leo Bielfeld vint habiter chez nous. Nous allâmes ensemble à Agra, et c'est là que la réponse me rejoignit. Jusqu'alors j'avais cru à Khatmandou comme au Père Noël quand j'avais six ans, sachant qu'il n'existait pas, pleine d'espoir pourtant et priant de toutes mes forces pour qu'il existât, avec son traîneau tiré par des rennes, son sac de jouets, enfin tout, et je guettais un signe. Si je rencontre aujourd'hui un cheval blanc, me disais-je, alors, le Père Noël existe. J'ai joué le même jeu à Agra avec Leo. Si Leo ne me fait pas la cour aujourd'hui, Khatmandou existe. Leo me fit la cour, mais la lettre vint pourtant. Au long des semaines écoulées, lè souvenir s'en était estompé, comme si j'avais un jour rêvé de cloches... et puis tout à coup les cloches étaient là, résonnant de leur voix grave et douce. Khatmandou existait, ce n'était pas une de ces inventions des grandes personnes que les enfants ne sont pas autorisés à déclarer mensongères, l'une de ces inventions auxquelles on nous amène à croire jusqu'à ce qu'elles fassent partie de nous-mêmes, après quoi les adultes nous en dépouillent (une grande fille comme toi, croire encore au Père Noël !) et les débris déchiquetés, tels les bords d'un verre brisé, vous blessent quand on y touche.

Je ne pouvais dire à John et à Leo que j'avais écrit *à cause* d'un mot, que je voulais aller dans un endroit *à cause* de son nom.

Leo n'aurait pas compris et John non plus. Bien

sûr, John est mon mari, j'ai de l'affection pour lui et je suppose qu'il en a pour moi, nous sommes mariés depuis six ans... oh, à quoi bon ? Je ne vois pas pourquoi je me mentirais à moi-même, fût-ce en écrivant. Quoi qu'il en soit, j'ai eu peur, une fois la chose faite, que John se mît à parler sur ce ton qu'il prend et que je ne pourrai plus supporter longtemps (je ne cesse de répéter cela et pourtant je n'en continue pas moins à le supporter — comme c'est bizarre !).

J'avais préparé des arguments : les appointements semblaient élevés, j'éprouvais le besoin d'avoir une occupation, et puis sans doute Khatmandou me fournirait-il d'intéressants sujets de nouvelles. J'allais pouvoir gagner de l'argent et Calcutta était bien chaud en été, alors pourquoi n'irions-nous pas à Khatmandou ? Rien ne nous empêcherait de retourner par la suite à Calcutta.

Ce soir-là, quand nous eûmes pris congé de Leo, j'allai tout de suite à la salle de bains où je m'enfermai, rassemblant tout mon courage. Quand j'en sortis, John s'était déjà déshabillé. Nous nous mîmes au lit sans un mot, comme il est habituel dans notre morne et discourtoise vie commune. Je ne devrais pas dire cela, mais je ne puis mentir davantage, sinon je redeviendrais une morte, la morte que j'ai été pendant si longtemps, jusqu'au jour, en fait, où j'ai entendu prononcer le mot de Khatmandou. Bien sûr j'ai tort de dramatiser. Pourtant il est vrai que soudain j'ai envie d'écrire, d'écrire, alors que j'ai passé des mois assise devant ma machine, l'œil vague, me pressurant l'esprit pour en tirer des mots usés, mais lucratifs, destinés à des magazines, des mots éculés, des récits sans intérêt, supercherie aussi illusoire que les images d'un théâtre d'ombres, mais grâce à laquelle je prétendais être encore un écrivain.

Et maintenant, moi qui depuis des années n'ai pas écrit une ligne que j'aie eu envie d'écrire, voilà que soudain je recommence à écrire pour mon plaisir, pour moi, à rédiger un journal pour y parler de moi. Je me sens un peu guindée, j'ai perdu l'habitude de communiquer avec moi-même, de me parler, et pourtant je veux, je dois tenir ce journal, je veux retrouver, en tâtonnant, le moi que j'avais perdu, et le coucher sur le papier même s'il cherche à m'échapper au moment même où j'écris. Vite, vite, j'ai soudain envie de me voir vivre, j'ai envie de savoir, j'ai envie... car rien n'est réel, rien n'est vrai, il n'arrive rien, tant que la chose n'a pas été observée, notée et écrite sous forme de mots semblables à des cloches sonnant les variations de l'amour et de la haine, de la beauté, du bonheur et de la détresse. Sans les mots, qu'existe-t-il vraiment de nous ? Peut-être toute vie n'est-elle ainsi que l'écho, la prolongation du son dans un symbole, alors que la cause originelle, la cause première, le coup qui provoque le son délicieux, n'existe plus. Vite, vite, il s'est passé tant de choses dans cette brève demi-journée que je vais, semble-t-il, demeurer toute la nuit à les noter sans avoir le temps d'achever. Mais il faut que je recueille tous les détails, que je les filtre en quelque sorte, afin de les rassembler dans ce griffonnage, car tout cela est terriblement important — pourquoi ? je l'ignore. C'est à l'aide des mots, des noms, que le monde tel que nous le connaissons peut surgir du néant. Grâce à des mots écrits sur le sable, décrivant le ver de terre ou les étoiles, les hommes peuvent tous exiger la même immortalité ; l'immortalité, un reflet... un écho, un écho.

Oui, pendant cette demi-journée, à partir de l'instant où, à deux heures de l'après-midi, nous avons quitté la plaine pour la vallée, il s'est passé tant de choses, ou plutôt tout ce qui s'est passé est devenu si important, si riche de vie et de sens, que je ne puis attendre davantage pour le noter tout au long. Une intense allégresse m'habite et, assise ici à écrire après avoir passé à peine cinq heures à Khatmandou, je sens en moi un tel bouillonnement que je ne sais par où commencer. Comme ferait un enfant, je vais d'abord décrire l'endroit où je me trouve, les perruches rieuses vertes et roses peintes sur le mur parmi des tournesols dorés... mais j'anticipe.

Patna, dans la plaine, ville plate et jaune où le large Gange roule ses eaux lourdes; l'aéroport et l'éternelle confusion régnant sur sa véranda où les passeports et les bagages sont examinés en même temps sur deux petites tables; les employés de l'*Indian Airline* surmenés et fantasques, la sonnerie incessante du téléphone et le vent brûlant de mars, criblé de sable... C'est vraiment à Patna que tout a commencé.

« Êtes-vous sûre que nous allons bien à Khatmandou ? » demandai-je à l'hôtesse de l'air indienne tandis que nous défilions sur la piste d'envol, en direction de l'avion prêt à partir.

« Oh, tout à fait sûre, répondit-elle en riant, et, l'an prochain, nous irons peut-être à Lhassa. Qui sait ? »

Comme pour confirmer cette supposition, une Thibétaine marchait devant moi. Elle avait un visage brun rayonnant d'intelligence, de l'or et des turquoises dans d'épais cheveux brillants. Entourée de cinq enfants, elle portait un ventilateur électrique et un bébé. Dans l'avion, elle s'assit près de moi, de l'autre côté du couloir central. Elle me raconta que ses filles faisaient leurs études au couvent de Darjeeling.

«Mon aînée vient de passer l'examen de Cambridge, précisa-t-elle avec fierté.

— Vous habitez au Thibet? demandai-je.

— Oui, nous vivons une partie de l'année à Lhassa, mais nous allons souvent faire un tour à Calcutta pour nos achats et à Khatmandou pour y voir des amis», dit-elle, comme s'il s'agissait d'entrer en passant chez une voisine pour prendre le thé.

Il y a cinquante minutes de vol entre Patna et Khatmandou. Les autres passagers se pressèrent contre les vitres pour apercevoir les pics enneigés, mais nous étions dans un nuage, un vrai rêve de confiseur, une somptueuse pièce montée en sucre filé, garnie de crème fouettée et de glaçage, destinée à une fête d'anniversaire dans l'Olympe — et les pics neigeux demeurèrent invisibles. Puis les nuages s'écartèrent. Au-dessous de nous s'étendait un paysage tourmenté; ce n'était plus la plaine indienne illimitée, plate, découpée en damiers, mais des collines aux arêtes vives, enfilées comme un chapelet embrouillé, formant des anneaux, des nœuds, s'emboîtant en queue-d'aronde, entortillées, poussant et plongeant, se fondant les unes dans les autres, des crêtes emmêlées, des ravins tortueux et d'étroites vallées, un paysage boursouflé et mouvant comme si les montagnes étaient encore en formation, bouillonnant telles les vagues de la mer en un gigantesque tourbillon, comme si elles n'avaient pas fini de se bousculer pour trouver leur place. Un nuage encore, où l'ombre de l'avion s'irisait des couleurs de l'arc-en-ciel; une autre fente dans le nuage, puis, au-dessous de nous, verte et or, or et verte, encerclée de collines, ravissante, une large vallée que suivait en son milieu un cordon d'eau clair et enfin une ville, une ville avec des flèches et des toits d'or étincelants, pareille à la garde d'une épée ornée de pierreries.

« Khatmandou ! hurla la Thibétaine, penchée vers mon oreille.

— Je sais ! » hurlai-je à mon tour.

Nous descendions. Des champs verts et jaunes, tel un dessin tracé sur une aile d'abeille, de petites fermes couleur d'ocre, des pagodes aux multiples toits, des bouquets de maisons en brique rose, de vastes demeures blanches à colonnades entourées de parcs bien dessinés. C'était tellement extravagant d'aller dans les monts Himalaya en avion et de trouver une vallée dorée qui pourrait être en Suisse ou en Italie du Nord, encadrant une ville pareille à une cité fabuleuse du Cathay vue par Hollywood. Pour bien la décrire, il faudrait recourir aux clichés habituels de la propagande touristique : Khatmandou la souriante, le Népal ensoleillé et, bien sûr, l'Eldorado, l'Eldorado.

Le terrain d'aviation s'étendait au-dessous de nous. L'avion y descendit, la porte s'ouvrit, nous sortîmes, et là, appuyée sur la barrière, je vis Isabel Maupratt. On eût dit qu'elle ne pouvait être nulle part ailleurs que là, à m'attendre pour m'accueillir à Khatmandou. Sa silhouette était plus lourde que je ne me la rappelais, elle donnait l'impression d'une masse achevée et permanente, imposante et impérieuse, droite, ferme et solide, vêtue de marron ; les Népalais en lainage gris qui l'entouraient paraissaient tout petits. Les bras croisés, elle ressemblait à Boadicée[1] et sa robe

1. Vaincue par les Romains (61 après J.-C.), Boadicée, reine d'une partie de la Grande-Bretagne, s'empoisonna pour échapper aux outrages des vainqueurs. (N. du T.)

plaquée sur elle par le vent luisait comme une armure. Mais, comme je m'avançais vers elle, je vis ses yeux sous les secs cheveux bruns partagés par une raie médiane et soigneusement ondulés : des yeux désespérés, saillants dans son visage massif, comme si elle attendait quelque chose, une chose qui n'était pas arrivée et n'arriverait jamais, à moins qu'elle ne demeurât sans cesse en éveil, ouvrant sur le monde ces yeux avides, désespérés.

Elle parla la première : « Anne ! Hou-hou ! » Puis elle me serra violemment dans ses bras, avec une ardeur en partie seulement justifiée par les circonstances, puis ce furent les mensonges habituels, chacune de nous affirmant à l'autre qu'elle n'avait pas changé.

Après quoi elle redevint telle qu'elle est en réalité, je suppose, dogmatique et sûre de soi. J'étais lasse et je regardais autour de moi.

Khatmandou...

Tout ceci est bien réel. On prétend qu'il existe un état appelé allégresse des montagnes : en altitude, on éprouve, dit-on, une étrange ivresse, voisine de l'extase ou de la folie. Nous sommes à 1 500 mètres dans la vallée de Khatmandou. Mais j'étais déjà folle rien que pour avoir entendu l'écho de ce nom. Qu'est-ce donc alors quand on découvre qu'on y arrive vraiment et que Khatmandou est là, le cœur même du printemps : un soleil doré effaçant les sommets des collines, la douceur de l'air, imprégné du parfum de pétales de fleurs écrasés et mêlés à sa substance, les tisons roses des fleurs d'amandiers et de pruniers semblables à des buissons ardents, plus lumineux, à mesure que le soir devient bleu et sombre. Une route poussiéreuse, des jeeps cornant, cornant sans arrêt, prenant des virages au gré de leur fantaisie, et toujours surchargées. Des gens de petite taille, fiers, avec de beaux visages, des yeux allongés et relevés vers les tempes, enveloppés dans des châles blancs ou gris, réservés et pauvres. Soudain des trompettes sonnent et l'on voit défiler une compagnie de soldats de plomb aux épaulettes en ganse d'or et aux tuniques rouges. Des maisons sculptées du toit au seuil, une rue entre deux murs de brique rose emprisonnant à son extrémité une énorme orange, le soleil. Et la joie, la joie d'être, la simple joie d'être vivant.

Je crois qu'Isabel s'inquiéta de me voir garder le silence pendant les dix kilomètres qui nous séparaient de l'Institut Féminin, mais j'étais incapable de parler, car, pendant cette demi-heure, dans le soir tombant, je réapprenais à voir et à entendre.

Il était convenu que nous resterions pendant quelques jours chez Isabel à l'Institut ; ensuite il y aurait une chambre libre au *Royal Hotel*.

« C'est le seul où l'on puisse descendre, déclara Isabel. Pour le moment il est plein de touristes américains. Et ce sera pire encore dans deux mois d'ici, pour le couronnement du roi du Népal. »

Il m'était difficile de concentrer mon attention sur ce que je voyais, car John et Isabel ne cessaient de parler. Isabel récriminait, expliquait combien il était compliqué de tout faire venir par avion.

« Ce sont les Indiens qui ont installé l'aéroport et maintenant ils construisent une route pour les Népalais, une route vers l'Inde. Tout doit passer par l'Inde pour revenir au Népal. Il n'y a pas d'autre voie d'accès, sauf le Thibet. La route sera achevée à la fin de l'année et peut-être la vie sera-t-elle moins chère alors. »

Isabel entama ensuite une série de « Vous souvenez-vous ? » et voulut savoir ce qui s'était passé « pendant ces vingt longues années ». John lui raconta notre mariage, comment nous nous étions connus en Inde.

« Il faut absolument que je me procure votre livre, dit Isabel, manifestant un grand enthousiasme. Je suis sûre qu'il me plaira. »

A un certain moment, elle me jeta un de ses regards d'épagneul, mais l'instant d'après elle se détourna, reprit son attitude sculpturale, redevenue une Boadicée aux gestes brusques à bord d'une jeep, nous disant combien les Népalais étaient peu reconnaissants de ce qu'on fait pour eux, et j'eus l'impression que c'était de mon ingratitude, de mon silence, qu'elle se plaignait :

« C'est à cause de leur odieuse religion, poursuivit-elle, nous n'avons pas obtenu une seule conversion depuis près de trois ans que nous sommes ici. »

La lumière avait complètement disparu quand nous atteignîmes le Palais de Rubis, ainsi qu'on nomme l'Institut Féminin de Khatmandou. Comme beaucoup d'autres établissements publics, c'est un ancien palais rana. Un perron monumental en marbre veiné donne accès à une grande salle percée de fenêtres en ogive. Le plafond de feuilles d'étain est éclairé par une demi-douzaine d'énormes lustres, où des ampoules électriques glissées parmi les pendeloques diffusent une vague luminosité jaunâtre. Un peu partout, des bustes de Ranas en bronze, des portraits à l'huile représentant des Ranas en uniformes rouges avec des galons dorés, des médailles, des moustaches, des épées ornées de joyaux, et coiffés de fabuleux casques (entièrement sertis de pierres précieuses, couronnés au sommet par une aigrette d'oiseau de paradis) dont on prétend qu'ils avaient été faits avec les joyaux du trésor volé à Nana Sahib, qui s'était enfui au Népal après la mutinerie de 1857 et dont on n'entendit plus jamais parler. En haut de l'escalier de marbre, comme un dessin d'ombres, des têtes sombres se profilaient sur la lumière colorée qui s'attardait dans les vitraux de la fenêtre. On entendait des petits rires.

Isabel frappa dans ses mains en criant d'une voix inutilement forte : « Allons, allons, cessez ce bruit *immédiatement*. » Petit à petit, les rires s'éteignirent comme des chants d'oiseaux au crépuscule et ce fut grand dommage.

Nous prîmes le thé dans le living-room d'Isabel, meublé de façon indéfinissable, comme il l'eût été en Angleterre, avec des divans et des chaises tendus de tissu crème imprimé de fleurs pâles. Mais les colonnes montant en spirale entre chaque fenêtre, le plafond recouvert de feuilles d'étain, peint de lis blancs sur fond vert, avec des trous percés au hasard sur les côtés (pour la ventilation, expliqua Isabel), une cheminée monumentale en acier et marbre, ainsi que deux énormes miroirs de Bruxelles, rappelaient les Ranas, leur opulence héréditaire et leurs acquisitions datant de l'ère victorienne.

« Vous verrez d'autres palais, ils sont à mourir de rire ! dit Isabel en tisonnant les bûches dans le foyer. Tout ce qui est ici, bien sûr, a été rapporté d'Europe par les Ranas au siècle dernier et pendant les vingt premières années de celui-ci : lustres, miroirs, pianos à queue, billards et statues grecques. Tout cela à dos de porteurs qui escaladaient les raides sentiers de montagne. Ils ont même apporté des Rolls-Royce, alors qu'il n'existait pas de routes où les faire rouler. Il fallait soixante hommes pour transporter la carrosserie à travers les montagnes sur une plate-forme de bambous. Pourtant, je dois ajouter ceci en faveur des Ranas : ils n'aiment pas ces sculptures des Nevâris. Dieu merci, certains d'entre eux, comme nous, les trouvent obscènes. »

Et elle rougit jusqu'aux avant-bras et au décolleté en V de sa robe.

Après le thé, Isabel nous conduisit à la chambre que nous allions occuper provisoirement, également garnie de mobilier rana : miroirs sur *tous* les murs, deux lustres, tabourets garnis de broderies et un monumental lit sculpté à quatre colonnes, avec un baldaquin de satin violet orné de glands dorés et, à la tête, deux énormes dragons jouant au ballon.

« Nous n'avons pas les moyens de renouveler le mobilier de toute la maison, aussi nous faut-il utiliser ce qu'il y a. Nous n'occupons que le premier étage, les pièces du deuxième et du troisième sont fermées. »

Soudain Isabel se tourna vers moi :

« Venez, dit-elle, j'ai quelque chose à vous montrer. »

Je la suivis, laissant John dans la chambre à coucher :

« Le courant électrique est très faible », me dit Isabel par-dessus son épaule, tandis que nous suivions le corridor de pierre pour gagner le fond du palais. Je voyais luire à peine les filaments des ampoules qui se balançaient à cinq mètres l'une de l'autre : « On est en train de monter une centrale toute neuve, alimentée par des moteurs Diesel, à l'occasion du couronnement. A ce moment-là, nous aurons un meilleur éclairage. »

Après avoir descendu un escalier en tâtonnant, nous sortîmes par une porte de derrière.

« De ce côté, dit Isabel, c'était autrefois le jardin réservé aux femmes. »

Baigné dans la lumière bleue du soir, je vis un jardin en contrebas semblable à ceux du XVIe siècle : un jet d'eau, un berceau de fleurs (des rosiers, d'après l'odeur), une pelouse et, tout au bout, un petit édifice blanchi à la chaux, une sorte de pavillon. Nous y entrâmes.

« L'électricité n'est pas installée, mais il y a des bougies à l'étage », dit Isabel.

L'escalier était en bois et ses talons résonnaient sur les planches. Elle poussa une porte et entra, comme quelqu'un qui connaît bien le chemin. Elle alluma une, deux, trois bougies, et les flammes, d'abord courtes, s'allongèrent, illuminant du coup la pièce.

« Oh, Isabel ! » dis-je.

C'étaient, je crois, les premières paroles que je prononçais depuis que nous étions descendus de la jeep.

Un vrai miracle ! Une petite pièce éclairée par deux grandes portes-fenêtres donnant sur d'étroits balcons de fer forgé où des sièges sont ménagés. Un bureau et une chaise de bois pour enfant, un divan recouvert d'un couvre-pied de couleur vive, fait de morceaux de tissu assemblés, orange et bleu. Des murs peints d'un orange profond où le soleil semble s'être attardé. Au-dessus des fenêtres, deux soleils d'un dessin enfantin, cerclés de craie, d'où partent quelques épais rayons blancs, une porte de bois brun couverte d'un motif formé par des têtes de clous en cuivre brillant. De chaque côté de la porte sont peints deux yeux à l'iris bleu sombre, au blanc rempli à la craie, ombragés de longs cils noirs et, sur le mur opposé aux fenêtres, deux grandes perruches vertes et roses, leur bec rouge ouvert comme si elles riaient, volent parmi des tournesols jaunes aussi grand que nature.

« C'est à vous, Anne, dit Isabel. J'ai pensé que cela vous plairait. J'y venais quelquefois, mais maintenant c'est à vous.

— Oh, Isabel, dis-je stupidement, c'est magnifique ! »

Je ne comprends pas. Pourquoi Isabel m'offre-t-elle cette merveille ? Quelle impulsion l'a amenée à me conduire ici, loin du palais gorgé de laideurs, vers cet éden embrasé comme un petit soleil, tout seul dans son jardin secret et qui semble plonger ses regards dans la nuit vers — je le crois — les montagnes ?

Qui a peint les perruches, les yeux, le soleil ? Que signifient ces images ? Je ne l'ai pas demandé à Isabel. J'avais peur. Nous sommes sorties et, en signe de possession, j'ai refermé la porte derrière moi. J'ai pris la boîte d'allumettes, j'ai soufflé les bougies. Jamais je ne lui rendrai cette chambre. Elle est à moi.

Me voici assise là, enfant solitaire éveillée dans une fureur de joie, dans la gaieté délirante de l'altitude. Je suis prise à fond par l'inhabituel, le nouveau. Mon corps tombe dans les replis et les pentes des collines que je devine là dans l'ombre. Je suis vivante après une longue mort insatisfaite.

Cette enfant qui est en moi sait qu'il est en train de se produire quelque chose de prodigieux, si c'est prodigieux que de se sentir à nouveau vivant. Peut-être est-ce à cause du défaut d'oxygène dû à l'altitude. Ce docteur si sympathique qu'Isabel avait invité à venir prendre le café après le dîner nous disait : « Quand on est à 1 500 mètres d'altitude, tout prend de l'intensité, tout devient important, chargé de sens émotif. Tous les traits du caractère s'exagèrent.»

C'est exact. Isabel était presque une caricature d'Isabel, même quand ses yeux ont pris ce regard affamé et qu'elle est devenue un autre être. Le docteur aussi m'a paru un peu ridicule, il force la note dans le rôle du médecin philosophe:

«Les Népalais, dit-il, nous donnent l'impression d'être très heureux. On les entend toujours rire, chanter ou raconter des histoires obscènes. Ils nous font l'effet de gens sans complexes, vous vous en apercevrez, Mrs. Ford. Je crois que leur euphorie est due en partie à la sous-alimentation. Moins on consomme de protéines, plus on a le ventre gros et plus on se sent empli d'une folle gaieté.»

Isabel protesta avec violence, attribuant uniquement ce comportement au caractère des indigènes: «Ce sont des enfants, ils n'ont aucun souci de l'avenir», etc., etc. Quant à moi, qu'il s'agisse du manque de protéines ou de l'allégresse des montagnes, je me sens différente et le monde entier est tout neuf. Les gens emmitouflés dans leurs guenilles, traînant les pieds le long des routes défoncées, les petites masures semblables à des cachots creusés dans des maisons de brique rose, la flamme vacillante d'une lampe à huile dorant un visage aux yeux obliques; une oreille incrustée de pièces de cuivre... un seul trajet en jeep suffit pour montrer que ce pays n'est pas l'Eldorado, mais simplement une des nombreuses régions asiatiques sous-développées, peut-être encore plus misérable que bien d'autres. Ce qu'on y trouve? Des gens d'une affreuse pauvreté, l'extrême opulence pour une poignée d'aristocrates, la misère pour la majeure partie de la population, une hygiène inexistante, les maladies à l'état endémique, les chiens et l'ordure, les vaches sacrées bien grasses et les enfants affamés. Tout cela je le sais, et je sais que moi aussi je suis embrigadée pour collaborer à l'avènement du « progrès », que je cherche à faire quelque chose pour changer tout cela en venant ici pour enseigner l'anglais à quelques petites Népalaises. Mais en ce moment je sais seulement que j'ai rétabli le contact avec moi-même, moi-même vivante, pleinement consciente et désireuse d'écrire.

Les bougies diminuent très vite. Il faut que je retourne dans la chambre à coucher où les dragons folâtres grimacent et cabriolent autour de nous tandis que nous sommes couchés dans le grand lit.

Chapitre 3

Le docteur Frederic Maltby n'aimait pas à se promener en compagnie d'autres personnes. D'autres personnes, cela signifiait des discours, car les gens n'arrêtent pas de faire fonctionner leur langue en même temps que leurs jambes arpentent le sol, et le docteur souffrait vivement de cette loquacité qui troublait son bonheur quotidien. Sa promenade matinale dans la vallée de Khatmandou était un plaisir dont le souvenir, pendant toute la journée, le transportait dans un monde enchanté, bien loin au-dessus des fatigues et des déceptions que lui apportait son travail. La lumière matinale fraîche et glacée, délicate comme une bulle, l'air nourrissant, capiteux, imprégné de l'odeur du soleil levant, l'éveil de toutes les choses en train de reprendre vie, tout cela lui donnait envie de chanter et de courir sur la route, encore crépitante de givre sous les pieds. Des milliers de toiles d'araignée, étincelantes comme des diamants filés, couvraient les haies et bouchaient les lézardes dans les murs de brique rose des palais ranas et des maisons nevâris. Le merveilleux soleil prodiguait partout sa lumière et, dans les arbres aux feuilles printanières à demi écloses, roulées en cornets, des loriots, des pinsons et des souimangas fleurissaient et chantaient à cœur perdu.

Dans l'aube grise, on voyait déjà circuler des

gens, de longues files grises de porteurs, leurs paniers d'osier ovales retenus par une lanière de fibre tendue en travers de leur front. Dès la première lueur, les maisons s'éveillaient. Des fuchsias retombaient du premier étage en cascades de carmin ; au rez-de-chaussée, entre les délicates colonnettes en bois sculpté, on voyait des femmes qui se peignaient mutuellement les cheveux. D'autres femmes allaient bientôt se rendre aux sanctuaires, en sonnant des cloches pour attirer l'attention des dieux. Elles auraient des fleurs sur la tête, des colliers autour du cou, des bracelets aux poignets et, dans leurs mains, des plateaux chargés d'offrandes. On les verrait s'avancer, sereines et absorbées dans leurs prières, jeter des grains et déposer des fleurs sur les statues des dieux et sur les *lingams*[1], puis laver ensuite à grande eau la trace de leur offrande.

Frederic Maltby connaissait la courbe de la route où il découvrirait soudain, et toujours avec le même choc de bonheur, les pics neigeux, roses dans la lumière matinale, émergeant au-dessus des collines proches. Bien qu'il pût les voir tout aussi bien de la fenêtre de sa chambre, ce n'en était pas moins un plaisir redoublé de les retrouver juste à ce tournant, de contempler les Seigneurs des neiges, d'un rose incandescent, dressés dans le ciel matinal : « Je les retrouverai ici demain », songeait-il, et il se sentait comblé. Depuis cinq ans, il vivait dans la Vallée. Jamais il ne la quitterait, jamais il ne retournerait dans la plaine. Il demeurerait ici jusqu'à sa mort, il lèverait les yeux vers les montagnes chaque matin et plusieurs fois dans la journée. « Pour les grandes choses des antiques montagnes et pour

1. Symbole phallique sous lequel est adoré Siva. (N. du T.)

les précieuses choses des collines éternelles. » Ces paroles résonnaient en lui tandis qu'il marchait sachant qu'il était le plus heureux des hommes, oubliant tout ce qui n'était pas la joie et la beauté de la vie dans l'extase de tous ses sens, la chaleur du soleil et le piquant de la neige, les cris joyeux des oiseaux et le spectacle des monts Himalaya dans leur toute-puissance, dieux aux noms merveilleux : l'Annapurna et le Manaslu, le Dhaulaghiri et l'Himalchuli, le Gosainthan, si haut et si grave, le premier qui redevenait visible de la Vallée après la mousson d'été. Le docteur avait beaucoup exploré les contreforts, sans jamais tenter d'escalader les sommets : cela lui semblait sacrilège. Certes il savait que des expéditions étaient organisées pour vaincre telle ou telle montagne, il s'était entretenu avec leurs membres, il avait rencontré des alpinistes qui campaient dans le parc du *Royal Hotel* de Khatmandou, se préparant à la conquête d'un pic fameux ; mais s'il avait parfois envie de demander pardon pour la profanation dont ils se rendaient coupables, il ne communiquait son sentiment qu'à des amis népalais. Les gens de sa race auraient souri, ils éprouvaient peu de respect pour la terre sur laquelle ils vivaient, ils auraient voulu régner sur toute la Création et certainement sur les derniers bastions des dieux, les monts Himalaya, désormais accessibles.

Frederic Maltby avait autrefois été marié, et l'expérience s'était terminée par sa fuite, il y avait bientôt dix-huit ans de cela. Après avoir mené pendant de nombreuses années une vie errante, il s'était fixé à Khatmandou et, du jour où la folie des montagnes l'avait saisi, il s'était senti en parfaite sécurité et très heureux. Il était maintenant médecin-chef de l'hôpital récemment installé dans l'un des palais de Khatmandou. Depuis la création de l'aéroport, en 1952, ses médicaments et ses livres lui parvenaient par avion, dans des délais rapides, mais à grands frais. De temps à autre, il allait à Delhi ou à Calcutta pour rencontrer des collègues à des congrès médicaux ou pour acheter du matériel neuf, mais il se sentait nerveux et irritable dans la plaine et, quand il marchait dans une rue civilisée, il se retournait sans cesse, comme si quelqu'un derrière lui le regardait fixement.

Depuis cinq ans, c'est-à-dire depuis son installation à Khatmandou, en 1951, il faisait presque tous les matins une promenade à pied. Isabel Maupratt, arrivée en 1954 pour organiser l'Institut Féminin, s'était précipitée sur lui un jour à l'heure du thé au *Royal Hotel*. Lancée à l'assaut avec une ardeur guerrière, elle avait déclaré que ce serait rudement agréable de faire un petit tour ensemble le matin de bonne heure : « Je n'ose absolument pas sortir seule sur les routes, docteur. Vous savez comment sont ces gens. » Les narines dilatées, elle frémissait tout entière. Le docteur Maltby connaissait les bruits qui couraient sur la place du Marché (et à Khatmandou les rumeurs se révélaient souvent exactes). On avait, paraît-il, pincé la fesse droite d'Isabel, tandis qu'elle se penchait pour admirer des pots d'argile sur la grande place, des pots d'argile façonnés à la main, très ordinaires, qui faisaient toujours l'admiration des touristes, à la grande surprise des potiers népalais. La rumeur publique ajoutait même des fioritures : Isabel s'était plainte à Paul Redworth, le Résident britannique. Ce dernier, aimablement blasé, connaissant à fond les mœurs de la Vallée et sa sensualité réparatrice, avait cité Kipling :

Pourtant le monde est étonnamment vaste
[— sept mers d'un bord à l'autre
Et il renferme une grande foule d'êtres les plus
[divers.
Les rêves les plus fous de Kew sont réalité à
[Khatmandou
Et ce qui est crime à Clapham devient chaste à
[Martaban.

« Mais c'est une insulte, je tiens absolument à ce qu'il soit fait quelque chose ! avait dit Isabel.

— Mon petit, dans ce pays, ce n'est pas une insulte, c'est un hommage », lui répondit Mr. Redworth.

Quand Isabel l'aborda pour lui proposer de faire parfois un petit tour avec lui, Fred Maltby fut saisi d'une terreur autrefois familière et qu'il reconnut bien, du point de vue clinique : les mêmes symptômes le paralysaient déjà en présence de sa femme.

« Oh, je ne fais guère que traînasser, vous savez, ce ne serait pas très amusant pour vous », dit-il gauchement, en proie à ce sentiment d'impuissance qui, bien des années auparavant, l'avait acculé à la fuite, seule issue possible pour lui.

Mais Isabel, vêtue de flanelle grise et un alpenstock à la main, l'attendait un matin de très bonne heure devant la grille armoriée de l'Institut Féminin, la tête tournée vers le Palais Sérénissime, devenu l'hôpital, situé de l'autre côté de la route. L'esprit absorbé par l'attente du plaisir, vêtu d'un chandail thibétain gris jaune et d'un foulard indien en soie chape (cadeaux d'Amrita, son épouse népalaise, morte après lui avoir apporté la paix et enseigné le bonheur), Fred n'avait plus le temps de faire demi-tour quand il l'aperçut. Isabel était venue à lui en piaffant, en encensant de la tête et en s'écriant : « Ah, vous voici!» avec une espèce de hennissement de jument heureuse.

En vain Fred pria-t-il alors tous les dieux de Khatmandou de lui envoyer une averse soudaine, suppliant même le dieu du Tonnerre et la déesse de l'Eclair de déchaîner une mousson instantanée : le soleil continuait à briller, déversant des flots d'une lumière insolente. Pendant la longue pause, interminable comme la mort, au cours de laquelle Isabel et son alpenstock s'étaient installés à ses côtés, il avait connu le désespoir. Avançant péniblement le long d'une route interminable, il voyait les choses sans en avoir conscience, sans qu'elles vinssent se fondre en lui, silencieusement, lui apportant la véritable connaissance et en même temps la force qui en découlait. Il voyait les pointes dardées comme des langues de feu vert à l'extrémité des branches de noyer, les longs fouets raides des frangipaniers, avec leurs bourgeons roses gonflés de sève, les petites olives dorées de l'arbre Nimm, tous les verts, les bleus et les roses de la douce vallée, creuse et ronde, molle, onduleuse et brillante, comme éclairée de l'intérieur. Les champs couverts d'un chaume pareil à des cheveux d'enfants avaient défilé devant lui, peuplés de femmes occupées à sarcler, femmes au visage d'or bruni, leurs pieds nus tatoués de serpents et de lotus foulant le sol d'un pas joyeux, tandis que leurs lourdes jupes sombres se balançaient autour d'elles comme des cloches. Mais Isabel marchait à ses côtés et sa présence avait vidé ce spectacle de toute signification. Infatigable comme une araignée du matin, elle avait tissé autour de lui un linceul de paroles, lui dérobant le sens des choses par le fait même qu'elle attirait son attention sur elles : «Oh, regardez ce petit oiseau si mignon!

Qu'est-ce que c'est?» s'écriait-elle. De temps à autre, elle s'exclamait sur le comportement des Népalais, exprimant un dégoût plein de curiosité pour leurs oratoires, avec ces lingams couronnés de fleurs, ces dieux aux visages rongés et usés à force d'être caressés et frottés de poudre vermillon, devenus d'informes barbouillages rouges où l'on ne distinguait plus aucun trait : «C'est tellement horrible, on dirait d'énormes blessures. Comment peut-on adorer de pareilles abominations?»

Il n'avait même pas pu voir les Seigneurs des neiges, car Isabel s'était récriée sur ce qu'elle appelait «leurs contours admirables», en lui enjoignant de les contempler. A son retour, les pieds lourds comme du plomb, il avait cherché refuge auprès de ses amis népalais et, le lendemain, Isabel recevait une lettre où Frederic Maltby lui disait qu'il préférait se promener seul.

Isabel était restée trois mois sans lui adresser la parole. Quand elle le rencontrait aux thés donnés par le Résident britannique, elle lui tournait le dos, au grand soulagement de Fred qui craignait par-dessus tout qu'elle vînt lui parler. Médecin énergique et habile, plein d'autorité quand il se trouvait sous les armes, en blouse blanche et le stéthoscope à la main, Fred Maltby était d'un naturel doux et timide et, avec l'humilité du bon artisan, si quelqu'un lui témoignait de l'intérêt, il avait l'impression de ne pas le mériter. Mis à l'aise par l'indifférence d'Isabel, il lui parla tout naturellement un jour, grâce à quoi elle put, en bonne chrétienne, lui pardonner son impolitesse, tout en continuant à ne pas lui pardonner ce qu'elle appelait « sa vie privée».

Le lendemain de l'arrivée des Ford, quand Fred

Maltby sortit de l'hôpital, le matin de bonne heure, il vit une femme debout devant la grille du Palais de Rubis. Croyant voir Isabel, il s'arrêta et esquissa même un mouvement de retraite, prêt déjà à prendre la fuite. Mais pendant cette seconde d'hésitation il s'aperçut que la femme n'était pas Isabel, mais Anne Ford, vêtue d'un pantalon bleu et d'un chemisier recouvert d'un cardigan rose. Elle va se cramponner à moi, songea-t-il, ces sacrées femmes sont toutes les mêmes. Et il la voyait déjà, comme il voyait tant de femmes dans son entourage, le suivre hors d'haleine et bavardant éperdument, avec cette étrange démarche clopinante et saccadée propre aux sportives et aux chats siamois, la langue toujours en mouvement, posant sans cesse des questions, les pieds foulant le sol sans amour. Toutes les femmes ont la manie de poser des questions et de faire des remarques sur les choses au lieu de les laisser seulement exister — fleurs, oiseaux ou montagnes — tranquillement et paisiblement, au lieu de laisser s'infiltrer en elles, dans le merveilleux silence, la profonde et tendre connaissance des choses engendrée par le respect, la courtoisie à l'égard de la vie sous toutes ses formes. Mais Anne tourna à droite et prit la route. Le docteur Maltby se sentit soulagé. Il partit dans la direction opposée, pour être bien sûr de ne pas la rattraper, ni de la rencontrer. C'était samedi, jour de repos au Népal, et le docteur disposait de tout son temps. Il décida de se rendre au marché, sur la place des Temples, pour y flâner en observant les allées et venues de la foule, puis de poursuivre son chemin jusqu'à Pashupatinath, le grand temple de Siva, sanctuaire célèbre, visité par des Hindous venus de tous les coins de la péninsule.

Le docteur Maltby avait rencontré les Ford la veille au soir, au reçu d'un mot d'Isabel le priant de venir prendre une tasse de café pour faire leur connaissance : « Ils vous plairont », avait-elle prophétisé. Persuadé qu'ils ne lui plairaient pas, il était venu pourtant et il avait joué le rôle du médecin accablé de travail, inabordable à la fin d'une longue journée. Il revoyait, sous la lumière plus jaunâtre que jamais, la femme, Anne, muette, complètement stupide, maigre et paraissant épuisée. Isabel parlait, John Ford aussi. Ils parlaient des Népalais. Isabel rabâchait ses habituelles balivernes de missionnaire. Irrité, il avait clos ses oreilles à leurs propos. Un brave type, le mari, terne et placide avec l'habituelle épouse nerveuse, égocentrique, fébrile, tendue. Enfermée en elle-même : il paraît qu'elle écrit. Sans doute persuadée que ses œuvres sont ce qu'il existe de plus important au monde. Des tas de gens comme elle venaient passer une semaine ou deux à Khatmandou pour « écrire un livre » sur la région. Maltby avait pris la défense des Népalais, déclarant à Isabel que, dans ce pays plus que partout ailleurs, le contact humain, le fait de toucher une main, de plonger le regard dans des yeux, vous amenait à croire en Dieu — ou aux dieux.

« Vraiment ? dit John avec un grand sérieux, un peu comme un juge prêt à admonester un témoin. Je ne vois pas exactement ce que vous voulez dire. Pourriez-vous me l'expliquer ? Il n'y a rien de divin là-dedans, je le crains. Cela me semble à moi plutôt indécent. »

Ensuite, ils prirent tous un petit verre d'alcool. Isabel dit qu'il faisait froid dans la Vallée et que c'était une telle fatigue pour le cœur de vivre à 1 500 mètres d'altitude. Étant enfant, elle avait souffert de rhumatisme aigu, aussi prenait-elle

parfois une toute petite goutte d'alcool, le soir :
« Comme si je ne savais pas à quoi m'en tenir à ce
sujet ! » se dit le docteur.

S'ennuyant ferme, l'esprit embrouillé, figés par
la contrainte, ils en étaient venus à parler de la
pauvreté des habitants de la Vallée, perpétuellement sous-alimentés. Les gens ont toujours
l'air gais quand ils parlent de famine après s'être
bien nourris. Avec une brutalité exaspérée, Fred
Maltby avait soutenu qu'il n'existait aucun rapport entre la misère morale et la misère physique,
théorie qu'il discutait dans l'abstrait, car, en tant
que médecin, il manifestait une violente indignation quand il parlait en termes concrets de la
maladie et de la pauvreté. A l'écouter, on l'aurait
cru sceptique et insensible. Lui-même se sentait
choqué quand il s'entendait soutenir que les bébés
au gros ventre, aux cheveux rouges, aux cils d'une
longueur démesurée, à la peau d'un brun cuivré
(maladie bien connue due à l'insuffisance des
protéines), accroupis passivement sur leurs
petites jambes, au-dessous des serpents, des paons
et des dieux sculptés sur les sombres maisons
médiévales, ne se sentaient pas vraiment malheureux, ou quand il affirmait que si les gens des
collines, demi-nus dans le vent glacial, riaient et
chantaient quoiqu'ils fussent bleus de froid, cette
euphorie s'expliquait par le fait que, vivant dans
un état de sous-alimentation chronique, leurs
sensations douloureuses étaient émoussées. Anne,
il s'en souvenait, le regardait fixement tandis
qu'il tenait ces propos, mais elle ne s'était pas
récriée et ne l'avait pas contredit : « Je me suis
conduit comme un imbécile hier soir », se dit-il,
mais cette constatation ne le troublait nullement.

Il avait maintenant dépassé la Résidence britannique et le nouveau palais royal où vivait le souverain et il longeait le Rana Pokrah, grande pièce d'eau rectangulaire s'étendant au centre de Khatmandou et où, avant 1951, date à laquelle fut abolie la domination des Ranas, l'on plongeait les accusés pour savoir s'ils étaient innocents ou coupables, procédé tout aussi illogique et tout aussi valable que l'épreuve du feu au Moyen Age. Certains de ses amis népalais soutenaient que, pour démasquer les imposteurs, c'était un bien meilleur moyen que le recours aux actuels tribunaux démocratiques, inefficaces et corrompus. Une mauvaise conscience, affirmaient-ils, pesait d'un poids terrible sur la poitrine et aggravait la sensation d'étouffement provoquée par l'immersion. Inévitablement le coupable remontait le premier à la surface, suffoquant, tandis que l'innocent, avec l'aide des dieux, pouvait retenir beaucoup plus longtemps sa respiration sous l'eau.

La rue était pavée de roses, débris des briques servant à construire les murs et les maisons de Khatmandou et qu'on pouvait voir dans leur état primitif, encore grises, en train de sécher dans les champs autour de la ville. Ils formaient sous ses pieds un sol feutré et souple. Il suivit d'autres rues qui s'éveillaient, bordées de maisons sculptées à deux étages. A l'étage supérieur, les balcons de bois en surplomb n'étaient qu'un fouillis de sculptures et les fenêtres, ouvertures rondes ou carrées dépourvues de vitres, s'encadraient de bois sculpté, comme des portraits.

La place du marché et des temples se composait d'une agglomération de sanctuaires, d'oratoires, de dieux, d'animaux et d'éventaires en plein vent. Elle était bordée par les maisons des prêtres bouddhistes construites dans le style thibétain :

murs blancs, masse noire de piliers et de poutres ouvragés, fenêtres sculptées avec des balcons treillagés en saillie, cours intérieures. A droite s'élevait le Hanuman Dhoka, l'ancien palais royal, aujourd'hui menaçant ruine. Devant ses grilles de cuivre doré, des femmes revêtaient d'un manteau neuf l'image de pierre du dieu-singe Hanuman, un trident à la main, le visage usé et réduit à l'état de balafre écarlate. Les toits superposés des pagodes étaient soutenus par des rangées de poutres sur lesquelles étaient des dieux aux multiples têtes, aux multiples bras. Au pied de chaque dieu, sur une plaque de bois, des sculptures représentaient des humains accomplissant l'acte d'amour dans toutes les attitudes possibles. « C'est étrange, songeait le docteur Maltby en les considérant sans gêne ni trouble, car son séjour dans la Vallée l'avait guéri à la fois de la pruderie et de la lubricité, les Européens de Khatmandou ne font *jamais* allusion à ces sculptures, si ce n'est pour stigmatiser ces images, admirablement impudiques et vraies, du comportement humain, en se servant à cet effet d'un mot insipide — d'ailleurs ridicule à Khatmandou, — le mot obscène. Les Népalais, eux, n'y prêtent aucune attention. A leurs yeux elles sont, comme tout le reste, sacrées, elles exercent une fonction rituelle en empêchant la foudre de frapper les édifices. En effet, la déesse de la foudre étant une vierge, elle prend la fuite devant de semblables tableaux. L'acte d'amour est, comme tout ce qui existe, saint et issu de Dieu, Dieu se retrouvant lui-même dans la création. »

Autour des temples et des oratoires, le long de l'étroite rue, s'étalaient des légumes, du grain, des ustensiles de cuisine, des pots d'argile, dans un pêle-mêle de marchands ambulants, de vaches, de chiens et d'enfants. Trônant au milieu de la place se dressait la volumineuse effigie en pierre noire de Kala Dourga, la terrible déesse victorieuse des démons. Kala Dourga était une autre incarnation, une personnalité contraire de la déesse Parvati, la divinité de l'amour et de l'abondance, souriante, généreuse et bonne. Car, pareils en cela aux humains, les dieux ont des natures, des personnalités et manifestations multiples, les unes bonnes, génératrices, créatrices, les autres terribles, destructrices et néfastes.

« Au fond, la schizophrénie n'est pas une maladie, c'est un état naturel chez les dieux et chez les hommes, avait dit le docteur Maltby au Père MacCullough, le prêtre catholique de la Vallée. Vous-même, mon Père, vous croyez en Dieu et au Diable.

— Mais c'est très différent ! avait répondu le Père MacCullough, nous ne plaçons pas l'effigie du démon dans nos églises. »

Quoi qu'il en soit, elle était là, Kala Dourga, destructrice des démons et Dame de la Mort, noire et farouche, un chapelet de crânes et un démon sous les pieds, une épée à la main. Déjà de nombreux fidèles lui offraient du lait et du grain ; une fillette portant sur son dos une lourde charge de bois plaçait sur le pied dressé de la statue une guirlande d'anémones bleu foncé.

« Allons voir ce que devient mon ami le docteur Korla », se dit le docteur Maltby en traversant la place des Temples.

A deux cents mètres de la déesse Kala Dourga, après avoir dépassé cinquante oratoires, une douzaine d'oiseaux-dieux Garudas et une soixantaine de lingams, au bout d'une rue animée bordée de maisons ouvragées, avec des balcons en saillie et des cours intérieures sordides servant d'égouts et de fosses d'aisance, on arrivait à la maison aménagée dans l'enceinte d'un temple, habitée par un Népalais que Fred Maltby avait en quelque sorte adopté comme son autre moi, la Kala Dourga de sa Parvati, le Hyde de son Jekyll. A l'entrée se dressait un gracieux pilier bouddhiste sculpté en forme de lotus, feuille, tige et fleur; deux griffons de bronze, mi-lions, mi-chiens, flanquaient la porte. Ce matin-là, ils étaient drapés de linge mis à sécher par des femmes, qui maintenant se livraient à leurs ablutions sous une gouttière de bronze sculptée en forme de serpent naga à sept têtes.

Le docteur Maltby pénétra dans la cour pavée au milieu de laquelle s'élevait le temple, édifice à triple toit, moitié bouddhiste, moitié hindou, avec des oriflammes et des cloches bouddhistes retombant des avant-toits, et orné de cent douze poutres sculptées. Aux quatre angles du toit inférieur, le plus large, les lourdes poutres relevées vers le ciel représentaient des béliers bibliques en plein rut, avec des phallus en érection badigeonnés de peinture. Dans la cour, on voyait pêle-mêle d'innombrables petites stupas[1] bouddhistes, des lingams, des enfants, une statue grecque représentant une naïade, une grande pierre blanche qui passait pour une incarnation de Ganesh l'éléphant-dieu de la Sagesse, et qu'un parapluie d'argent protégeait de la pluie, des corbeaux, des chèvres, des vaches, des pigeons, des fidèles et le docteur népalais en train d'opérer un patient maintenu par une demi-douzaine de ses amis.

« Salut, Doc ! dit gaiement Korla avec un parfait accent américain.

1. Monument à calotte sphérique consacré à Bouddha. (N. du T.)

— Salut!» dit Fred Maltby.

Le docteur Korla était un mince et beau jeune homme, avec de noirs cheveux bouclés sous le bonnet crânement posé sur sa tête, des yeux lumineux et une cigarette allumée au coin de la bouche. Sa victime, étendue à ses pieds comme les démons à ceux de la Déesse Noire, était un porteur dépouillé de son pantalon, dont la fesse montrait un énorme abcès répandant du pus et du sang par une large incision. Korla bourrait la plaie de gaze imbibée de teinture d'iode. L'opéré souleva la tête et lança une plaisanterie qui fit s'esclaffer ses compagnons. Korla riposta par une réplique encore plus piquante et la collection d'humains rassemblée dans la cour fut secouée par d'énormes éclats de rire. Les pigeons tournoyaient, les chiens venaient flairer la blessure, les cloches sonnaient, un taureau vint à passer, des fidèles tournaient autour du temple dans le sens des aiguilles d'une montre en agitant leurs moulins à prière thibétains, quelques enfants lançaient des cerfs-volants et Fred Maltby observait le spectacle, le sourire aux lèvres, mais gémissant au fond de lui-même.

«Il faut que mon malade s'en aille à pied à travers les collines jusqu'à Lamidanda pour rassurer sa femme, c'est pourquoi je l'ai opéré aujourd'hui, bien que ce soit samedi, expliqua le docteur Korla, un peu sur la défensive.

— Il est dur! dit le docteur Maltby. Pourtant, à votre place, je ne bourrerais pas trop de gaze dans cette entaille, sinon il sera incapable de faire les cinquante kilomètres d'ici à Lamidanda.»

Korla secoua la cendre de sa cigarette, prit un long rouleau de gaze dans un panier d'osier, en coupa une bande et l'enroula autour des fesses du porteur.

« Eh bien, dit le docteur Maltby, il faut que je m'en aille.

— Au revoir, Doc, dit le Nevâri d'un ton cordial. Et merci », ajouta-t-il.

Au-dessus de la grande porte de sa jolie maison, magnifiquement sculptée et absolument sordide, était accrochée une enseigne en anglais : « Diplômé habile à recoudre et à tailler, a étudié la science occidentale. »

« Ce garçon est redoutable, se disait pour la centième fois le docteur Maltby. Pourquoi diable l'ai-je formé ? » Korla était l'un des anciens assistants de Maltby qui, après avoir travaillé plusieurs mois avec lui, s'étaient installés en prenant le titre de « savants médecins occidentaux habiles à tailler et à recoudre ». Le docteur Maltby s'était épuisé à exposer à des fonctionnaires népalais, charmants, insaisissables et pleins d'esprit, que ces « médecins » risquaient d'être un danger public. En vain. Maintenant, au bout de quatre ans, il se liait d'amitié avec eux, du moins avec les meilleurs comme Korla, qui ne tentaient jamais d'opérer rien de plus sérieux qu'un abcès à la fesse. En retour, ils s'étaient mis à lui adresser leurs malades les plus gravement atteints et parfois même ils venaient lui demander conseil. C'était le régime de la coexistence, imparfait, certes, mais qui valait tout de même mieux que rien. Dieu merci, jamais ils n'approchaient une femme en couches, ce qui représentait tout de même un progrès sur l'Europe médiévale. Mais ils injectaient des doses de pénicilline insuffisantes aux permissionnaires ghurkas venus des régiments britanniques de Malacca et de Hong-Kong en passant par les lupanars de Singapour et de Calcutta. « En fermant ta porte à toutes les erreurs, tu chasses du même coup la vérité. » Le docteur Maltby se répéta le proverbe népalais et se sentit soulagé. Il ne fallait pas s'indigner parce que Doc Korla ne se lavait pas les mains, ne stérilisait pas son scalpel et opérait la cigarette à la bouche. Le Népal avait un long chemin à faire pour passer du XIe au XXe siècle.

Il sortit du temple, traversa d'autres rues, bousculant les changeurs accroupis devant des piles bien régulières de roupies indiennes et népalaises. Des artisans travaillaient le cuivre jaune ou rouge, ciselant de merveilleux dragons étincelants et des serpents emmêlés, sur des aiguières ou des plats. A l'angle des rues, on voyait des arbres sacrés, appelés arbres des conseils, des lingams, des gargouilles. Fred parvint ainsi jusqu'à la rivière. Le Bhagmati sacré était presque à sec (car on sortait à peine de l'hiver) et sinuait entre des bancs de gravier blanc en forme de feuilles. Des radis en bouquets serrés, comme un tapis rose et blanc, baignaient dans les eaux saintes du courant, au milieu duquel des saints hommes, les saddhous, bruns et luisants, se versaient de l'eau sur les épaules à l'aide de récipients de cuivre ronds.

Il approchait de Pashupatinath, le plus sacré et le plus grand des temples de Siva, non seulement du Népal, mais de l'Inde entière. Des rues pavées de cailloux couraient capricieusement entre des prairies ombragées et des maisons aux balcons ornés de géraniums, où des choux-fleurs rangés dans des paniers séchaient au soleil sur les marches du perron. Le temple s'étalait au bord de la rivière, énorme assemblage d'édifices grands et petits, composé d'une multitude d'oratoires, de pavillons, de galeries couvertes semblables à des cloîtres, destinées à abriter les pèlerins, de ghâts[1] servant aux ablutions ou aux incinérations. La rivière se resserrait à cet endroit, car elle coulait entre les quais de pierre qui formaient les ghâts. Un petit pont la traversait et, sur la rive opposée, s'élevait la colline sacrée de Pashupati, promontoire doucement incliné, escaladé par des dalles de pierre taillée. La pente qui faisait face à la rivière et au temple était couverte de centaines d'oratoires abritant des lingams.

Fred approchait maintenant du temple principal. Chrétien et de race blanche, il n'était pas autorisé à franchir la grille, il ne pouvait que s'arrêter sur le seuil pour apercevoir dans la cour le peu que ne bouchait pas, dressée sur son piédestal, la croupe dorée du taureau de trois mètres de haut, la monture du Seigneur Siva. Mais c'était le grand lingam sculpté de Siva, caché au fond de l'édifice central aux toits étincelants, aux épis de faîte en cuivre doré et aux vastes portes également dorées qui donnait au temple de Pashapatinah son caractère éminemment sacré.

C'est à cet endroit précis que, d'une brusque secousse, Fred Maltby se trouva ramené dans sa vie d'autrefois. Comme il se tenait devant l'entrée principale, il entendit une jeep et ne tarda pas à voir le véhicule sortir d'une allée latérale où il avait dû être rangé. La jeep grimpa la route légèrement en pente et se dirigea vers lui. Il était sur le point de héler le conducteur, car il avait reconnu la voiture du Père MacCullough et déjà il souriait, se préparant à demander au Père ce que diable un prêtre catholique faisait à cette heure devant un temple hindou, quand il vit la personne

---

1. Larges degrés descendant jusqu'à la rivière. (N. du T.)

qui accompagnait le prêtre, une petite femme corpulente, coiffée d'un chapeau fleuri perché sur ses cheveux blonds, comme un oiseau sur un arbuste doré.

La jeep avait la conduite à gauche et le Père montait la pente en première vitesse, le soleil miroitant dans ses lunettes. Il découvrit le docteur debout près de la grille, mais le : « Bien le bonjour, docteur ! » qu'il s'apprêtait à lui crier s'arrêta dans sa gorge quand il vit Frederic Maltby remonter le col de son chandail thibétain jusqu'à son nez, s'élancer à fond de train vers la terrasse des ghâts où seuls les pieds d'un mort achevaient de se consumer, puis, toujours au pas de course, franchir le pont et monter les degrés de la colline sacrée.

« Qui était-ce ? demanda la femme quand la jeep s'arrêta avec une secousse au moment où le Père tournait la tête pour suivre des yeux la fuite de son ami.

— Eh bien, c'est... » commença le Père MacCullough.

Puis son éducation jésuite reprit le dessus. De toute évidence, si Fred avait pris la fuite à leur vue, c'était sérieux. On acquérait une sensibilité particulièrement aiguë à Khatmandou, même si le sens moral et les principes y allaient à la débandade.

« Oh, dit-il avec enjouement, c'est un type pressé », et il remit la jeep en marche.

Chapitre 4

Grimpant à toute vitesse la colline sacrée, le docteur Maltby se sentait exposé aux regards et, arrivé à mi-chemin, il obliqua et se mit à courir dans l'enchevêtrement des cinq cents oratoires qui, en rangs serrés, couvraient la pente jusqu'à la rivière. Il appelait cet endroit «la forêt des lingams» et tandis qu'il s'élançait entre ces guérites de brique et de pierre sculptée, chacune faisant face à un taureau de pierre en adoration, il voulut éviter une grosse cloche bordée d'une frise de Garudas et de serpents nagas et entra en collision avec une personne dont il était loin de soupçonner la présence, immobile comme les pierres qui l'entouraient. Ils tombèrent tous les deux.

«Oh, je vous demande infiniment pardon, je suis navré, dit le docteur Maltby en se relevant et en aidant l'autre personne à se relever à son tour.

— Ne vous excusez pas! J'espère que vous ne vous êtes pas fait mal», dit Anne.

Ils se frottaient les jambes pour sécher la rosée, tout en s'observant mutuellement.

«Je n'ai aucun mal, mais c'est moi qui devrais vous poser la question.»

Anne sourit. Derrière sa tête, on voyait la petite porte en bronze grillagé que les fidèles ouvraient pour jeter leurs offrandes sur le cylindre luisant de pierre noire, couronné d'une guirlande de fleurs, enduit d'une couche d'huile et d'eau, qui se dressait, vertical, à l'intérieur de l'oratoire.

Le docteur était hors d'haleine, mais il s'efforçait de fournir des explications.

« Voyez-vous, dit-il, haletant, s'appliquant à réprimer le tremblement qui faisait vibrer sa voix et tout son corps, je viens d'éprouver un choc terrible. J'ai vu Eudora.

— Eudora.

— Ma femme, précisa-t-il.

— Oh ! fit Anne, qui se mit à rire.

— Cela fait dix-sept ans, non dix-huit... Je l'ai aussitôt reconnue, bien qu'elle ait un peu engraissé, naturellement.

— Naturellement. »

Anne rit à nouveau. Puis le silence s'établit entre eux. Une femme nevâri montait, des fleurs d'hibiscus dans les cheveux, un plateau chargé dans la main droite. Elle ouvrit la porte grillagée, jeta des fleurs et du grain sur le lingam, demeura debout un moment, les lèvres remuant sans bruit, prit une petite cruche d'étain pleine de lait, dont elle versa un mince filet sur le cylindre, puis une autre cruche d'eau claire pour laver le lait. Cela fait, elle referma la porte grillagée et s'en fut à l'oratoire suivant après avoir sonné la cloche.

« On est bien ici, dit Anne.

— Oui, dit le docteur Maltby, qui parlait maintenant avec moins de difficulté. J'ai quitté Eudora à Londres, il y a je ne sais combien de temps. Je me demande pourquoi j'ai eu si peur. Quand je l'ai vue dans la jeep, j'ai pris la fuite. Elle était avec le Père MacCullough, Vous ne la connaissez pas encore, mais cela ne tardera guère.

— Maintenant je sais qui elle est : Eudora

Maltby, compositeur de musique inspirationnelle. J'ai vu son sac à l'aéroport.

— En ce cas, elle est toujours ma femme, j'imagine, elle ne s'est pas donné la peine de divorcer. Je me demande combien de temps elle va rester à Khatmandou.

— Pourquoi avez-vous si peur d'elle?» demanda Anne. Mais, voyant l'air accablé du docteur, elle ajouta : «Excusez-moi.

— Ça ne fait rien, dit-il. Ça ne m'ennuie pas de vous mettre au courant. Au fond ça me sera peut-être salutaire, psychologiquement du moins.»

Anne se remit à rire et le docteur l'imita. La veille au soir, ils étaient d'autres personnes. Le visage tendu d'Anne, l'irritabilité du docteur n'avaient plus de place ici parmi les lingams, dans le matin prodigue. Ils s'étaient heurtés l'un à l'autre et prenaient du plaisir à être ensemble.

Frederic Maltby tira un étui de sa poche et offrit une cigarette à la jeune femme. Ils s'assirent dans l'herbe humide.

«Je ne sais pas pourquoi je vous raconte ces choses. Vous êtes sûre que cela ne va pas vous ennuyer? Très bien, en ce cas. Jamais nous n'aurions dû nous marier, Eudora et moi. Sans doute est-ce là ce qu'on dit toujours quand un mariage tourne mal. Je venais de quitter un poste très dur, dans l'administration d'un hôpital chirurgical. Je m'étais cru amoureux d'une infirmière, mais un jour je l'ai trouvée couchée avec le patron, un petit homme gras, le médecin consultant, toujours dans tous les coins à brailler contre nous. C'est alors que survint Eudora et elle m'éblouit complètement. Férue de politique et d'art, elle avait quelque fortune. A mes yeux, elle représentait la vraie femme du monde. J'étais très mal dégrossi alors, vous savez — l'étudiant en médecine sans expérience et trop vite grandi. Nous nous sommes mariés.

« Cela peut paraître ridicule ici, au soleil, mais cette femme m'a absolument démoli, poursuivit-il d'un ton paisible. Pas du premier coup, bien sûr, mais par degrés. Je ne peux même pas expliquer comment ça s'est fait. Je vivais dans un perpétuel état de nervosité, je ne pouvais rien faire de bien, j'avais toujours l'impression d'être un rustre, je ne savais jamais de quelle fourchette il fallait se servir. Quand je voulais faire l'amour — et j'étais très maladroit — elle déclarait que cela manquait de spiritualité, et quand je m'abstenais elle était acerbe et hargneuse. Elle exigeait de moi une attention constante pour sa personne, sa musique, ses amis. Je faisais de mon mieux, mais j'étais très occupé. Je cherchais à obtenir de nouveaux diplômes tout en exerçant mon métier. Quand je rentrais chez moi avec du travail à faire, je trouvais la maison pleine d'étranges filles qui avaient des anneaux d'or aux oreilles et parlaient sans arrêt, accompagnées de jeunes intellectuels à l'air languissant, qui écrivaient des livres, des pièces de théâtre, ou composaient de la musique. Et puis Eudora avait des lubies. Pendant un moment, nous sommes devenus végétariens et, quand je réclamais de la viande, on me traitait de cannibale.

« Bientôt j'en vins à avoir d'elle une peur bleue. Elle avait *toujours* raison. J'étais si « dépourvu de spiritualité », selon son expression, si rustaud, qu'elle en souffrait profondément. Pour une créatrice, une artiste comme elle, j'étais une entrave. Je m'efforçais de ne pas la croire, mais cette idée me rongeait. Et, quand les hostilités éclatèrent, je m'en réjouis — comme beaucoup de gens, je crois. La guerre nous délivrait de tant de choses : de la futilité, du chantage de la vie quotidienne et, en ce qui me concernait, de cette chaîne, la chaîne conjugale, "le plus interminable des voyages, avec le plus morne des compagnons", comme dit Shelley.

« On m'envoya en Birmanie où je fus fait prisonnier par les Japonais. Ces années-là, c'était, paraît-il, l'enfer, mais moi j'étais heureux. Plus d'Eudora. La terreur qu'elle m'inspirait, loin de diminuer, ne faisait que croître. Après la guerre, je me sentis incapable d'affronter l'épreuve du retour. Je disparus. Je suis resté un certain temps en Inde, j'ai un peu circulé, puis je suis venu ici. Ici, répéta-t-il, j'ai été heureux. J'avais même oublié Eudora. Maintenant la voilà qui surgit, après tant d'années. C'était si extraordinaire — du point de vue clinique, veux-je dire — de voir la terreur jaillir en moi, aussi violente que jamais, que je me suis enfui sans réfléchir. Je n'arrive pas à le comprendre, c'est de la folie. Qu'auraient dit mes infirmières, mes malades, s'ils m'avaient vu, moi, courir de la sorte ? »

En face d'eux, sur les ghâts, on apportait pour le brûler un nouveau cadavre, couvert d'un voile gris, doucement balancé sur un petit brancard : celui d'une femme qui était restée étendue pendant des heures dans une des cours du temple, attendant la mort avec joie. Car mourir à Pashupatinath et être incinéré sur les ghâts, c'est la certitude d'être pour toujours accueilli par l'Unique, qui s'exprime par le moyen des Multiples, d'être libéré du pénible voyage qui conduit à l'immortalité par l'éternelle réincarnation. Maintenant elle gisait là, raidie, le visage couvert, les pieds dépassant du bûcher de bois qui s'entassait autour d'elle, tandis que les membres de sa famille chantaient une mélopée funèbre, à la fois triste et joyeuse.

Un peu en aval, des femmes lavaient des vêtements qu'elles claquaient sur les pierres plates et, à chaque coup, leurs colliers de verroterie rouge sautaient autour de leurs cous.

« J'ai vu des radis dans la rivière ce matin, dit Anne. On aurait cru un tapis de Boukhara lavé au grand soleil.

— Je les ai vus aussi », dit le docteur.

Autour d'eux l'air sentait la fumée et l'herbe. Fred regarda Anne. La veille au soir, l'éclairage était certainement défectueux, songeait-il. Elle était menue et légère comme une jeune Népalaise, avec des cheveux noirs doucement ondulés, la peau des bras lisse. Mais on voyait de petites rides aux commissures des lèvres, deux lignes tombantes, d'autres rides aussi au coin des yeux vers les tempes, et son cou avait quelque chose de mince, de pathétique, de fatigué, qui excitait la compassion.

« Vous savez, je vous ai vue ce matin.

— Moi aussi, dit Anne, mais ça ne fait rien, j'avais envie de me promener seule. Vous aussi, j'imagine.

— Oui, pour ne pas avoir à subir les bavardages. Je ne peux supporter d'entendre les gens barbouiller, si je puis dire, leurs voix sur tout ceci, sur la Vallée, cette merveille, qu'ils dépouillent ainsi de tout son charme et dont on ne saurait plus tirer aucune joie.

— Khatmandou, dit Anne, un mot adorable et rude en même temps. »

Fred Maltby se sentit à nouveau ému par une pitié tendre. Maintenant, il avait envie de lui parler d'Amrita, sa femme népalaise, morte un an auparavant.

« Voulez-vous que nous revenions ensemble ? nous pourrions prendre une tasse de café chez moi. J'aimerais vous faire connaître mon ami le Général Kumar.

— Il faut que je rentre, dit Anne. Mon mari et Isabel pourraient s'inquiéter.

— Oh, nous leur ferons porter un mot par le domestique, ils nous rejoindront ensuite pour prendre le café. Mais venez, je vous en prie, faire la connaissance du Général. C'est le propriétaire du palais où j'habite. Une partie de ce palais est devenue mon hôpital, mais il a conservé le reste, où il vit avec sa famille. Il vous plaira. C'est un Rana et un gentilhomme. D'ailleurs, ajouta Maltby soudain rembruni, il faut que je l'avertisse de la présence d'Eudora — au cas où elle viendrait me relancer. Peut-être le Général trouvera-t-il le moyen de la tenir à l'écart. Il connaît les femmes à fond, il en a eu tellement ! »

Chapitre 5

Le Palais Sérénissime, qui abritait l'hôpital, était encore plus vaste que l'ancien Palais de Rubis devenu l'Institut Féminin. On y voyait encore plus de portiques, de colonnes, de naïades éplorées sur des fontaines décrépites : il s'élevait au milieu de terres encore plus vastes, moitié champs de riz et de maïs mal entretenus, moitié jardins envahis par les mauvaises herbes, parsemées de petits bungalows et de fermes ocre et blanches couvertes en chaume. Le domaine était entièrement clos d'un mur bas en brique rose, effrité par endroits, dont la courbe sinueuse se glissait dans les déclivités et escaladait les pentes.

L'hôpital occupait des bâtiments construits autour d'une cour carrée tandis qu'un second quadrilatère était habité par le propriétaire, le Général Kumar Sham Sher Badahur Rana et sa famille, ainsi que par ses invités, parents et amis. L'un des petits bungalows construits au hasard autour de l'édifice principal était la demeure du docteur Maltby ; deux infirmières missionnaires logeaient dans un second.

Le Palais Sérénissime s'ornait de grilles seigneuriales importées d'Angleterre au siècle précédent et de griffons de bronze. Des toits en feuilles d'étain laminé coiffaient des avant-toits de bois admirablement sculptés où des cerfs et des lévriers s'ébattaient parmi des soucis peints. On y voyait des escaliers de ce marbre rose veiné si cher aux Ranas, des colonnes aux chapiteaux ornés de grappes de raisin et de chérubins, des corridors, d'immenses salles aux murs recouverts de miroirs, aux plafonds en plaques d'étain à dessins fleuris, importés d'Italie, ou des trous, pratiqués un peu partout au petit bonheur, étaient découpés au ciseau pour le passage de l'air. Tandis qu'Anne et le docteur se dirigeaient vers la salle à manger, ils découvraient au passage des meubles de dimensions énormes, témoignant d'un parfait mauvais goût.

« La famille du Général aime à recevoir ici ses amis, dit le docteur Maltby. N'est-ce pas curieux, alors que les Nevâris sont si artistes, si habiles artisans, de voir que leurs maîtres, les Ranas, étaient absolument dépourvus de goût ? »

Ils traversèrent une galerie où, entre des colonnes cannelées aux chapiteaux décorés d'oiseaux-dieux et de serpents, on avait accroché des portraits de Ranas peints à l'huile, les uns dans des cadres de bois de santal où des paons et des daims s'ébattaient parmi des feuilles et des lotus, les autres dans des cadres d'argent massif ciselés. Sur les murs multicolores, ils virent ainsi surgir ces gentlemen prospères du début du siècle, aux yeux bruns saillants dans des visages roses, portant des moustaches brunes, des favoris ou des barbes, vêtus d'uniformes écarlates garnis à profusion de médailles et de galons d'or, leurs mains manucurées posées sur des gardes d'épée enrichies de joyaux. Quand apparaissaient leurs épouses, les Maharanis, elles portaient des robes à tournure, des diadèmes de diamants, cinq ou six colliers d'émeraudes et de rubis et plusieurs broches larges comme des soucoupes.

« Ce sont les ancêtres et les contemporains de mon hôte, le Général Kumar, dit le docteur Maltby. Comme Isabel vous l'a peut-être dit, tous les Ranas sont apparentés entre eux. Pendant cent ans — de 1830 à 1951 pour être exact — ils ont gouverné le Népal comme s'il leur appartenait en propre. Le titre de général est héréditaire chez eux, comme l'était autrefois la charge de premier ministre. Voici le grand salon. J'espère que cela ne vous ennuiera pas si je vous laisse ici pendant quelques minutes pour aller à la recherche du Général. Peut-être n'a-t-il pas encore achevé ses prières. »

Anne demeura seule dans une vaste pièce qui ressemblait à une salle d'audience. Elle y distingua onze miroirs, un énorme canapé recouvert de brocart rose, une sorte de causeuse à trois places où chaque siège regardait dans une direction différente, six fauteuils capitonnés, quatre tables à dessus de marbre, deux pianos à queue, cinq lustres aux tremblotantes pendeloques en forme de poire. Quatre grandes portes-fenêtres s'ouvraient sur le balcon et le soleil ruisselait sur les peaux de tigre et d'ours étalées sur le sol de marbre veiné.

Le Général Kumar entra dans le grand salon et s'inclina devant Anne qui se leva. Il joignit les mains pour la saluer à la manière indienne, et Anne fit de même. C'était un magnifique vieillard, de très haute taille et d'une minceur extraordinaire, avec des yeux marron au regard très jeune dans un visage évoquant un Christ de Goya, encadré d'une toison de cheveux blancs comme neige flottant librement dans toutes les directions au-dessous du bonnet népalais. Il portait des jodhpurs et une tunique taillée à l'ancienne mode chinoise, recouverts d'une veste de chasse en

101

tweed de coupe occidentale. Ses pieds étaient chaussés de souliers marron et blancs assortis à la veste.

Il s'assit dans un des fauteuils capitonnés, tira de sa poche un paquet de *Lucky Strike* et en offrit une à Anne. A la façon des Hindous orthodoxes il fumait, non pas en plaçant le bout de la cigarette dans sa bouche, mais au moyen de sa main refermée pour former un tube creux ; la cigarette était maintenue entre la paume et le petit doigt et il avalait la fumée à l'endroit du pouce. Ainsi ses lèvres n'étaient-elles pas souillées par le contact du tabac.

Dans cet anglais cérémonieux que parlent les Népalais, le Général Kumar dit à Anne :

« Vous êtes la bienvenue dans ma demeure, Madame.

— C'est un grand honneur pour moi, Général.

— Nous avons appris votre arrivée par Miss Maupratt, poursuivit le Général. Mon cousin, le Feld-Maréchal, a cherché votre livre dans sa bibliothèque. Nous sommes enchantés qu'une dame douée de bon sens et de sensibilité vienne ici pour instruire nos filles. Miss Maupratt est énergique, mais son esprit est la proie des superstitions chrétiennes. »

Il tira une nouvelle bouffée de sa cigarette et ajouta :

« Une dame très énergique. Il n'est pas mauvais d'être énergique quand on est célibataire, sinon la folie rôde. »

Anne cherchait une réponse, mais le Général ajouta d'un air réfléchi :

« L'activité dissipe les humeurs sexuelles. »

Une jeune servante d'environ quatorze ans, originaire des tribus du Nord, aux lourds traits thibétains, avec d'épaisses nattes de gros cheveux noirs, et des incrustations d'or au nez et aux oreilles, apporta une cafetière, un passe-thé en étain, deux tasses, du sucre pas très propre sur une soucoupe, du lait condensé dans un petit pot, une bouteille de *Black and White* et un verre. Anne versa le café tandis que le Général se servait un demi-verre de whisky sec et reprenait la parole.

« Vous avez un époux, Madame ? Est-il ici ?

— Oui, Général.

— Grands dieux, dit le docteur Maltby, je l'avais complètement oublié. Je vais envoyer immédiatement un domestique lui porter un mot.

— Quoi, mon ami, désirez-vous alerter le mari de cette dame pour qu'il vienne ici ? Serait-elle en danger auprès de nous ?

— Pas le moins du monde, Général, mais je suis sortie très tôt ce matin pour aller me promener et mon mari pourrait s'inquiéter.

— En ce cas je ne m'opposerai pas à ce que vous l'envoyiez chercher immédiatement », dit le Général.

Il dit quelques mots en népalais à la jeune fille. Elle disparut pour revenir accompagnée d'un serviteur aux pieds nus qui se glissa dans la pièce le dos courbé et s'approcha du noble Rana la main en cornet devant sa bouche, faisant le geste de manger de la rouille dans sa main, l'antique salut des serfs à leur seigneur.

« Il va emporter votre message », dit le Général au docteur Maltby qui griffonna quelques mots sur une feuille de papier à lettres.

Anne s'entendit soudain parler au Général de sa chambre :

« Je ne sais pas pourquoi Miss Maupratt me l'a donnée. Peut-être n'y a-t-il aucune raison à cela. »

Elle aurait voulu ajouter : « La moindre petite chose a d'ailleurs de l'importance. » Mais elle se tut.

« Elle vous a donné la chambre d'Unni Menon, dit le Général.

— Qui est Unni Menon ?

— Un homme admirable, dit le Général, une tête froide et un cœur compréhensif. Vous ferez bientôt sa connaissance. Saviez-vous que Madame a la chambre d'Unni ? demanda-t-il à Maltby.

— Je me demande pourquoi Isabel vous l'a donnée, dit Frederic Maltby. J'avais toujours pensé qu'elle la ferait détruire par le feu, blanchir à la chaux, enfin je ne sais quoi !

— Je crois que Miss Maupratt est toujours éprise de lui, dit le Général. Du moins le bruit en court. Et, dans notre vallée, les bruits qui courent sont toujours vrais.

— Il y a des soleils, des perruches et des fleurs de soucis peints sur les murs, et des yeux merveilleux de chaque côté de la porte.

— Des perruches à tête fleurie, peintes par ma nièce Rukmini, Madame, dit le Général Kumar. Une enfant bien infortunée. Belle et malheureuse, douce comme la lune. Elle est profondément amoureuse d'Unni, bien qu'elle ne se jette pas à sa tête comme le font certaines étrangères. Mais son père n'a pas consenti au mariage et elle a épousé un parfait imbécile.

— Rukmini est très belle, dit Maltby d'un air de regret. Il y a en elle une étrange impuissance, elle manque complètement de défense. C'est cela le malheur. Elle est trop bonne, trop généreuse et trop belle.

— Toutes les Népalaises que j'ai vues étaient belles, dit Anne.

— Parce qu'elles vivent en harmonie avec nos vallées et nos montagnes, dit le Général. Et parce qu'elles sont vertueuses et mariées de bonne heure. Nos filles et nos montagnes sont jeunes et actives. Douze ans, ce n est pas un âge trop tendre pour le mariage dans notre pays.

— Général, dit le docteur, votre pays est merveilleusement médiéval. Les garçons se marient à quatorze ans, les filles à douze. On est général ou homme d'Etat à dix-neuf. »

Le Général sourit comme si on lui adressait un compliment personnel :

« Aimeriez-vous voir un mariage rana ? demanda-t-il à Anne. De mars en avril, c'est le *Chait*, le mois des mariages au Népal. Vous avez dû rencontrer des cortèges nuptiaux sur les routes. Peut-être ne vous serait-il pas désagréable d'assister à l'une de ces cérémonies demain après-midi ?

— J'en serais ravie.

— Alors permettez-moi d'arranger cela. J'obtiendrai une invitation pour vous et votre mari. Ma nièce se marie demain. Elle a été étudiante à votre Institut pendant deux mois.

— C'est la fille du Commandant en Chef, dit le docteur Maltby. Ce sera un jour férié. Tout le corps diplomatique va être présent.

— Vous verrez Unni Menon, dit le Général. Il est encore dans la montagne, mais il sera de retour demain pour le mariage. »

Le docteur Maltby déposa sa tasse de café et s'éclaircit la gorge :

« A propos, Général, j'ai vu ma femme ce matin. Elle est à Khatmandou.

— A Khatmandou ? dit le Général. Cela ne risque-t-il pas d'être grave pour votre âme, mon ami ?

— J'ai eu si peur que j'ai pris la fuite en courant — si fort que je me suis littéralement heurté à Mrs. Ford. Ma femme était avec le Père MacCullough dans sa jeep. Il lui faisait faire un tour dans la Vallée.

— Si elle était avec l'Homme à la longue robe, dit le Général, alors elle viendra demain au mariage. L'Homme à la longue robe aime à faire l'empressé, il est toujours à montrer quelque chose aux gens, à leur expliquer notre vallée, comme s'il était à lui tout seul une agence de tourisme de premier ordre. Peut-être qu'un jour, dans son pays, on l'invitera à parler de notre vallée en qualité de spécialiste. Tous les spécialistes se plaisent à faire ainsi l'empressé. Il obtiendra certainement une invitation pour cette dame, à seule fin de lui montrer de quel crédit il jouit auprès de nous.

— Tôt ou tard, elle apprendra ma présence ici. A Khatmandou, tout le monde sait tout sur tout le monde. Il serait bien extraordinaire que personne ne lui ait encore demandé à brûle-pourpoint : « Maltby ? Mrs. Maltby ? Seriez-vous parente de *notre* docteur Maltby ? » Et nous n'allons pas tarder à la voir surgir dans la grande allée.

— Je vous protégerai, mon ami, dit le Général. Elle ne mettra pas les pieds dans ma demeure. Je me rappelle quelles furent vos souffrances quand Miss Maupratt blessa votre âme au cours d'une promenade. Désirez-vous que votre épouse soit embarquée à bord du prochain avion qui retourne à Patna ? Je peux en parler au ministre des Affaires Etrangères. C'est mon neveu.

— Je crains que ce genre de chose ne soit plus possible désormais.

— Vous avez raison, dit le Général en hochant

la tête. Nous aussi, Madame, nous sommes maintenant une démocratie. Les imbéciles peuvent agir à leur guise et nous autres Ranas nous ne possédons plus aucun pouvoir. Je ne puis aider mon bon ami comme je le désirerais. Il y a cinq ans, sur un mot de moi... (il fit claquer ses doigts d'un geste significatif), mais maintenant nous sommes en démocratie. »

Au même moment le serviteur reparut et, s'approchant du Général, lui dit une phrase en népalais.

« Votre mari et Isabel sont allés saluer le Résident britannique, dit le docteur Maltby, aussi ne leur sera-t-il pas possible de venir prendre le café. Mais vous pouvez rester un moment, n'est ce pas ? J'aimerais vous faire visiter l'hôpital.

— Peut-être vaudrait-il mieux que je parte, dit Anne, soudain nerveuse, tourmentée. Isabel avait parlé d'aller signer le registre à la Résidence ce matin et j'ai oublié. Oh, mon Dieu !

— Votre mari signera pour vous, s'il sait écrire, dit le Général. Restez avec nous, Madame, et cherchons ensemble un moyen d'empêcher cette terrible femme de torturer l'âme de mon ami par sa conduite inhumaine.

— Oh, Général, fit Maltby en souriant, ce n'est pas à ce point ! Mieux vaudrait que je m'accoutume à la perspective de la rencontrer un jour ou l'autre. Cela ne peut manquer d'arriver.

— J'ai une idée, dit le Général. Quand Unni sera revenu, demandons-lui conseil. Peut-être aura-t-il un plan d'action à nous proposer. Il a la tête froide.

— Que peut faire Unni ? demanda Anne.

— Je ne sais pas, dit le Général, mais il a une façon à lui de prendre les hommes — les femmes aussi, d'ailleurs, même celles avec qui il n'a pas envie de faire l'amour. Peut-être saura-t-il parler à votre épouse et changer son cœur. Mon ami, attendons qu'Unni soit revenu. »

Chapitre 6

« Anne est ma femme, j'aime Anne, en dépit de tout. »

John se lavait dans deux seaux d'eau bouillante et deux seaux d'eau froide apportés par le serviteur et versés dans la cuve de ciment armé. Au Palais de Rubis, la tuyauterie était rudimentaire, bien qu'Isabel eût dit la veille au soir que les nouvelles installations seraient bientôt prêtes :

« Du moins pour le Couronnement, qui aura lieu en mai. Seulement il faut que tout le matériel arrive par avion. Quand la route sera achevée, tout ira mieux, les marchandises nous parviendront plus facilement. Pour le moment, même les rouleaux compresseurs et les tonneaux de goudron qui servent à la construction de la route et du terrain d'aviation nous sont envoyés de l'Inde par la voie de l'air. »

La cuve de ciment était grande et John se plongea avec délices dans l'eau douce où le savon moussait si facilement. L'eau le recouvrait entièrement jusqu'au menton. Affleurant à peine la surface, les poils de sa poitrine flottaient comme de petites herbes. Il se massa vigoureusement le ventre. Depuis son départ de Calcutta, la veille au matin, il était constipé. Comme tant de gens habitués aux commodités modernes, il était paralysé en présence de dispositifs trop primitifs. Après un bain chaud et un bon petit déjeuner, peut-être que ses entrailles recommenceraient a fonctionner d'elles-mêmes.

Sa mauvaise humeur de la veille au soir contre Anne reparut, teintée d'une sorte de satisfaction personnelle, fondant sur lui non sans agrément, le recouvrant ainsi que le faisait l'eau savonneuse. Il avait dit son fait à Anne, mais sans se départir de sa dignité. Il ne s'était pas laissé emporter par la colère. Et puis, quoi, c'était la faute d'Anne, cela crevait les yeux! Cette façon qu'elle avait de toujours s'éclipser! Lui, il l'aimait, il l'aimait vraiment. D'abord il y avait eu le dîner avec Isabel. Il avait faim, le dîner n'était pas trop mauvais. On avait parlé du temps, sujet de tout repos, avec lequel on se sent en sécurité, sûr de ne pas rester coi. Dans ce pays, il se produit de brusques chutes de température, aussi John avait-il dû mettre un pull-over et demander à Isabel des bouillottes d'eau chaude pour le lit. Anne n'y avait pas songé, bien sûr. Puis ce docteur était venu, une espèce d'hurluberlu, un peu radoteur. John l'avait d'ailleurs secoué — rembarré même, soutenu par Isabel. Après quoi ils avaient pris congé et regagné leur chambre. Or, tandis qu'il était dans la salle de bains, Anne avait disparu pour revenir au moins trois quarts d'heure après, portant sa machine à écrire.

« Où diable as-tu été à une heure pareille ? demanda-t-il.

— Oh, tout simplement dans le jardin », avait-elle répondu — ce qui était faux — et elle était allée se déshabiller dans la salle de bains, emportant son pyjama et sa robe de chambre.

Quand elle était revenue, il lui avait fait une scène à tout casser. Il était bien décidé à ne pas se laisser rouler. Sans doute avait-elle été trouver Isabel pour discuter avec elle ce projet idiot, puisqu'elle s'était fourré dans la tête de rester à Khatmandou. Eh bien, non, ils n'y resteraient pas. Un endroit infect, froid et crasseux, pas de lumière, pas d'eau courante, et puis les indigènes. Une vraie racaille, d'ailleurs, que ces gens-là ; il fallait les voir rôdailler autour de la jeep avec les chiens et les vaches. Calcutta était déjà bien assez détestable. D'ailleurs, s'ils habitaient Calcutta, c'était la faute d'Anne. S'il ne l'avait pas écoutée, il aurait cinq mille livres de plus : «Cinq mille livres!» lui hurlait-il, tandis qu'elle demeurait étendue dans le grand lit, rigide, détournée de lui. Et ce voyage à Khatmandou, c'était encore une de ses idées lumineuses, une idée dont il devrait, lui, subir les conséquences. Puis il avait fini par s'endormir.

A son réveil, il se retrouva seul dans le lit, s'assit pour se voir dans le grand miroir de Bruxelles en face de lui, saisi par l'image qu'il y découvrait : la moustiquaire verte suspendue par un cordon sous le baldaquin de satin violet orné de glands, les dragons qui se contorsionnaient derrière lui, et lui-même, hirsute, avec des plis de sommeil couleur de cire sur les deux joues.

Tout d'abord il ne s'inquiéta pas trop : Anne devait être en bas avec Isabel. Il se sentait un peu honteux après la scène de la veille. Anne était restée étendue là, rigide. Mais c'était *elle* la responsable. Il se leva, appuya sur la sonnette, et le petit serviteur entra.

«De l'eau chaude, en quantité et vite !» Il entendit sa voix, masculine, et redressa les épaules. Puis il se retourna dans son lit : «Câline-moi, câline-moi», murmura-t-il, en arrondissant le dos vers une Anne imaginaire. Comme il le faisait pendant la première ou la deuxième année de leur mariage, quand elle était gentille avec lui, avant qu'elle eût commencé à ravager sa vie. A le miner jusqu'à la moelle des os, à le rendre à demi impuissant. Non, c'était faux, il n'était pas impuissant, bien qu'elle eût fait tous ses efforts pour le châtrer, sentimentalement parlant. Avec d'autres femmes, il était tout à fait normal. Très sensuel même, il ne fallait pas l'oublier. Ainsi, autrefois, dans la colonie où il travaillait, il entretenait une véritable écurie de course. Oui, une véritable écurie de course, se dit-il, évoquant avec satisfaction sa vie de célibataire. Au moins deux ou trois indigènes et une ou deux Blanches. Certaines d'entre elles l'avaient vraiment aimé. Mais Anne... eh bien tout ça, c'était sa faute. Froide comme un poisson. «Câline-moi, câline-moi», lui avait-il murmuré, remplaçant par d'autres besoins sa virilité absente. Elle l'avait câliné, tout son corps appliqué contre le dos de l'homme, et il s'était endormi dans ses bras, enveloppé comme un embryon, le corps d'Anne épousant le sien, les jambes d'Anne sous ses jambes repliées, le dos contre elle, protégé comme par le rempart du sein maternel. Cela avait été merveilleux. A ce moment-là, elle l'aimait comme il désirait être aimé. Elle était gentille avec lui et se conduisait en tendre épouse. Et lui, il s'en souvenait, il dormait d'un sommeil profond, un sommeil sans rêves et saturé de bonheur. Certes, même alors il lui faisait rarement l'amour, préférant ce sommeil, cette sécurité, mais il l'aimait pourtant plus que tout ce qu'il avait jamais possédé. Puis un jour elle avait mis ses mains derrière sa nuque et regardé le plafond en disant: «Je suis fatiguée», d'une voix plate et morne, tandis qu'il lui caressait les seins en murmurant les mots mécaniques et troublants qui, pour lui, préludaient inévitablement à l'acte sexuel. «Tu n'es pas gentille», lui avait-il alors dit d'un ton de reproche. D'ordinaire cette phrase suffisait à l'attendrir. Mais cette fois elle avait persisté : «Je regrette. Je suis nerveuse, c'est tout.» Et puis un jour, elle n'avait même plus répondu. «C'est à cause de ton travail que tu te tourmentes?» lui avait-il demandé, sachant pourtant qu'elle détestait parler de son œuvre d'écrivain. Elle l'avait regardé fixement et il regretta aussitôt de n'avoir pas trouvé autre chose à lui dire. Mais Anne le paralysait, et il retombait toujours avec elle dans les mêmes mots, le même comportement, certain cependant qu'il ne faisait qu'aggraver le mal : «Tu es froide, tu n'es pas normale.» Il avait trouvé cette formule, cette explication. C'était la vérité. Tellement simple. Pas de sa faute à lui. Elle était froide, de tempérament. Cette constatation les absolvait tous les deux... Et, bien que parfois il lui semblât encore l'entendre dire d'une voix terne : «Je suis fatiguée», il écartait très vite ce souvenir et revenait à ses griefs : la froideur d'Anne, sa pénible hostilité physique. Bien sûr, elle avait une attitude anormale. De son côté à lui, rien ne clochait. Et il se conduisait vraiment avec beaucoup de délicatesse, il ne l'ennuyait plus guère pour ces questions-là maintenant.

Le serviteur revint avec de l'eau chaude et John entra dans la salle de bains. Dans son bain, dans l'eau si douce à la peau, il résolut d'être gentil avec Anne quand il la verrait au petit déjeuner. Il espérait qu'Isabel serait là. En présence d'Isabel ce serait sans doute différent. Plus facile. C'était toujours plus facile quand il y avait là d'autres gens.

Il entendit du bruit dans la chambre à coucher et son cœur se souleva de joie. Il bondit hors du bain et se mit à se frotter vigoureusement. Elle était revenue, là, à côté, elle allait et venait. Mais elle n'avait pas le droit de sortir ainsi et de le laisser seul, dès le premier jour, dans un pays inconnu. Alors qu'ils auraient pu prendre un nouveau départ. Alors que peut-être il aurait pu faire l'amour avec elle... Il lança sa serviette sur le sol et, envahi d'une colère soudaine, comme une brusque cécité, il sortit de la salle de bains, prêt à voir le léger frémissement du visage de la jeune femme se figer au spectacle de sa nudité, prêt à s'entendre lui-même dire : « Qu'est-ce qu'il y a ? Qu'est-ce qui te choque ? On dirait que tu n'as jamais vu ton mari sans ses vêtements ! » Elle répondrait : « Il n'y a rien » en détournant les yeux et il pourrait arpenter la pièce en faisant jouer ses muscles, tandis qu'elle garderait la tête baissée et qu'il verrait saillir une petite veine qu'elle avait sur une tempe.

Mais ce n'était pas Anne, c'était le domestique qui faisait le lit. Ses yeux jetèrent dans la pièce un regard circulaire, puis se fermèrent obliquement tandis qu'il sortait de la chambre, pieds nus, et refermait doucement la porte derrière lui.

John était de nouveau seul.

C'est alors qu'il vit, sur la table à dessus de marbre qui occupait le milieu de la pièce, une feuille de papier blanc appuyée contre une pendule d'or moulu ornée d'amours : *Je vais faire un tour. Anne.*

Il s'assit sur un fauteuil surchargé d'ornements, au siège garni de broderie au petit point, et, sentant soudain le froid, il remit sa robe de chambre. Au mur, le miroir le montra attachant sa ceinture, se regardant. Il aurait voulu pleurer, mais il ne réussit qu'à avoir les yeux rouges.

« Anne, murmura-t-il, Anne. »

Elle n'était pas là, elle le laissait toujours seul

alors qu'il avait horreur de cela. Quoi qu'il fît, quoi qu'il essayât, toujours elle l'évitait, elle le fuyait, toujours.

« Dieu tout-puissant, la sale garce ! »

Il en avait toujours été ainsi. Depuis des années maintenant.

« Je n'ai pas été heureux », dit-il tout haut.

C'était la faute d'Anne. Oui, des griefs de chaque instant, contre Anne. Il se rappela le jour où il l'avait rencontrée pour la première fois, fasciné aussitôt par ce qu'il y avait de rayonnant en elle, par sa gaieté et aussi par le fait qu'elle écrivait, qu'elle était différente de toutes les femmes qu'il avait connues. Et puis, avec ce corps mince et délicatement charpenté, elle avait l'air si distingué. Il l'aimait, il aurait désiré qu'elle s'occupât de lui, qu'elle consentît à rire, à le câliner (ne pouvait-elle donc voir, ne pouvait-elle entendre, à quel point il désirait qu'elle le fît ?) et elle s'y refusait. Oui, c'était sa faute, sa faute, sa faute. Il le lui avait souvent dit quand il la trouvait assise devant sa machine à écrire, les yeux dans le vague. En pareil cas, il se plantait devant elle et se mettait à parler, cherchant à attirer son attention, même au risque de la voir se mettre en colère. Et maintenant elle le laissait toujours seul, elle s'enfuyait en elle-même ou ailleurs, elle l'abandonnait, tout seul.

La feuille de papier se réduisait en miettes dans sa main, le soleil entrait à flots dans la chambre et John plongeait ses regards dans la cour intérieure du palais. On y avait installé un court de tennis et le ciment semblait glissant. Dans un bruissement d'ailes, un vol de pigeons passa.

Je vais faire un tour. Anne.

Seule, sans lui, alors qu'il se faisait une telle joie de se promener avec elle. Alors qu'il songeait aux moyens de prendre un nouveau départ, ensemble. Elle s'en allait seule. A dessein. Elle ne cessait de ravager sa vie, dans les petites choses comme dans les grandes.

Il s'habilla machinalement, prenant les vêtements dans l'armoire de chêne massif où Anne les avait suspendus la veille au soir. Il claqua la porte de la chambre et s'en fut d'un pas raide, en faisant sonner bruyamment ses souliers sur les dalles du couloir. Il se rengorgeait de façon exagérée, en balançant les bras, comme toujours quand on l'avait blessé. Parvenu au bout du corridor, il descendit l'escalier, traversa la véranda, maintenant envahie par le soleil, et entra dans la salle à manger des professeurs, où ils avaient dîné la veille.

En dehors d'Isabel Maupratt, le personnel enseignant de l'Institut se composait de deux pâles demoiselles d'une trentaine d'années qui semblaient perpétuellement saupoudrées d'une mince couche de quelque matière semblable à du savon en paillettes, tant étaient pâles, secs et fins leurs cheveux, leurs sourcils et leurs cils. Leur peau était parsemée de pâles taches de rousseur. La veille, aussitôt après le dîner, elles s'étaient esquivées pour se rendre à un service religieux, et John s'aperçut qu'il avait oublié laquelle des deux était Miss Potter ou Miss Newell. Elles enseignaient l'histoire et la géographie et, pour l'instant, elles mangeaient des kippers, assises côte à côte à la table oblongue présidée par Isabel, où étaient servis le thé et le café du matin, agrémentés de deux bouquets de pois de senteur dans des vases de verre orange.

«Bonjour, bonjour! cria Isabel d'une voix retentissante et de son air le plus cordial. Vous êtes debout de bon matin, à ce que je vois. J'espère que vous avez passé une bonne nuit? Il ne faisait pas trop froid, n'est-ce pas? Nous vous avons donné les razas les plus chauds que nous possédions (vous savez, ce sont les couvre-pieds en morceaux de tissu assemblés qu'on fait dans le pays). Je suppose qu'Anne se repose encore; pauvre petite, elle doit être épuisée après ce voyage.»

John s'assit en face de l'Histoire et de la Géographie et déplia lentement sa serviette. De la sauce tomate séchée rappelait le macaroni mangé hier soir. Il annonça:

«Il paraît qu'Anne est partie se promener.

— Se promener, seule! s'écria Isabel.

— Mon Dieu, seule! répéta l'Histoire (ou la Géographie).

— Seule, pour se promener, comme c'est extraordinaire!» dit l'autre.

Leurs voix étaient identiques, leurs lèvres pâles restaient entrouvertes. Leurs langues aussi étaient pâles, leurs humides dents pâles semblaient irréelles, on aurait pu les croire fausses. Et pourtant il se dégageait d'elles une étrange fascination. John s'imaginait baisant ces bouches pâles, sèches, un peu froides, à la lèvre inférieure bordée d'un mince filet de salive blanche; puis il se rappela la manière dont Anne détournait la tête, si bien qu'il ne pouvait jamais l'embrasser. Il n'en avait pas toujours été ainsi. Cela n'avait commencé qu'après son accident, après le bébé.

Il se mit à beurrer des toasts trop mous qui laissaient une empreinte humide sur la petite assiette où ils étaient posés. Le domestique versa de l'eau bouillante dans sa tasse, sur la poudre de Nescafé.

« Je me demande où elle a pu aller, reprit-il. J'espère qu'elle ne court aucun danger ?

— Oh, j'espère bien qu'il ne lui arrivera rien, mais ici on ne sait jamais, dit l'Histoire.

— Elle est peut-être allée se promener avec le docteur Maltby », ajouta la Géographie.

Le regard irrité d'Isabel étincela comme un petit éclair à travers les pois de senteur. D'un mouvement simultané, ils portèrent leurs tasses à leur bouche, se passèrent les toasts et un beurre grisâtre, dont Isabel déclarait que c'était une telle aubaine de pouvoir s'en procurer. Un Suisse, spécialisé dans la fabrication des produits laitiers, le fournissait au *Royal Hotel* et les diplomates, les Américains de la Commission du Point Quatre, l'Institut Féminin, le Père MacCullough, tout le monde consommait du beurre suisse.

La conversation roula sur la température.

« Mars est encore froid dans la Vallée.

— Mais cela se réchauffe vers midi.

— Savez-vous que mars est le mois des mariages au Népal ?

— Tout le monde se marie à cette époque de l'année.

— Vous verrez des cortèges de mariage tout le temps, nuit et jour.

— Il y a même un grand mariage rana demain. Quel dommage que je n'aie pu vous avoir une invitation, dit Isabel. Si seulement vous étiez arrivés quelques jours plus tôt, Mr. Redworth, notre Résident, aurait peut-être pu arranger cela. A propos, il faut *absolument* que nous allions lui faire une visite ce matin. J'espère qu'Anne sera revenue à temps, nous avons rendez-vous à dix heures.

118

« — Elle n'a pas dû aller bien loin.

— Nous rencontrerons peut-être un cortège nuptial en allant à la Résidence.

— J'en ai vu un hier. La mariée était minuscule, une enfant, on aurait dit une poupée.

— Les filles se marient si jeunes, ici.

— A douze ans, dirent en chœur l'Histoire et la Géographie, d'un air scandalisé. C'est vraiment terrible. »

La conversation se poursuivit sans encombre sur les mœurs corrompues des Népalais et sur leur nourriture abominable, « purement et simplement du poison », affirmait Isabel, tandis que les serviteurs apportaient des œufs au bacon, d'autres kippers et d'autres toasts humides.

Après le petit déjeuner, l'Histoire et la Géographie déclarèrent, en sautillant comme des petites filles, qu'elles allaient voir les Américains au Palais du Point Quatre.

« C'est si charmant chez eux, tellement différent de tout ce qu'on voit d'ordinaire à Khatmandou.

— On se croirait en Amérique, tout a été importé.

— Oui, ils ont l'argent qu'il faut pour cela, dit Isabel en se levant. Leurs salles de bains sont magnifiques. »

John la suivit sur la véranda meublée de tables et de chaises de rotin.

« Oh, ce que le soleil est chaud ! » fit Isabel en s'asseyant.

Au-dessous d'eux s'étendait le jardin géométrique, dessiné à la française. Tout au fond, derrière quelques arbres aux feuilles frissonnantes, on apercevait le bungalow blanc où, la veille au soir, Isabel avait conduit Anne. Ce n'était pas le seul. çà et là, on distinguait de petits édifices semblables, à peu près dépourvus de style, quelques-uns délabrés. Tout autour du jardin serpentait l'habituel mur de brique rose qui clôturait le Palais de Rubis et son parc. Au-delà, c'était la rue, dans laquelle passait en ce moment un cortège nuptial. D'abord un bruit de flûtes et de tambours et de petites trompettes, puis quatre ou cinq hommes coiffés de bonnets, vêtus de tuniques courtes et de jodhpurs et, derrière eux, le marié de quatorze ans, dans une chaise à porteurs balancée entre deux bâtons, abrité par un parasol de soie rouge maintenu au-dessus de sa tête par une troisième perche.

« C'est un mariage de pauvres, dit Isabel. La plupart des élèves de notre Institut sont déjà mariées et les autres s'apprêtent à l'être. Vraiment, ajouta-t-elle en regardant sa montre, nous ne pouvons guère attendre Anne plus longtemps.

— Je me demande si l'on ne devrait pas aller à sa recherche.

— Elle a été bien imprudente de partir seule. On ne respecte guère les femmes dans ce pays.

— Croyez-vous qu'il puisse lui arriver quelque chose de grave ? demanda John d'une voix inquiète.

— J'espère que non. Après tout Anne n'est plus une gamine, n'est-ce pas ? Je ne pense pas qu'elle risque d'être kidnappée, ni rien de semblable, et puis elle ne peut pas s'être beaucoup éloignée, elle ne connaît pas le chemin pour aller où que ce soit. Vous savez, Anne a toujours été un peu obstinée — à l'école, veux-je dire. Bien sûr, nous étions *si* bonnes amies. Ce matin, après la visite au Résident, je comptais avoir avec elle une longue conversation bien tranquille sur notre jeunesse à Shanghaï. Ma mère avait *tant* d'affection pour elle. Nous nous occupions beaucoup d'elle, vous comprenez, elle passait ses vacances chez nous.

— Je sais, dit John d'un air grave, vous avez été très, très bonne. Je suis sûr qu'elle vous garde une vive reconnaissance, étant donné tout ce que vous avez fait pour elle dans son enfance.

— Oh, dit Isabel, je suis sûre que ma mère serait heureuse de voir Anne *maintenant*, de constater comme tout a bien tourné pour elle, de savoir quels succès elle a remportés dans la carrière littéraire, tout cela enfin. Quel soulagement de la savoir bien mariée ! Son esprit inquiet a trouvé un havre. Je veux dire par là qu'elle a besoin de quelqu'un pour veiller sur elle. Et je suis contente qu'elle soit venue ici. Hier soir, elle m'a paru si fatiguée et si pâle ! Elle n'a pas beaucoup de vitalité, n'est-ce pas ? Nous allons tâcher de la remonter. L'essentiel, bien sûr, c'est de se maintenir en bonne forme et en bonne santé, à la fois au moral et au physique. Il y a ici des gens très bien. Miss Potter et Miss Newell dirigent un groupe d'études de la Bible. Je suis quant à moi trop occupée pour assister à toutes les séances, mais je suis sûre qu'Anne y prendrait grand plaisir. Les réunions de ce genre sont indispensables dans un pays comme celui-ci, elles vous permettent de voir les choses sous leur jour véritable, elles vous aident à garder une foi intacte. Grands dieux, il est près de neuf heures et demie ! » dit-elle en consultant à nouveau sa montre.

John la considérait avec une sorte d'inquiétude agréable. Les cheveux brillants, le corps robuste, dans l'ensemble c'était une belle femme, énergique et pleine de bon sens.

Il attendait qu'elle en dît davantage sur Anne. Mais en vain. Les regards d'Isabel se portèrent sur la route, fouillant le paysage.

« J'espère qu'elle ne va pas tarder, on nous attend à la Résidence à dix heures au plus tard. Ici, vous savez, on s'efforce d'être ponctuel ; c'est une excellente habitude, n'est-ce pas ? Les Ranas sont extrêmement à cheval là-dessus. Bien entendu, ils n'envoient jamais de carte avant le jour même de la cérémonie, et parfois même l'invitation ne vous parvient qu'après, mais on est toujours averti... on est mis au courant, on vous raconte les choses. Vous vous apercevrez qu'à Khatmandou on est toujours au courant de tout. Comme s'il existait une sorte de mystérieux télégraphe. C'est pourquoi il faut faire tellement attention à la manière dont on se comporte. »

Elle s'empara d'un ouvrage de tricot qu'elle prit dans un sac posé sur une chaise et se mit à travailler avec acharnement. Elle tricotait pour les victimes des inondations. Au Népal, les inondations causent de véritables désastres, tant les pluies de la mousson d'été sont violentes. Chaque maille que faisaient ses aiguilles, chaque regard jeté à sa montre étaient un reproche de plus à l'adresse d'Anne qui les avait fuis, qui avait disparu dans la Vallée. Installés sur la véranda comme dans une forteresse assiégée, John et Isabel semblaient résolus à ignorer l'univers insolite qui les environnait : les effets amollissants, insidieux, de l'air trop doux, les flûtes railleuses des cortèges nuptiaux, les jeunes garçons dans leurs chaises à porteurs à parasol rouge, la lumière du matin qui brillait sur eux, une lumière dans laquelle ils baignaient avec délices, mais qui évoquait aussi d'autres images, des images lascives, déplaisantes, qui vous donnaient la chair de poule, contre lesquelles ils se défendaient en s'étayant l'un l'autre par une approbation et un accord mutuels. Impression de sécurité commune, renforcée par le récit d'Isabel sur les inondations et la famine dans la Vallée, considérées comme le châtiment, en un certain sens mérité, infligé à un peuple sans énergie et sans Dieu (pourtant on aimait la charmante puérilité de ces gens, ils riaient toujours). Et il semblait à John que c'était Anne qu'il entendait critiquer ainsi âprement, Anne et son obstination, son manque d'énergie déplorables.

« Cette fois, dit soudain Isabel, il va vraiment falloir que nous partions sans elle, il est trop tard. »

A ce moment, le petit domestique qui avait apporté à John l'eau de son bain apparut, les yeux plissés vers les tempes par le rire. Il remit une lettre à Isabel, qui la lut et rougit.

« Qu'est-ce qu'il y a? Qu'est-ce qu'il y a? demanda John.

— C'est un mot du docteur Maltby, dit Isabel. Votre femme prend le café avec lui et il nous invite à venir les rejoindre. Mais je crois qu'il faut que nous allions d'abord à la Résidence pour signer le registre. Je n'ose vraiment pas faire attendre Mr. Redworth et il n'y a pas de téléphone. »

La jeep suivit la grande rue de Khatmandou, passa devant la statue équestre d'un ministre rana, barbu comme Charlemagne, un bronze fondu à Londres et amené à dos d'homme dans la Vallée à travers les défilés montagneux, puis devant la tour de l'Horloge, où John vérifia que sa montre marquait bien l'heure exacte, devant le Rana Pokhra, la pièce d'eau où l'on rendait autrefois la justice par le moyen de l'ordalie; aujourd'hui l'horloge et les montagnes qui formaient l'arrière-plan se reflétaient dans son miroir vert, des iris et des jacinthes poussaient tout autour et, sur ses degrés, un saint homme se lavait les pieds. La jeep longea ensuite le *Royal Hotel*, également un ancien palais :

«C'est le seul endroit où l'on puisse vraiment habiter, à part la Résidence et la Mission Américaine», affirma Isabel.

Ils arrivèrent devant le Palais Royal, réplique de Buckingham Palace, avec des colonnades blanches et des jets d'eau, des soldats ghurkas en kaki, dont l'un fumait devant la grille de fer forgé, tandis que des petits garçons faisaient voler des cerfs-volants au bout de longues ficelles.

«Sapristi! s'écria John, remué jusqu'au plus profond de lui-même à la vue d'un soldat de garde en train de fumer, jamais une chose pareille n'aurait pu se passer au temps du vieux Pickle (c'était notre dernier gouverneur avant que nous n'accordions l'autonomie aux indigènes qui depuis ont fait un beau gâchis). Le vieux Pickle connaissait à fond les Ghurkas. Tous les hommes de sa famille servaient dans ce régiment. Son oncle, colonel du 5e régiment, s'était bagarré dans les jungles de Malaisie contre les Rouges. Il traînait des kukris[1] un peu partout, dans le palais du gouverneur, je m'en souviens.

— Vous en verrez aussi de beaux à la Résidence», dit Isabel.

La Résidence était une grande maison blanche à deux étages, d'aspect confortable, avec une pelouse de gazon fin et les fleurs les plus belles et les plus grandes qu'on pût voir à Khatmandou. Dans toutes les enclaves diplomatiques d'une

1. Poignards à lame incurvée utilisés par les Ghurkas. (N. du T.)

capitale, où qu'elle soit, ce sont toujours les Britanniques qui ont les plus beaux jardins.

« Les pois de senteur de Martha Redworth sont proprement admirables, mais les Américains ne tarderont pas à faire presque aussi bien. »

John contempla le déploiement de teintes pastel, et pendant un instant il éprouva le mal du pays.

« On se croirait absolument dans le Kent, dit-il.

— Si ce n'est qu'il y a en ce moment des tempêtes de neige dans le Kent, répondit Isabel, ma sœur me l'a écrit. Sa lettre a mis trois jours pour arriver ici, ce qui n'est pas mal. Les avions ont été ponctuels, ces derniers temps, mais, quand le plafond nuageux est trop dense, nous sommes coupés de tout. Il est dangereux de survoler la Vallée pendant la mousson d'été, elle est trop étroite et les montagnes sont trop proches. »

Le Résident lui-même vint leur ouvrir la porte : « J'ai vu arriver votre jeep. Entrez, je vous prie. »

Paul Redworth était un homme affable et corpulent, avec un visage rose de chérubin. (Le postérieur du lauréat d'un concours de bébés, selon sa propre expression.) Sur les murs du living-room, on voyait de massifs kukris ornés d'argent ciselé et des portraits de Ghurkas décorés de la Victoria Cross. De part et d'autre de la cheminée, deux pieds de rhinocéros soutenaient des plateaux de cuivre destinés à recevoir des cartes de visite. Le mobilier était d'aspect reposant, de couleur agréablement foncée et très anglais ; il y avait des ???gerbes de rhododendron et des fleurs de frangipanier dans de grandes coupes et une antique Remington sur un bureau.

« J'étais en train de taper, dit le Résident. Il faut renoncer à convaincre le Foreign Office que le volume du travail a considérablement augmenté à Khatmandou, ces dernières années. Je ne cesse de leur dire que le Népal est en train de devenir un Etat moderne et qu'il a même établi un plan quinquennal. A notre époque aucun pays asiatique n'échappe au plan quinquennal. Mais ils me répondent que nous n'avions pas besoin de dactylo en 1945 et qu'ils ne voient pas pourquoi il nous en faudrait aujourd'hui.

— Nous sommes venus pour signer le registre, Monsieur, dit John.

— Oh, le registre ? dit le Résident. Il est ici, nous n'avons absolument pas pu le laisser à l'extérieur, comme cela se pratique dans les autres parties du monde. Nous avions eu beau mettre une sentinelle, on le trouvait tout le temps couvert de gribouillis, des dessins fort ingénieux, dans l'esprit de ces talismans contre la foudre qu'on trouve partout autour des temples. Les avez-vous vus ? Eh bien, c'est ce qu'une aimable vieille touriste américaine appelait des scènes d'intimité familiale. Ah, ah, ah !

— Mr. et Mrs. Ford ne sont ici que depuis hier soir, dit Isabel d'un ton sec.

— Oh, mais il faut que vous alliez jeter un coup d'œil là-dessus. Il paraît que tous les temples vont être repeints à l'occasion du couronnement, alors vous verrez tous les petits détails beaucoup mieux que maintenant, poursuivit aimablement Mr. Redworth. Il paraît que la déesse vierge de la foudre est tellement suffoquée quand elle voit cela qu'elle épargne l'édifice. Selon une autre théorie, la vue de ces scènes permet de conserver une plus complète maîtrise de soi. Je veux dire que si l'on est un saint ou en voie de devenir un dieu (et tout le monde, ici comme en Inde, est un dieu ou un saint ou le deviendra un jour) alors on peut considérer ces sortes de choses avec une parfaite sérénité. Théorie bien séduisante, en vérité. Quoi qu'il en soit, nous avons retiré le registre, ses pages n'étaient plus montrables. Les gens du Foreign Office n'arrivaient pas à comprendre pourquoi il nous fallait le renouveler si souvent et nous ne pouvions entrer dans les détails pour leur fournir l'explication. Vous savez, ils se font tellement d'idées fausses sur ce pays. D'ailleurs, dans un mois ou deux, on va nous coller sur les bras je ne sais quel important personnage. Il fait le tour du monde, nous allons devoir nous en occuper, l'empêcher de faire des sottises. J'espère qu'il ne va pas inventer de monter à dos d'éléphant. La dernière fois qu'il est venu ici un gars de ce genre-là, nous lui avons amené un éléphant qui s'est assis et a refusé de bouger. L'effet a été déplorable», constata Mr. Redworth d'un air résigné.

Dans l'espoir de retrouver sa propre sérénité en face de ce Résident original, John lui expliqua que sa femme s'était sentie épuisée après ce long voyage en avion, mais, sans prêter attention à ses phrases hésitantes, Mr. Redworth répondit :

«J'ai été ravi de constater qu'elle apprécie déjà le pays. Je l'ai vue ce matin qui se promenait près du terrain d'aviation où j'étais allé accompagner quelqu'un en voiture et je l'ai reconnue d'après le portrait reproduit sur la couverture de son livre. Dites-lui que je suis un de ses admirateurs. J'ai beaucoup aimé aussi la nouvelle qu'elle a publiée récemment dans un magazine. Mais elle devrait écrire bien davantage. Quand paraîtra son prochain livre ?

— Seigneur ! s'écria Isabel, dire que vous aviez le livre d'Anne et que je n'en savais rien. Il faut absolument que je vous l'emprunte.

— Je ne l'ai pas, répondit Mr. Redworth. C'est le Feld-Maréchal qui me l'a prêté. Il y a ici un Feld-Maréchal rana qui possède une magnifique collection de manuscrits anciens et une importante bibliothèque d'ouvrages modernes. Vous ferez sa connaissance un de ces jours. Charmant garçon. Et si votre femme aime les promenades à pied, venez avec nous un dimanche, nous allons habituellement dans les collines. Martha serait enchantée. En ce moment elle est un peu désorientée, parce que notre bon ami Sharma est en prison. D'ordinaire il nous accompagnait — pieds nus le plus souvent — et il débitait des passages d'Eliot et de Housman tout le long du chemin. Depuis quinze jours, il est bouclé avec Vassili, le directeur du *Royal Hotel*. Ils partagent la même cellule», dit Mr. Redworth en jetant un regard vers sa machine à écrire.

En remontant dans la jeep, John semblait songeur :

«Le directeur de l'hôtel et ce Népalais qui se promènent avec le Résident..., commença-t-il.

— Ce n'est qu'une cabale abominable, du moins en ce qui concerne Vassili, répondit vivement Isabel. Il est absolument charmant, sa femme aussi. Sans Vassili et sa femme, il n'y aurait pas de touristes à Khatmandou. Ils dirigent le *Royal Hotel* et c'est le seul où l'on puisse descendre.

— Quel pays ! dit John.

— Vraiment désespérant, dit Isabel. Tout est en pagaille, rien ne se fait. Et le Couronnement a lieu dans sept semaines à peu près. Khatmandou sera rempli d'invités... il va falloir les loger et les nourrir, il n'y a qu'un seul hôtel convenable, le propriétaire est en prison et aucune disposition n'a été prise, personne ne s'en est préoccupé. Il n'y aura rien à manger, pas d'eau ni pour boire ni pour se laver. Vous pouvez m'en croire, affirma-t-elle, ce sera le chaos. »

La jeep franchit les grilles du Palais de Rubis et remonta l'allée en grinçant. Anne était sur les marches du perron, en compagnie de deux hommes, un grand Népalais à cheveux blancs et le docteur Maltby. Tous trois riaient. Ils se tournèrent, le rire encore dans leurs yeux et sur leurs lèvres, lorsque la jeep s'arrêta et que John et Isabel en descendirent.

Journal d'Anne Samedi, second jour à Khatmandou. Hier, ce n'était pas un jour plus tôt, mais un siècle. Je me sens comme Alice au Pays des Merveilles, prenant le thé en échangeant avec le Lièvre de Mars des propos pleins de sens dans leur incohérence. Ici toute chose est vraie parce qu'elle existe en soi, elle n'est pas détachée de la réalité par des mots, réduite au symbole de ce qui devrait être, pourrait être, mais n'est pas. J'éprouve cette impression qu'on a après être resté trop longtemps dans l'obscurité à regarder un film : à la sortie tout vous saute aux yeux, brutalement, redevient réel, tangible, reprend vie. Le monde, hier à deux dimensions, est maintenant à dimensions multiples, plein de sens profond, bizarre, fantastique et précis, comme s'il fournissait vraiment la solution de nombreuses énigmes. C'est un univers extravagant, l'Abominable Homme des Neiges n'est pas loin et j'ai envie de dire : « Oh, pardon ! » quand mon pied heurte une pierre. Je suis absolument sûre que je vais devenir folle, mais c'est une folie délicieuse. Et quelle certitude j'ai maintenant d'être vivante, alors qu'hier encore je savais que j'étais bien morte.

«Les mots magiques te soutiendront, tu ne redouteras pas la fureur des vents.» Ce ne sont pas les mots qui sont réels, mais les choses qu'ils symbolisent — enfin, enfin — et ces choses, par l'emprise qu'elles exercent sur moi, produisent des mots. Seulement je ne suis pas sûre que ces mots soient les bons, car ils ne répondent pas à mon attente. Tels les sismographes, ils sont capables de transcrire les griffonnages qui indiquent le tremblement de terre, mais ils ne peuvent reproduire l'image des glissements de terrain, des crevasses, des destructions et des écroulements. Ils sont impuissants à dépeindre, à montrer cette lente combustion, électrique, profonde, au sein de chaque cellule, sentiment auquel songeait peut-être D. H. Lawrence quand il parlait de ténèbres enfouies au plus profond de nous-mêmes, de ténèbres vivantes, vérité informulée au plus profond des choses.

Pour moi, il y eut d'abord ce lever muet, avant l'aube. Après la douche glacée, je m'habillai et je quittai la chambre. Pendant tout ce temps, John demeura profondément endormi, et cela m'était complètement indifférent. Je regardais son corps étendu à plat ventre et je n'éprouvais rien, peu m'importait qu'il s'éveillât ou non. Je longeai le corridor, descendis l'escalier et sortis par la grille. Le portier somnolent dans sa guérite m'ouvrit comme si c'était la chose la plus naturelle du monde. Une froide brume laiteuse couvrait encore les champs d'où arrivaient des files de porteurs lourdement chargés, leurs paniers ovales se balançant, maintenus par la sangle posée en travers de leur front. Ils chantaient.

Les rêves sont plus hauts en couleur que la réalité — peut-être parce que l'usage des mots a détruit la réalité, peut-être aussi parce que nos paroles créent pour nous un monde irréel et qu'au-dessous, très au-dessous du limon de nos propos, gît, bien caché, tout ce que nous ne voulons pas savoir sur nous-mêmes et sur notre monde. De même cette sortie solitaire dans le froid reste un souvenir que jamais je n'oublierai. J'étais vraiment alors en possession de moi-même.

J'avançais, tandis que le soleil s'éveillait lentement, que les oiseaux s'éveillaient à grand bruit, que les pics neigeux apparaissaient, splendides, roses, froids et terribles. J'aurais voulu prier. Je ne savais pas où j'étais, peu importait. Un pont, la rivière où le soleil se baignait dans une eau rose, où des femmes déposaient dans le courant des rangées de radis. Il y avait maintenant beaucoup de gens dehors, des jeeps et des vaches ; et tout cela m'était égal, je n'éprouvais nul besoin de me précipiter dessus pour les considérer avec curiosité, à la façon vorace des touristes avides d'étrangeté, car j'étais des leurs, nous faisions tous partie l'un de l'autre. Il y avait là une route, je la suivis. En face de moi s'étendait un terrain d'aviation, des hommes s'activaient autour des appareils. Je restai un long moment à les regarder comme si je n'avais jamais vu d'avion, puis je suivis des femmes qui traversaient un champ, des rhododendrons dans les cheveux, portant de petits plateaux à offrandes, et bientôt nous nous trouvâmes parmi les oratoires des lingams. Des hommes et des femmes priaient et présentaient leurs offrandes sous le soleil déjà plus chaud. Je me trouvais sur la pente au milieu des oratoires et je voyais un grand temple où étincelaient des toits dorés et des dieux dorés, de l'autre côté d'une rivière étroite qui courait comme une grosse corde au pied de la colline. Une voix de bronze sonna l'heure d'un matin sans fin, marquant le temps éternel.

Je m'assis et je regardai autour de moi sans pouvoir me rassasier du spectacle. Le soleil nous inondait tous tel un don merveilleux, un corps brûlait, des gens faisaient leurs ablutions sur les marches blanches usées, puis le docteur Maltby vint se jeter contre moi et cet incident aussi fut exactement tel qu'il devait être. Il me parla de sa femme. Nous repartîmes à pied, une jeep pleine de Népalais nous prit à son bord, nous riions tous ensemble, sans raison.

Et puis, le Général m'apprit que j'avais la chambre d'Unni Menon. Pourquoi Isabel m'a-t-elle donné ce bungalow, cette chambre? Peut-être n'est-ce explicable que par cette joie un peu folle qui règne dans la Vallée? Moi qui y ai succombé si rapidement, il me semble que je devrais comprendre pourquoi. Et la conduite d'Isabel, qui paraît être restée si imperméable à cette magie après avoir vécu ici plus de deux années, demeure pour moi un mystère. Elle ne m'aime pas. Peut-être m'aimait-elle hier, mais plus aujourd'hui. Désormais la porte est fermée entre nous.

Car Isabel et John, tant dans leurs sentiments que dans leur langage, continuent à considérer les choses sous le même angle qu'autrefois, ils tiennent leur personnalité bien en main, leur âme leur appartient, fermement moulée, tandis que je me perds, je *deviens* autre, mon être conscient se développe en fonction de ce qui m'entoure, il y pénètre, se transforme, et moi-même... Mais qui suis-je?

Isabel sait cela, elle estime que c'est terriblement dangereux pour moi. Elle a essayé de me mettre en garde.

Nous étions debout sur le perron, Frederic Maltby, le Général Kumar et moi. La rencontre avec John aurait été plus gênante si Isabel ne s'était aussitôt mise à parler, énergique, impérieuse, comme revêtue d'une armure, comme si un masque de métal cachait ses yeux avides et mal défendus.

« Eh bien, eh bien, je vois que vous vous amusez, ma chérie. Nous étions un peu inquiets à votre sujet, vous savez.

— Je suis allée me promener », dis-je.

L'instant où se produit un miracle est interminable. Peut-on capter le soleil ou saisir une étoile ? J'aurais voulu dire : « J'ai traversé le terrier du lapin », mais c'eût été la mettre sur la piste, lui livrer mon secret, et je dois prendre garde de n'en pas dire trop long à Isabel. Si on se laisse aller à parler à certaines gens, c'est un peu comme si on leur apportait une coccinelle : leur premier soin serait de vous l'arracher des mains et de l'écraser du talon.

« Vous êtes vraiment très, très hardie ! (la voix d'Isabel était comme jonchée de verre pilé), moi, je ne m'y risquerais pas. Nous sommes allés, votre mari et moi, faire une visite au Résident et signer le registre. Vous vous souvenez peut-être que je vous en avais parlé hier soir.

— J'avais complètement oublié. »

Nous restions debout sur les degrés, hésitants, mal à l'aise. Frederic Maltby et le Général dirent qu'ils étaient obligés de partir. Le Général, tel le soleil, planait au-dessus de tout cela, ange mince aux cheveux blancs et au regard lointain. Ils avaient déjà fait quelques pas quand le Général rebroussa chemin et dit :

« Je vais vous procurer des cartes pour le mariage de demain. »

Puis il s'en fut.

« Alors, vous aussi, vous allez assister au mariage, dit Isabel. Bien sûr, le Général peut facilement arranger cela, la fiancée est sa nièce. Tous ces Ranas sont plus ou moins parents.

— J'espère que je suis également invité, dit John.

— Bien entendu.

— Merci », fit-il, sarcastique.

Je suivis John ; il marchait devant moi de ce pas de parade, ferme et majestueux, qui, jusqu'à présent, provoquait mon agacement, cet agacement démesuré particulier à la vie conjugale, où de petites divergences suffisent à créer de durables griefs. Aujourd'hui encore, j'éprouvais ce même agacement parce que j'étais revenue dans leur univers, celui d'Isabel et de John, un univers vide, au goût de poussière.

Arrivé dans la chambre, John se tourna vers moi, et j'aurais pu lui souffler ce qu'il me dit alors :

« Anne, j'exige une explication de ta conduite.

— De ma conduite ?

— Tu sais très bien ce que je veux dire. Tu as fait montre d'un égoïsme choquant — je devrais plutôt appeler cela de la grossièreté. Pas un instant tu n'as songé à moi, ni à Isabel. J'irai même jusqu'à prétendre que tu as déjà fait ici une fâcheuse impression. C'est pour nous un mauvais début, et j'en suis extrêmement contrarié. Je ne voudrais pas citer de nom, mais je suis sûr que le Résident a dû trouver fort bizarre que...

— Mais non, absolument pas, dis-je. Fred Maltby dit qu'il est très intelligent et que nous nous entendrons bien avec lui.

— Je ne me soucie pas de ce que le docteur Maltby pense du Résident et je n'ai pas envie de le

134

savoir. Je suis sans doute vieux jeu, mais je ne trouve pas bon qu'une femme mariée, ma femme, disparaisse pendant des heures en compagnie d'un autre homme. Je n'ai pas voulu faire une scène, mais je me réserve d'aborder la question avec le docteur Maltby et de lui demander quelles sont ses intentions à ton égard.

— Oh, c'est vraiment trop ridicule ! » dis-je.

Mais maintenant John criait, il cherchait des arguments pour alimenter sa colère afin de la déverser sur moi dans une de ces tempêtes d'humeur par lesquelles il se laisse emporter à l'occasion. Je le considérais, fascinée, me disant qu'après la splendeur lumineuse de la matinée je ne pourrais plus jamais être effrayée, et pourtant je me sentais lentement envahir par la peur, par la nausée. Je m'étais crue désormais plus forte, mais il n'en était rien. Même si ses chaînes ont été allongées, l'esclave n'est pas pour autant libéré. Frederic Maltby s'enfuyait à la vue d'Eudora ; moi, je tremblais en dedans, l'âme blême, bâillonnée par l'inquiétude et par l'humiliation, envahie par un flot d'amertume et toujours prisonnière de moi-même.

« Je ne tolérerai pas ça. Je suis ton mari. Oui, ton mari, ne t'en déplaise. Je ne veux pas être laissé de côté, tandis que tu t'en vas traîner avec ce docteur. Oh, je n'ai pas peur que tu couches avec lui. S'il essayait, cela te rendrait sans doute malade ! J'ai bonne envie d'aller aussitôt après le déjeuner dire à ce foutu salaud ce que je pense d'un homme qui cherche à s'adjuger la femme d'un autre et qui n'a pas le cran de le regarder en face. Je veillerai à ce que ceci ne se renouvelle pas. »

Il se mit à marcher de long en large :

« Peut-être quitterons-nous Khatmandou par le

prochain avion, conclut-il. Tu ferais aussi bien de commencer tes bagages. »

« Pourquoi supporter cela ? » me disais-je. J'ouvris l'armoire. Il fallait que je m'habille pour déjeuner. Je mis une robe sur mon bras et je me dirigeai vers la salle de bains, bien résolue à ne pas me hâter.

« Où vas-tu ? Tu ne peux pas te changer ici ? Anne, je te parle, Anne... »

Les nausées, la respiration haletante derrière la porte fermée. C'est une faiblesse que John connaît bien : l'émotion produit chez moi cette hypermotilité. Cela a été la même chose quand Jimmy est mort. Je n'ai ni crié ni pleuré. Jimmy... Je n'ai pas écrit son nom depuis des années. Cela semble si lointain, maintenant, mais c'est en même temps presque naturel, presque heureux, ici dans cette chambre aux murs orange, dans la chambre d'Unni Menon, d'écrire le nom de Jimmy.

Puis je me suis lavé le visage et les mains, je me suis changée et j'ai de nouveau affronté John. J'ai ouvert la porte, calme, mais si contractée de la tête aux pieds que cela me faisait mal de marcher.

John était assis, il avait retiré son pantalon de flanelle. Sa chemise retombait sur son caleçon, ses chaussettes étaient retenues par les jarretelles grenat que je lui ai achetées et ses genoux nus s'arrondissaient comme deux crânes au-dessus de ses jambes poilues.

Presque jovial, il me demanda :

« Eh bien, ça va mieux maintenant ? »

Exactement sur le même ton qu'autrefois après avoir fait l'amour.

Il croisa les jambes pour me regarder me coiffer : cela aussi c'est une chose que j'ai supportée pendant des années, et je meurs d'envie de lui crier que je n'en peux plus. John croise toujours les jambes trop haut, si bien qu'il est assis le visage au-dessus de la barricade formée par ses genoux et ses mollets, le corps affaissé en arrière comme un sac, les yeux à ce point aux aguets, en éveil, que pas un frémissement, pas un geste ne peut, semble-t-il, échapper à leur attention. On se croirait sous la menace d'un fusil à deux coups. Je sais — je le sais sans aucun doute possible — qu'il n'observe rien, il est trop occupé à donner une impression d'attente totale pour rien voir d'autre qu'une image de lui-même, une image à la fois énergique et désinvolte, celle d'une sorte de super-limier.

Et, comme toujours quand il croise ainsi ses jambes très haut, les cuisses levées, et qu'il porte un short, l'intervalle entre les cuisses et l'étoffe laisse voir les testicules, glabres, la peau un peu teintée de bleu. John n'est pas seul à donner ce spectacle ; la même chose arrivait au vieux Pickle, notre ex-gouverneur. Cela vient de ce que les hommes portent des shorts très larges sous les tropiques. Quantité de coloniaux sont dans le même cas quand ils s'asseyent sur des canapés bas en rotin. Mais personne n'en a jamais soufflé mot. Je n'en ai jamais rien dit non plus.

« Tu ne peux même plus changer de robe devant moi, maintenant ? Sincèrement, ma chère Anne, tu deviens tout à fait névrosée. Regarde-toi, tu es maigre, desséchée. Je ne te vois guère faisant la conquête de Maltby, dit-il en ricanant. Ah, ah, ah ! Eh bien, oui, tu peux me regarder, je ne suis pas habillé. Qu'est-ce que cela a d'extraordinaire ? Ne prends pas cet air de ne m'avoir jamais vu sans mon pantalon. »

Il était heureux comme un acteur qui a bien enlevé sa scène. A ce moment, le domestique ouvrit la porte après avoir frappé timidement.

« Déjeuner », dit-il. Lui aussi regarda John. Ses yeux se fermèrent, son sourire s'élargit et il s'en fut sur la pointe des pieds.

« J'espère que tu vas avoir la patience d'attendre que j'aie enfilé mon pantalon », dit John.

J'attendis donc et, ensemble, nous suivîmes le corridor pour aller déjeuner.

Voilà, maintenant j'ai écrit la vérité. Pour la première fois je n'ai pas menti au sujet de John et de moi. J'ai inscrit noir sur blanc la laideur, l'autre face de moi-même, et je goûte une étrange quiétude. Cela ressemble presque à une vengeance. Ma seule vengeance, la seule façon dont je puisse jamais prendre ma revanche sur lui ou sur quiconque, et qui consiste à écrire la vérité en toutes lettres, à lui donner une forme, un sens et une étrange sorte de vie, par le truchement des mots.

Le déjeuner, en trop nombreuse compagnie, fut un moment odieux. Après le café, pris sur la véranda, Isabel nous proposa de faire un tour en voiture, et nous partîmes. Nous traversâmes des rues encombrées de foules pauvres, loqueteuses, en jetant un coup d'œil au passage dans des ruelles inabordables, véritables cloaques : « On y jette tout par la fenêtre du haut des étages, comme dans l'Angleterre du XIe siècle », nous dit Isabel. Enfin, nous arrivâmes à la svelte tour blanche appelée Folie de Bhim Seng, construite par un premier ministre rana dans des intentions mal définies et à laquelle sont attachées des anecdotes fantaisistes.

On raconte ainsi que Bhim Seng lui-même sauta à cheval du haut de cette tour sans se faire aucun mal. Isabel avait obtenu la permission de grimper jusqu'au sommet, et de là nous avions sous les yeux le panorama de la Vallée. John et Isabel me montraient et se montraient mutuellement le paysage, les collines, l'air transparent, les montagnes neigeuses toutes proches. C'est moi qui ne voyais rien, ne sentais rien, tandis que leurs paroles banales, usées, s'entrechoquaient et retentissaient tout près de moi. Hissés sur la petite plate-forme au sommet de la tour, ils me montraient le monde de la Vallée et ses splendeurs. Moi, je les prenais en pitié et j'acquiesçais de la tête.

Je crois qu'Isabel savait que je ne voulais rien recevoir d'eux; elle le savait comme on sait les choses dans la Vallée, sans qu'un seul mot eût été prononcé. Est-ce la pureté de l'air, une transparence contagieuse, qui nous rend si proches, si visibles les uns pour les autres? Ou bien suis-je le jouet de mon imagination? Maintenant elle se mettait en frais pour tenter de me reconquérir.

Après le thé, John se montra aimable, il déclara qu'il allait nous quitter, que nous avions des tas de choses à nous dire et qu'il en profiterait pour faire un tour avec son appareil photographique. J'ai été dans la chambre d'Unni (depuis que le Général m'a mise au courant, je l'appelle à part moi la chambre d'Unni). Isabel m'y a coincée et il a bien fallu que je la subisse. Serrant contre elle un tricot inachevé, un sweater piqué de deux aiguilles blanches, elle s'assit sur le couvre-pieds orange et bleu du divan. Au dehors, le soleil s'étalait en larges bandes alternées d'ombre bleue, les corbeaux s'égosillaient comme des mégères dans l'air du soir avant de regagner leurs demeures dans les arbres. Isabel parlait, elle n'entendait pas les corbeaux. Soucieuse d'entrer en communication avec moi et ne connaissant pas d'autre moyen d'y parvenir, elle me parlait de son travail, de la tâche à accomplir, de la détresse des populations. Elle m'expliquait que c'était un devoir de venir dans l'Himalaya pour apprendre à ces pauvres petites filles à lire et à écrire, à se tenir propres et à ne pas trop sourire aux garçons. Elle aurait voulu qu'elles ne songent plus à se mettre des fleurs dans les cheveux, à danser, qu'elles renoncent à leur manière de vivre, intense, délicieuse, inconsciente, le corps en harmonie avec les replis de la montagne et le rire du soleil dans leurs yeux.

Dans l'atmosphère dorée de la pièce, elle déversait le trop-plein de son énergie et bourdonnait des paroles où il était question de Moyen Age, de progrès et de santé. J'éprouvais la même impression que si elle m'avait dit : « Approchons nos chaises tout au bord du précipice et emplissons-le de nos cris. »

Et soudain elle en vint au but : me parler de ma conduite. Certes elle ne me blâmait pas, mais c'était si imprudent de ma part, les gens jasent à Khatmandou, alors, John et moi, un si bon ménage... Le docteur Maltby était un excellent médecin, mais je connaissais la vie et je comprendrais. Il avait vécu avec une jeune Népalaise, une servante que lui avait *donnée* le Général et qui était morte l'an dernier, de tuberculose, disait-on. Bien sûr il fallait tenir compte de l'air des montagnes. Dans les pays de montagnes, on a tendance à devenir trop émotif, c'est l'altitude.

« Ainsi, parmi nos professeurs... Autant que je vous raconte l'histoire, elle finira toujours par vous revenir aux oreilles. »

Une histoire comique, lamentable : un couple de vieux missionnaires desséchés par le puritanisme et la vie en Chine était venu au Népal, lui pour diriger des cours de lecture de la Bible, elle pour enseigner la littérature. Au bout de trois mois, il était «complètement fou, fou à lier, fou furieux», selon les paroles d'Isabel; il s'était converti à l'hindouisme et avait filé avec leur servante, une femme des collines. Nul ne les avait jamais revus, on ne savait même pas ce qu'ils étaient devenus. L'épouse du missionnaire était retournée seule en Angleterre, et c'est son poste devenu vacant que j'allais occuper.

Bien sûr, John était tellement sain, si bien équilibré, elle ne songeait pas un seul instant... Tout irait sûrement très bien, mais il y avait les commérages. Et puis il faudrait aussi que nous ayons un jour une longue, longue conversation sur nos années à l'école, et sur tout ce qui s'était passé depuis. Elle se leva. Le crépuscule tombait. Elle regarda par la fenêtre, et je découvris cette faim terrible sur son visage.

Elle partit et du même coup je retombai dans mon état d'euphorie, m'enveloppant dans les plis de la nuit proche et entendant les perruches chanter dans le silence, tandis que les yeux ironiques, tellement plus sages que des yeux humains, m'observaient et m'apportaient un sentiment de sécurité. C'était l'absolue perfection, je me sentais pleinement heureuse, et les mots me venaient, courant sur le papier les uns à la suite des autres, me conduisant je ne savais où.

Chapitre 7

La véranda du *Royal Hotel* était orientée à l'est.
Toute la matinée, le soleil prodiguait sa lumière
sur les tables garnies de nappes blanches et sur
les touristes qui y étaient assis. Le *Royal Hotel*
était un ancien palais rana. Dans le hall de
marbre à colonnes, quatre crocodiles empaillés, à
l'air féroce, postés sur le dallage de marbre,
levaient vers les mollets des clients des gueules
voraces et bardées de dents. Sur des sellettes
sculptées, deux têtes de rhinocéros montraient des
cous décapités, dont la partie inférieure en carton
pâte reproduisait la trachée et les muscles section-
nés, de la manière la plus réaliste. Au rez-de-
chaussée et à l'étage, accrochées aux murs des
pièces principales, des dépouilles de tigre montraient les dents, et l'on trouvait des tapis en peau
de daim ou d'ours dans la plupart des chambres à
coucher. A l'étage supérieur, les habituels portraits à l'huile des Ranas s'alignaient le long des
parois d'une galerie. Quand elle passa devant
avec Isabel et John, Anne en reconnut plusieurs
pour les avoir déjà vus la veille chez le Général
Kumar. D'un air solennel, le Général les lui avait
présentés : « Voici mon oncle, Madame, un triste
individu que Dieu a puni en lui envoyant de
nombreuses filles, laides et bonnes à rien », ou
bien : « Mon frère, qui est à la tête d'un parti
politique, le pauvre idiot. » Ici encore, l'oncle et le

frère, en grand apparat, la dévisageaient, du haut de leurs cadres en bois doré ornés d'armoiries.

On retrouvait également au *Royal Hotel* l'habituel grand salon avec des meubles en faux Louis XV recouverts de brocart bleu et argent, des lustres et des consoles à dessus de glace. Comme toujours, le palais se composait de quatre corps de bâtiments construits autour d'une vaste cour intérieure qui avait autrefois servi de court de tennis, aujourd'hui verte et envahie par des herbes glissantes. Tant au rez-de-chaussée qu'à l'étage, les pièces se succédaient en enfilade. On entendait des bruits de marteaux et de scies, des coups sourds comme si l'on déchargeait des meubles un peu partout.

«Ce sont les appareils sanitaires», expliqua Hilde, la femme de Vassili, le propriétaire de l'hôtel actuellement en prison.

Vingt-sept salles de bains complètes étaient arrivées en avion, au tarif de dix-sept mille roupies chacune, et l'on était en train de les installer. Bientôt le *Royal Hotel* n'aurait pas une seule chambre sans confort. Déjà, comme par instinct, les touristes américains y affluaient:

«Nous sommes au complet jusqu'en juin et ensuite d'octobre à Noël», dit Hilde.

La seule période de morte-saison se situait de juin à septembre, pendant la mousson.

«Mais, l'hiver prochain, je ne sais pas où nous mettrons les clients. Quant aux invités et autres personnes qui vont venir en mai pour le couronnement, je crois que la plupart d'entre eux devront coucher sous la tente.»

Hilde était belle. C'est un adjectif qu'on lui appliquait spontanément. Il n'y avait pas d'autre mot pour décrire sa chevelure réellement dorée, frisant naturellement, une nappe ondulée et enso-

144

leillée suggérant, quand elle descendait en cascade sur son dos, la vision des champs de blé de Van Gogh dans l'Europe tempérée, Toison d'Or réapparue, bien propre à alimenter les rêveries passionnées des jeunes hommes tandis qu'elle arpentait le soir la véranda sans que la splendeur de ses cheveux fût le moins du monde atténuée par cette émanation jaunâtre et fumeuse qu'on appelait à tort lumière électrique à Khatmandou.

En pantalon de velours côtelé rouge vif et sweater blanc, Hilde mangeait paisiblement une omelette de quatre œufs tandis que ses grands yeux bleus se levaient sur chacun des visages qui l'entouraient, avec la sérénité que donne une santé parfaite. C'était sans aucun doute une jeune déesse scandinave, païenne si Khatmandou était païen, et donc bien à sa place dans la Vallée des dieux.

Autour d'elle les hommes se rassemblaient, haletants et extasiés, jeunes et vieux, touristes de tout âge, et ils soupiraient agréablement, mais en vain.

« Vassili ne peut pas dormir parce que nous sommes au printemps et que les chiens font l'amour tout autour de la prison, disait Hilde de sa voix de petite fille.

— Oh, comme c'est ennuyeux, répondit Martha Redworth. Demain, je lui apporterai quelques-uns de mes comprimés somnifères.

— Inutile, dit Hilde. Vassili ne peut pas prendre de somnifères à cause de son foie. Le Prince lui en a apporté de Calcutta, en lui disant : "Essayez-les, Vassili, ils sont excellents pris avec de l'eau-de-vie." Mais Vassili ne peut pas boire d'eau-de-vie à cause de son foie.

— Il n'a qu'à les prendre avec de l'eau, dit Mrs. Redworth, maternelle.

— Vassili ne peut pas boire d'eau», déclara Hilde, levant sur Mrs. Redworth d'immenses yeux frangés de sourcils foncés.

Anne se renversa dans sa chaise, les doigts encerclant sa chope de bière. Tout le monde buvait de cette bière glacée, pétillante, dorée, qui allait bien avec les cheveux de Hilde : Martha et Paul Redworth, Isabel, John et le Major Pemberton à la moustache gauloise, officier de Ghurkas. Le soleil, lourd du parfum des chèvrefeuilles, les enveloppait tous. Anne aurait voulu retirer ses vêtements pour aller s'étendre quelque part, loin de tous, abandonnée au soleil et au sommeil, à un sommeil sans fond. Au-delà des murs de brique rose, les doux sons de la flûte et le bruit des tambours accompagnant un cortège de mariage lui faisaient battre les tempes de plaisir.

Sur la véranda, une bande de touristes munis d'appareils photographiques passa dans un grand brouhaha. Puis ce fut une artiste américaine à queue de cheval et en pantalon trop étroit, les bras chargés de pastels et de papier à dessin, suivie d'un beau Népalais au teint couleur de crème, la lèvre garnie d'une petite moustache ridicule et visiblement fort content de soi.

«Voilà Ranchit avec Pat. C'est un Rana. Elle fait son portrait et elle couche avec lui, dit Hilde à Anne sans presque baisser la voix. Dire qu'il a une si jolie femme ! Et puis il y a aussi la femme du docteur Maltby. Avez-vous su l'histoire ?

— Que dites-vous au sujet de la femme du docteur Maltby ?» demanda John.

Il prenait un air sagace, comme prêt à passer au crible les faits qu'on allait lui exposer, et Hilde le mit au courant.

«Le docteur Maltby, dit-elle, a quitté sa femme il y a fort longtemps, et la voilà qui surgit à

Khatmandou. Il a une peur bleue d'elle et il faut que nous nous arrangions pour qu'ils ne se rencontrent pas.

— Merci, dit John, il y a au moins ici quelqu'un qui consent à me renseigner sur ce qui se passe.

— Elle compose de la musique inspirationnelle, dit Paul Redworth.

— En tout cas, je n'approuve guère cette espèce de conspiration », poursuivit John.

Personne ne lui répondit.

« Elle est descendue ici, dit Hilde. Le Père MacCullough la promène un peu partout parce qu'elle est socialiste ou quelque chose comme cela.

— Tiens, les voilà, dit Paul, jetant un coup d'œil au-dessus de la balustrade de la véranda. Bonjour, mon Père. »

Le Père MacCullough distribua à la ronde de chaleureuses poignées de main et présenta Eudora :

« Eh bien, eh bien, encore en train de prendre le petit déjeuner ? demanda-t-il, désignant du doigt l'assiette de Hilde.

— C'est à cause de mes trois petits garnements, dit Hilde d'un air désolé ; ils n'en finissaient pas d'avaler le leur, c'est pourquoi je prends le mien à l'heure de la bière.

— Et comment va mon ami Vassili ? demanda le Père. Je compte aller le voir demain pour boire un verre avec lui et avec Sharma.

— Il ne peut pas dormir à cause des chiens qui font l'amour toute la nuit autour de la prison, dit Hilde.

— Vraiment ? Que c'est donc ennuyeux ! dit le Père. Il va falloir que je trouve un remède à ça. »

Eudora, en pantalon et coiffée d'un large chapeau de soleil, semblait déborder d'entrain.

Isabel et elle se mesurèrent du regard, comme deux boxeurs siamois s'apprêtant à se donner des coups de pied dans la figure.

« Ces pauvres, pauvres, misérables Népalais, s'écria Eudora. C'est affreux, absolument affreux de vivre dans un pareil dénuement. J'ai vu ce matin une vieille femme, un véritable squelette, eh bien, elle jetait des poignées de riz sur l'un de ces objets en pierre. J'ai tenté de l'en empêcher. Ma chère, lui dis-je, ne feriez-vous pas mieux de garder ce riz pour vous et de le manger ? Elle s'est contentée de sourire, la pauvre créature, puis elle a pris du lait dans un bol et l'a versé sur l'idole, enfin je ne sais trop ce que c'est. J'ai dit au Père MacCullough : "Vous cherchez à capitaliser en quelque sorte leur ignorance. Vous voulez leur ôter leurs anciens dieux pour les remplacer tout simplement par un nouveau, au lieu de leur enseigner la véritable indépendance d'esprit." »

Les yeux d'Isabel lancèrent des éclairs, sa poitrine se souleva : « Comment pouvez-vous comparer ?... » commença-t-elle, mais le Résident, redoutant une controverse religieuse, intervint avec le tact dont il usait quand il allait voir le ministre des Affaires Etrangères népalais.

« Il paraît, Miss Maltby, que vous vous intéressez à la musique ?

— Je m'appelle *Mrs*. Maltby. Et je ne me borne pas à m'intéresser à la musique, j'en compose également.

— Il faut que je vous présente un ami à moi, un chanteur népalais qui est en même temps un poète célèbre. Bien entendu, il n'est pas réellement Népalais, mais Indien du Sud. Comme vous le savez, presque toute la musique sacrée népalaise vient du sud de l'Inde.

— C'est passionnant, dit Eudora. Attendez que

je prenne mon carnet de notes, je tiens à inscrire le nom de votre ami.

— Et puis il y a aussi les mélodies ghurkas, dit le Résident un peu au hasard, en regardant le Major Pemberton qui trempait sa moustache dans un troisième pot de bière. Le Major Pemberton que voici, et qui est chargé des services de l'éducation dans les régiments ghurkas (vous savez, n'est-ce pas, que nous les recrutons ici, au Népal), vous donnera tous les détails à ce sujet.

— Qui cela ? Moi ? fit le Major en sursautant.

— Je consens à ce qu'il me parle de musique, précisa Eudora d'un air majestueux, mais je tiens à ce qu'il soit bien entendu que je désapprouve totalement, absolument, l'impérialisme au nom duquel on emmène loin de leur pays ces pauvres paysans ignorants pour les envoyer se battre dans des guerres colonialistes, au bénéfice d'une bande de ploutocrates étrangers.

— Des ploutocrates, Madame, dit une voix derrière elle. Savez-vous que Lénine est né dans la Vallée de Khatmandou ? Etes-vous dans le complot ? »

Debout derrière la chaise d'Eudora, un petit Népalais tremblait de la tête aux pieds. Il avait un visage ardent, émacié, avec des yeux en amande ; un veston occidental assez sale était passé sur sa tunique et son jodhpur. Il tenait à la main un grand porte-documents usagé.

« Oui, nous sommes nés ici, Lénine et moi, nous sommes jumeaux, dit-il à Eudora, ce n'est pas un secret. Bonsoir, Madame, ajouta-t-il, se tournant vers Hilde. Mon ami Vassili est-il toujours en prison ?

— Il y est encore, Votre Excellence, merci de vous en être informé.

— Dites-lui bien, s'écria le Népalais en frappant de la main sur son porte-documents, que j'ai ici toutes les preuves du complot ourdi contre lui. Je lui conférerai l'ordre du Ganesh quand il sera libéré... triomphalement libéré.

— Merci beaucoup, monsieur le Premier Ministre, dit Hilde.

— Cette dame est-elle au courant en ce qui concerne Lénine? demanda l'homme, se tournant vers Eudora et agitant son doigt maigre.

— En ce qui concerne Lénine? fit Eudora. Permettez-moi de vous dire, mon cher Monsieur...»

Le Résident intervint:

«Cette dame vient seulement d'arriver, précisa-t-il. C'est une touriste.

— Alors je lui pardonne, dit le Népalais. Je vous souhaite le bonjour.»

Il fit un petit salut et alla s'asseoir à une autre table. Déposant le porte-documents devant lui, il demeura là les yeux vagues, remuant les lèvres sans bruit.

«Il se croit Premier Ministre, dit Hilde en s'essuyant la bouche et en s'emparant d'un pot de bière. Il vient ici depuis que nous avons ouvert l'hôtel. Il s'imagine que Lénine était son frère jumeau et Staline son oncle, tous deux originaires de Khatmandou et issus d'une famille rana, leurs véritables noms étant le Général Ganesh et le Feld-Maréchal Indera Sham Sher Rana.

— Ne devrait-on pas faire quelque chose? s'écria Eudora, indignée. Tout de même, on ne peut pas laisser un fou venir ici et se mêler aux gens normaux. Et s'il devenait dangereux?

— Les autres touristes n'ont pas l'air de s'en soucier», dit Isabel d'un air sarcastique.

La poitrine d'Eudora se souleva, sa bouche s'ouvrit, mais à ce moment parut un serviteur

portant une grande enveloppe de ce papier soyeux couleur de blé, fabriqué à la main dans le pays. Il la remit sans hésiter à Eudora. Derrière lui, si grand qu'il semblait heurter le lustre, le bonnet de travers sur ses cheveux blancs, arrivait le Général Kumar.

Le Résident l'accueillit avec une joie non exempte de soulagement. Le Père MacCullough bondit et lui offrit un siège. Il joignit respectueusement les mains devant Hilde pour la saluer.

« Comment se porte Vassili, Madame Hilde ? Et vos trois vigoureux rejetons ?

— Très bien, Général, si ce n'est que Vassili ne peut toujours pas dormir à cause des chiens.

— Ecoutez, dit le Père MacCullough, attendez un peu, je viens d'avoir une idée, on pourrait essayer quelque chose pour cette histoire de chiens. »

Eudora poussa une exclamation :

« Swami Bidahari m'invite à déjeuner, dit-elle. Aujourd'hui même. Oh, mon Dieu ! Est-ce que je le connais ? Je me le demande. Qui cela peut-il bien être ?

— Swami signifie sage, Madame, dit le Général. Le Swami de Bidahari est le plus grand musicien du Népal. C'est un ami à moi et il m'a dit combien il a hâte d'être honoré de votre visite. »

Eudora se rengorgea :

« Peut-être à cause de mes travaux. Je crois me souvenir, maintenant. Nous avons dû nous rencontrer.

— Le Swami est paralysé à partir de la ceinture, dit le Général, aussi vous prie-t-il de vous rendre auprès de lui.

— Mais, dit le Père MacCullough, stupéfait, le Swami... »

A ce moment, Paul Redworth lui lança un coup

151

de pied sous la table et il plongea le nez dans son pot de bière.

« Je dois aller déjeuner à Bidahari Mahal. Mahal signifie château, n'est-ce pas ? Où est-ce, je me le demande.

— A douze milles d'ici, dit le Major Pemberton, qui lui aussi dut recevoir un coup de pied dans le tibia, car sa moustache disparut dans sa bière.

— Douze milles ? Alors je ne vais pas pouvoir arriver à temps pour déjeuner et puis je manquerai les cérémonies du mariage de cet après-midi, dit Eudora.

— Le Major veut parler de douze milles népalais, ce qui fait trois milles anglais, Madame, dit le Général. Ce n'est qu'une courte distance, tout au plus une demi-heure en jeep. J'ai amené ici ma jeep personnelle, ainsi que mon fils aîné qui pourra vous escorter. »

Il désigna un jeune homme très beau, dont les longs yeux se retroussaient aux angles comme ceux des dieux de pierre :

« Voici mon fils Deepah, Madame, qui va vous accompagner dans ma jeep jusque chez le Swami. Il a dix-huit ans, il est très fort et vous protégera contre tout risque d'enlèvement. »

Eudora se leva, un large sourire aux lèvres :

« En ce cas, et du moment que je puis être de retour pour le mariage, j'accepte avec grand plaisir, dit-elle aimablement. Grands dieux, il faut que j'aille m'habiller, l'invitation est pour une heure et justement il est bientôt une heure.

— Le Swami déjeune à deux heures, dit le Général. Votre venue remplira son cœur de joie. »

A peine Eudora eut-elle disparu que le Père MacCullough se tourna vers le Général.

« Général, qu'est-ce que c'est que cette histoire ?

Sainte Mère de Dieu, je croyais que le vieux Bidahari était sourd et gaga et qu'il habitait au diable ?

— Il s'est rétabli, répondit gravement le Général.

— Voyons, le Général sait ce qu'il fait, dit le Résident.

— Madame Eudora va faire une promenade très agréable avec mon fils, qui lui tiendra compagnie, et elle pourra admirer le paysage, qui est particulièrement beau au printemps, ajouta le Général.

— J'espère qu'elle sera revenue à temps pour le mariage, murmura le Père MacCullough.

— Je prends l'entière responsabilité de sa personne, affirma le Général avec hauteur.

— Si seulement Vassili trouvait un moyen d'empêcher ces chiens de faire l'amour autour de la prison, soupira Hilde pour changer la conversation.

— Ne vous tracassez pas, dit le Père, je crois avoir exactement ce qu'il lui faut.

— Pas des pilules somnifères, dit Hilde, parce qu'il faut les prendre avec de l'eau et que Vassili ne boit jamais d'eau.

— Non pas, mais une fronde. Le genre d'instrument dont David s'est servi contre Goliath. Vous savez, ping, ping, ping ! Je vais m'en procurer une et je la remettrai demain à Vassili quand j'irai le voir.

— Vous aussi, Monsieur, vous êtes un génie, dit le Général, qui vint s'asseoir près de Paul Redworth et lui murmura une phrase à l'oreille.

— Je vais passer la consigne à mon personnel », répondit le Résident à voix basse. Leur dialogue passa d'ailleurs inaperçu au milieu de la conversation générale. « Pauvre Fred, poursuivit-il. Est-il vraiment très ennuyé ?

— Il est malade de peur, répondit le Général. Mais ne nous décourageons pas. Elle ne doit rester ici que quinze jours, m'a dit mon neveu.

— Quinze jours... Je ne crois pas que nous puissions garder le secret aussi longtemps. Bien sûr, rien ne viendra de nous. Je vais donner le mot autour de moi, mais cela ne pourra pas durer toute une quinzaine.

— Non, mais quelques jours seulement, pendant que mon ami se préparera à la lutte.

— C'est bon alors, conclut Paul Redworth en soupirant, tandis qu'Eudora reparaissait vêtue d'une robe et coiffée d'un chapeau fleuri, eh bien, nous verrons cela après le mariage. »

Chapitre 8

Les cérémonies du mariage devaient commencer à quatre heures ce dimanche après-midi, heure propice choisie par le chef des astrologues. Mais comme ses calculs pouvaient se trouver modifiés par des caprices du sort survenant à la dernière minute, par exemple un coup de tonnerre non accompagné de pluie, la découverte d'un oiseau mort dans le jardin ou quelque autre manifestation de mauvais présage, c'est à deux heures seulement que le Père MacCullough, installé sur la véranda du *Royal Hotel*, avait reçu un message lui annonçant que le début de la cérémonie était définitivement fixé à quatre heures.

« Je pars, je vais cueillir quelques personnes au passage, dit-il en se levant de son air décidé. Nous nous retrouverons là-bas. Y a-t-il quelqu'un que je puisse déposer ? »

Le Père avait déjeuné fort agréablement, entouré de la considération générale. Non seulement les Ford, Isabel Maupratt, le Major Pemberton et les Redworth se trouvaient à la table voisine, attentifs à sa présence, mais de petits groupes de touristes s'étaient arrêtés pour lui être présentés par Hilde. Il avait longuement parlé de l'histoire du Népal, de sa géographie, des religions qu'on y pratiquait et de sa démographie :

« Ce royaume autrefois isolé du monde à la façon d'un ermite s'efforce, par un bond gigantesque comme l'Himalaya, de sauter du XIe au XXe siècle. »

Telle était la formule qu'il avait employée. Fort impressionnés, quelques-uns des visiteurs griffonnaient à la hâte sur leurs bloc-notes.

« N'est-ce pas qu'il est merveilleux ? se disaient-ils entre eux.

— Il sait certainement tout ce qu'il y a à savoir sur le pays. Ce qu'il ne sait pas ne vaut pas la peine qu'on s'en préoccupe.

— C'est une chance de l'avoir rencontré. Maintenant je vais pouvoir envoyer mon article à *La Vie aimable.*

— Il vous donne de fameux tuyaux sur le patelin !

— Pas besoin d'aller à la découverte pour savoir ce qui est important ou non.

— D'ailleurs, nous n'aurions même pas su par où commencer.

— Sans blague, jamais je n'ai vu un pays comme ici où il n'y a pas de guides.

— Imaginez des gens qui n'ont pas envie de faire visiter leurs temples et tous ces trucs-là ! »

Malgré son souci de ne pas faillir à l'humilité chrétienne, le Père MacCullough éprouvait un agréable sentiment d'importance quand il communiquait ainsi des informations aux uns et aux autres. Il en venait à proférer des fanfaronnades que les Népalais écoutaient sans qu'un muscle bougeât sur leur visage suave et souriant, leurs yeux lumineux fixés sur l'étranger qui faisait profession de les connaître si bien.

« Il faut que vous rencontriez Untel ; il a été longtemps en prison, maintenant il est devenu le bras droit du roi. Un grand copain à moi. Il m'écoute toujours. »

Seulement, dans le Bazar, la rumeur publique interprétait ainsi ces déclarations :

« Tiens, Untel reçoit de l'argent des étrangers par l'intermédiaire de l'Homme à la Longue Robe.

— Vous voulez visiter la Folie de Bhim Seng, s'écriait le Père d'un air jovial, de sa voix claironnante d'Irlando-Américain. Fiez-vous à moi, je vais arranger ça. »

Et c'était grand dommage, car, dans la Vallée, peu d'hommes faisaient une plus rude et une meilleure besogne que le Père MacCullough.

Quand le prêtre eut pris congé, Isabel et les Ford se préparèrent également à aller s'habiller pour assister au mariage. Les Redworth proposèrent à Hilde de l'emmener, mais elle refusa.

« Unni Menon va venir me chercher.

— Mais il n'est pas encore de retour.

— Il le sera, dit Hilde. Après la cérémonie, il m'emmènera en voiture voir Vassili à la prison.

— Eh bien, il ne faut pas nous mettre en retard, dit Isabel. Je crois qu'il vaut mieux être là-bas à quatre heures moins le quart. Si l'on arrive en retard, ils ont la manie de s'aligner tous en grand uniforme pour vous accueillir sur le seuil. Extrêmement gênant. »

Le Palais du Commandant se trouvait un peu en dehors de la ville. La route s'allongeait entre de riches champs de terre noire, couverts d'un duvet de jeunes pousses, tantôt jaune vif dans les cultures de colza, tantôt blanc rosé ou vert pâle s'ils étaient couverts d'orge, de petits pois ou de haricots en fleur. On voyait çà et là des bungalows modernes entourés de jardins, construits au cours des six dernières années, hideux, blanchis à la chaux, conçus dans un esprit utilitaire. John se récria devant leur laideur. Partout en Asie les gens perdent le sens de la beauté; ils remplissent leurs villes de ces affreuses maisons neuves, ils remplissent leurs maisons d'abat-jour en plastique, de vaisselle tournée à la machine, de cendriers de cauchemar, de postes de radio surchargés d'ornements, de tapis de table en dentelle fabriqués au Japon et de photos de pin-up découpées dans des hebdomadaires de cinéma américains:

«Ils sont trop pressés d'aller de l'avant, ils abandonnent leurs anciennes traditions.»

Isabel se lamentait sur le manque de main-d'œuvre qualifiée:

«L'artisanat est en train de disparaître, ils ne veulent plus entendre parler d'autre chose que de machines, de progrès.

— Eh bien, dit Anne, hurlant presque pour couvrir le bruit de la jeep, n'est-ce pas là ce que nous leur apportons, le progrès?»

Mais ses deux compagnons n'entendirent pas. Anne aurait voulu leur dire: «Cette éclipse du goût, cette soudaine ignorance de la beauté, ce n'est qu'une perturbation temporaire, une désaffection et non un indice permanent d'incapacité. N'avons-nous pas connu les mêmes aberrations? Voyez les objets de style victorien qui ornent les palais ranas, c'est *nous* il y a cinquante ans.» Mais elle songea qu'il serait vain de donner cette explication à Isabel et à John. Maintenant la jeep remontait l'allée sablée qui conduisait au Palais du Commandant.

De chaque côté de l'allée, des mâts réunis entre eux par des arceaux de verdure portaient de petits drapeaux rouges flottant au vent. Les habituelles grilles de fer forgé donnaient accès à un parc de dimensions modestes et à un «palais» ressemblant plutôt à une grande maison de campagne cossue, telle qu'on en construisait dans le sud de l'Angleterre à l'époque d'Edouard VII. Un panneau de satin brodé surmontait la grille. Sur la pelouse, un peloton de soldats en tunique rouge, avec trombones, tambours et saxophones, jouaient un air dans lequel Anne reconnut petit à petit une rengaine 1900.

Sur le seuil de la grande porte se tenait le Commandant, entouré d'une cohorte de généraux vêtus d'uniformes galonnés d'or. Le Commandant était un fort bel homme, grand, bien proportionné, avec de beaux traits mâles, un teint de crème typiquement népalais, lisse comme du savon à l'huile de santal, des sourcils arqués et des yeux brillants. Au lieu d'être en uniforme comme ses compagnons, il portait un habit de drap fin taillé à Saville Row, devenu un peu juste aux aisselles, un pantalon rayé et des souliers noirs. Sur sa poitrine luisait une rangée d'énormes médailles constellées de diamants, d'émeraudes, de rubis et de saphirs. Il était coiffé du casque des Ranas, fait de perles, de diamants et de rubis, bordé de cent vingt-six émeraudes ovales, semblables à de petits œufs de caille. Au-dessus de son front, dans un écusson d'or, un oiseau d'or et de rubis allongeait un bec de diamants ; son corps était formé par les plumes, longues d'un mètre, de l'oiseau de paradis de Nouvelle-Guinée. Les Ranas qui entouraient le Commandant, cousins, oncles, frères et neveux, semblaient être sortis à l'instant de leurs portraits de famille. Le Général Kumar se trouvait là aussi, mais, excentrique comme toujours, il portait un complet veston et son bonnet népalais. Il sourit, de son sourire tendre et pensif d'intellectuel, et s'avança pour conduire Isabel et les Ford au premier étage.

« Monsieur, dit-il gravement à John, je vais

vous présenter à Son Excellence le ministre des Affaires économiques, car vous vous intéressez beaucoup, je crois, à ce genre de question. »

Il pilota John avec une flatteuse habileté vers un petit groupe formé d'Américains du Point Quatre, d'un géologue suisse et de fonctionnaires népalais en jodhpurs blancs, bonnets et vestes noirs, qui tenaient à la main des verres de whisky et jetaient autour d'eux des regards vagues, à la recherche d'un sujet de conversation.

« Je vais conduire Madame votre épouse auprès des dames », dit-il à John, et il emmena Anne dans une grande salle oblongue aux murs garnis de marbre jusqu'à mi-hauteur.

Des peaux de tigre et de léopard étaient accrochées un peu partout et surmontées de cadres hérissés de bois de cerfs et de cornes. Des chaises, des sofas, des canapés et des fauteuils étaient alignés sur deux rangs de chaque côté de la pièce, laissant le centre nu comme une nef d'église. Tout au fond de la salle, sous un lustre plus grand que les autres, on avait placé un canapé recouvert de tissu d'or. C'est là qu'allaient s'asseoir les souverains et, à côté d'eux, le marié qui n'était pas encore arrivé. Les invités l'attendaient, les hommes réunis par petits groupes dans le vestibule d'entrée, les antichambres et le jardin, les femmes presque toutes assises ensemble dans la grande salle, enroulées dans leurs saris. Les soieries chatoyantes luisaient doucement quand elles bougeaient, les plis, en changeant, accrochaient la lumière, les bijoux lançaient de brusques étincelles — émeraudes, diamants et rubis enfilés en colliers ou composant de lourdes torsades. Les visages des femmes étaient poudrés, leurs yeux soulignés de kôhl, et leurs longs cheveux huilés, coiffés en coques haut dressées, s'ornaient de camélias roses ou de jasmin odo-rant. On trouvait parmi elles des types très divers : les unes avaient des traits purement indiens, d'autres nettement mongols, beaucoup offraient le mélange d'Indien et de Mongol propre à la Vallée : traits délicats et fins, peaux dia-phanes et sans défauts, longs yeux obliques.

Le Général conduisit Anne vers un canapé pour qu'elle saluât la femme du Feld-Maréchal :

« La plus belle femme du monde, sans aucun doute, Madame. »

Elle avait un visage d'un ovale parfait, des sourcils d'un arc admirable, un nez fin, juste assez grand, une petite bouche aux lèvres arquées, saillantes, mais aux coins rentrés, pareille à celle des déesses de pierre, des lèvres où flottait un sourire. Elle était grande, svelte et gracieuse. Affable, elle tourna la tête vers Anne avec une grâce subtile et esquissa un mouvement pour lui faire place à ses côtés sur le canapé : Anne se dit alors que la courbe de la joue, la ligne reliant la chevelure noir bleu au long cou harmonieux étaient ce qu'elle avait vu de plus ravissant chez une femme.

« Et voici aussi, Madame, ma nièce Rukmini, l'épouse de Ranchit », dit le Général.

Assise à côté de la femme du Feld-Maréchal, plus petite avec un visage plus rond, Anne vit alors Rukmini. Si la femme du Feld-Maréchal était une fleur de camélia, Rukmini était un bouton de rose, un bouton en train de s'ouvrir et qui peut-être, parvenu à son plein épanouissement ne serait pas aussi irrésistible qu'aujourd'hui. Car il demeurait encore en elle quelque chose de réticent, comme un demi-sommeil sur son visage, une expression qui changeait dès qu'elle bougeait, capricieuse et fugace comme le moment déchirant où, au printemps, le premier frisson vert passe à travers les arbres, insaisissable comme la brise légère de l'aube. Rukmini avait les mêmes cheveux noir-bleu que la femme du Feld-Maréchal, mais coupés court et bouclant doucement autour de son visage. Ses yeux obliques où les pupilles vous regardaient un peu de biais, étaient abrités par de longs cils qui se recourbaient de façon extraordinaire quand elle fermait les paupières. Tout son être respirait l'innocence; pourtant Rukmini était riche de toutes les promesses de l'amour, et c'est dans cette dualité que résidait son charme irrésistible. Vêtue d'un sari bleu parsemé d'étoiles d'argent, elle avait des saphirs et des diamants aux oreilles et autour du cou.

Rukmini jeta sur Anne un regard rapide et intimidé, puis ses yeux se portèrent plus loin, au-delà d'Anne, et un tel rayonnement envahit son visage qu'Anne se retourna aussi : mais elle ne vit qu'un groupe compact d'hommes assemblés près de l'entrée, causant ensemble, et bientôt Hilde entra, accompagnée de Mrs. Redworth et du Commandant. Le Général présenta alors Anne à la femme du Commandant en chef qui, avec l'air affairé d'un oiseau, ne cessait d'aller et venir entre la salle et les appartements intérieurs où l'on était en train d'habiller la mariée; puis il la conduisit à sa propre femme, aussi potelée qu'il était maigre, d'une extrême dignité d'allure, avec un sourire serein sur un visage rond de Bouddha.

« Ma femme est une excellente musicienne, dit fièrement le Général. Elle joue de la cithare et elle étudie la *Bhagavad-Gîtâ*, le Chant de Dieu, afin de développer l'esprit de l'amour dans la musique qu'elle exécute. Car sans amour il n'est pas de beauté. »

Hilde vint les rejoindre, puis Mrs. Redworth.

Elles s'assirent auprès d'Anne et sourirent aux dames népalaises qui, à leur tour, répondirent par des sourires. Rukmini semblait rêver et ne parlait pas. Anne ne savait comment entrer en conversation avec elle : de toute évidence ce ne pouvait être en lui parlant des perruches. Deux beaux jeunes gens, fils du Commandant, faisaient circuler de lourds coffrets d'argent ciselé contenant des sucreries et des épices : dattes, petits morceaux de sucre d'orge, clous de girofle, noix d'acajou, cardamomes grands et petits, amandes décortiquées ou non, noix de bétel, coprah et tranches de noix de coco.

La salle se remplissait rapidement d'invités des deux sexes. Isabel, sur le balcon, bavardait avec John. Auprès d'eux, Anne vit le jeune homme à la petite moustache appelé Ranchit et l'artiste américaine que tout le monde nommait Pat. Elle portait une jupe froncée de paysanne tyrolienne, un corsage sans manches et des sandales, les mêmes vêtements qu'avant le déjeuner.

« On dirait qu'elle a besoin d'un bon bain, murmura Martha Redworth à l'adresse d'Anne. Regardez ses ongles. Effroyable ! Pauvre Rukmini ! Je parie que Ranchit va venir présenter sa maîtresse à sa femme. Mais oui, le voilà. »

Anne comprit alors que Ranchit était le mari de Rukmini, et par conséquent le « parfait imbécile » dont avait parlé le Général.

Rukmini se leva, gracieuse, docile. Anne vit combien elle était jeune avec un petit cou d'enfant sous ses lourds joyaux, des boucles folles à la nuque. Le beau visage demeura immobile, légèrement glacé, mais Rukmini inclina la tête, serra la main de la jeune Américaine, puis se rassit.

« Elle n'a guère que seize ou dix-sept ans, murmura Martha Redworth, l'âge de ma plus jeune fille qui est en pension dans le Devonshire. Ah, bonjour monsieur le Feld-Maréchal. »

Un petit homme bref et tassé, en tunique grise et jodhpurs, portant l'inévitable veston occidental et le bonnet népalais de rigueur, se tenait devant elles. Il avait un visage rond, aux pommettes hautes, creusé de rides bienveillantes, des yeux ronds, perspicaces et observateurs. Martha Redworth le présenta à Anne :

« Mrs. Ford, déclara-t-il alors, je venais justement vous dire que je vous connais depuis plusieurs années par votre livre — et aussi que vous ressemblez à Luise Rainer.

— Merci, dit Anne en souriant.

— Elle a représenté mon idéal pendant bien longtemps. Autrefois, je connaissais les noms des étoiles de cinéma pour avoir vu leurs portraits et aussi parce que je voyageais souvent à l'étranger. Mais maintenant je ne m'habitue pas aux noms et aux visages nouveaux. J'en suis resté à mes anciennes amours : Luise Rainer, Greta Garbo, Carole Lombard.

— Mais les jeunes ne les connaissent plus, dit Martha Redworth. Les stars de notre jeunesse... Le jour où j'ai parlé de Greta Garbo à ma plus jeune fille, elle s'est tournée vers moi et m'a dit : "Mais, maman, qui est-ce ?"

— Il faut que vous veniez dans mon humble demeure, dit le Feld-Maréchal à Anne ; nous serons enchantés, ma femme et moi, de jouir de votre compagnie. Et j'aimerais vous montrer mes livres. »

A ce moment, le Général Kumar arriva vers eux comme en flottant :

« Venez, Madame, dit-il, je voudrais vous faire faire une ronde », et Anne le suivit.

Au-dehors, l'orchestre, après un bref silence, éclatait de nouveau.

« Il va pleuvoir, dit le Général en humant l'air. C'est bon signe. Je vous ai appelée, Madame, parce que je voudrais vous faire connaître Unni Menon, mais je ne tenais pas à l'amener à proximité de Rukmini, de crainte de dégâts. Ranchit m'a l'air d'humeur querelleuse aujourd'hui. »

Ils quittèrent la pièce, traversèrent le vestibule plein de défenses d'éléphants, de cornes et de têtes de rhinocéros, d'ours empaillés, de chaises recouvertes de peaux de tigre, et pénétrèrent dans une salle plus petite où, appuyé contre un piano à queue, un homme causait avec Fred Maltby.

« Unni ! » dit le Général.

L'homme se détourna et Anne se dit : « Qu'il est grand ! » puis « Qu'il est brun ! » Elle lui serra la main et sa main disparut dans celle d'Unni.

« Tiens, bonjour, dit Fred Maltby, c'est gentil de venir nous trouver ici. On y est plus au calme que dans la grande salle.

— Avez-vous parlé de votre femme à Unni ? demanda le Général.

— Pas encore », dit Fred d'un air accablé.

Le Général offrit des cigarettes à la ronde. Anne s'était appuyée contre le piano à queue quand soudain une voix aiguë cria :

« Ah, vous voilà ! » et Isabel entra, suivie de Ranchit et de la jeune Américaine.

Celle-ci se dirigea vers Unni en balançant sa jupe qui frôla Anne au passage, tandis qu'un mouvement ondulant du buste dénudait davantage encore ses épaules. Elle posa une main sur le bras d'Unni et dit en le regardant d'un air effronté :

« Chéri, vous êtes donc revenu de vos montagnes? Pourquoi ne m'en avez-vous pas avertie?

— Devais-je donc vous en avertir ? » dit-il aimablement.

Il avait une voix profonde, comme la note la plus grave d'une cloche. On dirait du miel brun, songeait Anne, on se croirait à l'ombre d'un arbre énorme dans la grande chaleur de midi. Une voix sombre. Une telle voix ne peut jamais crier. Elle regarda son bras posé sur le couvercle du piano et, à son grand étonnement, s'aperçut qu'il était couvert d'une fine chair de poule.

« Eh bien, dit Ranchit, et par contraste sa voix de tête paraissait ridicule, comment va le travail, Unni ? Il paraît que vous êtes en train de tuer nos hommes en masse à votre barrage ? »

Un coup de tonnerre éclata avec un bruit sec, suivi du doux clapotis de la pluie sur les oriflammes, sur le gravier où elle ricochait, sur les voitures et les jeeps, sur les soldats. Les occupants des balcons rentrèrent. La chute scintillante de l'eau ne dura que quelques minutes ; la fraîcheur pénétra dans la salle, l'orchestre se remit à jouer, le soleil perça les nuages.

« La pluie avant l'arrivée du marié, dit Unni, c'est un heureux présage.

— Certes, dit le Général. La pluie vient merveilleusement à point pour abattre la poussière sous les pas du marié.

— Voulez-vous que nous allions sur le balcon ? » demanda Unni.

Anne acquiesça et, suivie d'Unni, du Général et du docteur Maltby, elle se dirigea vers une porte-fenêtre donnant vue sur le jardin. Sur la route, ondulant et oscillant d'un côté à l'autre, dans une rumeur de rires et de musique emportée par le

166

vent, le cortège du fiancé s'avançait vers la maison, tel un petit serpent aux couleurs vives.

Paul Redworth vint les rejoindre :

« Bonjour, Unni, comment va ce barrage ?

— Très bien, dit Unni. Toujours les mêmes ennuis, mais à part cela tout va bien.

— Et la Capricieuse ?

— Elle ne cesse de s'agiter. Voici huit jours, elle a soudain poussé un grand cri en lâchant un énorme bloc sur la pente gauche, ce qui a eu pour effet de culbuter un grand pan de la berge et une partie de la route, plusieurs centaines de mètres au-dessous. Elle a failli emporter une dizaine d'ouvriers, mais ils ont pu sauter et s'échapper à temps. Pendant la mousson, elle va recommencer à faire des siennes.

— Si étrange que cela puisse vous paraître, c'est d'une montagne qu'il parle, dit Paul Redworth à Anne. Elle lui a donné plus de tracas qu'aucune femme, je crois bien.

— Oui, seulement... dit Unni. C'est Mana Mani, la Capricieuse. Elle est belle et jeune et n'aime pas à être domptée. Mais il faut que vous veniez bientôt là-haut. Les pentes couvertes de rhododendrons sont magnifiques en ce moment.

— J'aimerais bien aller voir votre barrage, dit le Résident.

— Je repars demain par avion.

— Demain ce serait trop tôt, dit Paul Redworth. Vous m'avez également promis de m'emmener la semaine prochaine faire un tour sur la nouvelle route des Indiens, vous vous en souvenez ? » Puis, se tournant vers Anne, il ajouta : « A propos, pourquoi vous et votre mari ne viendriez-vous pas avec nous voir la route la semaine prochaine ?

— Les pentes couvertes de rhododendrons sont magnifiques en ce moment, répéta Unni, et tous les oiseaux sont revenus. Il y a deux ans, quand les ingénieurs de l'armée indienne ont commencé à faire sauter la montagne, les oiseaux sont partis. Maintenant ils n'ont plus peur des explosions. »

A ce moment, le cortège franchissait les grilles, précédé d'un bruyant orchestre, tambours, petites trompettes et cymbales. Les musiciens avançaient en se dandinant. A leur approche, la musique militaire qui stationnait sur la pelouse se mit à jouer une marche tonitruante, et tous les Népalais éclatèrent de rire, tandis que se déclenchait ce duel sonore. Derrière les musiciens venait la voiture du marié, un landau traîné par deux chevaux bais.

« Un landau du temps d'Edouard VII, joie de mon adolescence ! s'écria Paul Redworth, enchanté. Martha ! Où est-elle donc ? Nous en avons eu un tout pareil à Dublin pour notre voyage de noces. »

Et il s'en fut à la recherche de sa femme.

A l'arrière du landau, très droits, en livrée écarlate, avec shakos et épaulettes dorées, deux valets de pied tenaient au-dessus des occupants une vaste ombrelle en soie rouge frangée de glands dorés, large comme un parasol de plage. Derrière le landau venaient une file d'hommes, amis ou parents du marié, certains d'entre eux coiffés du turban rajpoute aux élégantes ailes de gaze, vêtus de tuniques dorées ou cramoisies, ornées de ceintures où étaient passées de courtes épées garnies de joyaux, les jambes serrées dans des jodhpurs blancs. A l'intérieur de la voiture, le marié étincelait et resplendissait dans son costume écarlate et or, avec son chapeau de forme compliquée, incrusté de pierreries, l'épée à la ceinture. Lentement, la procession fit le tour de la pelouse. Venu du vestibule à colonnes, un autre orchestre, qui, celui-là, jouait un très ancien air de bienvenue, dévalait les marches dans un déchaînement de flûtes, de tambours et de cymbales. Des rires heureux fusaient de toutes parts parmi les invités.

« Musique à discrétion ! » s'écria le Père MacCullough, souriant d'une oreille à l'autre dans cette ivresse générale de gaieté.

Les trois orchestres jouaient ensemble, détonnant hardiment, et la cacophonie allait crescendo. La voiture s'arrêta devant l'entrée. Par trois fois, le Commandant et sa famille en firent solennellement le tour, semant des pétales de fleurs et aspergeant d'eau le marié au moyen d'une aiguière d'or à petit bec.

« N'est-ce pas charmant et gai ? demanda Fred Maltby, qui avait oublié provisoirement sa femme. Unni, que font-ils en ce moment ?

— Ils souhaitent la bienvenue au marié et le bénissent, dit Unni. Et maintenant le père de la fiancée va poser sur le front du jeune homme le signe de bienvenue, le tika rouge. »

Debout dans le landau, le fiancé s'apprêtait à pénétrer dans la maison. Il portait des chaussures d'étoffe rouge à bouts relevés. Le Père expliqua la signification du tika et sa composition : bois de santal rouge, cendres et sainteté.

« La suite de la cérémonie de bienvenue va avoir lieu dans la cour intérieure. Allons-y, voulez-vous ? »

Il descendit l'escalier avec Anne, faisant des commentaires pleins de vivacité sur les têtes de fauves accrochées le long des murs :

« Trophées de chasse. Comme vous le savez, les Ranas sont de grands chasseurs. Le Feld-Maréchal possède la plus grande peau de tigre qu'on ait jamais vue, il a tué l'animal dans la jungle du Teraï, le plus vaste terrain de chasse du monde. Peut-être vous la montrera-t-il un jour, si vous lui êtes sympathique. Connaissez-vous sa femme ? »

Anne fit signe que oui, stupéfaite de le voir si bien informé. « A propos de femme, dit le Père d'un air gêné, j'ignorais l'histoire de notre ami le docteur. Vous êtes au courant, bien sûr, puisque vous l'avez rencontré, paraît-il, au moment où l'incident s'est produit. Quelle chance que je n'aie pas lâché le morceau quand elle m'a dit son nom, mais, vous savez, j'ai l'oreille un peu dure, j'ai entendu Maubrey au lieu de Maltby, je n'ai pigé qu'au moment où j'ai vu ce vieux Fred bondir comme un lièvre. Sapristi, ce que ce gars-là peut courir vite ! Nous sommes quelques-uns à avoir été suffoqués par la nouvelle, nous ne savions pas que le docteur était marié. Quel bonheur que le Général Kumar l'ait expédiée ailleurs ! Bien sûr, ce n'est qu'une solution provisoire, un répit pour donner à Fred le temps de se préparer à l'inévitable. Il va falloir que je lui demande si je peux lui être de quelque utilité.

— Je croyais que c'était Mr. Menon qui a eu l'idée d'éloigner Mrs. Maltby cet après-midi.

— Unni ? oh non, c'est le Général, dit le Père, Unni n'était pas encore arrivé. La supercherie est innocente, bien sûr, mais c'est tout de même une mystification, et Unni est un garçon très bien, affirma énergiquement le Père, un garçon très, très bien. N'écoutez pas tout ce qu'on raconte à son sujet, des tas de gens sont jaloux de lui. De toute manière, Unni s'y serait pris autrement. J'espère fermement qu'il verra un jour la lumière et qu'il viendra à nous, dit gravement le Père. C'est, selon moi, une âme d'une qualité rare. Il

170

aime mieux les montagnes que... heu, vous me comprenez. Dans ce pays, les gens sont plutôt... attachés à la matière, enfin vous voyez ce que je veux dire. Il y a si peu de distractions ici, à part cela... pas de théâtre, ni d'endroit où aller, on a peu de goût pour les choses spirituelles, on évolue dans une societé très restreinte, alors la tentation est forte — quoique les dames népalaises soient très vertueuses et de mœurs très pures, je me hâte de le dire. Très. Les pires, vraiment, ce sont les touristes. Quand ils arrivent ici, ils comptent bien y trouver...

— Ce qu'ils trouvent à Londres et à Paris, dit Anne.

— Eh bien, oui, si vous voulez. Tous les pays sont un peu pareils, n'est-ce pas ? Mais les touristes n'arrivent jamais à connaître vraiment les Népalais, ils ne restent pas assez longtemps ici. »

Anne et le Père se trouvaient à ce moment dans une galerie entourant la cour centrale. En l'occurrence, la cour était une pelouse ayant en son milieu un court de tennis en ciment, aujourd'hui recouvert d'une couche d'argile ocre, sur laquelle on avait dessiné à la main, à l'aide de poudres de couleur, de ravissants dessins représentant des fruits et des fleurs, à la mode indienne. Des guirlandes de verdure cernaient le court de tennis à l'intérieur duquel on voyait le marié, tel qu'aurait pu le représenter une peinture mongole, la main posée sur le fourreau de son épée orné de joyaux, les pieds nus, tandis que, cérémonieusement, les parents de la fiancée lui présentaient du riz, du blé et de l'eau dans une cruche dorée.

À ses côtés se tenait le prêtre, un Nevâri, beaucoup plus petit que les grands Ranas, portant une casaque déchirée dont la doublure lui retombait sur les cuisses par-derrière et des jodhpurs usagés. Il avait le cou enroulé dans une grosse écharpe. Il entremêlait d'une espèce de ronflement jovial les paroles moitié mélopée, moitié prière qu'il lisait dans un mince livre jaune aux pages fatiguées. Une petite femme replète au visage mongol large et plat, qui ressemblait à une servante, vêtue d'un sari de laine filée, les lobes des oreilles étirés par de lourdes pendeloques d'or, s'approcha alors du marié :

« C'est une Gurung, dit le Père, encore une tribu des collines, regardez ses lourds bijoux d'or. »

Elle avait des pieds carrés aux orteils très écartés, préhensiles, comme ceux des paysans qu'on voyait travailler dans les champs. Elle tenait à deux mains un objet ressemblant aux coiffures qu'on tire des papillotes de cotillon ; c'était un triangle de soie rouge, pailleté d'or à profusion ; deux cordelières rouges étaient fixées à deux des angles et un pompon au troisième. Dressée sur la pointe de ses pieds trapus, la femme entreprit de placer le triangle sur la tête du fiancé, par-dessus son chapeau, tandis qu'il regardait droit devant lui, l'œil fixe, telle une statue de pierre. Quand elle levait les bras, ses mains atteignaient tout juste le front du marié et, comme il ne courbait pas la tête, elle s'accrochait à lui, à l'exemple d'un pivert sur un arbre, s'efforçant d'attacher le triangle sur le chapeau cramoisi et or. Les deux mains du marié étaient occupées : dans l'une il tenait un sceptre doré, dans l'autre une aiguière dorée remplie d'eau. A deux reprises, le triangle glissa sur son visage. Il ne bougeait pas. La femme repoussa l'étoffe vers le front du jeune homme, mais le triangle retomba à nouveau. Finalement deux hommes vinrent à son aide, mais aucun d'eux ne parvint à l'ajuster et, au bout de dix minutes, tous trois y renoncèrent. La femme s'en fut en riant, d'un pas nonchalant, balançant gaiement le triangle par les cordons et plaisantant avec les invités. Pendant ce temps on avait offert au marié du riz dans un van, des étoffes, du grain, des fruits entassés sur des nattes, pour bien montrer qu'on lui donnait tout ce que la maison contenait de précieux. Pendant tout ce temps, les orchestres jouaient un air qui rappelait ceux des cornemuses écossaises.

Du haut des balcons et par les fenêtres ouvertes, les femmes observaient la scène, mais les femmes seulement. Les hommes ainsi que la colonie étrangère (le Tout-Khatmandou, comme disait Paul Redworth) étaient en bas dans la cour :

« Au Népal, expliqua le Père MacCullough, les femmes ne sont pas tenues en lisière et reléguées dans des harems comme dans les pays musulmans. Ici elles rient, elles sont heureuses et libres, et jamais une veuve népalaise n'a été brûlée sur un bûcher. Les Népalais sont extrêmement tolérants, d'ailleurs, la rudesse et la cruauté de l'hindouisme sont totalement absentes de leurs fêtes religieuses. Au cours de ces fêtes, ce sont les femmes qui s'assoient sur les gradins en pyramide des pagodes, sur chacune des marches, si bien que la pagode finit par avoir l'air d'une vivante tour de femmes au pied de laquelle se tiennent les hommes. Certes les femmes se lavent à des robinets dans les rues mais, même alors, elles sont toujours décemment couvertes. Je crois que beaucoup de nos compatriotes pourraient voir en elles un exemple de chasteté et de vertu. »

Le Commandant fit alors signe à ses invités d'approcher de l'enceinte pour voir la cérémonie. Isabel s'avança, accompagnée de John qui portait son appareil photographique suspendu sur sa

poitrine : « Quel drôle de chapeau a donc Isabel ! »
se dit Anne. Elle ne l'avait pas encore remarqué ;
il était rouge vif, en forme de bicorne d'amiral et
orné de deux grosses épingles qui ressemblaient à
d'énormes yeux de mouche. Dans la lumière du
couchant qui filtrait au-dessus de la cour, on eût
dit qu'elle portait un animal vivant perché sur la
tête, un insecte géant aux yeux à facettes. Soudain, il fit froid, une couche d'air glacé s'abattit
comme un manteau sur les épaules des assistants,
et Anne s'enveloppa dans son écharpe de laine.
L'Histoire et la Géographie étaient près de là,
bavardant entre elles, saluant les uns et les
autres, agitant la tête, riant et jetant des regards à
la ronde. Dans un angle de la galerie, Fred
Maltby, sans prêter la moindre attention à la
longue cérémonie, parlait avec beaucoup de gravité à Unni qui jouait avec une pièce de monnaie,
la lançant en l'air et la rattrapant sans la
regarder, les yeux fixés sur son interlocuteur. Le
marié quitta l'enceinte et pénétra dans la maison,
suivi par ceux des invités qui se trouvaient dans
la cour et dans la galerie.

On servit des boissons : whisky, brandy, grenadine et Coca-Cola. Les gens circulaient en bavardant. John, Ranchit, Pat et Isabel se trouvaient à
nouveau ensemble. Le visage congestionné, Isabel parlait très fort. Elle vida son verre d'un trait
et immédiatement le serviteur lui en apporta un
autre sur un plateau. On alluma l'électricité ; la
lumière brune et fumeuse qui émanait des lustres
fit paraître les ombres plus noires et les dépouilles
accrochées aux murs plus sinistres. La plupart
des dames népalaises avaient maintenant regagné les appartements intérieurs ; quelques-unes
demeuraient, leurs saris luisant autour d'elles.

174

Des jeeps et des voitures partaient, d'autres arrivaient. Hilde s'approcha d'Anne.

« Aimeriez-vous faire un tour en voiture, Anne ? Unni m'emmène à la prison et les Redworth s'en vont. Paul ne supporte pas la cuisine népalaise, alors ils vont aller chez eux prendre un petit repas, puis ils reviendront. Il y a deux heures à attendre avant que Sa Majesté n'arrive, et le banquet n'aura pas lieu avant minuit, jamais il ne commence plus tôt.

— Je viens », dit Anne.

Elle traversa la salle pour aller trouver John. Quand il la vit s'approcher, il se mit à rire très fort pour lui prouver à quel point il s'amusait.

« Je vais faire un tour en auto avec Hilde, je serai bientôt de retour.

— Quoi donc ? Oh, bien sûr, bien sûr », dit John en se retournant.

Rempli d'aise, il racontait des anecdotes sur sa jeunesse. Pat l'écoutait, riant aux bons endroits, Isabel aussi. En présence d'Anne, il n'aurait pas pu mettre autant de drôlerie dans ses histoires. Son air fermé, cette façon qu'elle avait de ne pas être là, de lui claquer en quelque sorte au visage la porte de son attention retiraient tout leur sel aux récits les plus cocasses. Elle n'avait aucun sens de l'humour.

Dans le jardin, des lumières projetées vers le ciel révélaient le palais. Hilde et Anne montèrent dans la jeep. Unni mit le moteur en marche et la voiture sortit du parc en ronronnant doucement, ses phares galopant sur les champs et les haies, découvrant çà et là un Nevâri aux jambes nues, les épaules serrées dans sa couverture, le visage grimaçant à la lumière. Cette froide nuit commençante était un univers nouveau, noir et sans lune. Après un tournant, ils débouchèrent sur un groupe de pèlerins réunis autour d'un oratoire, silhouettes bibliques drapées dans les plis de leurs vêtements, les têtes rondes des enfants endormis blotties sur les genoux des adultes. Un saint homme, nu et décharné, tel le chef velu d'une bande de loups, se dressa pour regarder fixement la jeep, les mains sur ses jambes, ses cheveux embroussaillés répandus autour de lui comme une crinière.

« La fête de Siva a lieu dans dix jours, dit Unni. Ces pèlerins sont venus du sud de l'Inde pour y prendre part. Certains d'entre eux font à pied plusieurs centaines de kilomètres pour assister à la fête du temple de Pashupatinath.

— J'espère que d'ici là Vassili sera sorti de prison », dit Hilde d'un air un peu découragé.

Ils arrivaient devant une massive construction entourée de hauts murs sombres. A la vue de la jeep, deux soldats en kaki, baïonnette au canon, dirigèrent les rayons de leurs torches sur Unni et les deux femmes, puis ils ouvrirent une petite porte de service, carré de lumière dans lequel Hilde, tout en disant : « Au revoir Anne, merci Unni », pénétra sans un regard en arrière. Ses pas rapides résonnèrent sur le dallage de pierre, les soldats refermèrent la porte. Unni remonta dans la jeep et offrit une cigarette à Anne avant de repartir.

« Si nous allions au *Royal Hotel* boire quelque chose et manger des sandwiches ? Ce serait plus agréable.

— Bien volontiers. »

Au *Royal Hotel*, quelques touristes étaient installés au bar, d'autres jouaient au billard. Anne alla au lavabo pour se recoiffer et se laver les mains. En revenant vers la véranda, elle s'aperçut qu'elle soupirait d'aise, le corps confiant

176

et détendu. Brusquement, les lumières s'éteignirent. Aveuglée, elle s'avança à tâtons et découvrit Unni à ses côtés, consciente de sa présence sans même l'avoir touché. Un peu plus loin, les domestiques réclamaient des bougies. Unni lui prit la main.

«Laissez-moi vous conduire jusqu'à une table.»

Assis maintenant à côté d'elle, il n'était qu'une masse d'ombre, à l'exception du V blanc de sa chemise. Il sourit et elle vit ses dents.

«Vous me faites penser au chat du Cheschire[1], lui dit-elle. Ce qui disparut de lui en dernier, ce fut son rictus.

— Voilà ce que c'est que d'avoir la peau aussi sombre, répondit-il. La nuit, toute ma personne disparaît, sauf les dents.»

Les bougies arrivèrent, jetant une lueur de cuivre poli sur leurs deux visages. Anne but du xérès, trop doux à son goût; ils mangèrent des sandwiches au poulet, puis fumèrent en silence, satisfaits, entièrement enfermés en eux-mêmes, parfaitement à l'aise, presque inconscients de leur mutuelle présence dans cette sérénité nouvelle.

«Cette cérémonie a été merveilleuse, tout cela m'a beaucoup plu, dit Unni.

— Les moindres détails de ce que je vois ici me laissent un souvenir précis.

— A moi aussi. Je suis dans ce pays depuis quatre ans et je trouve toujours quelque chose de nouveau à voir.

— Vous n'êtes donc pas népalais?

— Pas complètement. Mon père était indien et ma mère népalaise.

1. Dans *Alice au Pays des Merveilles*. (N. du T.)

— Vous êtes en train de construire un barrage?

— Nous baptisons cela barrage, oui. Ici, les inondations sont une calamité. La rivière à laquelle nous nous attaquons fait de grands dégâts dans les terres. Mais tout — barrages, routes — est une entreprise difficile dans ces montagnes.

— Pourquoi?

— Parce que les montagnes sont très jeunes. Elles sont jeunes et actives, elles continuent à bouger. Le croiriez-vous, le meilleur emplacement pour construire notre barrage est en même temps l'épicentre d'une région de tremblements de terre.

— Ce doit être un travail passionnant.

— Oui, mais acharné et parfois dangereux. Mais d'ici quelques années il en résultera un tel changement pour la population! La force hydro-électrique, de bonnes routes, de meilleures récoltes, plus d'inondations. Il faut que vous veniez un jour voir notre barrage.

— J'en serais enchantée.

— Je vous y emmènerai. D'ici là, pourquoi ne pas venir avec Paul Redworth et moi la semaine prochaine voir un peu la nouvelle route en construction. Elle fait partie du nouveau plan d'aide au Népal. Tout le monde veut aider le Népal maintenant! Les Américains entretiennent ici une mission du Point Quatre, pour construire des hôpitaux et des écoles, créer des ateliers, des élevages d'abeilles, des scieries, enfin tout ce qui est susceptible de tirer les gens de leur misère. Ils projettent aussi de tracer une route et de mettre en valeur les ressources de certaines vallées. Peut-être que par la suite les Chinois eux aussi nous proposeront de faire quelque chose pour le Népal.

Désormais le Népal ressemble à une femme entourée de nombreux soupirants empressés à lui plaire en la comblant de cadeaux.

— La guerre froide.

— Oui. La crainte rend généreux. La guerre froide se poursuit à Khatmandou comme dans toutes les autres capitales du monde. Le Népal est un pays arriéré, sous-développé, et toutes les zones sous-développées offrent au communisme des possibilités d'exploitation. Aussi l'astuce consiste-t-elle à se précipiter pour agir avant que le parti adverse n'ait eu le temps de le faire.

— Cela réussit-il?

— Pas toujours. Et ce pour diverses raisons, surtout parce que l'Aide, comme on l'appelle, est souvent mal adaptée aux besoins du pays auquel elle est destinée. A ce point de vue, nos amis les Américains sont les plus fautifs : ils construisent un hôpital admirablement équipé, ensuite ils laissent les gens se débrouiller tout seuls et, bien sûr, tout va à vau-l'eau en rien de temps ; ils établissent un programme de construction pour une route qui coûtera des millions, ils nous envoient d'innombrables experts et des tonnes de matériel à proportion, seulement ils omettent d'envoyer également de simples techniciens pour entretenir le matériel qui, bien sûr, se dégrade — il y a ici, en ce moment, de merveilleux bulldozers en train de se détériorer. Ils votent des millions de dollars pour l'aide à l'étranger, mais dont une forte portion sert à payer d'énormes salaires à leur propre personnel, pour lequel ils construisent d'autre part des installations coûteuses. Et ensuite ils s'étonnent que les pays à qui ils viennent en aide ne leur témoignent pas la moindre reconnaissance. Mais ils apprendront à mieux faire. Il le faudra bien.

— Et les Chinois ?

— Oh, ils viendront aussi, mais ils n'entrent pas vraiment en concurrence, quoique les Américains les considèrent toujours d'un œil inquiet. Il y aura une délégation chinoise au couronnement. Ils ont construit de bonnes routes au Thibet et ce sont des esprits sérieux. Mais ils ont déjà bien assez de travail sur les bras. Jusqu'à présent, c'est l'Inde qui a fait le plus pour aider notre pays, mais l'Inde est plus directement intéressée que n'importe qui, puisque le Népal constitue son bastion du nord. La route qui relie l'Inde à Khatmandou va tout changer pour la Vallée et pour les autres vallées qu'elle traverse. Il faudrait que vous veniez la voir... et aussi, bien sûr, les rhododendrons et les oiseaux.

— Oui, si nous pouvons arranger cela, John et moi, dit Anne. Il faudra que j'en parle à Isabel. Vous savez que je vais donner des cours d'anglais à l'Institut Féminin.

— Je sais, dit Unni en souriant, et vous avez écrit un livre, mais je ne l'ai pas lu.

— Je vous en prie, fit Anne en riant, ne le lisez pas. »

Elle se sentait un peu étourdie après un seul verre de xérès :

« Les sandwiches sont bons, constata-t-elle d'un air grave.

— Ma foi oui », dit Unni.

On entendit des pas précipités, puis le visage inquiet et les cheveux blancs du Général apparurent au bas des marches de la véranda.

« Ah, vous voilà », dit-il en venant s'asseoir à leur table, et il commença à parler en népalais.

Unni l'écouta, puis se mit à rire, sa chaise penchée en arrière, et le Général rit aussi, mais en haussant ses minces épaules dans un geste pathétique.

« Excusez-nous, dit Unni, se tournant vers Anne, le Général trouve parfois plus facile de ne pas parler anglais. Il me dit que Mrs. Maltby vient d'arriver au mariage.

— Oh, voilà qui pourrait bien faire du vilain, dit Anne, et le Général, hochant la tête d'un air désespéré, poussa un gémissement et passa ses doigts dans ses cheveux blancs en désordre.

— Elle est arrivée avec le Rampoche de Bongsor, qu'elle a rencontré en cours de route et que je connais fort bien. C'est l'un des escrocs les plus charmants et les mieux doués de tout l'Himalaya, dit Unni. Elle est entrée d'un air décidé en disant : "Je désire parler au docteur Maltby." Donc, c'est une affaire fichue. Le Général l'a vue entrer et s'est précipité à la recherche de Fred, mais il ne l'a pas trouvé. En ce moment, Eudora est au mariage, en train d'expliquer à Paul et à Martha qu'elle a le droit de voir son mari. On attend Leurs Majestés d'un moment à l'autre. Jusqu'à présent, Martha a la situation bien en main.

— Alors, que faisons-nous ?

— Le Général aimerait que nous retournions là-bas. Il croit qu'en parlant à Eudora nous réussirions à la ramener à de meilleurs sentiments.

— C'est vous qui lui parlerez, dit le Général ; moi, je prierai. Nous pourrons nous arrêter en passant à l'oratoire de Padmani. J'aimerais y commencer mes prières.

— Allons prier, dit Unni. Ensuite, nous parlerons à Eudora. »

Chapitre 9

Ce n'est pas sans difficulté que ses amis avaient décidé Fred Maltby à venir au mariage. Vers midi, tandis qu'Anne et John, les Redworth et Isabel se trouvaient réunis au *Royal Hotel*, Fred, pris de panique, était allé trouver chez lui le Général Kumar pour lui déclarer qu'il n'assisterait pas à la cérémonie.

« Vous n'irez pas au mariage ? »

Le Général fumait en dégustant son whisky du matin et en jouant avec son dix-septième et plus jeune enfant. Il s'assit à terre et dévisagea le docteur :

« Mon cher ami, dit-il, vous saisissez bien pourtant que vous êtes l'un des invités d'honneur de notre démocratie... vous ne pouvez pas ne pas être présent.

— Je pourrais être malade, dit Fred.

— Tout à fait hors de question, dit le Général. Vous êtes aussi fort que le taureau du Seigneur Siva et vous n'avez pas eu un seul malaise depuis votre arrivée dans la Vallée, il y a cinq ans. Une brusque apparition de la maladie serait un mauvais présage pour le mariage. Sans nul doute, le chef des astrologues serait amené à le remettre à plus tard, en attendant d'avoir à nouveau vérifié la conjoncture astrale.

— Allons donc, allons donc ! fit le docteur.

— Si vous ne vous souciez pas de l'astrologie,

183

alors j'en fais une question de courtoisie, dit sévèrement le Général. Mon ami, ce serait impoli de votre part que d'être malade aujourd'hui. Non, j'attends encore Unni, qui est plus ingénieux que vous ou moi. Mais, s'il n'est pas là d'ici une demi-heure, j'ai conçu un modeste stratagème. »

Il tendit son verre vide, et la servante thibétaine, qui traînait les pieds quelque part dans la pièce, prit sur la table une bouteille de Vat 69 et le lui remplit.

« Il y a un mois, juste avant d'être mis en prison, Vassili m'en a donné trente bouteilles, dit tristement le Général, et voici la dernière. »

Fred marchait de long en large :

« Je ne crois pas..., commença-t-il.

— Seul un mauvais danseur s'en prend à la pente de la colline, dit le Général. Cette femme vous vide de tout votre courage et mieux vaut pour vous l'éviter jusqu'au moment où, à l'exemple du Seigneur Bouddha, vous serez parvenu à un détachement tel que nul fantôme, nul démon, ne pourra plus vous atteindre. Mais nous sommes des humains, et même un chien s'abrite de l'orage. Maintenant je vais employer toute mon énergie en votre faveur, mon ami. Faites venir mon fils Deepah », dit-il à la servante.

Fred n'approuva guère le projet d'envoyer Eudora chez le Swami de Bidahari. La dernière fois qu'il avait vu le Swami, trois ans plus tôt, celui-ci était déjà sénile. Et Bidahari Mahal, le palais où il vivait, se trouvait à plus de quinze kilomètres de là, au centre de la vallée de Khatmandou. Eudora manquerait le mariage, mais il n'était pas sûr qu'elle prendrait plaisir à voir le Swami.

« C'était autrefois un excellent musicien, dit le Général.

184

— Oui, il y a vingt-cinq ans, quand il pouvait encore parler, répliqua Fred. La dernière fois que je l'ai vu, il était complètement gaga.

— Mon fils Deepah est plein de ressource et servira d'interprète », déclara le Général d'un ton sans réplique.

Fred Maltby haussa les épaules, puis se mit à rire. Pourquoi se tourmenter à ce point ? Après tout, Eudora aurait quelqu'un pour veiller sur elle, même si elle était privée d'un déjeuner et d'une cérémonie nuptiale... Stupéfait, il se rendit soudain compte qu'il éprouvait encore le besoin de la protéger. Il était peiné de lui jouer ce mauvais tour, il se sentait honteux. Mais maintenant les choses étaient allées trop loin, il n'y pouvait plus rien. Il n'avait plus qu'à subir la punition de sa lâcheté :

« Dès demain, il faut que je tâche de la rencontrer, de mon propre gré. »

Après les cérémonies du mariage, il se sentit un peu détendu. Quand Unni arriva, avec Hilde, le docteur le prit à part dans un coin de la galerie pour lui conter tout au long l'histoire d'Eudora. Fred aimait énormément le Général et il avait beaucoup d'amis à Khatmandou, mais entre Unni et lui il existait des liens plus étroits. Peut-être parce que Unni était comme lui un constructeur, l'un de ces êtres qui apportent des changements dans le monde tout en demeurant à jamais inconnus. Unni construisait des ponts, des routes, des barrages et remuait les montagnes, Fred Maltby accomplissait des miracles dans le domaine de la médecine. Tous deux accéléraient la marche du temps ; en dix ans, ils transportaient un pays du XIe au XXe siècle, ils condensaient neuf cents années en deux plans de cinq ans. Quand Unni venait à Khatmandou une ou deux fois par mois, il descendait chez Fred. Ils buvaient ensemble, écoutaient les microsillons du docteur, fumaient, bavardaient. C'était une amitié d'hommes, à laquelle il n'était pas besoin de donner de nom, une amitié d'une discrétion absolue, sans exigences, inaltérable.

Il se sentait maintenant plus heureux, plus léger, après s'être confié à Unni qui l'écoutait en silence, lançant sans bruit en l'air une pièce de monnaie, tandis qu'autour d'eux les invités rentraient dans le palais. Désormais, il se sentait prêt à affronter Eudora. Il n'irait pas à sa recherche, ce serait enfantin, mais il la verrait si elle demandait à le voir. Il se montrerait poli et naturel, il lui dirait: «Tiens, bonjour, Eudora!» comme si c'était la chose la plus ordinaire du monde pour des époux que de se rencontrer à Khatmandou après dix-huit années de séparation. Dans le soir tombant, tandis que les invités attendaient avec une patience résignée l'arrivée du roi, il allait de groupe en groupe, tenant à la main une boisson à laquelle il ne touchait pas, mais qui lui permettait d'échapper aux serviteurs aux aguets, toujours prêts à se précipiter pour remplir les verres vides.

Le père de la mariée, le Commandant en Chef, était maintenant en grand uniforme. Maître de maison affable et accompli, d'une courtoisie exquise, il penchait son teint de crème et son expression sereine de Bouddha vers chaque groupe tour à tour: les Américains du Point Quatre, en vêtements de cérémonie (les dames avec des chapeaux et des gants), la charmante Anglaise à cheveux roux qui était médecin dans la vallée de Pokhra, à quinze jours de route et vingt minutes d'avion de Khatmandou, l'Histoire et la Géographie, riant comme des petites filles et affirmant d'un air timide et mutin qu'elles ne buvaient jamais, Martha Redworth, installée auprès de quelques Népalaises souriantes et muettes qui mâchonnaient des tranches de noix de coco. Isabel était encore avec John Ford, Ranchit et l'artiste américaine: « Quel drôle de chapeau porte Isabel!» se disait Fred Maltby, avec ces grosses épingles fichées de chaque côté, pareil à une tête de bélier sacrifié sur un autel ou à ce cou de taureau lardé de banderilles qu'il avait vu autrefois en Espagne. Isabel parlait très fort, haletante, toute son habituelle autorité disparue, comme si elle ne disposait pas du temps nécessaire pour respirer, comme si elle s'efforçait, sans jamais y parvenir, de faire des révélations d'une importance capitale. Au-dessus d'elle, on vit flotter un moment le beau visage du Commandant, un visage d'ambre et de cire, empreint d'une attention qui se fondit aussitôt dans un rire aimable, tandis que les yeux perspicaces jugeaient déjà à quel moment il faudrait la conduire (comme d'ailleurs certains autres invités) dans une pièce écartée où elle serait malade à loisir.

Fred Maltby riait sous cape en entendant le Major Pemberton se lancer gravement dans une discussion avec le Commandant en chef sur les mérites des Ghurkas. Le Feld-Maréchal passa, plongé dans une conversation avec le conservateur du musée et le ministre de l'Education. Le docteur vit les Redworth partir discrètement pour aller chez eux prendre un petit repas; il vit Hilde et Anne sortir avec Unni, tandis que Rukmini, belle et résignée, les suivait des yeux en jouant avec ses bijoux. Quel imbécile que ce Ranchit, songeait Fred, il court partout avec n'importe quelle donzelle débarquée à Khatmandou sous

prétexte que c'est une touriste et une « Blanche ».
Pour lui, coucher avec une Blanche, c'est en
quelque sorte une preuve de supériorité, une
revanche du mâle de couleur, c'est payer les
Blancs de la même monnaie, maintenant que sont
révolus les jours où ils commandaient en Asie et
prenaient les femmes de couleur pour leur plaisir,
alors que les leurs demeuraient inaccessibles. Ce
genre de sentiment tortueux n'est pas rare en
Asie, en Occident non plus, d'ailleurs. Cependant,
le monde a changé, une opulence nouvelle est née
en Asie, une pauvreté nouvelle en Europe, et les
femmes, plus promptes que l'homme à s'adapter
au changement, gravitent vers l'opulence. Dans
les boîtes de nuit de Calcutta, de Singapour et de
Saïgon, des femmes blanches se dénudent et
dansent, tandis que l'homme de couleur — brun,
jaune ou noir — les regarde et applaudit le
spectacle. Ranchit se prenait pour un Don Juan
« moderne » et compliqué. Il tenait à jour des listes,
son « tableau de chasse », et ne se gênait pas pour
conter les détails de ses prouesses. Rukmini,
songeait le docteur, aurait dû épouser un homme
comme Unni. Eh bien, le tour de Ranchit viendrait, cela lui pendait au nez ! Rukmini avait seize
ans et c'était encore une enfant à bien des points
de vue, mais un beau jour elle prendrait un amant
et lui rendrait la pareille. Seulement ce ne serait
pas Unni, ce serait sans doute une espèce de
propre-à-rien ou un touriste-artiste qui lui brise-
rait le cœur et l'abandonnerait. Elle était trop
docile, complaisante et charmante, elle cherchait
trop à faire plaisir. A ce moment, un homme
traversa la salle pour venir parler à Rukmini, un
grand Américain blond, au visage franc et
ouvert.

« C'est Mike Young, un ingénieur attaché à la

mission du Point Quatre, dit la voix du Feld-Maréchal brusquement surgi auprès de Maltby. Un charmant garçon *très* jeune.»

Rien n'échappait au Feld-Maréchal. Confiné dans sa bibliothèque, parmi ses livres, ses manuscrits népalais et thibétains, ses premières éditions françaises, anglaises et allemandes, ses bronzes anciens et les peintures le représentant à la chasse dans la jungle du Teraï, il connaissait à fond les désirs et les pensées des gens de la Vallée. Assez souvent Fred, qui lui empruntait des livres, avait été saisi de l'entendre prononcer une phrase en apparence banale, mais qui, grâce à un détour ingénieux, éclairait d'une brusque lumière l'une de ces intrigues politiques compliquées si nombreuses dans la Vallée.

Le Feld-Maréchal lui dit d'un ton affable:

«Mon cher docteur, vous aviez l'air un peu désemparé quand vous êtes arrivé. J'ai alors formé le vœu que le remède fût à portée de la main.

— On est toujours désemparé quand on se trouve dans une situation désagréable, répondit le docteur.

— Ah, dit le Feld-Maréchal pour qui ces mots semblaient évoquer des souvenirs précis, oui, oui, bien sûr. Des amis à moi se sont déjà trouvés dans de semblables situations. Si elles sont tellement désagréables, n'est-ce pas en grande partie parce que nous nous faisons des gens une conception qu'on pourrait qualifier d'historique, nous nous faisons d'eux une image qui suscite en nous l'irritation, la souffrance ou le dégoût. Le jour où nous avons changé et eux aussi, nous ne nous en rendons pas compte, ils demeurent dans notre mémoire tels qu'ils étaient, avec leurs défauts qui nous exaspèrent et leurs vertus qui nous exaspèrent encore davantage, alors que les uns et les autres n'existent peut-être plus. Je me demandais... je me demande seulement, entendez-moi bien, si la dame dont vous avez conservé le souvenir est bien celle que vous avez vue hier. Et même s'il était possible, par un décret des dieux, de faire d'elle la femme la plus belle et la plus vertueuse qui soit (une femme ressemblant par exemple à mon épouse qui, vous le savez, est à mes yeux le modèle même de la beauté, du charme et de la féminité), seriez-vous heureux et satisfait de la retrouver sous cette nouvelle forme et ne préféreriez-vous pas continuer à la juger antipathique, comme vous le faites depuis tant d'années ?

— Je ne sais pas, dit Maltby. Du point de vue psychologique, c'est une question intéressante, mais en fait je ne crois pas que les gens changent tellement. Je crois qu'ils demeurent essentiellement les mêmes.

— Même en ce cas, ce n'est pas elle que vous avez fuie, mais une certaine image d'elle, affirma le Feld-Maréchal, car vous ignorez ce qu'elle est exactement aujourd'hui.

— Oui..., dit Maltby, mais je crains bien que l'original ne ressemble beaucoup à la personne que j'ai fuie. Cependant je la verrai volontiers. Cette histoire est ridicule, bien sûr. Comme vous devez vous moquer de moi, monsieur le Maréchal, vraiment !

— Au contraire, mon ami, je vous comprends fort bien, dit gravement le Feld-Maréchal, et je vais suivre de très près le déroulement des événements. »

Son regard se reporta sur Rukmini. Deux autres jeunes gens avaient rejoint Mike Young et formaient une cour autour d'elle : un officier appartenant aux services de l'Aide Indienne, resplendissant dans son uniforme, et un jeune imprésario anglais, Michael Toast, qui, selon ses dires, était en train d'écrire un grand roman dont l'action se passait au Népal. L'ouvrage serait ensuite porté à l'écran, expliquait-il ; en conséquence, il avait offert le rôle principal à plusieurs dames népalaises rencontrées dans des réunions, en n'y mettant qu'une seule petite condition : elles devraient coucher avec lui. Mais, jusqu'à présent, il n'avait pas trouvé de candidates, sa proposition ayant été chaque fois accueillie par de tels rires qu'il battait en retraite tout décontenancé, se demandant si elles avaient bien compris le sens de son invite quand il leur disait : «Et si on couchait, mon petit ? On s'amuserait bien ensemble.» Chaque fois qu'il était ainsi évincé, il disait à Hilde, dont il avait fait sa confidente, avec son curieux accent d'Oxford qui semblait si étrange dans la Vallée :

«Elle ne doit pas être tout à fait normale, vous savez... j'ai bien peur que ce ne soit une lesbienne.»

«Comme des phalènes autour d'une belle flamme, murmura le Feld-Maréchal en regardant Rukmini. Eh bien...»

Puis il s'éloigna.

Fred alla rejoindre le groupe formé par le conservateur du musée (un minuscule Nevâri qui avait passé plusieurs années en prison pendant la dictature des Ranas), un poète hindou et plusieurs ministres du gouvernement népalais. Ils écoutaient le poète réciter des vers de Tagore.

O beauté, découvre-toi dans l'amour et non dans la flatterie du miroir.

«Voyons, n'est-ce pas joli ?» demanda le Père

191

MacCullough, qui avait été accaparé un long moment par l'Histoire et la Géographie et mourait maintenant d'envie de bavarder avec quelqu'un d'autre.

Sans leur accorder un regard, le poète se mit à réciter en hindi sa traduction de Blake :

La continence parsème de sable
Les membres hâlés et la chevelure
                    [flamboyante...

« Docteur, docteur ! »

Quelqu'un tirait Maltby par la manche. C'était une servante.

« Les Maharanis vous prient de venir. »

Il la suivit, se demandant de quelles Maharanis il s'agissait, le titre pouvant s'appliquer à toutes les femmes mariées présentes au palais. La servante le conduisit dans l'une des petites pièces composant les appartements privés. Là, sur le sofa, lourde, effondrée comme un sac, la bouche ouverte, étendue sur le dos, il vit Isabel.

« Elle passait par ici, elle demandait les toilettes, dit la femme du Feld-Maréchal qui se tenait debout près du divan, et brusquement elle est tombée. Nous l'avons déposée sur le divan et nous vous avons envoyé chercher. »

Isabel avait les yeux vitreux, fixes, la respiration ronflante. Le docteur la secoua, mais elle ne bougea pas. Il commença à se sentir un peu inquiet :

« Je crois que ça risque de devenir assez sérieux si je n'interviens pas immédiatement, dit-il.

— C'est la première fois qu'elle est aussi mal, n'est-ce pas ? » demanda la femme du Général.

Les autres fois — le fait s'était produit rarement et à des intervalles éloignés — Isabel s'était bornée à tenir des propos décousus, à boire avec cet acharnement, cette exagération masculine qui, chez elle, pouvaient se manifester sous la forme d'une autorité si forte. Il se trouvait toujours là quelqu'un — Paul Redworth, Vassili ou Maltby lui-même — pour l'arrêter à temps. Cette fois-ci, elle s'était évanouie.

« Mieux vaudrait, je crois, que je la conduise à l'hôpital et que je la fasse admettre dans une salle après lui avoir vidé l'estomac. Ici, avec toutes ces allées et venues, elle serait très mal.

— Nous allons vous aider à la transporter », dit la femme du Commandant.

Elle fit alors montre d'une force et d'une adresse peu communes. D'abord, elle ajusta son sari, ses rubis, ses émeraudes et assujettit les fleurs de ses cheveux, puis elle souleva les lourds bras d'Isabel, tandis que la femme du Général arrangeait les jambes pendantes. Avec l'aide de quatre servantes, elles transportèrent leur fardeau en chancelant un peu, vers le fond du palais, en suivant à tâtons un corridor sombre.

« Conduisez votre jeep derrière la maison », avaient-elles murmuré à Fred.

Le docteur savait que rien n'avait échappé à l'attention du Feld-Maréchal, qui lui adressa un sourire aimable et un signe de tête quand il traversa le grand vestibule. Aux invités qui l'arrêtaient, il marmottait vaguement qu'il avait été appelé pour une urgence et reviendrait un peu plus tard.

Ils installèrent Isabel à l'arrière de la jeep. Sa tête pendait, son haleine avait une odeur acide et elle ronflait doucement. La femme du Feld-Maréchal avait apporté un couvre-pieds dans lequel elle l'enroula.

« Sapristi, dit le docteur Maltby, admiratif, vous

êtes merveilleuse, Maharani, vous pensez à tout. Quelle bonne infirmière vous feriez ! »

Les Maharanis sourirent, puis reprirent leur air timide et renfermé, mais elles ne relâchèrent pas leur étreinte jusqu'au moment où Isabel fut nichée à l'arrière de la jeep et où sa tête cessa de rouler comme si le cou était brisé.

Et c'est ainsi que Frederic Maltby put échapper à Eudora, car, au moment même où la jeep du docteur gagnait l'arrière du palais, Eudora arrivait devant la grande porte dans la jeep du Très Précieux Rampoche de Bongsor. Le Général la vit et faillit laisser échapper son verre de whisky. Il se précipita pour avertir Frederic Maltby, mais celui-ci avait disparu.

Chapitre 10

« Charmant, charmant! » murmurait Eudora.

La jeep sautait sur la route de Bidahari comme un bouchon sur les vagues. Quand il pleuvait, la route de Bidahari était un marécage et, pendant la saison sèche, il s'y creusait des nids de poule où une petite voiture aurait disparu. Le chauffeur du Général aimait à se lancer tout droit à l'assaut des obstacles, et l'épreuve était rude pour Eudora qui tenait à n'arrêter sa pensée que sur de nobles objets. A cet effet, l'espèce d'invocation qu'elle adressait au paysage en répétant: « Charmant, charmant! » lui était d'un grand secours. Tandis que les passagers de la jeep bondissaient sur la route, les haies distillaient sur leur passage le parfum du jasmin et des roses. On eût dit que ce printemps éclatant et merveilleux voltigeait et retombait tout autour d'eux sous la forme de fleurs d'amandier flamboyantes, de troupes d'hirondelles, de volées de perruches. Au-dessus du cercle des collines toutes proches, l'arc immense des pics neigeux s'étendait dans un ciel bleu pur. « Charmant, charmant », soupirait Eudora, en souhaitant que la jeep bondisse un peu moins fort. Quand elle regardait les neiges éternelles, quelque chose semblait s'émouvoir en elle, quelque chose de nouveau qui n'avait pas de nom et lui donnait une impression de malaise. Elle disposait certainement d'un vocabulaire adéquat pour parler de l'Himalaya, des cimes enneigées, mais, devant le spectacle qu'elle avait sous les yeux, tous les mots semblaient plats et usés. Fascinée, elle ne pouvait que regarder, tandis que son corps montait et redescendait brutalement, en même temps que le véhicule cahotant.

La douce brise repoussait ses cheveux en arrière, pressait contre son visage la petite voilette de son chapeau. Elle aurait voulu retirer ce chapeau, l'agiter, chanter. En face d'elle s'élevait une colline, douce comme une jeune fille assise dans les plis d'une robe bleu vert. Et à côté d'elle, se tenait Deepah, svelte, élégant, avec des yeux extraordinaires, beau comme un faune de la Vallée. Eudora se sentait troublée, fébrile et rêveuse à la fois. Elle s'était lavé les cheveux et les avait rincés avec le shampooing blond qu'elle employait d'ordinaire. L'eau, ici, était douce, si douce. De l'eau de la montagne : « Je me plais dans ce pays », découvrit-elle soudain. La veille au soir, à l'hôtel, en sortant de son bain, elle avait aperçu, à travers le carreau de verre dépoli de la porte séparant la salle de bains du couloir, l'ombre d'un bonnet penché et un œil noir appliqué contre un petit endroit transparent. Elle avait crié, tout en saisissant la serviette de bain, et, par la suite, elle s'était plainte à Hilde. Plus tard, elle s'était regardée dans la longue glace. Eudora, quarante ans. Eudora, quarante ans. Elle n'était vraiment pas mal, un peu potelée peut-être, constatait-elle en tâtant ses cuisses et ses hanches, en les pinçant entre ses doigts. C'est par là que pour toutes les femmes commence la décrépitude : la chair des cuisses s'affaisse, des boules de cellulite saillent sous les tissus.

Les préoccupations spirituelles d'Eudora avaient pour origine le fait qu'à quinze ans, au cours de vacances en France avec ses riches parents, elle avait été mise à mal dans une chambre de l'hôtel luxueux où ils étaient descendus. Le séducteur précoce était un mince et élégant jeune homme, fils du couple qui occupait l'appartement voisin. Il était venu pendant que les parents d'Eudora visitaient un musée. Sans doute les avait-il vus partir. Pas une parole ne s'était échangée entre eux, car elle ne savait pas le français et il ignorait l'anglais. Il y avait eu ces minces mains brunes brusquement appliquées sur elle, et les agréables violences sur la descente de lit. Elle avait d'abord dit : « Non, non ! » et caché un instant sa figure dans ses mains. Maintenant, dans la jeep, elle se rappelait les mains, le dessin des fleurs du tapis et les dures cuisses maigres pressant les siennes. Que c'était étrange de se rappeler cela *maintenant* ! Elle se ressaisit avec un sursaut. Que c'était donc *terrible* !

Une secousse plus violente la fit frémir toute et la ramena au présent. Elle jeta un coup d'œil à sa montre. Il était deux heures.

« Où sommes-nous en ce moment ? Allons-nous bientôt arriver ? »

Deepah sourit, montrant une rangée de petites dents blanches de fillette. Il hocha la tête de droite à gauche, geste vague, véritable « quantité indéterminée » qui est le oui indien : « Bientôt ! » dit-il.

La jeep montait et redescendait, cahotant et serpentant. Enfin, elle se mit à escalader une pente avec fracas. Tout en haut, on discernait un entassement de maisons roses, des rues, une place du marché délabrée, encombrée d'oratoires et de temples en ruine.

« Kirtipour, dit triomphalement Deepah.

— Est-ce Bidahari ?

— Non, Kirtipour. Ici, Madame, pour contempler les stupas de l'empereur Asoka, élevées par lui au cours d'un voyage au Népal, bien des années avant Jésus-Christ.

— Oh, comme c'est intéressant ! dit Eudora, qui commençait à avoir faim.

— Et puis ici, Madame, beaucoup mieux que ces vieilles stupas, le nouveau poste de police, dit Deepah, qui, comme tous les adolescents népalais, n'aimait que les nouveautés.

— Ah oui, fit Eudora, mais où est Bidahari ?

— Nous arrêtons ici, Madame, quelques moments. Nous prenons un repas ici, j'ai apporté de ma maison, répondit Deepah tandis que la jeep s'arrêtait au bord d'une prairie ombragée par un immense « arbre des conseils ». Ici, Madame, nous nous reposons et admirons le paysage.

— Mais le Swami et son déjeuner ?

— Le Swami vieux, Madame, ne peut pas manger beaucoup, seulement au lever du soleil et boire du lait au soleil couchant. »

Deepah abaissa ses paupières sur ses yeux merveilleux, puis les releva et regarda bien en face Eudora, qui sentit son indignation refluer.

« Ah, dit-elle, je ne savais pas. Eh bien, en ce cas, déjeunons d'abord. »

On vit soudain sortir de la jeep ces boîtes de fer-blanc superposées, inventées en Chine et utilisées maintenant dans toute l'Asie. Chacune contenait, un plat différent : poulet rôti, légumes au curry, fruits de l'arbre à pain baignant dans une sauce au curry, chou brocoli et chou-fleur, radis en salade avec civette et tomates, riz, haricots verts. La maison du Général était renommée pour sa cuisine. Il y avait des assiettes, des fourchettes, des couteaux, des serviettes blanches, du café et de l'eau glacée dans des Thermos.

198

« Curry végétarien, si vous le désirez, Madame, proposa Deepah.

— Comme c'est gentil! dit Eudora. Mais comment avez-vous su que j'ai été autrefois végétarienne? J'ai cessé de l'être, maintenant, et je vais prendre du poulet rôti.

— On devine les choses », fit Deepah en agitant la tête de droite à gauche.

En un clin d'œil, tous les enfants de Kirtipour s'étaient rassemblés autour d'eux, du moins Eudora en eut-elle l'impression. Des petits garçons en haillons, mais tous coiffés d'un bonnet, se pressaient pour la toucher, la dévisager, pour passer devant elle en courant. La place des Temples de Kirtipour (toutes les bourgades de la Vallée ont leur place des Temples) était éclaboussée de soleil et pavée de galets. Des oiseaux venaient s'abattre dans tous les coins, des pèlerins accroupis sur les degrés en pyramides des oratoires mangeaient dans de grands bols de cuivre, enveloppés de lumière éclatante et de poussière. Beaucoup portaient au front trois barres grises horizontales tracées avec de la cendre : « Le signe de Siva, Madame, car, dans dix jours, c'est la grande fête de Siva. »

Ils déjeunèrent sous un arbre des conseils. Aux petits garçons s'ajoutaient maintenant des fillettes, quelques-unes avec des nattes dans le dos. Elles regardaient Eudora avec de petits rires. Plusieurs d'entre elles portaient sur leur dos des bébés chétifs. L'un de ces minuscules poupons s'étant mis à pleurer, la fillette le ramena vivement d'arrière en avant, ouvrit sa tunique et, lançant par-dessus son épaule son collier de grosses perles, elle lui donna le sein.

« Oh! s'écria Eudora, interdite.

— La mère de l'enfant. Beaucoup de Nevâris

sont de très petite taille. Elle a au moins treize ans, j'en suis sûr, Madame », affirma Deepah sur un ton réconfortant.

La petite fille souriait, tenant fièrement son bébé. Sa narine était percée par un petit bijou de cuivre. Elle avait un ravissant visage sale, avec des yeux en amande.

Après le déjeuner, Deepah s'étendit à l'ombre sur l'herbe, la tête reposant auprès d'une des nombreuses statues qui se dressaient sous l'arbre, ainsi d'ailleurs que des lingams. La statue, d'environ trente centimètres de haut, représentait un dieu phallique, debout, les organes soulignés en jaune et en bleu. Deepah ne la regardait pas, il contemplait le ciel à travers les feuilles et semblait parfaitement heureux.

Sa faim apaisée, Eudora s'impatientait :

« Il est deux heures et demie, il faut absolument que nous poursuivions notre route. »

Deepah se leva, s'en fut lentement vers la jeep et se consulta avec le chauffeur, puis il revint en secouant ses boucles luisantes.

« La jeep est abîmée, Madame.

— Quoi ! s'écria Eudora en se levant d'un bond.

— La jeep ne marche plus », dit Deepah.

Il retourna vers le véhicule et s'y assit un moment tandis que le chauffeur soulevait le capot et inspectait l'intérieur d'un air désapprobateur, sans cesser de mâchonner une pâquerette qu'il tenait entre ses lèvres.

La bonne humeur d'Eudora avait disparu. Elle tapa du pied :

« C'est absurde ! » cria-t-elle.

Les enfants l'imitèrent, tapant du pied et riant. Eudora alla jusqu'à la jeep et regarda sous le capot :

« Qu'est-ce qui ne va pas ? Tout marchait bien quand nous nous sommes arrêtés ici. Laissez-moi essayer, je sais conduire. »

Deepah dit quelques mots au chauffeur. Il mit le contact. Quelque chose crachota, puis se tut.

« Pas d'alimentation, dit triomphalement Deepah.

— Vous voulez dire qu'il n'y a plus d'essence ? Mais pourquoi n'en avez-vous pas emporté ?

— Le réservoir fuit, dit-il.

— Oh, mon Dieu, mon Dieu, c'est affreux. Comment allons-nous parvenir chez le Swami ? Comment pourrai-je jamais être revenue à temps pour le mariage ?

— Que l'impatience n'assombrisse pas votre front (Shakespeare, Madame), répondit Deepah, le chauffeur va aller chercher de l'essence. En attendant, sur ce talus en guise d'oreiller, nous nous reposons. »

Il se recoucha au pied du dieu de pierre, ferma les yeux et s'endormit avec une grace extrême.

« J'ai l'impression que c'est un coup monté », dit tout haut Eudora dont la voix tremblait.

Le chauffeur s'éloignait à pas lents, cueillant le long des haies des fleurs qu'il mettait dans son bonnet. L'indicateur d'essence de la jeep marquait zéro. Eudora regarda autour d'elle et se sentit désespérément seule. Deepah dormait. Les enfants s'étaient assis à terre et l'encerclaient, ils n'avaient rien d'autre à faire que de la regarder. L'après-midi était délicieux et, du haut d'une colline proche, le soleil dardait des flèches d'or déjà obliques. Une légère brise soufflait et, quelque part, des cloches sonnaient sur un rythme un peu somnolent. Eudora avait peur, elle aurait voulu crier. Mais elle revint vers Deepah et le secoua jusqu'à ce qu'il ouvrît les yeux :

« Ramenez-moi, cria-t-elle, ramenez-moi tout de suite !

— Bien sûr, répondit-il aimablement, et il referma les yeux.

— Tout de suite, ai-je dit. »

Deepah la regarda, stupéfait, et s'assit. Jusqu'à présent, tout ceci n'avait été qu'une pièce de théâtre, du plus haut comique, en même temps qu'un devoir à accomplir. Il n'avait nulle intention de traîner la jeep paternelle pendant vingt kilomètres sur cette route abominable, en utilisant l'essence précieuse et fort coûteuse de son père (cinq fois plus chère qu'en Inde, car elle arrivait au Népal par avion), nulle envie non plus d'attraper une courbature. Le Général lui avait dit : « Emmène-la faire un tour en voiture, ne la ramène pas avant la chute du jour, mais n'oublie pas de lui offrir de la nourriture. » Il avait exécuté les instructions reçues. Aussi était-il mortifié et stupéfait de voir qu'Eudora semblait réellement effrayée.

« Madame, dit-il, ayez la bonté de vous calmer. »

Pourquoi ne pouvait-elle pas s'étendre et, sans rien souhaiter d'autre, s'abandonner à la rêverie ? La rêverie était une attitude d'esprit familière aux gens de la Vallée, surtout au printemps quand le soleil est chaud. Tout à l'heure, dans la jeep, il avait vu les yeux d'Eudora se voiler : à ce moment-là, elle rêvait à quelque chose d'agréable, il en était sûr d'après son expression. Pourquoi était-elle effrayée maintenant, alors qu'il ne s'était vraiment rien passé ? Les heures pourtant s'écoulaient, paisibles et satisfaites comme de belles femmes, sans désirs, mais agréablement présentes, attendant votre bon plaisir.

« Je veux rentrer, cria Eudora encore plus fort.

Ramenez-moi au *Royal Hotel*, tout de suite. A quelle distance en sommes-nous?

— Trois milles, Madame.

— Népalais ou anglais?» demandait Eudora, qui ne voulait pas se laisser induire en erreur une seconde fois.

Deepah se redressa, offensé:

«Le Royaume du Népal est un état souverain, Madame. Nos milles sont des milles népalais, il n'existe pas de milles anglais au Népal.

— Je ne me laisserai pas faire, poursuivit Eudora. Vous voulez me kidnapper, je le sais, mais je n'ai pas d'argent, vous ne tirerez rien de moi. Je vais me plaindre au Résident et vous serez mis en prison pour jusqu'à la fin de vos jours, jeune homme. Vous ne vous en tirerez pas comme ça!»

Deepah la regardait. Il ne pouvait comprendre ni ses menaces ni sa peur. Il ignorait qu'une femme se sent particulièrement exposée aux outrages en pays étranger. Cela fait partie du mythe selon lequel les autres peuples sont différents de nous. Il croyait cependant deviner qu'elle craignait d'être violée, et cette idée le faisait sourire. Certes elle n'était pas laide, ni monumentale comme tant de ces femmes blanches, mais agréablement potelée. Seulement elle avait les cheveux teints et, aux yeux de Deepah, adolescent bien équilibré, elle paraissait extrêmement vieille, plus vieille que sa mère la Maharani, dont les cheveux étaient d'ébène et dont les doigts jouaient si admirablement de la cithare. Bien sûr, il était toujours agréable de rencontrer une certaine docilité, de palper les rondeurs des fesses et des seins, de satisfaire ainsi sa curiosité. Mais jamais Deepah n'aurait songé à se conduire de la sorte avec une femme qui lui avait été confiée. Il avait eu des femmes, des servantes de son père, soumises et consentantes; aujourd'hui il était heureusement marié et père de deux enfants. Ses traits prirent une expression hautaine et distante.

Pendant ce temps, Eudora perdait rapidement tout sang-froid :

«Ramenez-moi, ramenez-moi!» criait-elle.

Les collines, les collines amicales, s'obscurcirent, tandis que le soleil passait au-dessus d'elles. L'arbre des conseils devenait sombre, comme pour l'avertir d'un danger. Les quelques enfants barbouillés qui demeuraient là lui semblaient un essaim de petits démons hideux prêts à la mettre en pièces, avec leurs mains tendues vers elle comme des serres. C'est alors que, bouleversée de soulagement, elle vit une autre jeep arriver en grinçant dans leur direction avec ce bruit particulier de changements de vitesse que les conducteurs népalais exécutent avec tant de virtuosité.

«Au secours, au secours!» hurla Eudora en se précipitant vers la jeep, renversant du même coup deux gamins.

Ils éclatèrent de rire, se relevèrent et coururent après elle en criant :

«Au s'cou, au s'cou!

— Au secours, je vous en prie, venez à mon secours!»

La jeep s'était arrêtée :

«Au secours! cria à nouveau Eudora dans le silence.

— Mais oui, Madame, que puis-je faire pour vous?» dit l'occupant de la jeep.

C'était un petit homme gras, au visage très rond; ses lobes d'oreilles, très allongés, dépassaient sous un chapeau rond en soie jaune à bords retournés, en forme de toit de pagode, surmonté d'une améthyste sertie d'or. Il avait des yeux obliques, un menton lisse et des cheveux raides, très noirs et brillants. Il portait une robe fendue de soie orange, des bottes, et tenait un moulin à prières en or et en argent dans sa petite main lisse.

« Mais vous êtes chinois ! s'écria Eudora, incrédule.

— Madame, précisa l'homme en faisant tourner son moulin à prières, je suis le Grand Rampoche de Bongsor. Pendant d'innombrables générations, mes ancêtres ont été chinois, mais je vis dans ce pays, et avant moi mon père et les pères de mon père y vivaient depuis dix dynasties. Mes domaines sont situés exactement entre le Thibet et le Népal, mais je dois allégeance à Sa Majesté le roi du Népal. Madame, vous connaissez l'adage : "Rendez à César..." »

Il sauta lestement de la jeep en pliant les genoux d'un mouvement souple. Sous sa robe, il portait une chemise européenne et un pantalon de satin noir, enfoncé dans des bottes de soie noire chamarrée.

A l'avant de la jeep, les places étaient occupées par trois Sherpas des montagnes en bonnet de fourrure, robes de peau de mouton, des kukris enfoncés dans leur ceinture, chaussés de grandes bottes montant jusqu'aux genoux. Ils portaient des boucles d'oreilles en or et deux d'entre eux avaient de longues moustaches tombantes. Ils sautèrent à leur tour de la jeep, coururent à l'arrière, reparurent portant chacun un fusil d'aspect redoutable et vinrent se placer derrière le Rampoche, leurs armes braquées sur Eudora.

« Mes gardes du corps et mon chauffeur. Je fais en ce moment une tournée pour percevoir les revenus de mes terres, expliqua le Rampoche. Ah, ajouta-t-il, ce jeune homme n'est-il pas avec vous ? C'est Deepah, le fils de mon cher ennemi, le Général Kumar. »

Deepah s'approcha alors, les mains respectueusement jointes, et s'inclina très bas devant le Rampoche, qui porta sa main à son front en signe de bénédiction. Plusieurs habitants de Kirtipour, des hommes et deux vieilles femmes, apparurent alors, et il les bénit également.

« Je vous en prie, monsieur le Rampoche, dit Eudora, ce jeune écervelé m'a entraînée jusqu'ici, puis il a prétendu que la jeep était hors d'usage. Il devait me conduire chez le Swami de Bidahari pour parler musique avec lui.

— Le Swami ? Vraiment ? dit le Rampoche. J'ignorais qu'il eût retrouvé l'usage de la parole. Eh bien, Madame, peut-être mon chauffeur pourra-t-il réparer la jeep, ce qui vous permettrait de poursuivre votre route.

— Je ne tiens plus à aller jusque-là, maintenant, dit Eudora, il est beaucoup trop tard. Je crois qu'il va me falloir annuler mon rendez-vous. D'autre part, on m'attend également à un mariage. Du moins le Père MacCullough — le connaissez-vous ? — m'a obtenu une invitation. Mais tout est si *étrange* dans ce pays ! J'ai vraiment grand besoin de retourner au *Royal Hotel* pour m'y reposer, conclut-elle en portant la main à son front.

— Et qui donc êtes-vous, Madame ? demanda le Rampoche.

— Mrs. Eudora Maltby, je suis connue comme compositeur de musique inspirationnelle.

— Ah, dit le Rampoche dont le visage s'épanouit, seriez-vous apparentée à mon cher ami le docteur Frederic Maltby, médecin-chef de l'hôpital de Khatmandou ?

— Mais oui, dit Eudora, saisie d'une intuition qui supprimait d'un coup les dix-huit années précédentes. C'est certainement mon mari.

— Mais c'est absolument épatant! s'écria le Rampoche, abandonnant soudain son anglais du Népal pour s'exprimer comme les officiers des Ghurkas qui venaient recruter des hommes dans l'un des districts sur lesquels il exerçait sa suzeraineté. Mais sapristi!... je veux dire... enfin j'ignorais que ce vieux Fred fût marié. Il m'a guéri de mes hémorroïdes, savez-vous bien? Je vous en prie, Madame, ne vous méprenez pas sur mon compte, j'emprunte ces exclamations à mes amis britanniques; j'espère qu'elles sont adaptées à la situation.»

Eudora se tourna alors vers Deepah, mais celui-ci s'était retiré auprès du dieu de pierre et regardait dans le vague. Le Destin avait voulu que le Rampoche de Bongsor survînt à ce moment et mît cette femme au courant. Il ne pouvait rien faire de plus désormais.

«Madame, dit le Rampoche, je vous conduirai où vous le désirerez, vous et le fils de mon cher ennemi. Je vais moi aussi au mariage, mais auparavant je dois percevoir quelques loyers. Notre monastère, ajouta-t-il d'un ton patelin, possède une quantité considérable de maisons et de terres dans la Vallée. Il fut un temps où la moitié de la récolte nous appartenait, mais, hélas, nous sommes maintenant une démocratie et nous ne percevons plus qu'un tiers de la moisson — exempt d'impôts.

— Oh, cela m'est égal, dit Eudora, pourvu que nous soyons de retour au *Royal Hotel* avant la nuit.

— Alors, montez dans la jeep, dit le Rampoche,

secoué par le rire et faisant tourner son moulin à prières, je vais vous reconduire.»

«Eh bien, qu'allons-nous faire? demanda le Général Kumar, elle est au mariage.

— Je vous avais dit que cela ne marcherait pas, répondit paisiblement Unni, il aurait mieux valu persuader Fred de consentir à la voir.

— Mais c'est une véritable ogresse, dit le Général.

— Vous vous conduisez comme des enfants, Fred et vous, dit Unni. Pourquoi avoir tellement peur d'une femme?

— Vous avez toujours eu de la chance avec *vos* femmes, Unni, répondit le Général, aussi ne comprenez-vous pas les malheurs des autres hommes. Madame, dit-il en se tournant vers Anne, elles se jettent à sa tête et n'exigent même pas de lui qu'il leur soit fidèle.

— Je ne collectionne pas les femmes, vous le savez fort bien.

— Parce que vous êtes trop difficile à satisfaire, dit le Général.

— Je vous en prie, Mrs. Ford, ne l'écoutez pas!

— Eh bien, poursuivit le Général, vous qui faites des femmes tout ce que vous voulez, pourquoi ne transformeriez-vous pas Eudora? Usez d'un sortilège, faites-la partir, séduisez-la... n'importe quoi, pourvu qu'elle ne tourmente pas mon ami, je vous en prie.

— Quand elle sera arrivée à la réception, je lui parlerai, dit Unni. Le festin n'aura pas lieu avant minuit, j'ai largement le temps de réfléchir à la question d'ici là.»

Chapitre 11

Journal   Quand je revins du mariage, je me
d'Anne   rendis compte qu'Unni et moi
            n'avions pas parlé de la chambre
aux perruches. Un psychanalyste aurait attribué
cet oubli à quelque motif subtil et profond, puisque
tous nos oublis, toutes nos défaillances (même
accidentels) sont des symboles, l'extériorisation,
sous une forme détournée, d'états intimes que
nous nous cachons à nous-mêmes. Je crois qu'il
n'y eut pas là le moindre détour, mais une
conscience si totale qu'elle demeurait inexprimée.
Unni savait que j'avais sa chambre, aussi était-il
superflu pour nous d'en parler. Quand nous
revînmes au palais où se célébrait le mariage, je
regardai Rukmini. C'est la jeune femme qui a
peint les yeux et les perruches. Quel amour du
beau, quel bonheur serein, quel ardent désir ont
guidé sa main ? Ne devais-je pas me sentir emplie
d'humilité, moi qui venais d'ailleurs, à l'idée d'être
ici aujourd'hui, de regarder cette éclatante révélation d'un amour, de recevoir la confidence de ce
tourment infiniment secret et raffiné que sont les
sentiments d'une femme pour un homme, Rukmini, parée de tous ses joyaux, est assise là, ses
admirables yeux d'enfant regardant en aveugle
son époux, ce personnage suffisant, stupide et
cependant inquiétant, puis regardant Unni. Elle
trône ici dans toute sa beauté, et Unni ne la

regarde pas. C'est une façon de ne pas la regarder plus déchirante que des regards, qui reconnaît sa présence mieux que des sourires, que des mots. Unni a traversé la salle pour aller trouver Eudora, mais il a passé devant Rukmini sans un regard ni une parole. Je ne pouvais pleurer sur leur sort, il me fallait admettre que tout était mieux ainsi. Je vis que Rukmini l'admettait également, car elle demeurait rayonnante, satisfaite qu'il fût là, sans demander rien d'autre... Il eût suffi qu'il lui dît: « Viens! » et elle l'aurait suivi jusqu'au bout du monde.

Soudain on entendit dans la nuit le crachement des motocyclettes, avant-garde du cortège royal, surgissant dans le jardin, et l'hymne national népalais éclata. Sous les lumières brunes, on vit entrer dans la salle et se diriger vers le canapé tendu de brocart d'or Leurs Majestés, couple paisible vêtu de sombre, les yeux cachés derrière des lunettes noires. Ils s'avançaient doucement, tranquillement, de manière presque furtive, avec une grâce pleine de naturel. Puis ils s'assirent, et les heures se traînèrent. Nous parlions aux uns et aux autres, allant de groupe en groupe, en attendant l'heure du banquet. Je m'assis un moment auprès du Feld-Maréchal, homme d'une rare érudition, aimable et spirituel, dont les propos s'émaillent de citations allant de Chaucer à Joyce. Le poète hindou vint également s'entretenir avec nous et discourut de façon délicieuse sur les livres qu'il avait lus et les auteurs qu'il n'avait pas eu l'occasion de rencontrer. Nous avions à la main des assiettes chargées de riz et de mets divers choisis parmi les multiples plats disposés sur de longues tables dans une salle décorée de peaux de tigres.

« Excellent ! dis-je, qu'est-ce que c'est ? »

— De la moelle de bouc châtré, répondit le Feld-Maréchal, c'est en effet un mets fort délicat.»

En plus du bouc châtré, je mangeai aussi du sanglier du Teraï, du daim, du faisan, de la perdrix et de la caille des collines, du poulet et du canard provenant des fermes de la Vallée.

«C'est un véritable poison pour Paul, mais moi j'adore ça, dit Martha, quand nous nous rencontrâmes devant le buffet où nous étions en train de nous réapprovisionner, mais il a pris son petit repas et nous sommes revenus à temps. Eudora s'apprêtait à faire des histoires, mais maintenant elle est sous bonne garde.»

Je regardai autour de moi, et je vis Unni qui remplissait l'assiette d'Eudora. Il ne l'avait pas quittée depuis notre retour. Eudora avait les yeux un peu rouges, mais elle souriait bravement. Les attentions que lui prodiguait Unni semblaient lui être agréables, et elle le regardait en riant.

«Courageuse petite bonne femme», dit une voix, celle du Feld-Maréchal. Et c'était bien en effet une courageuse petite bonne femme, bizarre peut-être, mais charmante cependant.

Ce matin, je suis venue dans la chambre d'Unni au grand jour. Par les fenêtres, mes regards portent très, très loin, beaucoup plus loin que je n'aurais cru, à travers d'immenses étendues de champs de colza jaune d'or, coupées par des lignes roses d'arbres en fleurs et par des fermes où l'étage est d'un brun plus clair que le rez-de-chaussée. Au-delà, les collines se dressent, vigilantes, et, à l'horizon, les cimes neigeuses montent la garde. Le bungalow possède au rez-de-chaussée une salle de bains pratique et moderne, qui ferait la joie d'Isabel et de plus d'un touriste féru d'hygiène. Il y a également une chambre de réserve pleine de mobilier à l'abandon. Devant le bungalow s'étend une petite pelouse, bordée d'une rangée de noyers, avec un jet d'eau entouré d'un berceau de roses. Au bout de la pelouse en pente douce commencent les champs ; ils se succèdent pour former une longue, longue perspective qui semble conduire tout droit jusqu'aux collines, à travers la Vallée. Je suis restée un très long temps assise sur une pierre, à l'ombre des noyers. Le vent passait dans mes cheveux de petites mains fraîches.

J'arrivai en retard pour le petit déjeuner. John s'essuyait la bouche et ne semblait pas de bonne humeur. A cause de moi. Isabel n'était pas là. L'Histoire et la Géographie m'expliquèrent pourquoi.

« Elle a la migraine à la suite de la soirée du mariage.

— C'est effrayant, la façon dont les choses se passent dans ce genre de réception. Absolument tuant.

— Et ce n'est pas terminé. Les fêtes nuptiales se poursuivront encore pendant deux jours.

— Il nous faut *vraiment* prier pour elle.

— Puisque Isabel est souffrante, dit l'Histoire, je vais vous conduire à votre salle de classe. Je crois qu'il vaut mieux que vous commenciez vos cours, n'est-ce pas ? Assez flâné comme cela, c'est bien votre avis ?

— Bien sûr, dis-je, je ne demande pas mieux.

— Oh, il n'y aura pas grand-chose à faire aujourd'hui. Les classes ont lieu le matin seulement. L'après-midi, il y a généralement étude, mais pas aujourd'hui, puisque les fêtes du mariage continuent. »

Je suivis l'Histoire :

« Il y a toujours une fête quelconque en train dans ce pays, me dit-elle. Jamais je n'ai vu des

212

gens pareils pour trouver tout le temps un événement à célébrer. ils sont toujours à jouer de la musique, à souffler dans des flûtes, à danser, à barbouiller leurs idoles, nuit et jour. Si nous nous y prenions ainsi, nous n'arriverions jamais à rien. Il y a cent soixante fêtes légales dans l'année, sans compter les fêtes privées : anniversaires, mariages, construction d'une maison neuve, noces avec une nouvelle épouse.»

L'Institut compte trente-quatre élèves, ayant entre neuf et dix-neuf ans. Vingt d'entre elles sont mariées, attendent des enfants ou en ont déjà.

«Vous serez chargée de la classe supérieure d'anglais et de l'étude. Miss Suragamy McIntyre s'occupe des plus jeunes et enseigne la gymnastique. Quoique de race indienne, elle est des nôtres. C'est une *très belle* âme», dit l'Histoire.

Miss Suragamy McIntyre est verte : peau verte, sari vert, veste vert-olive par-dessus le sari ; par ailleurs célibataire, chrétienne, affligée d'un mauvais teint et d'une mauvaise digestion. Nous échangeâmes une poignée de main avec une violente antipathie.

«Miss Suragamy nous est très précieuse, dit l'Histoire. Elle sert de trait d'union, ici. Sans elle, je ne sais ce que nous deviendrions. Elle est à même de nous fournir sur ces gens toutes sortes de détails que nous ignorerions autrement.»

Après avoir pris congé de Miss Suragamy McIntyre, nous suivîmes un corridor dont les fenêtres donnaient sur la cour. Soudain l'Histoire s'élança vers l'une de ces fenêtres. En bas, sur le court de tennis, une jeune fille et deux garçons lançaient des balles au hasard, balançant leurs raquettes et s'agitant avec de grands rires.

«Devi, Devi, cria l'Histoire, venez ici à l'instant!»

Les jeunes gens n'entendirent pas. Ils couraient, sautaient et riaient avec de jolis mouvements pleins de grâce, d'une grâce dansante, les pieds agiles, les poignets faisant tournoyer leurs raquettes comme des rubans. La voix de l'Histoire avait changé. Terne, acerbe, elle sortait d'une bouche étroitement pincée entre deux plis de chair.

« Devi, je vous ai appelée. Montez. Montez ici tout de suite. »

La jeune fille leva les yeux. Elle portait le costume indien moderne composé d'un pantalon, d'une longue tunique fendue sur les côtés et d'une mince écharpe destinée à couvrir ses seins par modestie et qui, au contraire, attirait l'attention. Ses deux partenaires levèrent aussi les yeux.

« Montez ici, tous ensemble. »

Les trois adolescents apparurent en haut de l'escalier, leurs raquettes à la main, souriant d'un air désarmant.

« Devi, allez immédiatement dans ma chambre et mettez-vous à tricoter comme je vous l'ai ordonné.

— Oui, Miss Newell.

— Quant à vous deux, vous savez que vous n'êtes pas autorisés à venir ici, à moins d'une permission spéciale accordée par la directrice. Vous n'y resterez pas une minute de plus. Cette petite a un peu perdu la notion des choses, depuis quelque temps, ajouta l'Histoire tandis que nous poursuivions notre chemin.

— Qu'entendez-vous par là ?

— Elle est toujours dehors à jouer avec des garçons... elle prétend que ce sont ses cousins. Je sais bien ce qu'elle voudrait, précisa-t-elle d'une voix soudain vulgaire et dure. Elle voudrait ce qu'elles veulent toutes, elles ne pensent pas à autre chose. C'est tout simplement répugnant. Donner des idées à ces garçons... les faire venir ici pour jouer... Avec l'aide de Dieu, je trouverai le moyen d'extirper le mal de son âme et de lui fournir de quoi s'occuper... celle-là, Satan ne l'aura pas, j'y veillerai... je lui ferai retirer ces fleurs qu'elle porte dans les cheveux... »

Je m'arrêtai.

« Qu'est-ce qu'il y a ? dit l'Histoire. Vous ne vous sentez pas bien ?

— Non, ce n'est rien.

— Vous avez l'air vraiment souffrante. C'est à cause de cette réception où vous avez mangé à des heures invraisemblables... Tenez, allons nous asseoir quelque part. Grands dieux, vous n'allez pas vous évanouir ou avoir mal au cœur, dites-moi ? »

Elle me regardait d'un air sagace et je lisais dans sa pensée : elle est enceinte.

« Je vais tout à fait bien », dis-je.

La salle où a lieu le cours supérieur d'anglais (lustres et miroirs supprimés) renferme huit jeunes filles vêtues de saris, avec des fleurs dans les cheveux, des bracelets de verroterie aux bras, de l'or dans les narines, du kôhl autour des yeux, du rouge aux lèvres, assises devant des petits bureaux. Elles se lèvent quand nous faisons notre entrée.

« Mes enfants, dit l'Histoire d'un air allègre, voici Mrs. Ford, votre nouveau professeur d'anglais. Mrs. Ford est écrivain, aussi ferez-vous bien de vous remuer un peu et de vous creuser la cervelle, dans la mesure du moins où le Seigneur a bien voulu vous en accorder une. »

Elles répondent par de petits rires polis. Je m'efforce de n'avoir pas l'air trop ridicule.

« Surtout, me recommande ma collègue, n'oubliez pas de dire les prières *avant* et *après* chaque leçon. »

J'ai failli lui demander : « Pourquoi ? Elles ne sont pas chrétiennes ? »

« Eh bien, dis-je à mes élèves quand l'Histoire a disparu, il faut d'abord que nous fassions connaissance. J'aimerais savoir comment vous vous appelez. Commençons par le dernier rang.

— Je vous demande pardon, Mrs. Ford, dit une voix flûtée, les autres professeurs commençaient toujours par le premier rang. »

La propriétaire de la voix a le visage rond, les yeux obliques, des fossettes ; elle est vêtue d'un extraordinaire costume pareil à un abat-jour, comportant une large jupe de soie rose pâle élargie par de grands cerceaux, posée sur un pantalon de satin jaune qui effleure le sol. Des nattes épaisses comme des câbles lui tombent jusqu'à la taille.

« Bon, lui dis-je, commençons par vous. »

De toute évidence, c'est cela que désirait Face Ronde. Elle se lève et ses vêtements froufroutent autour d'elle :

« Je suis Chérie, dit-elle, la fille du Grand Rampoche de Bongsor. »

Je me rappelle alors l'imposant personnage rencontré hier soir au mariage, riant de tout son visage rude et puissant, qui avait déjoué les plans établis par le Général pour éloigner Eudora.

« Je vais vous présenter mes camarades, dit Chérie. C'est toujours moi qui fais les présentations quand il vient une nouvelle missionnaire. Nous avons donc ici...

— Un instant, dis-je, je ne suis pas missionnaire, et puis peut-être vos compagnes aimeraient-elles se présenter elles-mêmes.

— Oh mais non, dit la fille du Grand Rampoche

d'un air suffisant, elles n'y tiennent pas du tout. »

Des petits rires confirment aussitôt cette déclaration, et plusieurs des jeunes filles se mettent à ajuster les fleurs de leur chevelure et à faire glisser leurs bracelets le long de leurs avant-bras.

« Pour moi, c'est différent, dit Chérie, j'ai reçu une excellente éducation. J'ai appris l'anglais au couvent, à Darjeeling. Je parle aussi le thibétain, car ma maman est la meilleure amie de la maman du Dalaï-Lama. Je parle aussi le sherpa, le nevâri, l'hindi, et je suis en train d'apprendre le chinois. L'an dernier, quand l'ambassadeur de Chine est venu de Pékin, il m'a dit qu'il fallait que j'apprenne le chinois parce que tous nos ancêtres étaient chinois. Je veux être médecin.

— Je vous remercie de m'avoir appris tous ces détails, Chérie, dis-je. Et maintenant, ai-je poursuivi, en m'adressant à l'élève assise à côté d'elle, j'aimerais que vous aussi vous me disiez votre nom. »

Elle ricane, se cache le visage dans son sari.

« Comment vous appelez-vous ?

— Vous voyez bien, constate Chérie, elles rient toujours. »

Je m'aperçois qu'en sa qualité de Chinoise pratique, intelligente, bien douée, Chérie dédaigne ses camarades moins favorisées. Si je n'y mets bon ordre, c'est elle qui va diriger la classe. C'est un génie — qu'il faudra remettre à sa place, avec fermeté.

« En ce cas, demandez-leur de me dire leurs noms. »

C'est ainsi que j'obtiens le nom de quatre de mes élèves, des noms de déesses : Sita, Suchila, Amanda, Rada. Chacune d'elles est jolie ou belle, leurs bracelets de verre sont dorés et piquetés de couleur : bleu vif, rouge, jaune. Certaines ont une pastille rouge peinte sur le front. Les unes ont le type indien, les autres des traits semi-mongols avec une peau fine, un teint de crème et des yeux langoureux. Chérie elle-même n'est pas tout à fait Chinoise, en dépit de l'intense vitalité dont elle déborde : elle a les yeux trop ronds. Je sais ce qu'elle pense quand elle fixe ses yeux sur moi : « Pourquoi perdre votre temps, se dit-elle, avec cette bande de filles qui ne veulent rien apprendre, qui n'apprendront *jamais* rien, sauf à faire des enfants, alors que je suis là, moi, désireuse de m'instruire, avide de science ? » Mais, avec la sagesse du hibou dont elle a les yeux, elle garde le silence.

J'arrive à la seconde rangée. Une adolescente se lève. Elle ne porte aucun bijou, seulement une rose dans les cheveux. C'est Rukmini. Elle sourit, me dit son nom, puis, d'un mouvement glissant, se rassied devant son bureau. Je poursuis : Keshore, Amrita... Une fille grande et mince, vêtue d'un magnifique sari vert pâle à fleurs d'or, a repoussé son bureau à l'écart, si loin que ses pieds reposent sur les dalles de marbre et non pas sur le grand tapis qui recouvre presque entièrement le sol, sur lequel sont disposés les sièges et les bureaux des autres élèves.

« Comment vous appelez-vous ?

— Lakshmi.

— Elle a cinq bébés et aussi la tuberculose, Mrs. Ford, dit Chérie, incapable de se contenir plus longtemps.

— Oh ! Et quel âge avez-vous, Lakshmi ?

— Dix-neuf ans. »

Sa haute taille et sa minceur me rappellent quelqu'un.

« Etes-vous apparentée au général Kumar ?

— Je suis sa fille. »

Lakshmi tousse délicatement dans son mouchoir :

« La pierre est froide, lui dis-je, pourquoi ne transportez-vous pas votre bureau sur le tapis ?

— C'est interdit, répond-elle en souriant.

— Bien sûr que non. Si c'est à cause de la tuberculose, vous n'avez qu'à vous asseoir vers le fond de la pièce, il ne manque pas de place sur le tapis et vous serez quand même à l'écart des autres. »

Lakshmi glousse et rit. Toute la classe rit.

Je commence à comprendre l'agacement de l'Histoire, de la Géographie et d'Isabel. J'ai l'impression d'être entrée une lampe à la main dans une pièce pleine de soleil, tandis que tout le monde s'esclaffe. En moi-même, je me redis : « Le Progrès, les Lumières. C'est pour les répandre que vous êtes ici, toi, Isabel, Fred Maltby et même Unni Menon. Lui aussi il représente le XXe siècle pénétrant dans le XIe siècle, portant bravement une lampe à la main ; et, par moment, cela semble parfaitement ridicule. »

« Mrs. Ford, dit Chérie venant une fois de plus à mon secours, il faut que je vous mette au courant : Lakshmi est impure en ce moment. C'est pourquoi elle ne peut se tenir sur le tapis, dont les fibres, Madame, nous communiqueraient cette impureté. »

Il me faut dix secondes pour comprendre. Bien sûr, les femmes sont impures quelques jours par mois, elles ne peuvent demeurer au soleil, se tenir sur le même tapis que les autres ni manger avec elles.

« Dans ces conditions, Mrs. Ford, demande Chérie, ne pourrions-nous rester chez nous quand nous sommes impures ? Ce serait bien plus commode. Miss Maupratt s'y refuse, mais c'est rudement gênant.»

Déjà elle cherche à prendre un avantage.

«Je crains, lui dis-je, que les décisions de Miss Maupratt soient sans appel. Et maintenant, commençons.»

Par où vais-je commencer, je me le demande. L'Histoire avait «assuré l'intérim». La semaine dernière, elle leur avait donné une dissertation à rédiger.

Chérie se lève et dépose devant moi une pile de feuillets :

«Le lundi, dit-elle, nous faisons habituellement de la grammaire.

— Je suis au courant. Savez-vous faire des analyses grammaticales ? Bien. Je vais écrire au tableau quelques phrases dont vous ferez l'analyse.»

Il ne me vient à l'esprit que des appellations cocasses, le Grand Rampoche de Bongsor, le Chat du Cheshire...

J'écris : «*J'ai souvent vu un chat qui ne grimaçait pas en montrant les dents, mais une mâchoire grimaçante de chat, sans le chat ! C'est la chose la plus curieuse que j'aie vue de ma vie.* Vous analyserez ce passage.»

Chérie elle-même garde le silence en lisant la phrase, puis la classe entière est secouée par une tempête de rires. La tempête se calme, avec accompagnement de petits soupirs, les bracelets tintent comme des clochettes, les bijoux d'or sont ajustés dans les narines et les oreilles, puis mes élèves se mettent à l'ouvrage, les plumes grincent. Rukmini a la tête penchée, elle semble écrire. Toutes les têtes d'ailleurs sont penchées, à l'exception de celle de Lakshmi, car Lakshmi tousse, regarde par la fenêtre la matinée inondée de soleil, en jouant avec ses bracelets, ses bagues et les fleurs de ses cheveux.

John regarda sa femme qui sortait de la salle à manger, accompagnée de l'Histoire, tandis que la Géographie se versait une seconde tasse de Nescafé. Assis devant sa tasse vide, John avait hâte de voir arriver Isabel. Sa chaise inoccupée, sa serviette roulée lui causaient un véritable malaise physique. Pauvre femme! La veille, elle était à ce mariage avec eux deux, avec Ranchit et Pat, la bonne amie américaine de ce dernier. Au cours d'un entretien confidentiel, au lavabo des messieurs, Ranchit s'était longuement étendu sur les remarquables qualités physiques de Pat:

« Les Européennes me plaisent, ne cessait-il de répéter, elles font beaucoup de bruit et j'aime ça. Certaines même ne détestent pas qu'on les frappe. Je peux faire faire tout ce que je veux à Pat. Elle ferme les yeux très fort et elle s'exécute. Je suis, affirme-t-elle, le meilleur amant qu'elle ait jamais eu. »

A l'issue de cet intermède quelque peu libidineux, ils découvrirent qu'Isabel n'était plus là. Les invités étaient alors très nombreux, John avait pas mal bu et tout lui semblait assez nébuleux, sauf la présence d'Anne, et il avait à dessein tourné le dos à cette dernière, pour lui prouver qu'il ne se souciait pas d'elle. Anne était donc revenue de cet endroit — il ne savait au juste lequel — où elle était allée avec Hilde et elle avait passé le reste de la soirée à bavarder avec des femmes, avec le vieux Feld-Maréchal ou avec Paul Redworth. Les hommes ne s'étaient pas rassemblés autour d'elle comme autour de Pat ou de cette autre Européenne, une Irlandaise au buste plein qui semblait avoir beaucoup de succès: John s'était fait présenter et il avait pu engager la conversation avec elle pendant le dîner.

Des plats chauds, très épicés, étaient déposés sur la table, un peu comme pour le souper d'un bal rustique, avec du champagne rose doux: « Il y a toujours du champagne rose dans les réceptions de ce genre », lui avait dit l'Irlandaise, ajoutant que c'était très mauvais pour elle, car, élevée très strictement, elle ne pouvait supporter la boisson. Sa mère, ajoutait-elle, lui avait autrefois recommandé de ne jamais absorber de champagne et elle était restée si bien impressionnée par cette injonction maternelle que, malgré le temps écoulé, le champagne, quelle qu'en fût la couleur, lui donnait des vertiges.

Peut-être était-ce le champagne rose qui avait produit sur John un effet d'une autre sorte. Longtemps engourdi dans un demi-sommeil, puis réveillé brusquement de très bonne heure, il s'était tourné vers Anne, couchée tout au bord de l'affreux lit à deux places. Sa main s'était tendue vers Anne, avec accompagnement du petit rire habituel.

Elle s'était emparée de cette main et l'avait rejetée avec une violence extraordinaire, puis se levant, très droite dans son pyjama, elle était allée dans la salle de bains, emportant ses vêtements, s'était habillée et avait quitté la chambre, tout cela sans un mot.

« Où vas-tu ? Reviens ! » avait-il dit d'une voix enrouée, mais sans élever le ton, retenu par une impression d'irrévocable, comme si son réveil venait de conférer la réalité à un événement redouté par lui au cours d'un cauchemar.

Pendant un moment, il se demanda s'il allait

rester au lit, être malade pour forcer Anne à revenir. Si seulement il se rendormait, peut-être reviendrait-elle. Mais peut-être pas. Il s'habilla lentement, l'oreille tendue, guettant un bruit dans le couloir, un autre bruit que le pas saccadé du serviteur apportant l'eau chaude. Originaire des collines, le domestique, même sur les dalles plates du couloir, marchait comme s'il grimpait une pente, les orteils dressés, en fléchissant légèrement le genou. John ne s'en était pas aperçu, jusqu'au jour où Anne en fit la remarque à Paul Redworth, avec lequel ils prenaient une bière au *Royal Hotel,* avant d'aller au mariage. Depuis lors, il était hypnotisé par la démarche du domestique, il ne cessait de la redécouvrir. Il était vexé de voir ainsi les choses par l'intermédiaire des paroles d'Anne, de ne pouvoir s'en faire une image que grâce aux mots dont elle s'était servie. Mais il se sentait mentalement entravé, incapable de trouver des termes différents pour décrire cette démarche clopinante.

Au petit déjeuner, Anne n'était pas là, non plus qu'Isabel. L'Histoire et la Géographie l'informèrent qu'Isabel avait une violente migraine « parce qu'elle a dû veiller trop tard ». Leurs narines étaient bizarrement pincées, et l'efflorescence blanche de leurs visages paraissait plus épaisse que de coutume. Sur la réserve, elles gardaient de longs silences entre deux bouchées de toast. Avait-il fait ou dit quelque chose qui pût leur déplaire? Il se demandait anxieusement s'il était pour quelque chose dans leur air soucieux, si certains des propos qu'il avait tenus la veille à Ranchit avaient été surpris. Puis Anne était arrivée, le visage radieux, tout environnée de fraîcheur. L'Histoire l'avait emmenée dans les salles de classe et il était resté seul avec la

Géographie (elle avait un grain de beauté au menton, l'Histoire pas). La Géographie avait avancé un peu sa chaise en soupirant.

« Qu'est-ce qu'il y a ? » avait dit John, plein de reconnaissance pour ce soupir qui l'autorisait implicitement à interroger sa compagne.

La Géographie ne savait pas si elle devait... mais enfin John était un homme, on pouvait se fier à lui et c'était un lourd fardeau pour une femme... eh bien, la pauvre Isabel, cette chère Miss Maupratt... était encore couchée parce que... eh bien, elle ne peut supporter la boisson, la pauvre chère petite... c'est une personne si *admirable*, mais hier soir le docteur Maltby avait dû l'emmener à l'hôpital pour lui vider l'estomac.

La Géographie répéta par deux fois la dernière phrase pour être bien sûre que John avait entendu. Isabel était encore couchée avec une migraine terrible. Quelquefois, elle ne faisait pas assez attention... en effet, elle avait eu des troubles cardiaques et *un tout petit peu* d'eau-de-vie lui faisait du bien, seulement voilà, elle ignorait quelles doses d'alcool ces terribles Népalais mettent dans leurs mélanges et elle n'était pas vraiment forte, en dépit des apparences.

John écoutait en hochant la tête, envahi par une douce mélancolie chaleureuse et tendre. Pauvre Isabel. Oui, il comprenait parfaitement. Bien sûr, ce n'était pas sa faute. Non, pas un mot. Oui, il les aiderait. Certainement. Tout ce qui serait en son pouvoir. La Géographie lui répéta une fois de plus combien elles étaient heureuses, combien elles avaient de la chance qu'il fût à Khatmandou. La ville était petite et on n'y rencontrait vraiment pas beaucoup d'hommes comme John, sur qui on pût *compter*. Les touristes arrivaient et repartaient en un mouvement incessant de flux et de reflux : « Trois jours à Khatmandou, c'est le maximum prévu par les agences de tourisme. » Il y avait aussi les artistes. Tellement bohèmes. La Géographie laissa à nouveau échapper un soupir qui la rendait presque charmante. Bien sûr, il faut être charitable, mais... enfin John comprenait. Il voyait bien comment étaient les gens du pays. Et puis, n'est-ce pas, il convenait de ne pas s'écarter de ce qu'on estimait être le droit chemin. D'ailleurs, il y avait tant de travail à faire ici, non seulement l'enseignement, le progrès, le soulagement à apporter à cette effroyable misère, mais, ce qui importait surtout, c'était de montrer à ces gens — puisqu'on n'était guère autorisé à prêcher — ce que cela signifiait que d'être chrétien, de connaître la Vérité, la vraie religion, afin qu'eux aussi puissent être véritablement *heureux* en Notre Seigneur. Voilà ce qu'il ne fallait pas perdre de vue. Et il y avait une telle concurrence. Le Père MacCullough... bien sûr, le catholicisme vaut mieux que le paganisme, mais pourtant les catholiques ne possèdent pas la *Vérité*. Seulement ils ont de l'argent et ils sont si bien organisés. Il fallait que John assistât aux offices. Il viendrait ? Oh, parfait, parfait, parfait !

Transporté d'aise par le regard reconnaissant et ému que lui lançait la Géographie à l'abri de ses cils blondasses, John quitta l'Institut et se rendit au *Royal Hotel*. D'abord il allait demander à Hilde quand leur chambre serait libre. Et puis il rencontrerait sûrement Ranchit, Pat ou quelqu'un d'autre avec qui il prendrait un verre de bière. La véranda inondée de soleil, avec son contingent de touristes sans cesse renouvelés, arrivant ou repartant, exerçait sur lui un attrait irrésistible : il suffisait de rester assis là un moment pour savoir tout ce qui se passait ou allait se passer à

Khatmandou. C'était le point central de tous les contacts, le nœud de toutes les rumeurs. Il eut d'ailleurs de la chance, Hilde était là, agitant sa crinière ensoleillée, des listes à la main, une nuée de touristes autour d'elle. Une expédition campait dans le jardin, l'ambassadeur de l'Inde donnait un goûter d'enfants et un camion rempli de gâteaux confectionnés par le Suisse qui faisait le beurre venait d'arriver : meringues, feuilletés à la crème, soufflés au moka, babas au rhum, toute la devanture d'une pâtisserie zurichoise.

Un aimable brouhaha régnait dans la maison, et c'est tout heureux que John alla s'installer à une table, hésitant entre une chope de bière — il était tout de même trop tôt — et une nouvelle tasse de café. Deux Américains, le mari et la femme, arrivés par le même avion que lui, vinrent à passer, l'interpellèrent et s'assirent à sa table. Ils consacraient tout leur temps à des parties de chasse, racontèrent-ils à John. Ils en avaient fait autant en Afrique du Sud et, pour l'instant, ils revenaient de chasser le tigre avec le Maharajah de Lagawore.

« Maintenant, nous nous rendons dans le Teraï népalais, dit la femme.

— Où cela ? demanda John.

— C'est une bande de jungle marécageuse située au sud du Népal, juste avant d'arriver en Inde. L'un des meilleurs terrains de chasse du monde. »

Un Rana, généralissime en retraite, leur avait promis de belles pièces au tableau :

« Songez donc, le Gissime est tellement puissant : les princes de la famille royale du Népal eux-mêmes viennent lui rendre hommage quand il tient sa cour à Khatmandou.

— Oui, nous croyions les Ranas complètement

déchus, comme les aristocrates français après la Révolution, dit le mari, mais ils m'ont l'air encore pleins de mordant; ils continuent à tout gouverner, à former des partis politiques en vue des prochaines élections, du moins à ce qu'on m'a dit.

— Eh bien, dit sa femme, c'est une bonne chose, à mon avis, qu'un pays soit gouverné par les aristocrates. Sinon on risque de voir les Rouges s'emparer du pouvoir. J'espère que Son Altesse le Gissime ne va pas nous demander un prix excessif pour une expédition de chasse au Teraï. Ces gens-là semblent croire que tous ces crétins d'Américains sont disposés à payer les choses n'importe quel prix.

— Eh oui, l'an dernier, nous avons dû verser deux mille dollars pour tuer un tigre et même pas un beau, c'était une toute petite bête. Les rabatteurs avaient dû le traquer avant qu'il trouve le moyen de se traîner devant notre plate-forme pour se faire tirer. A propos, demanda l'Américain à John, de quelle taille était le plus grand tigre que vous ayez tué?

— Je dois avouer que je n'en ai tué aucun, dit John, mais beaucoup d'amis à moi en ont tué aux Indes avant la guerre.

— Oui, c'est bien ce que je pensais, dit l'Américain, nous n'avons guère rencontré de Britanniques au cours de nos chasses au tigre. Pas un seul, en fait.

— Tu sais, chéri, dit sa femme, je crois que nous avons pris leur succession dans ce domaine-là — de même qu'en ce qui concerne d'autres responsabilités mondiales.

— C'est tout à fait sûr », dit le mari.

A ce moment, Pat descendit, l'air épuisé, le teint brouillé :

« Bonjour, John, dit-elle. Où est votre femme ?

— Elle fait la classe, ce matin », dit John, éprouvant soudain l'impression qu'Anne était très loin.

Pat se mit alors à parler de « ce mariage entre familles appartenant à la plus haute noblesse, à la véritable aristocratie » et ce pour l'édification des deux chasseurs de tigre qui ne comptaient pas au nombre des invités ; mais ils ripostèrent en affirmant à nouveau que Son Altesse le Généralissime (que ses amis appelaient en abrégé le Gissime) était un personnage beaucoup plus important et qu'il appartenait à une famille beaucoup plus ancienne et plus aristocratique que la Maison Royale. D'ailleurs les princes étaient venus lui présenter leurs hommages et il était leur oncle, lui-même l'avait dit aux deux Américains. La conversation prit alors ce ton de rivalité qui caractérise presque toujours les entretiens des touristes, des correspondants de presse étrangers et des soi-disant experts des questions d'Extrême-Orient. Les chasseurs de tigre citèrent quelques noms de rajahs, de princes et de maharajahs, mais Pat leur rabattit le caquet d'un ton nonchalant : « Ces gens-là ? Mais ils n'ont plus *du tout* la cote. Il y a trois mois, quand j'étais à Lagawore, la seule personne qu'il fallait connaître, c'était Shim Shikah Derr... Vraiment, vous n'avez pas rencontré Shim ? mais voyons, c'est le plus gros bonnet du pays, il y fait pratiquement la loi... le Maharajah n'est qu'un pantin entre ses mains. »

Et quand le « Gissime » revint une nouvelle fois à la surface, avec les chasses du Teraï, sélectes, fort coûteuses et tellement fermées, Pat déclara :

« Mais ce n'est jamais qu'un Rana de la catégorie C.

— Qu'entendez-vous par là ? demanda John,

qui cherchait désespérément un moyen de briller dans la conversation.

— Seigneur! je croyais que tout le monde était au courant. Les Ranas de la classe A sont ceux dont les mères sont également de haute caste, Rana ou Brahmane, car ce sont vraiment des aristocrates, bien qu'on ne leur donne pas ce nom. Les mères des Ranas de la classe B ne sont pas d'aussi noble famille et celles des membres de la classe C sont de jeunes indigènes nevâris ou des filles des collines ou même ce qu'on appelle ici des servantes et qui, semble-t-il, ne sont en réalité que des esclaves. Dans nos pays on considérerait les Ranas de cette dernière catégorie comme des enfants illégitimes, mais ici un Rana peut avoir autant d'épouses et de concubines qu'il lui plaît, aussi n'existe-t-il en réalité pas un seul bâtard au Népal.»

Il eut un silence gêné, puis John dit:

«C'est fort intéressant.»

Le phrase tomba à plat, car les chasseurs de tigre n'étaient pas encore remis du coup qui leur avait été porté.

Le fou entra, les regarda d'un œil fixe, haussa les épaules, dit: «Des espions», et alla s'asseoir à sa table.

«Ainsi mon ami Ranchit est un Rana de la classe A, dit Pat en faisant pivoter sa chaise. Il estime que nous devrions fonder un club réunissant ceux d'entre nous qui connaissent bien le pays. Un club sérieux, très fermé, n'est-ce pas, d'où l'on écarterait tout indésirable. Je sais qu'Enoch P. Bowers, un autre ami à moi, est très emballé de ce projet. Un club vraiment cosmopolite, animé d'un esprit démocratique.

— Excellente idée! s'écria John, enthousiaste. Khatmandou y gagnerait beaucoup. Quand nous avons créé notre club à Mynah (j'en étais le secrétaire), le succès a été très grand. Tout le monde s'est inscrit, cela a vraiment constitué un lien avec les indigènes. Mais je crois que le niveau a beaucoup baissé depuis notre départ, on y accepte n'importe qui maintenant.

— Créons un club de chasseurs de tigre, proposa l'Américain. Seuls les gens qui ont tué un tigre pourraient se mettre sur les rangs.

— Pas question, dit Pat, nous tenons à encourager la participation indigène. Notre but est d'instaurer ici la démocratie, et il nous faut recruter des gens de talent, artistes et écrivains, aussi bien que des membres du gouvernement. Or, ici, la plupart des gens de talent sont, je crois, nevâris et n'ont de leur vie tué un tigre — d'ailleurs, au temps des Ranas, les Nevâris n'étaient pas autorisés à chasser. Ce ne serait pas démocratique de les tenir à l'écart. Alors, dit-elle à John, peut-être consentirez-vous à nous aider, Ranchit, Mr. Bowers et moi, à fonder ce club, vous qui avez une certaine expérience dans ce domaine.

— Certainement, dit John, je serai ravi de vous être utile. »

Ils commandèrent de la bière. John jeta un bref regard circulaire sur la véranda ; il se sentait chez lui à Khatmandou. On y avait besoin de lui. Depuis le matin, par deux fois on avait sollicité son aide. D'abord la Géographie et maintenant Pat. Il avait trouvé une occupation selon ses goûts, un club à organiser. C'était exactement ce qu'il lui fallait. Il se mit à parler à Pat de son ancien club. Il était très heureux.

Chapitre 12

Deux jours plus tard, les Ford s'installaient au *Royal Hotel*. Dans leur chambre au plafond à caissons, il y avait deux lits jumeaux, des peaux de daims sur le sol ; ils disposaient d'une salle de bains toute neuve.

Dès la première nuit, ils dormirent mieux. Anne se leva d'abord et descendit prendre son petit déjeuner ; quand John parut à table, elle était déjà partie pour l'Institut. Le soir, elle revint tard, les bras chargés de cahiers. Après le dîner, John alla s'asseoir sur la véranda pour discuter le projet de fondation d'un club avec Ranchit, Pat et Enoch P. Bowers, un long et maigre Américain du Texas, qui ressemblait à Abraham Lincoln en plus sévère. John prit également l'habitude de bavarder avec les touristes que les avions amenaient à Khatmandou. Anne apparaissait et disparaissait, allait à l'Institut, en promenade, ou chez Martha Redworth pour ne revenir qu'à l'heure du coucher. John était déjà au lit, immobile, feignant le sommeil. Ou bien c'était lui qui, au retour d'une réunion d'amis au palais de Ranchit, trouvait Anne endormie ou du moins les yeux clos, comme si elle reposait paisiblement. Ainsi s'arrangèrent-ils pour vivre à côté l'un de l'autre sans avoir à s'adresser la parole.

L'attitude de sa femme avait littéralement effrayé John. Depuis le matin où, après avoir vivement rejeté la main qu'il allongeait vers elle, Anne était sortie de la chambre, il s'efforçait de comprendre les raisons de son geste, et c'était bien la première fois de sa vie qu'il se posait une pareille question. Mais ce n'était pas agréable de réfléchir, car il lui fallait renoncer aux airs menaçants, aux phrases, aux formules dont il habillait ses pensées, aux expressions conventionnelles derrière lesquelles il se cachait. Quand il se prenait à réfléchir, les mots faisaient place à une réalité vaguement perçue qui lui faisait peur. Ma femme... mes droits de mari... c'est le devoir d'une épouse de.... les droits conjugaux... Comme les bulles d'air exhalées par un petit chiot en train de se noyer, ces mots remontaient la surface de son esprit, des mots qui, une fois prononcés, s'étalaient, recouvrant en vague quelque chose qu'il ne connaissait pas et ne désirait pas connaître.

Le matin, quand Anne était absente, il souffrait encore de sa solitude, mais moins qu'avant. En effet, les membres de la colonie étrangère de Khatmandou étaient si peu nombreux qu'on les rencontrait à chaque instant : avant le déjeuner, en flânant dans la bibliothèque de l'U.S.I.S[1], en buvant le café du matin au *Royal Hotel*, en prenant un cocktail ou en déjeunant avec eux, et souvent le soir dans une réunion. D'autre part, la clientèle touristique du *Royal Hotel* changeait si souvent que John avait l'illusion de voir beaucoup de gens et d'entrer en contact avec les personnages les plus divers. Chaque fois qu'une nouvelle fournée de touristes débarquait, il prenait plaisir à les escorter l'après-midi quand ils faisaient le tour de la ville. Il leur signalait le temple des Rois, étincelant, éclaboussé d'or, ses cloches sonnant

1. Service d'Information des Etats-Unis. (N. du T.)

dans le vent, ou la fenêtre haute d'un oratoire en bois de style thibétain, en forme de maison, peint en ocre, où se détachaient deux personnages de bois, peints de couleurs éclatantes : la déesse Parvati en vert, ceinturée d'or, dans les bras du dieu Mahadeo, autre incarnation de Vichnou. Tous s'exclamaient devant l'énorme masse noire de la déesse Kala Dourga dansant sur les démons qu'elle vient de massacrer, ou contemplaient dressée derrière des grilles, en avant de la masse du palais royal, l'immense tête à crocs de cuivre de Bhairab, la bouche ouverte, tirant une longue langue rouge et portant, plaqué comme un sceau sur son front, Yama le Seigneur de la Mort. Bhairab était l'ange gardien de Khatmandou.

Comme Anne, comme tant d'autres nouveaux arrivés à Khatmandou, John ne tarda pas à ressentir les effets de la montagne. Mais, étant donné que la civilisation qui l'avait formé demeurait en lui inchangée, ces effets ne se manifestèrent pas de la même manière chez l'un et chez l'autre. Ce ne fut pas, comme pour Anne, une sorte d'absorption par osmose, la découverte d'une affinité qui permettait d'accepter d'emblée les éléments fantastiques et divins qui caractérisaient la Vallée. Chez John, il se produisit une véritable inflation du moi, phénomène également discernable chez de nombreux membres de la colonie étrangère du Tout-Khatmandou. Comme ils n'avaient d'autres dieux vivants à adorer qu'eux-mêmes (la religion étant pour beaucoup une chose à part, un solennel exercice hebdomadaire qu'il convenait d'éliminer du programme des jours de semaine), il s'ensuivait que l'exubérance de vie insufflée par le séjour dans la Vallée se transformait simplement dans leur âme en un sentiment accru de leur importance. Ils devenaient à leurs propres yeux des personnages considérables, et il n'existait pour eux aucun moyen de réduire cette importance, de rétablir l'équilibre, d'échapper à la mégalomanie, privés qu'ils étaient des moyens dont disposaient les humbles et les doux : ceux-ci, en effet, pouvaient voir le divin en toutes choses ; ils découvrent que, dans la Vallée des Dieux, tout objet, toute créature — arbre, pierre, chien, vache ou porteur déguenillé — était aussi un dieu, une parcelle de divin, égale et presque identique à soi-même.

Une telle humilité ne pouvait exister pour John ou Isabel, car le christianisme, tel qu'ils le concevaient, ne les y avait pas préparés. Quant au Père MacCullough, il était censé représenter la Vérité Unique sur cette terre, et c'est là une rude épreuve pour un être humain.

Depuis qu'il avait pris sa retraite, John éprouvait le pénible sentiment de mener une existence futile, mais maintenant il avait l'impression d'être un personnage d'une haute valeur, un intellectuel, bien près de devenir un spécialiste sur tout ce qui touchait le Népal, un oracle écouté des touristes qui lui demandaient : « Dites-moi, vous avez l'air de connaître le pays à fond. Ne songez-vous pas à écrire un livre sur le sujet ? » Il répondait : « J'y songe, en effet » d'un air sérieux, plein de componction et sincèrement convaincu. D'heure en heure, l'idée de fonder un club prenait corps en lui. Ce club serait le trait d'union, le lien magique qui scellerait l'alliance du peuple népalais, ami de la liberté, avec les autres peuples du monde épris du même idéal. Il deviendrait une source de culture occidentale où l'on se procurerait facilement des magazines amusants, où, grâce à des conférences, des voyages organisés et des soirées dansantes le samedi soir, l'élite des Népalais aurait de nombreux contacts avec l'élite des Occidentaux. Ce serait aussi un moyen de lutter contre le communisme. Quand John pensait au club, il lui arrivait parfois d'éprouver un sentiment de crainte respectueuse, tant la conception qu'il s'en faisait lui paraissait grandiose.

Et puis, maintenant, il avait des amis, de très nombreux amis même : Enoch P., cet Américain à l'air digne, au parler lent, qui serait président du club, le professeur Rimskov, qui pouvait se targuer d'avoir passé cinq années dans une mystérieuse vallée du Thibet. Le professeur Rimskov avait d'énormes fesses, pas un cheveu sur la tête et une voix haut perchée. Tous les soirs, il s'installait sur la véranda et racontait aux touristes des anecdotes sur la vallée fabuleuse qu'il avait découverte. On l'y voyait également le matin, muni d'un bout de crayon et de papier écolier, assis devant une table sur laquelle étaient posés quelques dossiers et un grand verre de bière blonde. Attitude physique et spirituelle fort répandue sur la véranda du *Royal Hotel* où il y avait sans doute, au mètre carré, plus d'écrivains et d'artistes (à les entendre) que dans aucun autre endroit du monde.

John éprouvait à l'égard du Père MacCullough une sympathie nuancée de quelques réserves. Celui-là aussi était un homme dont le moi extérieur exprimait ce qu'il croyait être sa personnalité profonde. Une religion, un dogme trop exigeants au point de vue orthodoxie finissent par former sur l'être humain une carapace, une gaine dure comme celle des blattes, entravant le développement du moi intérieur. Une Eglise éternelle comme le roc tend à pétrifier la chair spirituelle de l'homme, vulnérable et tendre. De même celui qui passe sa vie à gouverner, commander ou guider d'autres êtres qu'il croit inférieurs à lui, incline à penser que l'image qu'il s'est créée de lui-même représente sa personnalité tout entière. Par bonheur, le Père MacCullough échappait à un durcissement total, car l'Eglise est très ancienne et a connu bien des renouveaux. La connaissance des points faibles de l'Eglise à l'intérieur de son infaillibilité permet à ceux qui la comprennent de conserver une certaine dose d'humilité.

John avait aussi avec Isabel Maupratt de longues conversations à l'issue desquelles il se sentait vertueux, noble et bon. Tant le Dieu d'Isabel était certain que la Directrice de l'Institut Féminin avait toujours raison.

C'était un Dieu à son image, un monolithe de perfection, sans petits côtés, contradictions ni péchés, possédant la science complète du Bien et du Mal. Ce Dieu s'entendait à merveille avec celui de John, qui avait l'aspect d'un fonctionnaire colonial plein de dignité et de compétence, à la carrure encore athlétique, portant un short blanc, l'air volontairement réservé, qui se préparait à fonder un club d'apôtres dans la Vallée.

Mais pas un de ses amis, pas même Isabel, ne soulevait en lui l'exaltation qu'il éprouvait auprès de Ranchit. Cela aussi c'était un nouveau départ, car, jusqu'alors, jamais il n'aurait pu se représenter un «indigène» sous les traits d'un ami.

Ce que lui apportait l'amitié de Ranchit était très différent de ce qu'il trouvait chez Isabel Maupratt et, dans une moindre mesure, chez la Géographie. Ranchit était riche, il faisait et disait des choses que John aurait aimé faire et dire. Ranchit lui avait même offert Pat: «Quand vous en aurez envie, mon vieux!» Une journée passée sans Ranchit était incomplète, manquait de ce stimulant que procure le contraste. Au sortir des réunions assez équivoques qui se donnaient dans le palais de Ranchit, John venait prendre le thé avec Isabel, jouissant avec délices de l'atmosphère puritaine de la maison, ainsi que de l'admiration évidente, mais ostensiblement chaste, que lui témoignait la Géographie. Puis, à l'issue de ces rencontres, John retournait chez Ranchit en murmurant : « Ce sont des femmes vertueuses. » En même temps qu'elle agissait sur lui comme un stimulant sexuel, la dépravation de Ranchit apportait à John le sentiment de sa vertu : « Ce gars-là joue avec le feu », disait-il à Enoch P. Il était agréable d'avoir un ami dont il enviait et condamnait à la fois la conduite.

La métamorphose d'Anne avait pris une forme différente. L'exaltation qu'elle éprouvait faisait corps avec cette joie légère qui imprégnait toute la Vallée, c'était l'intégration de sa personne dans tout ce qui l'environnait. C'est ce qu'elle essayait d'expliquer au Feld-Maréchal, à qui elle rendait maintenant de fréquentes visites. Assis dans un fauteuil devant une grande table d'acajou luisant, il fumait le narguilé ; le long tube s'enroulait autour de son bras gauche et descendait le long du fauteuil, comme un cobra favori, jusqu'au récipient aux formes contournées posé sur le sol.

Le Feld-Maréchal fit un signe de tête approbateur :

« Mrs. Ford, dit-il, vous possédez la véritable humilité. L'humilité indispensable pour voir et entendre vraiment. Vous consentez à être un simple témoin oculaire, à devenir un instrument des dieux. Manquer d'humilité, c'est n'avoir pas conscience de la présence de Dieu — ou des dieux (selon la manière dont vous l'entendez). Et, si certains n'ont pas conscience de cette présence, c'est à cause de leur façon de s'exprimer, de donner trop d'importance aux mots. Que de fois nos émotions ne sont que des conventions créées par le langage que nous employons! Les mots ne sont pas un moyen de communication, l'instrument du dialogue, mais un expédient, des signes pareils aux signaux de détresse, et l'on ne sait jamais exactement dans quelle mesure ils résument notre pensée ou expriment l'essence de notre solitude. Et quand nous commençons à substituer le symbole à la réalité, le mot à ce qu'il représente, alors débute le règne de l'orgueil spirituel: c'est surtout en effet par l'orgueil du langage que nous perdons la vue de ce qui est important et donc de la réalité. Comme on a raison de penser que les mondes que nous habitons sont créés par les langues que nous parlons! En vérité ils le sont, ainsi que nos paradis et nos enfers.

— Je crois, dit Anne, que les mots, les symboles ont une vie continue et prennent des sens différents selon les âges... et puis... ah, c'est à désespérer, je suis toujours paralysée par les mots que j'emploie. C'est pour moi une perpétuelle inquiétude, un malaise obsédant de relier le symbole à l'objet, le mot à sa signification. Je ne peux absolument pas m'exprimer, et c'est pour moi une véritable angoisse.

— Mais c'est cette angoisse, cette conscience de l'abîme que vous trouvez sous vos pas, l'abîme du langage, qui vous permet de rester humble et donc en contact avec le Divin, dit le Feld-Maréchal. Parce que vous êtes artiste, vous cherchez le sens au-delà du mot, vous découvrez à chaque instant à quel point la science est imparfaite, à quel point l'explication même que vous avez trouvée vous maintient dans d'étroites limites, peut-être prêtez-vous parfois aux mots des autres un sens profond dont ils sont parfaitement inconscients. C'est pourquoi — si je puis me permettre l'impolitesse de porter un jugement sur vous — vous ne cessez sans doute de vous *sous-estimer*. Ce qui d'ailleurs est fort bonne chose. »

La pièce où ils se trouvaient était décorée de bois de cerfs et de défenses d'éléphants. On y voyait aussi des livres, des livres et encore des livres, s'alignant le long des murs dans des bibliothèques vitrées et qui n'étaient pas là pour la parade : « Je les ai un peu feuilletés », disait modestement le Feld-Maréchal. Ils suivaient un long couloir bordé de vitrines serties d'acier, pleines de livres, tous catalogués et répartis par sujets. Anne cita à son hôte le nom d'une fleur, une amarante qu'elle avait remarquée près de la pièce d'eau où l'on rendait autrefois la justice comme en Europe au Moyen Age. Le Feld-Maréchal ouvrit l'une des vitrines, y prit un ouvrage de botanique, trouva une reproduction de la fleur, sa description et sa classification. Ils parlèrent des haies couvertes de rosée dorée et des arbres-goupillons d'Australie plantés le long des routes de la Vallée. Le Feld-Maréchal connaissait leurs noms latins. Des ouvrages recommandés par des Clubs du Livre occupaient quatre casiers spéciaux et plusieurs rayons étaient garnis d'encyclopédies. Sur la grande table devant laquelle était assis le Feld-Maréchal, on voyait un épais registre relié en cuir où les visiteurs inscrivaient leur nom et le titre du volume emprunté. Le Roi avait pris quatre traités d'économie politique. Le nom de Paul Redworth suivait, en regard des œuvres complètes de deux poètes ; Anne y apposa le sien, indiquant qu'elle emportait un volume franco-allemand sur les fleurs alpestres.

« Non, reprit Anne, je ne crois pas que je me sous-estime. Il fut un temps où j'ai désiré écrire, mais je ne suis pas un génie et je crois que l'étincelle a disparu.

— Pourquoi qualifier et délimiter par un mot qui ne signifie exactement rien et minimiser ainsi vos talents, quels qu'ils puissent être ? demanda le Feld-Maréchal. Ma chère amie, ne vous tourmentez pas pour attribuer un nom à ce que vous faites. N'est-il pas suffisant que quelque chose vous ait été donné, afin d'être utilisé et non point enfoui dans le sol ? Alors utilisez-le bien, sans songer ni au succès ni à l'échec. Mais je n'ai pas besoin de vous répéter ce que vous savez mieux que moi.

— Non, je ne le sais pas, dit Anne. Le plus souvent, je ne sais pas ce que je dois faire.

— C'est la question qui se pose pour nous tous, un problème que seule la foi, l'appartenance à une confession semble en mesure de résoudre. Vous pouvez *croire* en toute humilité, en cherchant à sonder les profondeurs de votre être, dit le Feld-Maréchal, assis dans son fauteuil comme un petit Bouddha, la tête enveloppée d'une étoffe, le ventre serré dans une large ceinture de flanelle rose destinée à le garantir du froid. Vous pouvez *agir*, mais sans jamais vous attacher au succès ou à l'échec de vos actes. En d'autres termes, demeurez détachée des fruits de vos actes. C'est là le secret du Seigneur Krichna, le Seigneur de la Vie. C'est cela vivre.

— Il est difficile de pratiquer le détachement et de travailler quand même avec élan.

— Au contraire, le travail devient plus facile si l'on demeure persuadé de n'être que l'instrument de la volonté divine. Cela vaut mieux que de professer hypocritement qu'on n'est pas un dieu (ce qui vous laisse toute latitude pour satisfaire vos appétits) et d'agir ensuite envers autrui comme si l'on était Dieu lui-même. Il appartient à

Dieu de se tourmenter au sujet du monde qu'il a créé. Votre devoir à vous est d'*agir* et, ce faisant, de révérer la vie. »

Le Feld-Maréchal abandonna alors son narguilé pour montrer à sa visiteuse des manuscrits népalais anciens écrits en lettres d'or sur du parchemin :

« Un jour, dit-il, j'ai prêté l'un de ces manuscrits à un Blanc qui m'a dit être un célèbre professeur dans une université de l'Occident et m'a juré de me le rendre. Pourtant je ne l'ai jamais revu, mon manuscrit non plus. Mais il ne faut pas généraliser. Peut-être cet homme est-il la honte de son pays et du centre intellectuel où il vit. Mon cœur n'a pas gémi de regret pour la perte de mon manuscrit, car cet homme devait en avoir grande envie puisqu'il s'est déshonoré en le conservant. C'était la volonté des dieux ou de Dieu. Et puis, qui sait ? Peut-être le reverrai-je un jour. »

Ils revinrent sur leurs pas le long des couloirs tapissés de livres. Au-dessus des bibliothèques, on voyait des scènes de chasse représentant le Feld-Maréchal avec des rhinocéros, des sangliers et des buffles. Dans sa jeunesse, et en dépit de sa petite taille, c'était un chasseur renommé. Dans l'espace ménagé entre les bibliothèques, on avait disposé des bronzes rares, dus à des artistes nevâris, dont il faisait collection. Puis le Feld-Maréchal remit à Anne un livre, la *Bhagavad-Gîtâ*. Sur la page de garde, à la suite de l'habituelle dédicace, il avait écrit : « Que votre prière soit celle-ci : O Krichna, Seigneur de l'Amour et de la Vie, accorde la pluie à mes racines. » « Vous avez certainement lu la *Bhagavad-Gîtâ* dans une traduction, dit-il, sachant bien qu'il n'en était rien. Vous vous apercevrez que cette idée se retrouve aussi dans votre culture occidentale, ma chère amie. Vous

rappelez-vous le poème d'Herbert[1] : "Car aujour-
d'hui dans mon vieil âge je revis, je sens à
nouveau la rosée et la pluie"? Pareille chose doit
nous arriver à tous, mainte et mainte fois, pour
nous rappeler que la vie est tout et la mort une fin
de chapitre sans importance. La vie est tout et
Krichna, le dieu de la Vie, parle là, dans ces pages.
Krichna est le plus aimé de tous nos dieux, qui
sont les manifestations de l'Unique ; Krichna est
la vie elle-même, la vie vécue avec joie sous ses
aspects : le jeu et le travail, l'amour, le chagrin et
la colère, le plaisir et la passion, l'erreur et la
sagesse. Je crois que Krichna sera un bon
compagnon pour vous, mon amie, et il revêt tant
de formes, il prend l'aspect de tant d'amours que
même vos mots charmants ne sauraient le décrire.
Dans ce livre, il vous apparaîtra sous une certaine
forme, mais vous le rencontrerez, je crois, de bien
d'autres manières, surtout, mon amie, si vous êtes
à nouveau amoureuse», avait-il ajouté d'un ton
neutre, et Anne s'était retrouvée dehors, dans le
vaste jardin bien entretenu, où le magnolia noir,
orgueil du Feld-Maréchal, était en pleine fleur.

Elle revint à pied au Palais de Rubis et entra
dans le bungalow où elle déposa la *Bhagavad-
Gîtâ* et l'ouvrage de botanique sur son bureau.
Plusieurs livres traînaient sur les meubles, il lui
fallait une boîte pour les y ranger. Peut-être en
trouverait-elle une au rez-de-chaussée, se dit-elle.
Elle entra dans la pièce inutilisée et fouilla dans le
mobilier laissé à l'abandon. Elle n'y trouva rien
qui pût lui servir : «Il faudra que je demande une
vieille boîte à Hilde», se dit-elle. Elle ouvrit des
tiroirs de commode. Dans l'un de ceux-ci, parmi de
vieux journaux imprimés en népalais, il y avait

1. George Herbert, poète mystique anglais (1593-1633).

une photographie jaunie, tirée sur papier brillant, mise là au rebut.

On y voyait un groupe de personnes assises sur une pelouse sous des arbres, avec une montagne à l'arrière-plan. Anne alla examiner l'image à la lumière et vit Rukmini, souriante, jouant de la cithare, tandis que Lakshmi se piquait des fleurs dans les cheveux. Trois autres jeunes filles riaient; Deepah, le fils du Général, tapait sur de petits tambours pour accompagner Rukmini, et Unni Menon, coiffé d'un bonnet, une fleur sur l'oreille, tenait sur ses genoux une toute petite fille aux joues rebondies qui riait et battait des mains.

Anne essuya la photographie avec son mouchoir, lissa les coins et la mit dans la *Bhagavad-Gîtâ* que lui avait prêtée le Feld-Maréchal. Elle alla à la fenêtre et regarda au dehors, envahie de langueur, l'esprit absent. Avec un soupir, elle ouvrit un cahier et se mit à le corriger. Mais la journée était trop admirable pour qu'on ne lui consacrât pas toute son attention. L'air retentissait de cris d'oiseaux. Anne s'étendit à plat ventre sur le couvre-pieds orange et bleu et se laissa aller à la rêverie. Une légère brise pénétrait par les fenêtres, les perruches becquetaient les tournesols dans un silence joyeux, et Anne sentait vibrer chacune des cellules de son corps.

Un pas ferme, inflexible, monta l'escalier, et l'on frappa à la porte.

« Puis-je entrer ? »

Je me demande ce qui se passerait si je répondais : « Non », se disait Anne, tandis que le visage d'Isabel glissait ses yeux affamés par la porte entrebâillée et que, de part et d'autre du chambranle, les yeux peints, grands ouverts, regardaient Anne d'un air railleur, comme pour lui demander:

«Et maintenant, que vas-tu dire?»

«Entrez donc, Isabel, dit Anne.

— Je venais vous chercher pour prendre le thé, dit Isabel. Nous nous réunissons chaque semaine pour passer un bon petit moment ensemble et nous avons pensé que vous aimeriez vous joindre à nous.»

Il n'y avait pas la moindre ironie dans sa voix.

«Je viens», dit Anne.

Elle suivit Isabel qui, en se retournant, lança un regard circulaire dans la pièce. Ses yeux glissèrent sur les tournesols et les perruches sans les voir, ignorant leur présence, comme autrefois celle du docteur Maltby après leur désastreuse promenade ensemble; ils tombèrent sur la *Bhagavad-Gîtâ*.

«Tiens, un livre! s'écria-t-elle vivement en s'avançant d'un pas. Puis-je le voir?

— Oh, ce n'est rien, on me l'a donné, dit Anne, redoutant de voir les mains d'Isabel se poser sur la couverture.

— Mais quelle jolie reliure! dit Isabel en la tripotant. Cela doit être *très* ancien. On ne fait plus d'aussi jolies choses maintenant, le niveau artistique a *tellement* baissé. A peine si l'on peut trouver une jolie broche ou un objet de ce genre. Prenez grand soin de votre livre, ma chère, vous feriez mieux de le mettre sous clef, de crainte qu'il ne vous soit volé. On ne peut avoir aucune confiance dans les Népalais, vous savez.»

Journal   Le thé chez Isabel a été pour moi
d'Anne   plein d'enseignements. Quand j'ai
commencé ce journal en y écrivant
le mot Khatmandou, je croyais que ce serait une
saga de bonheur. En feuilletant les pages de
papier écolier, je m'aperçois qu'à vrai dire j'y écris
aussi des mots que je redoute ensuite de relire. Ce
mouvement de recul quand il s'agit d'affronter le
passé, c'est là ma faiblesse. Je sais être brave
devant le présent et l'avenir, mais le passé me fait
peur. J'accepte la souffrance à venir hardiment,
avec le calme muet d'un animal, je la prévois, je
m'élance même sur elle poitrine nue. L'épée
s'enfonce, je ne la sens pas jusqu'au jour où elle
est devenue partie de moi-même sans que la trace
de son passage se soit jamais cicatrisée ; il me faut
alors l'arracher de moi, et je découvre que la
blessure est plus grave que je ne l'aurais cru. Plus
tard, me dis-je, je serai brave, j'affronterai tout,
même le passé. En attendant, tout ce que je puis
faire, c'est de relater les événements et de passer
aussitôt à l'avenir, à la prochaine blessure, à la
douleur de demain.

L'Histoire, la Géographie et Suragamy McIntyre étaient dans le living-room d'Isabel en train
de prendre du thé accompagné de sandwiches et
d'un gâteau au café. Aussitôt entrée, je sus
qu'elles avaient parlé de moi. Leur accueil était
trop chaleureux, et l'on m'accablait de nourriture
comme si je revenais d'une expédition sur les
hauts sommets.

Elles ne cherchèrent pas un sujet de conversation. Notre transfert au *Royal Hotel* fournissait
une entrée en matière tout indiquée et de tout
repos. La chambre me plaisait-elle ?

« Ce doit être agréable pour Mr. Ford, dit la
Géographie, d'être *au cœur même des choses.*

— Il paraît que votre mari est en train d'écrire un livre.

— Vraiment ? Je l'ignorais.

— Il me semble, dit l'Histoire, que si quelqu'un de *réellement* compétent réunissait des matériaux pour composer un ouvrage *réellement* sérieux sur le Népal, ce serait là une excellente idée.

— Très souvent, les gens qui viennent ici sont pris du désir d'écrire quelque chose sur le pays, ajouta Suragamy McIntyre.

— Mais ce ne sont que des *romanciers*, précisa la Géographie. Il paraît aussi que votre mari est en train d'organiser un club. Quelle merveilleuse idée !

— La collecte des fonds pour les secours aux inondés se ferait tellement mieux s'il existait un bon club pour préparer nos réunions », dit Isabel.

Machinalement, je cherchai des yeux son tricot et je le découvris, petit monstre flasque et inachevé, épave échouée dans l'ombre d un coussin.

« Encore un peu de gâteau ? Et votre classe ? En êtes-vous contente ?

— Très. »

Isabel s'éclaircit la voix :

« Vous avez plusieurs femmes mariées parmi vos élèves. Je crains qu'elles ne soient assez difficiles à manier.

— Oh, non, je ne trouve pas, dis-je imprudemment.

— Jusqu'à présent, *tous* les professeurs ont trouvé que les élèves de dernière année sont très dures, dit Isabel d'un ton raide. Il est encore trop tôt pour que vous les connaissiez à fond, mais il importe de veiller à ce qu'il ne se produise aucun relâchement.

— En ce qui concerne les prières, par exemple, dit l'Histoire, agressive.

— Je crois bien qu'il m'arrive d'oublier les prières », dis-je.

Il se fait un silence, rompu seulement par un froissement d'étoffe : Suragamy rajuste son sari et en serre les plis autour d'elle. Aujourd'hui encore, elle porte son paletot vert par-dessus. Suragamy a toujours froid, son sang circule mal. L'altitude de la vallée est trop élevée pour elle.

Suit alors une phrase assez embrouillée, car Isabel et l'Histoire se mettent à parler toutes les deux en même temps ou presque.

« Bien entendu... », commence Isabel, et l'Histoire dit : « On a toujours tendance... », puis elles se demandent mutuellement pardon. Isabel demeure seule à me haranguer.

« Je sais bien que le Père MacCullough s'est trouvé aux prises avec le même problème dans son école de garçons. Les prières après la classe. Certains parents avaient soulevé des objections. Mais le Père a répondu que les incroyants n'étaient pas *forcés* de réciter les prières. On leur demande simplement de se lever et de les écouter, mais non de s'y joindre. C'est aussi notre politique. Le conseil d'administration a été formel là-dessus : ne jamais choquer personne, mais maintenir la Foi.

— D'autre part, dit la Géographie, il est bon de prier devant elles. Car elles sont dans les griffes de Satan.

— C'est ainsi que se font les conversions. De façon *très* soudaine, Dieu touchera leurs cœurs plongés dans le péché et il les détournera de leurs coupables pratiques païennes pour les amener vers la Lumière. Il lavera leur âme de ses souillures.

— Entendu, dis-je, je n'oublierai pas les prières. Sans doute celles que nous récitions à Shanghaï, Isabel ?

— Ce sera parfait, ma chère. »

Cette question réglée, je passai à l'offensive :

« Comment avez-vous trouvé les fêtes du mariage ? demandai-je à l'Histoire et à la Géographie.

— Pas trop mal, dirent-elles, l'œil fixe, sans regarder Isabel.

— Je n'ai guère aimé la façon dont se conduisait Rukmini, cette Mrs. Ranchit, dit Suragamy d'un air plein de sous-entendus.

— Qu'a-t-elle fait ? demandai-je.

— Je veux parler de cette façon qu'elle a de regarder les hommes, dit-elle, verdissant davantage si possible. Ce n'est pas bien. Sa sœur Devi me donne aussi beaucoup de mal.

— J'ignorais que Devi fût sa sœur », dis-je, me rappelant la fillette qui jouait au tennis avec deux garçons, l'autre jour, à l'Institut. Je revoyais les trois adolescents, gazelles sans crainte ni timidité, debout devant nous dans une attitude pleine d'aisance, pas plus embarrassés de leurs mains que de leurs yeux. La petite fille potelée que j'avais vue dans les bras d'Unni, sur la photographie, était-elle Devi ?

« Oh, oui, elle nous donne du fil à retordre, dit l'Histoire ; en fait, elles nous en donnent toutes les deux.

— Et de plus elles sont affreusement prétentieuses.

— Si j'étais le mari de Rukmini, je la coucherais en travers de mes genoux et je lui administrerais une bonne fessée ; voilà ce dont elle a besoin, dit la Géographie avec une froide férocité.

— Vous parlez de Rukmini, je crois ? dis-je,

sentant la colère m'envahir. Je la trouve très belle.

— Peut-être, mais elle n'a pas une belle âme, dit l'Histoire, furieuse.

— J'aimerais vraiment savoir ce que vous avez contre elle, demandai-je.

— Je vais vous le dire, répondit Isabel sur le même ton de colère. Cela s'est passé peu de temps après mon arrivée ici. Ce palais appartenait au père de Rukmini, qui l'a vendu au gouvernement, lequel nous en a donné la jouissance pour y installer notre école. Mais, pendant que les négociations étaient en cours, nous y avions déjà nos chambres et nos salles de classe. Et, d'autre part, ce Menon ainsi que plusieurs autres de son espèce habitaient également le palais au titre d'invités du père de Rukmini. »

Elle avala bruyamment une gorgée de thé :

« Je ne tardai pas à découvrir ce qui se passait, reprit-elle, les yeux et les narines dilatés. C'est vraiment si terrible que j'ose à peine vous le raconter. Un matin, impossible de trouver *une seule* des élèves. Elles n'étaient pas en classe. Je suis partie à leur recherche et je les ai trouvées. Toutes. Assises sur la pelouse en face de la chambre de cet individu. Couronnées de fleurs, elles jouaient de la musique et chantaient. Et lui il les faisait danser au son du tambour. Absolument scandaleux ! Ce Menon, un homme qui serait d'âge à être leur père, qui occupe une importante situation, était-ce à lui d'induire des jeunes filles en tentation ?...

— Et cela en face de sa chambre ! dit l'Histoire, choquée.

— Je l'ai fait partir immédiatement », déclara Isabel.

J'étais écœurée. Il faut que je me domine, pensai-je.

« S'il en est ainsi, pourquoi m'avoir donné, à moi, la chambre d'Unni Menon ?

— Je... eh bien, je... » commença-t-elle.

Adoptant soudain les façons mélodramatiques de John, je me levai, tendant vers elle un index accusateur (oh, le pouvoir irrésistible que possèdent les gestes et les mots de créer des émotions qui n'existent pas) :

« En ce cas, dis-je, pourquoi n'avoir pas mis le feu à sa chambre, ou l'avoir fait du moins blanchir à la chaux, par exemple ? Pourquoi m'y avoir amenée ? »

Sans daigner attendre une réponse, je me dirigeai vers la porte. Puis, d'un air grandiloquent, je leur lançai une flèche à mon tour, comme si cette réunion avait été une représentation d'amateurs donnée à mon bénéfice et qui m'aurait déplu.

« A propos, dis-je à Suragamy, connaissez-vous Krichna, le Seigneur de la Vie ?

— Ah oui, dit-elle, Krichna. Oui, bien sûr, je sais que c'est l'un des dieux de la religion hindoue, on raconte des tas d'histoires à son sujet, mais je suis chrétienne, ajouta-t-elle, sur la défensive. C'est une superstition, il n'existe pas.

— Je vois », dis-je sur un ton qui était presque celui du Feld-Maréchal. Et je sortis.

Je me rendis à mon bungalow et je montai fermer au verrou la chambre du haut. En sortant, je verrouillai également la porte extérieure. Ce sont des serrures népalaises, anciennes, fixées au bas de la porte par un anneau scellé dans la pierre, ciselées en forme d'animal — un griffon à l'étage, une salamandre au rez-de-chaussée. Je les ai touchées avec amour, avec un respect religieux.

J'apprends à révérer toute chose, car tout est vivant; ces serrures sont vivantes parce qu'elles sont belles, parce que les artisans défunts qui les ont créées ont consacré à leur œuvre toute l'attention et l'habileté de leurs mains diligentes, toute l'ardeur de leur cœur. Les acheter serait sacrilège, les tenir dans ses mains est déjà un enrichissement. Jusqu'à présent je ne m'en étais pas servie, car je me sentais en sécurité. Mais maintenant, depuis que j'ai pris le thé dans le living-room d'Isabel, j'ai compris que les perruches sont en danger, que la chambre est menacée par des créatures aux cheveux fanés et ternes, aux cous striés de muscles saillants comme des cordes, aux seins tantôt lourds et pendants, tantôt plats et flétris, des créatures qui ont oublié ou même qui n'ont jamais connu le mouvement de poignet, le regard de gazelle, le geste de fleur, dont la seule vue fait vibrer de plaisir.

Au *Royal Hotel*, dans le soir tombant, au pied des marches conduisant aux crânes de rhinocéros et aux crocodiles du hall, Anne distingua la toison d'or de Hilde, en train de monter en jeep avec Unni.

« Bonsoir ! cria Hilde quand elle vit Anne, venez donc avec nous, nous allons voir Vassili à la prison.

— Bien sûr », dit Anne en grimpant dans la jeep.

Unni, qui conduisait, lui sourit :

« Cela fait plaisir de vous revoir, dit-il.

— J'arrive de l'Institut », expliqua-t-elle.

Dans la pénombre du crépuscule, elle se sentait

hardie. Son cœur battait violemment, son visage rayonnait.

Hilde la regarda et dit:

«Anne, vous êtes magnifique en ce moment. Khatmandou vous réussit.

— Certainement», dit Anne.

Elle aurait pu se croire revenue au soir des fêtes du mariage quand elle vit apparaître les murs lugubres de la prison, hérissés de barbelés, les hautes tours de guet, les sentinelles se précipitant pour ouvrir la petite porte. Traversant à pied la cour dallée de pierre, ils virent s'avancer vers eux une belle fille aux cheveux blonds flottant librement jusqu'à la taille, une torsade de rubis autour de son cou, une autre au poignet. Elle avait le visage ovale, le col de cygne et les yeux verts de la Vénus de Botticelli. Un sari blanc et or l'enveloppait et ses pieds nus aux ongles peints étaient chaussés de sandales dorées, maintenues par un nœud coulant passé autour du gros orteil. Quand elle vit Hilde et Unni, elle leur sourit et agita une main ornée d'un seul bijou, énorme: deux cœurs entrelacés en émeraudes et diamants montés sur un anneau de platine. Derrière elle venait le Père MacCullough, qui se précipita vers Hilde.

«Tiens, vous voilà! Vous allez voir Vassili? J'en arrive, il va très, très bien. Oui, oui, Hilde, il est en pleine forme. Je lui ai donné le lance-pierres, la fronde, il saura s'en servir. Unni, je ne vous savais pas de retour à Khatmandou. Puis-je venir vous voir demain ou bien serez-vous au *Royal Hotel* dimanche après la messe? Je voudrais vous parler du petit tour que nous projetons de faire sur la route en construction.

— Paul Redworth part avec moi après-demain, dit Unni. Il y a tout juste deux heures que je suis arrivé de Bongsor. Mais oui, venez donc si vous êtes libre.

— Je vous verrai demain et nous en reparlerons.

— Demain je ne serai pas ici, dit Unni, je vais à Simra en avion. Mais trouvez-vous après-demain à huit heures au *Royal Hotel*, je vous y prendrai.

— Combien de temps serons-nous absents ?

— Deux jours.

— Bon. En ce cas, je vous attendrai après-demain à huit heures au *Royal Hotel* », précisa le Père, comme pour marquer qu'il prenait ainsi un engagement définitif.

Et il courut pour rattraper la jeune fille qui poursuivait lentement son chemin vers la porte de sortie.

« C'est la bonne amie du Prince, dit Hilde, elle est très belle et si gentille. Le Prince a de l'affection pour Vassili, il a dû la prier d'aller le voir. Peut-être lui apportait-elle de bonnes nouvelles au sujet de sa libération. »

Elle hâta le pas pour traverser l'une après l'autre les cours entourées de cellules aux lourdes portes de bois et de vérandas le long desquelles des soldats en kaki, armés de fusils, montaient la garde. Enfin elle parvint à une dernière cour qui semblait osciller sous des rafales de rire. Par une porte ouverte, la lumière s'étalait sur deux gardes accroupis au dehors, leurs armes posées en travers des cuisses, leurs visages grimaçant de rire tournés vers la cellule, tandis qu'une voix bien connue scandait : « ... un jeune bon à rien, formidable au poker, mais par ailleurs complètement sans cervelle ».

« Le Général ! » dit Hilde, avançant dans la flaque de lumière.

La cellule était vaste, car on traitait Vassili en

prisonnier de marque. Avec ses lits jumeaux, elle rappelait vaguement les chambres du *Royal Hotel*, mais les fenêtres, petites et hautes, étaient munies des classiques barreaux. Les lits se composaient de planches recouvertes d'un mince matelas de paille, mais ils étaient garnis de draps et de couvre-pieds népalais aux couleurs vives. La pièce paraissait remplie de gens assis sur les lits ou sur le sol. Au premier abord, on avait l'impression de voir une foule peinte sur un tableau : immobiles, plongés dans une ombre brunâtre ou violemment éclairés, on eût dit les personnages d'une sombre peinture moderne ; mais bientôt ils perdaient leur anonymat, ils acquéraient tous une personnalité et des noms connus. Il y avait là le Général, un verre de whisky à la main et un verre de lait à côté de lui, Deepah, debout derrière son père, Rukmini et Devi, enveloppées de leur sari, assises à terre les jambes croisées. Un grand jeune homme, très beau, parlait à Rukmini. Enfin il y avait Vassili, avec la physionomie pensive d'un Néron de cinéma, des yeux bleus bienveillants, un corps vigoureux de Romain, de fortes mains adroites qui saisirent celles d'Anne ; le souriant Vassili, auprès de qui on se sentait enveloppé dans une chaude atmosphère de bonté, d'humour et d'enthousiasme russe pour tout ce qui était la vie.

« Ainsi, c'est vous, Mrs. Ford ? Hilde, pourquoi ne l'as-tu pas amenée plus tôt ? C'est gentil de venir me voir dans ma prison. Asseyez-vous sur le lit, là, sur le mien, pas sur celui de Sharma, ce dégoûtant, car il est plein de poux et de punaises. Sharma, venez faire la connaissance de Mrs. Ford. »

Le beau jeune homme se retourna et s'inclina.

« Ce Sharma que voici est un poète, dit Vassili. On l'a mis en prison avec moi pour mes péchés, car il récite des vers toute la nuit, si bien que je ne puis dormir.

— Je croyais que c'étaient les chiens qui vous tenaient éveillé, dit le Général.

— Les chiens et Sharma se partagent la besogne! hurla Vassili. Mais désormais nous avons ceci, dit-il en brandissant le petit lance-pierres en forme de «fourchette» de poulet. C'est un cadeau de la Sainte Eglise. Quand j'étais enfant, je fabriquais de petites balles de boue et je les lançais, pan, pan, pan. Je visais toujours juste, j'étais capable d'atteindre un moineau en plein vol. Hilde, as-tu apporté des billes?

— Oui, dit Hilde, ouvrant son sac. Toutes celles que j'ai pu trouver sur le marché.

— Maintenant nous allons les lancer après les avoir enrobées d'un peu d'argile pour qu'elles tiennent mieux. Et puis j'emploierai également cet instrument pour empêcher mon ami Sharma d'écrire des poèmes la nuit et de se promener de long en large en clamant ses strophes éthérées. Je l'occuperai à tirer contre les chiens.

— Pauvres chiens, dit Sharma. Vassili est vraiment bien cruel de troubler leurs transports.

— Quelles nouvelles du Couronnement, Unni? demanda Vassili. Allons, grand technicien, y a-t-il quelque chose que j'ignore?

— Le Couronnement aura lieu le 2 mai. D'ici là vous serez sorti, Vassili. Bien avant cela, je le crains.

— Quel dommage, dit Vassili. Je commençais à bien m'amuser ici. Pas de touristes pour me tourmenter, pas de comptabilité à tenir. Et ma chère femme venait me voir trois fois par semaine. Je m'apprêtais même à faire venir un divan pour elle. Une vie merveilleuse. Et tellement salutaire pour mon foie. Pas de boissons, pas de tentations.»

Il poussa un soupir en regardant le whisky du Général.

Le Général prit la parole:

«Je sais que vous sortirez d'ici la semaine prochaine. C'est ce qu'on dit dans tous les ministères, même dans ceux qui sont à couteaux tirés avec les autres. Alors cela doit être vrai.

— Oh, dit Vassili avec intérêt, est-ce que les fonctionnaires des Travaux Publics et de l'Intérieur continuent à se faire mutuellement envoyer en prison en écrivant des lettres anonymes à la Brigade des mœurs?

— Non, ils sont raccommodés, mais maintenant d'autres ministères se font la guerre, dit le Général, hochant la tête avec une feinte tristesse. Il faut vous dire, Madame, précisa-t-il en s'adressant à Anne, que dans mon pays l'une des conséquences de la démocratie c'est la bureaucratie. Autrefois, à cette terrible époque où les Ranas exerçaient leur admirable despotisme, quand mon père le premier ministre avait besoin d'argent, il envoyait tout simplement ses collecteurs en chercher. Il disait qu'il lui fallait tant de millions de roupies, et il les obtenait. Le montant de la somme que ramassaient les collecteurs ne regardait personne. Ensuite il déposait tout simplement l'argent dans une grande pièce, puis, quand il en avait besoin, il en prenait. Mais maintenant nous avons des ministères, des dossiers, des bureaux et même des machines à écrire en népalais. Il règne partout un désordre admirable, mais les choses se font tout de même parce que les gens ne se soucient ni des ordres, ni des contrordres, ils vont de l'avant et ils agissent.

— C'est exact, dit Unni. L'an dernier, un

ministre donna l'ordre à tous ses subordonnés de ne pas parler, écrire, téléphoner au personnel d'un autre ministère, enfin de ne communiquer avec lui de quelque manière que ce fût. Pour nous, cela compliquait les choses, car nous avions affaire aux deux. Mais ils ne tardèrent pas à se servir de moi comme d'une sorte de messager officieux. Je connus alors une période merveilleuse. J'obtenais tout ce que je voulais, il me suffisait pour cela de faire savoir à chacun, tour à tour, quels étaient les avantages que l'autre m'accordait : « Comment, Untel ne vous donne que *deux* camions pour transporter le sable retiré de la rivière ! me disait l'un des ministres. *Moi*, je vous prêterai trois des miens, faites-les prendre demain. » Ensuite, je retournais voir le premier et j'obtenais de lui deux camions de plus. Dans tout le Népal il n'en existait que dix, dont quatre seulement en ordre de marche, mais nous avions réparé les autres et nous les employions tous.

— Et que s'est-il passé ensuite ? demanda Vassili.

— Eh bien, un beau jour, ils se sont réconciliés et il a fallu leur rendre tous les camions l'un après l'autre. Mais le travail était achevé et tout le monde était content. Ils se sont d'ailleurs montrés très chics, ils ont donné une fête monstre et m'ont royalement enivré.

— C'est ça la démocratie, dit le Général.

— Plaignez-vous, dit Vassili. Moi, je suis en prison à cause de la démocratie. Et vous aussi, Sharma. Bien que vous ne l'ayez pas volé, ô poète pouilleux !

— Vous n'allez pas tarder à sortir, dit le Général, et songez combien votre séjour ici ajoutera d'intérêt à votre vie quand vous écrirez votre autobiographie. Le Couronnement est pour bientôt et qui donc, sinon vous, mon ami, prendra soin des milliers de gens qui vont venir, leur fournira la nourriture et un gîte et les écoutera se plaindre de notre pays ?

— Le salaud qui m'a fait mettre en prison s'occupera d'eux, s'écria Vassili, saisi d'une violente crise de colère bien russe. Je vais aller me fixer à Calcutta avec Hilde, j'ouvrirai une boîte de nuit et jamais je ne remettrai les pieds dans ce pays plein de lingams. Vous allez voir ça !

— Oh, mais non, dit Unni. La Vallée vous tient bien, Vassili.

— Si ce n'était pas à cause de mon foie, dit Vassili, je... mais buvez donc quelque chose, Unni. »

Deux serviteurs en livrée, portant des ceintures d'étoffe rouge, entrèrent avec des plateaux chargés de boissons, de feuilletés au curry, d'anchois, d'œufs et de caviar sur de petits toasts et d'olives farcies de poivre rouge. Ils étaient envoyés par le Prince et son amie, laquelle avait ajouté à ce cadeau trois bouteilles de whisky.

« Quelle charmante fille ! dit Vassili. La prochaine fois qu'elle viendra me voir, il faudra que je l'embrasse.

— Alors, dit Sharma, vous resterez en prison pour de bon, le Prince y veillera ! »

A ce moment, un hurlement prolongé se fit entendre au dehors.

« Ces sacrées chiennes ! s'écria Vassili, courant à la fenêtre et grimpant à toute vitesse sur un tabouret, la fronde à la main. Passe-moi une bille, Hilde. »

Il visa, lâcha la détente. On entendit une série de glapissements.

« En voilà une de partie, dit-il. Je vise toujours

aussi juste qu'au temps où j'étais enfant. Que l'un de vous me passe à boire. »

Debout sur la chaise, les yeux baissés vers le sol, il semblait heureux :

« Anne, buvez quelque chose. Vous ne voyez pas d'inconvénient à ce que je vous appelle Anne, n'est-ce pas ? Cela vous va bien. Et vous, Rukmini, vous ne dites rien, ma beauté. Non, je crois que votre petite sœur ferait mieux de s'en tenir à la bière de gingembre. Encore un peu de whisky, Général. Et vous, Unni ? »

L'animation de Vassili remplissait la petite cellule. Tout le monde riait sans bien savoir pourquoi. Sharma parlait à Rukmini, contemplant d'un air extasié le visage de la jeune femme, qu'elle tenait baissé sans regarder jamais son interlocuteur, si bien qu'il s'assombrit petit à petit. Il était visiblement amoureux d'elle. Unni sortit pour aller verser à boire aux sentinelles qui entrèrent ensuite pour remercier, burent d'un trait et restèrent là à sourire, leur verre vide à la main.

« Vous n'en aurez plus, fit Unni, sinon vous ne tarderez pas à tituber et vous serez punis. »

Il commençait à faire froid et une autre sentinelle arriva, portant un brasero plein de charbons ardents. La lampe tempête émettait un sifflement régulier. Anne se sentait ivre, à demi engourdie par une sorte de plénitude de bonheur voisine de l'angoisse, sentiment à la fois douloureux et plein de douceur, qui la laissait meurtrie. Son sang battait avec violence dans son corps tout entier, elle éprouvait une souffrance diffuse dans la substance métaphysique, quelle qu'elle fût, dont était pétrie son âme.

Vassili lui racontait son arrestation et elle riait à perdre haleine. Il avait été arrêté, puis interrogé, et, bien que cet interrogatoire eût duré plusieurs jours, ni les policiers ni lui-même ne savaient exactement ce qu'ils cherchaient à découvrir. Quant à lui, il se demandait ce qu'il fallait répondre, parce que tout ce qu'il savait, c'était qu'on l'avait arrêté, et il aurait bien voulu comprendre pourquoi. Gentils, les autres lui déclaraient :

« Mais c'est exactement ce que nous voulons que *vous* nous disiez ! »

Sur un ton à la fois larmoyant et joyeux, Vassili et Sharma se lancèrent dans une discussion sur la démocratie :

« Nous sommes tous persuadés que nous parlons de la même chose parce que nous employons les mêmes mots, disait Sharma, mais en réalité il n'en est rien.

— Votre explication a l'air merveilleuse, Sharma, mais elle ne vous avance à rien, car vous êtes ici et vous ne savez même pas pourquoi.

— Mais si, je le sais, dit Sharma. Ma détention a un caractère politique et anonyme. Le passe-temps favori de mes compatriotes consiste à écrire des lettres anonymes ou à rédiger des pétitions dans lesquelles ils prétendent que leurs femmes ont été enlevées ou violées. Et c'est pour cela que je suis en prison : enlèvement et viol, bien que je n'aie même jamais vu la jeune personne en question. Mais en réalité c'est une affaire politique, ajouta-t-il, évidemment politique.

— C'est la démocratie ! répéta le Général, qui leva son verre de lait toujours plein, lui coula un regard louche, frissonna, puis se versa une nouvelle rasade de whisky.

— Du calme, du calme, dit Unni. Buvez donc un autre verre, Sharma.

— Oui, dit Vassili, buvons et écoutons une

chanson. Ma toute belle, ajouta-t-il en se tournant vers Rukmini, voulez-vous nous chanter quelque chose pour verser le bonheur dans nos cœurs ?

— Oh, oui, chantez, Rukmini, dit Hilde. Rukmini a une voix magnifique. »

Rukmini hocha la tête, puis soudain se détourna et regarda Unni droit dans les yeux, si bien que le point rouge peint sur son front, accrochant la lumière, brillait comme une goutte de sang. Ses yeux suppliaient, résignés, et pourtant rayonnant d'un magnifique orgueil parce que l'homme qu'elle aimait était là. Et Anne comprit pourquoi ce sentiment d'orgueil se mêlait à sa soumission quand Unni, sans regarder la jeune femme et tandis que le brouhaha s'apaisait, lui dit d'une voix grave et basse, comme le son répercuté d'une grosse cloche de bronze :

« Oui, chantez, Rukmini. »

Elle commença :

Le soleil est déjà levé au-dessus des montagnes
Et les torrents joyeux dévalent la pente.
Pourquoi m'as-tu laissée plongée dans mon chagrin
Pour t'en aller là-bas dans la vallée ?

Devi joignit sa voix à celle de Rukmini, et les deux sœurs chantèrent ensemble, jambes croisées, les mains reposant au creux des genoux, le regard lointain, semblables aux petites filles représentées sur les chromos que les Ranas accrochaient à leurs murs. Leurs voix se levaient et s'abaissaient comme les douces collines crêtées de verdure, le moelleux contralto de Rukmini marié au clair gazouillis de Devi, et la mélodie se déroulait, empreinte de tristesse et d'amour. Au bout d'un moment, Sharma et le Général chantaient aussi, Vassili et Hilde fredonnaient l'air qu'Unni sifflait doucement. Au-dehors, les sentinelles marquaient la mesure en battant des mains, tandis que les gardes, attroupés sur le seuil, écoutaient en souriant et qu'on voyait briller dans l'ombre leurs yeux, leurs dents et leurs baïonnettes.

La nuit était froide, les étoiles étincelaient entre des bancs de nuages chassés par le vent. Anne était partie sans prendre de sweater et, quand elle sortit dans la cour glacée, Unni lui mit sa veste, encore imprégnée de sa chaleur, autour des épaules. Hilde, qui s'était attardée auprès de Vassili, les rejoignit. Rukmini et Devi, enveloppées dans leurs châles, leur dirent au revoir en joignant les mains. Les bracelets de Rukmini tintèrent les uns contre les autres.

« Venez dîner chez moi, Madame, dit le Général à Anne. Et vous aussi, Hilde.

— Je ne peux pas, dit Hilde, il faut que je retourne à l'hôtel au cas où des touristes auraient besoin de quelque chose ; il vient d'en arriver une nouvelle fournée. Et puis mes trois petits garnements tiennent à ce que leur maman vienne les embrasser pour leur dire bonsoir, les chers petits tyrans. En général, ils vont se coucher comme des anges, mais, quand je vais voir leur papa, ils ne s'endorment jamais avant mon retour, pour que je leur donne de ses nouvelles.

— Mais vous, Madame, rien ne vous empêche de venir, dit le Général, s'adressant à Anne. Nous inviterons aussi le docteur Maltby. »

Anne gardait le silence, en lutte contre elle-même. Il fallait avertir John, elle ne pouvait décemment s'en dispenser. Le Général ajouta :

« Nous nous arrêterons bien entendu au *Royal Hotel* pour inviter votre mari. »

Mais, quand ils y arrivèrent, John n'était pas là

et le garçon les informa qu'il était sorti avec Pat et Ranchit. Anne se sentit soudain très gaie :

« J'en ai pour une minute », dit-elle.

Elle courut à sa chambre, prit son écharpe de laine et, à son retour, rendit la veste de cuir à Unni qui était en bras de chemise et ne semblait pas se soucier du froid :

« Merci infiniment », dit-elle.

Il prit la veste et la remit sans prononcer une parole.

Le Palais Sérénissime était tout près. Ils passèrent devant le bungalow des infirmières. Il était éclairé, des flots de musique de pianola s'en échappaient, des voix chantaient. Ils arrivèrent devant le bungalow de Fred. Le docteur sortit sur le seuil et fouilla la nuit :

« Ah, c'est vous, Unni, dit-il, et Anne aussi. Quelle chance ! »

Il les fit entrer dans une vaste pièce garnie de livres, d'un lourd fauteuil de cuir et d'un bureau. Une porte à deux battants était ouverte sur la chambre à coucher, où l'on voyait un lit de milieu et un lit de camp placé le long du mur, car Unni était descendu chez Fred.

« Nous sommes venus vous prier de dîner avec nous, dit le Général, mais, d'abord, nous allons boire quelque chose avec vous. »

Il parla au domestique et bientôt apparut la servante thibétaine portant sur un plateau du whisky et des verres.

« Un seul verre, dit Fred, qui connaissait le Général. Je suis sûr que Mrs. Ford n'a pas l'habitude de dîner si tard.

— Je vais monter à la cuisine dire de préparer le repas, dit Unni.

— Monter à la cuisine ? dit Anne.

— Oui. Dans les maisons brahmanes, la cuisine

est située en haut de la maison, pour éviter les souillures.

— Ne vous pressez pas, dit le Général, nous avons tout le temps. »

Comme beaucoup de Ranas de sa génération, il préférait prendre son repas à minuit ou même plus tard et boire ferme pendant la moitié de la nuit.

Du bungalow voisin vint une nouvelle bouffée de musique, puis les paroles d'un hymne chrétien :

Si vous possédez la foi, tous vos rêves se
                                   [*réaliseront.*
Abandonnez-vous au Seigneur, il vous
                 [*aidera à surmonter les obstacles.*
Si vous possédez la foi, rien ne vous sera plus
                                        [*impossible.*

« Ah, c'est joli », dit le Général, un peu ivre, en hochant gravement la tête, et il reprit encore un whisky, sans s'occuper du verre de lait posé à côté de lui et auquel il ne touchait pas.

Anne était si lasse qu'elle n'arrivait pas à garder les yeux ouverts. Elle somnolait dans un fauteuil. Unni buvait ferme, lui aussi ; il avait déjà pris six ou sept whiskies, mais l'alcool ne semblait produire aucun effet sur lui.

« Vous êtes fatiguée, dit-il.

— Oui, je l'avoue.

— Allez donc vous étendre là, sur le lit. Le dîner ne sera pas prêt avant une heure ou même davantage. Je vous réveillerai à temps. Ne vous souciez pas de nous.

— Entendu. »

Il la conduisit dans la chambre et elle s'allongea sur le lit de camp, trop fatiguée pour se rendre

264

compte que c'était celui d'Unni, et il rabattit le couvre-pieds :

« Un mot seulement avant que vous vous endormiez, dit-il. Voulez-vous aussi venir avec nous voir la nouvelle route, après-demain ? Il y aura le Père MacCullough et Mr. Redworth.

— Cela me plairait beaucoup, dit Anne.

— Bon, dit-il, j'arrangerai cela. »

Elle s'endormit, mais sans que le tumulte s'apaisât vraiment en elle. Après un moment de repos entrecoupé, elle s'éveilla pour avaler quelques bouchées, et Unni la reconduisit en voiture à l'hôtel. Elle tomba dans son lit, remarqua que John n'était pas là et sombra dans un sommeil troublé, hanté par le sentiment d'un danger, par la peur, la haine, traversé par le son d'une cloche ; puis ce fut le jour. John n'était toujours pas rentré.

Chapitre 13

Plus tard, quand fut venu le temps de dire : « Vous rappelez-vous ? », Anne gardait de ce vendredi et du samedi qui suivit un souvenir enchanté. Chaque instant de ces deux journées avait été pétri de bonheur.

L'aube d'abord quand, la tête encore tournée contre le mur, elle aperçut au-dessus des rideaux masquant les portes-fenêtres, la bande glauque annonçant que ce vendredi commençait. Puis, immense, humiliant tout le reste d'un turquoise orgueilleux, le ciel s'étendit au-dessus des coupoles en toc du *Royal Hotel,* le matin éclata comme un chant le long des collines bleues, les colombes se mirent à décrire des cercles au-dessus des toits et à s'abattre dans un claquement d'ailes qu'on eût dites en carton.

Anne se leva, prit une douche froide et se brossa les dents. Chaque geste était un plaisir, une préparation rituelle à quelque merveilleux événement. Tout était prêt : des vêtements de rechange dans son sac birman, son manteau de tweed. Elle portait un pantalon, un chemisier et un pull-over. Elle prit le sac, puis s'arrêta. John était couché dans l'autre lit, parfaitement immobile. Il fallait lui dire au revoir, il fallait lui dire quelque chose.

« Tu n'as vraiment pas envie de venir ? »

Une sorte de langueur ralentissait déjà ses gestes. Machinalement elle s'attarda, alla devant la glace pour se redonner un coup de peigne et, sur le sommet de sa tête, découvrit quelques cheveux blancs, deux ou trois, qui pointaient un peu. Elle prit sa pince à épiler et les arracha.

John ne s'était même pas tourné. Il devait dormir.

«Eh bien, au revoir», dit-elle, et elle descendit pour prendre son petit déjeuner.

Au bout du couloir, les domestiques accroupis faisaient griller du pain sur de petits fourneaux à charbon de bois. A peine venait-elle de s'asseoir que le Père MacCullough entrait, accompagné d'Unni. Dans l'air vif du matin, le Père avait le visage blanc et le nez rouge, il se frottait les mains avec un bruit de râpe. Il portait en sautoir deux appareils photographiques dont les courroies se croisaient sur sa poitrine. Enveloppé dans un manteau, coiffé d'un chapeau garni d'une plume, il manifestait la joyeuse ardeur d'un chef scout.

«Eh bien, eh bien, où donc est votre mari?» dit-il.

La veille, au matin, John avait reparu, un peu hagard, visiblement en proie au «mal aux cheveux», mais désinvolte, et, au déjeuner, il jetait à Anne des regards furtifs. Comme elle ne lui demandait pas où il avait passé la nuit, il donna des explications, non pas à elle, mais à Hilde, assise à la table voisine : quand il était rentré le soir, le couvre-feu avait déjà sonné, aussi avait-il couché chez Ranchit, où le lit était remarquablement moelleux. Anne n'ouvrit pas la bouche jusqu'au moment où Hilde fit cette réflexion assez gênante :

«Je trouve qu'Anne a vraiment l'esprit large pour vous laisser sortir avec Ranchit.

— Pourquoi? demanda Anne.

— Mais c'est un véritable Casanova!

— A propos, dit Anne, s'adressant directement à John pour la première fois de la journée, aimerais-tu aller demain voir la nouvelle route ? Paul Redworth et le Père MacCullough y vont avec Mr. Menon, et nous sommes invités aussi.

— Oh, c'est merveilleux ! dit Hilde, nous y sommes allés avant que Vassili n'ait été mis en prison. Nous couchions sous la tente avec les ingénieurs de l'Armée Indienne qui construisent la route. Ils vous font manger des curries merveilleux, à la mode du sud de l'Inde.

— Cela ne me tente guère, dit John. J'ai mangé du curry tout mon soûl à Madras, il y a vingt ans.

— Bien », avait répondu Anne.

Aussi, le lendemain matin, Anne répondit-elle au Père MacCullough :

«John regrette de ne pouvoir nous accompagner, il n'est pas libre.»

C'est alors que John fit son entrée, vêtu d'un complet de lainage, rasé, portant une valise :

«Bonjour, dit-il. Enchanté de vous voir, mon Père. Voulez-vous nous faire le plaisir de prendre le petit déjeuner avec nous ?

Il semblait ignorer la présence d'Unni.

«Non, merci, j'ai déjà déjeuné, dit le Père, dont la mâchoire était littéralement tombée de surprise à la vue de John. Mais vous, Unni ?

— Je prendrai du café », dit Unni en s'asseyant.

Le Père s'assit aussi. Il n'y eut pas de silence gêné, car Unni se tourna pour donner sa commande au garçon et dit ensuite :

«Je crois que le temps va être clair. J'espère que vous emportez votre appareil, Mr. Ford, il y aura sans doute quelques beaux clichés à prendre.»

Il tint de vagues propos sur l'hôtel tandis que

John mangeait des œufs au bacon et des toasts ; il parla de l'élevage de volailles entrepris par la mission américaine et des projets d'apiculture qui avaient échoué «parce que les ruches ne semblaient pas plaire aux abeilles, bien qu'elles eussent été scientifiquement construites pour plaire à toutes les abeilles au monde». Courtois, très à l'aise, il encourageait le Père à raconter ses anecdotes favorites, enjolivait la trame de la conversation cordiale et banale par des détails pleins d'intérêt, contraignant ainsi John à écouter, dominant les occupants de la table, leur faisant accepter sa présence grâce à cette autorité subtile. Il ne regardait pas Anne, mais, quand elle eut achevé son café, il lui offrit une cigarette et la lui alluma, d'un geste adroit de ses mains aux doigts effilés, puis il s'empara du sac de la jeune femme en déclarant qu'il fallait passer à la Résidence pour chercher Paul Redworth qui devait les accompagner.

Deux jeeps attendaient, la seconde conduite par un chauffeur. Avec un aimable sourire qui fit étinceler ses dents, Unni déclara :

«Le Résident va monter dans ma jeep avec votre femme. J'espère que cela ne vous ennuie pas de partager la seconde avec le Père MacCullough ?

— Pas du tout», répondit John, hypnotisé.

Le Père et lui s'assirent sur le siège avant de la seconde jeep, à côté du chauffeur, et l'on empila leurs bagages derrière. Unni mit le sac d'Anne à l'arrière de sa jeep et le recouvrit d'une bâche.

A la Résidence, Martha Redworth, en robe de chambre de lainage rouge, écoutait parler le Général Kumar, vêtu de son habituel complet veston, agrémenté aujourd'hui d'une ceinture de flanelle rose. Le Général lui racontait que Sharma et Vassili seraient libérés le lendemain :

« D'après les meilleurs renseignements, Madame.

— Merveilleux ! disait Martha. Oh, pourvu que ce soit exact ! Ne serait-ce pas magnifique, Paul ? Il faut que Hilde soit mise au courant, je vais aller la voir tout de suite.

— Nous pourrions faire dimanche un pique-nique au mont Phulchoah, si Sharma est d'aplomb », dit Paul.

Il portait une culotte tyrolienne en peau avec des bas tricotés à la main montant jusqu'aux genoux ; un chapeau tyrolien orné de plumes était posé sur le canapé.

« J'espère seulement que la nouvelle est vraie. De qui la tenez-vous, mon Général ?

— De mon ennemi le Grand Rampoche de Bongsor, dit le Général. J'ai le plus profond mépris pour le Très Précieux, mais il est presque toujours parfaitement bien informé, cet infâme bandit.

— Allons, allons, s'écria le Père MacCullough, ne soyez pas si sévère, mon Général. Il n'est pas mauvais bougre. L'an dernier, il m'a donné l'hospitalité à Bongsor, ainsi qu'à deux de mes amis du Minnesota.

— Cela ne m'étonne pas de la part de ce mécréant, répliqua le Général. Il boit dans tous les seaux. Si vous ne me croyez pas, demandez plutôt au Colonel Jaganathan, du Corps des Ingénieurs de l'Armée. Le Rampoche a essayé de lui vendre une de ses nièces en échange d'un contrat de priorité pour la fourniture des pierres nécessaires à la construction de la route.

— Il est vrai que le Rampoche mange à tous les râteliers, dit Paul Redworth, remplaçant par la locution courante l'expression employée tout à l'heure par le Général. Unni que voici en sait sans doute sur lui plus long que n'importe qui. Le monastère de Bongsor est tout près de l'endroit où vous construisez le barrage, n'est-ce pas ?

— A quelques kilomètres. Je suis en effet en relations d'affaires avec le Grand Rampoche. Il est très puissant.

— A-t-il jamais essayé de vous vendre une de ses nièces ? demanda le Général.

— Oh, oui, par trois fois, dit Unni. Deux d'entre elles étaient fort séduisantes, la dernière surtout, une blonde aux yeux bleus.

— Il possède des maisons mal famées à Calcutta, dit le Général. Et comme d'innombrables lamas franchissent les cols pour aller au Thibet ou pour en revenir, la contrebande s'ensuit tout naturellement. Il est mon ennemi, précisa le Général, depuis que mon père et lui se sont en quelque sorte battus en duel, il y a vingt ans.

— Au sujet d'une nièce, bien sûr, fit John.

— Pas du tout, répondit le Général avec hauteur, mon père avait autant de femmes qu'il en voulait. C'était au sujet d'une mâchoire de baleine. Mon père et le père du Grand Rampoche se trouvaient à Londres en même temps. Ils apprirent qu'un baleinier avait rapporté une baleine à Liverpool et ils allèrent la voir. Mon père se prit d'une violente affection pour la splendide mâchoire de la bête et en offrit une belle somme. Il désirait la rapporter au Népal et, comme vous le savez, à cette époque il n'y avait même pas un câble d'acier au-dessus des montagnes, c'étaient des hommes qui transportaient les charges pour nous autres les seigneurs ranas le long des sentiers abrupts. Mon père choisit les meilleurs d'entre eux pour transporter la mâchoire de baleine, ainsi qu'un grand nombre d'autres objets. Quand ils arrivèrent à Khatmandou, rien ne manquait, seule la mâchoire de baleine avait disparu. Les soupçons de mon père s'arrêtèrent aussitôt sur le Grand Rampoche, mais, bien qu'il fît fouetter par deux fois les porteurs, il ne put rien tirer d'eux. Mon père se dirigea alors sur Bongsor à la tête d'une petite armée, mais le Grand Rampoche avait lui aussi une armée et l'affaire se termina par un carnage — sans qu'on ait revu la mâchoire. C'est depuis cela que nous sommes ennemis.

— Voilà une histoire bien pathétique ! dit Paul Redworth.

— Mon père avait des goûts d'artiste, dit le Général, et ce qu'il craignait surtout, c'était que le Grand Rampoche, aux yeux de qui le profit comptait plus que la beauté, vînt à débiter la mâchoire en petits morceaux pour la vendre en Chine sous le nom de cornes de rhinocéros. C'est un aphrodisiaque du tonnerre, le plus puissant qui soit au monde. Réduit en poudre et avalé dans du vin, il supprime l'impuissance en moins de deux. C'est pourquoi son fils, l'actuel Grand Rampoche, et le fils de mon père sont ennemis, conclut le Général qui se leva, serra les mains à la ronde et s'apprêta à partir.

— Ce Général, quel type formidable, dit Paul Redworth en montant dans la première jeep avec Anne et Unni. Je voudrais avoir assez de cran pour porter une ceinture de flanelle rose drapée sur mon pantalon. Les sous-vêtements de laine me donnent de l'urticaire. Eh bien, au revoir, ma vieille, cria-t-il, en agitant la main à l'adresse de Martha, nous serons rentrés demain. Pauvre chérie, elle est si heureuse quand je m'absente un peu et qu'elle peut passer tout son temps à tripoter dans le jardin!»

Les jeeps filaient sur les routes roses bordées de maisons de briques ou de champs. Il y avait des drongos dans les arbres, des martins-pêcheurs sur les oratoires et des souimangas tout rouges sur les fils téléphoniques. Des monticules de briques encore grises séchaient dans les champs, les haies étaient vertes, blanches, roses, jaunes et mauves — toutes les couleurs du printemps, délicates et vigoureuses à la fois. Les voyageurs dépassèrent Kirtipour, où Deepah avait retenu Eudora tout un après-midi, et, après avoir roulé pendant plusieurs kilomètres sur une route encombrée par des files de porteurs, par des femmes se rendant à leurs dévotions, des chèvres, des moutons, des chiens errants, des cortèges de mariage, des saints hommes en extase au beau milieu de la route et totalement inconscients du passage des jeeps ou de quoi que ce fût, ils arrivèrent à Thankot où s'élevaient les premiers contreforts de la montagne et où s'amorçait la nouvelle route reliant Khatmandou à l'Inde.

En quelques minutes, ils se trouvèrent entourés de collines, dans un fouillis de croupes schisteuses et effritées, aux courbes molles et évasées, ondulant, montant et redescendant. La route tournait, serpentait et s'élevait régulièrement. Au début, les pentes étaient couvertes de champs en forme de lentilles, dévalant, tels des escaliers géants, vers les vallées étroites, gorges encore plongées dans le brouillard matinal. Mais, à mesure que l'on montait, les champs faisaient place aux broussailles, puis aux arbres, qui devenaient de plus en plus nombreux, et soudain, après un tournant, les pentes furent couvertes de grandes masses de fleurs rouges, déferlant de toutes parts, serties d'un feuillage vert sombre. C'étaient les rhododendrons. De petits sentiers tortueux, jonchés de pierres détachées, se dressaient presque verticaux le long des parois et semblaient regarder de haut les jeeps qui passaient en grondant. Dans ces sentiers, on voyait çà et là des bûcherons, surtout des femmes et des petites filles, transportant, dans des paniers ovales maintenus par une sangle en travers du front, des piles de bois surmontées d'une brassée de rhododendrons rouges.

« Ils allègent leur fardeau en y ajoutant des fleurs », dit Unni à Anne.

De place en place, des ouvriers, assis, cassaient des pierres qu'ils entassaient en petites pyramides. Par endroits, la route était fraîchement empierrée. Parmi les ouvriers népalais, on remarquait les contremaîtres à la peau sombre, originaires de l'Inde du Sud, appartenant à l'armée indienne, vêtus de kaki, et les conducteurs de travaux, Gurungs des collines, reconnaissables aux anneaux d'or qui ornaient leurs oreilles et à leurs bonnets noirs brodés. La route montait toujours, taillée en plein dans la falaise, et la face à vif de la coupure montrait les assises du terrain, gris, moucheté de mica et comme poreux. On eût dit qu'il y avait des couches d'air entre les assises, qui donnaient d'ailleurs l'impression de s'effriter. À un tournant de la route, les voitures se trouvèrent en présence d'un éboulis de pierres grises présentant l'aspect du granit, mais, quand les roues passèrent dessus, les pierres cédèrent sous la pression comme de la boue.

« Mais les collines sont friables ! » dit Anne.

Unni fit oui de la tête. Il conduisait vite, prenant rapidement les virages, et bientôt ils découvrirent au-dessous d'eux une multitude de collines se pressant comme un troupeau en désordre, parmi lesquelles la route se tordait et se retordait comme un lasso. C'était un curieux spectacle que celui de ce mince fil qui représentait une décision de l'homme, décision suspendue à mi-hauteur entre le sommet et la base des montagnes, entourée d'un monde de rochers dévastés. On eût dit la trace d'un couteau creusée dans du beurre, autour de laquelle cette terre mouvante, indécise, sans consistance, fléchissait et se désagrégeait, prête à laisser choir d'un moment à l'autre un pan de falaise sur les voyageurs. Les replis autour desquels serpentait la route avaient quelque chose de fluide dans leurs contours, leurs ondulations étaient imprévisibles comme les coups de vent qui déchiquetaient le brouillard de la vallée. Une rafale plus forte risquait de les disposer autrement et l'on verrait alors la chétive route changer de direction, se déplacer et disparaître. On se rendait maintenant compte que ce n'était pas une tâche facile de tracer une route à travers ce pays, car le rocher n'était qu'une poussière friable pendant la saison sèche et déversait des coulées de boue pendant la mousson : il pouvait fort bien se mettre à tomber autour d'eux sous forme d'abord d'une fine cendre, puis de gravier, de cailloux, de pierres plus grosses, enfin de blocs lourds et durs qui pourtant se résoudraient très vite en boue. Et plus tard, après les pluies, toute une colline pouvait se déverser, glisser sur la route, sur les champs en forme de croissant, dans la vallée, et se perdre en une coulée brin rouge recouvrant les champs, les fermes couleur d'ocre, tout. Et, à la place de cette terre fluide, une nouvelle colline surgirait.

Les voyageurs s'arrêtèrent en haut d'un petit col surplombant une autre vallée qui s'étendait autour d'eux avec ses champs, ses fermes et, tout au fond, le lit caillouteux d'une rivière qui deviendrait un torrent à l'époque de la mousson. Anne ramassa un morceau de pierre qui offrait l'apparence du granit et l'écrasa sans difficulté entre ses doigts.

« De gigantesques pâtés de sable, n'est-ce pas ? » dit le Père MacCullough.

Ils descendirent des jeeps. John prit des clichés et le Père éprouva le besoin de déverser sur ses compagnons sa science géologique :

« C'est du gneiss désagrégé par les agents atmosphériques, dit-il. Voyez là-bas ce que les ingénieurs ont dû faire pour empêcher la colline de s'effondrer sur eux. »

Il désignait l'endroit où soixante mètres de bonne pierre se dressaient contre la face entaillée du rocher, comme un large mur de soutènement.

« Il a fallu tirer cette pierre d'une carrière située à soixante kilomètres et l'apporter jusqu'ici, précisa le Père.

— Le Colonel Jaganathan vous expliquera que le secret d'une bonne route réside dans le drainage, dit Unni. Il faut drainer, drainer, encore et toujours. Ne laisser l'eau s'accumuler nulle part. Il a placé des rigoles partout où il a pu, je crois. Car, après les pluies, ces collines se gonflent et explosent tout à coup. Mais buvons donc un peu de bière. »

La bière était glacée et ils burent en allant et venant.

« Au retour, je cueillerai des rhododendrons pour Martha », dit Paul Redworth.

L'air était moucheté d'hirondelles qui descendaient dans les vallées ou en remontaient ; des vols de petites souirimangas passaient et repassaient, des coucous se répondaient.

Ils repartirent. La jeep s'accrochait à la route

dans les tournants, grimpait toujours avec un ronron paisible, puissant, et laissait derrière elle une petite traînée de poussière brune. Ils rencontrèrent des groupes plus importants d'ouvriers, car là on mettait en place l'assiette de la route et l'on construisait les garde-fous. Et à mesure qu'ils avançaient Anne était de plus en plus hypnotisée par la route, par son perpétuel déroulement, ses méandres, ses tours et ses détours, par la présence d'Unni à côté d'elle conduisant avec sûreté et rapidité, faisant corps avec la route et la jeep. Elle se sentait fondue, fluide ; elle aussi, comme lui, ne s'appartenait plus. Il connaissait les collines, les mesurait en quelque sorte, épousait leurs replis, soumis à elles, avec aisance et respect, ajusté comme au corps d'une femme aimée, avec cette compréhension profonde qui implique la pénétration et la connaissance. Et c'est ainsi qu'elle prit conscience de sa qualité d'homme. Un homme au volant d'une jeep qui « montait » sa machine avec aisance, comme un cavalier son cheval, avec aisance et légèreté. Parfois la voiture penchait de côté, et Anne se trouvait projetée contre lui ; elle sentait sa cuisse dure et maigre comme celle d'un cavalier, mais elle, qui pendant plusieurs années avait trouvé irritant le contact des hommes, n'éprouvait plus rien de semblable. Chaque fois, elle avait la même impression de solidité ferme et compétente, tendue et pourtant pleine d'aisance. A un certain moment, une secousse rejeta son flanc contre la veste de cuir et elle s'imagina que le bras d'Unni se pressait un peu contre elle, mais bientôt elle se sentit honteuse et elle rougit, car il tenait le volant et elle eut l'impression que c'était là un contact fortuit et pure imagination de sa part. Dès lors elle prit soin de s'appuyer plutôt sur Paul Redworth, afin de ne plus toucher Unni. La route décrivit ensuite une large boucle, dans un passage rendu bourbeux par un récent éboulement. Un bulldozer nivelait et égalisait le terrain, repoussant la boue et la terre molle qui glissaient en grosses mottes sur la pente. A l'endroit où le sol s'était effondré, le flanc de la colline montrait une cicatrice rouge toute fraîche, une surface à vif pareille à une blessure en train de bourgeonner, et, un peu au-dessous, on eût dit une tranche de biscuit de Savoie. Et Anne se disait: «S'il se produisait en ce moment un nouveau glissement de terrain, nous le saurions tout de suite, lui et moi. D'abord un peu de poussière de boue, très fine, tombée d'en haut, et puis, d'un seul coup, toute la paroi de la montagne s'effondre.» Et Anne avait envie de rire, l'idée que toute une montagne vous tombe dessus lui paraissait si cocasse! Pourtant c'était déjà arrivé, cela arriverait encore, et ces hommes à l'aspect chétif, munis de pics et de pelles, accrochés aux pentes ou cassant des pierres, les bruns Madrassis qui levaient les yeux au passage de la jeep, tous connaissaient bien le petit bruit de chute de cailloux qui déclencherait un grand cri suivi d'une course éperdue pour échapper à la mort.

Maintenant ils redescendaient dans la petite vallée où se trouvait le premier camp des ingénieurs de l'Armée indienne, une assemblée de tentes et de petits édifices de pierres disposés sur une sorte de terrasse. Il y avait là des camions et des jeeps. Leur véhicule entra en trombe dans le camp.

«Oh, Jaganathan! cria Unni.

— Bonjour, dit le Colonel Jaganathan. Avez-vous apporté de la bière?

— Trois caisses», répondit Unni.

Anne trouvait qu'Unni avait le teint sombre,

mais celui du Colonel l'était davantage encore : une surface d'ébène soyeux. Le soleil miroitait sur sa peau et venait se briser en petits arcs-en-ciel sur ses bras nus. On avait l'impression qu'il se dégageait de lui un éclat presque bleu. A ses côtés se tenait Mike Young, le grand jeune homme blond qui parlait à Rukmini le jour du mariage : c'était l'ingénieur américain chargé des travaux de la route construite par les U.S.A., qui s'amorçait plus bas, dans le Teraï, et grimpait dans d'autres vallées.

« J'ai voulu venir voir ce que vous fabriquiez, vous autres, dit-il de son aimable voix américaine. Monsieur, ajouta-t-il en s'adressant à Paul qui avait mis un brin de rhododendron à son chapeau tyrolien, j'avais espéré que vous pourriez venir cueillir des rhododendrons l'an prochain au bord de notre route, mais pour le moment tout notre travail vient d'être emporté par les eaux. Oui, Monsieur, la route américaine est au fond de la rivière. Toute la falaise est partie avec, sans crier gare.

— Ah, dit Unni, je l'ignorais.

— Quel désastre ! dit le Père MacCullough.

— Partout ailleurs qu'au Népal c'en serait un, en effet, dit Mike Young. Ici, cela signifie seulement que nous recommençons, n'est-ce pas, mon colonel ? »

Le Colonel Jaganathan souriait de toutes ses dents en conduisant ses visiteurs vers des chaises placées en cercle autour d'une table. Il offrit de la bière et du gin à la ronde et demanda à ses hôtes s'ils voulaient faire un bout de toilette.

« Il en arrive parfois autant sur notre route, dit-il. Quant à Unni, il vous racontera qu'il a perdu l'autre jour un gros morceau de son usine hydraulique.

280

— C'était une fois de plus l'œuvre de Mana Mani, la Montagne Capricieuse, dit Unni, mais nous finirons bien par la mater. »

Le soleil étendait autour d'eux un ample et chaud tissu de bonheur. Plusieurs autres officiers, jeunes pour la plupart, les avaient rejoints, et tous les hommes parlaient de la route.

« Sapristi, dit le Père MacCullough en frappant sur la table, je me rappelle le jour où le Colonel a fait venir un rouleau compresseur par avion. C'est une bonne histoire !

— Vous rappelez-vous aussi celui où le ministre des Transports a été pris dans un éboulement et obligé de faire trente kilomètres à pied sur la route, revêtu de ses plus beaux habits ?

— A propos, pas d'ennuis ici avec la main-d'œuvre ? demanda le Père d'un air entendu en inclinant la tête de côté.

— Plus maintenant. Mais au début, oui. Vous vous en souvenez, Mike ?

— Vous voulez parler du jour où les Népalais vous ont jeté des pierres à l'aéroport ? demanda Mike Young à Unni.

— Pourquoi s'en étonner ? dit Unni. Ils ont parfaitement le droit de se sentir froissés à l'idée de recevoir une aide étrangère.

— Il y a toujours ici des agitateurs politiques d'une sorte ou de l'autre, dit le Père à Anne. Ils ont essayé par tous les moyens de susciter dans la population des sentiments anti-indiens ou anti-américains. Ils prétendaient que tous ces projets n'avaient d'autre but que d'exterminer les Népalais afin de pouvoir emmener ensuite les femmes en Inde. Ils n'avaient besoin, disaient-ils, ni de routes, ni de digues, ni d'écoles, ni de rien, tous ces travaux n'étaient pour nous qu'une façon détournée d'occuper le Népal. En réalité, l'Aide étrangère préparait l'annexion du pays, qui deviendrait soit une base aérienne américaine, soit une colonie indienne.

— Ils ont parfaitement compris la psychologie de la guerre froide, dit Unni.

— Au début, les ouvriers avaient peur de travailler pour nous, dit le Colonel Jaganathan. Ils nous traitaient de Cafres, ils affirmaient que nous étions des Noirs et que nous nous nourrissions de chair humaine, comme la déesse Kala Dourga.

— L'an dernier, dit Unni, quand nous avons commencé à faire sauter le terrain, nous avons eu beaucoup d'ennuis. Les gens disaient que nous voulions tarir l'eau et les réduire à la famine. Et le Rampoche de Bongsor leur racontait que les dieux de la rivière allaient se venger et leur envoyer la peste en plus de l'inondation. Nous nous sommes trouvés en face d'une véritable mutinerie.

— Quand notre route a franchi le col de Chandragiri, dit le Colonel, j'ai dû offrir un sacrifice pour que les ouvriers acceptent de commencer le travail. Sinon, disaient-ils, les dieux du col seraient offensés et les tueraient. Si bien qu'il m'a fallu saigner un poulet en public.

— Cela ne m'est pas encore arrivé, dit Mike Young.

— Votre tour viendra, dit le Colonel. Ils vous feront sans doute tuer un buffle d'eau ! Ce n'est pas un petit travail de trancher le cou d'un buffle d'un seul coup de kukri. Vous ferez bien de vous entraîner, Mike.

— Quand la nouvelle est parvenue à Khatmandou, dit Paul, le poulet du colonel s'était transformé en vingt vierges sans défense ! »

La conversation se poursuivit d'abord sur ce ton à demi sérieux, puis elle prit un tour plus technique. Il fut question de machines et d'ouvriers, de glissements de terrain et de bulldozers, de roches altérées par les intempéries, des divers modes de préparation du ciment, des gelures causées par le froid dans les défilés de montagne. Aucune compensation n'était accordée par le gouvernement népalais en échange des terres expropriées pour la construction de la route. D'autre part, les ouvriers vivaient misérablement, bien que le gouvernement indien leur payât des salaires trois fois plus élevés que le prix habituel et versât mille roupies d'indemnité pour toute perte de vie humaine. Mais qu'arriverait-il quand la route serait terminée et que des milliers d'ouvriers connaîtraient la faim ? Nul ne le savait. Et puis, une fois la route achevée, il faudrait créer des équipes d'entretien, sinon elle disparaîtrait au bout de trois moussons et les Népalais n'avaient rien prévu à cet effet.

Anne écoutait, bercée par les paroles de ses compagnons, heureuse qu'ils l'eussent oubliée. Ses yeux allaient d'un interlocuteur à l'autre et Unni la regardait. Elle lui sourit comme pour lui faire partager son plaisir, et il lui rendit son sourire.

Le moment vint où Paul Redworth déclara:
« Eh bien, il faut partir maintenant. »

Ils montèrent dans les jeeps et l'ascension recommença. Il se mit à tomber une petite ondée et les ouvriers de la route se réunirent par paquets de cinq ou six, comme des singes, serrés les uns contre les autres sous des parapluies, le dos à l'extérieur, visage contre visage, tandis que l'un d'eux, au milieu, tenait le parapluie au-dessus de leurs têtes. A mesure que la route montait, la végétation changeait. On voyait maintenant des pins et des chênes où le vent chantait bruyamment, le sol était tapissé de lichens et de mousses et le froid devenait plus vif. Puis les voyageurs franchirent un col à neuf mille cinq cents pieds d'altitude et redescendirent à travers les longs rayons du soleil d'après-midi, pareils à des fourches dorées. Enfin ils arrivèrent en vue du camp où ils devaient passer la nuit, dans un endroit appelé Lamidanda. Comme les jeeps entraient en ronflant parmi les tentes, il fit soudain très froid. Un vent qui mugissait avec un bruit de trombone s'abattit sur les arrivants et les cribla de sable.

« Il était temps, constata Unni avec satisfaction, il va faire de l'orage. »

Paul, John et le Père MacCullough sortirent des jeeps en toute hâte. Le vent leur jetait au visage de grosses poignées de sable et de gravier.

« Par ici ! » cria un jeune officier indien, et ils se trouvèrent à l'intérieur d'un petit bâtiment de béton.

Ils virent une cheminée, quelques fauteuils, des magazines sur une étagère. C'était la salle commune réservée aux officiers du corps des ingénieurs vivant au camp. On ferma les volets, on alluma un feu de bois. Par la fenêtre, Anne vit le ciel passer soudain du bleu turquoise au bronze, puis ce fut comme si un énorme tapis noir se déroulait, effaçant tout le reste, et bientôt il fit nuit noire ; le tonnerre grondait, des éclairs livides flambaient et crépitaient de toutes parts.

Le jeune officier qui semblait chargé de leur installation leur demanda alors s'ils n'aimeraient pas aller dans leurs tentes pour faire leur toilette et se changer. Unni avait déjà disparu. En sortant, Anne entendit sa voix, il avait l'air de téléphoner. Ils partirent à la file ; chacun disposait d'une petite tente, mais déjà le vent y avait

284

soufflé du sable et le froid était glacial. Un planton apporta un seau d'eau chaude et Anne se lava le visage et les mains en frissonnant. Elle avait pris un manteau et des vêtements de rechange, mais il faisait trop froid pour se déshabiller, aussi garda-t-elle ses vêtements et revint-elle en toute hâte à la salle commune. Il n'y avait là personne, et elle s'accroupit devant le feu pour se chauffer. Une lampe-tempête se balançait au plafond. La porte s'ouvrit et Unni entra ; du même coup, la pluie, bruyante, en nappes épaisses, se rua dans la pièce.

« Un bel orage ! » dit Unni et, allant à la fenêtre où l'on venait de clore les volets, il les rouvrit tout grand.

Dans la porte on vit s'encadrer des parapluies, abritant le Père MacCullough et John.

« Bon Dieu, ne pourrait-on pas fermer ces satanées fenêtres ? dit John.

— Je viens de les ouvrir », dit Unni.

Il leur faisait face avec un air de bonheur intense. On eût dit tout à coup que l'attitude un peu réservée et cérémonieuse qu'il avait observée jusqu'alors, tant au mariage que pendant le trajet, avait disparu tandis que tombait la pluie. Anne se blottit plus près du feu, s'efforçant de ne pas laisser voir qu'elle avait froid. Bientôt, aussi brusquement qu'elle s'était mise à tomber, la pluie cessa, descendant vers les vallées.

« L'orage s'en va vers Khatmandou, dit Unni. On affirme que c'est de bon augure s'il pleut juste avant la fête de Siva.

— Ah, vraiment ? dit poliment le Père MacCullough qui, lui aussi, avait froid et se rôtissait le dos contre le feu. La fête a lieu demain, n'est-ce pas ?

— Oui, nous serons rentrés à temps pour y assister.»

Anne se frotta involontairement les mains.

«Vous devez être gelée, dit Unni, surpris. Excusez-moi, j'ai oublié..., dit-il en allant fermer la fenêtre. J'aime tant les orages, j'ai oublié que vous n'étiez pas accoutumée au froid.

— Cela ne fait rien», dit Anne.

Elle avait maintenant le visage brûlant: «J'ai dû attraper un coup de soleil en route», songea-t-elle.

Plusieurs officiers entrèrent, et Paul Redworth, ranimé par le whisky et un bon feu, discuta longuement avec Unni sur les mœurs des éléphants. Puis le colonel Jaganathan et Mike Young arrivèrent: ils s'étaient trouvés pris par l'orage et l'avaient vu s'éloigner. «On aurait dit un tapis qu'on enroulait dans le ciel.»

La pluie avait été très violente, quoique brève, et ils avaient eu de la chance, aucun glissement de terrain ne s'était produit sur la route tandis qu'ils rejoignaient le camp: «Mais nul ne sait ce qui s'est passé derrière nous.»

Anne se sentait fatiguée, le Père MacCullough aussi. Quant à John, le visage gris, il paraissait épuisé et demeurait très silencieux. Mais, en vrais Indiens, Unni et le Colonel étaient complètement reposés et prêts à poursuivre la conversation toute la nuit. Le dîner fut servi de bonne heure: du poulet au curry, très épicé, à la mode du sud de l'Inde.

«Oh, mon pauvre estomac!» gémit Paul Redworth à mi-voix.

Il fut bien soulagé de voir qu'il y avait aussi des côtelettes de mouton et une omelette, suivis d'un entremets sucré. Anne avait très faim; elle aimait sentir la brûlure des piments, et à mesure qu'elle mangeait sa fatigue décroissait. Bientôt elle riait et bavardait avec les jeunes officiers indiens. Peu après, Paul Redworth fit signe qu'il voulait aller dormir.

Dans chaque tente il y avait un étroit lit militaire en fer, garni d'un matelas, de draps et d'une mince couverture de l'armée. Les portes des tentes étaient fermées, et pourtant il y faisait encore plus froid que tout à l'heure. Anne frissonna et hésita un moment à aller demander une autre couverture. Elle sortit. Après l'orage, la nuit, glaciale, était très noire, bien qu'on vît scintiller de petites étoiles lointaines et un mince croissant de lune briller d'un éclat dur. Dans la tente qui joignait la sienne, elle entendait bavarder Unni, le Colonel et Mike Young. Mais elle ne vit personne. Une brusque timidité la paralysa. Il lui aurait suffi de s'arrêter pour tousser devant la tente et de dire : « Excusez-moi, pourrais-je avoir une seconde couverture ? » ou bien de s'en aller à tâtons dans le noir et de monter la pente jusqu'à la salle commune... mais elle s'en sentait incapable. En définitive, elle ne bougea pas, bien que par la suite elle ne put s'expliquer les raisons de sa timidité. Elle mit son manteau sur le lit, son sac birman aussi, puis, sous le manteau, elle étendit ses vêtements. Frissonnante, elle se mit au lit, vêtue d'un pyjama et d'un pull-over. Au dernier moment, elle se rappela qu'elle avait dans son sac une paire de chaussettes de laine et elle les enfila. Il lui fallut du temps pour se réchauffer un peu et durant toute la nuit le froid la réveilla à diverses reprises. A la fin, elle s'endormit profondément jusqu'au moment où un domestique vint lui apporter du thé à six heures et demie, ouvrant brusquement la porte de la tente sur un monde d'un éclat magnifique et terrible.

Tout était jonché de sable : l'étroit lit de fer, les draps, le sac, tout était redevenu visible, mais recouvert de sable humide. Il y avait du sable dans le seau d'eau chaude qu'on lui apportait. Maintenant elle pouvait se déshabiller, se laver, se changer ; l'eau sableuse courait sur le sol en toile goudronnée de la tente, lui-même jonché de sable. Le visage d'Anne était chaud, brûlant, douloureux. Un coup de soleil. Elle avait les cheveux raides de sable, et sa brosse devint jaune après qu'elle s'en fut servie.

Au dehors le soleil semblait, lui aussi, un brillant tas de sable. Anne vit les tentes blanches, le ciel bleu myosotis, les pentes et les crêtes couvertes de pins verts, robustes, comme debout sur la pointe des pieds. Au-dessous d'elle s'étendait une large vallée verte, où courait une rivière au lit de pierre et de sable, qui s'enroulait derrière une colline. A l'horizon, une brume bleu vert, plate, cernée elle-même d'une brume ocre : c'était le Teraï, la jungle népalaise, et, au-delà, l'Inde.

Le colonel Jaganathan était déjà sur la terrasse, inondée de soleil, de la salle commune, en compagnie de Paul Redworth, du Père MacCullough armé de jumelles et de John qui sourit à Anne d'un air songeur et tendre en lui disant :

« J'ai failli aller voir comment tu avais dormi. »

Les traits tirés, le teint pâle, il semblait pour sa part n'avoir pas dormi de la nuit.

« Grands dieux, se disait Anne, j'avais complètement oublié John depuis le moment où l'orage a éclaté ! » Il lui arrivait maintenant d'avoir des absences, quand elle écrivait dans la chambre aux perruches, en faisant sa classe ou bien au cours de ses promenades dans l'atmosphère voluptueuse de la Vallée baignée de soleil. Mais jusque-là ces absences ne s'étaient jamais produites le soir, car, dès le crépuscule, il lui fallait retrouver la vie commune, la chambre conjugale. « Bientôt, se dit-elle, j'en viendrai à oublier que je suis mariée avec John », et cette pensée l'amusait sans qu'elle éprouvât pour lui la moindre pitié. A ce moment, il comptait moins pour elle que Paul Redworth ou le Père MacCullough. Elle le considérait d'un œil détaché, se demandant s'il la précipiterait à nouveau un jour dans ces tourbillons d'émotion désespérante et vaine qui la tenaient enchaînée à son mariage. Puis Unni, en chemisette et bras nus, monta les marches. Arrivé devant elle, il la regarda et lui dit avec une profonde surprise :

« Mais vous pelez ! »

Autour d'elle, tout le monde se mit à rire, à rire sans plus pouvoir s'arrêter. Et tout parut se joindre à cette brusque joie : les montagnes et le ciel, le camp et les moteurs des camions ; l'écho même des explosions lointaines semblait être le rire profond des collines. Dans sa joie, Anne ne cessait de se répéter : « Maintenant je comprends, maintenant je sais. » Elle avait l'impression de rôder au seuil d'une révélation extraordinaire, d'un immense bonheur, dont ce rire était le signal, pareil à une volée de cloches répercutée par les échos d'alentour.

Au petit déjeuner, on leur servit des dhosis indiens, galettes plates, cuites au four, composées de farine et d'oignons, légères et savoureuses, mais Paul Redworth s'en tint à un classique breakfast anglais. John s'était ranimé ; le teint rouge vif, il parlait et riait beaucoup, posant au Colonel des questions sur la route et le camp et se tournant par moments vers Anne.

« Nous pourrions faire un bout de chemin à pied, dit-il, en descendant tout droit par les sentiers de montagne, et nous rejoindrions les jeeps plus bas.

— En hiver, dit le colonel, nos ouvriers montent sur leurs bêches et s'en servent comme de skis pour descendre les pentes.»

Quand vint le moment de regagner les voitures, Unni se tourna vers Anne et lui dit:

«Aimeriez-vous conduire?

— Je ne pourrais pas, je crois, je n'ai jamais conduit une jeep. Et puis sur une route de montagne...

— Alors, c'est le moment d'essayer.»

Il se dirigea vers l'avant de la jeep et dit:

«Montez. C'est la vôtre.

— Anne va conduire? demanda John en éclatant de rire.

— Mais oui, Mrs. Ford va conduire, répondit Unni avec un sourire.

— Eh bien, eh bien, dit Paul Redworth, montant à son tour après une seconde d'hésitation. Avez-vous déjà conduit une jeep?

— Jamais, dit Anne d'une voix haute et claire, mais je vais le faire.»

Unni s'installa entre Paul Redworth et Anne:

«La route est libre, dit-il. Donnez un coup d'avertisseur aux tournants, car un camion peut survenir en sens inverse et les chauffeurs népalais n'avertissent *jamais*. C'est tout. Pour le reste, ce sera facile.

— Mais c'est une conduite à gauche, Anne n'a jamais conduit qu'à droite et elle n'est pas très habile au volant», dit John, toujours en riant, mais cette fois on sentait percer chez lui une certaine irritation.

Unni, assis dans la jeep, le regardait d'un air méditatif:

«Allons-y, dit-il à Anne, mettez en marche.»

Au cours du voyage d'aller, quand Unni conduisait, la route paraissait certes difficile, cependant ils avaient pour ainsi dire survolé les mauvais passages parsemés de rocs et de pierres, de nids de poule et d'étroits espaces où de petits éboulements avaient bossué le lit de la route ; mais, maintenant qu'elle tenait le volant, Anne sentait le moindre caillou. La jeep penchait de côté, et Anne éprouvait l'irrésistible besoin de se rejeter en arrière, le plus loin possible de ce qu'elle n'avait pas remarqué jusqu'alors : le précipice, profond de plusieurs centaines de mètres, qui bordait la route tout au long.

« Hier, le précipice ne semblait pas aussi loin au-dessous de nous, parvint-elle à dire entre ses dents serrées.

— Un jour, j'ai dégringolé d'une hauteur de soixante mètres et je suis encore là », lui répondit Unni.

Elle fit une embardée, et Paul Redworth poussa un cri effrayé quand son épaule érafla un rocher en surplomb.

« Cela va, il y avait encore quelques centimètres d'écart » dit Unni.

Il semblait parfaitement heureux. Tête nue, ses cheveux sombres ébouriffés, sa veste de cuir ouverte, il enveloppait de ses bras le dossier des deux sièges, à sa droite et à sa gauche :

« Voilà qui me plaît, déclara-t-il. C'est reposant. »

Et il ferma les yeux.

« Pour l'amour du Ciel, gardez les yeux ouverts, implora Anne, les nerfs tendus. J'ai peur.

— Je croyais que cela vous amusait, dit Unni.

— Cela m'amuse, mais j'ai la frousse.

— Chantez-vous ?

— Pas très bien.

— C'est délicieux d'entendre chanter quand on suit une route de montagne. Alors je vais chanter pour vous. »

Et brusquement, sans effort, il entonna un air népalais, celui-là même que Rukmini chantait dans la prison ; ensuite il en chanta un autre, puis le siffla. Enfin il regarda Anne et lui dit :

« Vous vous en tirez à merveille. »

Ils approchaient du col quand, à un tournant, Paul Redworth s'écria :

« Ah, cette fois les voici, les pics neigeux.

— Où cela ? s'enquit Anne.

— Ne regardez pas maintenant, dit Paul, cramponnez-vous à la route, fillette.

— Nous allons nous arrêter au-dessous d'ici pour nous reposer, manger quelque chose et contempler les Seigneurs des neiges », dit Unni.

Un peu plus loin, ils s'arrêtèrent. Descendus de voiture, ils escaladèrent un monticule sur lequel se dressait une stèle de béton portant l'inscription suivante :

A la mémoire
Des officiers et des hommes
Du corps des ingénieurs indiens qui perdirent
[la vie
Au cours de la construction de la route.

Autour d'eux, formant un arc immense, cernant la lisière du monde, tous les pics neigeux se déployaient avec leurs échancrures et leurs replis, splendeur vigilante, animée d'une vie propre et parée de noms prestigieux.

« Cela vous coupe le souffle, oui, vraiment, cela vous coupe le souffle », dit le Père MacCullough.

A la jumelle, Paul Redworth et lui se mirent à identifier les sommets, le Dhaulaghiri, le

Manaslu, le Nanda Devi, l'Himalchuli, l'Anna-purna, le Gosainthan, et soudain Paul dit :

« Regardez, regardez, voilà l'Everest, j'en suis sûr ! »

Petit et gris, entre deux pics plus proches et en apparence plus grands, environné d'une écume grise — la neige chassée du sommet par le vent éternel — c'était le Chomolungma, l'Everest.

Ils mangèrent des sandwiches, du curry emporté dans des boîtes spéciales, et burent du café tenu au chaud dans des Thermos.

« Il n'y a aucun doute là-dessus, l'hospitalité de l'armée des Indes est somptueuse, dit le Père. Je suis si content d'être venu voir la route. Le Népal pourra communiquer avec le monde extérieur autrement que par le seul intermédiaire d'un Dakota quotidien, les choses changeront du tout au tout. Le coût de la vie baissera, j'imagine. Incroyable, n'est-ce pas, de songer qu'il règne une perpétuelle disette dans la riche vallée de Khat-mandou ? A propos, ce matin, j'ai célébré la messe pour les officiers et j'ai donné la Sainte Commu-nion. Il y a pas mal de catholiques parmi eux. Le saviez-vous, Unni ?

— Non, mais je sais que vous ne renoncez pas à l'espoir de me convertir.

— Bien entendu, dit le Père, mais, catholique ou non, je suis sûr que Notre-Seigneur trouvera le moyen de vous faire entrer au Ciel par une petite porte. »

Unni était étendu de tout son long au soleil :

« Poussez-vous un petit peu, dit-il à Anne, assise très droite à côté de lui, là, afin que j'aie votre ombre sur les yeux. Ah, comme cela c'est merveil-leux ! »

Plus haut il soufflait un vent froid et coupant, mais, sur la pente où ils se trouvaient, le soleil tombait d'aplomb sur eux et les pénétrait jusqu'aux os. Paul mit son chapeau tyrolien sur son visage. John, qui s'était éloigné parmi les chênes et les buissons de houx, revint bientôt, l'air malade, le visage marbré.

« Quand serons-nous de retour à Khatmandou ? demanda-t-il.

— Dans la soirée, répondit le Père MacCullough, voyant qu'Unni ne disait mot. Qu'y a-t-il ?

— Une petite indigestion, sans doute, à moins que ce ne soit l'effet du soleil, dit John. J'aimerais rentrer de bonne heure. Je crois, dit-il à Anne, que tu ferais mieux de laisser Menon conduire à partir de maintenant. Nous avons déjà perdu beaucoup de temps.

— Mais je n'ai pas envie de prendre le volant, dit Unni d'un air aimable, j'adore qu'on me conduise. Si vous désirez rentrer plus tôt, pourquoi ne partiriez-vous pas devant avec le chauffeur, et nous vous suivrions ?

— Oui, dit vivement Paul Redworth, ce serait une bonne idée si vraiment le soleil vous fait mal.

— Oh, je vous en prie, dit Anne à Unni, je ne veux plus conduire, vraiment. Cela me fait trop peur.

— Quelle idée, ma chère, dit galamment Paul, cela m'amuse beaucoup de sentir la falaise gratter mon épaule droite.

— Mrs. Ford laisse toujours dix centimètres au moins entre la roue et le précipice, dit gravement Unni. Nous sommes tout à fait en sécurité entre vos mains, Madame, et peut-être n'aurez-vous jamais plus l'occasion de conduire sur une route de montagne en construction.

— Eh bien, je ne vais pas rester ici à écouter ces

boniments, dit John d'une voix forte. Viens-tu avec moi, Anne? Je tiens à rentrer le plus vite possible, je ne me sens pas bien.»

Anne le regarda d'un air glacé:

«C'est bon», dit-elle.

Mais déjà Unni s'était levé:

«Si vous vous sentez si mal que cela, je vais bien entendu vous reconduire chez vous, mon cher, dit-il, trouvant le moyen de mettre dans une phrase apparemment cordiale un monde de sous-entendus injurieux. Vous devriez vous étendre à l'arrière de ma jeep.

— Je n'ai pas besoin de m'étendre, dit John. Je peux fort bien rester assis.

— En ce cas, Mrs. Ford, cela vous ennuierait-il de voyager avec le Père MacCullough? Votre mari s'assiéra devant avec Mr. Redworth et moi.

— Entendu», dit Anne.

Unni avait des réflexes étonnamment rapides, il prenait les virages à toute vitesse, évitant comme par miracle les nids-de-poule, les pierres et les camions arrivant en sens inverse; il laissa bientôt très loin derrière lui la seconde jeep dont le chauffeur indien sourit à Anne avec beaucoup d'orgueil en disant:

«Le Sahib, conducteur de première force, homme de première force.»

Les falaises répandaient une lueur d'un rose profond, tournant lentement au mauve, et les vallées s'emplissaient d'ombres bleues quand, à l'approche de Thankrot, ils tombèrent parmi les pèlerins, une mer de pèlerins, emplissant soudain la route, sortis de partout, coulant vers Khatmandou.

«Sivarathi! hurla le chauffeur.

— La fête de Siva», traduisit inutilement le Père MacCullough.

Pendant les deux heures qui venaient de s'écouler, il s'était répandu en propos sur la géologie et l'histoire du Népal ; sur les personnalités qu'il connaissait à Khatmandou, toutes d'une importance formidable et exceptionnelle, susceptibles d'endiguer le flot montant du communisme, ainsi que sur maints autres sujets dignes de retenir l'intérêt d'un écrivain comme Anne, pensait-il. Comme beaucoup d'Américains vivant à l'étranger, le Père MacCullough avait le léger défaut, bien excusable, de considérer les gens d'un certain niveau mental et social, non pas comme des êtres humains, mais comme des personnalités qu'il fallait ou bien utiliser en qualité de remparts contre l'agression rouge, ou bien tenir à l'écart si l'on découvrait en eux des pionniers du communisme en Asie.

Anne était tombée dans cette sorte d'hébétude, ce silence muet et quasi hostile qui si souvent l'enveloppait, rendant sa personne invisible, et l'amenait à s'exprimer par monosyllabes prononcées à contrecœur. Mais, au-dedans d'elle-même, elle n'était qu'un tourbillon de plaisir, de peine et de lucidité totale, sentiments incommunicables, couvant sous la cendre, grâce à quoi elle se rappellerait dans leurs moindres détails les couleurs, les oiseaux, les courbes de la route et maintenant — nouveau délice des sens — la jeep cornant lentement et fendant le flot des pèlerins. Des pèlerins vêtus de gris, de safran, de vert, d'or, d'ambre ou de magenta, les oreilles et les narines ornées de bijoux, des cannes à la main, le visage transfiguré, les yeux fixés sur Khatmandou. Les voiles et les robes tombaient en drapés harmonieux comme les replis des collines, çà et là le dernier éclat du soleil luisait sur un poêlon de cuivre, et tout devenait bleu dans le crépuscule. Ils avançaient, telle une armée, leurs gracieux pieds nus foulant la poussière couleur de bronze. Mêlés à eux, de petits troupeaux de chèvres aux yeux anxieux, aux sabots trébuchants, sans bergers, bêlaient au milieu du chemin. Et c'était un sacrilège que d'être dans une jeep parmi ces vivants en marche.

Un jour, se dit Anne, je retirerai mes souliers et je marcherai avec les pèlerins.

En proie à la même extase ? Fidèle convaincue ? demandait en elle une voix railleuse.

Je ne sais pas, répondait-elle.

« Vous êtes inquiète au sujet de John, je le vois bien, lui dit le Père MacCullough, inconscient de ce silencieux débat intérieur. Je suis sûr que ce ne sera rien. Mais la prière est toujours un secours.

— Je ne suis pas inquiète », dit Anne, sincère.

Le Père n'en crut rien. Il était normal qu'on se fît du souci pour son mari ou pour sa femme, même si l'on ne pouvait plus se supporter. Eudora elle-même se faisait du souci pour ce vieux Fred. Deux jours auparavant, Eudora, en larmes, était venue trouver le prêtre. Elle avait eu, lui raconta-t-elle, une longue conversation « avec Mr. Menon, un homme tellement charmant, adorable ». Il l'avait si bien comprise ! Grâce à lui, elle allait connaître des chanteurs indiens célèbres et aussi obtenir la prolongation de son visa. Mais il lui avait demandé de ne pas chercher à voir son mari avant quelques jours :

« Je voudrais tant expliquer à Fred... », dit-elle.

Mais elle se tourmentait à l'idée que Fred ne comprendrait pas.

« Il s'est enfui, il s'est enfui quand il m'a vue ! » et les larmes ruisselaient sur son visage.

Mais elle avait promis à Mr. Menon d'être patiente, d'attendre que Fred vînt la trouver.

« Le mariage est une chose admirable, dit le Père. La sainte union d'un homme et d'une femme : *rien* ne saurait les séparer, quoi qu'on puisse dire ou faire. C'est là l'erreur que commettent beaucoup de gens, voyez-vous, Madame, ils croient pouvoir divorcer "quand tout est fini" comme ils disent. Mais il est des choses que nulle intervention légale n'a le pouvoir de désunir, seule la mort en est capable. J'espère que vous accorderez votre sympathie à Mrs. Maltby et que vous lui viendrez en aide si vous en avez le temps.

— Bien entendu », fit Anne distraitement et sans la moindre intention d'accéder au désir du prêtre.

Leur conversation en resta là, car la jeep se frayait un chemin à travers les pèlerins, et c'est pour ainsi dire en se traînant qu'ils arrivèrent au *Royal Hotel*.

Comme Anne traversait le hall entre les rangées de têtes de rhinocéros, Fred Maltby descendait l'escalier.

« Bonsoir, Anne, dit-il. Sapristi, vous avez un beau coup de soleil !

— Oui.

— Je viens d'examiner votre mari, dit-il d'un ton léger. Il n'y a aucune inquiétude à avoir, aucune. Un simple embarras gastrique, dans quelques jours il n'y paraîtra plus. A propos, Unni m'a chargé d'une commission pour vous. Si vous voulez voir la fête de Siva ce soir à Pashupatinath, il vous y emmènera.

— Je ne sais pas si je vais pouvoir, dit Anne d'un ton mal assuré, puisque John est malade.

— Voyons, voyons, dit Fred Maltby de cet air

agacé que prennent volontiers les médecins, il ne faut pas le dorloter.

— Mais je ne le dorlote pas, dit Anne, surprise.

— Peut-être bien, mais je me demande pourquoi il verrait le moindre inconvénient à ce que vous alliez passer une heure ou deux au temple pour voir entrer et sortir les pèlerins. Il y aura foule. Cela vous intéressera — en tant qu'écrivain, n'est-ce pas ? Dommage seulement que vous ne soyez pas autorisée à pénétrer dans le temple. Mais les chrétiens n'y sont pas admis.

— Je me demande d'ailleurs si je suis chrétienne, je ne possède pas de certificat de baptême.

— Eh bien, de toute manière, tâchez d'y aller, cela vaut la peine. Et puis, Anne...

— Quoi donc, Fred ? »

Il posa la main sur le bras de la jeune femme :

« Souvenez-vous, dit-il, que nous avons tous besoin d'aide, aucun de nous n'est invulnérable. Il arrive parfois que nous ayons besoin des autres. Si je pouvais vous être de quelque secours, ce serait pour moi une joie. »

Elle le regarda en souriant à demi :

« Vous savez, dit-elle sur un ton léger, je suis un animal muet.

— Je sais. Pas un mot. Mais on a parfois envie d'éclater. Pourquoi faites-vous cela ? Vous vous punissez de quoi ?

— Je viens de vivre deux journées merveilleuses, dit Anne d'une voix mal assurée, hier et aujourd'hui. Laissez-moi me raccrocher à cela.

— Très bien. De quel droit, d'ailleurs, vais-je vous parler ainsi, alors qu'Unni est obligé de se charger de ma femme à ma place ! dit amèrement

Maltby. Il faut que je m'en aille», ajouta-t-il, et il partit brusquement.

Anne trouva John assis dans son lit. Il avait pris un bain et paraissait gai, reposé, nullement malade. Quand sa femme entra, il l'accueillit avec un regard direct de ses yeux bleus et un sourire hésitant. Elle soupçonna aussitôt quelque duperie.

«Le docteur Maltby me dit que tu as un embarras gastrique.

— Oui, sans aucune gravité. Je suis très solide au fond. Dans quelques jours il n'y paraîtra plus, plus du tout.

— C'est ce qu'affirme Fred.

— Je dois dire que Maltby a fait diligence. J'ai pris un bain et mon intestin a fonctionné. C'est à cause de tout ce curry, ces trucs à l'huile, tout bonnement du poison. Je viens de prendre un repas léger, maintenant je vais avaler mes comprimés somnifères et dormir. La nuit dernière, je n'ai pas fermé l'œil dans cette sale tente. Tout était plein de sable.»

Anne se leva: «Oh, mon Dieu, se disait-elle, c'est pire que jamais, je ne peux même plus le regarder en face, il me fait horreur. Oui, horreur», se répétait-elle farouchement, avec une véritable joie, et, une fois admise, cette pensée lui rendit son calme, mais l'incita à la vigilance, une vigilance méfiante, obstinée.

«Va prendre un bain, tu es dégoûtante, tu as du sable plein les cheveux, dit John sur un ton jovial. Nous avons tous les deux besoin d'être au lit de bonne heure, je crois. Tu as l'air vannée.

— Je crois que je vais aller voir la fête de Siva pendant une ou deux heures, répondit-elle.

— Tu vas ressortir! Ma chère Anne, tu es insatiable. Nous rentrons à peine, après avoir fait deux cents kilomètres sur une route ignoble, et voilà que tu veux aller te fourrer parmi des tas de pèlerins grouillants de vermine!»

Il riait, mais d'un rire si artificiel qu'Anne se demanda ce qui se passait:

«Pourquoi ne pas te détendre, pour une fois, poursuivit-il, et passer une bonne nuit dans ton lit?»

D'un air enjoué il tapota son oreiller, s'étendit avec un soupir d'aise, ferma les yeux, mimant un sommeil plein de béatitude.

«Oh, mon Dieu, songeait Anne, se rendant compte en même temps que jamais elle n'avait invoqué aussi souvent la Divinité, faites, faites que je ne cède pas maintenant. Non, pas cela! Combien de fois va-t-il me falloir apprendre que je ne puis continuer à vivre liée à ceci, à éprouver cette répulsion de tous les instants que suscitent chacun de ses gestes, son humeur, bonne ou mauvaise?»

«Je vais à la fête», répéta-t-elle sur un ton de défi un peu trop marqué.

John ouvrit lentement les yeux. Il regarda le plafond:

«Ne crie pas, dit-il, je t'entends: tu vas à la fête de Siva. A peine es-tu rentrée, je suis malade, au lit, on vient de me faire une piqûre, à tout moment il peut survenir des complications, je peux mourir, mais tu n'as qu'une idée en tête, t'en aller courir — après le docteur Maltby sans aucun doute. Tu l'as rencontré dans le couloir et tu as arrangé cela avec lui.

— Ne dis donc pas de bêtises.»

Ce fut tout ce qu'Anne trouva à répondre. Au cours de ces scènes stupides qui ne cessaient d'éclater entre John et elle, sans rime ni raison, pourquoi ne trouvait-elle à lui renvoyer que des

301

réponses non moins stupides ? C'était presque automatique. Comme des enfants qui se chamaillent :

« C'est toi, non ce n'est pas moi, si c'est toi. »

« Eh bien, sache-le », s'écria soudain John avec la violence qui était sa manière habituelle de mettre fin à des scènes de ce genre, si tu sors, inutile de revenir, je ne veux plus de toi. Je ne veux pas d'une femme qui se conduit comme une catin. »

Anne quitta la pièce. A peine avait-elle refermé la porte qu'un objet lourd la fit claquer violemment : John avait lancé son soulier dedans.

Elle suivit le corridor sombre pour gagner le lavabo des dames, son refuge habituel au temps où elle était pensionnaire, et elle s'y enferma. Il lui fallut un moment pour se ressaisir physiquement, mais, quand elle y fut parvenue, elle se sentit contente et sa respiration redevint régulière. Elle irait à la fête de Siva. Rien ne la forçait plus à se dépêcher, elle allait prendre son temps. Et demain...

« Je demanderai une autre chambre à Hilde, se dit-elle. Peu m'importe ce que penseront les gens. Je ne veux plus rester avec John. »

L'éclairage était mauvais et, quand elle entra dans la salle à manger, pensant y trouver Hilde, elle se heurta à quelqu'un qui lui dit :

« Excusez-moi. »

C'était Ranchit, seul.

« Ah, Mrs. Ford, quel plaisir de vous rencontrer. J'ai entendu un pas de femme et je suis venu voir qui c'était. Vous savez que Vassili sort de prison ce soir ? Nous ignorons exactement à quelle heure, mais Hilde est partie le chercher. Je crois qu'il sera libéré très tard. Mon gouvernement aime à relâcher les prisonniers vers minuit, cela fait moins de branle-bas quand la famille et les amis viennent pour fêter leur retour.

— Je suis si contente! dit Anne. Oui, j'étais au courant.

— Ne voulez-vous pas boire quelque chose avec moi? Je devine d'où vous venez. Du chevet de notre cher malade, là-haut. Puis-je me permettre de vous dire que vous êtes particulièrement charmante en ce moment? Un peu soucieuse, peut-être, mais charmante. Baiser, oh, baiser la trace de ces larmes!...

— Excusez-moi, dit Anne en s'écartant, je suis pressée.

— Oh, pas maintenant, fit Ranchit, surpris. John ne pense sûrement pas à cela maintenant, du moins pendant quelques jours. Rien d'étonnant à ce que vous ayez été bouleversée en apprenant la chose. Mais quoi, vous connaissez la vie. Je crois que je vais faire punir sévèrement la femme, dit-il d'un air grave. Sévèrement. Je suis très puissant, vous savez, Mrs. Ford. Je puis encore disposer des services de nombreux séides qui me sont entièrement dévoués. Elle sera fouettée.»

Anne le dévisageait. Il lui saisit le bras et la conduisit dans la salle à manger vide, vers la table où il était assis avant qu'elle ne survînt. Sur un plateau, il y avait une bouteille de whisky et plusieurs bouteilles d'eau gazeuse.

«Il ne faut pas le blâmer, Anne... Puis-je vous appeler Anne? Voici bien des jours déjà que vous êtes Anne dans mon cœur. Vous êtes ensorcelante, vous savez. Moi-même j'ai l'âme d'un poète. Toutes ces gamines stupides ne m'intéressent nullement. Une femme comme vous, avertie, expérimentée...»

Ses mains remontèrent le long du bras d'Anne

dans le geste classique, puis ses doigts se dressèrent derrière l'oreille de la jeune femme, cherchant sous la peau le réseau des nerfs, l'endroit sensible. Anne, debout, demeurait rigide, impassible, en apparence inconsciente de la main qui palpait son cou.

« Vous voulez dire que John a eu des rapports avec une femme et que maintenant il est malade ?

— Mais bien sûr, il y a cinq jours et une fois encore depuis. Mais ce n'est qu'un cas bénin, je vous assure. En général, une seule piqûre suffit pour en venir à bout. Ne m'en veuillez pas, je vous en prie. Je lui avais dit de se méfier de Suriyah, c'est une fille de rien, mais... pourquoi parler de ces choses ? Ici, en face de moi, je vois une fleur adorable. »

Il retira sa main qui, visiblement, ne produisait pas sur Anne l'effet escompté et la ramena autour de son verre. Il but une gorgée en dévisageant la jeune femme avec convoitise, persuadé que cette œillade réussirait là où la main avait échoué.

« Bonsoir », dit Anne, et elle sortit si vite qu'au moment où il se leva de sa chaise elle était déjà au bas des marches. Elle traversa le jardin en courant et sortit sur la route... Le premier mouvement de Ranchit fut de la poursuivre : il allait monter dans sa voiture, donner ordre au chauffeur de la rejoindre, les phares braqués sur elle, la lumière jouant sur son corps... Mais au fond il avait tout le temps. D'ailleurs, avec ces pèlerins qui encombraient les rues, ce serait sans doute difficile de la retrouver. Il se versa un nouveau verre de whisky.

Anne franchit la grille de l'Institut Féminin. La maison semblait vide, pourtant on y voyait briller quelques lumières. Contournant l'édifice, elle se trouva dans le petit jardin au-delà du berceau de rosiers. Elle traversa la pelouse et distingua une silhouette sombre debout sur les marches du bungalow.

« Unni, dit-elle.

— Oui, Anne. »

Il paraissait encore plus grand dans l'obscurité et, d'où elle se trouvait, elle sentait rayonner la chaleur de son corps. Soudain toute douleur s'évanouit et le temps s'étendit, éternel, serein.

« Comment saviez-vous que je viendrais ici ?

— Comme dirait mon ami le Général Kumar : "On devine" », répondit Unni en agitant la tête de droite à gauche. Anne éclata de rire.

« Ne m'invitez-vous pas à entrer ? dit Unni. Je vous assure que je n'ai pas d'intentions coupables. Je voulais seulement que vous me disiez si le valet et la servante que j'ai engagés pour vous peuvent commencer leur service.

— Comment saviez-vous... commença Anne, puis, hochant la tête, elle demanda : Quel service ?

— Faire le ménage au rez-de-chaussée et au premier, prendre soin de vous, faire la cuisine, préparer le thé et le café, laver vos vêtements, faire vos courses. Je sais que vous vivez au *Royal Hotel*, mais vous venez souvent ici, dans la journée et le soir, pour y travailler, je crois. Le Général a beaucoup d'amitié pour vous et tient à ce que vous soyez bien servie. Ne me demandez pas comment il sait... Il y a pour cela les "instruments" humains, invisibles et anonymes, qu'on oublie toujours : les domestiques, les garçons de course. Comme les singes de la légende, ils savent, voient et entendent tout.

— Je ne m'en rendais pas compte, dit Anne.

— Il en est ainsi partout, dit Unni. Seulement, dans notre pays, c'est plus évident qu'ailleurs. La Vallée est petite et tout y est étroitement rassemblé, les dieux et les hommes. Dorénavant, vous serez, je crois, protégée. Ces deux-là, dit-il, désignant deux silhouettes grises accroupies dans le jardin, un peu au-delà du bungalow, sont des domestiques de confiance du Général. Il désire que vous utilisiez leurs services. Bien entendu vous les paierez. Dix roupies par mois chacun.

— Dix roupies, fit Anne, mais c'est un prix dérisoire !

— La main-d'œuvre est bon marché ici. Au Népal, un travailleur n'est payé que quatre annas par jour. Quand les Indiens ont donné de douze à seize annas aux ouvriers de la route, cela a fait tout un drame. On les a accusés de gâcher les prix. Dès demain, vous aurez à votre disposition une jeep avec un chauffeur. Quand vous en aurez besoin, il vous suffira de dire "jeep" (en traînant sur le "ee") et les domestiques iront vous la chercher.

— Je ne puis accepter cela de votre part ou de celle du Général.

— Pourquoi pas ? C'était ici mon bungalow. Et il m'appartient encore. C'est moi qui en suis le propriétaire, et non Miss Maupratt. Du jardin aussi, jusqu'à ces arbres où, me dit-on, vous allez souvent vous asseoir. Je désire que tout cela soit bien entretenu. Vous pouvez avoir besoin d'eau chaude pour une douche, vouloir inviter des amis à prendre le thé sur la pelouse où l'on est si bien au printemps et en automne, sous les noyers, à regarder les montagnes. Il se peut même que vous songiez un jour à m'inviter, *moi*, à prendre le thé ici avec vous. »

Anne était assise sur le seuil. Unni s'appuyait contre la porte. Il sortit de sa poche un objet qu'il se mit à lancer en l'air et à rattraper dans sa main.

« C'est une pièce de monnaie ?

— Oui, une pièce ancienne, un fétiche. On me l'a donnée quand j'étais encore écolier, et je la garde toujours sur moi. Je joue avec quand je réfléchis très fort. En ce moment-ci, je réfléchis très fort. »

Anne se remit à rire :

« Vous dites des choses si sottes, si simples, mais je les trouve drôles et je ris. Seulement...

— Seulement quoi ?

— Rien. Je suis toute sens dessus dessous en ce moment.

— Je ne vois en vous aucun désordre, dit Unni, si ce n'est que vous avez du sable dans les cheveux — qu'on devine d'ailleurs plutôt qu'on ne le voit. Bientôt il va faire très froid et vous êtes sortie sans manteau, comme de coutume. Allons-nous dès maintenant à la fête de Siva, puisque vous n'ouvrez pas le bungalow ?

— Je n'ai pas les clefs, je les ai laissées à l'hôtel.

— Alors vous me permettrez de donner au domestique un second trousseau que j'ai sur moi. »

En même temps, il tirait les clefs de sa poche et appelait le serviteur qui déverrouilla la porte :

« Quel coup pour Isabel si elle savait que j'ai toujours eu la clef de son bungalow ! Comme son imagination féconde s'emparerait de ce détail pour imaginer le pire ! Et maintenant le bungalow vous appartient complètement. Partons-nous pour le temple saint de Pashupatinath ? »

Il l'aida à se lever, retira sa veste de cuir et la lui mit sur les épaules. Il portait en dessous un moelleux sweater de laine.

« Vous pensez à tout, dit Anne.

— Presque. »

Debout l'un en face de l'autre, ils se regardaient, puis il lui prit doucement la main.

« Venez, je vais vous conduire à ma jeep. »

A la lueur clignotante des torches qui projetaient sur eux des reflets d'or, les pèlerins apparaissaient, magnifiques et effrayants. Ils emplissaient les avenues et les allées entre les maisons. La jeep avançait lentement, au pas, dans ce fourmillement. Les pèlerins se bousculèrent tout autour, puis, voyant un homme à l'intérieur, quelques jeunes garçons y posèrent la main.

« Montez », dit Unni.

En un clin d'œil, la jeep fut envahie. Les porteurs de torches étaient nombreux et beaucoup d'autres jeeps, phares allumés, se frayaient un chemin en cornant à travers l'épaisseur de la foule. Ils suivirent l'allée pavée de galets, au sol inégal, et allèrent se ranger à quelque distance du temple, car il était impossible d'avancer davantage. Puis, poussés par le flot, ils atteignirent la grande porte dorée de Pashupatinath, cette même porte d'où Fred Maltby avait fui à la vue d'Eudora.

Il semblait impossible de la franchir, tant était dense la cohue qui entrait et sortait. Deux soldats gardaient la porte pour empêcher que le temple fût profané par des chrétiens ou par des touristes qui chercheraient à pénétrer dans l'enceinte sacrée. La cour intérieure était éclairée par des torches et par des feux, et l'énorme taureau doré, le coursier du Seigneur Siva, dressé sur son piédestal de deux mètres de haut, luisait et brillait sous les lumières, de même que les centaines de dieux dorés représentés sur les poutres, les épis de faîte en cuivre, les murs couverts de sculptures et les grilles en cuivre doré. Sur des gradins en pyramide au-dessus desquels s'élevait l'escalier du temple principal, les pèlerins grouillaient. Partout résonnait la double cadence des tambours, la plainte des flûtes et des chants modulés par des voix fraîches et profondes. La musique, les feux répandant sur toute chose une lumière rousse donnaient l'impression d'être dans un océan, un océan de lumière dorée et de sons, un univers à part.

« Nous allons entrer, dit Unni. Mais d'abord êtes-vous chrétienne ?

— Je ne sais pas. »

Il hésita.

« Oh, dit Anne, je ne voudrais surtout pas commettre un sacrilège. »

Au même moment, de cette façon ouatée, impalpable, qui était la sienne, le Général Kumar se matérialisa devant eux. Lui aussi était venu faire ses dévotions et il s'adressa à eux sans préambule.

« Toute la Vallée est ici et près de cent mille pèlerins venus de l'Inde ont pénétré dans le temple depuis trois jours. Aimeriez-vous entrer, Madame ? Ce serait à tout jamais une bénédiction sur vous. »

Anne regarda Unni.

« Etes-vous chrétienne, Madame ?

— Je ne sais pas », dit Anne.

Elle voyait sa mère, en rose, descendant du pousse-pousse. Elle voyait la mère d'Isabel Maupratt, elle entendait la voix de l'Histoire.

« Je ne sais vraiment pas si je le suis ou non, dit-elle.

— Elle possède l'esprit de vénération, dit le Général à Unni. Qu'elle retire ses souliers et qu'elle entre avec vous. »

Le soldat barra la route à Anne :

« C'est une femme blanche ! cria-t-il à Unni et au Général.

— C'est une femme à moi », dit Unni.

Le soldat hésita, jeta vivement un regard sur le visage d'Anne, puis sur Unni.

« Très bien, dit-il, si elle est à vous. »

Anne retira ses souliers. Elle ne portait pas de socquettes, ayant oublié à l'hôtel, dans son sac birman, la seule paire qu'elle possédât et qu'elle avait mise la veille pour dormir à cause du froid. Le sol était trempé d'eau, jonché de fleurs et de pétales écrasés dans la boue. Ils passèrent sous le haut linteau de la porte et aussitôt Anne fut perdue, perdue à la façon dont le sont tous ceux de sa sorte, dans cet état de lucidité vigilante qui fait dire à leur entourage qu'ils sont distraits, oublieux et demeurés enfants. Elle était plongée dans cette nouvelle conscience où la vision et l'audition sont tout, où règne un total oubli de soi, le corps se mouvant sans savoir qu'il se meut, entièrement en proie à ce ravissement, cette concentration extasiée, grâce à quoi elle ne faisait qu'un avec les milliers d'êtres rassemblés en ce lieu. Elle oublia Unni et le Général, ses pieds nus et le sol qu'elle foulait. C'était l'instant de Siva, le Seigneur de la Mort et aussi de la Création, posé en équilibre entre un rêve immobile et le moment qui bouge, instant éternel, point infini dans l'espace et le temps qui est l'éternité, le commencement et la fin. C'est alors que la connaissance devient connaissance de soi, qu'on apprend à voir réellement ce qu'on voit, à regarder avec le calme de la passion véritable les choses les plus ordinaires aussi bien que les plus singulières, à devenir plutôt qu'à acquérir, à savoir que le transitoire est permanent et que l'immortalité du moi est un mensonge, l'écho égoïste de la mémoire humaine.

Ainsi avançait Anne, à travers un petit labyrinthe de lingams, tous parsemés de fleurs et de grain, parmi les pèlerins prenant la file pour aller faire leurs dévotions d'un oratoire à l'autre. Dans les cloîtres de pierre, des femmes assises en groupes chantaient et dansaient, couronnées de fleurs, des bracelets tintant à leurs bras et à leurs chevilles. Debout auprès d'un feu de branches de pin dont les reflets donnaient l'aspect d'une statue de bronze à son corps de Mercure adolescent, un homme nu, son épaisse toison de cheveux teinte en jaune comme une crinière de lion flottant sur son dos, un trident à la main, demeurait en adoration, les regards fixés vers le temple principal. Assis dans une niche de pierre sculptée, un autre homme, le corps entièrement teint en bleu, jouait de la flûte, car il se croyait l'incarnation du Seigneur Krichna, le dieu bleu de l'Amour et du Rire ; un groupe de pèlerins s'était attroupé autour de lui. Auprès du taureau doré qui levait la tête vers le temple, des hommes en pagne blanc, assemblés autour d'un autre feu de joie, chantaient en frappant sur de petits tambours, des instruments de bois, des anneaux et des claquettes d'acier, et soufflaient dans des clarinettes semblables à des chalumeaux. Le feu papillotait et donnait un aspect fantastique à leurs visages barbus d'apôtres, tandis qu'ils psalmodiaient : *Ram, ram, sitaram.* Les ombres de leurs bras se démenaient autour d'eux et les bûches crachaient et chuintaient, pleines encore de la sève vivante de l'arbre.

Et, bien qu'il y eût des milliers d'êtres dans cette cour, chacun d'eux était seul dans son adoration, retiré en lui-même dans la douceur de la contemplation de son dieu, dans sa dévotion personnelle; de chaque individu, pareil à une petite lampe dans une fête religieuse, il se dégageait une foi ardente, si bien que le temple entier flamboyait de lumière et retentissait d'une clameur immense comme la voix de la mer, la clameur des multitudes qui ne s'amalgameraient jamais, parce que les êtres qui les composaient étaient, dans leur multiplicité, l'univers et l'essence de l'Unique. Dans la vaste cour, les pèlerins, agités de profonds remous, tournoyaient, allaient et venaient, et Anne était une particule dans ce mouvement, entraînée par une vague qui la portait, d'abord autour du temple, puis, irrésistiblement, vers le temple lui-même, qui la poussait lentement en haut des degrés et la jetait, inexorablement, désormais, vers la porte de cuivre béante.

Au-dessus d'elle se penchaient les dieux dorés, aux multiples visages, aux multiples bras, dénombrement d'une simplicité essentielle, car tout ce qui était seul et divisé ne faisait plus partie d'un tout, mais devenait ce tout lui-même. Il semblait à Anne absolument évident que chaque homme, chaque être humain est une foule, avec ses aspects et ses facultés variés, ses traits de caractères, dénommés mauvais chez les uns et bons chez les autres. Car nous ne connaissons les autres hommes qu'au moyen de nos rapports avec eux, et ces rapports sont fragmentaires, variables, divers : ils ne révèlent pas tout, mais seulement la partie que nous appelons le tout, parce qu'il n'est pas possible d'en connaître davantage par ce seul moyen et que nous demeurons ignorants du reste. Nul homme n'est un monolithe, et ne pas admettre l'existence de ses divers visages, de sa complexité, de ses habitudes changeantes, de ses contradictions, c'est rejeter la réalité de l'homme. En montant les degrés, elle les revit tous en un éclair, ceux qu'elle avait connus : sa mère, Jimmy, John, Isabel, tous comme les dieux penchés au-dessus d'elle, infiniment divers dans leur humanité. C'était cette complication, cette complexité à multiples couches, à facettes comme l'œil d'une mouche, qui constituait la marque essentielle de l'Unité. La vie ne reproduit jamais deux fois la même feuille, la même fourmi, la même pierre, le même visage, et la permanence n'est réalisée que par le changement, tout comme l'éternité n'est que la naissance du nouveau, issu de ce qui vieillit et meurt. Peut-être le christianisme s'égare-t-il quand il considère l'immortalité comme la continuation statique, impérissable, d'une identité unique, se disait Anne, résignée, absorbée, emportée en haut des degrés, se trouvant soudain pressée contre d'autres humains qui jetaient des fleurs et poussaient des cris de joie, franchissant la porte ouverte, pénétrant dans le temple même. Prise brusquement de scrupules, elle s'écarta, chercha à se dégager, saisie de respect pour les fidèles qui l'entouraient, qui croyaient vraiment, alors qu'elle ne savait pas. Non, elle n'avait pas le droit d'entrer. Elle n'eut que le temps d'apercevoir, pareille à la surface d'un vaste miroir, l'énorme pierre à l'aspect redoutable, sculptée sur ses quatre faces, qui se dressait, luisante de l'eau qu'on y versait, et jonchée de fleurs. Déjà elle était redescendue parmi les danseurs et les chanteurs, dans l'atmosphère d'extase éparse autour des degrés, où tout proclamait que la vie et la puissance de la vie sont merveilleuses, et que la mort n'est que le seuil de la vie. Du moins Anne eut-elle ce sentiment, jusqu'au moment où soudain tout se calma et où elle se retrouva, en train de sortir du temple, avec le Général et Unni.

Ils reprirent leurs souliers là où ils les avaient laissés, et Unni tira un mouchoir de sa poche pour qu'Anne pût s'essuyer les pieds. Elle allait dire : «Vous pensez à tout!» mais il dit : «Presque», avant qu'elle ait eu le temps de prononcer la phrase, et, tout en remettant ses souliers, elle souriait de voir qu'il répondait à une pensée qu'elle n'avait même pas formulée.

Le Général fit un bout de chemin avec eux dans la jeep, puis les abandonna :

«Je dois aller discuter la question des fiançailles de la fille d'un de mes amis avec son arbre», dit-il, puis, à sa façon silencieuse, il fondit dans la nuit.

«Encore un mariage? dit Anne.

— Des fiançailles. Peut-être plus importantes qu'un mariage. Chez les Nevâris, les fillettes d'environ huit ans sont fiancées à un arbre, le coing du Bengale, si bien qu'elles ne peuvent jamais devenir veuves. De là vient qu'elles n'ont jamais été soumises au *sâti*[1] ni à aucune de ces coutumes cruelles. Le premier époux d'une femme étant du point de vue légal un arbre, les autres sont en surnombre. Et l'on veille à ce que l'arbre ne meure pas. A cet effet, on le coupe et on le jette dans la rivière.

— Voilà un arrangement bien agréable !

— N'est-ce pas ? Malheureusement, les Ranas,

1. Pratique selon laquelle les veuves étaient contraintes à s'immoler sur le bûcher funéraire de leur époux afin de le suivre dans l'autre monde. (N. du T.)

qui gouvernaient les Nevâris, suivaient la coutume hindoue, et leurs femmes sont moins heureuses! Mais les Nevâris de la Vallée semblent avoir fort bien résolu les énigmes que posent ces croyances contradictoires, et ils en ignorent les mesquines cruautés. C'est pourquoi il y a ici un tel fouillis de temples et de dieux. On trouve des dieux hindous dans des temples bouddhistes, des saints bouddhistes dans des temples hindous. Les oratoires et les dieux ont très souvent plusieurs identités et plusieurs noms. Tout cela rend la vie facile, tolérante et bien équilibrée. Les mots, les noms et leurs limitations symboliques ne sont plus désormais des entraves, ils deviennent interchangeables, et l'on peut donner à la réalité le nom qu'on veut. J'espère qu'un peuple doué d'un esprit aussi souple s'assimilera très rapidement la technique du progrès, sans perdre pour autant son sens de l'humour, qui lui permettra d'en discerner les absurdités. »

Ils continuèrent leur route. Unni sifflait l'air qu'il avait chanté dans la montagne, la chanson de Rukmini ; la douce mélodie soulignait le silence des rues, presque désertes maintenant que les fidèles étaient à Pashupatinath.

« C'est tellement étrange ! dit Anne.

— Qu'est-ce qui est étrange ?

— Qu'il puisse se passer tant de choses ici, en une seule journée, alors que j'ai connu dans ma vie des semaines, des mois entiers pendant lesquels il ne se passait rien... et maintenant chaque minute déborde de sens. Voyez aujourd'hui, par exemple. »

Comme s'il attendait qu'elle poursuivît, Unni garda un moment le silence, puis, voyant qu'elle se taisait, il dit d'un ton hésitant :

« Le contact humain détient le pouvoir de donner la vie. C'est la seule manière. »

Ils approchaient du *Royal Hotel*. Toute la maison étincelait de lumière, résonnait des rires et de la musique d'une réception. Vassili célébrait sa libération et le Tout-Khatmandou était là.

« Vassili adore recevoir. Il donne des fêtes magnifiques.

— Malgré toute ma sympathie pour Vassili, je n'ai pas très envie de me mêler aux invités en ce moment, dit Anne.

— Vous êtes lasse ?

— Oui... non ! »

Comment pouvait-elle lui expliquer ? Son exaltation, l'ivresse des moments vécus au temple s'apaisaient doucement, mais ces émotions l'avaient transformée. Ou plutôt le changement intime qui datait du jour où elle avait entendu pour la première fois le mot Khatmandou était maintenant devenu irrévocable, et Anne savait désormais qu'elle ne pourrait plus retourner en arrière. J'ai acquis une nouvelle identité, se disait-elle. Comme les dieux, comme les déesses aux multiples bras, aux multiples visages, elle était maintenant un autre aspect d'elle-même. Et elle demeurerait fidèle à cette nouvelle image. Tout à coup elle se rappela l'existence de John. Elle n'avait aucune envie de s'étendre à nouveau dans le lit voisin du sien et de feindre le sommeil, mais elle le ferait ce soir, il n'y avait pas d'autre solution. Ce soir il le fallait, mais désormais peu lui importait, ce n'était même plus désagréable. Elle ne songeait plus qu'au lendemain.

« Voulez-vous faire un tour ? demanda Unni, puisque vous ne tenez pas à regagner l'hôtel tout de suite.

— Non, vous devez être fatigué, vous aussi.

— Je ne suis jamais fatigué.

— Il vaut tout de même mieux que je rentre »,
dit Anne.

Demain, songeait-elle, je m'installerai dans la
chambre aux perruches. Demain.

Elle se tourna pour lui dire bonsoir. Unni
regardait droit devant lui.

« Merci, dit-elle.

— Ne me remerciez pas. Demain je retourne au
barrage.

— Oui.

— Je reviendrai dans trois semaines environ.
Je voyage en avion, le trajet dure à peu près
cinquante minutes, alors qu'il faut quinze jours
par les sentiers de montagne. Pourrai-je venir
vous voir à mon retour ?

— Oui. »

Il sauta de la jeep et aida Anne à descendre.

« Au revoir », dit-elle.

Il inclina la tête et demeura debout un moment
tandis qu'elle montait les marches. Elle ne se
retourna pas.

Elle tomba en plein dans le bruit, les rires, les
cris, les voix, la musique de Radio-Népal et le
phonographe. Il y avait là Isabel, flanquée de
l'Histoire et de la Géographie, le Major Pemberton, tous les Américains, l'Irlandaise, Pat et
Ranchit, Martha Redworth et Paul, Hilde, res-
plendissante en sari bleu, et Vassili, superbe, qui
accourut pour l'embrasser et lui mit un verre dans
la main. Il lui semblait que tout le monde criait à
tue-tête des mots totalement incompréhensibles.

Isabel vint aussitôt à elle :

« Où avez-vous été ? lui demanda-t-elle d'un ton
autoritaire, dominateur et même courroucé.

— A la fête de Siva, au temple de Pashupatinath.

— Mais John est souffrant, alité. J'étais montée dans votre chambre pour vous chercher, je l'ai trouvé malade et couché.

— Oui. »

A quoi bon expliquer, se défendre, se justifier ? Isabel la dévisagea, puis pivota sur ses talons d'un air dédaigneux.

« Dites donc, fit le Major Pemberton, il y en avait du monde, là-bas, au temple ?

— Oui.

— Oh, vous êtes entrée dans le temple ? demanda l'Histoire.

— Oui, j'ai retiré mes chaussures.

— Vraiment ? Quelle idée ! Et on ne vous les a pas volées ? ajouta-t-elle, incrédule. J'aurais cru qu'elles disparaîtraient en un clin d'œil si l'on ne restait pas auprès à monter la garde.

— Maintenant, je vais vous quitter », dit Anne en s'éloignant.

Vassili hurla :

« Anne, Anne, revenez ! » mais elle lui fit un signe de tête négatif et disparut.

Avec leurs questions qui suaient la médiocrité, ces gens allaient détruire les moments merveilleux qu'elle avait vécus. Non pas Vassili ni Hilde, si heureux maintenant, mais les autres. Et elle s'étonnait que le monde des aveugles, des esprits routiniers, possédât à ce point le pouvoir de mettre en pièces les trésors des êtres beaux et vivants. Mais c'était ainsi, et Anne, d'un pas pesant, montait vers la chambre où John était couché, sachant maintenant qu'il en avait toujours été ainsi, qu'elle-même avait pactisé avec ces gens à qui tout enchantement est étranger, ces âmes irrévocablement mornes à qui les belles choses font peur, qui souhaiteraient que le monde entier fût taillé à leur mesure étroite et mesquine. Il fallait qu'elle cessât de composer avec eux, sinon elle viendrait à leur ressembler. Demain, songea-t-elle avec une résolution farouche, demain. Elle disposait d'un refuge tout prêt, et cette fois il fallait qu'elle s'y rendît. Elle aurait foi en elle-même au lieu de se fier aux autres. Il lui fallait aller dans cet endroit où les perruches riaient parmi les tournesols, où des yeux pleins d'une intense angoisse voyaient tout, voyaient ce qu'on cherche à se cacher à soi-même. Peu importait que, par une subtile ironie du sort, ils eussent été peints par une autre femme, qu'ils fussent le produit d'un amour désenchanté, peut-être d'un étrange désespoir. Les dieux, dans leur sagesse insouciante, lui avaient donné cela, c'était à elle de s'en servir.

« Demain, j'irai m'y installer. »

Elle se mit au lit. John ne se détourna pas. C'est seulement dans l'aube grise, en s'éveillant, qu'elle se rappela ne s'être même pas lavé les pieds : ils étaient plaqués de boue séchée, de pétales écrasés et de Dieu sait quoi encore, se dit Anne, sentant qu'Isabel la blâmerait, que l'Histoire et la Géographie parleraient de microbes, de boue et de crachats, et cette idée la rendit si heureuse qu'elle se rendormit jusqu'au moment où le soleil ailé tomba d'aplomb sur la cour et sur les colombes qui tournoyaient, roucoulaient et menaient grand bruit.

Troisième partie

L'Ascension

Me voici face à ma plus haute montagne et à
        [la veille de mon plus long voyage,
Aussi me faut-il descendre à des profon-
[deurs où jamais encore je n'avais atteint.

NIETZSCHE *(Ainsi parla Zarathoustra.)*

Chapitre premier

Avril arriva dans la Vallée. On vit surgir les roses, les jacinthes, les iris, les orchidées-abeilles, les gentianes et le jasmin double jaune. Des ombres mouvantes s'allongeaient sur les collines. L'amour, puissant comme un vaisseau de guerre (disent les Japonais), imposait sa loi aux oiseaux ; et, pour aller de pair avec ces manèges du printemps, la hâte et l'affairement régnaient parmi les humains et les dieux, car on multipliait les préparatifs en vue du couronnement du roi du Népal qui devait avoir lieu le 2 mai.

Peut-être faudrait-il d'abord parler des oiseaux, car ils donnaient le ton de l'exubérance, de l'énergie frénétique qui animaient d'autres êtres dans leurs diverses motivations. Les oiseaux emplissaient la Vallée de leurs fièvres amoureuses, péans de passion sans détour. Au regard de leurs chants, les mots des hommes semblaient vains comme est vaine la froideur inanimée des miroirs, mots qui dissimulent plutôt qu'ils ne l'expriment un monde substantiel, cerné de montagnes, fleuri de soleil, enchanté par la présence des oiseaux.

Les corneilles circulaient, mégères de l'air, lançant leurs appels stridents, voraces et querelleuses. Leurs voix déchirantes ne troublaient en rien l'harmonie de la Vallée. Tout le long du jour, les trichoglosses criaient, les loriots prodiguaient leurs gazouillis de défi. Les gobe-mouches paradisiers à la longue queue s'ébattaient en psalmodiant leur bruyante mélopée près du terrain d'aviation. Des souïmangas, colorés comme les joyaux qui ornent le cou et les poignets des maharanis, s'ameutaient en foules rebelles, des drongos faisaient des grâces et des martins-pêcheurs regardaient d'un œil orgueilleux les champs qu'ils survolaient. Parmi les rhododendrons circulaient des mésanges désinvoltes, et des rossignols méditaient partout. Dans les arbres des conseils de la place du marché, à la grande porte du temple de Taleju, cinquante jeunes aigrettes se balançaient délicatement sur de longues pattes minces, et la brise légère qui faisait tinter les clochettes ébouriffait les plumes de leur tête et de leur gorge. Des émouchets et des aigles rayés demeuraient suspendus dans le ciel comme de petits soleils noirs. Des traînées de perruches jaillissaient, telles des feuilles chassées par le vent, et s'interpellaient, à travers les jardins. Les oiseaux, ignorant la crainte, imposaient hardiment leurs chants et leur présence.

Avril est aussi l'époque des expéditions vers les sommets. Vassili, rendu à la liberté et au *Royal Hotel,* ne savait où donner de la tête. « Dès que je serai débarrassé de ces ascensionnistes et de l'armée des touristes de printemps, il y aura les correspondants de presse, les photographes et les personnages officiels invités au couronnement. Je crois que je n'y survivrai pas. Peut-être ferais-je mieux de retourner en prison. Mais la prochaine fois j'emporterai un bon divan. Pour Hilde. »

Le langage, l'attirail et le comportement des grimpeurs offraient autant de diversité que le chant et le plumage des oiseaux. Il y avait des Japonais qui escaladaient le Manaslu, des Argentins, des Suisses, des Français, des Anglais venus explorer le terrain en vue de futures tentatives ; une expédition du Texas, dirigée par un authentique Texan gros bonnet dans les pétroles, lancée à la recherche de l'Abominable Homme des Neiges, agrémentée de divers comparses, y compris un « agent de publicité » en manteau de vison et talons hauts. Enfin il y avait les francs-tireurs, soi-disant ascensionnistes, nourris et logés par Vassíli et qui ensuite oubliaient régulièrement de le payer.

« Cela ne fait rien, disait Vassili, les pauvres types étaient réellement fauchés.

— Vassili, nous ne serons jamais riches, gémissait Hilde.

— Peu importe, ma petite, disait Vassili, cela nous sera rendu dans la vallée du Paradis — au fond je ne le crois pas. »

Et autour des tables de la véranda du *Royal Hotel*, dans la chaleur printanière du bonheur de Vassili et dans l'euphorie qui suit un repas succulent — car les deux cuisiniers de Madras attachés au *Royal Hotel* confectionnaient le caneton à l'orange, les meringues, les soufflés et la *bombe Alaska* les meilleurs qu'on pût trouver à l'est de Suez, fût-ce à Saïgon, — on parlait très fort d'arêtes et de glaciers, de crampons et de cirques. Les anecdotes amusantes pleuvaient. On racontait que les Suisses, toujours prosaïques, flegmatiques même dans le triomphe, étaient descendus du sommet dans un grand déploiement de reporters et de photographes et n'avaient trouvé à dire que ces paroles immortelles : « C'était vraiment bien haut. »

Les Japonais avaient plus de caméras que

d'hommes et plus de lunettes que d'yeux; ils étaient charmants, polis, et ils payaient, « ce à quoi je ne suis plus guère habitué maintenant », disait Vassili.

L'Irlandaise et quelques autres des artistes femmes « disponibles » qui se trouvaient actuellement à Khatmandou s'attachaient aux pas des Argentins et des Français. Des passions brûlantes, mais beaucoup moins durables que chez les oiseaux, naissaient et mouraient en quelques heures, ainsi que des éphémères.

Il y avait aussi les habituels auto-stoppeurs du printemps, artistes bien entendu désargentés, couples d'amoureux aux visages hâlés et à la bourse plate, spécialistes ou savants qui s'intitulaient professeurs. Vassili leur assurait le vivre et le couvert, oubliait de leur présenter la note, leur prêtait de l'argent et parfois recevait d'eux, en guise de paiement, des peintures, des manuscrits inédits ou autres œuvres d'art, un bric-à-brac qui s'accumulait au *Royal Hotel*, avec les portraits de Ranas, les peaux de tigres, les photographies de chasse, les lettres non réclamées et les notes impayées.

Mais la préoccupation majeure, c'étaient les préparatifs du Couronnement. Dans les milieux diplomatiques de Khatmandou, tout le monde, sans exception, avait à résoudre des problèmes dramatiques de protocole. Qui assisterait au couronnement au titre de représentant de chaque pays ? Suivant quel ordre de préséance défileraient ces représentants ? Sur quel éléphant monteraient-ils et en compagnie de qui seraient-ils sur le dos de l'éléphant dans la procession solennelle qui suivrait le Couronnement ? Quelle place occuperaient-ils aux banquets et aux réceptions ? Quels ordres, médailles, décorations, titres seraient attribués ? A qui, quand et où ? Quelles distinctions honorifiques seraient offertes en échange, sur la poitrine de qui et comment ? Qui serait logé, où et pendant combien de temps, et y aurait-il assez à manger pour tout ce monde ? On voyait tous les diplomates de Khatmandou, leurs premiers, deuxièmes et troisièmes secrétaires, les attachés culturels et commerciaux aller et venir avec l'air épuisé et absorbé d'oiseaux à la recherche d'une femelle. A quels savants calculs n'allaient-ils pas devoir se livrer ?

Un vice-président du conseil chinois et un ambassadeur de ce qu'on appelait à Khatmandou « la vraie Chine » viendraient au titre d'invités officiels, car le Népal avait reconnu le gouvernement de Pékin et l'ambassadeur présenterait des lettres de créance à Sa Majesté le Roi dans la salle du Durbar. En aucun cas les cinquante membres de la mission américaine du Point Quatre ne devraient être vus à proximité de la délégation chinoise et cela dans toutes les réceptions, cocktails, dîners, garden-parties. Quant au grand banquet, ce serait un cauchemar, du point de vue protocole, étiquette et attribution des places. Dans les milieux hostiles aux Américains, on racontait que les Népalais étaient fort mécontents : ils estimaient en effet que seul un vice-président des U.S.A. pouvait être l'égal d'un vice-président chinois ; or, ils ignoraient le nom du représentant en perspective des Etats-Unis et n'avaient même jamais entendu parler de lui. C'était, racontait-on, un simple professeur d'Université et les professeurs abondaient sur la véranda du *Royal Hotel*. D'autre part, dans les milieux touchant de près à la bibliothèque des U.S.I.S., le bruit courait au contraire que les Chinois étaient mal vus des Népalais ; ceux-ci ayant invité aux fêtes du

327

Couronnement le Dalaï-Lama et le Panchen Lama du Tibet, les Chinois ne les avaient pas autorisés à venir, alléguant que les deux lamas étaient de santé trop délicate pour s'aventurer dans les défilés thibétains, même pendant la bonne saison.

L'ambassadeur d'un certain pays occidental passait pour être en disgrâce pour avoir commis un faux pas d'ordre religieux. Il avait d'abord été dit que Sa Majesté le Roi du Népal recevrait une décoration très prisée dans le pays occidental en question, mais, avec un regrettable manque de tact, la décision fut annulée, cette décoration ne pouvant être décernée qu'à des chrétiens, et le roi du Népal étant de religion hindoue. Il n'en fallut pas davantage pour réveiller les passions assoupies de l'antagonisme racial et religieux : une religion n'en valait-elle pas une autre, tout comme un homme en vaut un autre, quelle que soit la dose de pigment dont est imprégnée sa peau ? « Nous ne sommes pas des païens obtus », déclarait d'un air glacé, devant les clients du *Royal Hotel*, l'un des secrétaires du ministre des Affaires Étrangères, citant Swinburne sans le savoir. Le malheureux représentant du pays occidental dut garder le lit, par suite d'une grave maladie diplomatique, jusqu'à ce qu'on eût trouvé une formule d'entente.

Paul Redworth semblait épuisé et avait des poches sous les yeux :

« Ma chère petite, dit-il à Anne, comme je voudrais être à la place de ce veinard d'ambassadeur de France, notre charmant et érudit ami le comte Ostrorog, à qui son appartenance à la civilisation gauloise permet de se sentir chez lui partout, en particulier dans la Vallée. Car savez-vous bien, dans un pays comme celui-ci, la lubricité et la pruderie, Kinsey et Freud, tous ces produits aussi lamentables que sinistres de la mentalité teutonne dont nous sommes imprégnés nous autres Anglo-Saxons, nous empêtrent terriblement. Nous ne sommes à l'aise nulle part parce que nous ne nous sentons pas à l'aise en nous-mêmes. Le vieux D. H. Lawrence — Dieu ait son âme — n'avait que trop raison quand il parlait de nos "démangeaisons morales et de notre vertueuse hypocrisie". »

Le comte Ostrorog, lui, n'était en aucune façon gêné par un tel handicap :

« Je supplie les dieux de faire de moi un Népalais lors de ma prochaine incarnation », s'était-il écrié sur un ton de ferveur et d'un air si sincèrement ravi que les Népalais avaient aussitôt reconnu en lui un frère par l'esprit et par la chair ; ils l'aimaient pour le plaisir qu'il prenait à déguster la cuisine locale, pour l'intérêt qu'il portait à leurs sculptures, pour les égards qu'il leur témoignait, pour sa courtoisie et son érudition.

« Il est civilisé », disaient-ils.

Et puis le comte Ostrorog ne serait pas embarrassé par des histoires de décorations chrétiennes ou non chrétiennes. Il distribuerait la Légion d'honneur et tout le monde serait content.

Trois semaines avant le couronnement, l'espèce de délire qui s'était emparé des cercles diplomatiques avait atteint son paroxysme et la confusion était totale. En dépit des efforts de tous les ambassadeurs et diplomates de l'endroit, le gouvernement népalais, dont les ministères fonctionnaient dans un vaste édifice appelé le Singha Durbar (un palais plus vaste encore que tous les autres, comportant un tel dédale de salles et de corridors d'où se dégageait une forte odeur ammoniacale qu'il était impossible de ne pas s'y perdre), n'avait pas fourni une date, une heure, rien qui ressemblât vaguement à un programme pour le Couronnement. Rien, absolument rien ne semblait avoir été prévu.

«Jamais ils n'envoient d'invitation pour une cérémonie officielle avant le jour même où elle a lieu, et même alors la carte d'invitation arrive parfois après la fête», dit Enoch P. Bowers, citant les paroles d'Isabel.

Enoch s'était décerné le titre de Président du Club de la Vallée (John était secrétaire, Ranchit trésorier et Pat vice-présidente) et à ce titre il se faisait attribuer des invitations à toutes les cérémonies officielles, y compris le grand banquet.

Les seuls diplomates qui demeurassent imperturbables étaient les Indiens. Endurcis aux caprices du hasard, ils savaient que les plus beaux projets viennent à être dérangés par la pluie ou les calamités naturelles et, dans le cas présent, par les astrologues, fort occupés à interroger les étoiles pour connaître la minute favorable au couronnement. Il n'y avait aucune raison de se tourmenter, tout arriverait en temps voulu. Et l'atmosphère d'attente fiévreuse dont s'enveloppait le couronnement — de même que l'Ultime Réalité est dissimulée à nos yeux par la Brume des Apparences — ne les troublait nullement. Mais ce bienheureux fatalisme n'était pas partagé par les collègues occidentaux de l'ambassadeur indien qui trouvaient fort gênant de ne pouvoir fournir un programme détaillé à leur gouvernement, aussi le petit bureau indien des Postes et Télégraphe connaissait-il une animation exceptionnelle — et d'ailleurs vaine — les employés passant leur temps à expédier des câbles affolés, rédigés en code, précisant, puis démentant, le détail des cérémonies, suivis d'autres câbles annulant les précédents, à tel point que la patience indienne des télégraphistes finissait par s'épuiser, détruite par «le bruit et la furie» des Occidentaux.

«Attendez que les correspondants de presse soient là, ce sera cent fois pire», leur disait Vassili pour les consoler.

Nul ne savait ce que méditaient les Chinois. Bien que les gens de leur race soient méticuleux jusqu'à la manie et que le souci fanatique de l'ordre soit encore aggravé par une idéologie politique qui croit pouvoir rendre les esprits nets et propres de la même façon qu'elle enrégimente les corps, ils semblaient étrangement calmes. On savait que la délégation chinoise arriverait quelques jours avant le Couronnement et descendrait au *Royal Hotel*. On disait que la mission du Point Quatre éviterait de la rencontrer, consigne difficile, sinon impossible à observer. Et Vassili se demandait s'il trouverait un cuisinier chinois à Calcutta.

«Mais si le cuisinier est de Formose et qu'il arrive quelque chose?» dit Hilde, et l'enthousiasme de Vassili pour la cuisine chinoise disparut.

«Ne vous mettez pas martel en tête, mes bons amis, dit l'ambassadeur indien à ses collègues, tout se passera *parfaitement* bien, je connais nos amis népalais. Vous verrez, à la dernière minute, tout marchera à merveille.»

Et, affable comme toujours, il esquissait de ses mains fines un geste doucereux d'apaisement. En vain. Les Occidentaux étaient nerveux. Ils ne cessaient de se lamenter sur l'incompétence, l'incurie, le manque d'organisation, la confusion qui régnaient dans la Vallée, et ils prophétisaient la catastrophe.

« Mai est le mois le plus sec de l'année, il n'y aura pas d'eau, même pour boire.

— Savez-vous qu'on n'a pas encore installé un seul meuble dans la maison réservée par le gouvernement aux invités officiels ? Même pas un lit.

— Il n'y a pas d'essence.

— D'où viendront les moyens de transport ? Il n'existe que dix taxi-jeeps à Khatmandou.

— Il s'est produit un nouvel éboulement sur la route. Les marchandises vont rester en souffrance pendant des jours.

— Non, le terrain a été dégagé, mais on ne laisse passer que dix camions par jour.

— D'ailleurs il n'existe que dix camions dans tout le Népal.

— On peut être certain qu'il n'y aura pas d'eau à boire », décréta Isabel.

Isabel réussit à s'octroyer une salle de bains prélevée sur le dernier envoi reçu par Vassili. L'Histoire et la Géographie battaient la place du marché, écrivaient à des amis à Calcutta et allaient tous les jours à l'aéroport chercher des colis de boîtes de conserve :

« Ma chère, les prix vont monter en flèche, on manquera terriblement de tout. »

Miss Suragamy McIntyre présenta un beau jour un fiancé chrétien (il assistait aux réunions pieuses et chantait les hymnes) aux cheveux gras et très bouclés, qui proposa à Isabel de lui procurer de l'essence achetée au nom de l'Institut, car il prévoyait une grave pénurie.

« Il m'en faudrait environ deux cents litres, je crois que cela suffirait pour nous toutes », dit Isabel, et elle lui remit une lettre afin qu'il pût adresser une demande au ministère pour obtenir la quantité nécessaire.

De son propre chef, le fiancé ajouta prudemment un zéro et acheta deux mille litres d'essence. Isabel reçut ses deux cents litres et Suragamy en stocka dix-huit cents, comptant bien les revendre au prix fort au moment du Couronnement.

Chapitre 2

Journal *d'Anne*   Les Népalais nettoient leurs temples et leurs oratoires, jettent de grands seaux d'eau sur les grilles dorées, les lions de bronze et les statues de pierre et repeignent les dieux, tout cela en vue du couronnement du roi. À Khatmandou, de même qu'à Patan, à Bhadgaon et à Kirtipour, les trois autres villes de la Vallée, il y a plus d'oratoires que de maisons, plus de dieux que d'humains. A chaque coin de rue foisonnent les lingams et les divinités. Au milieu des champs s'élèvent les oratoires des déesses tantriques, culte ancien exigeant des sacrifices sanglants.

Car le Népal est le pays des dieux. Les servir est l'occupation la plus commune. Ici on donne plus de nourriture aux dieux qu'aux humains, et, quoique la disette règne dans la Vallée, les vaches et les taureaux sont gras et les enfants ont faim. Ici la religion n'est pas seulement partie intégrante de la vie, elle est la première, la plus forte consommatrice d'énergie. La naissance, la copulation et la mort ne constituent pas le cycle de l'animal anthropocentrique et savant, mais les manifestations matérielles, humaines par inadvertance, d'un cycle éternel et supra-terrestre, dont tous les événements de l'univers ne sont qu'un reflet, des brindilles emportées au vent de l'Etre. Toute action humaine a un sens au-delà de l'humain. Tout est sacrement — manger est une communion, le coït un vrai mariage et la mort l'adoration finale et absolue. Michael Toast, le jeune Anglais dont les avances ont si peu de succès auprès des femmes, exprime cette idée en disant : « Partout, dans ce pays, sexe et religion ne font qu'un. »

Le grand nettoyage de printemps du Couronnement consiste donc avant tout à nettoyer les dieux. Toute la population s'y emploie, du moins ceux des habitants qui ne sont pas occupés au portage. Car la moitié à peu près des gens qu'on voit dans la Vallée semblent être des porteurs, hommes et femmes, munis de paniers ovales retenus par une sangle passée en travers du front, se dirigeant en longues files vers des destinations inconnues, pareils à des fourmis en marche, et toujours dans la file il en est qui vont dans une direction opposée. Certains de ces paniers sont chargés de deux bidons d'essence, pesant vingt kilogrammes chacun, ou encore de papier, d'étoffe, de sel, de laine. Parmi les porteurs, les uns sont des professionnels, les autres des réfugiés, des paysans « déplacés », dont les champs ont disparu sous les inondations de l'an dernier et qui sont venus grossir les bataillons internationaux des dépossédés. Maintenant, tous leurs biens retenus par la courroie passée en travers de leur front, ils errent, affamés, en quête de travail.

Ceux qui ne portent pas s'affairent à laver les dieux, à nettoyer les temples en grimpant sur de périlleux échafaudages, à barbouiller les poutres avec un produit, mélange de paille et de bouse de vache, et qui, me dit le fils du Général, possède un merveilleux pouvoir détersif : « Les femmes nevâris s'en servent même pour leurs cheveux. » Ils peignent tout ce qui est susceptible de recevoir de la couleur. Revêtus de nuances magnifiques : vermillon, safran, bleu gentiane, vert limpide, ocre, magenta et blanc de Chine, resplendissants et heureux, les dieux et les déesses des poutres sculptées nous regardent d'en haut, éclatants et animés. Et avec quelle ardeur on fourbit les cloches, les cylindres à prières, les lions et les serpents nagas, les vieux rois Malla du Népal, dont les statues dorées, coiffées de chapeaux exactement pareils à celui du marié de l'autre jour, sont agenouillées sur de hauts piliers de marbre sculpté ! Les taureaux, monture de Siva, les oiseaux-dieux ou garudas, montures de Vichnou, les éléphants, les béliers, tous sont nettoyés à fond et repeints. Et les magnifiques et célèbres grilles dorées dont les Nevâris ornent leurs cités brillent comme l'entrée de cieux apocalyptiques.

« Comme vous le savez, dit le Feld-Maréchal (qui sait fort bien que je ne le sais pas et m'instruit ainsi, au risque de paraître balourd), Sa Majesté le Roi du Népal est pour nous un dieu, comme nous le sommes tous nous-mêmes dans une certaine mesure. Sa Majesté est l'incarnation du Seigneur Vichnou, la seconde personne de notre Sainte Trinité, composée de Brahma, Vichnou et Siva. Vichnou est le Préservateur, le Continuateur de la Vie. »

Sur les maisons sculptées, le long des rues conduisant au marché, la peinture neuve révèle des beautés compliquées. Pas une fenêtre, pas une porte, pas un pilier qui soit exactement pareil, jamais je n'ai vu une même sculpture répétée deux fois. Linteaux, piliers, frises, montants des portes, encadrements des fenêtres sont d'abord enduits d'ocre et de noir, puis les sculptures sont rechampies en blanc, si bien que l'ensemble évoque un de ces hauts collets de dentelle empesée qui se détachent, tout raides, sur les portraits de la Renaissance. Et dans le vide central, rond ou carré, de ces ouvertures, des femmes et des enfants, souriants et beaux, regardent au dehors.

Pourtant toutes ces sculptures ont été exécutées par des artisans nevâris avec des ciseaux grossiers : «Les Nevâris ont toujours été de grands artistes, me dit le Feld-Maréchal. Au xiie siècle, nos fameux architectes, accompagnés d'équipes de sculpteurs et d'artistes, ont été appelés en Chine par le Grand Mogol pour y construire des pagodes, des temples et des portes monumentales. Il existe encore dans le nord de la Chine une porte de style népalais, et la plupart des temples qui ornent Lhassa, capitale du Thibet, sont l'œuvre d'artistes népalais.»

Il me faut également faire état de ces objets que notre colonie étrangère tente de supprimer en n'y faisant aucune allusion, c'est-à-dire les motifs érotiques. Eux aussi sont repeints avec un soin méticuleux. Perché sur un échafaudage assujetti par des cordes de paille, l'artiste (il n'y a pas d'autre mot pour le désigner si l'on songe à l'amour avec lequel il travaille), quelques petits pots de peinture posés à côté de lui sur une planche, des pinceaux de rechange dans la bouche, peint des cils, des sourires sur des lèvres langoureuses, des pointes de seins en fraise, sans oublier les bouts blancs des doigts et les ongles de pieds. Je suis restée un moment à le regarder et l'homme, un petit Nevâri pas très propre, aux os menus, ravi de mon attention, me sourit tendrement en arrondissant les lèvres autour de ses pinceaux, puis il poursuivit son joyeux labeur, le front rayonnant d'application. Au pied des dieux éclatants, on distingue des humains absorbés dans leurs ébats amoureux. J'ai lu la description de certaines de ces postures dans ces ouvrages pseudo-scientifiques que nous acceptons parce qu'ils sont rédigés dans un pesant jargon technique qui excuse toutes les audaces, ces livres éternellement populaires que produisent les Anglo-Saxons et qui prouvent à quel point nous sommes ignorants sur nous-mêmes : *Le Bonheur dans le mariage, Scènes de la vie sexuelle, Technique du mariage.* Des recettes, des recettes de cuisine. Faites ceci, faites cela, pensez ceci, pensez cela, mangez ceci, mangez cela, accouplez-vous de telle ou telle manière — et vous ne pouvez manquer d'être riche, heureux, de parvenir à l'orgasme, de décrocher une pension en fin de carrière, d'aller au Paradis. Tous ces livres décrivent avec insistance des pratiques, des gestes qui ici deviennent vides de signification puisque consacrés aux convoitises des hommes et non au service des dieux. Ils nous enseignent des passes magnétiques, des formules magiques, meilleures, plus efficaces peut-être. La seule différence qui m'apparaisse c'est que nous les consacrons à la religion de l'homme, tandis que ceux qu'observent les Népalais, et qui paraissent à nos yeux idolâtres, moyenâgeux, sont consacrés à des dieux qui ne se soucient pas des hommes. En ce moment je ne conçois aucune différence entre la femme qui se frotte contre un lingam de pierre, l'arrose de lait et d'eau et le couronne de fleurs, et la femme qui frotte contre ses lèvres une nouvelle marque de rouge, toutes deux persuadées que ce geste les aidera à réaliser le désir de leur cœur ; entre la magie exprimée en termes pompeux et faussement savants et les fables fantastiques se rapportant aux divinités ; aucune différence entre « l'attitude moderne à l'égard de la vie sexuelle », qui escamote les exigences de nos sens sous une odeur d'antiseptique et les présente sous le seul aspect que nous estimons légitime : fonctionnel, utilitaire, doué d'une valeur morale et financière aucune différence donc avec ces sculptures, si ce n'est que les sculptures sont tellement plus heureuses. Nous semblons incapables d'accepter le plaisir et la beauté pour l'amour de Dieu ou l'amour du plaisir. Le plaisir pour nous doit être moral ou utile, sinon nous éprouvons une impression de culpabilité. Mais les Népalais ont fait de la vie sexuelle une forme d'adoration de la Divinité, peut-être est-ce là aussi une façon d'échapper à un secret sentiment de culpabilité ?

Ces corps peints en rose, souriants, élastiques, plongent dans la consternation Isabel et les touristes. Ceux qui font la tournée des temples se tortillent d'un air gêné, ajustent furtivement leurs lunettes de soleil. (Les lunettes de soleil leur permettent de regarder les choses sans que les autres touristes s'en aperçoivent.) Ils sont nerveux, agités, désapprobateurs, dédaigneux, indignés.

« C'est d'une franchise un peu brutale (ricanements). Pour moi, je n'apprécie guère ces sortes de choses... pas vous ?

— Bien sûr que non. »

Les touristes passent et, comme les reines d'Espagne, ils n'existent pas au-dessous du cou : pas d'entrailles, pas de ventre, certainement pas de *ces choses-là*. Mais, sous les doigts des artistes, elles émergent, les postures se succèdent et certaines représentent sans aucun doute des perversions. A Patan, sur un petit temple, on voit plusieurs scènes de saphisme ; à Khatmandou, sur la façade de l'ancien palais royal qui tombe maintenant en ruine, des rites polygames. Il existe une magnifique sculpture, de petites dimensions, représentant un homme en train de faire l'amour avec deux femmes en même temps. Mais je ne connais aucun exemple de sculptures pédérastes.

Je ne me sens ni choquée ni troublée ; peut-être la représentation visuelle de scènes érotiques ne m'affecte pas parce que je suis femme : selon les pontifes scientifiques, ce sont les hommes qui sont sensibles au caractère excitant des images. Chez les femmes, ce qui naît d'abord, c'est une sorte de bouleversement intuitif, émotionnel, un état d'esprit plutôt qu'un mouvement du corps. J'ignore ce qui fait qu'une femme — n'importe quelle femme — aime un homme. Mais il me semble (comme sans doute à la plupart des femmes) que, sans amour, l'union sexuelle est inconcevable, ou alors qu'elle n'est qu'une corvée pénible, humiliante, aucunement un plaisir.

En dehors du nettoyage des temples et des dieux, bien d'autres travaux encore sont en train de se faire, mais ils ne sautent pas aux yeux de la même façon. Maintenant que j'ai une jeep, et même un chauffeur (mais je préfère conduire moi-même), je circule la nuit beaucoup, plus loin que je ne pourrais le faire à pied. Hier soir, je suis allée à l'aéroport de Gaucher. Je me suis trouvée devant une fresque illuminée : des ouvriers népalais cassaient des pierres, des camions apportaient des tonneaux de bitume, des billes de bois rougeoyaient sous des goudronneuses cylindriques ; des rouleaux compresseurs ronronnaient. On entendait le bruit familier des pierres écrasées et transformées en une surface lisse. Le goudron liquide qu'on y déversait répandait une odeur chaude et miroitait dans la nuit.

Les deux tentes qui claquaient au vent le jour de notre arrivée ont été remplacées par un petit édifice blanc en béton. Au milieu de la scène, j'aperçus le colonel Jaganathan, qui nous avait reçus lors de notre visite à la nouvelle route reliant Khatmandou à l'Inde. Il ramassait des pierres, les palpait en faisant des gestes de désapprobation. Je le hélai.

Il se détourna et me décocha l'éclair de son sourire.

« Tiens, bonsoir, dit-il. Que faites-vous ici à cette heure de la nuit ?

— Un petit tour. Et vous ?

— Comme vous le voyez, je travaille. Nous sommes en train d'agrandir le terrain d'aviation. Il faut que nous nous hâtions si nous voulons que tout soit prêt pour le couronnement. Je viens de m'apercevoir qu'on a tiré des pierres qui ne conviennent pas, elles sont tendres et friables ; il y aura tout de suite des nids de poule sur la surface empierrée. »

Je descendis de voiture et je fis quelques pas avec lui. C'était un agréable compagnon, avec qui la conversation était d'emblée facile.

« Il faut que l'aéroport soit achevé pour l'arrivée des personnages importants. Et il y a huit kilomètres de route à macadamiser, d'ici à Patan, sans compter quelques autres petites choses. Avez-vous vu la nouvelle usine électrique ?

— Non.

— Il faut que j'aille par là. Jetons-y donc un coup d'œil. Toutes les machines sont arrivées et viennent d'être mises en place. D'ici quelques jours, nous aurons un bien meilleur éclairage. Naturellement, je trouve ridicule d'installer une usine électrique dans la Vallée.

— Pourquoi cela ?

— Parce que nous sommes obligés d'importer une énorme quantité de pétrole pour alimenter les moteurs Diesel qui produisent cette électricité. Tout ce pétrole arrive nécessairement en tonneaux, par la route ou par la voie des airs, et le transport coûte extrêmement cher alors que nous aurions pu, au moyen d'un gros câble, capter l'énergie électrique d'une station plus importante située juste sur l'autre versant des collines, en Inde... mais l'orgueil national népalais s'y est refusé. Comme de coutume, les politiciens ont dit leur mot. Ils ne voulaient pas entendre parler d'un câble venant de l'Inde. Le Népal est un pays indépendant, il fallait que son énergie électrique le fût également ! Eh bien, c'est ainsi. L'honneur est sauf, mais à quel prix ! Heureusement, dans quelques années, quand le barrage de Menon sera achevé, nous aurons sans doute l'énergie hydro-électrique dans le pays même. »

Autour de nous s'assemblaient les Népalais, petits et trapus, riant de toutes leurs dents. Ils étaient attroupés aussi autour de la station électrique pour regarder les machines grises, les dynamos pareilles à des bêtes couchées derrière leurs grilles, que de blonds techniciens allemands étaient en train de boulonner. Car c'étaient là les nouveaux temples, les nouveaux oratoires, les nouveaux dieux, non plus des lieux de prière, mais des lieux de travail : barrages, routes, ponts, usines et aéroports. Peut-être le travail deviendrait-il la nouvelle façon d'adorer les dieux de la vie. Si seulement nous pouvions tous le considérer sous ce jour !

Chapitre 3

Journal   Dans une tragédie, le moment où
d'Anne   j'ai quitté John aurait été l'aboutis-
sement, le point culminant dans
l'évolution d'une situation dramatique. Seulement
cette histoire ne se passe pas au théâtre, mais
dans la vie, et dans la vie il survient des
événements graves sans que nul ne le sache. Les
gens s'arrêtent, regardent, puis ils continuent à
mastiquer, à désherber leur jardin ou à lire le
journal. Peut-être est-ce là un aspect de ma
nature : le sens du tragique me fait défaut, tout
comme je néglige de prendre une attitude de
défense, de m'abriter sous une armure, si bien que
par la suite je m'aperçois avec étonnement que j'ai
pu être blessée. Parce que je me sens incapable, au
moment crucial, de lancer la note haute, je suis
envahie par un sentiment de culpabilité, comme si
le fait de mal calculer mes réactions était en même
temps un indice de dureté de cœur. Ce fut ainsi
quand je faillis avoir un enfant : je n'éprouvai
rien, sauf peut-être ce vague sentiment de culpabilité. L'enfant de John et le mien. C'est étrange,
alors que John est devenu un étranger pour moi.
Et cette fois encore il m'a fallu attendre près d'une
semaine avant de pouvoir raconter ici ma rupture
avec lui.

Il me faut essayer de relater les incidents de ce
dimanche matin où j'ai quitté mon mari, il y a de

cela six jours. Le dimanche qui suivit la fête de Siva à Pashupatinath... Ah, me voici de nouveau dans l'extase, percée des flèches de la joie, au souvenir de cette heure vécue hors de moi-même, dans les lumières, parmi les feux et les pèlerins! Ce matin-là donc, au sortir du lit, je me lavai dans la salle de bains, d'abord à l'eau froide, puis à l'eau chaude, puis de nouveau à l'eau froide. Je continuai, encore et toujours m'enveloppant d'eau, de la belle eau courante qui nageait comme un poisson d'argent sur la peau de mes bras et de mon ventre, et je fis ainsi connaissance avec chaque parcelle de mon corps comme jamais auparavant. C'était mon corps, particulier, intime, unique, qui m'avait été donné, enveloppe transitoire et la seule habitation que j'aurais jamais. Je l'avais oublié, ce corps, depuis si longtemps. C'était mon corps et, en le frottant pour le sécher, je le découvris en éveil et avide. Finis, le demi-sommeil plein de traîtrise, le calme illusoire. Ceci est mon corps. Debout, je me séchais, je le regardais dans la glace. Je le voyais jeune encore: les coudes, les clavicules et les hanches pointent, une trompeuse adolescence. Mais malgré le ventre plat, malgré les cuisses lisses, il y a dans ce corps une absence de rayonnement, une aridité. Au milieu du ventre, la mince cicatrice blanche est à peine visible maintenant. Un corps bien soigné, pas de chairs affaissées, pas de graisse et, à force de marcher au soleil, une allure d'Amazone. Mais je me disais en me regardant: «Je suis desséchée.» Une sécheresse intérieure. Ceci est mon corps, demeure de ma personne. Peut-être avais-je une âme quelque part, mais elle n'était pas distincte de ce corps, elle ne pouvait exister séparée de cette chair réfléchie dans le miroir, et je ne voulais pas regarder au-delà du miroir. Je m'habillai, revins dans la chambre et me mis à emballer mes affaires.

Dans son lit, John ne bougeait pas, figé dans une immobilité trop complète pour être le sommeil. J'emplis deux valises et mon sac birman. J'ouvris la porte et, après avoir déposé les valises dans le corridor, je la refermai. Le valet de chambre était dans le couloir. Sans un mot, il prit les valises. Nous descendîmes l'escalier, conspirateurs accomplissant ensemble les gestes nécessaires sans même s'être consultés. Il était très tôt. Pas un touriste en vue, seuls les domestiques, c'est-à-dire des mains et des pieds, des yeux et des oreilles. Assis le long des murs auprès du fourneau à charbon de bois sur lequel ils grillaient les toasts, en train d'étudier leurs livres de lecture élémentaire (car tous voulaient apprendre l'anglais), ils me souriaient. Dans la salle à manger, quelqu'un écoutait Radio-Népal. Les garçons me demandèrent si je voulais du café. Ils parlaient à voix basse.

« Non, pas de café, mais je voudrais un taxi, dis-je à l'un d'eux, jeune et très beau.

— Mais votre jeep vous attend pour vous conduire à votre maison, Memsahib », répondit-il, surpris.

Oui, bien sûr, ma jeep, ma maison. J'aurais dû savoir cela. Comme dans un conte de fées, « mon » carrosse m'attendait à point nommé pour m'emporter, mais au lieu de retrouver, comme Cendrillon, une dure réalité, j'allais en sortir pour pénétrer dans la fantaisie, le rêve réalisé. J'avais choisi de mon plein gré, choisi mon corps, choisi mon moi.

Nous partîmes dans le matin frais. Déjà les pics neigeux étaient des flammes vivantes jaillies dans le ciel. Nous dépassâmes les grilles du Palais

Sérénissime, et j'aperçus Fred qui, sa promenade faite, disparaissait à l'intérieur de l'hôpital. Je songeai à Eudora, vaguement; elle s'éloignait de moi, comme tout le reste. Le Père MacCullough souhaitait que je lui vinsse en aide, mais de quelle manière? Je venais de commettre le péché que Fred avait commis bien des années plus tôt: j'avais quitté mon époux, le lit conjugal.

« Mes » serviteurs étaient là. Ils ne s'étaient pas changés en souris à la lumière du jour. Il y avait de l'eau chaude dans la salle de bains et même du papier hygiénique timbré « fournitures officielles », sans aucun doute obtenu au marché noir, car les rouleaux portant cette estampille sont exclusivement réservés aux salles de bains de la Résidence britannique.

Au rez-de-chaussée, le mobilier abandonné avait disparu. Il y avait une table recouverte d'un tapis marqué *Royal Hotel*, trois chaises, un petit réchaud. Regmi, mon valet, me sourit et se précipita vers le réchaud pour me faire des rôties.

Au premier étage, la chambre était aérée, les fenêtres ouvertes, le divan arrangé en lit. Ils savaient que j'allais venir.

Je me déshabillai et j'allai droit au lit. C'était ma chambre, mon lit et mon corps dedans. Je regardai les perruches. Le soleil les illuminait. Je me laissai aller à la rêverie. Du seuil de la porte, Mita, ma servante, m'appela d'une voix douce et fraîche et m'apporta des toasts, des œufs, du café. Je mangeai et m'endormis. Je fus éveillée par des voix venues d'en bas.

Isabel et John étaient là, sur la pelouse. Barrant la porte, Regmi les empêchait d'entrer. John, furieux, criait: « Laisse-moi passer, salaud ! » Mais la porte était close, verrouillée de l'intérieur, et

John se mit à donner de grands coups dedans en criant mon nom : « Anne, Anne ! » Isabel levait la tête vers la fenêtre où je me tenais, et cette fois encore je crus voir dans ses yeux un désespoir affamé. Vivement je me rejetai en arrière. Je ne sais si elle me vit. Elle aussi se mit à crier : « Anne ! » Puis elle dit quelque chose à John. Ils s'attardèrent encore là un moment, puis ils partirent.

Autour de moi, la pièce brillait, étincelait. Je m'étendis sur le lit, mon corps vibrant comme un tambour, à la fois de peur, de joie triomphante et de haine. Etendue là, je regardais, je regardais ma vie, ce qui déjà était passé, ce qui allait venir encore. C'était mon corps, vivant. Inexorable, irrésistible, le passé ruisselait sur moi, comme le vent de la tempête se déchaînait sur la route des collines à Lamidanda, à peine deux jours plus tôt. Je pleurais un peu de chagrin sur mon passé perdu ; pourtant j'avais la certitude d'avoir fait ce qui devait être. Je n'aurais pas voulu m'appesantir sur ce chagrin, car je désirais éviter le mélodrame, demeurer raisonnable, sereine. Mais il n'existe pas pour moi de bon mouillage, pas de port sûr. Il faut que je parte, seule, et que je vive. D'ici là, pour passer de l'ancienne Anne à la nouvelle, je connaîtrai la souffrance, le sentiment de culpabilité et la peur. Et bien entendu le chagrin. Qu'importe, je surmonterai tout. En regardant les perruches et les tournesols, guettée par les yeux immortels peints à la porte, je pleurai un peu, mais pas très longtemps.

Au dispensaire, le docteur Maltby donnait ses consultations le lundi, jour favorable. Au Népal, le mardi n'était pas considéré comme faste pour entreprendre quoi que ce fût et peu de femmes seraient venues se faire examiner.

La Géographie, portant sur son pâle visage l'expression d'une patience longanime (tout juste ce qu'il fallait pour faire sentir à Fred qu'elle le blâmait, mais continuerait à l'aider), se tenait sur le seuil.

« Eh bien, Miss Potter, nous n'avons plus de malades, maintenant, dit le docteur Maltby, empilant les fiches d'un air absorbé, le sourcil froncé pour éviter de la regarder.

— Une visiteuse seulement, docteur. Mrs. Ford, dit la Géographie.

— Ah, dit Frederic Maltby, levant les yeux, le visage éclairé d'un sourire, c'est Anne, eh bien, faites-la entrer. » Et, sans attendre que la Géographie s'exécutât, il fut à la porte, criant : « Entrez, Anne, comme c'est gentil à vous de venir me voir en passant. »

Il était si content qu'il ne remarqua même pas que la Géographie refermait la porte en la claquant presque.

« Merci, dit Anne en jetant les yeux autour d'elle. Vous êtes très occupé, commença-t-elle.

— Très ! Quelle petite bécasse vous faites, Anne ! Je viens de terminer mes consultations et je suis libre jusqu'à demain matin. Restez à bavarder avec moi, il me semble que je n'ai pas eu un instant de détente depuis des siècles.

— J'ignorais que la Géographie vous servît d'infirmière, dit Anne.

— La Géographie ? Ah oui, je vois, Miss Potter. Le lundi matin seulement. Nous ne sommes pas assez nombreux et elle a déjà travaillé comme infirmière. C'est une bonne fille, vraiment, elle se fait beaucoup de souci pour les malades. Je viens de recevoir un mot d'Unni, dit le docteur Maltby pour alimenter la conversation, il revient dans quinze jours, m'écrit-il, vers le 20 avril, pour le Couronnement. J'espère que vous avez passé d'agréables moments, l'autre jour, quand il vous a emmenés voir la nouvelle route.

— Oui, dit Anne, cela a été merveilleux.

— On m'a raconté que Paul Redworth était paralysé par la terreur quand vous conduisiez la jeep, dit le docteur en riant. Vraiment, c'est gentil à vous d'être venue me voir. Tous les malades ont été examinés, et Miss Potter — la Géographie — va s'occuper d'eux. Pas de cas urgents à opérer, alors nous allons prendre le thé.»

Quand on eut apporté le thé, accompagné de biscuits quelque peu mous, il dit sur ce ton neutre et sec que prennent volontiers les médecins: «Il paraît que vous n'habitez plus au *Royal Hotel.*»

Anne sourit:

«Voilà qui me facilite l'entrée en matière, dit-elle. Oui, je suis partie il y a huit jours. Vous rappelez-vous ce que vous m'avez dit un jour: "Nous avons tous besoin d'aide, de quelqu'un à qui parler"? Cette fois, c'est moi. J'ai *besoin* de parler.

— Au sujet de John?

— Oui, bien sûr.

— Tout le monde est au courant, à Khatmandou. Parfois les gens savent les choses avant que nous soyons nous-mêmes informés. Je suis désolé, Anne, mais, vous savez, John sera bientôt complètement guéri. Bien sûr, cette histoire a été extrêmement pénible. John a très mal agi.

— Non, non, dit-elle en hochant négativement la tête, si vous voulez parler de sa blennorragie, cela n'a rien à voir avec mon départ. Absolument rien. Cela m'a même laissée complètement indifférente. Même s'il m'était resté "fidèle", comme on dit, je l'aurais quitté. Bien entendu, John est persuadé que je l'ai quitté à cause de cela, et tout le monde le croit aussi. Mais c'est beaucoup plus compliqué. Tout a commencé pour moi il y a des années. Vous trouverez peut-être que mon récit a par moments un côté tragique, mais il n'en est rien. La vie de chacun de nous peut, j'imagine, prendre l'aspect d'une comédie ou d'un drame, selon la façon dont on raconte l'histoire — tout comme les dieux du Népal avec leurs biographies fantasques et leurs multiples incarnations, bonnes et mauvaises. Donc, en résumé, voici : je suis froide, je suis frigide, je me contracte, je ne veux pas faire l'amour avec mon mari. Cela me fait horreur, horreur, horreur ! Et maintenant je l'ai quitté, jamais je ne retournerai avec lui. Pas comme épouse. Pas même s'il était le dernier homme qui existât sur la terre. Je ne veux pas qu'il me touche, cela me rend malade. Je préférerais me tuer.

— Y a-t-il eu quelqu'un d'autre dans votre vie avant John ? Quelqu'un que vous ayez aimé ?

— Oui, sinon je pense que je n'aurais pas épousé John. J'avais vingt-deux ans. C'était en 1944. Nous sommes tombés amoureux l'un de l'autre. Cela ne dura que pendant quelques mois, puis Jimmy fut tué à la fin de la guerre, dans un accident d'avion. Depuis des années Jimmy ne me manque plus réellement, il y a longtemps, je crois, que j'ai accepté sa mort. Pendant un certain temps on se cramponne à un souvenir, à un chagrin soigneusement entretenu, plus précieux que la joie ancienne, puis le mort s'efface de lui-même, petit à petit, après quoi il n'y a plus rien. Ou du moins ce que nous appelons rien, la sérénité, l'acceptation.

« Je suis née en Asie, à Shanghaï. Cette circonstance-là aussi m'a marquée ; elle a facilité mon adaptation ici, mais elle m'a empêchée de bien comprendre John. J'ai mal connu mes parents, j'étais toute petite quand mon père est mort. Ma mère était danseuse, elle travaillait durement pour assurer notre subsistance à toutes deux et pour me faire élever dans un pensionnat de Shanghaï, le pensionnat Maupratt pour enfants européens. Isabel était la fille des directeurs, Mr. et Mrs. Maupratt, tous deux missionnaires. Puis la guerre éclata en Chine et l'on m'envoya à l'école en Angleterre, où par la suite j'ai travaillé d'abord comme secrétaire dans un bureau, ensuite dans les services de l'armée où je rencontrai Jimmy, et ce fut la félicité et la belle jeunesse. Nous projetions de nous marier. Brusquement je découvris que j'étais capable d'écrire, et j'écrivis des articles. Puis Jimmy mourut, j'eus beaucoup de chagrin et j'écrivis un livre qui fut publié. Depuis j'ai continué à écrire ; le don de répandre des mots, qui m'était venu avec mon amour pour Jimmy, demeura en moi après sa mort. Mais moi je semblais avoir beaucoup changé, m'être lentement desséchée, telle une momie dans un sarcophage, les traits reconnaissables, l'intérieur vidé. Pourtant quand j'épousai John j'étais encore vivante, encore blessée, avide, désireuse d'agir et d'être. Je n'éprouvais pas d'amour pour John. Il m'avait dit que notre mariage serait fondé sur la raison et sur l'amitié, plus durables que l'amour, et je l'avais cru. En ce qui me concernait, l'amour avait été bref, avec une fin amère et cruelle comme une punition. J'avais souffert et je n'avais pas, compris que ce n'est pas l'amour qui fait souffrir, mais l'absence d'amour. John avait environ dix ans de plus que moi. Il paraissait savoir ce qu'il disait. Il employait des phrases dont je me rends bien compte aujourd'hui que c'étaient des clichés pris dans des livres. Mais à cette époque il me donnait l'impression d'être bon, posé, sûr et sérieux. Il prendrait soin de moi : "Vous apprendrez à m'aimer, me disait-il, nous serons très heureux. Je suis quelqu'un de très raisonnable."

« Vous dites que vous n'auriez pas dû épouser Eudora. Moi, je n'aurais pas dû épouser John. Justement parce que tout le monde disait qu'il était sûr, stable, bon, sérieux. Intelligent aussi, pas brillant peut-être, mais très compétent dans son travail, enfin quelqu'un sur qui on pouvait compter. L'épouser, ce fut de ma part un acte de lâcheté. Je cherchais refuge, sécurité. Je n'aurais pas dû faire cela.

— Nous sommes tous des lâches au moins une fois dans notre vie, dit Maltby. C'est tellement compliqué de savoir vraiment ce qu'il convient de faire. Parfois, ce qui est un bien pour notre moi profond risque de faire un tort immense à autrui. En ce qui concerne les femmes, le souci de la sécurité revêt une telle importance ! Elles ont derrière elles des siècles d'asservissement. Encore aujourd'hui les meilleures d'entre elles se marient pour assurer leur sécurité ou parce qu'elles se sentent seules, pas pour autre chose.

— Je puis en citer une qui a échappé à la règle, dit Anne. Ma mère. Je l'ai à peine connue. Je me rappelle seulement avoir été pensionnaire à l'école Maupratt, à Shanghaï, envoyée ensuite en Angleterre ; l'argent arrivait pour payer mon instruction. Puis ce fut Jimmy et la guerre. Parfois je me faisais du souci pour elle, elle était restée à Hong Kong pendant toute la durée des hostilités sans pouvoir en sortir, mais je m'inquiétais vaguement, comme pour une parente éloignée. Puis la guerre s'acheva et soudain j'eus envie d'aller faire enfin connaissance avec elle, et je me disais : "Dès que j'aurai achevé mon livre, je partirai." Puis vint la lettre d'un homme de loi m'annonçant que ma mère était morte.

« Je savais qu'elle était danseuse. Détail dont j'avais honte à l'école Maupratt. J'avais connu des nuits de torture parce que je me croyais enfant naturelle. Maintenant encore, je me rappelle Isabel et plusieurs autres gamines, la nuit dans le dortoir, dansant autour de mon lit en me tirant la langue et en psalmodiant : "Tu es une bâtarde, une sale petite bâtarde !" Quand je découvris qu'il n'en était rien, quand je trouvai dans les papiers de ma mère son certificat de mariage et mon acte de naissance (je me le rappelle avec précision, car sous la rubrique "religion" il y avait le mot "néant"), ce fut presque une déception, car à l'époque je m'étais faite à cette idée, je l'avais acceptée. Et il y avait aussi des photos de mon père avec un visage rêveur et de ma mère, une petite femme brune qui regardait les gens droit dans les yeux sous des sourcils rectilignes. Je trouvai les lettres qu'ils avaient échangées, jaunies et fanées ; je vis combien ils s'étaient aimés — comme je croyais que seuls Jimmy et moi pouvions nous aimer. Mais leur amour était meilleur, le journal intime de ma mère le proclamait. Devenue veuve, elle avait travaillé dur pour m'élever. Elle ne s'était pas remariée, elle ne craignait pas la solitude. Elle crut m'épargner des privations de toutes sortes en m'éloignant d'elle et de sa dure vie, en me mettant dans une "bonne" école, la pension Maupratt, coûteux établissement où l'on m'a toujours fait honte de ma mère et reléguée avec les quelques rares enfants élevés par charité que les Maupratt montraient aux visiteurs : "Ces pauvres petites, n'est-ce pas ?" Et les visiteurs de dire : "Je suis sûr qu'elles sont très heureuses ici." Alors Mrs. Maupratt (elle ne ressemblait pas du tout à Isabel, mais plutôt à la Géographie) pinçait ses lèvres pâles et disait de sa voix plate et geignarde (une voix qui semblait traîner des savates à toute heure du jour) : "Je m'efforce d'être pour elles la mère qu'elles n'ont pas", ou bien : "Elles trouvent ici un foyer pour remplacer celui qui leur fait défaut." Alors les visiteurs nous considéraient d'un air de pitié, leurs enfants leur saisissaient la main en nous dévisageant avec une horreur incrédule et l'envie nous prenait de les massacrer tous.

« Il y avait dans le journal de ma mère un passage qui me fit mal quand je le lus et qui dut lui faire mal quand elle l'écrivit : *Aujourd'hui, à trois heures, été voir Anne.* Elle était sans travail à ce moment-là. *Emprunté une robe et des souliers, acheté des bonbons de chocolat. Arrivée en pousse. Anne s'est enfuie pour ne pas me voir. Elle est timide, elle grandit. L'ai attendue au parloir. Elle n'est pas venue. Laissé les chocolats, puis repartie.* Voilà ce que je lui avais fait, et cela avait dû lui être affreusement pénible. »

Anne pleurait doucement. Fred, très embarrassé, lui tendit son mouchoir et une cigarette. Elle se ressaisit et poursuivit

« Ma mère avait écrit bien d'autres choses encore qui m'atteignaient à travers les années. J'avais passé des vacances au bord de la mer tandis qu'elle dansait dans des boîtes de nuit à Shanghaï, à Hong Kong ou à Singapour. Il fallait de l'argent pour régler mes frais de scolarité, m'envoyer en Angleterre, payer des livres, un manteau d'hiver... Puis le journal s'arrêtait, plus un mot pendant toute la guerre. Elle n'avait pas été internée, les Japonais ne semblent pas s'être souciés d'elle. Mais je trouvai de nombreuses lettres écrites après la guerre par des gens qu'elle avait secourus alors qu'ils étaient dans des camps de concentration, leur passant vivres et lettres. Ainsi fut-ce seulement après sa mort que je découvris ma mère.

— Ce fut certainement une femme admirable et très courageuse, dit Frederic Maltby. Son unique erreur a sans doute été de vouloir vous épargner des difficultés. Peut-être ne devrait-on jamais ménager ses enfants. Elle vous a éloignée d'elle avec les meilleures intentions du monde, pour vous assurer une vie plus heureuse que la sienne, une meilleure éducation.

— Je sais, dit Anne. Mais j'ai réussi à dépasser tout cela — en l'écrivant. Une série de nouvelles dans lesquelles j'ai peint aussi la mère d'Isabel. Je les ai écrites toutes comme si je les tirais de ma substance, après quoi j'étais vidée, me semblait-il, vidée du passé, des Maupratt, de ma mère, de Jimmy, de tout. Alors, j'ai épousé John.

« Comme la confession chez les chrétiens ou l'autocritique chez les communistes, les mots, la possibilité de s'exprimer, soulagent, mais ne suppriment pas la culpabilité. Car j'étais coupable, j'avais fui mon admirable mère. Obscurément, la mort de Jimmy devenait en partie ma faute, une étrange expiation, une réparation fatale. C'est alors que j'ai rencontré John aux Indes. J'avais un peu d'argent, provenant de mes droits d'auteur, et, maintenant que je n'écrivais plus, je n'avais pas grand-chose à faire. Je voulais être une personne respectable, j'étais décidée à avoir une conduite irréprochable, à commencer une nouvelle vie, une vie pure. Du moins est-ce là ce que je me disais, ignorant que je désirais avant tout la sécurité, que je cherchais à combler en moi un vide installé comme un vieux remords. John me demanda en mariage, et peu de temps après, non sans l'avoir prévenu que je ne l'aimais pas, je l'épousai. Je lui parlai de Jimmy et il prit la chose en homme d'expérience. Mais par la suite ce fut de sa part un sujet de continuels reproches. Selon lui, Jimmy devait être faible, efféminé, parce qu'il écrivait des poèmes, et c'était certainement une chiffe : "Tous ces types de la R. A. F. sont des instables. Voilà mon opinion et je sais ce que je dis, répétait-il. C'est une bonne chose qu'il soit mort. Si tu l'avais épousé, tu aurais été très malheureuse."

« J'étais pleine de bonnes résolutions : je serais respectable, dévouée, bonne épouse et parfaite collaboratrice, je mènerais une belle vie auprès de John, comme autrefois ma mère avec mon père. Ma mère se serait réjouie de me voir heureuse, bien mariée.

— Comme si le mariage devait être nécessairement une conspiration du bonheur, dit Fred. C'est là le grand mensonge qu'on nous enseigne. Et dans le vôtre, l'élément essentiel, l'amour — corps et âmes accordés — l'amour faisait défaut. Aussi n'était-ce pas un mariage.

— Il me semblait que l'absence d'amour était une garantie de stabilité, dit Anne. Je ne voulais plus souffrir comme j'avais souffert à la mort de Jimmy. Et puis, John m'avait dit : "Oh, vous apprendrez à m'aimer, donnez-moi seulement la possibilité de me faire aimer de vous", en se carrant et en me regardant bien en face, avec cet air grave qui ne me déplaisait pas alors et qui m'est aujourd'hui insupportable.

— Vous lui avez fait grand tort, mais vous

n'avez été ni l'un ni l'autre honnêtes avec vous-mêmes.

— Puis ce fut notre nuit de noces. Il y eut entre nous quelque chose que je ne parvins pas à définir, que je me refusai même à remarquer, l'impression vague de ne pouvoir nous atteindre l'un l'autre. Je me disais que j'étais très heureuse, je jouais la jeune mariée consentante et comblée. Pendant des années je devais continuer à me mentir ainsi à moi-même, avec un succès toujours moindre, jusqu'au jour où je suis venue à Khatmandou. Et le mensonge me faisait mourir au-dedans de moi. Mais au début il n'y avait pas de difficultés que je ne fusse décidée à surmonter par mon désir, mon profond souci d'être l'Epouse, l'Amie, la Collaboratrice, de ne lui refuser ni mon corps ni mon âme. Pourtant, au bout d'une semaine de vie conjugale, je fis une découverte : contrairement à toute attente, l'espèce de rideau qui nous séparait se faisait de plus en plus opaque.

« J'estimai que c'était ma faute. Jamais je ne m'étais jugée particulièrement séduisante. Au pensionnat Maupratt, on n'apprenait pas à prendre conscience de son corps : c'était une sorte d'objet encombrant et dégingandé, revêtu d'un uniforme mal coupé. Les femmes ne se sentent belles et ne le sont que si elles sont aimées, si l'on entretient autour d'elles un climat d'amour, et John n'y pensait certainement pas. Dès le début, je m'entendis mieux avec lui en me montrant maternelle. Cette attitude peut être agréable, mais elle me laissait curieusement fatiguée. Les préludes même de l'amour devaient être une sorte d'acte maternel, en ce sens qu'il fallait le dorloter, lui parler comme à un bébé, et je déteste cela. J'aurais désiré qu'il prît l'initiative, qu'il fût mon amant; je ne voulais pas de cet acte infantile, furtif, de ces petits rires.

«Deux mois après notre mariage, je devins enceinte. J'attendis trois semaines pour en avoir la certitude, puis je lui dis: "John, je vais avoir un bébé. N'est-ce pas merveilleux?

— Quoi! s'exclama-t-il. Quoi, qu'est-ce que tu dis?

— Un bébé, John, je suis si heureuse! Tu es heureux aussi, n'est-ce pas?"

«Il lança son journal par terre!

«"Le diable t'emporte! hurla-t-il. Tu trouves moyen de tout gâcher. Je ne veux pas de cet enfant. Tu vas me faire le plaisir de t'en débarrasser."

«Tout d'abord, je ne crus pas qu'il parlait sérieusement:

«"Oh, cesse tes singeries! hurla-t-il. Il fallait te débrouiller autrement. Notre vie va être complètement gâchée. Non, je te le répète, je ne veux pas de cet enfant.

— C'est notre enfant, John", dis-je stupidement.

«Le soir, il m'apporta des fleurs. Le lendemain, je perdais l'enfant.

«John n'y était pour rien. C'était une grossesse extra-utérine. Je fus soudain prise d'une bizarre douleur, de nausées, de vomissements, je me sentis étourdie et perdis connaissance. On m'emmena à l'hôpital et je fus opérée aussitôt. Dans la circonstance, John se montra admirable, il s'installa à mon chevet, offrit son sang aux médecins; on n'aurait su imaginer mari plus dévoué.

«Il déclarait à ses collègues qu'il ne vivait que pour moi, qu'il consacrerait sa vie entière à me rendre heureuse. Par la suite, tout le monde me dit que j'avais beaucoup de chance d'avoir un mari à ce point amoureux de moi.

« Le cinquième jour, il vint s'asseoir auprès de mon lit. Moi, j'étais plongée dans l'euphorie qui accompagne la convalescence après une opération, je débordais de tendresse et aussi d'une sorte de bonheur. J'avais souffert. A cause peut-être de l'éducation que nous avons reçue, nous trouvons qu'il y a dans la souffrance quelque chose d'ennoblissant, de purifiant, sans nous demander pourquoi.

— C'est là une erreur que commettent trop souvent les humains, dit le docteur Maltby, rompant le silence que gardait maintenant Anne avant d'aborder un nouveau paragraphe de son pénible récit. Nous attribuons au renoncement, à la patience, à l'endurance, une valeur absolue et non relative. Ces vertus n'ont en elles-mêmes aucune valeur morale, mais elles sont essentielles pour parvenir au contentement, et souvent nous confondons la fin avec les moyens.

— Continuez, dit Anne.

— Je m'exprime dans un langage scientifique, dit Fred. En employant des mots vidés d'émotion, nous nous leurrons en ce sens que nous sommes certains d'avoir supprimé l'émotion. Nous avons acquis en face de la souffrance des réflexes conditionnés : nous escaladons une montagne à pied au lieu de prendre le funiculaire, nous aimons faire les choses d'une manière un peu difficile ; s'il nous arrive de satisfaire un désir par des moyens simples et directs, sans rencontrer d'obstacles ni de complications, la chose nous semble choquante et immorale. Et parce que nos amis les Népalais jouissent en toute simplicité de leur plaisir, nous les trouvons immoraux. Je songe souvent que notre mode de vie est essentiellement masochiste.

L'homme est devenu un animal qui recherche la douleur, il n'éprouve de plaisir que différé, que précédé de douleur. Et cette recherche de la douleur s'applique à la vie sexuelle plus encore qu'à toute activité. Le plaisir est d'autant plus vif que la peine est plus grande. »

Anne poursuivit son récit :

« John s'assit à mon chevet, et je lui dis : "Oh, mon chéri, ne te tourmente pas, je t'en prie, je vais très bien maintenant. Un peu plus tard, quand tu voudras, nous aurons un autre enfant. Il était un peu tôt pour en avoir un maintenant."

« Et j'ajoutai, pensant tout arranger :

« "Ou bien nous n'en aurons pas, ce sera exactement comme tu voudras.

— Ce qui vient de se passer va changer bien des choses pour nous", dit-il.

« Je répondis : "Oui" avec joie, en me disant que nous avions enfin partagé quelque chose, une peine commune, puisque notre plaisir commun était si étrangement lointain et insaisissable. Naïvement, je me laissai prendre au piège que me tendait son personnage extérieur, à ses attitudes, aux formules qu'il employait pour exprimer son état d'esprit : "Ce qui vient de se passer va changer bien des choses pour nous..." Je crois encore l'entendre dire cela, je sens ma joie prendre son essor comme un oiseau miroitant au soleil dans un bruissement de plumes, puis soudain, pareils au fracas du fusil d'un chasseur, voici qu'éclatent ses mots : "Cette histoire-là a vraiment tout gâché, cela a complètement fichu par terre tous mes sentiments à ton égard. Et puis cette opération ! La cicatrice va être affreuse. J'ai l'impression que tu n'es plus une femme, je crois que je ne pourrai plus faire l'amour avec toi."

« Je dis : "Quoi ?" stupidement. Ce sont mes

oreilles, le vent qui hurle, un cauchemar post-opératoire dû à la morphine... c'est une énorme plaisanterie...

« "Oh, dit-il, pourquoi faut-il qu'une chose pareille m'arrive à moi ? A *moi* ?"

« Quelques jours après je quittai l'hôpital. Je me sentais un peu raide et j'avais mal dans le dos. Mais j'étais résolue à ce que tout allât bien. John fit d'ailleurs l'amour avec moi, mais il me fallut pour cela pleurer et le supplier de me prouver que l'opération n'avait rien changé entre nous. Cette fois encore, j'avais manœuvré de manière à me persuader que j'étais fautive. La cicatrice n'était plus qu'une mince ligne blanche, le chirurgien était très content : "Pratiquement aucune trace", disait-il. Et c'était vrai. Je racontai cette histoire dans une nouvelle, il y a de cela cinq ans. (Je mis la cicatrice sur le visage de l'héroïne, pas sur le ventre.) Ainsi m'en suis-je délivrée.

— Vous en avez une chance, dit Maltby en souriant, vous faites de votre histoire le sujet d'une nouvelle et vous en voilà débarrassée ! Je voudrais bien pouvoir en faire autant.

— Je n'y parviens pas toujours, dit Anne. En l'occurrence, j'ai pris de petits détails, comme celui de la cicatrice, et j'ai construit une histoire autour, mais le fond de la question, la blessure intérieure, la vérité, je n'osais même pas regarder cela. Je me mentais à moi-même, et c'est pourquoi je suis devenue une morte. A tous points de vue.

— Vous êtes devenue frigide, dit le docteur Maltby. C'est le cas de tant de femmes dans le mariage. Tant, tant de femmes. Toujours à peu près la même histoire. »

Il commençait à faire sombre dans le bureau du docteur, et Maltby se leva pour appuyer sur l'interrupteur. En passant devant la fenêtre, il aperçut une silhouette en bas dans le jardin et crut vaguement reconnaître la Géographie. Puis la pièce s'illumina (la nouvelle centrale électrique fonctionnait) et la pénombre du dehors s'effaça du même coup.

« Est-ce tout ?

— Presque. Nous faisions de moins en moins l'amour. Vous devinez le côté médical de la question. Le caractère irréel qu'avait pour moi le sexe absorbait tout autre sentiment. Il ne s'agissait plus désormais que d'une pénible corvée. John disait que j'étais froide et anormale. J'acceptai cela presque avec gratitude. Mais, intellectuellement, je me sentais responsable de mon bonheur conjugal et j'allai consulter un médecin. Une gynécologue aux façons brusques, d'une beauté masculine, intelligente et didactique. Elle me déclara qu'elle avait "raccommodé" une quantité de ménages prêts à sombrer. Elle m'examina. Chez moi, me dit-elle, les organes se contractaient. Parfois une petite opération arrangeait les choses. Dans mon cas, c'était psychologique : "Vous autres, artistes, vous êtes des hypernerveux." Elle me fit sentir que les écrivains, un peu comme autrefois les danseuses aux yeux des Maupratt, étaient nécessairement des êtres bizarres, peu équilibrés, qu'il fallait tenir ferme pour les empêcher de faire des bêtises : "Vous avez un excellent mari. Les Anglais sont toujours un peu lents et réservés, il faut les mettre en train. Moi, je dis à Edward : Allez, hop ! vas-y !" A l'entendre, on aurait cru qu'il s'agissait d'un steeple-chase. Elle me donna des pilules. En sortant de chez elle, je me sentais coupable, maladroite, déficiente (pourquoi n'étais-je pas capable, moi aussi, de me coucher tout simplement et de dire : "Allez, hop ! Vas-y ?". Je me reprochais de ne pas savoir m'y prendre avec John. Ce soir-là, j'essayai de mieux faire. Je me parfumai. John fit l'amour avec moi. Comme de coutume, je feignis un plaisir que je ne pouvais éprouver : j'avais mal au cœur, des nausées. D'ailleurs, maintenant, la seule vue de John me donne des nausées.

« Je revis la gynécologue quelques jours plus tard :

« "Eh bien, dit-elle, les pilules ont-elles agi ?

— Oh, oui, à merveille, à merveille, affirmai-je sur le même ton cordial, tout va très bien.

— Je suis si contente", répondit-elle. Ses traits un peu durs s'illuminèrent d'un bonheur candide. Encore un ménage de sauvé, et moi j'avais menti comme de coutume.

« Je sais maintenant que j'ai menti, que je me suis menti à moi-même, ce qui est bien pire que de mentir à autrui. Je sais maintenant que je veux un homme, mais que cet homme n'est pas John, ne sera jamais John. Il fallait absolument que je le quitte, que je sois seule avec moi-même. Cela ne pouvait plus continuer. »

Avec précaution, Fred demanda :

« Y a-t-il par ici quelqu'un à qui vous commenciez à... vous intéresser ?

— Non, dit Anne, pas que je sache, consciemment. En fait, j'ai recommencé à vivre quand j'ai entendu prononcer le nom de Khatmandou. J'ai voulu venir ici et j'y suis venue. Tout le reste s'en est suivi. Vous comprenez bien maintenant que tout cela n'a rien à voir avec la maladie de John ou avec la présence d'un autre homme. Je suis seule en cause.

— La maladie de John fournit l'explication la plus satisfaisante aux yeux du Tout-Khatmandou.

— On dirait que je me suis éveillée en venant ici. C'est l'air des montagnes.

— Peut-être, dit Fred. Il est exact qu'ici on devient différent, vraiment soi-même. Moi aussi... »

Il ne poursuivit pas.

« Je vous ai retenu bien longtemps, dit Anne en se levant. Les médecins n'ont jamais un instant de répit, n'est-ce pas ?

— Les médecins, dit Maltby, tirent force et pouvoir des maladies et des faiblesses d'autrui. Quant à eux, ils ne peuvent ni se secourir, ni se guérir. Je n'ai même pas, comme vous, la ressource de me débarrasser des problèmes qui me tourmentent en les couchant sur le papier. Je ne sais trop que vous dire, si ce n'est qu'il ne faut plus vous mentir à vous-même. Et je crois que vous vous guérirez toute seule. Vous avez déja commencé. En réalité, vous êtes très forte, Anne, terriblement forte. Je ne me fais pas de souci pour vous. Je crois que pour le moment vous avez fait exactement ce qu'il fallait, c'est-à-dire vous éloigner pour prendre le temps de la réflexion avant de décider quoi que ce soit. »

Arrivée à la porte, Anne se détourna :

« Une chose m'intrigue, dit-elle. Pourquoi Isabel a-t-elle mis le bungalow d'Unni à ma disposition ? Sans ce bungalow, il m'aurait été impossible de quitter John, savez-vous bien ?

— Peut-être est-elle comme vous, tourmentée par un sentiment de culpabilité dû à son éducation chrétienne, dit Fred. C'est une refoulée, douée de forts appétits sexuels qu'elle n'a aucun moyen de satisfaire. Vous n'avez rien éprouvé en apprenant qu'Isabel était ici, à Khatmandou ? Ni panique, ni crainte ? Alors c'est qu'avec le temps Isabel et le pensionnat Maupratt avaient cessé de vous hanter. Mais elle continue d'avoir peur de vous, peut-être parce qu'elle vous a autrefois appelée bâtarde en dansant autour de votre lit ; aussi se sent-elle obligée de faire à votre intention des gestes de tendresse. Une sorte de cérémonie rituelle pour se concilier vos bonnes grâces. Si un beau jour cette attitude vient à se changer en haine, je n'en serais pas surpris. Il a dû lui en coûter beaucoup de vous offrir cette chambre. A cause d'Unni, bien entendu.

— Pourquoi cela ?

— A cause de l'effet qu'il lui faisait. Il est doué d'un certain magnétisme — animal ou sexuel, appelez-le comme vous voulez. Les gens y sont sensibles ou s'en irritent, tout de suite. Mais il n'est pas toujours conscient de son pouvoir de séduction, des désirs qu'il inspire en tant que mâle. Il me rappelle les vers de Shakespeare : *Ceux qui ont le pouvoir de faire le mal et ne le font pas, qui ne font pas les choses auxquelles on s'attendrait d'après les apparences...* Unni aime les femmes, et les femmes l'adorent. Mais Isabel ne pouvait s'avouer à elle-même cette attirance. A l'époque où Unni vivait dans le bungalow où vous habitez, Isabel négociait l'acquisition du grand palais pour y installer son école. A Khatmandou, tout le monde racontait qu'Isabel allait manœuvrer de telle manière qu'Unni finirait par coucher avec elle. Elle n'est pas mal, avec ses cheveux roux ; on peut même dire qu'elle est belle dans le genre opulent. Ils sont allés deux ou trois fois ensemble à des réceptions d'amis. Isabel s'amusait de le voir à ses ordres, et Unni a très bon caractère. Les gens faisaient même des paris : allait-il s'exécuter ou non ? Comme vous le savez, à Khatmandou on n'a guère d'autre occupation que l'amour : en parler, y penser ou le faire. Pas de spectacles, de pièces de théâtre, rien qui vous permette de sortir de vous-même, de vous évader. Aussi notre moi sexuel, que, dans un autre milieu, nous réussirions à refouler, émerge dans un pays comme celui-ci et nous avons pleine conscience de ce que nous cherchons à oublier. Et puis, bien sûr, il y a le fameux air des montagnes.

« Au bout de quelques semaines, Isabel commença à raconter à qui voulait l'entendre qu'Unni recevait des femmes dans sa chambre et qu'il lui avait fait des propositions inconvenantes. Tout le monde comprit qu'il était resté insensible à ses avances. De toute manière on ne le voyait pas souvent ici, il apparaissait pendant un jour ou deux, puis il repartait pour Bongsor où se faisaient les travaux préparatoires à l'installation d'une usine hydro-électrique, mais dès qu'il était à Khatmandou ses amis envahissaient le bungalow. Ils venaient pour bavarder, manger, s'asseoir sur la pelouse, jouer de la musique, chanter, danser. C'était comme une perpétuelle garden-party tantôt au grand soleil, tantôt au clair de lune. Ils venaient en famille avec leurs enfants, et les jeunes filles étaient toutes un peu amoureuses de lui, Rukmini en particulier. Rukmini l'appelait Krichna, le Seigneur Krichna. Et c'est elle un jour — elle avait alors treize ans — qui peignit les perruches sur le mur de la chambre, pour s'amuser, entourée d'une foule d'amis et de spectateurs. Avant son mariage avec Ranchit, tout le monde disait qu'elle avait du talent et qu'elle irait en Europe ou en Amérique pour y étudier la peinture.

« Un jour, il y eut un pique-nique sur la pelouse. Le Général était là avec sa femme la Maharani, des frères et des cousins, Rukmini, accompagnée d'autres jeunes filles, et Unni.

« Il leur vint à l'idée de jouer l'air du Seigneur Krichna dansant avec les laitières. Krichna, le plus aimé de tous les dieux, amant fidèle et infidèle de toutes les femmes. Etant petit garçon, Krichna vola du lait dans le seau des laitières, puis dansa tour à tour avec chacune d'elles pour les consoler parce qu'elles pleuraient. Donc ils se mirent à jouer et à chanter, tandis que Devi dansait (elle avait alors environ dix ans). Les jeunes filles plus âgées ne dansaient pas, cela aurait été jugé immodeste. Rukmini jouait de la cithare et Unni du tambour. J'étais là, moi aussi, allongé sur le dos au soleil, battant des mains en mesure. C'est alors qu'Isabel survint et s'avança vers nous d'un air mauvais, le visage marbré, criant des paroles malsonnantes. Les écluses étaient ouvertes, et ce qui en sortait était si peu conforme à l'esprit missionnaire que Rukmini se boucha les oreilles et éclata en sanglots. Je voulus intervenir, mais Isabel me prit aussi à partie. Unni, debout, écoutait ; quand elle eut tout dit, elle lui cracha au visage, pivota sur ses talons et s'en fut. A la suite de quoi Unni vint habiter chez moi au Palais Sérénissime, et l'on étouffa l'incident. Dans l'intérêt même d'Isabel.

— Pourquoi, par la suite, n'a-t-elle pas fait blanchir le bungalow à la chaux, pourquoi même n'y a-t-elle pas mis le feu ?

— Mais il ne lui appartient pas. En réalité elle n'avait pas le droit de vous en donner la jouissance. Il appartient à Unni, qui en est toujours propriétaire, à lui seul. J'ai l'impression qu'à ses yeux votre personne lui semble avoir un rapport avec les sentiments qu'elle éprouve pour Unni. »

Anne détourna la tête :

« Il faut que je parte, dit-elle d'une voix contrainte, polie. Au revoir, Fred. Et merci.

— Au revoir, dit Fred. Laissez-moi au moins vous accompagner jusqu'à la porte. »

« Qu'ai-je dit, se demandait-il, pour qu'elle me quitte si brusquement ? » Il l'observait sans parvenir à comprendre.

Anne grimpa dans la jeep et Fred, se sentant soudain abandonné, revint vers son cabinet. Je ne la plains certainement pas, se disait-il, elle se tirera d'affaire. C'était John et Isabel qui étaient des faibles. Durs comme des cancrelats à l'extérieur, mous au-dedans. Sous cette douceur et cette sérénité trompeuses, il y avait en Anne quelque chose de très dur, d'impitoyable même. Elle n'était nullement à plaindre. « Au contraire. Je plains plutôt quiconque se trouve sur son chemin », songeait Fred. Pareils aux dieux, tels sont les humains. Parvati, la douce déesse, souriante et tendre dame de l'abondance, est également la noire Kala Dourga, la terrifiante meurtrière. De même une femme comme Anne est capable de ravager la vie d'un homme faible tel que John et d'être par ailleurs, pour un autre, le souffle même de l'amour.

« Poison pour l'un, nourriture céleste pour l'autre », dit Fred, que ce proverbe anglais rassurait. Il alluma sa pipe, éteignit la lumière et, assis dans l'ombre, se plongea dans ses pensées.

Chapitre 4

Le Père MacCullough était inquiet et assailli de mille préoccupations. Comme tout le monde, il était persuadé que les fêtes du Couronnement ne se passeraient pas sans accroc, et l'attente du désastre apportait dans sa vie un élément d'intérêt nouveau. Il demandait avec anxiété des nouvelles de la Route : Y avait-il eu un éboulement grave ? Etait-elle dégagée ? Dans quelle mesure cela gênerait-il les transports ? Et il entrait au *Royal Hotel* pour savoir « si les choses s'avançaient ».

« Nullement, disait Vassili, j'attends toujours l'argent pour acheter les alcools. Sans alcool, il n'y aura pas de Couronnement à Khatmandou. »

Le Père MacCullough éprouvait à l'égard de ses semblables une sincère sollicitude. Certes, il avait une petite faiblesse : il aimait un peu trop leur venir en aide. Mais il n'entrait aucune part d'égoïsme dans ses inquiétudes. Il partageait les craintes d'Isabel au sujet de l'eau, de la nourriture et de l'essence, mais il ne se plaçait pas à un point de vue personnel, il se tracassait pour tout le monde dans la vallée et il harcelait les fonctionnaires du gouvernement népalais, fuyants, évasifs et charmants, les conjurant de « faire quelque chose » pour lutter contre le marché noir de

371

l'essence, des vivres, de la bière et des pellicules photographiques qui prenait déjà son essor.

Mais, comme nous avons tendance à centrer nos préoccupations sur un point précis, le Père MacCullough, bien qu'il fût soucieux du salut de toutes les âmes créées par le Dieu unique, se tourmentait spécialement au sujet de l'âme d'Anne Ford.

Eudora aussi lui avait donné du souci, mais pas à ce point. Unni Menon (pour qui le Père éprouvait une particulière affection) l'avait prise en charge. Et Eudora avait décidé d'attendre les événements et de prolonger son séjour dans la Vallée. Elle comptait y demeurer quatre semaines, et maintenant elle allait rester pour le couronnement. Comment le docteur Maltby et elle ne s'étaient-ils pas déjà rencontrés dans cette petite vallée ? Il y avait là un prodigieux tour de passe-passe.

Fred Maltby faisait ses promenades matinales (plus courtes qu'autrefois), opérait, visitait ses malades. Mais il ne paraissait pas au *Royal Hotel*. C'était Vassili, Hilde ou le Père MacCullough qui entraient chez lui une ou deux fois par semaine pour lui tenir compagnie et l'informer des bruits qui couraient. Hilde et les dames américaines du Palais du Point Quatre, l'Irlandaise (également l'une des favorites du Père, malgré les effets destructeurs de ses générosités) ainsi que Martha Redworth avaient toutes fait de leur mieux pour distraire Eudora, l'invitant à prendre le thé ou à dîner sans cérémonie. Le poète hindou et Sharma l'avaient conviée à des séances musicales. Eudora était restée, et le Père MacCullough l'en approuvait.

Le Père organisa une visite du musée réservée aux dames. Il y avait là beaucoup de choses intéressantes, dont certaines ne pouvaient décemment être montrées. Quelques-unes des statues offraient l'image même de la contemplation sereine, d'autres n'étaient qu'une furie de bras et de jambes dansant, de pieds rythmant la magnificence du monde. Les pires étaient les dieux-taureaux qui s'avançaient, phallus érigé, vers des femmes en extase attendant leur étreinte. Des peintures thibétaines, destinées à fortifier les lamas contre la concupiscence, représentaient la tentation sous ses aspects les plus attrayants et les plus luxurieux. Le jour venu, le Père guida son troupeau à travers les salles où il ne se trouvait rien de choquant et leur montra tout ce qui pouvait être montré. Le petit conservateur du musée était un charmant et minuscule Nevâri qui avait été emprisonné durant de longues années par les Ranas «pour s'être mêlé de questions d'éducation». Quatre de ses camarades avaient été pendus et écartelés, mais, comme il était de sang rana, et brahmane par surcroît, il ne pouvait être exécuté, aussi fut-il simplement jeté en prison pendant huit ans. Par la suite, en prenant le thé avec le Père MacCullough, le conservateur l'avait félicité de ses vastes connaissances sur le Népal. La visite au musée avait eu beaucoup de succès. Eudora elle-même était venue, vêtue, à la surprise générale, d'une sorte de sari, sans doute en signe d'affinité spirituelle avec l'art népalais, mais Anne n'avait pas paru. Et le Père MacCullough s'était senti tout triste.

Devrait-il aller voir Anne? Il la guetta au *Royal Hotel*, où elle déjeunait tous les jours avec John. Le Père approuvait cette concession aux convenances, preuve que tout n'était pas fini entre eux. On pouvait encore les inviter ensemble à des réunions ou à des cocktails. Il trouvait Anne changée, elle ne tenait pas en place et semblait pleine d'ardeur, si bien qu'à ses côtés on se sentait mal à l'aise comme auprès d'une force contenue prête à se déchaîner. Les menus propos, les éternels rabâchages sur le Népal, les histoires du professeur Rimskov sur le Thibet, les hypothèses sur l'Abominable Homme des Neiges, les questions des touristes et les réponses qu'on leur donnait, les voix féminines haut perchées et bavardes, les cancans, tout cela s'effritait, disparaissait devant la solennelle inattention de sa présence immobile. On sentait bien qu'elle n'écoutait personne, mais que, tournée au-dedans d'elle-même, elle attendait.

Anne devint dès lors un personnage d'une particulière importance. Obsédante, inexplicable, elle était par conséquent fort discutée. Souvent, les gens qui lui parlaient se trouvaient brusquement embarrassés; ils cherchaient un sujet de conversation et tout à coup se mettaient à parler d'eux-mêmes; éprouvant le brusque besoin de s'analyser devant elle, ils se disséquaient et tendaient ensuite les morceaux à Anne. Mais, si Anne était devenue l'un des principaux sujets de conversation des gens de la Vallée, cette promotion n'allait pas sans inconvénients. L'Histoire et la Géographie laissaient entendre qu'Anne était folle de son corps.

« Elle doit avoir des aventures avec *d'innombrables* hommes, disait la Géographie.

— Sans doute est-elle aussi communiste », ajoutait l'Histoire.

Quant à Isabel, elle pinçait les lèvres, et deux fois au cours d'une même semaine elle invita publiquement John à prendre le thé.

Le Père MacCullough croyait savoir pourquoi Anne avait quitté John. Que John ait eu « un accident » et qu'Anne, dans un mouvement de colère, soit partie pour quelques jours, c'était humain, cela cadrait même parfaitement avec les théories du Père sur la nature humaine et les relations conjugales : pourtant il devinait que ce n'était pas là toute la vérité.

Dès le début, il avait pensé qu'Anne pouvait offrir « matière à conversion », car, si toutes les âmes sont égales, un prêtre éprouve pour certaines d'entre elles plus d'enthousiasme que pour d'autres. Eudora offrait peut-être aussi « matière à conversion », mais il ne lui tenait pas particulièrement à cœur de la voir devenir catholique. Certes, il aurait été content qu'elle le devînt, mais franchement il se sentait beaucoup plus disposé à se donner du mal pour Anne ou pour Unni Menon... c'étaient des âmes qui méritaient d'être conquises, et si on lui avait demandé de dire pourquoi il n'aurait su que répondre. Il souhaitait d'avoir l'occasion de rencontrer Anne et de s'entretenir avec elle, pourtant, quand il la voyait et lui parlait, il avait l'impression qu'elle s'armait d'une paire de ciseaux et tranchait d'un coup net toutes les paroles qu'il s'apprêtait à prononcer. Elle se comportait de la même façon avec tout le monde ou presque, tout simplement parce qu'elle ne se souciait pas de ce qu'on pensait d'elle. Son attention était retenue ailleurs. Le Père lui prêtait des livres, un peu gêné, ne sachant pas très bien ce qu'il pourrait faire d'autre, comment établir le contact avec elle. Malheureusement il n'avait pas beaucoup de livres à sa disposition, à part ceux du Feld-Maréchal. Finalement il en choisit quelques-uns qui lui semblaient convenir, non pas parce qu'elle y verrait la preuve de son érudition, mais parce qu'ils symbolisaient l'intérêt que le Père lui portait : *Écrivains catholiques, Écrire pour Dieu,*

Les saints ne sont pas tristes, les œuvres de Chesterton.

« Je regrette que ce soit là du christianisme robuste et joyeux, dit-il à Anne avec un sourire un peu forcé, mais promettez-moi de les lire.

— Je vous le promets », dit-elle gravement.

Le lendemain, comme s'il y avait réfléchi après coup, il lui apporta un autre livre : *Le Saint Sacrement du mariage.* Anne le prit sans aucun commentaire. Le Père MacCullough eut l'impression d'avoir commis un impair et se fit pour elle plus de souci que jamais.

« Comment me trouvez-vous ? demanda John.

— Très bien, dit le docteur Maltby. Cela m'a l'air arrangé. Néanmoins, j'aimerais refaire une analyse du sang, disons dans deux mois environ, et encore une fois par la suite. Il ne faut pas risquer d'avoir des ennuis plus tard.

— Naturellement, je comprends très bien, dit John en riant sans contrainte. C'est la première fois qu'il m'arrive une histoire comme cela. Et par-dessus le marché dans ce fichu patelin. C'est rudement ennuyeux.

— Oui, n'est-ce pas ? » dit Fred.

Il y avait dans sa voix une intonation bizarre, et John le dévisagea avec cette attention profonde qu'Isabel et la Géographie trouvaient irrésistible. Hier encore, tandis qu'ils prenaient le thé, Isabel s'était absentée un instant et la Géographie lui avait laissé entendre à quel point elle éprouvait de l'admiration pour lui. Elle avait poussé un soupir en regardant par la fenêtre en direction du bungalow d'Anne, dérobé à la vue par le feuillage de printemps des noyers, puis elle avait souri à

John. Isabel revenue, la Géographie avait repris son air soumis, gardant ses cils blondasses modestement baissés, tandis qu'Isabel et John parlaient du couronnement et affirmaient que les fêtes se dérouleraient dans le chaos.

« Un mot encore, docteur, si vous avez un moment à me consacrer, dit John sans quitter de l'œil le médecin qui jouait avec un coupe-papier d'argent posé sur sa table.

— Bien sûr, dit Fred Maltby

— Je voudrais vous parler de ma femme. Très franchement, Anne m'inquiète. Son état mental. Je ne voudrais pas me plaindre, ni me découvrir des excuses, mais ce qui est arrivé est en partie sa faute. Elle ne semble pas très normale, au point de vue féminin.

— Vous voulez dire que vous avez été amené à coucher avec une autre et à attraper une blennorragie parce que votre femme ne voulait pas coucher avec vous ? précisa Fred.

— Eh bien, ce n'est pas tout à fait ainsi que je présenterais la chose, mais sans doute peut-elle se ramener à cela. Je suis un être humain, normal, moi, pas un saint. »

Il se tut. Fred considérait avec une intense attention le coupe-papier qu'il tenait à la main.

« Mais quand votre femme est un véritable iceberg, alors... Anne me repousse délibérément et avec une violence qui n'a absolument rien de féminin. J'aime beaucoup ma femme, mais j'estime qu'elle porte en partie la responsabilité de ce qui est arrivé. J'ai peut-être tort, mais c'est ainsi que je considère la chose.

— Vous êtes-vous demandé, dit Fred Maltby avec précaution, si cette froideur dont vous vous plaignez n'est pas due à votre attitude personnelle ?

377

— Elle ne l'est certainement pas, dit John avec force. Je n'y suis pour rien. Bien sûr, nous sommes mariés depuis des années déjà. Anne est très romanesque, vous savez. Elle ne peut tout de même pas s'attendre à ce que je lui débite des poèmes ou quelque chose dans ce genre. Je ne suis qu'un homme simple, normal. J'ignore ce qu'elle vous a raconté. Elle a, je le crains, l'habitude de parler de moi derrière mon dos. Elle est très nerveuse. Sans doute à cause de la vie qu'elle mène étant donné qu'elle n'a pas d'enfants. Je crois qu'elle ne peut plus en avoir maintenant. Je ne suis pas médecin, alors ne me demandez pas ce qui n'a pas marché pour le premier, mais je crois qu'elle a une maladie interne. »

Le docteur Maltby garda le silence.

« Eh bien, dit John, je n'aime guère parler d'Anne, ce ne serait pas très chic de ma part. Toutes les fois qu'elle a été en butte à des attaques — avec son tempérament d'artiste, elle ne s'est jamais entendue avec les femmes de mes collègues, elle est trop irritable, et puis les gens clabaudent toujours sur des femmes comme elle — je me suis toujours efforcé d'arranger les choses. Cela n'a pas été sans exiger de ma part bien des sacrifices. Anne n'a pas l'air de comprendre tout ce que cela a signifié pour moi. Cinq mille livres, voilà ce que cela m'a coûté. Parce que si j'avais tenu encore deux ans, jusqu'au moment où la colonie est devenue autonome, j'aurais touché cinq mille livres d'indemnité, au lieu de percevoir uniquement la pension à laquelle j'avais droit. Mais j'ai démissionné trop tôt, et je puis dire que c'est à cause d'Anne.

— Sans doute lui avez-vous déjà dit tout cela ?

— Je ne lui ai jamais adressé de reproches, dit John, jamais. Mais, en tant que mari, je crois avoir droit à quelque considération. J'ai fait des sacrifices pour elle. Mais elle ne semble pas s'en rendre compte. Je me demande parfois si dans son cas il ne s'agit pas d'une sorte de ménopause prématurée. »

Il se tut, attendant un signe de Maltby, mais celui-ci ne dit mot.

« Ce n'est guère agréable pour un mari, reprit-il. Et maintenant, vous savez sans doute qu'elle est allée habiter ce bungalow, à côté de l'Institut. Moi, cela ne me fait rien, ce que pensent les gens me laisse parfaitement indifférent, mais ce n'est pas très bon pour la réputation de ma femme.

— Peut-être a-t-elle besoin de vivre seule un moment pour réfléchir.

— Mais elle ne fait pas autre chose que réfléchir ! s'écria John, agacé, et je vous affirme que jamais je ne me mêle de ses pensées et de ses actes. Elle est parfaitement libre d'écrire ce qu'elle veut et elle a toujours eu l'habitude de s'en aller de son côté, sans doute pour rêvasser, en me laissant tout seul. Je ne cherche à la contraindre en rien, mais j'ai tout de même des droits en tant que mari. Je ne peux pas continuer indéfiniment à vivre ainsi. Je croyais qu'en votre qualité de médecin, et puisque vous êtes son ami, vous pourriez l'aider à retrouver son équilibre, à voir les choses de façon plus normale, comme doit le faire une *épouse*.

— Je ne crois pas le moment opportun pour discuter tout ceci, répondit le docteur Maltby. A votre place je ne brusquerais rien. Depuis longtemps déjà, Anne est malheureuse. Elle a besoin... »

Il s'arrêta brusquement.

« Et moi, qu'est-ce que je deviens dans tout cela ? cria John. Ne croyez-vous pas que je mérite aussi quelque attention ? Je suis peut-être vieux jeu, mais j'estime n'avoir pas reçu de ma femme l'amour et les attentions auxquels a droit un mari. Pas une seule fois. Croyez-vous que ce soit agréable de sentir qu'elle s'éloigne de moi, de la voir me dévisager sans me voir comme si j'étais transparent? Je me suis montré très bon, très patient, je ne réclame que ce qui m'appartient de droit. Je vous demande d'aider Anne à reprendre conscience de ses devoirs d'épouse. Je ne peux pas être heureux sans elle, et je suis sûr que le jour où elle cesserait de se monter la tête et de s'imaginer qu'elle a besoin de solitude, elle serait très heureuse avec moi.

— Je regrette, dit le docteur Maltby en se levant, je crains de ne pouvoir rien faire pour le moment.

— Très bien, dit John d'un air lourdement sarcastique. J'aurais dû m'en douter. J'imagine que vous avez assez de vos ennuis personnels en ce moment. Au revoir, docteur. »

Fred soupira, se passa la main dans les cheveux et jeta un coup d'œil à sa montre:

« Pauvre lourdaud, dit-il, pauvre lourdaud, ce n'est pas un mauvais bougre. Tout à fait sympathique, vraiment, et il a une peur bleue d'Anne. »

Puis il cessa de penser à John et à Anne. Il pensait à Eudora.

Eudora traversait la pelouse en levant au-dessus de l'herbe ses pieds chaussés de sandales mexicaines. Elle portait un grand chapeau de coolie, comme on en voit sur la tête des touristes, de l'Italie jusqu'à Tokyo. Depuis quatre semaines qu'elle vivait dans la Vallée, elle avait visiblement maigri. Ses cheveux, si blonds à son arrivée, tournaient maintenant au gris souris et se veinaient de blanc aux racines.

« J'espère que cela ne vous ennuie pas de me voir, dit-elle à Anne qu'elle trouva assise sous les noyers. Il y a longtemps que je voulais vous faire une petite visite. Quel charmant endroit vous habitez ! Et cette ravissante petite ferme ! La montagne là-bas, au bout des champs, comment s'appelle-t-elle ?

— Le mont Phulchoah, dit Anne. A vrai dire, ce n'est qu'une colline.

— Elle est très belle, soupira Eudora. Quelle chance vous avez de disposer d'un bungalow pour vous toute seule ! »

Elle contempla d'un air d'envie la petite maison blanche, la pelouse, le berceau de rosiers et le jet d'eau qu'il abritait, puis son regard se reporta sur le mont Phulchoah.

« Paul Redworth vous dira que ce n'est pas une montagne, mais une déesse, à en croire l'imagination poétique des Népalais », dit Anne.

La visite d'Eudora ne l'ennuyait pas, mais jusqu'à l'arrivée de celle-ci sa solitude ne lui pesait nullement, au contraire. *Je ne parlerai pas, je ne penserai rien...* C'était merveilleux de rester assise là, sans penser à rien, sans parler. Les *Illuminations* de Rimbaud vous venaient tout naturellement à l'esprit dans un paysage aussi civilisé, aussi harmonieux... *mais l'amour infini me montera dans l'âme.* L'amour, ce silencieux tumulte qui vous gonfle le cœur. L'amour ou le désir ?

« Oh, racontez-moi cela, dit Eudora en battant des mains.

— La déesse est, paraît-il, l'une des deux épouses d'un dieu, patron des artisans, dont j'ai oublié le nom. Les femmes nevâris conduisent leurs filles au sommet de la colline, portant des fleurs et des navettes à tisser en offrande à la déesse pour obtenir d'elle que leurs filles deviennent de bonnes ménagères, habiles à tisser les étoffes.

— C'est vraiment *trop* adorable, dit Eudora un peu distraitement. Vous savez, ce pays exerce un drôle d'effet sur les gens. Vous ne trouvez pas ? Je veux dire qu'on est ici dans un autre univers, n'est-ce pas ? On se sent tout désorienté — vous connaissez cette impression... tout ce qu'on a pensé ou fait jusqu'alors vous paraît... différent ? Comme si l'on s'apercevait que les choses sans importance comptent et que tout ce qui semblait important ne l'est pas en réalité.

— Peut-être une façon de se découvrir soi-même, dit Anne.

— Oui, c'est ce que dit Unni Menon. Nous avons eu ensemble de très longues conversations. J'étais si malheureuse, si fâchée contre Fred. Dire que tout le monde savait que Fred était mon mari et qu'on ne me parlait de rien, à *moi*... Mais Unni a été vraiment très chic. Le premier jour, il a passé toute la soirée avec moi aux fêtes du mariage, et depuis il est venu me voir souvent. Seulement l'autre soir, au *Royal Hotel*, quand Vassili est sorti de prison et que tout le monde prenait part à la petite fête, je me suis sentie incapable de supporter cela... je suis rentrée dans ma chambre et j'ai pleuré un bon coup. Et puis Unni est arrivé. C'est quelqu'un de très humain, dit Eudora avec une soudaine chaleur, tellement viril. Et pourtant, vous savez, je ne crains jamais rien auprès de lui. Absolument rien. Je veux dire... une ou deux fois ici, après des réunions, on s'est montré très entreprenant avec moi, et il y a même quelqu'un — je ne veux pas citer de nom...

— Je sais, dit Anne, c'est Michael Toast. Il

vient dire aux femmes : "Et si on couchait, mon petit?" Quand on refuse...

— Il conclut : "Vous devez être lesbienne", acheva Eudora avec un petit rire. Oui. Il y en a d'autres aussi qui croient pouvoir tout se permettre parce qu'ils se trouvent dans un pays très lointain et différent de ceux qu'ils connaissent. C'est pour cela que les Asiatiques nous considèrent avec tant de mépris, poursuivit Eudora, véhémente. Mais jamais je n'ai éprouvé la moindre crainte avec Unni, quoiqu'il ait la peau tellement sombre. Savez-vous même ce que j'ai fait? Je me suis jetée dans ses bras, dit Eudora en rougissant et en riant nerveusement. Rien qu'à le voir on se sent soulagé. Il sera bientôt de retour, n'est-ce pas? Il a promis de revenir me voir. »

Anne ne répondit pas. Sa main reposait dans le gazon, elle tirait doucement sur l'herbe drue et la sentait comme domestiquée, docile ; il lui semblait que l'herbe répondait à son tour par une traction amicale. Curieuse impression de réciprocité entre elle et les choses. Elle ne l'avait jamais éprouvée avant de venir dans la Vallée : elle sentait son corps épouser les courbes des collines qui l'entouraient comme si les chiens et le bétail errant à l'aventure, partageaient l'espace et l'air avec les humains, comme si l'herbe sous ses pieds et les arbres au-dessus d'elle contribuaient tous à composer un inextricable dessin de l'existence. Et maintenant Eudora et les mots qu'elle apportait faisaient surgir de nouveaux motifs qui allaient s'ajouter au dessin, Eudora, qui était venue s'abattre auprès d'elle comme l'un de ces corbeaux insolents et intrépides, sûrs de leur droit de partager sa nourriture, de manger et de vivre sans crainte.

« Désormais je vais être raisonnable, je l'ai

promis à Unni Menon, dit Eudora, reprenant ses manières de fillette. Ce n'est pas facile, mais, d'autre part, je commence à comprendre ce que signifie la patience. Ne croyez-vous pas qu'on en a besoin de nos jours ? »

Elle abaissa le regard sur Anne qui inclina la tête, embarrassée.

« J'ai rencontré ici des gens si *charmants*, reprit-elle, on en vient vraiment à trouver la vie belle malgré... enfin malgré ses ennuis personnels. Il y a le poète hindou et aussi ce jeune homme vraiment délicieux, Sharma. Vous ne trouvez pas qu'il est très beau ? Je voudrais avoir vingt ans de moins, ajouta Eudora dans un élan de sincérité.

— Voulez-vous prendre une tasse de thé ? » demanda Anne.

La servante apportait du thé et des gâteaux fabriqués par le boulanger suisse et qu'Anne recevait maintenant trois fois par semaine, alternant sur une assiette avec des biscuits qu'Anne identifia aussitôt d'après leur aspect moisi : ils venaient du palais du Général, de l'autre côté de la route.

« A propos, dit Eudora, j'aimerais vous inviter, ainsi que votre mari s'il veut bien venir, à une petite réunion que je vais donner dans quelques jours. Je trouve que la colonie étrangère ne fait rien pour connaître les *vrais* Népalais, les *véritables valeurs* de la vie népalaise. Comme partout ailleurs, elle se tient à l'écart de la vie du peuple. »

Eudora entreprit de développer ce thème, elle estimait qu'elle seule avait pénétré jusqu'au cœur des Asiatiques. Et d'abord elle avait eu l'attitude politique qui convenait :

« A Londres déjà, mon appartement était toujours plein de ces charmants étudiants asiatiques. Nous nous réunissions tous les jeudis. Je me suis liée d'amitié avec une quantité de gens qui par la suite sont repartis dans leur pays et ont pris une part active à la lutte qu'il menait pour conquérir son indépendance. J'ai l'impression de les avoir aidés dans une faible mesure à prendre conscience d'eux-mêmes. Savez-vous quel nom me donnaient certains d'entre eux? Mère Asie. Imaginez cela!» dit Eudora, faisant à nouveau entendre ce petit rire nerveux, aigu, qui était certainement, se disait Anne, l'une des choses qui avaient amené Fred à prendre la fuite.

Anne se remit à tirer sur les brins d'herbe. L'après-midi, cet après-midi doux, vide de pensée, délicieux et foisonnant, avait disparu, fracassé par cette voix, ce petit rire, cette terrible bonne volonté de petite fille désireuse de bien faire... puis Anne se sentit envahie de compassion. Pauvre Eudora! Avec la lucidité de ceux qui se laissent guider par leur instinct, Anne comprit qu'Eudora n'avait jamais oublié Fred. Si bizarre que ce fût, on aurait pu dire qu'elle était encore «amoureuse de Fred». Après tant d'années écoulées, elle était là, dans la même vallée que Fred, attendant, attendant un signe, un mot... C'était terrible et comique, tragique et cocasse. Et Anne élevait des barrières de verre entre elle-même et cette autre femme.

«Je viens de quitter mon mari, dit-elle sur un ton trop détaché, et je vis seule ici. On a dû vous le dire.

— Bien sûr, dit Eudora, répondant d'emblée sur un ton de franche sympathie, sans le moindre détour. Le Père MacCullough me l'a dit. C'est à la suite de cela que j'ai eu envie de venir causer avec vous. J'essayais de vous parler, mais je ne savais en quels termes aborder le sujet... Ici, je ne sais pas pourquoi, les mots qu'on s'était proposé de dire ne sont pas ceux qu'on prononce le moment venu. Vous ne trouvez pas?

— Tout à fait d'accord. Le Père MacCullough m'avait demandé d'aller vous voir, mais c'était avant que je quitte John, et je deviens très égoïste, j'en ai peur. Je me contente de rester assise ici tandis que le vent souffle autour de moi, et je n'aurais rien fait du tout pour vous.

— Moi non plus. Je ne crois d'ailleurs pas que vous ayez besoin de secours. Ce que vous êtes en train de faire est très mal, et pourtant je sens que vous avez raison. Tout comme je sens que j'ai raison, pour ma part, de me borner à attendre, mais je ne sais même pas pourquoi j'ai raison.

— Aimeriez-vous faire un tour en voiture?» demanda Anne après un silence.

Elles avaient dit maintenant tout ce qu'elles avaient à se dire. Tout ce qu'elles pourraient ajouter serait superflu, sentimental; en parlant, elles risquaient de s'égarer dans de vaines analyses; seul le silence était plein de compréhension.

«J'allais justement vous le proposer, dit Eudora, se levant d'un bond. Allons jusqu'à l'aéroport. L'avion de l'Inde doit être arrivé depuis des siècles et il est à peu près l'heure de celui de Bongsor. C'est à Bongsor que se trouve le barrage auquel travaille Unni Menon, vous savez.

— J'ignorais qu'il y eût un avion venant de Bongsor tous les après-midi.

— Pas tous les jours. Une fois par semaine ou tous les dix jours, sauf quand il y a trop de nuages. C'est un tout petit appareil, un vieux DC-3. Il y aura peut-être un mot d'Unni pour moi. Je lui ai demandé de m'écrire, sinon je me sentirais si seule ici que j'en perdrais la raison. Rester là à ne rien faire, à attendre je ne sais même pas au juste quoi...

— Allons, à l'aéroport », dit Anne.

Journal   Je suis allée à l'aéroport en jeep
d'Anne   avec Eudora. Il y avait une enve-
loppe bleue « par avion » à son nom. Une écriture penchée, régulière, difficile à décrire, les majuscules à peine plus hautes que les minuscules. Une lettre d'Unni Menon.

Le lendemain matin, Chérie traversait la pelouse, accompagnée de son père le Très Précieux Rampoche de Bongsor.

Le Rampoche — un Churchill asiatique — portait un complet veston très épaulé et un pantalon très étroit du bas. Chérie était emmitouflée dans un sari d'organdi rose pâle. Tous deux avaient d'épaisses lunettes noires. Les lunettes de soleil sont à la mode dans la Vallée. Leurs Majestés en portent presque tout le temps. On raconte que certaines gens les gardent même la nuit pour dormir.

« Bonjour, Madame, s'écria Chérie, toujours vive et exubérante, voici mon papa. J'ai parlé de vous à mon papa ; il y a longtemps que mon papa désire vous voir, il voudrait vous inviter à déjeuner maintenant. »

Je fais effort pour secouer le demi-coma qui s'est emparé de moi. Je me dis qu'il faut y aller. Il faut remuer, circuler avec les gens. Mais je ne désire rien d'autre que de rester étendue sous les noyers à regarder la montagne qui me fait face. *Je ne sentirai pas, je ne penserai rien, je laisserai le vent baigner ma tête nue.* Ici le vent passe tout droit dans mes cheveux, caresse invisible. Ici je me sens en paix avec moi-même, joie profonde dont je ne puis me lasser. Le soir je roule en voiture pendant des heures. Seule. J'ai besoin d'être seule.

Chérie a vu la *Bhagavad-Gîtâ* posé dans l'herbe. Elle se baisse pour le regarder, mais sans y toucher, car, fidèle aux règles de la politesse asiatique, elle ne laisse jamais ses mains s'égarer.

« Oh, vous avez là un très beau livre, Mrs. Ford. Il y en a de pareils chez nous. Mon papa fait collection de livres anciens.

— Celui-ci appartient au Feld-Maréchal. »

Le Rampoche incline la tête. Chérie tient le dé de la conversation, tandis que les noirs yeux en bille du Rampoche, si brillants qu'on les dirait fraîchement astiqués, regardent autour de lui, picorant pour ainsi dire les objets, des yeux de moineau, vifs, aigus.

La maison qu'habite à Khatmandou le Très Précieux est de style thibétain, avec une gracieuse façade aux corniches moulurées, mais sculptées sans excès. Le Rampoche et sa famille occupent au premier étage des pièces d'une propreté irréprochable (nous retirons nos chaussures pour y entrer). Le parquet est recouvert d'un épais linoléum sur lequel sont jetés des tapis et des carpettes thibétains. Sur les murs, c'est l'habituel fouillis de photographies et de chromos, le sublime et le ridicule y font bon ménage : portraits de Bouddhas vivants, de Dalaï-Lamas et autres Thibétains d'importance, auxquels Chérie a ajouté des touches de couleur (mon papa dit que je suis une artiste), des anges porteurs de palmes, des statues dorées de Bouddhas, le Shwe Dagon, un Sacré-Cœur, le Potala de Lhassa, quelques pin-up choisies parmi les plus vêtues, une photographie de « Papa » en grand apparat, en compagnie de divers notables, le Roi, des ambassadeurs, des ascensionnistes, des photos dédicacées de personnages ayant fait des séjours chez le Grand Rampoche et qui expriment leurs remerciements, leur gratitude et autres sentiments appropriés en français, en anglais, en allemand et en hollandais, une galerie des grands hommes d'Asie, où l'on voit Nehru, Mahandra, roi du Népal, Mao-Tsé-toung, le Président des Philippines. Ni défenses d'éléphant ni peaux de tigre. Le Rampoche ne chasse pas.

Dans des vitrines ou sur les tables, des *objets d'art*[1]. Les habituelles — et hideuses — pendules de Paris, à côté de jades chinois merveilleusement sculptés, un bon chronomètre suisse, des statuettes de Saxe, des petits bibelots provenant des grands magasins Selfridge, les pièces inestimables mêlées à la camelote dans une promiscuité sereine. Il y a des poignards dans leurs gaines ornées d'argent et d'or, incrustées de turquoises et d'agates. Il y a des coupes d'argent et des verres roses sans valeur fabriqués à Hong Kong.

Une tête nous observe de la porte, et je reconnais la Thibétaine qui voyageait en avion avec nous quand je suis arrivée à Khatmandou. Chérie l'appelle « Tante ». Elle me sourit, découvrant de belles dents carrées. Ses nombreux enfants font leur entrée, les mains repliées en signe de salutation, mais me disent : « Hello ! » Chérie les chasse, s'installe à côté de moi et continue à parler. Elle n'arrête pas. Comme un intarissable ruisseau gazouillant, son bavardage coule sans ponctuation. Je n'ai d'autre ressource que de m'installer pour laisser déferler sur moi ses paroles en flots

1. En français dans le texte.

massifs. Le Rampoche s'assied, opine de la tête. Peut-être est-il lui aussi submergé sous la volubilité de sa fille.

« Alors voyez-vous. quand j'ai dit à ma cousine, la troisième belle-fille du Sérénissime Lama qui habite Lhassa et est également apparentée à ma Tante, mais il ne faut pas vous couper les cheveux parce qu'il est écrit dans les *Essais* de Goldsmith que c'est la gloire suprême de la femme, et elle répondit mais maintenant je suis indépendante et l'égale de l'homme, elle ne m'a pas écoutée et ses maris étaient tout à fait contre parce qu'ils disaient tous qu'ils aimaient les cheveux longs, mais ma cousine est maligne, elle a amené son second mari à dire que lui aussi il aimait les cheveux courts et qu'il était moderne et ils sont allés voir des films ensemble, aussi, quand on a fini par mettre la question aux voix dans la famille, le résultat a été moitié moitié, et maintenant elle en a épousé un quatrième qui aime les cheveux courts, mais ils vont devoir aller tous habiter une maison plus grande, parce que la leur est trop petite pour cinq personnes, moi je dis à ma cousine un jour vous perdrez vos maris parce que vous avez les cheveux courts, elle ne m'écoute pas, maintenant elle est sûre d'avoir raison, moi je ne crois pas. Je pense que les cheveux longs sont la suprême gloire de la femme et même si plus tard je deviens médecin, je garderai mes cheveux longs comme maintenant, bien que ce soit plus embarrassant, dit mon papa et puis parfois ils sont trop lourds et me donnent mal à la tête. Mrs. Ford, ne croyez-vous pas que je pourrai devenir médecin un jour ? je ne sais pas où il vaut mieux que j'aille pour faire mes études médicales, à Pékin ou à Calcutta. Mon papa dit que peut-être si j'en ai envie je peux faire mes études en Amérique et

Mr. Bowers est en train d'essayer de m'obtenir une bourse pour aller en Amérique. Connaissez-vous Mr. Enoch P. Bowers ? Il est grand et ridé, mais je n'aime pas la couleur de sa peau, elle est trop rose. Je suis folle de William Holden, il est beaucoup plus beau que Mr. Bowers, je l'ai vu dans un film, il a le teint très hâlé. Ici nous n'aimons pas qu'un homme ait la peau trop blanche, mais je crois qu'une femme doit avoir le teint pâle. Vous ne trouvez pas ? C'est ce que nous pensons tous et mon papa dit que maintenant à Lhassa tout le monde se sert de poudre de riz et aussi de rouge à lèvres de même que de stylos Parker, parce que tout le monde aime les stylos Parker, quelle est votre opinion là-dessus ? Mais comme je vous le disais à propos de Mr. Bowers, il a promis de m'aider à obtenir une bourse, alors mon papa a promis de devenir membre du Club, vous savez que Mr. Bowers est président et bien sûr nous voudrions aussi que vous nous aidiez puisque votre mari Mr. Ford est secrétaire du Club, alors, Mrs. Ford, pouvez-vous m'aider à obtenir une bourse pour aller en Amérique ? »

Chérie est arrivée si brusquement au point final que, prise au dépourvu, je lui dis : « Quoi ? » Le Rampoche sourit béatement et dit quelque chose à sa fille en népalais (à moins que ce ne soit en thibétain, en sherpa, en hindi, l'une ou l'autre des langues qu'elle parle). Aujourd'hui il ignore l'anglais, lui qui le parlait couramment aux fêtes du mariage. Chérie lui répond. Ils discutent avec animation, puis la jeune fille se tourne vers moi.

« Mon papa dit que peu importe la bourse, mais que si vous écrivez de nouveaux livres, peut-être parlerez-vous de moi en disant que nous apprécions tellement les bourses américaines ici dans l'Himalaya et que nous aimons ardemment la démocratie. Et puis, Madame, il y a une petite chose sur laquelle mon papa désire que j'attire votre attention. Il vous prie de l'excuser, il n'a pas voulu parler de la bourse, maintenant qu'il sait qu'étant votre élève vous m'aiderez *bien entendu* si vous croyez que je suis douée et nous savons que les Américains cherchent partout des jeunes de valeur, des jeunes qui aient de l'étoffe, pour les envoyer aux Etats-Unis et leur faire un cerveau tout à fait démocratique. Alors peut-être que par la suite cela pourra s'arranger pour la bourse, mais pour le moment mon papa dit que cela peut attendre, seulement il y a autre chose dont mon papa dit qu'il aimerait vous parler, parce qu'il est sûr qu'une grande dame comme vous, noble et magnanime, est heureuse d'aider les gens à se comprendre et c'est au sujet d'Unni Menon. »

Une pause. Cette fois encore l'arrêt est si brusque qu'il me surprend en train de flotter dans les remous. Il me faut deux secondes pour réagir, et je réagis par un réflexe de défense

« Comment cela, au sujet de Mr. Menon ? » dis-je.

Et puis, inexorablement, malgré moi, je rougis de la tête aux pieds, solennelle, impuissante et furieuse. Je ne connais pas cet homme, je n'éprouve certainement aucun sentiment à son égard. Certainement pas. En ce moment-ci, sereine, de sang-froid, je m'interroge devant cette feuille de papier blanc où je veux tracer le portrait du nouveau moi que j'entrevois. Quels sont les sentiments que j'éprouve à l'égard d'Unni Menon ? Je suis bien obligée de répondre que je l'ignore. Est-ce que je désire le revoir ? Je ne sais pas. Je suis furieuse, furieuse parce qu'Eudora attend le retour d'Unni Menon — et voici maintenant que le Rampoche s'en mêle !

«Je n'ai absolument rien à voir avec Mr. Menon, répondis-je d'un ton raide, je le connais très peu.

— Oh, mais si, vous êtes son amie, une grande amie, il a beaucoup de confiance en vous, Mrs. Ford. Il ne traite aucune autre femme comme vous, affirme Chérie, les yeux à fleur de tête. Nous admirons tous tellement cette belle amitié. Mr. Menon est très beau, très grand, très séduisant, mais il a la peau un peu trop sombre, il ressemble tout à fait à William Holden. Mais d'habitude Mr. Menon, comme tous les hommes qui ont tant de femmes autour d'eux, se contente de les emmener au lit, si vous me pardonnez l'expression, et puis il les oublie, cela ne l'intéresse plus, mais c'est un grand travailleur et mon papa cherche à lui rendre service, mais parfois Mr. Menon ne comprend pas à quel point mon papa désire lui être utile, aussi quand Unni reviendra, peut-être pourrez-vous venir ici avec lui et mon papa lui expliquera combien il s'efforce de lui être utile, n'est-ce pas ?

— Je regrette, mais je ne puis m'engager à amener Mr. Menon où que ce soit, répondis-je (je me rappelle maintenant l'histoire des nièces), je ne me mêle en rien de ce qui concerne son travail.

— Le déjeuner !» dit le Rampoche avec entrain.

Il se lève et frappe dans ses mains en riant, à la façon du Joyeux Meunier[1] :

«Ha, ha, ha !»

A notre tour nous nous levons, on nous conduit dans une autre salle, nous nous asseyons sur un canapé garni de coussins et l'on apporte à chacun de nous une petite table sur laquelle sont posées de

1. Héros d'une chanson enfantine anglaise.

grandes assiettes d'argent battu en forme de feuilles de lotus. Sur ces assiettes, Tante empile des mets divers. Comme les propos de Chérie, la chère est copieuse : riz, curry, deux sortes de volaille, trois sortes de viande, quatre sortes de légumes et un champignon spécial provenant du Thibet, du dahl, du lait caillé. Le Rampoche, adepte du bouddhisme thibétain, n'est pas végétarien. Tante m'informe que le titre de Rampoche est l'équivalent d'évêque, alors que le mot lama désigne un simple prêtre.

Chérie nous entretient de son école, de ses projets d'avenir. Tante parle de ses trois maris et de ses enfants. Deux de ses maris et tous ses enfants sont dans la Vallée à l'occasion du Couronnement, mais elle a laissé son troisième mari à Lhassa « pour veiller sur la maison et le mobilier ». Le Rampoche mange et grimace des sourires à mon intention. Après le déjeuner je rentre chez moi, me sentant prête à éclater, chargée d'un paquet des fameux champignons thibétains, et, sur le seuil, Chérie agite la main en signe d'adieu.

« Au revoir, Mrs. Ford, c'est si gentil à vous d'être venue. N'oubliez surtout pas que nous sommes vos amis, les véritables amis ne bavardent jamais, ce n'est pas comme certaines gens, nous ne cancanons jamais. Nous vous reverrons bientôt, quand Mr. Menon sera revenu. »

N'est-il pas étrange que je fasse la classe à Rukmini ? Elle assiste aux cours, comme je l'ai vue assister aux fêtes du mariage, avec la même docilité, une docilité qui vous fend le cœur. Elle fait ce qu'on lui dit de faire : « Lisez, Rukmini ! »

Elle se lève avec une grâce aisée, comme quand Ranchit, son mari, est venu, accompagné de Pat « l'artiste », présenter sa maîtresse à son épouse. Obéissante, elle lit les yeux baissés. Je la revois assise à terre dans la cellule de Vassili, et j'entends la voix sombre et profonde d'Unni disant : « Chantez, Rukmini ! » et elle chante. Elle n'a pas conscience de sa beauté, de son charme, de sa grâce. Elle ne sait que donner, donner quelque chose d'elle-même, son sourire, sa séduction, elle accepte que d'autres la gouvernent. Chérie, la fille du Rampoche, la houspille. Rukmini se plaît à parer Chérie, elle tord les épais cheveux droits de la jeune fille (les siens, au contraire, sont souples et bouclés) pour en faire un gracieux et lourd chignon. Ses mains sont adroites à manier les fleurs, les soieries, les bijoux, et, si elle ne peut écrire une phrase en anglais sans faire de fautes d'orthographe, cela n'a vraiment aucune importance.

« Elle est incapable de dessiner une simple carte hypsométrique », s'écrie la Géographie avec désespoir.

Hier, j'ai donné à mes élèves le sujet d'une narration d'anglais : « Décrivez un mariage dans votre pays. » Selon la règle, j'aurais dû ajouter : « Pas plus de trois cents mots. » Chérie me l'a rappelé.

« Pardon, Madame, combien faut-il de centaines de mots pour cette composition ?

— Autant qu'il vous plaira. »

Les satins de Chérie s'agitent et frémissent. Sa ronde face luisante et ses lunettes expriment un vif émoi.

« Mais, Madame, les autres missionnaires...

— Je tiens à ce que vous puissiez vous exprimer en toute liberté. »

Ma tentative n'a pas été couronnée de succès. Trois cents mots, c'était une limite, la fin d'un ennuyeux travail de rédaction. La liberté que je leur ai imposée, elles n'ont pas su s'en servir, sauf Chérie et Rukmini. L'air plus hibou que jamais, Chérie a déposé sur mon bureau un volumineux manuscrit intitulé *Étude comparative des cérémonies nuptiales chez les divers peuples du Népal*. C'est un ouvrage passionnant, et Chérie mérite de grands éloges. Elle a dû veiller toute la nuit pour l'écrire et c'est fort bien fait. Je l'ai félicitée devant toute la classe. Très rouge, elle se balançait d'un pied sur l'autre et elle m'a lancé à travers la barrière de ses lunettes un regard exprimant une dévotion intense et totale, si bien que je me suis sentie humiliée et honteuse d'avoir parfois voulu la remettre à sa place. Elle ne peut s'empêcher d'être brillante, autoritaire, aussi vigoureuse d'esprit que de corps, et dans son cas, ce qu'il faut faire, c'est diriger le trop-plein de son énergie intellectuelle vers des fins dignes d'intérêt.

Lakshmi est absente :

« Elle est à nouveau enceinte, Madame, et demande à être dispensée d'assister aux cours, car elle vomit énormément. »

Rukmini se lève, victime prédestinée, et dépose devant moi un bout de papier sur lequel je lis :

Mrs. Ford, je n'ai pas rédigé ma narration. Excusez-moi. Signé : Rukmini.

A l'issue de la classe, je la rappelle :

« Rukmini, si cela vous ennuie d'écrire, y a-t-il autre chose que vous aimiez faire ? »

Elle me regarde, incertaine, mal à l'aise, un peu effrayée.

« Par exemple dessiner ou peindre ? » dis-je, et je rougis jusqu'à la racine des cheveux en prononçant ces mots, car je viens en quelque sorte de violer sa pudeur et la mienne.

Nous nous dévisageons, emportées toutes deux dans un tourbillon d'émotions où se mêlent tant de sentiments communs, tant de paroles qui n'ont pu être prononcées entre nous :

« Vous savez que j'habite la chambre que vous avez peinte autrefois, Rukmini ? Elles sont très jolies, ces perruches... Est-ce que vous avez continué à dessiner ou à peindre ?

— Oui, dit Rukmini, parfois.

— Rukmini, dis-je, si jamais je puis vous aider, je le ferai avec joie. »

Sans paraître comprendre elle sourit, ramène doucement son sari sur sa tête, le rabat sur son visage jusqu'au-dessous des yeux et, ainsi voilée et muette, elle s'en va.

Isabel est certaine qu'il y aura pénurie d'eau au moment du Couronnement ; aussi fait-elle remplir les réservoirs de ciment du jardin.

« C'est parce qu'elle a assez d'eau-de-vie à sa disposition, sinon c'est à cause du cognac qu'elle se ferait du souci », dit Hilde paisiblement, mais sûre de ce qu'elle avance.

Vassili, lui, ne s'inquiète pas pour l'eau, mais pour les boissons alcoolisées :

« Plus de cent cinquante correspondants de presse étrangers, des photographes, des reporters, une équipe de Mégalorama et peut-être uniquement du Coca-Cola à boire, ou cette grenadine rose qu'on vous sert à Calcutta les jours sans alcool sous le nom de jus de fruits ! Il me faudrait une demi-douzaine de Dakotas remplis de whisky et de bière. »

Et quand le poète hindou, en train d'écrire une ode sur le Couronnement et qui, brahmane de stricte observance, jeûne le samedi et ne boit que de l'eau et du thé, laisse entendre d'un air douceâtre qu'il est plus salutaire pour l'âme de ne boire que du jus de fruits, Vassili lui déclare solennellement :

« Camarade, on voit bien que vous êtes un idéaliste. Vous ne comprenez rien aux gosiers des gens de la presse. Quoi que vous fassiez, si vous n'avez pas les moyens de les lubrifier avec de l'alcool, le Roi ne trouvera pas grâce devant eux ! »

Puis Vassili est convoqué au Palais, et il me confie que peut-être il va bientôt recevoir trente mille roupies pour aller acheter de l'alcool à Calcutta « dès qu'on aura récolté l'argent nécessaire en faisant verser des impôts à la population, mais n'en soufflez pas mot, sinon il faudrait que j'offre des bouteilles de whisky à tous les Ranas avant même que les journalistes aient fait tamponner leurs visas ».

J'ai reçu aujourd'hui plusieurs lettres, dont une de Leo Bielfed où il m'annonce qu'il va venir à Khatmandou pour le Couronnement ainsi que notre ami François Lunéville, le photographe français.

« *Anne, ma soeur Anne, ne vois-tu rien venir*[1] ? » écrit Leo. J'ai toujours aimé cette histoire de Barbe-Bleue, mais il m'en est resté surtout l'image d'Anne, la sœur de l'épouse de Barbe-Bleue, montant au sommet de sa tour pour inspecter la

1. En français dans le texte.

route dans l'espoir de voir arriver du secours. Et sa réponse désolée, désespérée : *Je vois le soleil qui poudroie et la poussière qui tournoie*[1]. C'est votre regard distant, Anne, qui me fait songer à cela. Quand j'arriverai à Khatmandou, allez-vous m'accueillir avec ce regard froid et pourtant attentif, ce regard Anne-à-sa-tour ? Je me le demande. »

Cher Leo. A Calcutta, c'était avec l'inertie de la stupeur que je le voyais faire ses singeries quand il me poursuivait de ses assiduités. Pour moi, ce n'était pas autre chose qu'une agitation extérieure, inexplicable, dépourvue de sens, hors de propos, qui ne me concernait en rien. Et maintenant Anne, Anne, ne vois-tu rien venir ? Comment puis-je parler de cela, de cette montée en moi d'une sève murmurante, comment décrire l'indéfinissable, ce qui n'a pas encore pris une forme, un nom ? Maintenant je connais à nouveau la munificence du désir, le tourment qui renouvelle le monde... mais il ne faut pas que je songe à cela. Je demeure tout en haut de ma tour, à guetter et à attendre, pendant un peu de temps encore.

Un agriculteur suisse entré en passant au *Royal Hotel* parle des inondations qui ont dévasté le pays l'an dernier. Des vallées entières ont disparu. Des centaines de milliers de gens meurent de faim et les réfugiés vont affluer à Khatmandou. Il est presque impossible de les en écarter. Bien que la route ne soit pas encore terminée, déjà chaque jour vingt à trente camions arrivent chargés de nourriture en provenance de l'Inde, destinée aux populations de la Vallée, « sinon il y aurait la famine et des émeutes, cela ne ferait pas très bon effet au moment du Couronnement ».

---

1. En français dans le texte.

J'ai pris le thé au Palais Américain, où est installée la mission du Point Quatre. La Géographie en parle avec le plus vif enthousiasme :

« Tellement confortable et *propre*. Vraiment un rêve. Une petite Amérique, je vous assure. »

Le Père MacCullough arrive et repart, toujours en courant, l'air chargé de si lourdes responsabilités qu'on croirait que le succès ou l'échec du Couronnement dépend entièrement de ses efforts. Mais, en même temps, il est sympathique, serviable et bon. Il vient de partir pour inspecter l'autre école qu'il dirige, dans les contreforts de la montagne, à deux mille mètres d'altitude :

« N'oubliez pas la messe dimanche matin, ici même, me dit-il, tâchez de venir. »

Il célèbre la messe dans le grand salon du *Royal Hotel*, parmi les lustres et les miroirs.

Un Américain de très haute taille, en pantalon blanc et chemise blanche (ses notes de blanchissage doivent chiffrer), se plaint à Hilde du gouvernement népalais. Il est ici depuis cinq semaines, essayant d'obtenir l'autorisation de prendre des vues aériennes de la chaîne de l'Himalaya. Il est allé voir tous les personnages importants : le Roi, le Feld-Maréchal, le premier ministre, tout le monde enfin. Cinq semaines. Vassili rit de tout son cœur quand l'Américain raconte ses démêlés avec les fonctionnaires du gouvernement népalais.

« Demain, lui disent-ils. Demain, nous saurons peut-être si nous pouvons vous accorder un permis. »

Et, quand il insiste, ils lèvent les mains d'un air de profonde surprise :

« Mais pourquoi aujourd'hui, disent-ils très poliment, puisque cela peut se faire demain ? »

L'Américain une fois parti, Vassili me dit :

« Jamais il n'obtiendra son permis, c'est de la folie de le demander. Voyons, il veut prendre un avion pour aller photographier la chaîne de l'Himalaya. C'est-à-dire la frontière chinoise. Croyez-vous qu'un gouvernement népalais possédant tout son bon sens permettrait à un avion américain d'aller photographier la frontière chinoise ?

— Cet homme doit être fou, dit Hilde, consolante, ou alors très naïf.

— Il n'est ni l'un ni l'autre, dit Vassili. Les défilés du Nord semblent exercer un attrait extraordinaire sur tous les Américains qui viennent au Népal. Ils sollicitent continuellement des permis pour y aller "excursionner" ou bien pour construire des hôpitaux ou des écoles le long de la frontière. C'est pourquoi les Népalais sont si méfiants pour tout ce qui concerne l'aide américaine. Quand les Américains pensent à l'aide aux pays sous-développés, automatiquement ils y pensent sous la forme d'argent anticommuniste, antichinois : aussi tout le monde les soupçonne-t-il de ne poursuivre en réalité que des buts militaires. »

Le fou entra, parlant tout seul et se souriant à lui-même. Il s'inclina devant Vassili, qui lui rendit son salut :

« S'il cesse un jour de venir, il me manquera, dit Vassili en le regardant affectueusement. J'espère qu'on ne s'avisera jamais de le mettre dans un asile, sous prétexte qu'il faut être moderne. »

Je demande à Vassili de s'assurer qu'il y aura de la place au *Royal Hotel* pour François et pour Leo. Il me répond qu'il y a deux fois plus de chambres retenues qu'il n'en existe, que cent cinquante correspondants de presse se sont inscrits et qu'il n'y a pas un meuble dans l'hôtellerie du Gouvernement chargée d'héberger plusieurs vingtaines d'invités officiels. Vassili va mettre des lits de secours dans une annexe et installer des tentes dans le jardin. Il a engagé quatre-vingts garçons à Calcutta. Il ne pense pas qu'ils puissent arriver par la route, les camions font défaut; il faudra les faire venir par avion:

« Je tâcherai d'emprunter un avion à Unni si j'arrive à le joindre. »

Hilde nous dit qu'elle a reçu de Calcutta des crevettes rouges, du bekti (c'est un poisson) et de la truite de rivière. Le poisson est un mets très recherché au Népal. Sharma, le jeune homme qui était en prison avec Vassili, erre sur la véranda comme une âme en peine. Nous prenons un verre de bière ensemble en attendant le déjeuner.

Sharma est très beau garçon. Il a de grands yeux lumineux et une belle bouche. Quand il parle, les mots sortent de ses lèvres pêle-mêle, très vite, en un torrent agréable. Il me raconte qu'il a un père fort riche, réfugié à Zurich pour échapper à l'impôt sur le revenu qui vient d'être institué au Népal. Plusieurs Ranas vivent ainsi à l'étranger et investissent leur argent en Suisse ou en Amérique. Puis il me parle de Rukmini:

« Je l'aime depuis un temps infini, mais son père est un vieux réactionnaire; il l'a mariée à Ranchit. Pour des raisons politiques. C'est moi qu'elle aurait dû épouser, ou bien Unni. Mais plutôt moi, je ne crois pas qu'elle aurait été heureuse ave Unni. Il n'aime que son travail ou les montagnes, il éprouve une véritable indifférence spirituelle à l'égard des femmes. Spirituelle seulement. Ce n'est pas un poète comme moi. »

Sharma est poète, ce qui signifie qu'il croit à l'amour de l'humanité, à l'égalité, à la liberté, qu'il aime l'amour et tient des propos beaucoup plus révolutionnaires que ne sont, en réalité, ses sentiments.

Vassili lui dit :

« Vous êtes un poète pouilleux, Sharma, vous ne comprenez rien à la politique. »

Mais Sharma proteste avec véhémence :

« Comment puis-je être un poète, écrire de la POÉSIE, alors qu'autour de moi mes compatriotes sont foulés aux pieds et affamés ? Non, je suis socialiste, en politique j'ai des opinions progressistes. Un écrivain asiatique ne peut s'enfermer dans une tour d'ivoire. Notre devoir est de guider le peuple dans la lutte pour un avenir meilleur. »

Dans ces pays d'Asie, jeunes, didactiques, idéalistes, le roman social doit être en même temps un roman politique, et l'écrivain un homme de combat. Le talent mis uniquement au service de l'art — l'art pour l'art — est considéré comme scandaleux, égoïste et coupable. Sharma se voit conduisant des masses révolutionnaires, bien qu'il soit un véritable poète, et il n'ose pas avoir le courage — ou la lâcheté — de donner une forme poétique, dans une solitude égoïste, loin des viles réalités de l'économie politique ou de la démographie, aux gracieuses fantaisies qui habitent son cœur.

« Vous ferez bien de fermer le bec, Sharma, dit Vassili, sinon vous allez reprendre le chemin de la prison. »

Les yeux de Sharma étincellent :

« Ah ! dit-il, on voudrait nous réduire au silence, mais attendez, attendez, vous allez voir ! Attendez les élections. À l'occasion de son couronnement, il faudra bien que le roi promette des élections. Mais le gouvernement est pourri jusqu'à la moelle. Népotisme et corruption. A trente kilomètres d'ici, le gouvernement n'existe plus. Un de mes amis revient d'un voyage dans les vallées de l'Ouest. Les gens y meurent de faim. Ils n'ont même pas de grain pour les semailles de printemps. Et les propriétaires continuent à les traiter comme des esclaves. Ils doivent cent cinquante journées de travail par an au patron et aux prêtres. C'est la tyrannie pure et simple, comme au temps des Ranas.

— Vous allez vous attirer des ennuis », répète Vassili en buvant son eau de Vichy.

Depuis sa libération, Vassili boit de l'eau de Vichy, moins pernicieuse que l'eau ordinaire parce que c'est plus ou moins un médicament — bon pour le foie. Elle arrive jusqu'à présent par avion, mais il vient d'en être acheminé toute une cargaison par la route, et Vassili espère qu'une partie de la bière pourra également être expédiée par la même voie.

« Si le Colonel Jaganathan ne la confisque pas au passage pour la boire lui-même. »

John survient alors, flanqué d'Enoch P. Bowers. Enoch est définitivement nommé président du Club de la Vallée, et John en est le secrétaire. La séance d'ouverture est « prévue pour le Couronnement », comme dit Enoch. Le Club aura alors ses délégués officiels, qui assisteront à toutes les cérémonies. Sharma murmure qu'Enoch, en sa qualité de président, espère bien assister au grand banquet.

Nous déjeunons avec Vassili, Sharma et Hilde. Le menu comporte des *bouchées au roi Boris* garnies de poulet, de champignons, de piments et de crème. La pâte est tendre, feuilletée, fond dans la bouche. Après cela vient le poisson, le précieux bekti de Calcutta, frit avec des brins de gingembre et une larme de vin blanc extra-sec et suivi d'une glace à l'ananas. J'ai rarement mieux mangé qu'au *Royal Hotel*. Vassili et moi nous passons l'heure du déjeuner à inventer des plats nouveaux.

«Mais à quoi me sert de connaître l'art de cuisiner? dit Vassili. Vous, Anne, vous comprenez quelque chose à la nourriture, mais il existe une personne comme vous sur dix mille. Quant aux touristes, si on leur présente un plat inédit, ils le considèrent d'un air soupçonneux, le tripotent du bout de leur fourchette et s'inquiètent de savoir s'ils ne risquent pas d'attraper le choléra. Au lit comme à table, l'Anglo-Saxon moyen en est resté à l'âge de pierre. Les Américains superstitieux ne veulent consommer que des mets auxquels ils attribuent une vertu magique : ils les croient doués du pouvoir d'affermir leur santé, de leur fournir des vitamines ou de les empêcher de grossir.

— C'est étrange, dit Sharma, qu'il n'y ait pas de poisson dans la Vallée, car, vous le savez, c'était autrefois un lac intérieur, comme il en existe de nombreux dans l'Himalaya : cinq dans la vallée de Pokhra ou aux alentours et un magnifique à Bongsor, où Unni tente de construire un barrage. A l'aube de l'histoire, content les chroniques népalaises, la Vallée de Khatmandou était un grand lac rempli de serpents. Il y avait en son milieu un lotus que nul n'avait planté et dont les fleurs devinrent, par la suite, la petite colline sur laquelle fut bâti notre saint temple bouddhiste de Swayambudnath. C'est à cause de ce lotus, divinité apparue sous la forme d'une fleur, que les Bouddhas et les dieux furent attirés vers la Vallée, s'y installèrent et voulurent la rendre habitable. A cette époque, les collines formaient un grand cercle autour de la Vallée, cernant les eaux pour les empêcher de s'échapper. Alors le dieu géant Mansjuri vint de Chine et, pris de compassion, il tira son épée et fendit les collines pour laisser les eaux s'échapper. On montre encore l'endroit, à environ quinze kilomètres d'ici : on l'appelle Choba, c'est-à-dire coup d'épée, et la rivière Baghmati y coule dans une gorge rocheuse large d'à peine dix mètres, creusée entre deux pans de montagne. C'est la version bouddhiste de l'histoire, mais nos chroniques hindoues ajoutent que le Seigneur Vichnou, le Conservateur de la Vie, voyant les innombrables serpents libérés par le retrait des eaux, fut saisi de pitié ; il arriva ici monté sur son coursier le *Garuda*, l'oiseau-dieu, et *Garuda* détruisit les serpents. C'est pourquoi on le représente toujours avec un collier de serpents autour du cou. La Vallée est devenue habitable et belle, c'est le séjour des dieux, tant hindous que bouddhistes, celui des sages et des saints.

— Le Bouddha n'est-il pas né au Népal ? demanda Hilde.

— Certes, répondit Sharma. A Lumbini, il y a deux mille cinq cents ans, naquit la Lumière du Monde, le Seigneur Gautama. Et c'est pourquoi ici, où tous les dieux sont amis et vont de compagnie, vous ne les verrez jamais séparés les uns des autres dans les temples ou les oratoires et il n'existe pas d'intouchables comme aux Indes.

— Mais il y a le Tantrisme, dit Enoch. C'est un culte vraiment primitif, n'est-il pas vrai ?

— C'est une religion plus ancienne, plus primitive. Les divinités tantriques sont femelles et, comme chacun sait, c'est la femme qui est cruelle, vindicative et qui exige des sacrifices sanglants. Le sang de jeunes animaux mâles.

— Une telle complexité est fort décevante pour qui veut se livrer à une étude sérieuse de la question, dit John. Les gens d'ici racontent des histoires qui se contredisent absolument. J'ai voulu me renseigner au sujet d'un oratoire que j'ai vu ce matin : "A quel dieu est-il consacré ?" ai-je demandé à plusieurs des fidèles. On m'a cité trois noms différents et raconté cinq légendes également différentes. C'est tout à fait déroutant.

— Pas du tout, dit Sharma. Qu'est-ce, au fond, qu'un récit ? Ce n'est jamais qu'une interprétation, un assemblage de mots destinés à exprimer nos sentiments sur un événement. Ces fidèles adoraient le dieu, tantôt sous l'une de ses incarnations, tantôt sous une autre. Même dans nos fêtes religieuses, il y a toujours une part d'improvisation et il intervient des changements. Tant de rites se mélangent qu'on n'est jamais sûr de ce qui va en résulter. C'est extrêmement fécond et stimulant.

— Je trouve cela tout à fait déplorable, dit John. Il faut renoncer à entreprendre une étude sérieuse, scientifique, de la religion au Népal. C'est une pagaille. Et plus on y regarde de près, plus tout cela est abâtardi et obscène. Pire qu'en Inde. »

John avait un air très résolu. A la fin du déjeuner, il m'a encore demandé, comme hier :

« Eh bien, Anne, quand reviens-tu avec moi ? Quand cessera cet enfantillage ? C'est très gênant pour tous nos amis. J'ai dû *supplier* Isabel d'avoir de la patience, sinon elle t'aurait mise à la porte immédiatement. »

Et cette fois encore je réponds :

« Je crois que je ne reviendrai pas. »

Débordant de bonne humeur, il éclate de rire :

« Oh, mon Dieu, dit-il, ne prends pas cet air tragique ! Dans quelques jours ton accès de mauvaise humeur sera passé et tu reviendras. »

Chapitre 5

Martha Redworth traversait la pelouse, suivie du placide Vassili qui trottinait derrière elle à pas lourds. Ils s'arrêtèrent près du berceau de rosiers, et Vassili cueillit une fleur qu'il glissa derrière son oreille. Martha jeta un coup d'oeil expert au rosier, murmura une phrase où il était question de tailler et poursuivit son chemin, dans l'herbe mouillée qui bruissait sous ses pas.

« Ma chère, chère Anne, pardonnez-moi de faire irruption chez vous alors que vous n'avez pas fini votre petit déjeuner. Oui, merci, je prendrai volontiers du café. J'allais à l'aéroport et nous avons eu l'idée d'entrer en passant. Pourquoi donc les repas qu'on prend hors de chez soi semblent-ils toujours meilleurs ? Ce café est *délicieux*. Et vous avez *tellement* bonne mine. Paul est parti pour deux jours avec le Major Pemberton... les Ghurkas, vous savez... Je me suis dit que je devrais commencer à prendre mes dispositions, il va y avoir tant à faire pour le Couronnement. Nous aurons huit invités à la maison. Tous ces menus à prévoir pour chaque jour ! On ne peut pas leur donner deux fois la même chose. Paul et moi, nous nous contentons de viande froide avec de la salade, mais pour tous ces hauts personnages cela n'irait pas du tout. Vassili m'aide à composer les menus. »

Elle babillait, et son entrain masquait la petite

émotion de cette rencontre en donnant à sa visite l'aspect d'une consécration officielle. Vassili regardait la nappe. Peut-être découvrait-il qu'elle provenait de son hôtel.

« Et puis il y a la garden-party. Je n'ai pas la moindre idée de la façon dont je vais faire installer l'éclairage. L'an dernier pour l'anniversaire de la Reine, Unni m'a été d'un tel secours ! Il a posé des lampes admirables, des ampoules, etc. Tout à l'heure, à l'aéroport, je vais remettre un billet pour lui au pilote de l'avion de Bongsor. Je lui dis que Paul et moi nous sommes empoisonnés au sujet de cette garden-party. J'espère qu'il va venir bientôt.

— Je l'espère aussi, dit Vassili. J'ai en ce moment à l'hôtel une Française qui est munie d'une lettre de recommandation pour lui. Une de ces femmes sentimentalement disponibles : "Où est M. Menon ? crie-t-elle. J'ai pour lui une lettre d'un de ses amis de Bombay, il faut qu'il me fasse visiter le pays." Il paraît qu'elle a écrit ou est en train d'écrire un livre intitulé *Hommes des cinq continents*. On dit que c'est une étude encyclopédique sur les différentes façons de faire l'amour à travers le monde. Je crois qu'elle désire ajouter Unni à sa collection. Il n'est pas particulièrement enclin à l'inhibition et elle est assez belle fille. Cela le changera agréablement de son barrage.

— Grands dieux ! dit Martha Redworth, que vous êtes donc méchants, vous autres hommes — et si tôt le matin ! Je trouve Unni charmant. C'est positivement le seul homme à qui je confierais ma fille en n'importe quelle circonstance.

— Ce n'est pas tant ce qu'il fait, mais ce que les femmes veulent lui faire faire, dit Vassili avec un large sourire.

— Eh bien, il faut que je parte, dit Martha après

avoir consulté sa montre. Sapristi, elle s'est encore arrêtée. Il faut que j'entre en passant à l'hôpital et que je file ensuite à l'aéroport. Et puis une journaliste doit m'interviewer pour faire un article sur Khatmandou. Elle veut voir des pots d'argile. Quelles histoires nous avons déjà eues avec ces pots d'argile! J'ai demandé à Sharma de venir avec nous et de se tenir exactement derrière elle... si quelqu'un lui pinçait les fesses, cela ferait du vilain.

— Pourquoi? demanda Vassili. Isabel n'en est pas morte!

— Mais cette femme-là est envoyée ici par le *Manchester Guardian*», dit Martha.

Journal d'Anne Encore un thé avec l'Histoire, la Géographie et Isabel. Ces réunions hebdomadaires ont lieu le mercredi, dans le salon d'Isabel.

J'entre, et le léger bourdonnement de voix que j'entends du corridor s'arrête du même coup. L'Histoire et Suragamy McIntyre sont assises sur le canapé. Isabel est debout, les bras croisés sur son buste de Boadicée. Trois visages se tournent vers moi. Cette fois, la désapprobation est évidente et Suragamy ricane sans se gêner, plus olivâtre que jamais. Malgré la chaleur, elle porte un sweater marron foncé.

La Géographie entre, affairée, un peu poussiéreuse.

«Excusez-moi, dit-elle, je suis en retard. J'étais allée à pied jusque chez le Père MacCullough, je croyais pouvoir arriver à l'heure. Merci», dit-elle, comme Isabel lui tendait une tasse de thé.

Suivent alors trois horribles minutes de propos espiègles.

« Vous êtes allée à pied ? Vous ne voulez pas dire que vous avez fait tout ce chemin, aller et retour ?

— Bien sûr que si. J'adore marcher.

— Malgré la poussière et tout ?

— Ce n'est pas la poussière qui m'ennuie, cela c'est naturel, dit la Géographie, généreuse. Excellent exercice que la marche par le temps qu'il fait. Mais ce sont toutes ces pagodes et les choses qu'on voit le long du chemin. Il n'y avait d'ailleurs plus de pèlerins, ils sont tous repartis, maintenant que cette histoire de Siva est terminée.

— Dieu merci ! dit l'Histoire avec ferveur. C'est le culte du Veau d'Or, ni plus ni moins.

— Pure perversité, dit Isabel d'une voix plus choquée que de coutume.

— Il paraît que vous êtes allée à Pashupatinath, me dit Suragamy. Comment se fait-il qu'on vous ait laissée entrer ? »

Elle tient sa tasse de thé en gardant le petit doigt replié.

« Je ne sais pas, dis-je en m'efforçant de prendre un air dégagé.

— Dieu soit loué, dit la Géographie, *certains* d'entre nous font leur salut.

— Je m'étonne qu'on vous ait laissée entrer, répète Suragamy. Les chrétiens et les Blancs ne sont jamais autorisés à pénétrer dans les temples. Jamais. »

Je n'ai pas l'intention de me battre, aussi je me borne à sourire et à prendre un gâteau.

« Eh bien, dit Isabel, cela a dû être extrêmement intéressant. Vous allez, je pense, écrire là-dessus un article pour un magazine quelconque.

— Oui, sans doute. »

Humble et docile, j'imite la voix de Rukmini, je me réfugie dans la douceur.

Nous continuons à boire notre thé. Elles sont toutes furieuses contre moi, mais elles n'osent pas dire ce qu'elles ont sur le cœur. Au lieu de cela, nous parlons de nos élèves. Il est entendu que nous devons faire un rapport hebdomadaire à Isabel.

« Lakshmi a manqué beaucoup trop de cours, dit sèchement Isabel. Savez-vous pourquoi ?

— Oui, je crois qu'elle est enceinte. »

Isabel abat sa main sur la table pour manifester sa consternation.

« Quoi ! Encore ! C'est désespérant.

— A propos, dit l'Histoire, vous n'êtes pas encore venue à nos séances de chants religieux. Pourquoi pas demain ? Vous êtes libre, n'est-ce pas ? »

Dans un moment de faiblesse, je dis oui.

Je pars sans que l'orage ait éclaté.

« Eh bien ! dit la Géographie à l'Histoire.

— Notre directrice me déçoit, dit l'Histoire. Beaucoup. J'estime qu'elle aurait dû dire quelque chose sans plus attendre. Vous n'êtes pas de mon avis ?

— C'est une situation terrible, absolument terrible, dit la Géographie avec délectation. Et quel *déplorable* exemple pour les élèves !

— Vous l'avez vue arriver ici avec un toupet d'airain, parfaitement sereine. Et il n'y a pas une semaine qu'elle a quitté son mari.

— Dix jours, ma chère. Elle l'a quitté l'autre dimanche et nous sommes mercredi. Et puis, avant-hier soir, elle est allée chez Fred Maltby,

413

elle s'est enfermée avec lui dans son bureau et la lumière est restée éteinte pendant *au moins* une heure.

— Oh, regardez, leur cria de la fenêtre Suragamy McIntyre, très surexcitée, voilà Miss Maupratt qui se dirige vers le bungalow.

— Non ? Vraiment ? Allons voir », dirent l'Histoire et la Géographie.

Penchées au dehors, elles se pressaient toutes trois à la fenêtre. On vit Isabel se diriger vers le bungalow, puis disparaître quand l'épaisseur du feuillage la déroba aux regards.

« Oh, parfait, parfait, dit la Géographie. Cette femme va en prendre pour son grade, du moins je l'espère.

— Eh bien, je crois que nous ne tarderons pas à avoir un nouveau professeur d'anglais, dit l'Histoire.

— Dieu soit loué » ! fit Suragamy McIntyre.

« Entrez, Isabel », dit Anne.

Isabel entra. Elle ne s'assit pas. Elle regarda autour d'elle. Rien n'était changé, si ce n'est qu'une lampe de bronze suspendue au plafond projetait à travers la pièce des barres d'ombre et de lumière, accentuant l'impression qu'on avait de se trouver dans un autre monde, une planète couleur d'or, tandis qu'à l'extérieur le doux brouillard bleu du soir s'amassait, comme la mer bat les flancs d'un navire solitaire.

« Eh bien, vous vous êtes arrangé un intérieur confortable, à ce que je vois. »

Dans un retrait du mur, derrière un rideau à demi tiré fait d'une étoffe népalaise tissée à la main, grise avec de petits dessins bleus et jaunes, les robes d'Anne étaient suspendues. Isabel fixa sur elles un regard accusateur :

« J'espère que vous ne m'en voudrez pas de vous

dire cela, Anne, mais depuis quelque temps les gens racontent des tas de choses à votre sujet. On dit que vous avez quitté John. J'espère bien que ce n'est pas vrai.

— C'est vrai, dit Anne. Je l'ai quitté. Il y a dix jours très exactement.

— Puis-je m'asseoir ? demanda Isabel. Je suis vraiment suffoquée, je l'avoue. Mon intention n'est pas de m'ériger en juge. J'ignore quels sont les motifs de discorde entre vous et John... mais j'ai l'impression que vous vous faites tort à vous-même. »

Anne était accroupie sur le couvre-pieds orange, les jambes repliées sous elle comme les Indiennes. Ses doigts se posaient sur la *Bhagavad-Gîtâ,* le livre que lui avait prêté le Feld-Maréchal. Entre les feuillets, on voyait dépasser le bord de la photographie prise sur la pelouse : Unni, une fleur à l'oreille sous un bonnet népalais, Rukmini souriante, la petite Devi, Lakshmi, Deepah..., insouciants et païens. Peut-être était-ce Fred Maltby qui avait pris ce cliché oublié ?

« Anne, il faut vous confier à vos amis, qui cherchent à vous aider, et surtout à Dieu. Il n'est rien que Dieu ne puisse faire dans sa miséricorde infinie.

— Oui, dit Anne. "Ayez foi en Dieu et il vous aidera à surmonter tous les obstacles." »

C'étaient les paroles de l'hymne qu'elle avait entendue flotter dans l'air le soir où elle était si fatiguée après avoir été rendre visite à Vassili dans sa prison. Seulement, en quel dieu fallait-il avoir foi ? Le Christ ou Krichna ? Et quel Dieu Isabel invoquait-elle ? De toute manière, qu'est-ce que Dieu avait à voir avec toutes ces médiocres affaires humaines ? Elle avait envie de répondre d'un ton irrité et désinvolte à la fois : « Ce n'est pas d'un Dieu que j'ai besoin, mais d'un homme. Un homme véritable, grand, brun, beau, doux comme le miel. Du miel... une voix pareille à du miel sombre.» Et soudain tout surgit là, la voix, les mains, Unni Menon, si vivant, si totalement présent qu'Anne porta brusquement ses mains à son visage, étouffant un cri avec peine.

«Ma pauvre petite!» s'écria Isabel en se levant d'un bond. Elle se précipita vers le divan et entoura Anne de ses bras. «Toutes ces histoires vous ont remuée, poursuivit-elle, complètement bouleversée. Mais il faut vous ressaisir, c'est *très mauvais* de perdre son sang-froid. C'est ainsi que l'on s'achemine vers le péché et vers l'Enfer, croyez-moi.»

Mais les épaules qu'elle pressait n'étaient pas secouées de sanglots comme elle l'avait espéré. Anne laissa retomber ses mains. Elle paraissait très jeune, très mince, et on lui voyait des ombres noires sous les yeux.

«Là, dit Isabel, vous paraissez complètement épuisée. Je suis sûre que vous traversez des moments pénibles, quoique bien souvent nous nous faisons souffrir inutilement parce que nous n'avons pas confiance en nos vrais amis, en particulier l'Unique Ami Véritable. Si ce soir vous réfléchissez bien, si vous priez le Seigneur, je suis sûre que vous vous sentirez mieux et que demain vous retournerez au *Royal Hotel*.

— Non, dit Anne, je ne pense pas que je retournerai au *Royal Hotel*.

— Pourquoi? dit Isabel. Que s'est-il passé? Que peut-il bien s'être passé pour que vous en veniez à agir de la sorte. Vous prenez là une décision extrêmement grave. Je ne peux croire que ce soit à la suite d'une faute que John aurait commise. Il est bien trop droit. L'autre dimanche, je suis venue ici avec John, mais vous dormiez et votre espèce de domestique a refusé de nous ouvrir. John était *absolument* désespéré. Aussitôt qu'il s'est aperçu que vous étiez partie, il s'est précipité *chez moi*, le pauvre homme, pour me supplier de venir à son secours. »

Les narines d'Isabel frémissaient de compassion, elle carrait ses épaules comme pour montrer qu'elle avait conscience de ses responsabilités, qu'elle supportait le poids de la détresse de John :

« Il était absolument anéanti, poursuivit-elle. Vous savez qu'à ce moment-là il ne se portait pas bien. Il était tombé malade à la suite de cette terrible randonnée sur la nouvelle route — une course à faire dresser les cheveux sur la tête. Je ne peux pas le blâmer d'avoir perdu patience quand vous avez voulu ressortir le soir même. Mais il n'aurait jamais cru que vous alliez vous enfuir comme cela, le quitter — surtout à un moment où il était malade — uniquement parce qu'il ne voulait pas que vous assistiez à ces obscènes cérémonies de la fête de Siva. Vous vous êtes conduite en enfant gâtée, Anne. Vous ne pensez pas ?

— Peut-être », dit Anne.

Elle n'avait pas vraiment écouté la version d'Isabel. Son cœur lui faisait mal, il cognait contre ses côtes. Unni Menon. Unni. Bien sûr. Sa voix, ses mains... Anne sentait la chair de poule lui couvrir les bras et les jambes, les eaux du désir affluer dans sa bouche, un feu doux l'envahir jusque dans la moelle des os. Qu'on donnât au sentiment qu'elle éprouvait le nom qu'on voudrait, il n'en était pas moins là. Si seulement cette femme consentait à s'en aller, à la laisser seule avec cette convoitise, cruelle et merveilleuse, ce désir surgi comme un éclair sillonnant le ciel, qui lui révélait un monde nouveau.

« Eh bien, dit Isabel, le pardon et l'oubli, voilà ma devise. Je comprends que vous ayez été blessée et que vous soyez venue ici. Mais cette séparation provoque d'innombrables commentaires, et cela ne vaut rien pour votre réputation ni pour celle de l'Institut Féminin. Alors, puis-je envoyer un mot à John pour lui dire de venir vous chercher, disons demain matin ?

— Je déjeune tous les jours avec John au *Royal Hotel*, dit Anne. Nous avons donc l'occasion de nous voir, de nous parler.

— Ah, fit Isabel, interloquée, je l'ignorais. Eh bien alors, ne trouvez-vous pas que c'est absurde de vous obstiner ainsi ?

— Je ne reviendrai pas avec John, j'ai besoin d'être seule, de réfléchir.

— J'en suis navrée, dit Isabel en se levant. Je suis navrée de ce que vous me dites là. La situation me paraissait tout à fait simple, vraiment : John était souffrant, il a un peu perdu son sang-froid, vous êtes partie... J'avais réussi à le rassurer, poursuivit-elle, je lui ai demandé d'être patient, de vous donner à peu près une semaine pour retrouver votre équilibre. »

Anne sourit, en se rappelant que, d'après John, c'était lui au contraire qui avait demandé à Isabel d'être patiente :

« Vous m'amenez à regretter d'avoir mis ce bungalow à votre disposition, assura Isabel. Dès le début, vous en avez fait mauvais usage. Je m'étais dit qu'étant écrivain vous auriez besoin d'un endroit pour vous toute seule, mais je n'avais jamais envisagé que vous y habiteriez. J'ai été très surprise de voir que vous aviez tout transformé dans la pièce du bas et engagé deux domestiques sans me demander mon consentement. Très surprise vraiment.

— Excusez-moi, Isabel, mais ce bungalow ne vous appartient pas, il est à une autre personne. C'est vous qui n'aviez pas le droit de le mettre à ma disposition.

— Quoi! dit Isabel, furieuse, si jamais... Je devine qui vous a raconté cela. C'est Unni Menon, cet ignoble individu, ce débauché. S'il ose se montrer ici, je le fais arrêter. Il court après toutes les femmes qu'il rencontre, il est incapable de s'en empêcher. Permettez-moi de vous dire que ce palais tout entier est loué par notre conseil d'administration et que j'ai parfaitement le droit de disposer du bungalow. Je vais soumettre l'affaire au gouvernement et nous verrons bien!»

Elle était là, ravagée, furieuse, impuissante, vaincue, mais elle bluffait.

«Je crois que nous n'avons plus rien à nous dire, Anne. Vous courez à votre perte, je vous en préviens. Si vous persistez dans cette étrange conduite, je crains que nous ne puissions vous conserver comme professeur, ce serait très préjudiciable à la réputation de l'Institut.»

Anne ne répondit pas. Sous le regard ironique et fixe des yeux peints, Isabel s'en fut d'un pas ferme et descendit l'escalier.

De même qu'un filet d'eau se met à sourdre, puis filtre, suinte, jaillit enfin pour devenir un courant violent, un flot profond et large battant contre ses rives, ainsi Anne se sentait-elle envahie par la convoitise à mesure que passaient les jours.

Le journal intime qu'elle avait commencé à

tenir, et dans lequel elle s'analysait, semblait maintenant s'éloigner, se détacher d'elle en quelque sorte; elle se montrait réticente envers lui comme s'il se fût agi d'une autre personne. Elle y notait les événements, mais non ce qui se passait en elle-même. Aussi le papier jaunissait-il sur sa machine, tandis qu'elle restait allongée sur le couvre-pieds orange, inerte bien que tendue, engourdie et sensible à la fois. Elle n'était plus habitée désormais par cette merveilleuse exaltation qui l'avait soulevée hors de la lagune stagnante de la plaine, elle demeurait plongée dans une torpeur qui la rendait muette. Pourtant il y avait un changement dans la qualité de son silence. Étendue de tout son long ou assise pendant des heures le menton dans ses mains, elle gardait les yeux fixés sur la douce montagne qu'on apercevait au loin entre les troncs des noyers, mais son oisiveté n'était plus la contemplation passive, désespérée, du néant. C'était l'immobilité d'un être, emporté par un courant trop fort pour qu'il fût possible d'y résister.

Autour d'elle brillaient les temples et les oratoires récemment nettoyés, repeints, chaque jour plus révélateurs. Au-dessus des collines, les Seigneurs de la neige devenaient incandescents à l'aube et au coucher du soleil; jusqu'à midi, ils rayonnaient d'un éclat bleu et blanc, puis s'emmitouflaient de nuages qui s'assemblaient autour d'eux comme une énorme végétation céleste.

Dans la chambre d'Anne, les perruches faisaient mal à voir, comme un corps vivant qui ne peut crier sa détresse: des fleurs coupées, un animal roué de coups. Les yeux peints qui ne cillaient jamais la mettaient au défi de se regarder. Qui pouvait échapper à leur inquisition? Elle les voyait dans ses rêves, se sentait surveillée. Ils ne la laisseraient pas échapper à elle-même. Ils étaient la Conscience qui voit tout, l'œil au fond de la tombe qui regarde Caïn le meurtrier. Les vers redondants de Victor Hugo surgissaient du fond du temps, du temps des leçons de français au pensionnat Maupratt : *L'œil était dans la tombe et regardait Caïn.* Depuis le jour où, en compagnie de Suragamy et d'Isabel, de l'Histoire et de la Géographie, Anne avait escaladé la colline du lotus et que péniblement elle avait commencé d'apprendre la leçon de la vue intérieure, les yeux ne l'avaient plus lâchée.

En effet, quelques jours après son escarmouche avec Anne, Isabel annonça à ses collaboratrices qu'un pique-nique était prévu pour le dimanche suivant. Il fallait que *tout le monde* y vînt. Elles emporteraient des sandwiches dans un panier et visiteraient le temple bouddhiste de Swayambud-nath édifié sur une colline : « C'est le moins indécent de tous. » Ensuite, elles descendraient dans la Vallée pour y chercher un endroit agréable où déjeuner avant de rentrer.

« C'est la colline de Swayambudnath qui est, selon la légende, une touffe de lotus changée en montagne. Vous ne trouvez pas que toutes ces superstitions païennes sont amusantes ? On dirait des contes de fées pour les enfants », dit Suragamy à Anne.

Depuis quatre jours, tout le personnel enseignant de l'Institut, y compris Isabel, s'était mis à traiter Anne avec une gentillesse accablante. Charité chrétienne ou revirement féminin ?

Anne se rappelait l'histoire que racontait Sharma au sujet du lotus vivant flottant sur les eaux à l'époque où la Vallée était une mer intérieure, et transformé en colline quand la Vallée devint la demeure des dieux. C'était à environ cinq kilomètres de la ville et, dans le ciel, la flèche dorée de Swayambudnath s'élançait parmi les arbres verts.

Le fiancé de Suragamy faisait partie de l'expédition. C'était un garçon aux manières joviales dont les cheveux graisseux ruisselaient de brillantine. Il raconta qu'il se levait toujours très tôt et qu'il avait déjà fait beaucoup de travail ce matin-là. La Géographie et lui parlèrent de la dernière réunion religieuse.

« A propos, vous n'y êtes pas venue, vous l'aviez pourtant promis, dit l'Histoire d'un air de reproche, il faudra venir la prochaine fois.

— Nos séances ont lieu dans le parc du Palais Sérénissime, dans le bungalow à côté de celui du docteur Maltby, où habitent deux de nos infirmières », dit la Géographie.

Le fiancé se proposa pour conduire la jeep de l'Institut. Les voyageurs s'y empilèrent : Isabel, l'Histoire et la Géographie à l'arrière, Suragamy, son fiancé et Anne devant — à grand renfort de petits cris, tandis que l'Histoire clamait : « Allons ! En route ! » et que chacun casait comme il le pouvait son postérieur dans un espace exigu.

« Allons, allons, soyez sages ! » cria Isabel, indulgente.

La jeep trébucha de bosse en butte, puis s'enfonça à travers la campagne sur une route inégale et non goudronnée. Tout autour, dans la matinée d'avril, les grives sautillaient dans les épaisses frondaisons, des paysans de très petite taille, vêtus de laine tissée couleur de terre, sarclaient à la main de longs sillons ; des choux-fleurs et des choux rangés dans des paniers se chauffaient au soleil sur les seuils, et de lourdes nattes d'oignons pendaient des avant-toits. Un petit univers patient et tranquille, au creux de la cuvette des collines proches. Le soleil illuminait le tout, l'Histoire et la Géographie, surexcitées par la lumière et la chaleur, ne cessaient de se tortiller, de pousser des exclamations et de faire des commentaires sur tout ce qu'elles voyaient.

« Oh, regardez cet enfant qui porte une jarre, elle est aussi grosse que lui, pauvre petit.

— Suragamy, pourquoi ces femmes se lavent-elles les cheveux avec de la boue ?

— Oh, encore un cortège. Je me demande ce que c'est. »

Et ainsi de suite.

Le soleil donnant sur Suragamy faisait songer Anne à la mousse et à la boue accrochées à un rocher, tant sa personne et ses vêtements offraient naturellement un aspect verdâtre et bilieux. Assise très droite, Isabel avait l'air d'une statue bienveillante :

« Je crois que je vais pouvoir grimper ces terribles marches, dit-elle. Je me sens très bien depuis quelque temps.

— L'an dernier, vous avez dû y renoncer, lui rappela l'Histoire. Vous vous êtes sentie essoufflée tout de suite.

— Cette fois j'y arriverai facilement, dit Isabel, je vous dépasserai même, vous allez voir cela ! »

On arriva bientôt à la colline tapissée d'une herbe rare, pierreuse et ombragée d'immenses vieux arbres. Au pied se dressaient deux grands bouddhas aux visages empreints d'extase, signe du parfait équilibre intérieur. Il régnait sur ces calmes pentes une profonde béatitude, une paix qui excluait toutes les banalités. De part et d'autre des degrés gravissant la colline, des divinités hindoues à tête d'éléphant ou d'oiseau, peintes et fleuries, se mêlaient comme de coutume à des saints bouddhiques à l'air méditatif, sans souci de la différence des dogmes. Les dieux-éléphants, aux trompes réduites à néant à force de caresses, rappelaient Rome et le pied de saint Pierre en voie de disparition, détruit par les baisers des dévots. Et partout, sur les statues des dieux, dans les arbres, sur les marches, se grattant, recueillant leurs puces, grimpant, se balançant aux branches, mangeant, s'accouplant, dévisageant les visiteurs, les singes grouillaient.

« Oh, s'écria Suragamy, terrifiée, des singes ! Ils mordent et on en meurt *toujours*. Une de mes amies a été mordue et elle est morte au bout de dix-sept jours.

— Ne faites pas la sotte, dit Isabel. Je n'ai pas peur des singes. »

Mais Suragamy se cramponnait à son fiancé qui l'étreignait, blême, aussi effrayé qu'elle.

L'escalade des degrés commença. Isabel ouvrait vaillamment la marche. Anne s'attardait derrière ses compagnons ; la vue de leurs dos troublait sa rêverie douce-amère, mais elle la préférait à leurs visages. Soudain, elle se sentit observée et, levant les yeux, elle vit un énorme dôme blanc comme un œuf, surmonté d'un cube doré pareil à un visage planant au-dessus d'un nuage, un visage couronné d'un haut cône doré, où deux grands yeux peints aux sourcils en forme d'ailes l'observaient avec attention. La Conscience Unique qui voit tout, qui embrasse tout, étendait la protection de son regard sur les hommes, les bêtes et les dieux dans la Vallée de Khatmandou.

Au-dessus du cube, du haut de la flèche, le vent faisait voler de longues banderoles blanches où s'inscrivaient des prières bouddhiques. L'escalier montait, montait, devenait plus étroit et plus raide, encombré des deux côtés par de petits oratoires et des stupas, ainsi que par les symboles de Siva, les lingams phalliques, poussée de vie, disparaissant sous des sculptures bouddhiques. Les singes aux petites mains et aux visages roses circulaient de côté et d'autre en grignotant, renversaient les fleurs et les offrandes et poussaient des cris gutturaux.

Ils montaient, marche après marche. Anne regardait, se retournait, s'arrêtait pour contempler la Vallée : un éblouissement rose de toits baignant dans un soleil laiteux, la tour blanche de la Folie de Bhim Seng, la silhouette des pagodes à étages, un horizon de collines.

« Oh, grands dieux ! gémit Isabel, haletante, ces marches sont terribles. »

Les quarante dernières étaient séparées en deux par des rampes, et plus raides encore que les précédentes. Les yeux étaient maintenant tout proches, comme surgis au-dessus des visiteurs, fixes, inexorables. Entre les deux yeux, un cercle était dessiné sur le front doré, dans le prolongement du nez, en forme de point d'interrogation. Toute une bande de Thibétains qui riaient en parlant très fort descendaient en sautillant. Un bébé singe dévalait derrière eux et, à sa vue, Suragamy poussa des cris de frayeur. La mère singe surgit, montrant les dents. Les Thibétains l'appelèrent en faisant claquer leurs doigts et lui dirent : « Ici, ici », comme à un chien. La mère récupéra son petit, qui s'installa sous son ventre, et elle disparut avec lui dans les arbres.

« Allons, avancez, lambins ! » cria la Géographie.

Les poings sur les hanches, les jambes écartées, exactement dans l'axe des yeux peints auxquels elle tournait le dos, elle regardait Isabel et l'Histoire lutter de vitesse pour monter les dernières marches.

Ils se trouvaient maintenant sur la plate-forme circulaire de marbre entourant l'édifice central en forme d'œuf. Cette plate-forme était encombrée d'une surabondance d'oratoires, de stupas, de cloches, de statues de toutes tailles et de toutes formes. Autour de l'œuf tournaient des centaines de moulins à prières thibétains, placés sur deux rangs, cylindres de bronze portant tous gravés en creux les mots *Om Mani Padme Hum.* Les habituels chiens errants fouillaient parmi les offrandes de riz déposées sur des feuilles, les pétales de fleurs et le lait; des escadrons de pigeons, des colombes, des corbeaux picoraient çà et là et partout, parmi les statues des dieux, mangeant, se grattant, s'accouplant, il y avait les singes. Des hommes et des femmes, venus des vallées du Nord — Sherpas, Bottyas, Thibétains, — tournaient autour des moulins à prières, qu'ils actionnaient d'une main au passage, et déposaient des offrandes devant les petits oratoires sur lesquels ils répandaient des tournesols, des fleurs d'hibiscus, des aliments et de l'eau.

Lentement, les professeurs de l'Institut firent le tour de la terrasse, s'exclamant sur tout ce qu'elles voyaient, et Anne, choquée de leur grossièreté, de leur absence de respect, se sentait honteuse d'être en leur compagnie.

Derrière le stupa central, elles découvrirent un oratoire abritant une image noire et argent et dont la façade s'ornait de cascades de cloches, grandes et petites. Un homme et une femme — des Gurungs venus des collines — y étaient agenouillés. Des bijoux d'or incrustés de turquoises s'accrochaient dans les cheveux de la femme et aux lobes de ses oreilles, si distendus que le trou rond fit à Anne l'effet d'une orbite vide. Sur les genoux de la femme reposait un paquet, un bébé emmailloté, le visage couvert d'un linge gris sale. Aux côtés du couple se tenait un petit prêtre nevâri, enroulé dans des guenilles comme ils sont tous. Devant eux étaient disposés des pots d'étain, des fleurs et des offrandes enveloppées de feuilles étalées sur un plateau.

« Oh, qu'est-ce que c'est ? s'écria la Géographie, penchée vers le groupe. Demandez-leur de quoi il s'agit », dit-elle au fiancé.

Le fiancé parla au prêtre qui semblait diriger la cérémonie avec la désinvolture habituelle et leur sourit largement, content d'avoir de nouveaux spectateurs.

« Le bébé a eu la petite vérole et il est aveugle, aussi les parents sont-ils venus prier la déesse de la petite vérole », dit le fiancé, désignant la sombre image.

La mère leva vers la Géographie un visage souriant. Son regard se porta sur les yeux peints sur le cube doré, elle les montra d'abord du doigt, puis l'enfant.

La Géographie décida d'agir. Elle s'accroupit auprès de la mère, découvrit le visage du bébé : dans un magma de croûtes et de pus, deux pierres blanches fixaient le ciel.

« Oh, c'est horrible, c'est monstrueux », cria Isabel en se cachant le visage dans ses mains.

L'Histoire aussi fit entendre des bruits indignés. Suragamy se serra étroitement dans son manteau et recula de trois pas. Mais la Géographie pencha sur l'enfant son visage inquiet et soucieux. Elle prit dans ses bras le paquet malodorant que la mère lui abandonna à contre-cœur et se mit à harceler le fiancé pour qu'il traduisît ses recommandations : il fallait *absolument* que les parents emmènent l'enfant à l'hôpital. Elle donna des instructions précises : ils pouvaient y aller tout de suite. D'assez mauvaise grâce, avec ce haussement d'épaules résigné — si exaspérant — de l'Indien à demi occidentalisé plein de dédain pour son propre peuple, le fiancé traduisit. La Géographie regardait d'un air suppliant la mère qui souriait sans dire ni oui ni non. Le prêtre continuait à psalmodier. Le père se leva, se dirigea vers l'image noire, la caressa, baisa ses mains et lui versa du lait sur la tête.

Vaincue, la Géographie se releva. Ses lèvres tremblaient, elle semblait au bord des larmes. Elle était chaussée de sandales, et Anne remarqua qu'elle avait un gros oignon à chaque pied, à l'articulation du gros orteil. La marche devait lui être pénible. Anne se sentait envahie par la honte : elle avait raillé, dédaigné la Géographie, elle la trouvait vulgaire, étroite d'esprit. Pourtant c'était elle, malgré ses pieds douloureux, qui avait essayé de faire quelque chose pour ce petit enfant. C'était elle et des gens comme elle qui, un jour, convaincraient les mères de ne pas laisser leurs enfants devenir aveugles. Anne, elle, n'était capable que de s'arrêter, de regarder, puis de poursuivre son chemin et peut-être d'écrire un récit de la scène pour se soulager.

Isabel déclara alors qu'il n'y aurait pas moyen de déjeuner sur cette colline pleine de singes, et ils redescendirent par l'autre versant. Un sentier infect serpentait entre des maisons décrépites réservées aux prêtres et s'enfonçait jusqu'au bas de la pente. Dans le ciel bleu, ils voyaient se découper une croupe sombre couverte d'une croûte de neige et plus loin derrière, révélation inviolée, un pic neigeux dont le sommet se dégageait de l'étreinte des nuages. A un détour du sentier, Khatmandou fut soudain au-dessous d'eux, doux et argenté, à leurs pieds.

Une autre paire des yeux de la Conscience qui voit Tout, peints sur une autre face du cube doré, les avait suivis pendant toute la descente. Anne rentra chez elle pour y retrouver le regard dans sa propre chambre, image maintenant associée pour elle aux pierres pâles qu'étaient devenus les yeux de l'enfant. Et ce fut pour elle une désolation accrue de se dire que la Conscience Toujours en éveil, la Conscience qui voit Tout était complètement aveugle, comme une pierre.

Le Général traversait la pelouse. On eût dit une longue hampe de drapeau en marche.

« J'espère que vos serviteurs prennent bien soin de vous, Madame.

— Je suis très heureuse ici, dit Anne.

— Le bonheur est chose difficile, car il réside dans le non-désir, le non-attachement, ainsi que nous l'enseignent le Seigneur Krichna et la *Bhagavad-Gîtâ*, et c'est très difficile.

— Oui, concéda Anne, il est difficile de refréner ses désirs.

— Qui parle de les refréner ? Celui qui se contraint sans posséder d'abord la connaissance est aussi coupable que celui qui s'abandonne au mal. N'est-il pas écrit dans le *Chant de Dieu* :

L'abstinent fuit son désir
Mais il emporte avec lui son désir
Et le désir insatisfait corrompt le cœur.

« Mais le chemin du détachement est rude, plus encore que l'ascension des hautes montagnes. Car avant de renoncer, il faut, selon moi, avoir erré dans les vallées et les contreforts, goûté à maintes joies de la vie et avoir le cœur comblé.

— Il me semble que mon cœur s'est rétréci depuis quelques années.

— C'est sans doute vrai, dit le Général. Car nous sommes fragiles, nous autres humains. Le cœur rétrécit, il rétrécit sous les coups, il se dessèche et meurt. Puis, ô miracle! il refleurit, mais avec une grande timidité, et c'est le moment périlleux, le moment du choix. »

Quand Anne releva la tête, le Général avait disparu.

Temps du renouveau, quand je reviendrai d'où
[je vais
Je saurai alors
Ce qu'il conviendra de faire, lézard perdant sa
[peau
Renaissant sous la forme du même lézard.

Mais où diable ai-je bien pu lire cela? se disait Anne. A ce moment, elle vit Rukmini traverser la pelouse au soleil, un carton sous le bras.

Rukmini s'assit dans l'herbe, les jambes repliées sous elle, avec ce geste souple qu'Anne avait étudié et réussissait maintenant à imiter. Elle tira du carton de grandes feuilles de papier.

« Voilà ce que j'ai peint. »

C'étaient les fêtes du mariage.

« Vous y avez assisté, dit Rukmini.

— Oh, Rukmini, c'est excellent! » dit Anne, examinant les feuillets.

Dans toute sa gaieté et sa splendeur, c'était le mariage: les musiciens se balançant en jouant de la flûte, les agiles mains brunes frappant sur les tambours, le marié dans un chatoiement de soie, les Maharanis dans des flots de satin, avec leurs bijoux, leurs longs yeux admirables et leurs cheveux fleuris. Il y avait même Anne, debout près du piano, le visage levé, la main tendue — vers quoi? Rien du tout, semblait-il.

« C'est vraiment très bien, Rukmini, vous deviendrez une grande artiste. »

Elles s'assirent côte à côte sur l'herbe. Rukmini ne parlait pas. Elle promenait autour d'elle un regard flottant qui se posait avec sérénité sur les champs, les arbres, le bungalow, la montagne. Elle prit ses crayons dans un sac et se mit à faire un croquis d'Anne en train de lire la *Bhagavad-Gîtâ*. Elles n'auraient pu se dire que des banalités. Elles se comprenaient à merveille. Toutes deux, elles attendaient le retour du même homme.

Puis il y eut une nuit blême, pâle, au cours de laquelle Anne s'éveilla, entendant la voix d'Unni dire: « Anne » au-dehors. Elle alla vers la fenêtre, à demi fermée, car le froid survenait brusquement quand le soleil baissait, elle se pencha pour scruter la nuit, son corps couvert de chair de poule au souvenir de cette voix. Elle descendit au rez-de-chaussée, passa devant Regmi et Mita endormis, pelotonnés dans le corridor, souleva la lourde barre de la porte et se trouva dehors dans le froid, dans un paysage gris d'argent tamisé, mais il n'y avait rien que la lune solitaire et toujours éveillée.

Mais, par un soir plus sombre que la pleine nuit,

comme elle revenait de chez les Redworth, elle vit au-delà des ombres du jet d'eau et du berceau de roses, dans les ténèbres épaisses des noyers, une ombre plus dense qui se tenait debout, et elle la reconnut comme si ses yeux pouvaient percer la nuit. Elle traversa à pas lents la petite pelouse en traînant les pieds dans l'herbe, gonflée soudain, comme un fruit, de douceur et d'ombre, toute pleine de cette nouvelle chose si nouvelle, et elle se trouva en face de lui, immobile. Leurs yeux aveuglés par la nuit regardaient leurs visages invisibles et rigides. L'on eût dit des ennemis se mesurant avant une bataille. Puis Anne parla, et ses paroles ne venaient pas de l'être conscient connu sous le nom d'Anne, mais des profondeurs d'un autre être inconscient des mots que prononcent les lèvres, un être primitif, féminin et affamé.

« Voulez-vous m'aider ? dit-elle. Unni, voulez-vous m'aider, je vous en prie ! »

Peut-être la regardait-il, mais elle ne pouvait s'en rendre compte. Pourtant, elle devina sa souffrance quand il lui dit :

« Alors je vais être pris au piège, je vais être pris... car ce que vous me demandez, c'est moi-même.

— Je veux être vivante, vivante, et non pas à demi morte comme je le suis maintenant.

— Ah, oui, dit-il, mais sans amertume, et il faut d'abord que l'amour se change en passion et, par le truchement de nos corps, joue le jeu inéluctable.

— Ne souhaitez-vous pas d'être pris au piège ? »

Il gardait le silence, et Anne sut qu'il s'interrogeait.

« Oui, je crois que oui. »

Comme au temple, il lui prit la main. Elle écoutait le bruit de ses propres pas sur les marches de l'escalier, mais elle n'entendait pas ceux de son compagnon ; puis ils furent dans la lumière dorée, et soudain elle eut peur de lui, comme s'il était pour elle un étranger.

« Eteignez la lumière, supplia-t-elle, éteignez la lumière. »

Il leva le bras avec cette grave et mâle élégance qui le caractérisait. Dans l'obscurité, elle alla vers le lit ; il s'étendit à côté d'elle et puis il n'y eut plus rien, plus d'autre monde que ce monde nouveau de vie, de ténèbres et de plaisir.

Elle s'éveilla se croyant en mer, rêvant encore. Derrière les fenêtres, le vent mugissait comme en plein océan. La lampe oscillait comme au plafond d'une cabine, balançant sa lumière sur les perruches. Le lit lui-même semblait s'agiter doucement.

O vent libérateur, tu m'as lavée dans ta pluie, tu m'as emportée très loin, très loin.

« Cela se calme, dit la voix d'Unni, ce sera bientôt fini. »

Les eaux hurlantes se déversaient sur la terre avec fracas ; finalement elles s'arrêtèrent, et Anne perçut la palpitation de l'herbe et des feuilles et l'odeur de la pluie.

Elle vit Unni assis sur la chaise, long et mince, en manches de chemise et en pantalon, qui fumait en la regardant. Déjà la pièce était différente, elle semblait vous sauter au visage, elle chantait, il y régnait un aimable désordre. La veste de cuir d'Unni gisait à terre. Une bouteille et des verres étaient posés sur le bureau. Et puis, il y avait l'odeur de sa cigarette, sa carrure et sa taille quand il se leva, la voyant éveillée, et se dirigea vers le bureau pour verser du whisky au soda dans un verre.

Peu à peu elle reprenait conscience de son corps, elle se sentait envahie par une lassitude lente, savourée. Elle s'étira en faisant : « Aaaaah ! » Unni s'approcha du lit et lui tendit le verre.

« Où diable avez-vous trouvé du whisky, du soda et des cubes de glace à cette heure-ci, Unni ?

— J'ai envoyé Regmi les chercher au *Royal Hotel*.

— Au beau milieu de la nuit ? »

Il inclina la tête, et Anne se mit à rire sans pouvoir s'arrêter ; elle s'étranglait dans son verre et finit par le déposer par terre pour mieux enfouir son visage dans l'oreiller. Unni lui passa une main dans les cheveux et elle cessa de rire, la peau parcourue de frissons, les muscles tendus, tout son corps déjà prêt à nouveau, à nouveau en proie au désir.

« Oh, non ! supplia-t-elle. C'est terrible l'effet que vous me faites, Unni. Je n'y comprends absolument rien. Il paraît que je suis frigide. Et voilà où j'en suis !

— Vous êtes du feu liquide. Moi aussi je frissonne quand je vous regarde. Et je veux qu'il en soit ainsi, je veux que tu me désires. Et je te donnerai du plaisir... du moins je l'espère.

— Ce que nous faisons est très mal, je crois, dit Anne, mais peu importe.

— Bien sûr que c'est mal, mais nous sommes un homme et une femme et les dieux sont miséricordieux. Ils comprendront.

— Comme vous êtes familier avec vos dieux !

— La peau de ton visage est douce comme de la soie, répondit-il.

434

— J'ai pelé complètement à la suite des deux jours de voyage sur la route. C'est ma nouvelle peau. Tu te rappelles la route?

— Si je me rappelle la route! Je n'ai pensé à rien d'autre durant ces trois semaines passées loin de toi. Et la fête de Siva... C'est à ce moment-là que j'ai décidé de tout faire pour me rapprocher de toi.

— Tu m'avais donné ta jeep à conduire. C'était une folie, une folie dangereuse. Paul était terrifié. Je crois bien qu'il ne m'a pas encore pardonné. Pourquoi as-tu fait cela?

— N'as-tu pas deviné? Je remettais ma vie entre tes mains, je me donnais à toi.

— Ne te moque pas de moi, Unni», dit-elle un peu tristement.

Il ne répondit pas. Pensivement, il lui caressait les cheveux.

«Je me demande ce qui va se passer, dit Anne, cherchant à prendre un air détaché, tranquille et objectif. Je me demande si cela va durer. Je me demande...

— Chut, dit-il, rien n'a encore commencé. Nous avons bien le temps de permettre à nos autres moi de reprendre possession de nous, le temps de laisser les idées, les craintes, les principes, les codes moraux venir nous tourmenter. Les vertus naissent des passions, et je suppose que nous aussi nous métamorphoserons nos anges passionnés en démons vertueux. Mais cette nuit est à toi, à ton corps, au cœur enclos dans ton corps et qui a besoin de tendresse. Regarde, la pluie a cessé, bientôt il fera jour et, jusqu'au jour, ne réfléchissons pas trop, veux-tu?

— Oh, Unni, si seulement je pouvais te dire...

— Un jour tu me le diras. Mais aujourd'hui, nier ce qui existe, c'est mentir. Craindre d'aimer, c'est fuir. Craindre de trop donner, c'est être avare de la vie. Je suis à toi de tout mon cœur, de tout mon être, et, si tu ne vois en moi qu'un mâle, je le saurai un jour, car je ne veux pas qu'on use de moi — et toi moins que quiconque. Je ne crois pas que ce soit le cas, Anne. Cependant nous verrons.

— Prends-moi dans tes bras, dit Anne, reprends-moi dans tes bras. »

Il ne fallait pas qu'elle parlât trop, qu'elle tentât d'exprimer la réalité par des mots. Il était là, auprès d'elle, et elle se rappelait la surprise joyeuse, le cri de bonheur quand il l'avait prise, adroit, doux et fort : alors elle n'avait connu aucun obstacle, avec ferveur son corps s'était précipité vers celui d'Unni pour atteindre à cette concentration furieuse et passionnée qu'est l'acte d'amour. Cette perfection physique, cette félicité si rare et si précieuse, elle les possédait maintenant. Je ne demanderai rien de plus, je ne demanderai pas l'éternité, puisque la beauté et le temps sont à moi désormais.

Ainsi fut-il jusqu'au moment où la voix du coq, aiguë comme un pic, perça la nuit et où le jour, tel Lazare, sortit du tombeau, ressuscité.

Chapitre 6

Comme les oiseaux au printemps, l'un après l'autre d'abord, puis par cohortes, les correspondants de presse, les reporters, les photographes et les invités officiels au Couronnement du Roi Mahendra arrivaient à Khatmandou.

Leo Bielfeld fut parmi les tout premiers.

« Leo va arriver, dit Anne à John en déjeunant avec lui au *Royal Hotel*. As-tu envie de venir l'attendre avec moi à l'aéroport ?

— Je ne peux pas, répondit John d'un air important. Cet après-midi, je vais avec Enoch et Pat rendre visite à l'équipe du Mégalorama.

— En effet, dit Enoch. Les gens du Mégalorama sont arrivés avec tout leur matériel. Nous allons voir ce que nous pouvons faire pour leur faciliter les contacts avec les uns et les autres. »

Ce Mégalorama, raconta Enoch, était organisé de manière « fabuleuse ». Tout était venu par avion : personnel, techniciens, appareils. Il avait fallu pour cela fréter aux Etats-Unis un avion spécial (un appareil fabuleux). Comme l'aéroport de Khatmandou était beaucoup trop petit pour recevoir ce géant, il avait atterri à Delhi, et le Mégalorama s'était réparti entre plusieurs avions moins importants pour parvenir dans la Vallée. Toute l'équipe vivait sous la tente, à l'écart de la population et loin de tout autre danger de contamination.

« Ils ont pensé à tout, je vous répète que c'est une organisation fabuleuse. Ils ont des vêtements spéciaux confectionnés dans un tissu étanche, traité aux antibiotiques contre les sangsues, les moustiques, les punaises et les puces, qui les couvriront du cou jusqu'aux pieds inclus pendant le travail, afin qu'ils ne courent pas le moindre risque d'attraper des maladies. On leur a administré des piqûres contre la petite vérole, la fièvre jaune, la fièvre paludéenne, la poliomyélite, la typhoïde, la paratyphoïde, et on leur fait prendre des dragées vitaminées. Pour les repas, ils ont également leur organisation personnelle. Les aliments leur sont envoyés tout cuits dans des récipients stériles par des services quotidiens d'avions spéciaux venant de Delhi. La dépense prévue est de deux cents roupies indiennes par tête et par jour, cela ne fait guère que quarante dollars américains.

— Deux cents roupies par jour et par tête ! s'écria Anne, médusée.

— Oui, Madame, dit Enoch, empli d'orgueil. Et ces gens-là ne connaissent que leur travail, c'est fabuleux. Ils ne verront personne ici, en dehors des personnalités importantes avec qui nous allons leur organiser des rendez-vous. Mais il faut faire vite, nous sommes à six jours du Couronnement. »

Comme de coutume, on en vint alors à déplorer l'impéritie des Népalais, John et Enoch avaient tous deux été voir des personnalités « éminentes » ou tâché d'obtenir d'elles des rendez-vous. Le Département d'Etat leur avait fourni la liste des « notabilités ».

« Mais ils ne semblent pas se rendre compte de l'importance de tout cela, gémit Enoch. Croiriez-vous que nous nous sommes présentés trois fois chez le Premier Ministre et qu'il n'était jamais là ? Jamais. Pourtant nous avions laissé nos cartes de visite, et tout. »

Aussi, bien qu'on fût à moins d'une semaine du Couronnement, il n'y avait encore ni horaire établi, ni programme officiel, ni mobilier à l'hôtellerie du gouvernement, ni domestiques, ni rien.

« Tout cela n'a aucune importance, disait Vassili. Le pire, c'est qu'il n'y a pas d'alcools. Où donc est cet Unni ? Je l'ai attendu toute la matinée. Il m'avait promis de venir pour voir s'il pourrait m'aider à obtenir les alcools et les domestiques.

— Sans doute est-il occupé avec quelque femme, dit John. Ces Indiens sont toujours à courir après les jupons.

— Il est déjà venu ce matin de très bonne heure, dit Vassili, pour chercher Miss Valport et l'emmener faire un tour en voiture. C'est la Française, vous savez. Elle avait pour lui une lettre d'introduction, de la part d'un ami de Bombay. Mais ils ne sont certainement pas couchés ensemble en ce moment, parce que Miss Valport déjeune avec l'ambassadeur de l'Inde.

— C'est sans doute une excuse — vous comprenez ce que je veux dire », dit John, clignant de l'œil avec une lourde ironie à l'adresse d'Anne. Pour cet Anglais, le mot « Française » évoquait des images grivoises.

« Si nous le voyons, nous lui dirons que vous l'attendez, promit Enoch. Dites donc, John, il se fait tard, nous devrions partir.

— Je vais chercher Leo à l'aéroport, dit Anne en se levant.

— Un instant, Anne, j'ai à te parler », dit John.

Enoch s'en fut chercher Pat. Le mari et la

femme restèrent seuls de part et d'autre de la table.

« Je voulais seulement te dire une chose, fit John. Au sujet du Couronnement. Khatmandou va littéralement grouiller de correspondants de presse, de journalistes, etc. Non seulement Leo et François seront là, mais un tas d'autres gens qui nous connaissent tous les deux. Il se trouve qu'en ce moment, en ma qualité de secrétaire du Club de la Vallée, j'occupe à Khatmandou une situation importante, que j'ai des responsabilités. On ne va pas tarder à clabauder sur notre compte — on a même déjà commencé, j'imagine, bien que j'aie fait tout mon possible pour étouffer l'histoire.

— Et alors ?

— N'essaie donc pas d'être encore plus obtuse que de coutume, dit John d'un ton raide. En ce moment, je ne cherche pas à savoir qui a tort ou raison. J'ai une tâche à accomplir, j'ai besoin de toute mon énergie pour mener à bien le très important travail de liaison que nous avons entrepris afin que les fêtes du Couronnement soient parfaitement réussies. Tu sais bien comment sont les gens d'ici. Pires que les Indiens quand il s'agit d'organiser quoi que ce soit. Je n'ai absolument pas le temps de chercher à te faire entendre raison. Si l'on racontait la vérité, je suis sûr que beaucoup de gens prendraient mon parti. Tu m'en veux parce que tu crois que j'ai été avec une autre femme. Permets-moi de te dire qu'étant donné la manière dont tu m'as traité, pas un homme n'y aurait résisté. En toute équité, tu dois te rendre compte que ce qui s'est passé est fichtre bien de ta faute et en fait, si j'ai été malade, c'est ta faute aussi.

— Je sais, dit Anne, depuis des années tout est toujours de ma faute.

440

— Ne le prends pas sur ce ton! cria John, je ne le supporterai pas. Tu prends des airs de martyre. Tu déformes, tu dénatures tout ce que je dis. Or ce que je dis, c'est tout simplement ceci: vas-tu revenir vivre avec moi afin que nous puissions jouir ensemble des fêtes du Couronnement? Vas-tu cesser d'habiter seule à l'Institut, ce qui est tout simplement stupide?»

Et comme Anne, sans manifester la moindre émotion, regardait dans le vague droit devant elle, il ajouta:

«Le docteur dit que je suis parfaitement guéri, je n'ai plus rien du tout, quoi que tu puisses penser.»

Anne se leva et se préparait à lui tourner le dos. John posa une main sur le bras de sa femme.

«Non, tu ne t'en tireras pas sans me répondre. J'exige une réponse immédiate, je ne veux plus que tu continues à ignorer ma présence.»

Il frémissait d'une émotion qu'Anne prit pour de la colère et qui était de la crainte. Ses yeux restaient fixés sur elle et, sous la buée qui les voilait, elle ne pouvait deviner à quel point il souhaitait recevoir d'elle un seul mot d'affection, la moindre marque de tendresse. Elle le regarda de haut en bas, glaciale, le jaugeant, le comparant, et elle sourit.

John serra les poings:

«Tu n'es qu'une sale garce! dit-il à voix basse. Une vraie fille, pas autre chose. Et je sais bien qui c'est. Ce salaud de docteur. Que je le tienne, celui-là, et je le démolirai — et toi avec.

— John, John! chantonna la voix de Pat, vice-présidente du Club de la Vallée, hou-hou! Etes-vous prêt, John?

— Hou-hou! oui, voilà!» s'écria John gaiement,

appliquant brusquement un sourire sur son visage.

Anne monta dans sa jeep et partit chercher Leo à l'aéroport de Gaucher.

« Vraiment, Anne, s'écria Leo, j'ai failli ne pas vous reconnaître !

— Ai-je tellement changé ? demanda Anne, sachant bien qu'elle avait changé, en effet.

— Je ne peux pas dire en quoi consiste ce changement. Il y a quelque chose... quelque chose... Je sais ! fit Leo en la serrant dans ses bras, vous aimez quelqu'un. »

Il y avait sur le visage d'Anne une transparence intérieure, une légèreté et, dans sa silhouette, quelque chose qui toucha Leo aussitôt. Si autrefois il l'avait désirée machinalement, il se sentait maintenant dérouté, inquiet et bouleversé. Elle est belle, se disait-il, étonné. Je ne m'étais jamais rendu compte à quel point.

« Anne, dit-il, ému par l'émotion même qu'elle lui inspirait, vous êtes belle, savez-vous bien ?

— Tant mieux, dit Anne, j'ai envie d'être belle.

— Qui est l'heureux mortel ?

— Je ne peux pas vous le dire, je ne sais même pas si je suis amoureuse.

— L'amour, dit Leo, est d'origine glandulaire. Et l'air des montagnes est formidable pour les glandes. Les femmes *vibrent* toujours davantage à la montagne. Je me rappelle des vacances magnifiques aux sports d'hiver en Autriche... A la suite de cela, j'avais décidé d'emmener toujours mes petites amies à quinze cents mètres au moins

442

d'altitude... cela les fait vibrer tellement mieux!»

Les yeux brillants, il serrait le bras d'Anne. Elle était descendue de son piédestal, elle avait une aventure et elle en parlait de sang-froid, pas du tout sur le mode romanesque. L'avidité le rendait joyeux:

«Quoi qu'il en soit, c'est fantastique de voir à quel point cela vous a changée, dit-il gaiement. Depuis combien de temps cela dure-t-il?

— Je ne suis pas amoureuse, dit Anne, comme pour elle-même, du moins je ne crois pas. Je me sens trop libre, trop dégagée.

— Vous en avez l'air. Ne vous tourmentez pas, Anne, ne souhaitez pas l'amour. Contentez-vous de prendre du plaisir. L'amour physique, c'est joliment agréable, n'est-ce pas?

— Je n'en sais rien, Leo.»

La visite de la douane fut terminée en un clin d'œil. Les fonctionnaires leur adressèrent des sourires approbateurs. Anne conduisit Leo au *Royal Hotel.*

«Ah, dit Leo, quel pays merveilleux! D'une beauté fantastique. Cet air léger, si rafraîchissant après l'atmosphère des plaines. A Calcutta, la chaleur est déjà effroyable. Vous avez sans doûte sous-loué votre appartement?»

Anne fit signe que oui.

«Et comment va John? Je suis venu plusieurs jours à l'avance, surtout à cause de vous. Je voulais vous revoir.»

Il se lança dans le récit de sa dernière liaison.

C'est à Delhi qu'il avait rencontré Kicha, employée à la réception dans un hôtel. Elle était folle de lui, folle à la façon extravagante, sensuelle, dramatique des Indiennes, elle s'était littéralement jetée à sa tête. Et la perfection de son corps était telle qu'il avait dû regarder son visage, moins parfait, à la peau un peu grasse, pour ne pas se sentir comblé à l'excès.

« Mais vous connaissez Delhi : il n'y a que le Ridge[1] où les chacals hurlent et piétinent tout autour de la voiture ; depuis quelque temps, d'ailleurs, on y est épié par des mouchards munis de torches électriques. L'endroit est devenu puritain et tout à fait impossible — comme toutes les autres capitales d'Asie. »

Kicha s'était mise à lui téléphoner à toute heure du jour et elle venait le retrouver la nuit dans sa chambre d'hôtel. Dès minuit, elle commençait à avoir faim et elle sautait du lit pour aller manger des bananes.

« C'est une petite bonne femme très sensuelle, dit Leo plein de suffisance, elle est folle de son corps et, le moment venu, elle y met un tel cœur ! »

Mais le directeur de l'hôtel avait fait des observations et il avait fallu en revenir au Ridge, aux chacals et aux mouchards.

Rassasié de l'excessive perfection physique de Kicha, Leo fut trop heureux de se rendre au Népal. Afin d'échapper à Kicha, il s'était adressé à lui-même un câble urgent dans lequel il s'invitait au Couronnement. Elle l'avait accompagné à l'aéroport, s'empêtrant dans son sari, pâlie par un chagrin tragique. Leo se sentait gêné : Kicha se donnait en spectacle.

« De nos jours encore, expliqua-t-il, les Indiens aiment que leurs femmes restent enfermées... ils ne comprennent pas l'égalité des sexes. »

A l'aéroport, on s'était montré grossier envers

1. Colline aux environs immédiats de Delhi.(N. du T.)

elle et Leo. Il espérait bien, dit-il, qu'elle n'allait pas lui tomber dessus à Khatmandou.

Leo se déclara enchanté de sa chambre, pourtant exiguë, et de Hilde qu'il trouva d'une beauté impressionnante. Il se proposait d'aller voir une ou deux personnalités du gouvernement népalais et le Résident britannique.

« Je m'efforce toujours de me débarrasser des visites nécessaires dans les premières vingt-quatre heures, dit-il, mais nous dînerons ensemble ce soir, n'est-ce pas ?

— Ce soir j'ai du travail, dit Anne, mais, si vous voulez, je prendrai le thé avec vous tout à l'heure. »

Ils s'assirent sur la véranda et bientôt un petit groupe fonça sur eux. Robuste, splendide, avec des épaules lisses et une chevelure flamboyante, c'était la Française, Mariette Valport, suivie de Ranchit et du professeur Rimskov.

« Vassili, disait Mariette, mais où est-il, ce Vassili ? Regardez ce que j'ai là ? N'est-ce pas que c'est beau ? »

Elle leur tendit la statue de bronze d'une déesse aux traits hiératiques.

Le professeur Rimskov se précipita sur Leo en poussant des exclamations de plaisir. Il apparut que les deux hommes s'étaient déjà rencontrés.

« A Genève, précisa le professeur, je suis sûr que c'était à Genève. Il y a deux ans, avant mon voyage au Thibet.

— Oh, oui, bien sûr, bien sûr, dit Leo en riant de toutes ses dents, je m'en souviens maintenant. »

Anne et Mariette se trouvèrent assises à la même table. Mariette avait une peau ferme, bien tendue sur une chair rose, des yeux étincelants, elle parlait d'une voix gaie et forte. Il émanait d'elle une sorte d'heureux rayonnement sensuel ;

445

elle avait des yeux noirs et ronds auxquels rien n'échappait, une bouche magnifique, un buste harmonieux, des hanches moins lourdes que ne les ont habituellement les Latines.

« Et puis, moi, je dégringole, je monte, je descends, je m'agite beaucoup pour prendre mes clichés, mais quelle récompense quand j'arrive à Paris ! Tous les professeurs sont fous de joie. Ils viennent dans mon appartement, j'organise une petite soirée pour leur montrer mes photos, et alors ils en sont babas. Ils restent là à regarder. Et vous, Madame, dit-elle en se tournant vers Anne, vous prenez aussi des photographies.

— Non, dit Anne, ma foi non.

— Quel sacrilège ! clama Mariette Valport. Ne pas prendre de photos de toutes ces admirables choses ! Mais, Madame, vous ne pouvez pas en apprécier la beauté si vous ne les photographiez pas. Pour ma part, je ne peux pas vivre sans mon appareil, et je vendrai tous mes clichés aux plus grands magazines. Je compte aussi écrire un livre sur mes voyages, je suis sûre qu'il aura un succès fou. Je ne peux pas comprendre les gens qui trouvent inutile de prendre des vues. Vous savez, je voyage seule ; au Siam ou en Indochine, je cherchais toujours des petits patelins, des tout petits patelins de rien du tout, et je disais : cela va faire une photo magnifique, unique — et je ne me trompe jamais. »

Les trois hommes donnaient des signes de nervosité. Le professeur Rimskov aurait aimé parler du Thibet, et Leo Bielfeld de lui-même. Ce dernier écoutait Mariette avec un air d'aimable attention et Ranchit, d'abord ravi, car dans sa fatuité il flairait déjà une nouvelle conquête, jetait maintenant des regards autour de lui, regrettant la présence moins bavarde de Pat. Mais à ce même moment Pat était accaparée par les activités du Club de la Vallée et par Enoch P. Bowers. Avec force exclamations, Mariette caracolait de sujet en sujet, tel un cavalier chevauchant un fougueux destrier.

« ... Et je voulais venir au Népal. Alors un de mes amis m'a donné une lettre d'introduction pour Mr. Menon. Cet ami m'a parlé longuement de lui, et m'a dit qu'il m'aiderait. Et, ce matin, je l'ai vu. Je veux aller voir les montagnes, et aussi le barrage qu'il est en train de construire. C'est un si bel homme, on dirait un Apollon de bronze. Ah, ces épaules, ces hanches et surtout ces longues, longues cuisses, comme de l'acier ! Magnifique et tellement froid, brr... c'est tellement excitant un homme froid. »

Cette allusion suffit à ramener vers elle l'attention des hommes, une attention qui s'écoulait comme du sable, emportée par le flot jaillissant de son verbiage. Ranchit tira sur sa petite moustache :

« Ne perdez pas votre temps avec Menon, Madame, dit-il, c'est un vrai barbare, il est tout à fait incapable d'apprécier une jolie femme.

— Oh, vous croyez ? dit Mariette avec un rire de gorge. Eh bien, monsieur Ranchit, je puis vous assurer que Mr. Menon a un goût très fin !

— Au Thibet, les femmes... » commença le professeur Rimskov de sa voix haut perchée.

Anne murmura qu'elle allait être en retard et s'éclipsa. Leo l'accompagna jusqu'au bas des marches.

« Quelle fille charmante et gaie, cette Mariette Valport ! dit-il avec enthousiasme. Quelle différence avec Kicha ! »

Anne se représentait déjà Leo retournant à la table, s'installant auprès de Mariette, l'écoutant avec un sourire plein d'intentions précises. Le jeu inéluctable, le jeu inéluctable. Et soudain elle se sentit submergée par le désir de voir Unni, de l'entendre, d'être avec lui dans les ténèbres vivantes. Elle conduisait à toute vitesse, et bientôt elle eut dépassé le bâtiment principal de l'Institut. Sur la véranda du palais, une silhouette penchée au-dessus de la balustrade guettait son retour. Isabel ou quelqu'un d'autre ? Il n'y avait personne sous les noyers ou sur la pelouse.

Elle entra dans le bungalow. Il était là, assis sur les marches, à l'attendre. Et ce fut comme si un grand fardeau glissait soudain de ses épaules.

« Te voici revenue, dit-il en se levant pour l'accueillir avec un sourire.

— Oui, je reviens à la maison », répondit-elle en mettant sa main dans celle d'Unni pour monter les marches.

Ils avaient fait l'amour, puis ils s'étaient lavés, s'inondant le corps d'eau. Ensuite Regmi leur avait servi du poulet au curry avec un tendre empressement, tandis que Mita chantait dans l'obscurité de sa cuisine impolluée où Anne n'était pas admise. Mita jetait aux oiseaux tous les restes des repas de sa maîtresse, car elle était brahmane — sans aller toutefois jusqu'à la stricte observance. « Dès la première rencontre, d'un seul coup, l'amour me prit dans le filet de son œil », chantait Mita.

« Comme ils aiment l'amour », dit Anne.

Etendus côte à côte, ils fumaient tous deux comme de bons compagnons, et déjà les petites habitudes des amants s'étaient établies entre eux : la manière dont une tête cherche une épaule, s'y blottit d'une certaine façon et non d'une autre, la manière dont les doigts font craquer une allumette, dont les mains s'incurvent pour prolonger l'existence de la flamme, et le long contact de deux corps allongés l'un près de l'autre, le désir apaisé, pendant la paisible trêve, prélude au désir renaissant. Maintenant Anne pouvait parler et non plus se borner à s'écouter elle-même, et Unni l'entendait comme s'il n'était pas là, sans lui imposer son attention.

« Je n'arrive absolument pas à comprendre... en quelques jours avec toi j'ai fait beaucoup plus l'amour que je ne l'avais fait depuis des années. Je ne savais pas que je pouvais... c'était... mais je suis sûre que tu ne me croiras pas.

— Je te crois », dit Unni.

Il se leva pour lui verser à boire, un dhoti de toile blanche serré autour de ses reins, et Anne le suivait des yeux, admirant avec un plaisir d'artiste qui était en même temps une joie amoureuse la beauté des épaules, des flancs, de la peau brune et satinée. La séduction physique d'Unni venait en partie de cette précision aisée, de cette absence d'effort aussi bien dans ses mouvements que dans la façon de manier les choses — qu'il s'agît des machines ou des corps — et qu'on retrouvait même sous une forme plus subtile dans ses rapports avec les êtres. Il s'habillait et se dévêtait avec la dextérité des gens de sa race qui se baignent en public dans les rivières et se changent sans rien révéler de leur corps. Une grave réserve faisait désormais partie de leur intimité, du climat de leur amour et de leur vie; température de leurs âmes, paysage de leur nouvelle liberté et peut-être appelée à devenir un mutuel emprisonnement. Désormais ils auraient peine à imaginer un temps où il n'en était pas ainsi; et l'étonnement d'Anne devant les ardeurs de son corps, si totalement insensible pendant tant d'années, s'était déjà mué en une préoccupation intellectuelle à laquelle les autres moi qui demeuraient en elle viendraient apporter leurs condamnations morales, leurs scrupules spirituels et leurs raisonnements philosophiques. La révélation physique était ressentie, assimilée, l'étonnement demeurait.

« Et je n'éprouve même pas de honte, du moins pas quand je suis avec toi. Pourtant je sais que c'est mal, que je suis infidèle à John, dit-elle, avec une sorte de souffrance impitoyable, à cause du mot "infidèle".

— Tu as été pendant assez longtemps infidèle à toi-même », répondit Unni, lui tendant un verre où il y avait très peu de whishy et beaucoup de soda.

Autrefois elle détestait le whisky, mais il en buvait sans paraître en ressentir les effets, et maintenant elle aimait à tenir un verre, à le faire tournoyer, à voir les bulles s'amenuiser puis disparaître, à boire lentement quelques gorgées, car elle en laissait toujours plus de la moitié. Instants féconds, en dehors du temps, au cours desquels ils apprenaient à se connaître, parachevant ainsi l'harmonie physique établie entre eux.

« Cela n'est pas une excuse suffisante, répondit Anne. John est mon mari. Dans le mariage, les époux sont liés pour le meilleur et pour le pire.

— Je ne te cherche pas d'excuse. Jamais les platitudes de l'adultère n'ont constitué une excuse valable pour les platitudes du mariage. »

Il la regarda d'un air ironique par-dessus le bord du verre dans lequel il buvait, ensuite il déposa le verre sur la table, écrasa sa cigarette dans un cendrier entouré de petits amours (provenant de la collection des bibelots victoriens du Général) et revint s'étendre à côté d'elle.

Anne avait été piquée au vif par ses paroles :

« J'ai mérité cela, dit-elle, je me suis jetée à ta tête, comme les autres.

— Quelles autres ? »

Il était sincèrement surpris. En faisant cette remarque d'ordre général, il n'avait aucune intention de la blesser.

« Les autres femmes, Unni. Partout où je vais, j'entends ton nom associé à celui d'autres femmes, tantôt l'une, tantôt l'autre.

— Qui donc, par exemple ? demanda-t-il, et ses doigts suivaient le dessin rudimentaire du couvre-pieds.

— Eh bien, pour ne prendre que l'exemple le plus récent, cette jeune Française, Mariette Valport.

— Personne d'autre ? »

Rukmini, songeait Anne, il s'attend à ce que je prononce le nom de Rukmini et, si je le prononce, tout est fini. Elle frissonna en constatant qu'elle venait de s'aventurer sur un terrain dangereux. Il est comme moi, d'une douceur trompeuse, se dit-elle dans un éclair, et puis un beau jour tout sera fini, il ne sera plus là.

« Ce n'est pas du tout la question. Je n'ai pas dit que je prenais ombrage des autres femmes, n'est-ce pas ?

— Ainsi mes tendances polygames ne te tourmentent pas ? Que tu as donc l'esprit large !

— Mais pas du tout, dit Anne, riant maintenant, et retrouvant, grâce à ces taquineries, la bonne humeur pleine de langueur qui suit l'amour.

— J'aime ton rire. Le rire nettoie les dents et

tous les extrêmes se fondent dans l'orbite d'un sourire.

— Quelle phrase délicieuse! Est-ce de toi?

— C'est un proverbe de mon dialecte natal.

— Oh, cesse de me taquiner, et puis ne me caresse pas les cheveux, cela me fait perdre le peu de lucidité que je m'efforce d'avoir. Dans notre civilisation, la femme ne peut qu'être profondément hostile à la polygamie. Mais il ne semble pas que cette idée me tourmente en ce qui te concerne — je me demande d'ailleurs comment cela se fait. Mais je me tourmente pour John, pour le fait même de l'adultère. Tout le monde croit que j'ai quitté John parce qu'il a eu des relations avec une autre femme. C'est l'excuse la plus valable qu'on puisse trouver à ma conduite actuelle. Et, bien entendu, la grande excuse de John, c'est ma froideur. Mais toutes ces explications ne changent rien au fait que je suis coupable d'adultère, et ce n'est pas un bien joli mot.

— En effet, dit Unni, c'est un mot qui sonne mal.

— Il faudra bien un jour que j'avertisse John, ce serait malhonnête de ne pas le faire.

— Oui, dit Unni, *nous* le préviendrons. En temps voulu, quand je jugerai qu'il le faut. Tu me laisseras le soin d'en décider. »

C'était là exactement ce que souhaitait Anne, bien qu'elle l'ignorât jusqu'au moment où il le lui dit :

« Je m'en remettrai à toi, répondit-elle en frissonnant de plaisir.

— A propos, j'étais chez Ranchit, moi aussi, le même soir que John.

— Oh! fit Anne en se dressant sur son séant.

— Ne t'énerve pas, dit Unni, je veux te garder dans mes bras. Allons, recouche-toi. J'étais là, avec John et plusieurs autres. Ranchit est un individu dépravé. Il organise des réunions auxquelles il fait venir des femmes, et il n'est pas satisfait tant que ses invités n'ont pas profité des plaisirs qu'il leur ménage.

— Est-ce pour cela que John a été si grossier avec toi au petit déjeuner, le matin du jour où nous allions voir les travaux de la route?

— Je le suppose. John s'effraie facilement. C'est un brave type, il tient à ce que le côté noble de sa nature ignore le comportement de sa nature vulgaire. Ranchit ne tenait pas particulièrement à ce que John se conduise mal. C'est moi qu'il voulait débaucher: "Allons, Menon, encore un verre." Puis il m'entreprit: "Allons, Menon, grand bourreau des cœurs, montrez-nous de quoi vous êtes capable", et autres propos entremêlés d'anecdotes détaillées sur ses prouesses personnelles: "Je ne mange pas de viande dans un crachoir", lui dis-je. Cela le rendit furieux: "Parce que vous en êtes incapable, espèce d'impuissant, hurla-t-il, vos prétendus succès ne sont que du bluff. Moi, j'ai eu toutes les femmes que vous avez essayé en vain d'avoir. Je le *sais*, elles me l'ont dit. Vous n'êtes bon à rien, vous êtes impuissant. Vous n'avez rien entre les jambes."

«Ranchit a toujours cherché à l'emporter sur moi, qu'il s'agisse de tennis, de pilotage d'avion, de situation sociale, et maintenant c'est de vigueur sexuelle qu'il s'agit. Nous avons fait nos études ensemble et nous sommes parents éloignés, bien qu'il soit un Rana de la classe A et moi un roturier possédant tout au plus de vagues titres permettant de revendiquer l'appartenance à une caste inférieure. Mais, dans le monde actuel, je suis un personnage plus important que lui, et le seul domaine dans lequel il lui reste possibilité de me battre c'est sur le chapitre des femmes.

« Et puis, poursuivit Unni, il y a eu Rukmini. »

Il alluma une cigarette, se versa un nouveau whisky, alla à la fenêtre pour regarder dans la nuit entre les rideaux. À la grande surprise d'Anne, la fenêtre s'était un jour ornée d'une paire de rideaux :

« C'est moi qui les ai achetés, lui dit Unni quand elle manifesta son étonnement, tu en auras besoin quand je serai ici avec toi. »

« Je n'ai jamais touché Rukmini. Pour moi, c'était une enfant, une belle cousine éloignée (oui, nous sommes aussi parents, tous les Ranas se marient entre eux). Le jour où elle devint pubère, on l'enferma dans une pièce sombre pendant quinze jours, selon la coutume. Après cela, je ne l'ai plus jamais revue seule. Il ne lui était plus permis de sortir librement, de se mêler aux hommes, fussent-ils de la famille. Trois mois plus tard, elle était mariée à Ranchit. Son père avait besoin d'argent. C'est pourquoi il a vendu son palais (qui est devenu l'Institut Féminin), car pour un Rana il est honteux de louer ses propriétés. Or, Ranchit avait de l'argent et il était de caste noble. Cela se passait il y a trois ans.

— Pauvre Rukmini, dit Anne, pauvre, pauvre Rukmini !

— Je n'aime pas à parler de cela, dit Unni, aussi n'aborderons-nous plus le sujet, n'est-ce pas ? »

C'était un ordre, et Anne obéit.

« Quant aux autres femmes... »

Il souriait d'un air rêveur, ses yeux revoyaient les femmes, toutes les femmes, qu'il avait tenues dans ses bras avant Anne, et elle aussi les voyait, elle le voyait évoquer chacune d'elles :

« Je trouve difficile, reprit-il, de considérer l'amour sous un aspect uniquement "glandulaire", selon l'expression de Leo. Le désir de conquête qui hante tant d'hommes me paraît maintenant très ennuyeux. Mais, bien sûr, j'ai eu des maîtresses. Pas autant que Leo pourtant.

« La vie sexuelle conçue du point de vue quantitatif, voilà ce dont Ranchit et Leo (intelligents par ailleurs) croient avoir besoin. Cela devient une espèce de tableau de chasse. Je crois qu'ils ont peur d'aimer, c'est là l'explication. Ils préfèrent devenir des castrats du point de vue émotionnel en dissociant l'acte physique de leur vie sentimentale. Ils ont peur de souffrir, de se laisser enchaîner, aussi prennent-ils grand soin de ne jamais mêler le sentiment à leurs actes, et l'amour physique devient pour eux un passe-temps "bien agréable". Mais, nous, nous sommes persuadés qu'on ne peut agir sans être enchaîné. Nous pensons que tout homme est prisonnier de ses actes et que leur conception des rapports amoureux est bien morne et tout aussi desséchante que l'abstinence qui a été ton lot.

— Qui te dit que je ne suis pas comme cela, moi aussi, demanda Anne, que j'ai tout simplement envie que tu fasses l'amour avec moi, rien de plus ?

— Je ne le crois pas, je ne l'ai jamais cru. En ce qui me concerne, ce n'est pas du tout le cas, Anne : j'ai de l'amour pour toi.

— L'amour, dit Anne. Pour moi, l'idée de l'amour est toujours associée à beaucoup de souffrance. Ce qu'il y a entre nous en ce moment est trop gai, trop insouciant, trop dénué de crainte et trop facile.

— Sais-tu si un jour tu ne souffriras pas terriblement à cause de tout ceci ? » dit Unni.

Bien des fois, pendant ces premiers jours, ces premières nuits, Anne devait ressasser ses scrupules, les disséquer plus ou moins longuement, tournant en rond comme un félin qui va frôlant de l'épaule les grilles de fer de sa cage. Mais, tandis qu'elle se heurtait aux barrières des « je devrais » et des « il fallait », elle savait bien qu'en réalité elle cherchait de nouvelles raisons, aussi clairement formulées que l'étaient les objections, pour continuer d'appartenir à Unni Menon.

Quand elle était tout à fait lucide (du moins l'imaginait-elle), son esprit s'acharnait à l'analyse, s'efforçait de découvrir des points faibles dans leurs relations, de trouver dans leurs mobiles et leurs intentions l'imparfait et l'impur, d'interroger l'avenir avec une logique froide et rationnelle.

« C'est seulement parce que je mourais de faim, lui lança-t-elle (alors qu'elle venait de s'anéantir dans un paroxysme de sensualité dont elle ne se serait jamais crue capable), c'est tout simplement parce que j'avais envie d'un homme, j'ai été trop longtemps privée.

— Certainement, dit Unni. Mais alors, pourquoi m'avoir attendu, moi ? Quoi que puisse penser ton ami Leo, nous ne faisons pas l'amour, toi et moi, uniquement pour une question de glandes. Sinon, Leo pourrait être ici à ma place. Ou bien Ranchit. »

Contre cette foi toute simple, elle épuisait les arguments et, de même que son corps se transformait, fleurissait, s'épanouissait, comme si sa chair était repétrie, sa beauté façonnée à nouveau dans les bras d'Unni, ainsi ces préoccupations obsédantes finirent-elles par s'évanouir. Un soir, elle ne trouva plus rien à dire et elle éclata de rire.

« Je suis si lasse de lutter, de m'efforcer d'exprimer par des paroles tout ce que j'éprouve! Que j'aie tort ou raison, Unni, je t'en prie, veille sur moi.

— Je te le promets.

— Si John demandait le divorce, m'épouserais-tu?

— Non.

— Pourquoi?

— Est-ce la peinture qui donne au bois de charpente sa solidité? Tu as besoin de te reposer du mariage. Je vivrai avec toi, je te resterai attaché, je serai à toi. Peut-être t'épouserai-je au bout de deux plans quinquennaux, mais pas avant!»

Anne riait, elle savait qu'il avait raison, mais elle n'était pas entièrement convaincue. Serait-elle capable de dire bravement, fièrement: « J'aime cet homme », sans être d'abord enchaînée à lui dans les formes normales, légales? Pourtant l'idée du mariage était liée pour elle de façon déplaisante à la répulsion physique que lui inspirait John. La réalité c'était Unni, et surtout la découverte de son propre corps et du pouvoir sensuel qu'il possédait, c'était le plaisir qu'elle donnait et recevait, inconnu jusqu'alors et devenu une révélation fascinante. Cela c'était solide, réel, éclatant, c'était le monde de la substance auquel le monde des mots ajoute ses interprétations, ses déformations et ses émotions conditionnées.

« Je crois que je m'égare dans des subtilités. Des "verbalismes", comme diraient les Américains.

— Je crois que oui, Anne. Ne cherchons pas, à

l'exemple des dieux, à être toujours dans le vrai. »

Ainsi, dans les bras d'Unni, Anne partit lentement, à tâtons, à la recherche d'elle-même, alors même qu'elle demeurait encore incrédule.

Chapitre 7

Eudora avait décidé de donner la petite réunion musicale à laquelle elle songeait depuis quelques jours et elle désirait que ce concert eût lieu sur la pelouse du bungalow d'Anne.

« Maintenant qu'Unni est revenu, je voudrais tant organiser ma petite soirée musicale, dit-elle en s'approchant d'Anne, de ce pas sautillant qui faisait partie de ses façons trop jeunes et avec ce rire haut perché dont Anne avait compris qu'il exprimait en réalité un manque d'assurance, de la frayeur et un besoin de protection.

— Bien sûr, Eudora, répondit Anne avec la bienveillance qui, chez une femme, accompagne si souvent le désir comblé, je vais demander la permission à Isabel. »

Il s'agissait là d'une simple formalité, mais Anne était très scrupuleuse pour les petits détails, comme par exemple le déjeuner avec John.

Anne alla frapper à la porte d'Isabel. Elle entendit tinter un verre, puis la porte s'ouvrit avec une sorte de violence contenue, et Isabel parut, le visage sévère.

« Ah, c'est vous », dit-elle.

Son haleine sentait très fort l'alcool, mais elle était plus sculpturale et plus impérieuse que jamais.

« Puis-je vous dire un mot, Isabel ?

— De quoi s'agit-il? demanda Isabel sans la prier d'entrer.

— Eudora — Mrs. Maltby — voudrait donner une petite soirée au bungalow. Il y aura environ une douzaine de personnes, pas plus, et quelques musiciens. Ce serait pour demain soir.

— Ah! fit Isabel en regardant curieusement Anne. Quelle drôle d'idée! Pourquoi ne donne-t-elle pas cette soirée au *Royal Hotel*?

— Il commence à être bondé, à l'approche du Couronnement.

— A-t-on idée de faire cela *chez vous*, dit Isabel sur un ton nettement sarcastique, je veux dire étant donné la situation où elle se trouve.

— Quelle situation?

— Enfin, dit Isabel, il y a des gens que rien n'arrête! Eh bien, je n'y vois pas d'inconvénient... le bungalow est assez éloigné et j'espère qu'on ne me dérangera pas.

— Merci, dit Anne, vous êtes très aimable.»

«Pourquoi Isabel semblait-elle si stupéfaite d'apprendre qu'Eudora donnait une petite soirée ici?» demanda Anne à Unni un peu plus tard.

Comme de coutume, il était venu en se hissant avec aisance par-dessus le mur de brique croulant qui entourait le parc de l'Institut. Regmi, admirable conspirateur, faisait le guet sans qu'on lui eût rien dit, avec autant de zèle et un instinct aussi sûr que s'il s'était agi de ses propres amours.

«Elle croit que tu as une aventure avec Fred.

— Fred? Pourquoi Fred?

— Parce que le lendemain de ton arrivée ici tu es allée te promener avec lui (à ce qu'on raconte), vous êtes restés absents pendant des heures, et *tout le monde* sait que Fred est un individu dépravé parce qu'il a vécu avec une jeune Népalaise, qui est morte maintenant. En second lieu, tu as quitté ton mari juste après avoir rencontré Fred dans l'escalier du *Royal Hotel*, après le petit accident de John — dont Isabel cherche à se persuader que c'était un coup de soleil. Huit jours plus tard, tu restes enfermée avec Fred jusqu'à la nuit, et sans lumière presque tout le temps. Tu vois comme je suis bien informé de tes faits et gestes.

— Un jour, les gens sauront que ce n'est pas Fred, mais toi.

— Bien sûr, je veux que tout le monde le sache... mais pas avant le Couronnement. En tant que Résident, Paul Redworth n'aimerait pas qu'un scandale éclate juste à ce moment-là. Plus tard, nous verrons. Par la suite, tu perdras peut-être ta situation à l'Institut. Cela t'ennuierait-il ?

— Devrais-je quitter Khatmandou ?

— Tu viendras à Bongsor, dit Unni. Je t'emmènerai voir ma jeune montagne. Il faut que je te la montre, elle est si belle ! »

Anne aurait voulu dire : « Plus belle que moi ? » mais elle se borna à sourire et se blottit dans ses bras.

Le lendemain vendredi, quatre jours avant le Couronnement, il semblait encore que seuls les dieux de Khatmandou fussent prêts à recevoir les invités venus de l'extérieur. L'hôtellerie du gouvernement était toujours sans meubles, le *Royal Hotel* en ébullition. Toujours pas d'alcools, ni de domestiques. Vassili changeait de chemise trois fois par jour, et il avait renoncé à l'eau de Vichy, car, disait-il, « mon cerveau ne peut pas fonctionner au moyen de ce seul liquide ».

Les quatre-vingts serviteurs qui auraient dû

être amenés de Calcutta en avion avaient disparu. On les signalait quelque part dans les contreforts de l'Himalaya, et depuis on était sans nouvelles d'eux. Dix-sept caisses de whisky restaient en souffrance à la douane, toute une cargaison de bière se trouvait quelque part sur la route reliant l'Inde à la Vallée, et Vassili craignait fort qu'elle n'arrivât jamais : « Le Colonel Jaganathan va la boire ! » Cinq cents poulets en cage avaient attendu deux jours à Patna avant d'être transportés par avion, et l'on disait que la moitié d'entre eux étaient morts de soif et d'insolation.

Dans les rues de Khatmandou circulaient d'un pas tranquille les éléphants royaux, bêtes privilégiées que les gens nourrissaient ou qui se nourrissaient elles-mêmes tandis que leurs pieds massifs foulaient le sol pavé de débris de brique rose et que tout s'écartait sur leur passage. Ils s'emparaient de paniers de choux-fleurs et de radis aux portes des cabanes, ils arrachaient les jeunes branches des arbres qui bordaient les rues ou attiraient à eux les rameaux qui dépassaient des murs des palais ranas. Tous les matins on pouvait en voir plusieurs s'inondant d'eau puisée dans la mare de justice. Les ongles dorés, le visage et les oreilles peints, caparaçonnés d'or, d'argent et de velours, ils transporteraient les invités royaux dans le cortège du couronnement.

Assis sur la véranda, Leo buvait un martini et broyait du noir, dans la mesure où le permettait son naturel gai et léger. En dépit des charmes érotiques de Khatmandou et de la présence excitante de Mariette Valport, il se sentait mal à l'aise et malheureux. Anne lui donnait du souci. Il l'avait vue deux fois, à l'aéroport et le lendemain au déjeuner, avec John. Celui-ci parla sans arrêt du club et fit à Leo une conférence sur les religions pratiquées dans la Vallée. Il semblait plein de santé, robuste, décidé, et pas le moins du monde chagriné qu'Anne l'eût quitté. Tout cela était bien étrange. Comique aussi cette façon de déjeuner ensemble et de dormir chacun de son côté, songeait Leo.

« Tu ne m'écoutes pas, chéri, disait Mariette.

— Mais si, bien sûr, tu parlais d'aller voir des danseuses nues. Or, je peux t'assurer qu'il n'y a pas de danseuses nues au Népal.

— Mais ce monsieur affirme que si. »

« Ce monsieur » était le fiancé de Suragamy, qui s'était improvisé guide. Les touristes le recherchaient fort, étant donné que les habitants ne semblaient guère se soucier de faire admirer aux étrangers les beautés de leur pays. Non content de fournir aux visiteurs des jeeps-taxis (l'essence qu'il avait soi-disant achetée pour l'Institut Féminin fit prime au moment du couronnement, à un tarif que les Américains eux-mêmes jugèrent fabuleux), le fiancé organisait des séances de « danses » au cours desquelles des prostituées (baptisées par lui vierges du temple) exécutaient une sorte de danse du ventre égyptienne jusqu'alors inconnue à Khatmandou.

Anne parut soudain, l'air absent et très jeune. Leo se leva et lui cria :

« Anne ! Soyez gentille, venez me faire un bout de causette, je ne vous vois jamais.

— Je sais, je n'ai pas été chic avec vous. »

Anne s'assit et le regarda d'un air rayonnant, sans le voir. Le fiancé, obséquieux et assez gêné, protesta avec véhémence, soutenant qu'il allait vraiment leur montrer des danses rituelles, et Mariette parla de prendre des clichés de ce qu'elle appelait les rites sacrés.

Anne dévisageait Mariette comme si elle venait

de s'éveiller, elle l'enveloppait d'un long regard entendu, un regard perspicace que Leo ne lui connaissait pas — sensuel, souverain, presque insolent. Cette attitude eut le don de le rendre furieux. Ce qu'elle peut avoir l'air rosse, se disait-il, elle nous regarde comme des bêtes puantes. Pour qu'elle soit si sûre d'elle-même, si physiquement arrogante, il ne doit pas s'agir d'une banale liaison. Mais cette hardiesse éclatante, la conscience qu'elle avait de son pouvoir ne faisaient qu'exciter Leo à la poursuivre de ses assiduités, non seulement pour satisfaire l'habituel instinct de l'amateur de femmes, désireux d'ajouter une victime de plus à son tableau de chasse, mais pour se délivrer d'un obsédant sentiment d'échec qui l'effrayait et l'irritait à la fois. La conquête de cette femme s'accompagnait d'un effort intellectuel qui le rendait furieux et l'épuisait. Jamais plus il ne pourrait poser les mains sur elle avec indifférence. Le désir qu'elle lui inspirait s'était accru dans la mesure où elle affichait une plus haute opinion de soi. Pour Leo, Anne était devenue un être si rare et si précieux que le reste de sa vie dépendait d'elle. Toutes ses anciennes conquêtes n'avaient été que de faux départs et la possession d'Anne lui apparaissait comme le seul bien qu'il eût jamais souhaité. Il ne se rappelait même plus avoir jamais désiré une autre femme.

« Eh bien, dit Anne à Mariette, je suis sûre que ces danseuses vous plairont.

— Anne, il faut que je vous parle, dit Leo. Vous m'avez complètement laissé tomber. Moi qui suis venu à Khatmandou des siècles plus tôt qu'il ne fallait, uniquement à cause de vous !

— J'ai été très occupée.

— Je sais, mon petit. Mais nous pourrions dîner ensemble ce soir ? Un soir seulement ?

— Ce soir, il y a une séance musicale, dit-elle en le regardant d'un air méditatif. C'est Eudora — Mrs. Maltby — qui la donne dans le jardin de la maison que j'habite. Au fait, si vous avez envie d'y venir, je suis sûre qu'elle n'y verra pas d'inconvénient.

— Très bien, dit Leo, sans se soucier ni de Mariette, ni de la désinvolture avec laquelle cette invitation était faite. J'irai.

— John n'y sera pas », dit négligemment Anne en s'en allant.

Quand elle fut partie, Mariette se tourna vers Leo :

« Tu m'abandonnes, ce soir, mon ami ?

— Anne est une très vieille et très chère amie.

— Une ancienne maîtresse ?

— Non.

— Oh, alors je comprends... l'attrait de l'inconnu, dit Mariette, bonne fille. Les gens racontent qu'elle a une liaison avec le médecin, le docteur Maltby. Mais vraiment, qu'est-ce que vous lui trouvez, vous autres hommes ? Elle ne dit jamais rien, elle n'a aucun brio, aucun esprit, elle a l'air de dormir debout.

— Méfie-toi de l'eau qui dort », dit Leo.

Les exclamations d'enthousiasme qu'arrachèrent à Leo la pelouse, le bungalow et le panorama des montagnes se perdirent dans le tintamarre des corbeaux qui regagnaient en croassant les arbres où ils se perchaient à l'approche de la nuit. Anne lui offrit à boire et ils attendirent ensemble Eudora et ses invités. Elle portait une souple robe grise en soie tissée à la main. Il lui était brusquement venu une envie de toilettes neuves, cela parce qu'un jour elle avait vu Unni manier ses robes. Elle aimait la façon dont ses doigts évaluaient en quelque sorte les surfaces, en prenaient connaissance (il adorait les étoffes et savait apprécier, les yeux fermés, la qualité d'un tissu).

« Mes robes ne te plaisent pas ?

— Si, mais... » Il hésita, puis brusquement : « Je veux contempler ta beauté revêtue de soie et d'or. Je t'achèterai des robes et aussi des bijoux.

— Oh, non, Unni, il ne faut pas ! »

Elle avait pourtant accepté, sachant quel plaisir il éprouvait à la parer et découvrant qu'il désirait avec une véritable passion lui voir porter de belles choses. Et la soie gris argent, follement chère, si fine qu'elle ne pesait rien, était arrivée de Bénarès, apportée par un pilote de ses amis. Martha Redworth connaissait un petit tailleur indien capable de faire une robe en deux jours, et Unni avait passé une heure à discuter avec lui la façon. Les deux hommes considéraient Anne d'un œil critique, disposant le tissu sur elle, tandis qu'elle demeurait immobile comme un mannequin, ce qu'elle n'avait jamais pu faire auparavant.

Leo la regardait marcher ou s'asseoir avec une amertume passionnée. Il reconnaissait bien, se disait-il, tous les signes du désir satisfait : le velouté de la peau, la sérénité, le calme et une sorte d'innocence fragile, peut-être orgueilleuse, dans le corps droit et souple qui se mouvait maintenant avec tant de grâce ; ses hanches, sa taille étaient plus minces, ses épaules, ses seins plus ronds, et ses bras semblaient couler de son corps. Leo ne pouvait s'arrêter de la contempler et elle, sans la moindre gêne, se laissait contempler, souriante et heureuse d'être admirée, consciente et pourtant détachée ; mais il semblait à Leo qu'elle le faisait à dessein, qu'elle le narguait en lui offrant le spectacle de sa beauté, insolemment sûre qu'il n'oserait pas la toucher, fermement résolue à toujours l'éconduire. Eh bien, se dit Leo, nous verrons.

« Vous êtes absolument épatante, lui dit-il.

— J'en suis ravie », répondit-elle, songeant à Unni, et Leo la détesta pour cette réponse.

Il bavardait gaiement, assis auprès d'elle, et pourtant il se sentait affreusement seul, envahi de désir nostalgique et, pour la première fois de sa vie, il redoutait un échec. Anne, ma sœur Anne, c'était donc cette déesse cruelle et sensuelle vêtue d'argent. Qu'est-ce qui m'arrive ? criait Leo au fond de son cœur.

« Le veinard ! dit-il tout haut. Je regrette bien de n'être pas le Prince Charmant qui vous a tirée de votre sommeil, éveillée à la vie sensuelle, veux-je dire. Eh bien, je bois à votre bonheur, aujourd'hui et à jamais !

— Qu'importe à jamais, dit Anne, aujourd'hui suffit. »

Elle buvait lentement, glissait vers lui un bref regard, puis baissait les yeux, comme elle le faisait souvent maintenant. Il remarqua avec surprise qu'elle buvait du whisky, avec beaucoup de soda certes, mais elle en buvait. Il se rappelait fort bien qu'elle lui avait toujours dit détester la seule odeur de whisky... cet homme devait sûrement être amateur de whisky.

Bientôt on vit surgir de l'ombre les Redworth accompagnés d'Eudora, puis Sharma et le poète hindou, et enfin Unni. Eudora se déclara enchantée de connaître Leo et lui, sachant qu'elle était la femme du médecin (était-ce avec ce médecin qu'Anne avait une liaison ?), se montra charmant avec Eudora. Comme il s'était déjà présenté chez les Redworth à la Résidence, il leur rappela cette rencontre en termes enthousiastes et se mit à discuter la question du recrutement des Ghurkas. Sharma se joignit à la conversation, soutenant que le Népal, au lieu de permettre à ces hommes de s'enrôler dans l'armée britannique pour se battre dans les régiments ghurkas, devrait utiliser lui-même leurs services.

« Mais, faute de l'argent qu'ils rapportent en rentrant dans leurs foyers, leurs districts seraient encore plus pauvres », objecta Paul.

Pendant qu'ils discutaient, Eudora pria Anne de l'accompagner au premier étage. Elle voulait se refaire une beauté dans la chambre d'Anne, bien que le *Royal Hotel*, où elle habitait, ne fût qu'à cinq minutes de là en jeep.

« Oh, j'espère que tout va bien marcher, dit-elle. J'avais tellement envie de donner cette petite soirée. Mais non, bien sûr, je ne vois pas d'inconvénient à ce que vous ayez amené Leo ; je vous avais d'ailleurs dit d'inviter des amis à vous. Il paraît que le chanteur indien est absolument extraordinaire — la perfection même. Comment me trouvez-vous ?

— Merveilleuse », dit Anne.

Cette fois encore, Eudora portait un sari orné d'une large bordure dorée ; il lui seyait en ce sens qu'il donnait à sa silhouette de la grâce et une ligne plus allongée.

« Unni a fait venir de Calcutta plusieurs saris et il m'a priée d'en choisir un. C'est une charmante attention... »

Elle se retourna, si soucieuse de son apparence qu'elle ne remarqua pas les perruches, qu'elle voyait pourtant pour la première fois. Elle s'assit devant le bureau et se remit du rouge à lèvres après avoir en vain cherché un miroir dans la pièce :

« Il y en a un dans la salle de bains », expliqua Anne, sans ajouter qu'un miroir aurait été déplacé dans la chambre à cause des yeux et des oiseaux.

« Rien de nouveau au sujet de Fred ? » demanda Anne.

Depuis la conversation sur la pelouse, il n'y avait plus entre elles aucune réticence.

« Pas encore », déclara Eudora à la glace de son poudrier ; elle vérifia le fard de ses lèvres, les distendant en forme d'arc et faisant la moue, après quoi elle remit le bâton dans l'étui avec un bruit sec : « J'ai eu avec Unni une longue conversation au sujet de Fred, ajouta-t-elle. Il est inévitable que nous nous rencontrions à l'occasion de l'une ou l'autre des cérémonies du Couronnement. C'est vraiment ridicule de la part de Fred, cette politique de l'autruche. Mais il a toujours été comme cela, vous savez, il a toujours cherché refuge dans la fuite.

— Est-ce que nous n'en faisons pas tous autant ?

— Peut-être, en un certain sens, répondit Eudora. Je veux dire qu'il est dur de toujours s'affronter soi-même. Sans Unni, j'aurais... enfin je ne sais pas ce que j'aurais fait. Je partirai aussitôt après le Couronnement. J'ai du travail en train et je ne peux pas attendre éternellement.

— Vous aimez toujours Fred, dit Anne.

— Je ne sais pas, répondit Eudora en regardant les perruches sans les voir. Ce n'est peut-être que de la curiosité, le besoin de tirer les choses au clair. Je voudrais savoir pourquoi cela n'a pas marché entre nous... Oh, bien sûr, j'ai eu des amants depuis, mais je n'ai jamais pris la peine de divorcer. Je ne serai pas fixée avant que nous nous soyons rencontrés. A propos, Unni est très amoureux de vous, dit-elle brusquement. Surtout ne lui faites pas de peine, Anne !

— Lui faire de la peine ! Comment le pourrais-je jamais ?

— Oh, je parle sans bien réfléchir, dit Eudora. Oui, il est *très* amoureux de vous. Quelle magnifique chambre ! s'écria-t-elle soudain, si charmante, si coquette ! Vous avez beaucoup de chance, Anne. »

Sur la pelouse, le Père MacCullough entretenait Leo des inondations et de la « situation » dans les autres vallées du Népal :

« Il va falloir agir, sinon le communisme trouvera le moyen de s'implanter ici. »

Et il esquissa la tactique qu'il préconisait pour déjouer les menées communistes. Le Général et la Maharani sa femme arrivèrent à leur tour. Les invités étaient au complet. La Maharani gardait un perpétuel sourire sur son visage rond et sans défaut. Ignorant l'anglais, elle ne pouvait parler à personne, mais n'en semblait pas décontenancée pour autant. L'air heureux, elle souriait, et, comme le Général, elle fumait en se servant de sa main repliée comme d'un fume-cigarette.

Tout à coup la lumière jaillit du cône fluide d'un projecteur, éclairant Martha et une ombre courbée, celle d'Unni, en train de manipuler le réflecteur carré :

« Trop violent, dit-il, et il voila le verre d'un morceau de papier crêpe.

— Maintenant c'est parfait, déclara Martha. Je disais justement à Unni qu'il me faudrait au moins deux projecteurs comme cela pour ma garden-party. Absolument indispensable, sinon la mission américaine risque d'approcher de trop près la délégation chinoise et ce serait terrible, n'est-ce pas?»

Unni se releva en disant:

«J'aimerais boire quelque chose», et il se dirigea vers la table où Regmi présidait devant un alignement de verres et de bouteilles flanqué d'un seau de cubes de glace:

«Je viens de le verser», dit Anne en lui tendant un verre.

Ils échangèrent un regard, et Leo comprit. Sur le moment, il n'éprouva même pas de surprise. Voilà, c'était Unni. Voilà. Et puis, lentement, il commença d'avoir mal.

«Venez, dit le Père MacCullough, je crois que vous ne vous connaissez pas encore.»

Il conduisit Leo vers Unni et refit les présentations. Leo adopta aussitôt ces façons pétillantes, volubiles, qui réunissent toujours en Asie, son habituel souci de briller encore accru par la curiosité aiguë, la douleur dévorante qu'il éprouvait à la seule pensée de cet homme qui avait réussi à capturer Anne. Capturer était bien le mot qui convenait: elle était prise, corps et âme, car chez les femmes, même les plus perspicaces, le corps et l'âme sont plus intimement amalgamés que chez les hommes et, comme le savait bien le cynique Boswell, le plus sûr moyen de posséder l'âme d'une femme, c'est de posséder d'abord son corps. Dans quelle mesure Anne était-elle restée lucide dans cette aventure? Unni? Un étalon bien doué, se dit Leo en le regardant, et l'expression lui parut particulièrement heureuse.

«Mr. Menon? Oui... j'ai entendu parler de vous... et aussi du barrage, bien sûr. J'aimerais tant le voir... Rien à voir? Mais bien sûr que si, ah, ah, ah... peut-être après le Couronnement? Ce qui m'intéresse particulièrement, ce sont vos relations avec la main-d'œuvre, c'est le bon vouloir des travailleurs et des gens dont les intérêts se trouvent touchés par ricochet, par exemple les propriétaires terriens, etc. Dans certains cas, les projets de modernisation apportent des bouleversements très regrettables dans les modes de vie traditionnels.

— Très certainement», dit le Père MacCullough.

Et il se mit à raconter à Leo que le gouvernement népalais ne versait aucune indemnité aux fermiers expropriés par suite de la construction de la nouvelle route.

«Les Indiens, dit-il, paient leurs ouvriers trois fois plus cher que ne le font les Népalais à Khatmandou, et encore le tarif est-il inférieur à une roupie par jour.

— C'est la même chose à notre barrage, nos travailleurs touchent des salaires relativement élevés. Oui, il y a aussi le problème des gros propriétaires terriens. Le Rampoche de Bongsor est le plus important. Il fait courir le bruit que nous offensons les divinités et qu'elles vont déchaîner la peste dans les vallées.

— Vous utilisez du vieux matériel ghurka, n'est-ce pas? Les retraités, etc.

— Oui, les plus intelligents sont chefs d'équipe. Mais dans l'ensemble les Ghurkas sont lents, ils manquent d'initiative et de compétence. Ce sont de bons soldats, mais de mauvais techniciens.

— Peut-être, mais ce sont des gens si heureux», dit Paul, qui parfois tombait dans le travers britannique qui consiste à mettre les imbéciles au-dessus des gens intelligents en les qualifiant d'enfants de la nature.

Les musiciens — le chanteur et ses trois

accompagnateurs — arrivèrent alors en jeep. On vit apparaître des tapis qui furent aussitôt étendus sur l'herbe; ils appartenaient au Général et venaient d'être apportés par une file de serviteurs.

Eudora était ravie :

« Général, vous me gâtez !

— Madame, mon cœur est charmé de le faire », répondit galamment le Général.

Sharma et le poète hindou réclamèrent d'autres tapis « pour que nous puissions nous y asseoir. Il ne convient pas d'écouter la musique assis sur une chaise ». On les apporta donc, puis le chanteur et les musiciens prirent place, les jambes croisées, face à l'auditoire, et le silence s'établit tandis qu'ils priaient, afin de recueillir leur essence vitale pour la déverser dans la divine harmonie de la musique.

Le père MacCullough essaya en vain de s'asseoir sur ses jambes croisées :

« Comment y parvenez-vous ? demanda-t-il à Anne.

— L'entraînement. »

Leo s'installa près d'elle, les genoux au menton :

« Un entraînement qui a dû être pénible, dit-il. L'os de la hanche pivote complètement vers l'extérieur et ensuite on s'assied sur ses jambes croisées.

— Au début cela fait mal, mais je commence à bien m'en tirer. »

L'air de provocation, l'insolence féminine avaient disparu. Son visage était candide, pur. Elle souriait vaguement à Leo et semblait plus accessible, mais, quand il se rapprocha d'elle, il la sentit absente, comme inconsciente de sa présence. Il chercha Unni des yeux et éprouva un choc en le découvrant assis juste derrière Anne. L'étalon se déplace sans bruit, se dit-il, sarcastique.

Sharma annonça :

« Vous allez entendre le chant du Seigneur Siva dansant la danse de l'univers.

— Oh, oui », murmura Eudora avec ferveur, et ses traits soudain tendus exprimèrent une profonde attention spirituelle.

Le chanteur était un quadragénaire corpulent, à la moustache et aux yeux noirs, dont le visage luisait sous la lumière comme du cuivre. Deux des musiciens étaient placés à sa droite et à sa gauche, l'autre, derrière lui, tenait une cithare, sorte d'énorme guitare à six cordes d'acier, avec un très long manche, le corps fait de deux gourdes pour donner de la résonance ; le second frappait avec les doigts sur les deux faces d'un long tambour cylindrique, le troisième jouait du luth. Le chanteur ferma les yeux, joignit les mains pour saluer, à la manière indienne, s'inclina profondément devant la compagnie et, tandis que sa main droite faisait le geste de cueillir une fleur, il lança la première note que sa voix sembla cueillir dans l'air. Rapide, diligente, la mélodie suivit aussitôt, comme une araignée ondule et se balance dans le vide avec son fil, prête à ourdir, et les notes se succédaient, composant un tissu de sons aussi merveilleux que la toile de l'araignée. La voix agile courait, s'arrêtait, résonnait, tenait la note, la lâchait, tirait, entortillait, tordait et lançait le fil de la mélodie. Les beaux sons amples de la cithare s'égrenaient comme une pulsation majestueuse, et le tambour battait comme un cœur tandis que la musique s'élançait et zigzaguait pour revenir toujours au chanteur, rappelée à lui avec une sorte de docilité extasiée, de même que le fil n'est jamais détaché du corps de l'araignée. Les auditeurs ne tardèrent pas à faire partie intégrante de la musique, ils devinrent les notes, leurs corps étaient au diapason de l'invisible gamme que leur imposait le chanteur, ils se sentaient intégrés dans l'invisible architecture jaillie du silence. Puis leur imagination leur suggéra de multiples visions. Emportés à travers un brouillard, ils voyaient des formes fantastiques flotter devant eux et se dissoudre, le fil du son était comme une route à suivre, et sur cette route ils rencontraient tout ce qu'il leur serait donné de connaître : la douleur, jeune comme les montagnes, le plaisir, immense et très vieux, l'émerveillement et la connaissance, l'acceptation et une vision anticipée de ce qui est Au-Delà, vision nullement incompatible avec l'obéissance aveugle. Car Siva dansa et, sous ses pieds, l'Univers naquit. Formidable enfantement dont cette musique n'était que l'écho ; quelque part un marteau résonnait, et de ses étincelles les soleils jaillissaient, les mondes créés allaient tourbillonnant, de plus en plus nombreux, et nul ne pouvait arrêter leur floraison, pas plus qu'on ne peut arrêter le déroulement des pétales d'une fleur, la plus forte douceur du monde. Incapables de la moindre résistance, les auditeurs se laissaient emporter par un courant inexorable, et le Père MacCullough lui-même demeura immobile jusqu'à la fin ; puis il se moucha bruyamment et se mit à applaudir.

« Oh, c'était magnifique, magnifique », dit Eudora, sincèrement émue.

Il y eut un silence, quelques chuchotements. Les invités, subjugués, un peu abasourdis, reprenaient conscience à la hâte, à nouveau isolés dans leur moi particulier. Le Général dit alors quelques mots au chanteur, et l'un des musiciens apporta la cithare à la Maharani, qui s'installa sur un tapis à part, la modestie lui interdisant de s'asseoir avec d'autres hommes que son mari.

« Maintenant, ma femme va jouer de la cithare », dit le Général.

Il accordait ainsi une grande faveur à Eudora, car la Maharani n'avait jamais joué en public :

« Elle a beaucoup prié et lu la *Bhagavad-Gîtâ*, afin que son esprit soit digne de la musique. Elle pense avoir fait quelques progrès. »

Le chanteur se fit entendre à nouveau : cette fois, c'était l'hymne de Rada célébrant son amour pour le Seigneur Krichna.

« Rada était la première épouse de Krichna, expliqua le Général, et Rukmini la seconde. »

L'évocation nostalgique s'acheva. La cithare de la Maharani envoya à travers le jardin une dernière vibration, longue et basse. Les mains du chanteur se joignirent. C'était fini.

Unni se pencha. Anne tourna la tête ; il lui offrit une cigarette, la lui alluma, les mains courbées en cornet avec le même geste que le chanteur, retenant le fragment lumineux dans ses paumes plus longtemps qu'il n'était nécessaire, de sorte qu'il pouvait voir le visage d'Anne dans la lumière, et le regard qu'il lui adressait le trahissait. Anne, elle, ne le regarda pas, parce qu'il lui suffisait qu'Unni la regardât et parce qu'elle redoutait la soudaine flambée du désir que risquait de faire jaillir entre eux un simple coup d'œil, un contact.

« Comme tu es belle ! murmura-t-il d'un ton léger, et il ajouta : Je suis stupide. »

Elle ne répondit pas et détourna lentement la tête, lui livrant par ce geste son visage, son cou. Quand elle se leva, sa jupe frôla la manche d'Unni et il lui sembla que tout son corps était une longue caresse sous la main de l'homme. Rien de tout cela n'échappa à Leo. Il les vit circuler au milieu des autres invités, libres en apparence, mais en réalité gravitant l'un autour de l'autre, marchant et tournant jusqu'à ce qu'ils se rencontrent, se croisant à nouveau et demeurant ensemble un moment, puis semblant encore se quitter, mais seulement pour se retrouver, comme dans une figure de danse, chacun étant le pivot de l'autre, centre et nœud de leur désir réciproque, sous leur apparente indifférence. Leo ne perdit pas un seul de leurs gestes, rien ne lui fut épargné. Il s'étonnait que les autres ne vissent rien ou du moins ne parussent rien voir. Lui aussi il gravitait autour d'eux, cherchait à engager la conversation, les contraignait à lui accorder leur attention. Il finit par se trouver à côté d'Unni, assis auprès d'Eudora. Celle-ci discutait avec le Général la question de la polygamie.

« Oh ! non, Madame, pour le Seigneur Krichna, deux épouses, ce n'est rien. La polygamie pour les dieux et pour les hommes, la monogamie pour les femmes telle est la loi de nature. Pour la femme, ce qui est important, c'est l'enfant, et l'homme qui lui donne l'enfant prend son âme aussi bien que son corps. D'où il ressort que la monogamie est souhaitable pour elle, dit le Général.

— Vraiment, quelle suffisance et comme c'est bien masculin ! s'écria Eudora. Voilà ce qui me déplaît chez vous autres Asiatiques : vous êtes peut-être modernes à d'autres points de vue, mais vous estimez que la place de la femme est uniquement au lit et à table, et vous vous croyez supérieurs aux femmes ; en conséquence vous avez des tas d'épouses et vous les traitez comme il vous plaît.

— Pas comme il nous plaît, Madame, corrigea le Général, mais comme elles se plaisent à être traitées.

— Vous n'avez aucune véritable notion de l'égalité. La polygamie est la plaie de l'Asie.

— L'égalité des sexes n'existe pas», répondit Sharma qui, sous l'influence de la musique et de la boisson devenait ridiculement «asiatique» et ranimait avec passion des souvenirs et des sentiments historiques hostiles aux Blancs, s'efforçant, comme tant d'autres Asiatiques dans leurs moments d'émotion, de découvrir dans les traditions de sa race des vertus et un code de vie supérieurs à ceux de l'Occident. Aussi défendit-il la polygamie avec ardeur, non par conviction profonde, mais parce qu'elle représentait à ses yeux une pratique contraire aux doctrines de l'Occident monogame : «Voyez, dit-il, ce que la monogamie a fait des Américaines. L'an dernier, je suis allé aux Etats-Unis, et je puis vous dire qu'il n'y avait pas une seule femme avec qui je n'aurais pu coucher si je l'avais voulu. Alors que nos femmes sont restées chastes, cela parce que nous conservons notre supériorité sur elles et que nous nous conduisons en mâles.

— Obéir au mâle, simplement par amour, c'est le bonheur de la femme, la perfection en ce monde. Les femmes n'aiment pas que leurs hommes soient humbles, dit le Général. Dans tous les pays, elles se plaisent à être dominées. Et si les hommes ne les dominent pas, elles deviennent des tyrans.

— Je suis parfaitement d'accord, dit Paul Redworth. Je trouve qu'en Occident nous avons eu tort d'accorder l'égalité à nos femmes. En Angleterre, il y a pléthore de femmes à l'esprit viril et elles sont malheureuses, malgré l'indépendance dont elles jouissent.

— Tu n'en penses pas un mot, dit Martha placidement. Tu sais fort bien que c'est toi qui as voulu que je sois indépendante et que je travaille dans les services de l'armée pendant la guerre, alors que j'aurais bien mieux aimé bibeloter dans le jardin et m'occuper de moi. »

Leo prit alors la parole. Imbu de ses idées, didactique, c'était tout à fait l'Européen dont les émotions s'inscrivent dans le cadre de la logique scientifique :

« L'amour est vraiment un phénomène auquel on attribue une importance exagérée, dit-il. C'est tout simplement un épanchement d'hormones glandulaires, mais nous aimons nous faire des illusions et nous persuader qu'il s'agit d'une communion des âmes. Les femmes surtout ont tendance à ajouter beaucoup trop d'importance à l'amour, et c'est pourquoi, quand la monogamie est obligatoire, elles souffrent d'un complexe romanesque, soigneusement entretenu, par suite duquel elles demeurent persuadées que le don de leur corps est un acte mystique et sacré. »

Il avait pris pour débiter ce discours son ton le plus léger, espérant qu'Anne l'écoutait.

Mais Sharma n'en avait pas fini avec ses attaques contre le vice hors nature qu'était à son avis la monogamie, un vice qui, selon ce que soutenaient le Général et lui, sapait les fondations même de l'ordre moral dans la société :

« C'est la névrose de l'homme blanc, poursuivit Sharma. Les Américains possèdent certaines des plus belles femmes qui soient au monde, mais ils ne savent absolument pas comment se comporter à leur égard. Ils ne peuvent les satisfaire du point de vue sentimental, car peu importe combien de fois on répète l'acte sexuel, ce n'est pas seulement l'orgasme qui compte, c'est aussi le paroxysme spirituel. Une femme n'est pas heureuse tant qu'elle n'a pas l'impression de connaître l'étreinte d'un dieu, et il ne lui suffit pas d'avoir à sa disposition un organe sexuel asservi qu'elle peut mépriser et injurier. Ce sont les harmoniques psychologiques et émotionnelles qui donnent son prix et son importance à l'amour physique et non pas la technique ou le soulagement éprouvé.

« Mais pour vous venger, vous autres les hommes blancs, vous exploitez la sexualité féminine comme nul prétendu barbare n'oserait le faire. Il n'y a pas un pays au monde où la dégradation de la femme en tant qu'être humain soit poussée aussi loin qu'aux Etats-Unis. Aucun pays asiatique n'accueillerait ses artistes en leur demandant les dimensions exactes de leurs glandes mammaires. C'est seulement en Occident que la sexualité de la femme est constamment rabaissée, que ses cuisses et la forme de son entre-jambes servent à faire vendre n'importe quoi, depuis la pâte dentifrice jusqu'aux élections présidentielles.

— Ces pratiques, murmura rêveusement le poète hindou, appellent une comparaison intéressante avec certains des rites tantriques pratiqués ici, au Népal. Pour être admis à la prêtrise, les hommes franchissent une porte en forme de vulve de femme. Et, dans la cité de Bhadgaon, il existe un temple dont la fenêtre par où sont introduites les offrandes affecte cette même forme et est peinte en rouge. Beaucoup de touristes se montrent fort choqués ; pourtant, c'est pratiquement sous les mêmes auspices qu'ils achètent leurs cigarettes.

— C'est ainsi que les Anglo-Saxons sont devenus des mercantis de l'amour sexuel, eux-mêmes désexués, et qu'ils ont une peur bleue de leurs femmes, dit brutalement Sharma. Ils deviennent impuissants — moralement sinon physiquement. La femme se venge alors, parce qu'elle est malheureuse et frustrée, elle devient vindicative et méchante, tyrannique et destructrice.

— C'est bien ce que je disais, reprit le Général, obstiné, nos femmes restent des femmes parce que nous sommes des mâles, donneurs d'amour et de plaisir, non pas à une seule femme, mais à plusieurs. Asservissez un homme au plaisir d'une seule femme et il perd l'esprit d'enthousiasme en amour, cela devient pour lui une corvée monotone. D'où il ressort que la polygamie est indispensable pour qu'un mari demeure un amant.

— Quelle erreur ! dit Eudora. Croyez-vous sincèrement que vos femmes d'Asie apprécient la polygamie ? Avez-vous pris la peine de réfléchir à la terrible somme de souffrance cachée qu'elles subissent encore ? Vous, Général, pouvez-vous vraiment affirmer que vos femmes se réjouissent quand vous amenez au palais une nouvelle épouse ?

— Non, Madame, elles ne se réjouissent pas, mais elles y sont accoutumées et elles ne disent rien.

— Elles y sont accoutumées, elles ne disent rien, elles acceptent, parce qu'elles n'ont pas le droit de protester, parce qu'elles sont votre propriété. Elles sont comme les animaux en cage, leur souffrance est muette.

— L'âme de l'homme réclame de nombreuses femmes, dit le Général. Pour se découvrir elle-même, l'âme de l'homme doit vouer son amour d'abord à de multiples êtres, puis à l'Etre Unique. Avant de parvenir au non-désir, l'homme doit d'abord éprouver les passions. Pour l'âme de l'homme, la femme est une tentation, un obstacle, pourtant il lui faut d'abord éprouver ces désirs pour atteindre à la Connaissance.

— Les femmes n'ont-elles donc pas d'âme ? demanda Unni. Ne peuvent-elles aussi réaliser le plein épanouissement de leur moi grâce à l'homme — non pas un seul, mais plusieurs ? Et ne peuvent-elles aussi aspirer au divin ?

— L'âme des femmes est différente de la nôtre, répondit le Général. Elles sont plus matérielles que nous, et même quand elles aspirent à connaître Dieu ce n'est pas Dieu tel que nous le concevons, nous autres hommes, c'est un amant qui les inonde de félicité et les transperce des flèches du désir. En d'autres termes, mon ami — et vous le savez fort bien, ajouta malicieusement le Général, — et les femmes trouvent leur Dieu à travers un homme qu'elles idéalisent. Tous les dieux des femmes sont des amants idéaux et leurs prières s'adressent à ces dieux au nom de l'Amour. C'est pourquoi les femmes aiment Krishna, seigneur de l'Amour. Même chez les chrétiens, conclut perfidement le Général, les nonnes font vœu de chasteté parce qu'elles ont épousé leur Dieu et qu'un simple mortel ne peut les posséder.

— Général, dit Sharma avec enthousiasme, les grands poètes anglais Milton et Blake étaient de votre avis. »

Et le poète hindou, qui n'attendait que cette occasion, se mit à citer son cher Blake :

« La vierge qui languit pour un homme sentira ses flancs s'éveiller à des joies énormes dans l'ombre secrète de sa chambre. Le jeune homme exclu de toute joie du désir oubliera d'engendrer et

créera une image d'amour dans les ombres de ses
rideaux et dans les plis de son oreiller silencieux.
Ne sont-ce pas là les places choisies de la religion,
les récompenses de la continence, les jouissances
personnelles de l'abnégation de la personne[1] ? »

« Oui, dit Eudora, mais Blake était un mystique.

— Mr. Blake était polygame en esprit, Madame,
dit le Général, de même que Mr. Milton, de même
aussi que ce vaurien de Shelley, qui ressemble
tant à mon cousin germain. Oui, la polygamie
pour les hommes, la monogamie pour les femmes,
car avec la femme il y a l'enfant et tout l'être de la
femme est concentré sur la création des enfants.

— Pas depuis l'institution de la planification
familiale, dit Martha Redworth. Désormais la
femme n'est plus une machine à faire des
enfants.

— Mais, en Asie, nous n'aimons guère la
planification familiale », répliqua le Général.

Depuis un moment, le Père MacCullough tous-
sait très fort ; il réussit à attirer l'attention sur son
mal de gorge, et Paul Redworth changea avec tact
le sujet de la conversation. Il se mit à parler du
Couronnement, qui devait commencer par une
cérémonie de purification, le mardi 1er mai. Un
détachement de Ghurkas, commandé par le major
Pemberton, prendrait part à un Durbar qui aurait
lieu le 2 mai dans l'après-midi. Il y aurait trente-
cinq éléphants. Lui-même ainsi que ses collègues
du corps diplomatique emprunteraient ce mode de
locomotion très peu confortable pour se rendre en

1. WILLIAM BLAKE, *Les Livres prophétiques* (Visions des
Filles d'Albion). Traduction Pierre Berger, Editions Rieder,
1927. (N. du T.)

procession solennelle au Durbar, le jour du Couronnement.

Leo regarda sa montre et s'écria sur un ton de surprise polie: «Déjà minuit?» mais il pensait: «J'aurais cru qu'il était plus tard.» Le rire facile de Mariette jaillit. Elle sauta du lit avec un gracieux mouvement pivotant des hanches, et deux fossettes ombreuses se creusèrent dans ses fesses. Elle alla au miroir pour se mettre du rouge à lèvres, assise sur un tabouret, les jambes un peu écartées; puis elle revint vers le lit en chantonnant. Ses seins étaient bien attachés aux épaules, son ventre rond avait le nombril exactement où il fallait et, au-dessous, le V sombre d'un duvet épais, frisé, allongeait sa pointe. Leo ne put s'empêcher de la comparer à cette Kicha qu'il venait de laisser à Delhi. Kicha aussi sautait du lit, non pour se remettre du rouge à lèvres, mais pour prendre un petit repas.

«Elle faisait songer à un plat indien trop épicé, trop riche. Quoiqu'elle soit très jeune, elle a déjà un peu trop de tout; je me sentais accablé par tant d'opulence et il fallait que je regarde son visage, moins parfait pour pouvoir prendre mon élan. Mais, toi, tu es tout à fait charmante. Tout à fait, dit Leo, et, pour confirmer cette déclaration, il planta un baiser sur les lèvres fraîchement faites de Mariette.

— Bien, mon chéri.»

Mariette se glissa dans le lit, lisse comme du savon et prête à bavarder:

«Oh, cela n'a pas été facile avec tous ces voyages, poursuivit-elle. Des tas d'hommes, pour

484

la plupart complètement impossibles. Mais avec toi on peut parler, on n'est pas seule.

— Mais tu les as tous, les hommes ; ils sont là à tourner autour de toi... et maintenant avec tous ces journalistes..

— Je sais bien, mais ce n'est pas ça que je veux. Il y a un type... celui-là, si je ne l'ai pas, je me sentirai flancher.

— Qui donc ? demanda Leo, et, avant même qu'elle eût cité le nom, il se sentit à nouveau envahi par une souffrance oubliée pendant un temps trop court dans le lit de Mariette.

— Celui qu'on appelle Menon, le grand brun. Le plus rigolo, c'est que j'ai une lettre d'un de ses amis qui me recommande à ses soins. Figure-toi que j'arrive avec cette lettre ; bien entendu, je demande à voir le personnage en question. On me parle beaucoup de lui, de ses travaux, on me dit qu'il est si bel homme. Au début, il est absent. Puis, un beau matin, il arrive, très poli (je lui avais écrit). J'étais en train de prendre mon petit déjeuner quand je le vois entrer. Tu le connais aussi : six pieds de haut et ce teint, ces épaules, ces jambes !

— Et, bien entendu, tu as fait de ton mieux, dit Leo, ironique et amer.

— Bien entendu, répondit Mariette avec son rire éclatant et facile. Donc il me dit : "Je suis à votre disposition, Madame." Je le regarde et lui réponds : "Et moi à la vôtre, Monsieur." Il me dit : "Voulez-vous faire un tour en voiture ? — Avec plaisir." Nous voilà donc partis. Il me montre les temples. Je les avais déjà vus, mais je m'extasie. On revient. Je dis : "Venez dans ma chambre, j'aimerais vous montrer des photographies que j'ai prises au Siam."

— Et alors, dit Leo, rien du tout ?

— Pas encore, mais je ne me décourage pas pour si peu. Le lendemain, j'ai encore essayé. Très tôt après le petit déjeuner. Bien entendu, je déjeune en robe de chambre. Je me penche sur lui pour lui faire admirer les photos. Il me dit : "Voulez-vous une cigarette ?" Je l'invite à s'asseoir auprès de moi sur le divan. Il s'assied. Puis il déclare qu'il a à faire, qu'il reviendra quand j'aurai besoin de lui. Et il part. »

Leo riait : « La prochaine fois, essaie donc après le déjeuner de midi. Le matin, c'est peut-être trop tôt. » Si Mariette et lui avaient couché ensemble, se disait-il, c'était précisément parce qu'ils n'éprouvaient aucune gêne à se conter mutuellement leurs exploits amoureux. Tous deux se considéraient à ce point de vue comme possédant une technique exceptionnelle, et s'ils n'avaient pas parlé, en gens de métier, de l'exercice de leur art, ils n'auraient eu d'autre sujet de conversation que les talents de photographe de Mariette, ce qui assommait Leo.

« Moi, je crois que c'est un pur, dit Mariette, méditative, la tête baissée sur sa poitrine, un léger double menton formant un collier autour de son visage, c'est très excitant un homme pur et sensuel quand même.

— Il est probablement impuissant, dit Leo.

— Je n'en crois rien. Ranchit dit ça. Moi je crois qu'il a toutes les femmes qu'il veut, et je m'y connais, mais il joue froid. Il y a du feu dans ce glaçon-là. »

Le feu sous la glace, songeait Leo, qui se sentit à nouveau atteint au cœur. Anne, Anne, le feu sous la glace. Que c'était donc irritant d'entendre Mariette dire cela d'Unni. Elle est vraiment stupide, se disait Leo en la regardant. Et trop grosse. Comme d'ailleurs la plupart des femmes.

Ce dont il rêvait, c'était d'un corps mince, agile, souple, sans courbes agressives, c'était d'une intensité de passion que cette chair exubérante rendrait grotesque, éléphantine.

« Je le trouve lourd et vaniteux... un poseur. Je le crois bête.

— C'est possible qu'il soit bête, mais c'est une bien belle bête.

— Eh bien, dit Leo, si tu veux je t'aiderai. »

Oui, songeait-il, ce serait rudement amusant que Mariette réussisse à amener Unni dans son lit. Que dirait, que ferait Anne ? Cette idée excitait Leo et, emporté par sa furieuse passion pour Anne, il recommença à embrasser Mariette, se déclara tout à fait remis et apaisa sa faim dans l'étreinte de ce beau corps si accueillant et déjà sans surprise.

« Excellente soirée, vraiment Anne est très en beauté ces temps-ci, dit Paul Redworth à Martha, tandis qu'ils s'installaient dans leur grand lit.

— Le gris lui va particulièrement bien, dit Martha, circonspecte.

— Oui, je trouve aussi. Je suis bien content pour elle, chérie. Pas toi ?

— Si, et j'espère que cela va durer.

— Je n'ai jamais trouvé son mari sympathique, dit Paul. Pourtant, tu sais, je souhaite que rien ne vienne à éclater avant le Couronnement. Cela ferait du joli ! Une catastrophe pour notre garden-party et autres festivités. Ce serait choquant. Je veux dire que dans ces conditions nous ne pourrions plus les recevoir tous ensemble, n'est-ce pas ?

— Non, bien sûr, nous avons déjà assez de complications avec Eudora et Fred.

— Eux, il faudra les inviter tous les deux, mais séparément. Unni m'a d'ailleurs promis que tout serait arrangé d'ici le Couronnement.

— J'en doute, dit Martha. Fred continue à se terrer à l'hôpital.

· — Il va falloir qu'Unni se dépêche s'il veut qu'ils se rencontrent, dit Paul ; il ne lui reste plus que quelques jours, et il a tant de travail à faire.

— Et il y a Anne, dit Martha.

— Oui, il y a aussi Anne », acquiesça Paul, qui s'installa dans sa position habituelle et se prépara à dormir.

En revenant du concert donné par Eudora, le Général et la Maharani allèrent voir Fred Maltby dans son bungalow.

Fred n'était pas encore couché. Il avait eu à faire une opération urgente. Dans l'ouverture de la porte, le visage mince du Général et la face ronde de la Maharani sortaient de la nuit pour lui sourire.

« Nous vous dérangeons ? demanda le Général.

— Non, pas le moins du monde. Entrez donc.

— Nous ne resterons que quelques instants, dit le Général, qui envoya chercher son whisky. Mon ami, je désirerais vous parler — au sujet de votre femme. Nous venons d'assister à une soirée qu'elle donnait tout à l'heure.

— Oh, dit Fred en regardant sa montre, je préférerais que vous n'en fassiez rien — je veux dire que vous ne me parliez pas d'elle.

— Il est impossible que vous continuiez à l'éviter.

— Il fut un temps, rappela Fred, où vous mettiez tout en œuvre pour m'aider à l'éviter.

— Voilà de cela plusieurs semaines, mais maintenant vous ne pourriez plus continuer ainsi, ce ne serait pas honorable. Noblesse oblige.

— Je suis très occupé.

— Vous avez peur, dit le Général en se balançant sur ses jambes.

— Je n'ai pas peur, dit Fred, cela m'est désagréable, voilà tout.

— J'ai de la sympathie pour elle, dit le Général. Elle est stupide, mais elle comprend la musique. Et puis elle vous aime. Si Unni était ici, il vous conseillerait de la voir. Mais il est lui-même fou d'amour en ce moment.

— Le voici justement, dit Fred, surpris. Bonsoir, Unni.

— Bonsoir », dit Unni.

Il s'assit, étendit la main vers la bouteille de whisky et s'en versa un demi-verre. Le Général le regarda, puis regarda la Maharani, stupéfait. Il ouvrit la bouche, mais la Maharani le tira vigoureusement par la manche.

« Nous parlions justement de la femme du docteur Maltby, dit la Maharani. Ne croyez-vous pas qu'on pourrait arranger une rencontre ?

— Certainement », dit Unni, qui vida son whisky d'un trait.

Le Général regarda encore la Maharani et celle-ci, avec beaucoup de tact, se leva, déclarant qu'il était temps d'aller se coucher. Ils s'éclipsèrent sans bruit.

Demeurés seuls, les deux hommes ne se parlèrent pas. Unni alla dans la salle de bains, prit une douche, revint en enroulant son dhoti autour de ses reins et se jeta sur son lit de camp, où il demeura immobile.

Fred ne le regardait pas. Il se passait quelque chose d'anormal puisque, pour la première fois, Unni venait coucher dans son lit. Mais ils n'avaient jamais parlé de femmes ensemble, et toute parole serait aujourd'hui inutile. Anne et Unni, Unni et Anne. Deux noms propres, deux mots, deux êtres. Un événement. Un événement qui ne l'avait pas surpris et dont il avait eu très vite connaissance, le jour où Unni était revenu à Khatmandou. En arrivant, Unni avait pris une tasse de thé avec le docteur, il s'était ensuite mis à marcher nerveusement de long en large, puis il avait disparu. Habitué maintenant à comprendre sans que rien lui fût expliqué, Fred se dit : « C'est une femme. » Et, le lendemain matin, le Général lui avait dit :

« Il s'agit d'Anne, mon ami. Notre Unni a passé la nuit chez elle.

— J'en suis bien content, répondit le docteur.

— Croyez-vous que Mrs. Ford retournera vivre avec son mari, plus tard, quand vous l'aurez guéri ? avait demandé le Général avec une feinte candeur.

— Je n'en sais vraiment rien », avait répondu Fred.

Le Général, bien entendu, savait qu'Anne ne retournerait pas avec John : « Du moins je ne le crois pas », avait-il diagnostiqué.

Ce soir-là, quand Fred alla se coucher à son tour, il comprit aussi qu'il ne suffisait pas de dire simplement Unni et Anne. Unni était un esprit logique, clair, intelligent. Doué d'un heureux naturel, il était aussi profondément sensible, prompt à réagir, mais cependant réfléchi, peu enclin à la délectation morose, aux tourments spirituels, au doute fécond, aux obsessions vaines. Et il était amoureux d'Anne. Il était tombé amoureux d'elle comme il faisait toute chose, dans un élan de tout son être, sans la moindre crainte, en se donnant tout entier. Fred n'avait jamais abordé le sujet avec lui. Je *sais*, tout simplement, se disait le docteur, et le Général sait aussi. Mais... Anne ?

« Elle l'aimera aussi, avait dit le Général, plein de confiance. Quelle femme ne serait heureuse d'aimer un aussi bel homme ? Et elle a beaucoup de chance. Tant d'autres ont voulu l'aimer à qui il a déclaré qu'il ne les aimait pas ! Cette femme n'est pas bavarde, elle sera bonne pour lui, il la rendra heureuse et, grâce à elle, il se sentira comblé.

— Je n'en sais ma foi rien, avait répondu Fred. Anne est un écrivain, vous savez, une femme moderne. La question n'est pas si simple que cela. Les écrivains ne servent en réalité que leurs démons personnels. »

Le Général avait répondu qu'avant tout une femme est toujours une femme. Unni, lui, était assez homme pour conserver l'amour d'Anne et lui donner des enfants : il lui ferait vite oublier la littérature : « Pour quelles raisons éprouverait-elle le besoin d'écrire quand elle aura un pareil homme pour s'occuper d'elle ? »

Fred n'avait pas poursuivi la discussion. D'ailleurs il ne savait pas très bien ce qu'il fallait penser, il ne faisait qu'entrevoir vaguement la vérité en ce qui concernait Anne. Et maintenant qu'Unni reposait là, dans le lit à côté du sien, et qu'il le sentait malheureux, il s'abandonnait à une méditation inquiète. La femme, songeait-il, est un animal égoïste : les guerres, le génie des hommes et leurs inventions, la grandeur et la décadence des empires, les révolutions, tout cela ne constitue pour elle qu'un arrière-plan, une tapisserie, une robe d'apparat qu'on revêt ou qu'on dépouille, un ornement de sa personne, un décor devant lequel elle peut jouer les tragi-comédies de ses émotions. Anne allait-elle se servir d'Unni pour satisfaire ses aspirations, quelles qu'elles fussent, et le rejeter ensuite, se défaire de lui en utilisant le trésor de mots ainsi acquis pour écrire une nouvelle, un roman, un livre ? Cet amour vivant, l'ardeur de vie, la beauté et la tendresse que cet homme pouvait lui donner, les abandonnerait-elle pour évoquer des ombres sur une page blanche ?

« Je me laisse emporter par mon imagination », se dit-il, et, se tournant sur le côté, il s'endormit.

Journal Depuis dix jours, je n'ai pas écrit
d'Anne un seul mot. Vais-je recommencer ?
En quels termes vais-je me remettre à écrire ? Depuis dix jours, j'ai un amant. Je n'ai pas eu le temps de penser. La découverte de moi-même m'a submergée, effaçant du même coup les mots. Mais le besoin de regarder en face a surgi de nouveau. Aussi ce soir, après la soirée d'Eudora, je me suis tournée vers Unni. Les autres invités partis, il attendait. Il attendait que je décide s'il pouvait rester ou non. Il le fait toujours, sans jamais prendre de libertés, sans jamais insister, et cette discrétion me plaît infiniment. Mais cette fois je lui ai dit — très vite parce que cela me faisait mal de retrouver ma solitude, mais pourtant il le fallait — je lui ai dit: « Unni, j'aimerais être seule ce soir. »

Dans l'obscurité, Regmi emportait les chaises

sans bruit. Il n'y avait pas de lune. Nous étions seuls. J'attendais ce qu'Unni allait dire, faire. S'il s'était mis à discuter, à me demander des explications, quelque chose se serait rompu, aurait été fini entre nous. Tant je suis devenue exigeante, vétilleuse, au point de vouloir que mon amant devine mes moindres changements d'humeur. En équilibre instable sur une lame de couteau, prête à noter la moindre syllabe qui sonnerait faux, le plus petit geste forcé, implacable envers Unni, alors que j'ai enduré tant de choses, tant de petites turpitudes, tant de comédies larmoyantes de la part de John. Je suis injuste. Parce qu'Unni est tel qu'il est, parce qu'il est fort, parce que je suis venue quêter son aide, voilà maintenant que j'exige de lui qu'il me venge obscurément de la morne suite de veuleries, de mécomptes, de maladresses que j'ai subis dans le passé. Peut-on dire que ce soit là de l'amour ? Mais Unni ne m'a pas dit : «Pourquoi ?», il ne s'est pas livré à des conjectures, il n'a pas construit un édifice de suppositions, exigé des explications, exprimé des doutes. Il est resté calme, achevant de fumer sa cigarette, de vider son verre. Il ne me demandait même pas des éclaircissements en silence, il avait déjà accepté. Mais ce mutisme même me contraignait à parler. Parce qu'il n'avait pas dit : «Pourquoi ?» j'étais contrainte de m'expliquer. (Maintenant enfin je comprends John, mon pauvre John si peu maître de ses émotions — alors qu'Unni et moi nous sommes l'un pour l'autre, à ce point de vue, des instruments de précision — obligé de m'interroger parce que je gardais le silence, obligé de s'humilier, de se rendre ridicule en me harcelant de questions, malheureux parce que je ne le regardais même pas.)

«Unni, surtout, ne va pas te méprendre. (Il ne se

493

méprenait pas.) J'ai envie d'être seule parce que...
parce que j'ai envie d'être seule. »

Il aurait pu se lever en disant : « Certainement »
ou « Bien sûr, je comprends », masquant le coup
infligé à sa vanité par ce refus au moyen d'une
phrase « appropriée », ou bien il aurait pu sortir en
prenant un air important pour me dire : « A
demain », il aurait pu jouer le gentleman ou le
butor. Mais il ne fit rien de tel. Il tira de sa poche
l'amulette avec laquelle je l'avais déjà vu jouer et
se mit à la lancer en l'air et à la rattraper, dans
l'obscurité. Pas un mot ne fut prononcé. Nous
restâmes là assis dans l'ombre, et j'aurais voulu
rattraper mes paroles, mais je ne le pouvais plus.
J'étais maintenant complètement fascinée, j'attendais ce qui allait se passer. L'épreuve par le feu
ou par l'eau. Portant la barre enflammée se
brûlerait-il ? Submergé, allait-il remonter à la
surface en crachant l'eau, incapable de retenir sa
respiration ?

Mais il me dit d'une voix heureuse : « Tu es mon
amour chéri. » Et il partit.

Et maintenant j'aurais voulu qu'il restât, qu'il
revînt, maintenant je l'aimais, oh, comme je
l'aimais ! Et sa voix, ses mains, comment pouvais-
je m'en passer ? Là encore, comme tant de fois
depuis ces dix derniers jours, il a dit et fait
exactement ce qu'il fallait et non pas le banal, le
conventionnel, le factice : « Jette-moi dans le feu,
dit l'Or, je n'en brillerai que davantage, mais, je
t'en prie, ne me mets pas en contact avec le rebut
des choses inférieures. » C'est un dicton népalais
qu'il m'a enseigné et que je trouvais alors naïf.
Mais depuis que j'ai entendu sa voix heureuse je
ne me sens plus coupable ; et maintenant je suis
seule.

Je suis seule, pour me recueillir dans le calme,

sacrifiant — mais en apparence seulement — la joie de sa présence à quelque chose de plus important en ce moment que sa seule présence physique : la pleine conscience de ce qu'il est pour moi. Il faut que je m'arrête pour le regarder et je ne puis le faire quand il est auprès de moi. S'il était resté avec moi ce soir, s'il m'avait persuadé de le retenir, s'il m'avait demandé : « Pourquoi ? » l'instant présent ne serait pas celui où je veux écrire le mot « nous » pour parler d'Unni et de moi, l'identifiant ainsi à ma vie. Or je veux écrire *nous,* penser *nous,* et plus tard être *nous*, sans regarder en arrière.

Et tout d'abord, elles ne sont pas entièrement vraies, les choses que j'ai écrites quand je suis arrivée à Khatmandou, quand, dans mes premiers transports de joie, j'ai connu un tel degré de surexcitation intellectuelle en découvrant un monde nouveau. Ce fut seulement le reflet extérieur, l'enveloppe poétique et brillante de ce qui existe maintenant. Un besoin né du plus profond de mon être, se riant de moi et de toutes mes vaines paroles, m'a poussé sans relâche, vers aujourd'hui, vers Unni. Un tracé précis comme celui de la route qui traverse les contreforts des montagnes, une direction immuable empruntant bien des sinuosités, des méandres et des courbes mais immuable cependant en dépit de tous ces détours.

Maintenant, au bout de dix jours, c'est d'un œil expert que je regarde autour de moi les autres êtres, et je les juge en me fiant uniquement à cet instinct infaillible qui me révèle exactement ce qu'ils sont : je ne vois plus leur apparence intellectuelle, les masques brillants et bavards qu'ils s'appliquent sur le visage, mais les petits traits, nus et sincères, les corps couchés dans les lits, l'embryon à l'intérieur de la cuirasse, avec ses obscénités et ses frayeurs, ses voluptés et ses convoitises, tous les mensonges qu'il se fait à lui-même. Je vois maintenant Leo avec son millier de femmes, un millier de ruelles borgnes, un simple chiffre, une fastidieuse répétition. Leo astreint à un fonctionnement intensif de son sexe pour s'administrer à lui-même la preuve de sa virilité. Je le vois, comme l'a dit Unni, desséché par les plaisirs charnels comme d'autres par l'abstinence, car il s'est borné à fonctionner, il n'a pas aimé.

Cet instinct me révèle également quelque chose de plus inquiétant. Il me révèle que dans mon moi compliqué vit aussi un petit démon exigeant, ma vanité, une démiurge qui transforme tout en mots, qui s'empare de la vie lumineuse, des beaux instants vécus, pour les réduire impitoyablement en symboles destinés à les perpétuer, momies de nos pensées et de nos émotions. Et c'est ce démon qui ce soir m'a fait dire à Unni que je voulais être seule. Je voulais écrire. J'aurais pu le lui avouer, j'aurais pu lui dire : « Ce soir, je veux écrire. » Mais je n'avais pas envie de le lui dire. Je voulais qu'il le sût sans le truchement des paroles. « S'il le sait sans que je lui dise, alors je croirai. » De nous deux, c'est lui qui possède la certitude. Eh bien, en ce cas, qu'il comprenne sans qu'on lui explique rien. Il emploie le mot amour comme s'il savait tout ce qu'il signifie. A tout instant il semble absolument certain de ce qu'il fait, de ce qu'il dit, alors que moi j'ai encore peur de l'émotion, peur des prédictions, peur de prononcer le mot amour, peur de fabriquer un autre univers fait de mots. Eh bien, puisqu'il croit, qu'il complisse le miracle, qu'il me fasse croire.

Hier, je lui ai dit : « Tu te lasseras de moi, de ma

façon de douter de nos sentiments, de la façon dont j'analyse, dissèque, raisonne et discute.»

Il m'a répondu : «Continue, cela me plaît beaucoup. Tu ressembles tout à fait à Mana Mani, la jeune montagne que je vais mater un de ces jours.»

La phrase était si «folklorique» et grandiloquente que je n'ai pu me défendre d'être agacée, et je lui ai dit : «Comme tu es suffisant!»

Avec cette dangereuse douceur qu'il met dans sa voix aux moments où il est le plus fort, il m'a répondu : «Les hommes de mon pays sont suffisants parce qu'ils sont des hommes.»

Chapitre 8

Journal Ce samedi matin, Isabel nous a
d'Anne réunies. D'un air à la fois triom-
phant et épuisé, elle exhibe des
feuilles de papier, le programme des cérémonies
du Couronnement. Elle nous en donne lecture.

« Dimanche 29 avril (c'est-à-dire demain), cérémonie d'investiture dans la salle du Durbar.

— Nous n'avons pas de cartes d'invitation, dit
la Géographie.

— Peu importe, dit Isabel, personne n'en a
encore. J'en ai déjà demandé au Résident et je
reviendrai à la charge. Vous savez comment sont
les Népalais : les cartes arriveront après la cérémonie. Nous n'aurons qu'à y aller tout simplement.

— Vous aurez sans doute tout ce qu'il faut,
vous, me dit la Géographie. Votre mari a des
cartes, n'est-ce pas ?

— Je n'en sais rien.

— Mais bien sûr qu'il en a, m'affirme la
Géographie, il est secrétaire du Club de la Vallée.
Les Népalais *n'oseraient pas* le tenir à l'écart des
réunions officielles. Vous recevrez *certainement*
des cartes au nom de Mr. et Mrs. Ford. »

En écoutant la conversation des dames de
l'Institut Féminin, on pourrait se croire dans une
forteresse assiégée, parmi des militaires menacés
d'être bientôt privés de toutes les douceurs de la

vie. Pourtant Vassili, chargé de nourrir plus de mille invités officiels, personnages importants et correspondants de presse, a trouvé le moyen de faire venir de Patna par avion trois cents poulets (il n'en a péri que deux cents en route!), vingt sangliers actuellement salés et rangés dans la glacière, des alignées de perdrix, de cailles et de faisans, du caviar, des crevettes roses et du bekti, tout cela en prévision du grand banquet et des divers autres dîners diplomatiques.

« Il n'y a toujours pas un seul meuble dans l'hôtellerie du Gouvernement, dit Isabel d'un air tragique. D'après le programme, poursuit-elle, la cérémonie de la purification aura lieu le Ier mai à 9 heures du matin. Je me demande si c'est l'heure exacte, nous ferions bien de nous renseigner. Couronnement le 2 mai à 9 heures du matin, consécration à 19 h 33. C'est la minute exacte que les astrologues ont fixée pour le Couronnement, n'est-ce pas? La cérémonie aura lieu à l'Hanuman Dhoka, l'ancien palais royal, celui dont la façade s'orne de cette affreuse masse de pierre qui est, paraît-il, un dieu singe païen ou quelque chose de ce genre.

— Je parie bien qu'ils vont changer les heures au tout dernier moment, leurs espèces d'astrologues sont coutumiers du fait. Ils inspectent les étoiles et ils changent les heures ou bien ils interrogent leurs oiseaux. Il paraît qu'ils élèvent des perruches en cage qui sont censées leur faire des révélations. »

La conversation se poursuit sur ce ton et je me sens bouillir. Je comprends pourquoi on nous déteste tant, nous autres « chrétiens ». Nous faisons preuve d'une balourdise et d'une vulgarité extraordinaires pour tout ce qui concerne les autres religions, et nous n'éprouvons aucun respect pour des croyances qui ne sont pas les nôtres. De la façon la plus grossière, nous parlons des autres dieux avec mépris, dérision et même un manque total de courtoisie. Dans ce domaine, le Père MacCullough marque des points : quelles que soient ses convictions, l'antique et profonde sagesse de de l'Eglise catholique, si proche de la courtoisie asiatique, l'incite à ne pas condamner ouvertement les croyances de ses hôtes. Mais ici, à l'Institut Féminin, l'intolérance et l'étroitesse d'esprit règnent parmi les fleurs fanées du canapé, parmi ces femmes à la peau flétrie, au cou strié de cordons et dans la vague odeur d'antiseptique. (Je dois à la vérité de dire qu'Isabel n'est pas fanée et ne sent pas l'antiseptique ; elle a des cheveux drus, un corps ferme et massif, mais crispé par cette faim dévorante, par ce besoin de quelque chose que sa foi ne lui permet pas de posséder. Isabel était faite pour les étreintes d'un robuste fermier, pour connaître l'amour et avoir de beaux enfants. Son Dieu soit loué, elle boit. Sinon cela pourrait être pire encore.)

« Le Roi est supposé être Vichnou, n'est-ce pas ?

— Oui, ils adorent une espèce de trinité. Brahma et puis, voyons... ah ! j'y suis : Vichnou et Siva. C'est Siva le pire.

— Siva, c'est celui que représentent toutes ces pierres et ces... choses, dit la Géographie (le mot lingam n'a jamais été prononcé par ses lèvres pâles). Voilà pourquoi on ne vous laisse pas entrer dans les temples si on a l'air d'un chrétien. Il s'y passe des choses *infâmes*.

— Dieu soit loué, j'ai l'air d'une chrétienne et je m'en réjouis ! » Après avoir ainsi affirmé sa foi, la Géographie nous montre des feuillets dactylographiés. Ils s'intitulent modestement *Pics monta-*

gneux et sont rédigés dans ce style extraordinaire, jovial, argotique et guilleret, cher aux anciens missionnaires américains expulsés de Chine, soucieux de se montrer modernes et gaillards.

« Peut-être aimeriez-vous jeter un coup d'œil là-dessus, dit la Géographie en me tendant les papiers. C'est *tellement* bien. On y trouve des tuyaux épatants sur tout ce qui se passe. »

Est-ce l'influence de cette brochure, mais maintenant la Géographie est toujours au *Royal Hotel* avant le déjeuner et prend même de temps à autre un citron pressé avec les correspondants de presse.

Je lis :

Eileen Potter est l'une de nos plus jeunes infirmières. C'est, dit-elle, une vocation qui lui est venue alors qu'elle jouait encore à la poupée. Elle a voulu connaître de vastes horizons, et la voilà maintenant qui grimpe les collines à Patan, pour assurer son service au dispensaire rural hebdomadaire.

La Société de Propagation des Chants religieux s'est réunie la semaine dernière au Foyer des Infirmières. Neuf dames étaient présentes. Le dessert et le café ont été servis par l'hôtesse, Miss Spockenweiler.

Miss Spockenweiler reçut de nombreux cadeaux d'anniversaire...

Tout le monde dansera. *Mais oui. On compte sur vous. Mettez votre pantalon de toile bleu, votre chemise la plus épaisse, et amenez-vous avec votre entrain !*

Balancez vos dames !

(Ce dernier paragraphe est fleuri, je veux dire

qu'on a dessiné tout autour de petites fleurs formant encadrement. Une horreur !)

« Merci beaucoup, dis-je en rendant le papier à la Géographie.

— Il y a un article *formidable* (tous les détails sur le Couronnement) sur trois pages, au milieu », dit la Géographie avec insistance.

A la façon dont l'Histoire contemple modestement ses mains, je devine que l'article en question représente sa collaboration à *Pics montagneux*.

« Je suis allergique aux clichés », dis-je de mon air le plus poli.

Je sais. — oh ! oui, je le sais — combien leurs efforts sont dignes d'éloges, véritablement héroïques. Le dévouement, l'esprit missionnaire. Faire le Bien, Lutter contre la Maladie... cette dernière entreprise semble fournir une raison indiscutable de croire à notre supériorité, car désormais notre foi est matérialiste et, à notre époque, la morale ne poursuit plus les mêmes buts qu'autrefois. Au Moyen Age, le but des doctrines morales consistait à trouver le chemin du Ciel en observant les commandements de Moïse, sans nul souci de notre corps vil. Au xxᵉ siècle, on parvient à ce but en améliorant la santé de ses semblables, et toutes nos Eglises chrétiennes se sont attelées à la tâche. Ce but anthropocentrique poursuivi par notre religion semble nous autoriser à regarder de haut les gens qui continuent à ne se soucier que de leurs âmes, comme on le faisait il y a neuf siècles. La tâche que nous accomplissons paraît noble, désintéressée : ne serait-ce pas plutôt la manifestation d'un égoïsme profond, la satisfaction de l'orgueil spirituel que nous éprouvons à faire quelque chose en faveur de mortels inférieurs ? Mais c'est une idée sociale que nous qualifions maintenant de chrétienne, parce que notre christianisme moderne est venu se greffer sur les dogmes du progrès, sans lesquels la pauvreté, la misère de ce pays ne changeraient jamais. Hélas! pourquoi faut-il que les instruments de cette doctrine soient si grossiers, si déplaisants, si peu capables de beauté, si arrogants?

Les journalistes sont arrivés.

Cinq services quotidiens d'avions ont amené, hier et aujourd'hui, les hordes de la presse. Et en même temps les photographes. La plupart vont camper sous la tente dans les jardins du *Royal Hotel*.

Le premier arrivé, m'a dit Vassili, était l'unique envoyé chinois, qui est maintenant installé discrètement dans une chambre pour lui tout seul. Débarqué de l'avion suivant, le *New York Times* a fait ses débuts à Khatmandou, suivi de près par *Time, Life et Newsweek*. Le matin même sont arrivées la presse britannique et la presse indienne. Dès midi, l'atmosphère se chargeait de compétitions et de rivalités, les tables étaient envahies de journalistes, le dos résolument tourné au soleil et à la Vallée, leurs visages aimantés les uns vers les autres. Le Couronnement est soudain devenu matière à comptes rendus, un sujet à décrire sous tous ses aspects, à grand renfort d'adjectifs. Enoch P. Bowers circule entre les tables, et le mot «fabuleux» circule avec lui.

Vingt taxis sont arrivés de l'Inde, je ne sais par quel moyen. La délégation chinoise est logée au *Royal Hotel* dans un appartement. La lumière électrique a manqué, les pompes n'ont pas fonctionné. Il n'y a pas d'eau chaude. Mais le pire, c'est qu'il n'y a pas d'alcool.

Les correspondants de presse ont bu du jus d'orange, du Coca-Cola et de la grenadine. Mais déjà le Coca-Cola fait défaut, il ne reste plus que la grenadine, douceâtre, visqueuse.

« Je ne peux pas en supporter davantage, je crois que je vais retourner en prison », déclare Vassili.

Assis dans sa chambre, la tête dans ses mains, il dicte à Hilde une lettre pour le Feld-Maréchal, chargé de l'organisation du Couronnement.

Excellence, écrit-il, *ma patience est à bout. Les correspondants de presse boivent de l'eau* (« De l'eau ! » gémit Vassili avec désespoir en se cognant le front de ses poings), *et je crains que les fêtes du Couronnement ne prennent une allure de catastrophe. Vingt-cinq invités du gouvernement arriveront demain : il leur faudra manger avec les doigts et coucher par terre.*

Les journalistes ne cessent de formuler des exigences et de poser des questions. Ils demandent des guides, ils demandent le chemin pour aller ici ou là. Hilde fait de son mieux. L'Irlandaise est pleine de bonne volonté. Les dames artistes ont reparu. Pat rit avec la presse britannique.

Les journalistes ne se lâchent pas d'une semelle. Ils se déplacent en bloc, de crainte que l'un d'eux ne découvre quelque chose que les autres rateraient.

« Où est Blumenfeld ? Voilà bien une heure que je ne l'ai vu.

— Il est en train d'écrire, dit le *Newsweek,* un jeune homme qui paraît toujours blême de colère.

— D'écrire ? (un regard à sa montre), mais il n'y a pas plus d'une heure que nous sommes ici !

— Où qu'il aille, il écrit toujours mille mots

dans la première heure qui suit son arrivée. Il appelle ça un aperçu préliminaire.»

À ce moment apparaît Blumenfeld, grand, chauve, la caméra autour du cou, une liasse de câbles à la main :

«Dites donc, les gars, l'un de vous pourrait-il m'expliquer qui diable peut bien être Vichnou?» demande-t-il d'un ton plaintif.

Il a fallu prévoir plusieurs services pour le déjeuner. Comme l'électricité est en panne, la crème glacée est liquide.

La presse s'organise. Le *Newsweek* distribue des papiers à la ronde. Dorénavant, deux fois par jour, un bulletin de presse rédigé par un comité composé de trois membres sera ainsi remis aux journalistes afin qu'ils sachent exactement que faire, où aller et quand :

«On ne peut pas compter sur les Népalais pour vous prévenir de quoi que ce soit. Nous nous en chargerons.

— Sans blague, cela va être quelque chose de fabuleux!» dit Enoch.

Il me raconte que John est en ce moment à la Résidence pour tâcher de fixer, d'accord avec Paul Redworth, la date de l'inauguration solennelle du Club :

«Nous voudrions qu'elle eût lieu pendant la semaine du Couronnement.»

Leo demeure invisible. Hilde me dit que Mariette Valport a pris ce matin l'avion pour Pokhra, où elle veut faire des photos :

«C'est vraiment une bonne fille», m'affirme-t-elle.

On entend un bruit de moteurs. Nous accourons tous sur la véranda. Plusieurs camions viennent d'arriver. Vassili est heureux. C'est la bière, la bière est là! Et aussi du whisky. Les caisses avaient été retenues par la douane, qui a enfin consenti à les lâcher. Ravi, Vassili s'écrie :

« Messieurs de la Presse, les boissons sont là ! »

Et nous voici tous persuadés que les fêtes du Couronnement seront très réussies.

Après le thé au *Royal Hotel,* je vais voir Fred Maltby à l'hôpital. Oh, menteuse que tu es, Anne. Tu n'es pas allée voir Fred Maltby, tu cherchais Unni. Partout. Tout le temps. Au *Royal Hotel,* avant et après le déjeuner, tu l'attendais en bavardant avec les correspondants de presse, tu riais, tu prétendais aimer la société et tu t'attardais là, tu attendais, dans l'espoir qu'il finirait par venir. Et, parce qu'il n'est pas venu, tu es allée voir Fred Maltby, sachant qu'Unni habite chez lui quand il vient à Khatmandou. Tu avais faim et soif de lui et tu avais peur parce que hier soir, sûre de toi, insolente, tu lui as dit : « J'ai envie d'être seule. » Et maintenant tu as peur qu'il ne revienne pas...

Mais s'il ne revient pas ? Alors je saurai qu'il est superficiel, stupide, qu'il n'a pas compris.

D'ailleurs, voilà des jours que tu fais cela : tu discutes tout haut avec toi-même, devant lui, tu mets en pièces ce qu'il t'a donné, tu agites les fragments, tu les fais tinter sur la pierre pour voir s'ils sont vrais. Tu as si peur de souffrir, Anne !

Je ne veux plus souffrir. Sans cesse je cherche à découvrir... la véritable valeur de tout ceci.

Ne t'a-t-il pas dit : « Continue, tu ressembles à ma jeune montagne ? » Et tout ce que tu as trouvé à répondre, ce fut : « Comme tu es suffisant ! »

Mais il *est* suffisant. Tellement sûr de lui. Il dit :

«Je t'aime» comme s'il savait ce que c'est que l'amour.

Et pourquoi ne le saurait-il pas? «Comment peux-tu me dire ce que je devrais éprouver ou non?» Anne, ne te souviens-tu pas qu'il a dit cela?

Je ne crois pas.

Tu ne crois pas... cela te donne-t-il le droit de dire qu'il ment? Tu es une avare, Anne, une avare du cœur.

C'est ce qu'a dit Unni. Et maintenant j'ai peur qu'il ne revienne pas.

Tu as peur de donner et peur de recevoir. Et s'il allait se fatiguer de ces complications? Si déjà il en était las et qu'il soit parti?

Oh, non, mon Dieu, non, faites que cela ne soit pas!

Ce serait ta faute.

Ma faute, comme toujours. Nous sommes les possesseurs de nos actes, nous en sommes aussi les héritiers — enfermés dans nos gestes et réfugiés dans nos paroles.

Comme tu vis les mots, Anne, au lieu de vivre!

C'est ainsi que, tout près de sombrer, déchirée par ces colloques avec moi-même que je ne puis arrêter une fois qu'ils ont commencé, devinant sur mon visage une expression pareille à celle d'Isabel (peut-être, après tout, la boisson est-elle un secours?), je finis par aller chez Fred Maltby, au Palais Sérénissime, de l'autre côté de la rue.

Le parc est vaste et je n'ai pas le sens de l'orientation. Je manque de m'égarer, mais je finis par trouver son bungalow. La porte est ouverte. Fred est à son bureau, en train d'écrire à la machine. Tout d'abord, il ne me voit pas, et mon regard traverse le bureau pour se diriger vers la chambre à coucher dont la double porte est ouverte, vers le lit d'Unni, l'étroit lit de camp repoussé contre le mur de la grande chambre qu'il partage avec Fred. Pourquoi n'a-t-il pas une chambre à lui ? Peut-être n'en éprouve-t-il pas le besoin. Peut-être dort-il toujours dans la chambre d'une femme quand il est à Khatmandou. Je suis hallucinée par son lit, je ne le quitte pas des yeux, comme si brusquement la forme d'Unni, ce long corps aux flancs étroits et aux longues jambes dures, en face duquel n'importe quelle femme se sent chavirer, allait se matérialiser et surgir du couvre-pieds piqué. Mais il n'y a rien, pas même son dhoti de toile, pas même une paire de pantoufles. Il n'est pas ici.

« Tiens, c'est vous, Anne. Entrez, entrez ! »

Fred a l'air aux abois. A cause d'Eudora. Hier soir, en aparté, le Général m'a dit :

« Il est temps que mon ami cesse de se cacher dans son hôpital derrière des infirmières, des malades et des opérations. Je croyais qu'Unni lui mettrait un peu de bon sens dans la tête, mais Unni ne fait rien.

— Que pourrait-il faire ?

— Chez l'homme le plus sage, il existe un grain de folie. Il faut le lui arracher de force comme une dent gâtée.

— Le docteur Maltby n'aimerait pas cela, Général. Il s'agit de sa vie privée, nous ne pouvons vraiment pas nous en mêler.

— Sa vie privée ? répondit le Général, surpris. Mais c'est justement pourquoi je *dois* intervenir. Je dois aider mon ami, de toutes mes forces, à connaître le bonheur dans sa vie privée. »

Je me rappelai que la conception asiatique de l'intimité est différente de la nôtre. C'est de notre part une vieille erreur de croire que ce qui est privé n'appartient pas à la communauté. Je m'excusai auprès du Général, qui me pardonna et revint à son whisky.

Fred est très content de me voir, et bientôt nous parlons d'Eudora à cœur ouvert.

« Je sais bien que je devrais la voir. J'en ai l'intention, bien sûr. Seulement cela ne servira pas à grand-chose, n'est-ce pas ? Je veux dire qu'elle n'a pas manifesté le désir de me voir. Je ne crois pas qu'elle en ait envie. »

Voilà bien les hommes, toujours prêts à atermoyer, à remettre les choses à plus tard, à rejeter les responsabilités sur les autres. Bientôt, ce sera la faute d'Eudora s'ils ne se rencontrent pas. Sardonique, je dis :

« Vous ne pouvez manquer de la rencontrer bientôt, à l'occasion du Couronnement.

— C'est bien ce que je pense, répond Fred, à la fois soulagé et ennuyé. Ce n'est pas la peine de tenter une démarche maintenant, je suis sûr que cela lui déplairait. En réalité, j'ai la conviction qu'elle n'a pas la moindre envie qu'on l'ennuie avec cette histoire-là. »

Ayant ainsi donné de son attitude une explication qui lui paraît satisfaisante, Fred devient un autre homme, austère, plein de tranquille autorité et de sagesse. C'est un médecin qui soulage mon mal.

Petit à petit, nous en venons à la question de la frigidité féminine :

« Savez-vous que je n'en ai pas encore rencontré un seul cas chez les Népalaises ? Pourtant j'en ai examiné des quantités. Là où j'en ai vu le plus, c'est je crois en Australie. Beaucoup aussi en Angleterre, bien sûr, seulement c'était il y a dix-huit ans, au temps où l'on appelait cela "état nerveux" ou "spasmes musculaires". La psychanalyse n'était pas encore très en faveur à l'époque, et l'on croyait encore qu'il y avait deux sortes de femmes, celles qui avaient le tempérament amoureux et les autres. Il était tout à fait inconvenant d'aborder le sujet. Mais il y a six ans, quand j'étais en Australie, on pouvait en parler. Des femmes venaient se plaindre de leur frigidité. Elles savaient que la vie sexuelle devrait être autre chose qu'une insuffisance de lubrification, une douleur, une résignation passive. Pourtant, parmi mes malades femmes, il y en avait encore beaucoup qui me disaient : "A ce point de vue-là, mon Bill est tellement gentil, il ne m'ennuie pas beaucoup." Ou bien : "Après tout, c'est le plaisir des hommes", enfin des propos de ce genre. Cette attitude était très répandue parmi les femmes de fonctionnaires coloniaux. Toutes des conservatrices, esclaves des règlements.

« Chez les femmes asiatiques, c'est un autre problème. Leurs maris les négligent. La plupart des pays asiatiques sont polygames. Et, avec la polygamie, d'innombrables femmes mariées n'ont absolument aucune vie sexuelle. Du point de vue sexuel, on peut dire qu'elles ont été répudiées, bien qu'officiellement elles soient toujours épouses. Mais du moins semblent-elles toutes savoir de quoi il retourne — et savoir aussi qu'elles seraient capables de connaître le plaisir, elles ne s'en cachent d'ailleurs pas. Cela vient de ce qu'en Asie on a toujours enseigné aux hommes qu'ils devaient donner du plaisir à la femme, alors que chez nous tant d'hommes l'ignorent ou du moins ne semblent pas se tourmenter de la "froideur" de leur femme ».

Fred respira profondément. Il réfléchissait aux aspects médicaux de la question.

« Nous ne semblons pas nous préoccuper suffisamment de ce que pensent les Asiatiques. Eux, ils nous connaissent beaucoup mieux que nous ne les connaissons. Nous aurions vraiment besoin d'un Kinsey asiatique, cela nous permettrait d'utiles comparaisons. Ce matin même, je disais à Unni... »

Je me soulevai sur ma chaise : c'était déjà pour moi une récompense suffisante de continuer à écouter, d'espérer que Fred allait à nouveau prononcer son nom... Unni avait passé la nuit avec Fred, il était là le matin même... O baume, ô félicité ! O folle Anne qui sursaute en entendant citer un nom, comme une adolescente enamourée !

« ... Je disais à Unni que les mœurs sont en train de changer dans l'Asie entière. Mais les idées et les sentiments n'évoluent pas à la même vitesse que le progrès matériel. Unni est en train de construire un barrage qui va révolutionner la vie de ce pays beaucoup plus radicalement que n'importe quelle théorie politique. Pour des centaines de milliers de gens, la vie va prendre un aspect tout différent, mais les idées, les façons de sentir resteront en arrière pendant une autre décade au moins. C'est une sorte de révolution à l'envers qui a lieu dans les pays d'Asie... elle se produit non pas de l'intérieur vers l'extérieur, non pas des idées au matériel, mais de l'extérieur vers l'intérieur, des machines aux idées, et c'est pourquoi ils paraissent parfois mal utiliser ce qu'on leur apporte : du point de vue psychologique, ils ne sont pas encore en possession du matériel que nous leur mettons entre les mains. Unni et moi, nous sommes aujourd'hui les deux grands révolutionnaires de Khatmandou, lui avec son barrage et moi avec mon hôpital. Il m'arrive parfois de souhaiter que nous puissions limiter l'étendue des changements que nous apportons, mais c'est impossible.

— Unni, dis-je (en prononçant son nom devant un tiers, je n'entends même pas le son de ma voix, tant le cœur me bat fort), Unni n'est pas un théoricien des questions sociales, c'est un technicien.

— Tout comme moi, dit Fred. Nous sommes des réalisateurs et non pas des penseurs. Nous sommes même si occupés à réaliser que nous ne pensons pas du tout... exactement comme les savants qui s'acharnaient à fabriquer la bombe atomique ne songeaient pas aux conséquences de leur découverte. Ils ne réfléchissaient pas qu'elle changeait du tout au tout non seulement l'évolution de la guerre, mais l'avenir même de l'humanité. C'est cela que je veux dire. Nous allons répétant que les idées sont dangereuses, nous débitons des âneries sur la nécessité de contenir le communisme et autres balivernes, alors que le communisme n'est qu'un des sous-produits logiques de la révolution matérielle, technique et médicale, qui se fait sentir partout, jusque dans des pays comme le Népal et le Thibet. S'il ne s'agissait que des idées, on pourrait leur barrer le passage, elles mourraient d'elles-mêmes comme des plantes privées de terre et d'eau, mais ce sont les bulldozers, les rouleaux compresseurs, les jeeps, les avions, les barrages, les usines, enfin l'édifice matériel qu'on appelle progrès, c'est tout cela qui transforme un pays. Et à cela on ne barre pas le passage. »

Fred en revint ensuite à des sujets médicaux, à la frigidité et au temps où il faisait ses études en Angleterre : « Voilà dix ans, il était tout à fait courant d'opérer une femme pour ce que nous appelons vaginisme, c'est-à-dire un spasme, une contraction, interdisant l'entrée. Maintenant, cela se soigne avec des pilules hormonales et par un traitement psychiatrique. »

Il me raconta qu'avant de commencer sa médecine il n'avait jamais vu une femme nue. La première fois qu'il entra à l'amphithéâtre, il y en avait vingt, alignées sur des tables, comme des cochons ; en réalité il ne les vit pas, mais seulement leurs vulves exposées aux regards ; entre les genoux drapés comme deux colonnes blanches, les ouvertures du sexe béaient, pareilles à une rangée de portes :

« Nous étions tous affreusement bouleversés, poursuivit Fred, mais nous ricanions en prenant des airs blasés.

« Et c'est pourquoi les choses allèrent si mal entre Eudora et moi. Elle était impatiente et moi tellement stupide... dit-il, et sa voix se perdit. Elle aussi devint froide... et pour moi aussi ce fut un soulagement de me dire qu'elle était frigide. Je me demande combien de maris se bluffent en pareil cas, comme fit John, comme je le fis moi-même, en prétendant que leurs femmes sont d'un tempérament froid ? Je sais maintenant que c'est pour la femme une manière de résistance passive, la voie qu'elle choisit toujours, elle se mue en un être non sexuel. Peut-être à cause des siècles de servitude féminine qu'elle a derrière elle. Quoi qu'il en soit, c'est ainsi. Elle est gentille et froide, jusqu'au jour où... Vous avez beaucoup de chance, Anne, d'avoir rencontré Unni. Cela ne vous ennuie pas que je vous dise cela, n'est-ce pas ?

— Non, dit Anne, j'avais très envie que vous m'en parliez. Où est Unni ? Je suis à sa recherche.

— Unni ? Je n'en sais rien. Il est parti ce matin de bonne heure. Nous avons bu du café ensemble et bavardé un moment. Le Général doit être au courant.»

Mais le Général était absent, et je suis rentrée chez moi dans le soir tombant, m'attendant à demi à discerner une ombre sur la pelouse, mais il n'y en avait pas, à le trouver sur les marches de l'escalier, mais elles étaient vides.

L'aube gris ardoise. Je la connais par cœur, à force d'avoir guetté à la fenêtre. Il ne viendra pas.

Il est vraiment comique que je doive supporter ceci, cet état totalement humiliant et tellement banal. Je m'observe tandis que je m'abandonne à tous les invraisemblables et ridicules manèges de l'anxiété : les tortures de l'attente, les pas qu'on imagine, la jeep qu'on entend et qui n'existe pas, la silhouette qu'on guette. Je me prends en flagrant délit de faire tout cela, et je suis furieuse ; mais je recommence.

Que c'est donc pitoyable, ridicule, méprisable ! Pourtant de grands poètes ont passé par là, car nul n'y échappe : la mesquinerie va de pair avec la joie délirante, la grandiloquence avec la souffrance, un détail oiseux vient dégonfler comme un ballon une émotion violente, la gloire et le chant des étoiles s'évanouissent dans le hoquet final, les grivoiseries accompagnent le sacrement. Fadeurs et volupté, telle fut toujours la substance des chants du poète.

De même que les enfants et les psychologues observent les taches d'encre pour en tirer, ceux-ci des théories fantastiques, ceux-là des images saugrenues, il faut que moi aussi je m'observe. Que je fasse le point au cours de ce voyage que j'accomplis. De même qu'un ascensionniste, une fois réunis les membres de son expédition, compte ses porteurs, surveille les charges, vérifie l'équipement, puis se tourne résolument vers le sommet... seulement c'est Unni qui parle de montagnes et de sommets, pas moi. Je ne suis pas encore descendue au fond de moi-même.

Comme la Reine devant son miroir, en quête de la vérité[1], je suis allée me regarder dans la glace au rez-de-chaussée. Je vois une femme encore jeune, douée d'une grâce que je considère avec plaisir. J'ai changé : velouté de la peau, lustre de la chevelure, brillant des yeux. De chacun de mes pores sort l'heureuse conviction que je suis belle. Mais les années passent et le temps, tel un tombeau en marche, me talonne, me suit comme mon ombre, et qu'ai-je fait ? Je me suis efforcée d'être vertueuse, respectable... et morte. Je me suis enroulée, si serré que j'ai failli mourir étouffée, dans mon cocon de respectabilité. Et c'est tout.

Je cherche mes cheveux blancs au sommet de ma tête. Hier il y en avait deux que j'ai arrachés. J'en découvre un autre.

Je regarde mon ventre marqué au milieu d'une fine cicatrice, presque invisible. Je sais qu'Unni l'a vue. Bien sûr. Je le sens qui apprend mon corps centimètre par centimètre. Le souvenir de ses mains il y a deux jours, me tenant par la taille entre le pouce et l'index, m'attirant à lui... Puis j'entends le bruit d'une jeep.

Il existe une jeep qui ne ressemble à aucune autre. On peut toujours distinguer une jeep d'une autre jeep. J'écoute, j'écoute, mais elle s'en va, emportant son petit ronronnement. C'est cela le

1. Allusion au poème de Kipling, *The Looking-Glass.* (N. du T.)

détail oiseux, le coup d'épingle dans le ballon. Soudain toute mon émotion se vide, comme le contenu d'un seau renversé, elle se vide d'un seul coup, il ne reste rien, ni charme, ni subtilités, ni douleur.

Unni, un mot, creux et vide de sens. La façon ridicule, didactique, dont il parle d'amour, sans rougir, plein de confiance en soi. En remontant dans ma chambre, je me tâte sur tout le corps, abasourdie de cette volte-face, cette disparition de toute émotion. Dieu merci, tout s'est évanoui. Je suis libre, libre, redevenue moi-même et heureuse. Sur les murs, les perruches me raillent. Une passion lumineuse, éclatante ? Rien que le gris ardoise de l'aube qui pâlit lentement, le lit gris ardoise.

Chapitre 9

Dimanche 29 avril 1956. Le déjeuner au *Royal Hotel* prenait l'aspect d'un repas hâtif servi dans un buffet de gare encombré. L'atmosphère pleine de langueur et comme engourdie de sommeil qui régnait d'ordinaire sur la véranda avait disparu, remplacée par une agitation bouillonnante, fiévreuse, pareille à un gigantesque halo, émanant des équipes de journalistes et de photographes qui occupaient les tables.

Le matin, la première cérémonie officielle inaugurant la semaine du Couronnement avait eu lieu au palais du Durbar. C'était un édifice de stuc blanc, d'une architecture vaguement «occidentale», accolé, mais avec l'air de vouloir s'en arracher, au Hanuman Dhoka, l'ancien palais royal plein de coins et de recoins où le roi n'habitait plus, lui préférant une réplique de Buckingham Palace, ornée de stucs et de colonnes. Le vieux palais est flanqué de tours aux toits fléchissant et croulant sous le poids des ans et de la décrépitude; surplombant les cours, des étages de poutres sculptées achèvent tranquillement de pourrir. A l'occasion des cérémonies, le bâtiment allait maintenant accueillir des hôtes de choix «pour la première fois dans l'histoire du Népal». L'article de l'Histoire dans *Pics montagneux* l'affirmait, citait des dates et fournissait diverses indications sur son architecture. Bien que *Pics montagneux* n'en fît pas mention, le palais renfermait aussi les sculptures érotiques les plus précieuses et les plus originales qu'on pût trouver dans la Vallée.

Le Palais du Durbar, d'une laideur calviniste avec ses murs blanchis à la chaux, ne s'enorgueillissait guère que de quelques vingtaines de lustres. Dans la salle d'audience dallée de marbre, on voyait un trône doré derrière lequel un serpent à neuf têtes se dresserait au-dessus de la tête du monarque. Sur l'un des murs s'alignaient les habituels portraits à l'huile des Ranas, auxquels se mêlaient quelques récents premiers ministres de l'âge démocratique, Edouard VII et la reine Alexandra d'Angleterre, et même un ou deux rois du Népal.

Le matin, le Mégalorama avait fait sa première apparition en public, sous la forme d'une machine montée sur roues et du nombreux personnel attaché à son service. Une banale corde fixée à l'un de ces accessoires permettait de la rouler de biais devant l'entrée du Durbar; les opérateurs pouvaient ainsi photographier les dignitaires, depuis l'instant où ils sortaient de leur voiture jusqu'à celui où ils disparaissaient dans le palais. Ambassadeurs, généraux ranas, diplomates marchaient vers l'œil cyclopéen de l'appareil, jusqu'au moment où seul leur visage emplissait l'objectif. Conscients du regard de cet œil mécanique (une conscience totale, plus dangereuse et plus précise que celle des yeux du Bouddha sur les stupas dorées, car le regard du Bouddha ne s'étend qu'à leurs âmes immortelles, éternellement réincarnées, alors que cet œil-ci graverait dans les yeux de millions d'êtres leurs traits mortels et périssables, mais infiniment plus chers à eux-mêmes), tous, sans exception, redressaient les épaules, appliquant sur leur visage un masque de solennité quand ils passaient devant le Mégalorama à qui rien n'échappait.

Anne, elle aussi, assistait à la cérémonie avec John, qui avait accès à la galerie des diplomates, ce dont Enoch et lui n'étaient pas peu fiers. « Notre rôle consiste à servir d'agents de liaison, à favoriser l'établissement de contacts sociaux entre les Népalais et nous. » Cette dernière phrase, Enoch ne cessait de la répéter aux nombreux correspondants de presse qui s'assemblaient périodiquement autour de lui et du Père MacCullough, considérés tous deux comme des spécialistes de l'histoire et des coutumes du Népal, et de ce fait écoutés comme des oracles.

Tout à coup il se mit à crier : « Hep, T. S. ! » pour interpeller un majestueux Népalais en grand uniforme de général : « C'est le général Torula Sham Sher, un très chic type, il est décidé à faire partie de notre Club, expliqua-t-il en aparté, mais très haut, aux journalistes, impressionnés. Il m'a même présenté à la Maharani (sa femme), ce qui est un très grand honneur. Quand ils vous emmènent voir leur femme, cela montre qu'ils ont confiance en vous. »

Le Tout-Khatmandou était là. D'ailleurs le Tout-Khatmandou ne pouvait guère manquer de s'y rencontrer. Anne se trouvait en face de gens qu'elle avait vus, voyait et verrait au moins plusieurs fois par jour pendant toute la semaine, rencontres que ne rendaient pas moins fastidieuses les expressions conventionnelles de surprise agréable, les démonstrations de joie qui les agrémentaient. Elle étouffait presque dans la galerie des diplomates. Michael Toast, languissant et dégingandé, s'attachait à ses pas.

« Vous avez quelque chose que les autres n'ont pas, commença-t-il.

— Ah ? Qu'est-ce que cela peut bien être ? demanda-t-elle, mi-lasse, mi-contente.

— Vous êtes normale. Je ne crois pas pouvoir mieux exprimer mon impression. La plupart des autres femmes... » Son regard parcourut la galerie, sembla refouler les Américaines gantées et chapeautées, l'Institut Féminin en grand arroi, Suragamy en sari gris argent à pois rouges, Isabel haute en couleur dans une robe à fleurs, John attaché à elle comme une palourde sur un rocher : « ... La plupart des autres femmes, acheva-t-il, n'ont aucun sens artistique. »

La conversation prenait son tour habituel, et Anne répondit :

« Je suis normale, oui, mais non disponible. »

Et elle le planta là, sous le portrait du roi Edouard VII. Bientôt, d'ailleurs, elle se trouva séparée de lui par les épouses et les interprètes de la délégation chinoise qui envahissaient la galerie, tout sourires et cheveux frisottés.

En dépit des lustres, des journalistes et du Mégalorama, une atmosphère bien népalaise de bonne humeur insouciante avait envahi Khatmandou. Chacun était pénétré de l'agréable certitude que tout irait bien, par une opération surnaturelle sinon grâce à l'effort humain.

« Vous voyez, disait l'ambassadeur de l'Inde à son collègue britannique, tout marche à merveille. »

L'ambassadeur de Chine présenta au roi ses lettres de créance sous les feux des caméras, la mission indienne lui offrit une épée et le souverain leur remit les gages de la bienvenue (l'ambassadeur de Chine déploya pour la circonstance un mouchoir tout propre et tout neuf afin de recevoir, de la main même du roi, l'eau de senteur et le bétel tiré d'un coffret d'or).

Au *Royal Hotel,* dès qu'ils échappaient au charme reposant du fonctionnarisme népalais avec ses réponses évasives, ses sourires sereins et profus, ses promesses lénitives et son incapacité magistrale, les correspondants de presse retrouvaient leur atmosphère personnelle d'effort et de tension, leurs perpétuelles récriminations. Baignés dans les brûlants effluves de la tension nerveuse, aussi indispensables à leur existence que la serre chaude pour les orchidées, la gorge sèche et les yeux perçants, prompts à réduire la matière vivante en gros titres sensationnels, habiles à ne jamais s'émouvoir des événements qui formaient le sujet de leurs articles, arrondissant le dos et s'entreregardant pour éviter de voir ce qui ne rentrait pas dans le cadre défini à l'avance de leurs articles, ils mâchaient et se jetaient l'un à l'autre de petites boulettes de faux renseignements, de renseignements exacts, de renseignements secrets, communiqués dans le seul but d'obtenir en échange d'autres renseignements également secrets.

En proie au malaise que l'agitation des autres produit sur ceux qui n'en subissent pas les effets stimulants, Anne était assise à une table avec Leo, Michael Toast et quelques journalistes qui, pour le moment, ne parlaient que de Blumenfeld, l'incorrigible Blumenfeld, qui avait une fois de plus monopolisé l'appareil émetteur du télégraphe et était en train d'expédier à son journal cinq mille mots sur la cérémonie du matin. Ses confrères avaient dû battre en retraite et attendre son retour en buvant de la bière et en tenant sur lui des propos malveillants.

« Ce gars-là a perdu la boule.

— Complètement cinglé, je vous l'affirme. Savez-vous ce qu'il m'a déclaré hier? Il m'a empoigné pour me dire: "Vous rendez-vous compte que Krichna est tout simplement une autre incarnation de Vichnou? — Et alors?" ai-je répondu.

— Il devrait bien faire attention, il va devenir dingo avec tous ces dieux qui lui trottent dans la tête.

— Ça oui! Il faut avouer qu'au bout d'un moment ils finissent par devenir obsédants avec leurs personnalités multiples.

— Voilà maintenant que Blumenfeld se met à potasser la cosmogonie hindoue. Je vous parie qu'il finira par pratiquer le yoga!

— Ce serait épatant. Il passerait tout son temps à se regarder le nombril au lieu d'accaparer le bureau des câblogrammes. »

L'élégant jeune homme de *Newsweek* se plaignait très fort de l'incapacité des Népalais. Sa jeep n'était pas arrivée. Trois jours de suite, il s'était présenté en vain chez un homme politique important. La première fois, celui-ci était à ses prières; la seconde, il assistait à un mariage, et finalement il était en train de faire l'amour avec sa femme:

« A trois heures de l'après-midi! s'exclamait *Newsweek*, furieux, c'est un comble! »

Vassili jubilait. Néanmoins, il se répandait en injures violentes à l'adresse du Colonel Jaganathan. Sur cent caisses de bière, il en était arrivé soixante-dix-neuf. Vassili demeurait convaincu que les vingt et une caisses manquantes avaient été réquisitionnées par l'ingénieur de l'armée indienne au cours de leur transport par la route:

« Vous ne connaissez pas ce type-là. Je parie qu'en ce moment il est sous sa tente en train de s'envoyer la bière et de rigoler. Il se paie ma tête. Attendez un peu qu'il vienne ici pour le Couronnement. Je lui présenterai sa note de boisson pour l'année et il en tombera raide.»

Entre-temps, soixante des quatre-vingts serviteurs attendus étaient arrivés, et le Feld-Maréchal avait fourni, comme par magie, meubles, linge et vaisselle:

«Tout va marcher à merveille», affirmait Vassili.

Hilde courait de droite à gauche à la recherche de lits supplémentaires, vérifiait la vaisselle et le linge, et repoussait en même temps les avances de deux robustes journalistes et de trois photographes, enclins à prétendre que les beautés d'une pagode ne pouvaient être appréciées que si la blonde Hilde se tenait au premier plan.

Leo était plongé dans la consternation : il venait de recevoir un câble ainsi conçu: *Arriverai 1er mai. Panse tellement à toi, peux plus menger. Tendresses. Kicha.* Texte assez compréhensible, bien qu'altéré en cours de transmission et annonciateur d'une perspective redoutable. Ainsi Kicha arrivait le 1er mai, veille du Couronnement, c'est-à-dire le surlendemain. Où donc fuir, se cacher, disparaître, dans cette Vallée grande comme un mouchoir de poche? Où donc? Il songea un moment à aller à Pokhra. Mariette était partie pour Pokhra la veille, en avion, dans l'intention de revenir le lundi. Elle y avait emmené un Suisse, minuscule et tout rond, qui se prétendait explorateur et qui, depuis plusieurs jours, la contemplait avec une adoration gloutonne — exactement l'expression, trouvait Leo, qu'on voit aux taureaux de Siva devant les lingams. Chargé de vingt kilos d'équipement photographique, le petit Suisse avait souri héroïquement en voyant Leo embrasser Mariette à l'aéroport. Leo avait remarqué Unni dans un groupe d'hommes qui montaient dans un autre avion. Où donc allait Unni ? Il le demanda aux fonctionnaires des douanes qui, tous, connaissaient l'ingénieur. «A Pokhra», répondirent-ils. Leo sourit d'aise. Mariette rencontrerait inévitablement Unni à Pokhra. Était-elle d'accord avec lui ? Il ne le croyait pas, elle le lui aurait dit. «Nous verrons, nous verrons», se disait-il, enchanté de la coïncidence. Mais, depuis qu'il avait reçu le câble de Kicha, il ne songeait plus ni à Mariette ni à Unni.

Assise en face de Leo, Anne, soucieuse et pâle, ne cessait de regarder autour d'elle et répondait aux questions d'un ton bref, impatient. Chaque fois qu'une jeep s'arrêtait devant l'hôtel, elle levait à demi la tête et lançait un coup d'œil au-dessus de la balustrade de la véranda. Il y avait une nuance de dureté dans la façon dont elle répondait à Michael Toast, tandis que, de son accent traînant, il lui contait des banalités sur les Nevâris.

«Ils ont de curieuses coutumes... Les Nevâris sont beaucoup plus libres que les Ranas qui n'ont aucune originalité, pas plus en matière d'amour que dans le domaine de l'art, et qui ont tout copié sur l'Inde. Une femme nevâri peut divorcer, il lui suffit de mettre le soir une noix de bétel sous l'oreiller de son mari. J'aimerais voir la tête qu'il ferait le matin au réveil et s'il trouvait une noix de bétel dans son lit à la place d'une femme.

— Toutes les jeunes filles nevâris sont mariées à des arbres, dit Anne. Leur mariage avec des hommes n'est en réalité qu'une seconde mouture. Seul l'arbre compte comme véritable mari.

— Dites donc, c'est joliment commode pour la femme, il me semble ! »

Anne fit un signe d'acquiescement. A ce moment, on entendit des pas et des voix dans l'escalier. Anne tourna la tête, ses yeux et tout son visage s'illuminèrent de joie, mais brusquement cette lumière s'éteignit. Deux pilotes indiens, grands et bruns, entraient d'un pas balancé pour boire un verre en passant. En ce moment, tous les pilotes faisaient des heures supplémentaires, car les avions se succédaient sans interruption dans la Vallée. Ils se plaignirent d'être surmenés, avalèrent une boisson, plaisantèrent Hilde, donnèrent des claques dans le dos à Vassili et remontèrent dans leur jeep pour retourner à l'aéroport et faire une fois de plus en avion le trajet Khatmandou-Patna et retour.

« Un peu de détente, un peu de détente, c'est de cela qu'ils ont besoin », dit Leo, lui-même tendu et fébrile et pourtant incapable de s'arracher à l'atmosphère du *Royal Hotel*, incapable de partir. « Je sais ce qui chiffonne Anne, se disait-il, elle attend. Elle attend cet homme. » Il se demanda s'il fallait lui dire que Mariette et Unni étaient ensemble à Pokhra. A la voir si anxieuse, il se faisait lui-même moins de souci au sujet de Kicha.

Deux journalistes qui venaient de photographier les temples firent leur entrée, accompagnés du fiancé de Suragamy, volubile, tout en sueur, qui allait de table en table comme s'il quémandait quelque chose. Anne saisit des bribes de phrase : « Danseuses du temple... cérémonies rituelles... » En même temps, il roulait des yeux prometteurs de contorsions enivrantes.

Le fou survint, portant sa serviette de cuir, à la recherche de sa table habituelle qui se trouvait occupée. Vassili cria un ordre, et les garçons apportèrent une table et une chaise qu'ils trouvèrent moyen de caser dans un petit espace vide. Le fou s'assit dans son splendide isolement, tambourinant sur la table avec ses doigts et regardant autour de lui d'un air bénin. Sa présence ne tarda pas à soulever de petits remous d'intérêt parmi les correspondants de presse : c'était un Népalais, de toute évidence important puisqu'il avait une serviette cuir et une table pour lui tout seul. Cet indigène devait avoir des tuyaux à revendre sur le pays. Lentement, un mouvement d'encerclement s'esquissa, *Time* et *Life* en tête, le *New York Times* et le *Newsweek* à égalité derrière, convergeant vers ce mystérieux grand personnage. Les membres de la délégation chinoise, qui ne buvaient pas, passèrent, sobrement vêtus, raides et précis, puis disparurent dans la direction de leurs chambres, suivis par les regards insistants de la Presse. Ils faisaient l'objet de mille conjectures, comme s'ils n'étaient pas tout à fait humains, comme s'ils ne pouvaient absolument pas manger, boire et parler comme tout le monde, et tout ce qu'on racontait sur leurs faits et gestes et leurs propos était passé au crible, car il s'agissait d'y déceler les mensonges cachés. L'unique journaliste chinois, un aimable et beau jeune homme qui s'exprimait dans un excellent anglais, assis à une table à part avec des confrères indiens, buvait à la prospérité de la coexistence en prenant des jus de fruits. La veille, Blumenfeld l'avait entrepris :

« Est-ce que le gouvernement communiste de Pékin compte fournir au Népal une prétendue aide, monétaire ou autre ? »

Le Chinois l'avait regardé d'un air songeur avant de riposter :

« Si nous le faisons, comptez-vous doubler la prétendue aide que vous leur fournissez ?

— Si vous le faites, nous la supprimerons jusqu'au dernier sou!» hurla Blumenfeld.

Ce fut ensuite John qui arriva avec Ranchit. Depuis vingt-quatre heures, celui-ci promenait une journaliste coiffée d'une énorme masse de cheveux jaunes empilés sur le sommet de sa tête. Il aperçut Anne et se dirigea aussitôt vers sa table. A voir le sourire sarcastique, souligné par sa mince moustache, qui s'inscrivit sur son visage couleur d'ambre pâle, Anne sut aussitôt que Ranchit allait lui faire du mal.

«Eh bien, Leo, qu'est-ce que vous devenez?» dit John, gaiement.

Il semblait en pleine forme et, de même qu'Anne avait une robe neuve, il portait un nouveau complet. Anne l'avait déjà remarqué au palais de Durbar en se demandant si lui aussi voyait sa robe. Une magnifique robe de soie jaune à manches longues et encolure montante, moulée sur elle, la jupe légèrement évasée par-derrière. Le tailleur indien semblait travailler beaucoup mieux, maintenant qu'Unni discutait avec lui sur le tissu, la façon et les fronces. Elle commençait à connaître les goûts d'Unni en matière de robes. Oh si seulement il venait, si seulement il était là! Avec désespoir, elle se retourna une fois de plus. Autour d'elle, la foule était dense. Même s'il était là, parmi tout ce monde, elle pourrait bien ne pas l'apercevoir tout de suite.

Ranchit l'observait, souriant à la dérobée, tout en parlant à Leo des Nations Unies:

«Je ne vois pas qu'elles servent à grand-chose, elles ne peuvent rien empêcher.»

Pendant ce temps, ses yeux ne cessaient de considérer Anne avec insolence, puis de revenir à John. «Cet homme sait tout, et John rien, le pauvre type», se dit Leo. Très sûr de soi, John parlait fort, riait beaucoup, interrompait sa conversation pour interpeller des gens, pour promettre «qu'il allait voir ça», donnait tous les détails sur les cartes d'invitation que le Club avait reçues :

«Des places excellentes, dans les premiers rangs. Le F. M. (John désignait ainsi le Feld-Maréchal chargé d'organiser les cérémonies du Couronnement) veillera à ce que nous ayons les meilleures places.»

Ranchit arrêta soudain Hilde au passage en lui saisissant familièrement le bras. Il aimait donner l'impression que toutes les femmes de son entourage avaient été à lui.

«Hilde, ma beauté, avez-vous vu cet animal d'Unni dans les environs ?

— Non, dit Hilde en se dégageant, moi je ne l'ai pas vu, mais demandez à Vassili.»

Ranchit se mit à rire à gorge déployée :

«Il doit être encore à Pokhra, en train de filer le parfait amour à la française, dit-il en adressant un clin d'œil à John, qui rit à son tour. D'ailleurs, qui n'en ferait autant à sa place ? Miss Valport est charmante, c'est une belle fille, en même temps qu'un écrivain de talent.»

Ses yeux inspectaient Anne, du haut en bas, d'un air désobligeant :

«Elle est vraiment très séduisante, poursuivit-il. Unni va passer de bons moments, hein ?

— Ha, ha !» s'esclaffa John.

Ranchit se tordait de rire lui aussi, il donna à John une claque sur l'épaule :

«Rien de tel qu'une Française, eh ? dit-il. Elle va nous revenir ronronnant comme une chatte qui a bu une pleine jatte de lait.»

Dans le silence qui suivit, on entendit le fou parler très haut aux journalistes qui s'étaient frayé un chemin vers sa table: «Voilà enfin, semblaient-ils dire, un indigène bien informé et qui consent à parler!» Sauf quand il débitait ses théories sur Lénine et Staline, le fou se rendait parfaitement compte de ce qui se passait autour de lui.

«Oui, messieurs, le trône royal, le trône au grand lion doré, repose sur sept peaux: ours, lion, sanglier, tigre, éléphant, rhinocéros et homme.

— Homme! s'écrièrent les correspondants.

— Sa Majesté est monarque de tout ce sur quoi Elle arrête ses regards, de toute la création. La peau humaine ne saurait être omise, dit gravement le fou. Le précédent Roi l'avait fait supprimer, et son règne a été bref et malheureux. Si le Roi Mahendra omet la peau humaine, dit le fou sur un ton menaçant, il aura de mauvais moments à passer.

— François!» s'écria Leo en se levant.

François Lunéville s'avançait vers eux, il débarquait par le septième avion de la journée.

«C'est vraiment drôle, se disait Leo, tous les gens que je connais, tous sans exception, vont se trouver rassemblés à Khatmandou pour le Couronnement.»

François s'inclina pour baiser la main d'Anne, serra solennellement celle de John, fut présenté à Michael et à Ranchit. C'était un petit homme mince, au long nez triste, au long visage et aux yeux pétillants d'intelligence.

«Vous avez tellement changé, Anne», dit-il de son ton mesuré.

Originaire de Lyon, avare de paroles, il détestait les nouvelles figures. Dans la cohue de la véranda, il se sentait paralysé:

«Je vais faire un peu de toilette, dit-il. Je reviens, et nous déjeunons ensemble. D'accord?

— Oui, c'est cela », répondit Anne.

Rester là assise, assise à attendre. Et Unni était à Pokhra. Mariette aussi. Soudain elle n'y tint plus. Elle voulait rentrer chez elle, tout de suite... peut-être s'y trouvait-il, peut-être n'était-il pas à Pokhra. Ranchit mentait. Unni était au bungalow, il l'attendait... Et elle restait là, à perdre son temps au *Royal Hotel,* alors qu'il l'attendait chez eux.

« Je m'absente un instant, murmura-t-elle en faisant mine de se lever, j'ai oublié quelque chose. »

Ranchit lui saisit le bras, modelant durement la chair sous ses doigts, espérant lui arracher une expression de douleur :

« Vous partez sans avoir déjeuné ? Oh, voyons, Anne, il faut absolument manger quelque chose d'abord. Vous devenez si mince. John, vous ne devriez pas laisser votre femme travailler à ce point... Ce que vous avez oublié est-il vraiment si important ? Pourquoi n'irais-je pas le chercher ? Ou alors allez-y plus tard. Nous sommes si bien ici ensemble, pourquoi ne pas boire quelque chose d'abord ?

— Vous ne connaissez pas ma femme, dit John, elle n'est jamais heureuse à la manière de tout le monde. Tu es sûre de n'avoir pas oublié l'objet en question à l'hôpital ? ajouta-t-il brutalement.

— A l'hôpital ? Pourquoi ? répondit Anne, étonnée.

— Tu m'as l'air d'y aller très souvent.

— De temps en temps, j'entre prendre une tasse de thé avec Fred. Je le trouve très sympathique. C'est certainement quelqu'un de très bien.

— Un homme qui refuse de voir sa femme n'est certainement pas quelqu'un de très bien, riposta John, soudain agressif.

— Le Roi sera oint, expliquait le fou d'une voix forte, avec de l'eau recueillie dans les sept mers et de la boue provenant des cinq montagnes sacrées.

— Cela regarde uniquement Fred, dit Anne, c'est à lui de savoir s'il désire ou non voir Eudora.

— Je ne vois pas pourquoi tu prends la défense du docteur Maltby, répondit John, tout le monde trouve que c'est un lâche. »

Le Général montait les marches de la véranda comme s'il flottait doucement dans l'air.

« Ah, c'est vous, Général », s'écria Leo sur le ton de gaieté exubérante qu'il adoptait pour détourner les conversations désagréables. « Vraiment, se disait-il, j'ai l'air d'un majordome annonçant les invités. Et la prochaine fois ce sera sans doute Kicha. Ou bien Unni et Mariette. »

« Et il y aura là sept sœurs, psalmodiait le fou, sept dames de mauvaise vie, des putains, comme vous diriez, Messieurs, destinées à rappeler au Roi qu'il règne sur les créatures les plus viles comme sur les plus éminentes.

— Bonjour, Madame, dit le Général à Anne, je suis allé au bungalow, mais vous n'y étiez point présente. J'ai réfléchi que peut-être vous aviez porté vos pas ici. J'ai une lettre pour vous.

— Ah », dit Anne, rougissant violemment.

Le Général lui tendait une grande enveloppe de papier népalais couleur de blé. Elle la regardait, à demi effrayée.

« C'est de la part du Feld-Maréchal, dit-il. Il regrette de ne vous avoir vue ces jours-ci, sinon il vous les aurait remises lui-même.

— Puis-je voir ? » dit John.

Anne ouvrit l'enveloppe : elle contenait deux cartes, pareilles à celles de John. La joie qui l'inondait s'évanouit, la laissant comme engourdie.

« En sa qualité d'intellectuelle, dit gravement le Général, votre femme reçoit des cartes personnelles, en même temps que les doubles cartes qui vous ont été adressées.

— Quelle extraordinaire idée! » dit John, furieux. Il tripotait les cartes, notant mentalement le numéro, afin de vérifier si Anne, « en sa qualité d'intellectuelle », ne se voyait pas attribuer une meilleure place que lui.

Pendant ce temps, le Général tirait tranquillement de sa poche une enveloppe bleue qu'il remit à Anne : elle n'y trouvait qu'une seule ligne de l'écriture familière — si familière, bien qu'en réalité elle ne l'eût vue qu'une seule fois, en se penchant sur l'épaule d'Eudora à l'aéroport. Et cette ligne se composait de ces simples mots : « Lundi, après le déjeuner, au *Royal Hotel*. »

Alors Anne se sentit tout entière transformée. Un bonheur délirant lui donna soudain un éclat, un rayonnement extraordinaires. Leo et Ranchit s'en aperçurent et comprirent que le message venait d'Unni. Quelques secondes d'inattention avaient suffi pour que John ne s'aperçût de rien. Il rendit les cartes à sa femme en proférant un : « Très intéressant » qui ne signifiait rien du tout, mais qui était sa formule familière pour remplir le vide dans la conversation quand il ne trouvait rien d'autre à dire. Anne tourna vers ses compagnons un visage brusquement illuminé.

« Si nous allions déjeuner ? J'ai faim. »

Elle était transfigurée.

« Mais François veut d'abord boire quelque chose, répliqua John. Et vous, Général ?

— Certainement, un whisky », dit le Général.

Au déjeuner, Ranchit remit tout de suite la conversation sur Mariette Valport :

« Une femme très intéressante, très séduisante, répéta-t-il en lissant sa petite moustache. Elle est en train d'écrire un ouvrage intitulé *Hommes des cinq continents*. C'est une étude, un reportage très sérieux sur le comportement sexuel des hommes dans tous les pays où elle va.

— Menon va l'aider à en écrire un chapitre », dit John.

Mais la plaisanterie tomba à plat, et le Général dit d'un air négligent, sans s'adresser à personne en particulier :

« Dans le passé, il est venu à Khatmandou un grand nombre de dames, et elles sont toujours parties muettes et fécondées.

— Je vous demande pardon, fit Leo, je n'ai pas très bien saisi ce que vous venez de dire. »

Mais le Général ne s'expliqua pas davantage ; il se tourna vers Anne, lui parla de sa fille Lakshmi et de l'enfant qu'elle attendait, annonça qu'elle irait bientôt en Suisse pour y soigner sa toux et ne tarda pas à prendre congé.

Le lendemain, Anne attendait dans le hall, entre les têtes de rhinocéros. Au-dessus d'elle, c'était la rumeur de la véranda : John, Ranchit, François, Leo, un Leo lugubre, hanté par des visions de Kicha : « Oui, Anne, lui avait-il confié, elle arrive demain. C'est terrible, je vous assure. Une fois que j'ai couché avec une femme, je ne peux absolument plus la sentir. Parfois même je suis tellement dégoûté d'elle que je ne veux plus la revoir du tout. »

Anne avait quitté les quatre hommes, elle était

descendue dans le hall, de crainte qu'Unni ne la découvrit pas dans la foule. Elle s'étonnait qu'il eût choisi un lieu aussi fréquenté, puis elle se rappela qu'en ce moment l'Institut hébergeait de nombreux missionnaires. Debout dans le hall, elle attendait, se demandant si le jour viendrait jamais où Unni et elle se regarderaient avec haine et dégoût, où ils souhaiteraient ne jamais se revoir. «Mais je le saurai, songea-t-elle, je le saurai : son corps et le mien nous le diront avant que nos esprits le sachent.»

Mais tout à coup elle se sentit devenir brûlante par tout le corps, amollie et sans forces ; un feu liquide jaillissait sous sa peau. Car il était là, venu à pied — elle n'avait pas entendu de jeep — il s'avançait, familier et incroyablement inconnu. Il se tenait devant elle, et elle perçut la chaleur de son corps mêlée à une faible odeur de cuir et de bois de santal.

Il lui dit en souriant :

«C'est merveilleux de te revoir. As-tu déjeuné ?

— Non, je n'ai pas faim.

— Tu auras faim, j'ai des sandwiches dans la jeep.

— Tu penses à tout.»

Il la regarda, et il sembla à Anne qu'ils oscillaient tous deux.

«Je pense à toi, dit-il.

— Où allons-nous ? demanda-t-elle, dévorée de bonheur.

— A l'aéroport. Je reviens de Pokhra. Il a fallu que je donne mon avis sur un projet actuellement à l'étude. Je t'ai laissé un message, tu l'as bien reçu ?

— Hier dimanche. Le Général me l'a donné à l'heure du déjeuner.

— Hier seulement? Tu aurais dû l'avoir samedi.

— Peu importe, je ne m'inquiétais pas, je savais que tu viendrais. »

Et à ce moment elle croyait dire la vérité: elle était sûre de n'en avoir jamais douté.

Ils partirent, longeant prudemment le mur. Ils avaient la même façon de se mouvoir, silencieuse, presque sournoise.

« Je t'emmène en avion à Simra. J'ai laissé ma jeep dehors. Monte dans la tienne et va à l'aéroport. Je te suivrai. » Comme honteux de cette précaution, il ajouta: « Excuse-moi, j'ai horreur de cela. »

Ils arrivèrent ensemble à l'aéroport et prirent soin de garer leurs jeeps assez loin l'une de l'autre. Mais Anne eut plaisir à constater que les deux voitures se trouvaient dans la même rangée.

Le pilote était un jeune Indien à la silhouette mince, au visage olivâtre barré d'une petite moustache, et le copilote, un Eurasien, au teint frais, aux yeux verts et aux cheveux bruns, un peu plus massif qu'Unni, presque aussi grand, mais avec une taille plus épaisse, des fesses et des cuisses plus lourdes.

Ils montèrent dans l'avion, un vieux DC-3. Raja, le pilote, déclara que, malheureusement, il allait y avoir des nuages.

« A partir de demain, j'ai cinq jours de congé. En ce moment, je fais le trajet Patna-Khatmandou aller et retour six fois par jour, sans compter deux voyages à Pokhra et aujourd'hui à Simra. Je vais donner ma démission. Chaque fois que je viens à Khatmandou, je me découvre de nouveaux cheveux blancs.

— Le trajet est très dangereux, surtout pendant la mousson », dit le copilote. Les nuages, rondeurs volumineuses et turbulentes, semblaient surgir de toutes parts : « Voilà la Route ! cria Raja désignant le sol au-dessous eux.

— C'est la Route », dit Unni à l'oreille d'Anne.

Entre les traînées de nuages on distinguait l'enchevêtrement des collines et, au milieu d'elles, le zigzag irrégulier de la route, pâle comme une cicatrice, insignifiant vu d'en haut. Ils survolèrent la ceinture verte et marécageuse de la jungle du Teraï, puis, perdant de l'altitude, ils suivirent le cordon d'une rivière et vinrent atterrir dans la plaine, à Simra.

En sortant de l'avion, ils furent saisis par la brusque chaleur de la plaine. Au-dessus de leur tête, le ciel avait la couleur d'une porcelaine de qualité inférieure. Raja leva les yeux vers l'espace et cracha.

« Je ne crois pas que nous puissions rentrer aujourd'hui, dit-il, les nuages montent. »

Il était très fatigué.

La piste d'envol, rude et inégale, ne pouvait recevoir plus de deux ou trois petits avions. Çà et là s'élevaient une cabane à toit de chaume et quelques huttes de paille. A l'une des extrémités du petit aéroport, liés par des cordes, des tonneaux de goudron empilés attendaient d'être transportés à Khatmandou.

« Je prends un chargement, pas plus, dit Raja. Par la suite, vous pourrez emporter les autres si cela vous chante, Smithson — et vous faire tuer pour quelques misérables roupies. »

Il gagna l'ombre d'une des huttes, s'affala sur le sol dur et alluma une nouvelle cigarette.

Le visage plissé par un large sourire, un petit homme s'avança vers Unni :

« Bonjour, Missié, dit-il, nous avons aussi vingt domestiques à emmener à Khatmandou.

« — Vingt domestiques ! Il faudra qu'ils viennent par la route, dit Unni, nous ne pouvons pas les prendre.

— Mais, Missié, j'ai un message de Mr. Vassili, disant que vous veniez les chercher.

— On avait averti Mr. Vassili qu'ils arriveraient par la route. Moi, je suis venu pour discuter certaines questions avec votre directeur pendant qu'on charge le goudron, et je rentre aussitôt avec le chargement. »

Smithson revint en hochant la tête :

« Le capitaine Raja ne croit pas que nous puissions repartir aujourd'hui. Le ciel n'a pas l'air bien beau. Le capitaine dit qu'il y a trop de nuages.

— Je crois que nous allons laisser le capitaine se reposer un moment, prendre des rafraîchissements et fumer quelques cigarettes, dit Unni. Il est debout depuis l'aube et il a fait plusieurs fois le trajet Patna-Khatmandou aller et retour. Il y a de quoi tuer un pilote.

— Oui, Missié. Faut-il charger le goudron, Missié ?

— Vous pouvez commencer à embarquer quelques tonneaux. Je suis navré, dit Unni à Anne, Raja vit sur ses nerfs depuis longtemps. Tous les pilotes sont surmenés. Laissons-lui le temps de se calmer.

— Peut-être est-il mécontent que je sois venue ?

— En temps ordinaire, il serait enchanté ; seulement, voilà, il se sent souffrant, ce que j'ignorais. Mais cela va s'arranger. »

Unni s'assit sur un tonneau de goudron, les jambes étendues, et se mit à discuter avec le directeur qui venait d'arriver. Anne s'en fut errer au hasard.

La plaine s'étendait, parfois coupée d'un bouquet d'arbres. A quelques centaines de mètres de distance, on voyait un mur en ruines, vestige d'une ancienne ferme, vers lequel Anne se dirigea. Il faisait très chaud et, après avoir vécu dans la fraîcheur de la haute vallée, Anne n'était plus habituée à la chaleur. L'herbe rêche, déjà rugueuse et brune, bruissait sous les pas — c'était la fin de la sécheresse d'avril. Il soufflait par moments une petite brise dure venue on ne savait d'où.

Elle entendit à courte distance le cri d'un oiseau qu'elle ne put identifier. Ce cri devenait plus fort à mesure qu'elle approchait de la ferme abandonnée. A cent mètres des ruines s'élevait un grand tamarinier ; elle s'assit à son ombre et s'essuya le visage. C'était bien un oiseau qui appelait, mais lequel ? La voix était cuivrée, rauque, claironnante. Il devait être tout près. Puis elle vit l'oiseau, ou plutôt l'éblouissant éclair bleu de ses ailes. Jamais elle n'avait vu un bleu pareil, jamais elle n'avait entendu une pareille voix d'oiseau. Maintenant il ne cessait de lancer son appel, de plus en plus fort, si bien que la plaine retentissait de sa voix sonore. Il agitait ses ailes étonnantes, incroyablement bleues, d'un bleu de saphir. L'oiseau était à peu près de la taille d'un geai et se comportait de manière extraordinaire. Il culbutait, s'élançait au-dessus des pierres, glissait au ras de l'herbe, sautait à nouveau dans l'air pour tournoyer en décrivant de grands cercles, puis revenait, sans cesser d'appeler, d'appeler à fendre les oreilles. Anne remarqua alors un autre oiseau, autour duquel celui-ci tournait et criait. Ce second oiseau s'envola alors, agitant aussi les ailes bleues attachées à un corps bleuâtre et marron, pour aller s'installer, comme une femme qui choisit un siège plus confortable, sur un autre tas de briques écroulées.

«Ce sont des *nilkants*», dit la voix d'Unni derrière Anne. Il la rejoignait et, debout à ses côtés, considéra les ébats des oiseaux. «Je crois que chez vous on les appelle des geais bleus. Ceux-ci se font la cour. Je n'avais encore jamais assisté à ce spectacle. Toi non plus? C'est le mâle qui se démène si fort.»

Maintenant l'oiseau sautillait, exécutait une série de bonds, puis, tournant sur lui-même, il s'abattit en piqué, dans un paroxysme de cris.

Le spectacle de cette passion sans bornes déchaînée dans la plaine brûlée était si admirable que les humains qui assistaient à la scène se sentaient émus, imprégnés, dans la plaine brune, poussiéreuse et poudrée de soleil, par cette extase de l'oiseau infatigable dans son œuvre d'amour, emplissant l'air des déchaînements de sa voix et de son beau corps éperdu.

Anne regarda Unni, mais il contemplait les oiseaux, d'abord inconscient de son regard; puis, sentant qu'elle le regardait, il tourna la tête. Leurs yeux se rencontrèrent, et ils échangèrent un sourire de plaisir. Alors, en même temps que le sentiment du plaisir partagé — communication délicate entre deux esprits conscients de la joie que leur apportait cette contemplation — le désir naquit en eux, ardent, rapide et irrésistible, jaillissant dans leurs yeux et leurs bouches. Ils se sentirent pris une fois encore dans un délicieux réseau lumineux, brillant, insatiable, absorbant. Les mains d'Unni montèrent vers les épaules d'Anne, et elle dit: «Non, non!» gémissant déjà, détournant déjà la tête, refusant de le regarder parce qu'elle consentait à être prise, sentant ses membres fondre, les reins embrasés d'un feu doux

et brûlant: «Ton corps dit oui», fit-il, et il la
renversa. Alors, elle s'aperçut qu'elle était en train
de l'aider à défaire le col de son corsage, la
ceinture de son blue-jean, avec des gestes vifs,
complices, puis ce fut le corps d'Unni pressé
contre le sien, sa rapide prise de possession, un
plaisir si intense qu'elle s'entendit pousser un cri
et se cacha le visage en mordant le dos de sa main.
Et l'éclair doré de la tempête se déchaîna, les
timbales du tonnerre battirent, et la flamme jaillit
de plus en plus blanche, jusqu'à l'instant où Anne
soupira: «Je vais mourir, je meurs, je meurs.»
Alors, elle éprouva le choc délicieux de sa venue,
plus exquis encore, la violente commotion finale
ressentie au plus profond d'elle-même, dont vibrè-
rent tous ses nerfs dans une merveilleuse cacophonie et qui la fit glisser dans le néant de l'ultime
accomplissement.

Quand elle reprit conscience, ce fut pour découvrir au-dessus d'elle l'abîme du ciel rond, son
vaste renflement, dans un silence d'accalmie; ce
fut pour se retrouver lavée, pure, pure et dorée,
soupirant avec une paisible innocence, connaissant les douces brûlures de l'amour qui gouverne
le monde, totalement débarrassée de sa cuirasse,
désormais dépouillée comme une vieille peau trop
étroite, rejetée à jamais. Son moi nouveau, innocent, tendre et jeune, apparut, clignotant au grand
soleil, infiniment vulnérable, naïvement sentimental, tout entier donné, frémissant d'une candeur nouvelle dans la joie de l'accomplissement
absolu.

«J'ai cru que j'allais mourir», dit-elle.

Sa propre voix lui parvenait, très lointaine,
faible et blanche, sans couleur comme le ciel.

«Moi aussi.»

La voix d'Unni, brève, contenue, refusait de

s'attarder sur une apogée qu'il ne voulait pas ternir par des mots, mais cette voix le ramenait près d'elle, ils redevenaient deux, alors qu'elle avait été seule dans sa transfiguration. Il était étendu, les yeux clos, la tête reposant sur le bras d'Anne. Mais ce bras commençait à lui faire mal. Elle le déplaça un peu, et Unni aussi fit un mouvement; il s'écarta d'elle et, se levant à demi, il ramena les vêtements de la jeune femme autour d'elle, d'un geste protecteur, avec cette pudeur qu'elle aimait tant, puis il remit les siens et s'assit. Sa chemise était restée ouverte et sa peau luisait de sueur; elle étendit la main, la glissant sur la poitrine nue d'Unni, sur ses bras. Elle sentait la peau douce, lisse, maintenant si merveilleuse pour elle, si vivante, elle le touchait avec amour, avec douceur, avec sensualité, avec aussi la certitude que ce brutal et tendre empalement était réellement la clef de tout le reste, le commencement et la source, sombre frontière de la création, une flamme intérieure qu'il fallait entretenir et conserver, qui apporterait la vie dans les profondeurs d'elle-même. Et c'était son corps, l'humble et patient serviteur, qui était aussi le maître, ce corps tant méprisé, tant insulté, qui, cependant, prend sa revanche si l'on vient à trop le haïr. Et maintenant son corps était devenu une grande raison, une pluralité douée de sens, la guerre et la paix, le troupeau et le berger, une prison pentagonale où tout l'univers était enclos, une fin sans pourtant être jamais une fin en soi. Derrière le corps, l'homme a créé un esprit, un moi arrogant et frémissant, et il a voulu les séparer l'un de l'autre en décrétant que l'esprit est noble et le corps vil. Et ce fut là le grand crime, le crime contre l'Esprit Saint, éternellement répété. Car le corps et l'esprit doivent demeurer unis, indivisibles, responsables l'un envers l'autre et l'un de l'autre, et quiconque les sépare périt lui-même et devient le meurtrier d'autrui.

Habillé maintenant, il la regardait. Leur silence proclamait leur connaissance nouvelle, l'espace qui les séparait constituait un lien plus fort qu'un contact. Sans un mot, doucement, ils échangèrent un baiser, comme s'ils se libéraient par le contact, mesurant leurs corps l'un contre l'autre, en signe d'affirmation et de don. Et ils s'en revinrent vers l'avion.

L'après-midi redevenait rapidement ce qu'il avait été au début, comme si le temps, ralenti puis arrêté, avait maintenant repris sa vitesse normale. On s'affairait autour de la sèche silhouette d'insecte de l'avion. Vingt domestiques s'entassaient docilement sur deux rangs entre lesquels les tonneaux de goudron étaient solidement arrimés.

« J'espère qu'ils ne vont pas rouler », dit Raja, qui semblait reposé et fumait une cigarette.

Le directeur arriva en agitant une liasse de papiers qu'il tendit à Unni :

« Voici les bulletins, Monsieur.

— Nous décollons tout de suite », dit Raja, impatient.

Une fois de plus, ils pénétrèrent dans la carlingue. Il faisait chaud, et Anne se faufila dans un coin. Raja et le copilote se glissèrent de biais dans leurs sièges et ajustèrent leurs casques.

« Je vais faire un petit détour, dit aimablement Raja, peut-être aimeriez-vous apercevoir la chaîne de l'Himalaya.

— Oh ! oui, beaucoup, dit Anne.

— Entendu », fit Raja, comme s'il lui proposait de faire un bout de promenade dans un charmant chemin de campagne.

L'avion s'éleva. La plaine s'affaissait au-dessous d'eux, gravée de dessins ingénieux, marron et vert, où les petits canaux sinuaient comme les veines sous la peau. Çà et là, on apercevait une mare et des buffles d'eau, pareils à des jouets, plantés sur les bords.

Ils étaient à nouveau entourés de nuages sur lesquels l'avion projetait une ombre qui s'irisait d'arcs-en-ciel. La gaieté de Raja s'était évanouie. Il parla au second pilote en hochant la tête, puis retomba dans son humeur noire et son irritabilité, en même temps que l'avion entrait dans les nuages. L'appareil se frayait un chemin, au travers de la masse, puis, soudain, ce fut à nouveau le ciel bleu et là, juste en face d'eux, barrant la route, ils virent se dresser un par un les pics de l'Himalaya, si proches qu'on avait l'impression de pouvoir les toucher rien qu'en étendant la main par la fenêtre de l'avion pour palper leurs flancs étincelants. Le ciel était d'une couleur particulière, un azur qui semblait prêt à se briser ; il y avait des ombres bleues sur les monstrueux sommets qui semblaient projeter vers l'avion leurs formes effrayantes. Au-dessous d'eux c'étaient les nuages, rien que les nuages.

Raja expliqua par signes qu'il allait tourner, et Anne elle-même comprit qu'il le fallait pour éviter de heurter quelque obstacle : il y avait d'innombrables crêtes maintenant, brusquement surgies des nuages, tantôt bossues, tantôt aiguës et toujours traîtresses, pareilles à des dents, ou à de noirs icebergs dépouillés de leur neige, sauf dans les crevasses. Parfois on eût dit des dauphins jaillissant de la mer des nuages. Il se mit à faire très froid, et l'on respirait difficilement.

Unni était derrière Anne. Il ne la touchait pas, mais elle savait qu'il avait peur, lui aussi, comme

Raja, comme le second pilote, car ils n'arrivaient pas à trouver la Vallée, ils continuaient à évoluer entre les nuages et les pics neigeux.

« Regarde les montagnes, lui dit-il, et moi je te regarderai. Je les vois plus belles à travers toi. »

Il voulait qu'elle contemplât les sommets, belle et sereine, détachée de la peur humaine. Et elle obéit.

L'avion fut pris dans un trou d'air et tangua violemment, les moteurs semblèrent s'arrêter, puis se remirent à ronronner.

« S'il arrivait quelque chose maintenant, ce serait vraiment la minute choisie. »

Pendant un moment elle sut la mort très possible, vraiment à leur portée, mais le mot mort n'était qu'un bruit, une parole faite d'un souffle d'air et qu'il ne fallait pas prononcer, bien qu'elle planât tout autour d'eux.

Raja fit alors un geste. Ils volaient parallèlement aux crêtes noires, puis ils tournèrent, tournèrent encore, se glissèrent à travers un nuage par une échancrure insaisissable. Au-dessous apparurent des collines aux pentes verdoyantes. Raja était couvert de sueur et les petits muscles de sa mâchoire, tendus comme des cordes, saillaient d'une manière pénible à voir. L'appareil plongea au travers des collines et bientôt se mit à ronronner paisiblement. C'était la Vallée et la ville de Khatmandou, pareille à une épée qu'on aurait déposée. Raja atterrit sans une secousse et demeura cloué dans son siège, immobile.

« Venez boire quelque chose avec nous », dit Unni quand les moteurs se furent arrêtés.

Mais Raja fit un signe de tête négatif. Il ruisselait encore de sueur, le visage vert comme s'il allait vomir. Il ne voulait pas parler et, d'un geste impatient de la main, il leur fit signe de descendre.

Ils sortirent de l'appareil. Le second pilote était pâle, lui aussi.

« Il s'en est fallu d'un cheveu, dit-il d'une voix saccadée. Raja a tenté sa chance. Il va être quelque temps sans voler maintenant. »

Tous trois quittèrent l'avion ensemble, suivis de Raja qui chancelait un peu et s'éloigna d'eux, hostile, remâchant son soulagement comme un grief.

L'aire d'atterrissage était cernée d'un public nombreux : reporters, touristes, opérateurs de prises de vues. Anne vit plusieurs visages familiers, mais confusément, sans avoir vraiment conscience de leur présence. Elle ne s'en souciait pas, elle ne pouvait plus s'en soucier désormais.

« Laisse ta jeep ici », dit Unni d'un ton bref, autoritaire.

Il était soudain comme dissocié d'elle. Sans un regard, sans tendresse, presque avec colère, il monta dans sa jeep après elle, muet, dur, conduisant trop vite : elle comprit qu'il la désirait à nouveau et qu'il était aussi égaré qu'elle-même.

Tandis que la jeep filait à toute allure, Anne retrouvait au passage l'odeur de la fumée de bois, les maisons, les détails familiers. Unni lui saisit la main qu'il serra très fort, à lui faire mal. Mais c'était un tel plaisir qu'il lui fît mal, elle voulait qu'il lui fît mal, qu'il fît tout ce qu'il voulait, et elle savait qu'il le ferait jusqu'à ce qu'elle eût mal partout. Ils allèrent tout droit au bungalow. Unni lança les clefs de la jeep à Regmi qui arrivait en courant. Le serviteur prit le volant et emmena la voiture. Même en un pareil moment, Unni n'oubliait pas cette mesure de précaution. Pas de jeep révélatrice garée devant la porte.

« Allons dans ta chambre », dit-il, tendu, et il monta l'escalier derrière elle.

Quand ils furent dans sa chambre, elle referma la porte et se retourna pour lui faire face. Debout, les mains dans les poches, il lui désigna le lit d'un brusque mouvement de tête, comme à une esclave, et il la regarda s'en approcher et retirer ses souliers. Au moment de se déshabiller, elle éprouvait toujours un certain embarras, comme un refroidissement du désir, mais pas avec lui, car il la tenait étendue d'une main et lui ôtait ses vêtements de l'autre. Il lui fallut se soumettre, demeurer nue, être regardée, palpée, il fallut le laisser explorer sa chair avec des doigts pensifs comme ses regards, jusqu'au moment où elle cria, envahie par un désir intolérable, et s'accrocha à lui, avide, vorace, l'appelant avec des petits gémissements et des soupirs. Alors le temps fut aboli et aussi l'espace ; les heures ne pouvaient plus être, rien n'existait plus que cette fusion frémissante, cette chute dans un abîme sans fond, sondant les profondeurs du moi, une inconscience à demi consciente et la férocité de la passion déchaînée. Et, désormais, elle ne pouvait plus rien analyser, car son univers empenné de mots s'était écroulé autour d'elle.

Alors Anne sut et crut, car, dans la plénitude de la douleur et du plaisir, son corps cousu à celui d'Unni, elle ne fut plus qu'un moi unique d'un seul bloc, ses autres moi conscients fondus au dedans d'elle-même, amalgamés, entièrement soumise à la voix de l'homme, à ses mains, à sa volonté impérieuse et sans merci. Et, maintenant, la simplicité avec laquelle il disait : « Je t'aime », était un garant lumineux et merveilleux, elle avait foi en ses paroles, totalement, de la manière exacte dont il les entendait.

Car de même qu'il avait fait d'elle un être unique, ainsi l'avait-elle fait intégral et complet. De même qu'elle avait besoin de lui, ainsi avait-il besoin d'elle, corps et âme. Cela, elle le savait, bien qu'il ne le lui eût pas dit. Et tous les mots inutiles et enfantins qui déforment le pur sens de la vie étaient superflus entre eux et ne seraient pas employés.

Mita et Regmi ne les dérangèrent pas, ils ne vinrent pas leur apporter de collation, leurs pas mêmes ne se firent point entendre. Le bungalow reposait. Anne et Unni dormirent, s'éveillèrent, se rendormirent, étroitement serrés dans les bras l'un de l'autre, défendus par cet enlacement entre tous les maux et toutes les trahisons.

Anne entendit un bruit de voix. Encore tout engourdie, elle alla à la fenêtre : ce fut pour voir John et Fred Maltby en train de se colleter, se balançant d'avant en arrière sur la pelouse. La scène lui parut du plus haut comique et elle éclata de rire. Que diable font-ils là, se dit-elle, de si bonne heure le matin sur ma pelouse ? Puis elle s'éveilla tout à fait, elle vit Unni assis dans son lit qui la regardait et écoutait les voix. Il vint se mettre derrière elle pour voir ce qui se passait, se détourna pour ramasser ses vêtements épars sur le sol et se mit à s'habiller.

« Qu'est-ce que c'est, crois-tu ? » dit Anne en retournant au lit, car elle sentit le froid.

Il lui sourit, détaché comme elle, rendu inaccessible à la réalité par une nuit d'amour :

« Il me semble que je vois ton mari là-bas avec le docteur Maltby. »

Elle rit de plus belle :

« Pourquoi sont-ils ici ?

— J'aimerais le savoir.

— Que vas-tu bien pouvoir faire ? »

Il réfléchissait tout en boutonnant sa chemise et lui répondit avec le plus grand sérieux :

« Je vais mettre mes souliers. »

A nouveau secouée par le rire, Anne enfonçait sa tête dans l'oreiller. Unni lui dit avec un large sourire :

« Cesse de rire ainsi, sinon je te voudrai encore, tu es tellement charmante le matin.

— Oh, mon Dieu ! dit Anne, et elle ajouta en riant de plus belle : Mais je suis vraiment très inquiète. »

Plus elle riait, plus cette histoire lui paraissait cocasse. Unni tira un peigne de sa poche pour se lisser les cheveux, et elle trouva cela plus drôle encore que tout le reste. Elle riait à en avoir mal :

« Ce n'est pas du tout comme cela qu'il convient de se conduire quand on est pris en flagrant délit d'adultère », parvint-elle à balbutier entre ses accès de gaieté.

Ils entendaient John crier : « Je vous casserai la figure ! » puis une réponse indistincte de Fred et les cris que poussait Mita à la cuisine. Regmi monta l'escalier quatre à quatre. Unni alla entrouvrir la porte. Regmi lui parla sur un ton pressant, écouta sa réponse et redescendit l'escalier.

Unni s'assit sur le lit, attira Anne contre lui et l'embrassa très tranquillement :

« Maintenant, dit-il, il faut agir. Mets ta robe de chambre et descends. Va à la porte et demande ce qui se passe. Regmi l'a verrouillée de l'intérieur. Tire le verrou très posément et tiens-toi sur le seuil. Regmi refermera la porte derrière toi ; reste alors à parlementer avec eux pendant cinq

550

minutes environ avant de les laisser entrer. Cela me donnera à moi le temps de partir et à Mita celui de refaire la chambre avant que John ne s'y précipite. Mais arrange-toi pour qu'il ne s'en aille pas. Retiens-le ici, ainsi que Fred.

— Et ensuite ? dit Anne.

— Ensuite, dit Unni, je serai revenu.

— Tu penses à tout, n'est-ce pas ?

— Pas cette fois-ci », répondit-il.

Elle descendit au rez-de-chaussée et, comme il le lui avait dit, elle s'avança sur le perron, entendit la porte se refermer et le verrou claquer derrière elle, tandis qu'elle se trouvait face à face avec John. L'écume aux lèvres, les poings serrés, il avait les yeux hors de la tête. Anne s'aperçut aussitôt qu'il était en proie à l'une de ses habituelles crises de rage.

« Mais enfin qu'est-ce qui se passe ? demanda-t-elle, reprise d'une violente envie de rire.

— Ce qui se passe ? s'écria John. Comment oses-tu me le demander ? Le voici justement (d'un geste dramatique, il désignait Fred Maltby) ton amant. Je l'ai rencontré qui sortait de ton bungalow — à cette heure-ci !

— Eh bien, quelle heure est-il donc ? » demanda Anne.

Fred consulta sa montre et répondit :

« Environ sept heures.

— Ne vous parlez pas ! cria John. Toi, je te défends de lui adresser la parole. Je suis ton mari, tu dois m'obéir.

— Si c'est de Fred qu'il s'agit, dit Anne, il n'est pas mon amant.

— Ne mens pas, sale putain. Je n'ai été que trop patient. Depuis trois semaines, je supporte d'être traité comme un chien, et encore un chien mal vu. Mais j'ai toujours compris ce qui se passait, j'attendais que l'occasion se présente de vous pincer. L'autre soir, je t'ai vue sortir de la chambre de cet individu, mais cette fois il est fait, et je vais vous démolir tous les deux. »

Anne regarda Fred et lui dit :

« Fred, pourquoi êtes-vous venu ici ce matin ? »

Fred rajusta sa chemise et son sweater thibétain :

« Je suis tout simplement passé par chez vous au retour de ma promenade. Je... j'étais ennuyé. Vous savez, il y a aujourd'hui, à neuf heures, une cérémonie officielle. C'était ridicule de ma part, bien sûr, je voulais seulement vous demander d'y venir avec moi... Regmi m'a dit que vous dormiez encore. Et puis, voilà, ce dément qui arrive dans l'allée en courant et qui me déchire ma chemise.

— Allez raconter cela à d'autres, pas à moi, dit John. Je vous ai vu, puisque je vous le dis. Je vous ai vu *sortir* du bungalow. Je me ferai rendre justice. Vous me paierez cela tous les deux, j'en fais mon affaire. Vous n'oserez plus relever la tête ni aller au Couronnement, ni rien. Je ferai annuler vos cartes. Je m'en vais de ce pas chez le Résident pour tout lui raconter, et je vais entamer contre vous une action en justice. Oui, contre vous, docteur Maltby, je vous ferai chasser de Khatmandou.

— Vraiment je n'ai jamais de ma vie rien entendu d'aussi ridicule, dit Fred. Si seulement vous repreniez votre sang-froid, je vous expliquerais...

— Je ne veux pas retrouver mon sang-froid, cria John comme un enfant. Comment ! Je vous trouve en train de sortir de chez ma femme... de la chambre de ma femme... à cette heure-ci et vous me demandez de conserver mon sang-froid. Je vous casserai la figure, vous pouvez en être sûr. »

Et il s'avança à nouveau vers Fred, les poings serrés, la bouche tordue. Il était plus massif et un peu plus grand que Fred, et celui-ci recula d'un pas.

« Sincèrement, dit Anne, tu es tout à fait ridicule. Fred est très ennuyé à l'idée de rencontrer Eudora, c'est pour cela qu'il était venu. Il ne *sortait* pas de chez moi, tu l'as rencontré sur la pelouse.

— Tu ne vas tout de même pas prétendre que je mens, cria John. Tu as un sacré culot de venir me dire que je mens. Je n'ai jamais menti, je dis toujours la vérité, espèce de grue! s'écria-t-il, devenant grossier.

— Qu'est-ce que c'est que tout ce grabuge? » demanda Isabel, surgissant soudain du berceau de rosiers.

John fit visiblement effort pour se contenir. Il passa la main sur son front où perlait la sueur:

« Bonjour, Isabel, dit-il d'une voix presque normale. Je regrette beaucoup que ceci soit arrivé, et justement aujourd'hui.

— Mais qu'est-il arrivé? Qu'a donc fait Anne?

— Oui, qu'a donc fait Anne? répéta celle-ci, soudain envahie par la colère.

— Isabel, dit Fred, laissez-moi vous expliquer.

— Vous n'avez rien à expliquer, coupa John, la seule personne qui ait le droit d'ouvrir la bouche ici, c'est moi. Je vous prends en train de sortir de la chambre de ma femme à cette heure-ci, et vous croyez encore que vous allez me fournir une explication satisfaisante!

— Oh, docteur Maltby ! fit Isabel de sa voix la plus choquée.

— Mais c'est stupide, dit Anne, Fred n'était pas chez moi. Il était venu pour me parler, on lui a dit que je dormais encore et il s'en retournait.

— Pour vous parler ? A cette heure-ci ? fit Isabel, glaciale.

— Et c'est alors que je l'ai pincé, au moment où il sortait, le plus paisiblement du monde, de ce... de ce bungalow, dit John, l'index pointé vers la maison dans un geste théâtral.

— C'est complètement ridicule, dit Anne. Isabel, vous n'allez tout de même pas croire cela. Je vous dis que Fred vient seulement d'arriver ici. »

Isabel ne répondit pas. Elle se couvrit le visage de ses mains et gémit :

« C'est vraiment terrible, j'étais sûre qu'il arriverait quelque chose comme cela. C'est une catastrophe pour l'Institut Féminin. Et juste la veille du Couronnement. Docteur, comment avez-vous pu faire une chose pareille alors que votre femme est en ce moment même à Khatmandou ? »

C'est alors qu'on entendit une jeep monter en haletant l'allée de gravier, puis s'arrêter en ronflant derrière les arbres. Quelqu'un cria gaiement : « Merci de m'avoir déposée » et des pas firent jaillir les cailloux. La visiteuse passa devant le berceau de rosiers et le jet d'eau et se dirigea vers la pelouse où se tenait le petit groupe. Portant un pantalon de toile bleue, coiffée de son chapeau de touriste, c'était Eudora.

« Bonjour, dit-elle. Il fait beau ce matin, n'est-ce pas ? »

Nul ne lui répondit. Ils la regardaient, stupéfaits.

« Eh bien, dit Eudora, me voici, Anne, prête à prendre le petit déjeuner avec vous. Vous m'aviez

554

invitée à prendre le petit déjeuner avec vous ce matin, vous vous en souvenez ?

— Invitée... Oui, bien sûr, dit Anne en éclatant de rire.

— Bonjour, Fred, bonjour, Miss Maupratt, bonjour, John, récita Eudora.

— Bonjour, répondirent-ils docilement.

— Eh bien, dit Eudora, comme cela fait plaisir de vous voir tous ici. Etiez-vous venus aussi pour déjeuner, Miss Maupratt ? Et vous, John ? Et vous, Fred ?

— Mais oui, Fred, dit Anne, voulez-vous déjeuner avec nous ?

— Heu... » dit Fred.

Il ne lui avait pas été possible de fuir, il était face à face avec Eudora et découvrait avec surprise que toutes ses craintes s'étaient envolées.

« Vous avez fait une bonne promenade, Fred ? demanda Eudora à son mari sur le ton de la conversation.

— Oui, oh oui, répondit-il.

— Un instant, dit John. Mrs. Maltby, il y a un détail dont il importe, je crois, que vous soyez informée.

— Quel détail ?

— J'ai trouvé votre mari sortant de ce bungalow il y a tout juste une demi-heure.

— Vraiment ? Comme c'est curieux ! Il y a une demi-heure, j'ai vu Fred qui se promenait à pied sur la grand-route. J'étais en jeep — la jeep de Mr. Menon pour préciser. Naturellement, nous avons aussitôt fait demi-tour, ajouta-t-elle avec une désinvolture un peu trop marquée. Fred n'aime pas à être dérangé au cours de ses promenades.

— Eh bien, dit Isabel, je ne sais plus que dire.

— En ce cas ne dites rien, dit Eudora, aussi méchamment que le lui permettait sa nature. Anne m'a invitée à déjeuner ce matin, j'espère que vous n'y voyez pas d'inconvénient ?»

Isabel se redressa :

«Mrs. Maltby, vos affaires personnelles ne me concernent pas. J'espère cependant que des incidents aussi scandaleux ne se reproduiront pas, sinon je me verrai obligée de prendre des mesures. »

Et son regard, passant par-dessus la tête d'Eudora, se dirigea vers la porte du bungalow, comme si elle espérait voir ce qui se passait à l'intérieur.

«Scandaleux ! fit Eudora. Voyons, voyons, Miss Maupratt, il n'y a rien de scandaleux à ce que Fred et moi prenions le petit déjeuner avec Anne !

— La place de Mrs. Ford n'est pas ici, dit Isabel avec violence ; elle est auprès de son mari. En restant ici, elle viole les lois de l'hospitalité. »

Ils semblèrent tous un peu saisis quand la porte s'ouvrit brusquement et que Regmi vint disposer une table et des chaises sur la pelouse. Debout, les bras croisés, Mita semblait dire :

«Maintenant vous pouvez regarder, vous ne trouverez rien. »

L'odeur du café et du pain grillé arrivait de la cuisine.

«Et si tu m'invitais à prendre le petit déjeuner avec vous ?» demanda John.

Anne le regarda :

«Excuse-moi, dit-elle, je te verrai plus tard, aux cérémonies du Couronnement.

— Bon, bon, dit John d'un air enjoué. Je vous fais mes excuses, docteur Maltby ; je me rends compte maintenant que votre présence ici n'avait rien d'anormal, mais j'avoue que j'ai eu des

556

ennuis ces derniers temps, de gros ennuis. Il ne faut pas m'en vouloir si parfois je ne suis pas moi-même.

— Oui, je sais, dit le docteur.

— Je suis peut-être vieux jeu, dit John, mais j'estime qu'une femme ne doit pas abandonner son mari. Le caractère sacré des vœux du mariage, cela existe. Je crois pouvoir affirmer qu'une femme qui ne se conduit pas bien s'expose à tous les soupçons.

— Je crois que moins nous en dirons là-dessus, mieux cela vaudra, déclara Eudora.

— Madame, répliqua John, en ma qualité de mari, j'ai des droits.

— Pour l'amour du Ciel, dit Eudora, ne mettons pas sur le tapis la question des droits conjugaux. Je voudrais bien déjeuner.

— Fred, voulez-vous rester avec nous pour le petit déjeuner ? dit Anne.

— Oui », dit Fred.

Ils s'installèrent tous les trois. Debout, John et Isabel paraissaient hésiter. Anne ne les regarda même pas. Gênés, ils partirent, sans échanger une parole. Anne versa le café.

Eudora mit la conversation sur la cérémonie de purification qui devait avoir lieu à 9 heures :

« La musique qu'on va y jouer m'intéresse vivement, c'est de la musique hindoue ancienne. »

Elle s'y connaissait en musique. Il fut tacitement entendu qu'ils iraient ensemble.

« Je vais aller me changer et nous nous retrouverons au *Royal Hotel,* si vous voulez », dit Fred, s'adressant à Anne, mais déjà il incluait Eudora dans la proposition.

Eudora ne bondit pas de son siège, elle ne lui demanda pas de la déposer au *Royal Hotel.* Elle attendit qu'il fût parti, puis se tourna vers Anne :

« Il faut que j'aille me changer, moi aussi.

— Je vous remercie, Eudora, dit Anne.

— Ma chérie, dit Eudora en lui sautant brusquement au cou, vous méritez d'être heureuse. Vous... » Et elle s'enfuit en courant.

Demeurée seule, Anne songea à Unni. Elle éprouvait maintenant ce sentiment particulier de solitude et de désespoir qui suit l'amour ; car plus le désir est satisfait, moins il atteint son but, qui est sa propre abolition. Elle désirait la présence d'Unni, elle éprouvait le besoin de le voir, comme jamais auparavant. Mais en même temps quelque chose la gênait : Unni était trop habile. Trop habile d'avoir amené là Eudora, de l'avoir jetée au milieu de la scène, atteignant ainsi d'un seul coup deux buts à la fois : d'abord il forçait Fred à rencontrer sa femme dans des circonstances telles qu'il ne pouvait s'enfuir et, d'autre part, il désarmait complètement John et le couvrait de ridicule.

Maintenant il fallait avertir John, décida Anne. Sinon ses relations avec Unni seraient empoisonnées par un sentiment d'impunité et de culpabilité. Oui, ils étaient en sécurité, mais coupables. Pensée intolérable. Ils devaient faire face aux conséquences de leurs actes, quelles qu'elles fussent, ensemble, Unni et elle. En regardant partir John et Isabel, elle avait été déchirée de compassion et de pitié pour John, pour sa stupidité, pour la façon inepte dont il gouvernait ses émotions, pour les méthodes au moyen desquelles il les exprimait. Ce qu'elle détestait, c'était son comportement, sinon elle était sûre qu'à sa manière il croyait l'aimer. A sa manière, en effet. Tout ce qu'il faisait, tout ce qu'il disait semblait se retourner contre lui. En ce qui concernait ses rapports avec Anne, il était pour lui-même son pire ennemi. Elle le plaignait, sachant pourtant combien cette pitié était pour elle dangereuse et destructrice. Mais Unni était trop habile, et pendant un moment Anne se sentit comme prise au piège par cette habileté, de même qu'elle avait eu l'impression d'étouffer en songeant à la stupidité de John. Puis elle se rappela l'enfant et son cœur se durcit. Non, jamais elle ne retournerait avec John. Elle s'était laissée trop longtemps dévorer par la faiblesse de cet homme.

Chapitre 10

Pendant les deux jours qui suivirent, Eudora et Fred s'accrochèrent à Anne, leur nouveau moyen de communication, redoutant de la perdre et de se perdre l'un l'autre du même coup. Ensemble, ils se rendirent ce matin-là à l'ancien palais royal où avait lieu la cérémonie de la purification. Devant la grille, John les attendait, empressé, repentant, serviable, volubile.

« Un mari est toujours le dernier informé. » Un mari, John, acharné à se rendre agréable. Anne devint raide comme du bois quand elle le vit s'avancer vers eux, le sourire aux lèvres, redressant les épaules. Il les avait attendus, dit-il, pour leur indiquer leurs places. Ils assisteraient ensemble à la cérémonie, après quoi ils iraient déjeuner, toujours ensemble.

Sous l'œil du Mégalorama, John les introduisit dans la cour du vieux palais. Ils furent aussitôt suivis par de multiples regards : les rangées d'yeux du Tout-Khatmandou, des troupes de la presse avec leurs caméras et leurs grosses lunettes — lentilles grandes et petites. Parmi tous ces gens, combien étaient au courant ? se demandait Anne, tandis que John et elle regagnaient leurs places. Le visage de John affichait une expression de tendre dévouement, il y avait dans son port et sa démarche une façon de se rengorger qui était celle du triomphe modeste, comme si la réconciliation du ménage Maltby était due à ses efforts et devenait en quelque sorte le double de sa propre harmonie conjugale.

« Je crois que voilà ta place. Oui. D'ici tu verras très bien. J'ai veillé à ce que tu ne sois pas au soleil. La cérémonie sera sans doute longue et risque d'être un peu fatigante. »

Les gens qui n'avaient pas de places réservées étaient debout : Isabel, quelques Américains, le Général, vêtu d'un uniforme serré autour de sa taille mince — costume d'emprunt, d'ailleurs, car il avait prêté le sien à un neveu, qui l'avait mis en gage à Calcutta. D'ordre du Roi, il était interdit aux Ranas de porter leurs coiffures serties de joyaux au cours des cérémonies, aussi leur voyait-on des casquettes d'uniforme ou de modestes casques ornés de plumes teintes en rouge et en jaune. Les fonctionnaires du gouvernement népalais étaient en redingotes noires, jodhpurs blancs et bonnets de soie noire. Les membres de la mission militaire indienne portaient des uniformes de type britannique, les gens de la Presse des complets vestons.

Anne découvrit François derrière sa caméra installée dans un coin de la cour ; il lui fit tranquillement un signe de la main pour la saluer. A côté de lui elle vit Leo, le visage agité de contractions nerveuses. Leo se sentait là plus à l'abri — de Kicha. Comme il fallait le craindre, celle-ci était arrivée. La veille au soir. Leo était en train de déclarer à François :

« Eh bien, la dernière cargaison de touristes vient de débarquer d'avion et elle n'est pas là », quand il entendit :

« Ah, cherri, cherri, te voici ! »

Kicha était derrière lui, haletante d'émotion, des gouttes de sueur perlant sur sa lèvre supé-

rieure, entourée de six hommes barbus et enturbannés qu'elle présenta comme étant ses cousins
sikhs. Ils se dressaient là, infranchissable rempart de couvre-chefs et de poils, toisant Leo :

« Mon fiancé », annonça fièrement Kicha, et six
énormes mains se tendirent vers lui.

Leo n'osa protester. Les Sikhs, il le savait,
attachent une extrême valeur à la chasteté des
femmes de leur race et sont prompts à manier le
coutelas. Les cousins caressèrent leur barbe,
sourirent, découvrant du même coup d'immenses
dents blanches. François offrit des consomma-
tions.

Un peu plus tard, Leo s'arma de courage pour
expliquer à Kicha et à ses cousins qu'il serait sans
doute difficile pour une Sikh comme elle d'épouser
un misérable infidèle. Tous les Sikhs avaient
alors éclaté de rire et hoché leurs turbans en signe
de dénégation. L'un d'eux avait fait bon marché
de ces scrupules en déclarant avec le plus pur
accent nasillard des faubourgs de New York :

« Hé oui, je vois bien ce qui vous chiffonne, mais
du moment que vous aimez Bébé et que Bébé vous
aime, ça nous botte. On est modernes, nous
autres ! »

Par bonheur, les convenances exigeaient que
Kicha passât la nuit chez une de ses tantes, et les
cousins l'avaient accompagnée. Dans un chuchotement passionné, elle avait glissé à Leo qu'elle se
débrouillerait pour sortir « quand la tante serait
endormie ». Incapable de fermer l'œil, Leo avait
passé une nuit affreuse, mais Kicha n'était pas
venue.

Elle ne se trouvait pas non plus dans la cour
pour cette cérémonie de la purification. Leo se
sentait un peu plus tranquille.

« Ne vous en faites pas, elle ne vous mangera pas », disait François.

Mariette était là, traînant à sa remorque le petit Suisse qui aujourd'hui encore lui portait son équipement, comme le jour où Leo les avait vus prendre l'avion pour Pokhra. Leo se sentit tout réconforté : il pourrait toujours se réfugier auprès de Mariette. Puis il aperçut les Ford et les Maltby, entendit les commentaires.

« Tiens, je croyais qu'ils ne s'adressaient plus la parole.

— Qui cela ? Les Ford ?

— Non, les Maltby.

— Oh, ils ne se voyaient même plus.

— Eh bien, eh bien !

— Je croyais qu'*elle* était avec le docteur.

— Il ne faut plus s'étonner de rien. »

Leo ne quittait pas Anne des yeux, espérant qu'elle allait remarquer sa présence.

« Elle est très belle, dit la voix paisible de François. Je suis très heureux. »

Anne tourna la tête, les vit, leur sourit, puis son regard vacilla, glissa sur tous ces visages qui l'observaient. Quand elle s'était détournée, John l'avait imitée. Apercevant Leo et François, il leur fit de la main un signe amical, puis se pencha vers Anne pour lui parler. Elle ne le regarda même pas, et il parut s'effondrer sur lui-même. Quoi qu'il doive advenir, se dit Leo, cet homme me fait de la peine. On ne pouvait s'empêcher de plaindre John, il avait un tel besoin d'Anne.

Il se fit un mouvement dans la foule, on entendit une fanfare lointaine, et la voix de Mariette ordonna au Suisse d'un ton sec :

« Mais mettez donc ça par terre, mon cher ; vrai, vous êtes un empoté. »

Unni entra. L'esprit aiguisé par la jalousie, Leo

perçut, comme Anne, la sexualité de l'homme, pareille à une dague. Il sut qu'Anne, en regardant Unni, recevrait un petit choc dans la poitrine, il entendit deux femmes se parler, il les vit se pousser du coude, tandis que leurs lèvres formaient le nom d'Unni. Le diable les emporte, songea Leo, amer et haineux.

Unni s'assit et se mit à regarder autour de lui, exactement comme l'avait fait Anne, jusqu'à ce qu'il la découvrît, après quoi il se mit à parler à Mike Young assis à côté de lui, tandis qu'Anne bavardait avec Eudora.

«Mon cher, voyez donc comme certaines gens savent s'y prendre pour brouiller leurs traces!» glissa Ranchit à Leo assis devant lui.

Leo fit semblant de ne pas entendre.

A l'une des extrémités de la longue cour, dans un retrait, des chaises avaient été placées pour le corps diplomatique. A l'autre bout s'élevait une sorte de hutte de branches vertes, formant un carré de six mètres de côté environ, couverte en chaume mais dépourvue de parois. Le Roi et la Reine s'y tenaient tantôt debout, tantôt assis sur un tapis à la manière asiatique, tandis que des prêtres bouddhistes psalmodiaient des prières, présentaient des offrandes et oignaient le Roi. Devant ce pavillon, une petite vache brune et son veau assistaient en témoins à la cérémonie.

Au mépris de tout décorum, reporters et photographes entouraient la hutte et se bousculaient presque sous le nez du Roi. Peu à peu les chaises se vidèrent, sauf celles des diplomates, la plupart des invités venant se mêler aux gens de la presse. John était parmi eux, appareil photographique braqué, jouant des coudes pour se rapprocher des souverains. Bientôt, il ne fut plus question d'étiquette, le pavillon se trouva cerné par les caméras et les corps. A travers ses lunettes noires, tandis que les prêtres vêtus de soie safran répandaient sur lui des pétales de fleurs et de l'eau, le Roi considéra la foule, puis dit quelques mots à la Reine. Deux fonctionnaires tentèrent de rétablir l'ordre, mais les éclairs de magnésium jaillissaient, les caméras cliquetaient, et certains des photographes les plus enthousiastes montaient sur des chaises pour mieux voir.

Eudora aussi s'était approchée et, plongée dans le ravissement, elle écoutait les chants, accompagnés par un petit orchestre. Anne, debout auprès de Fred, voyait le dos des prêtres et, entre leurs jambes, elle apercevait par instants le Roi, tout de blanc vêtu, la Reine en sari rouge étoilé d'argent. Au bout d'un moment, elle s'écarta. Le gardien caressait sa vache et sourit à Anne quand elle aussi flatta en passant la vache et le petit veau serré contre sa mère. De là elle pouvait voir Unni, qui n'avait pas bougé de son siège et la regardait. Il se leva. Il s'apprêtait à s'avancer vers elle devant tout le monde. Effrayée, elle revint vivement vers sa chaise, car son sang-froid l'avait abandonnée en le voyant se déranger. « Puis-je m'asseoir près de toi ? » demanda-t-il.

Elle lui indiqua le siège vide.

« Oh, ma bien-aimée, dit-il avec violence sans la regarder, car il se savait guetté par des yeux malveillants, je n'en puis plus. Te voir... avec tant de gens autour de toi. Rôder ainsi, ne pas te toucher, alors que la moelle même de mes os crie vers toi, je ne puis le supporter.

— C'est la même chose pour moi.

— Cela a été horrible ce matin, n'est-ce pas ?

— Pas horrible, ignoble.

— Oui. Cela t'a déplu, n'est-ce pas, que j'aie amené là Eudora ?

— J'ai trouvé cela trop habile.

— Je ne pouvais laisser John malmener Fred ; mais, en réalité, il s'en serait, je crois, tenu aux menaces. John sait très bien qu'il n'y a rien entre toi et Fred. Et, en ce qui me concerne, John ne *veut pas* comprendre.

— Pourquoi as-tu amené Eudora chez moi ?

— Cela m'a paru s'imposer. Je n'avais rien prémédité de semblable, mais cela s'est trouvé ainsi. Et tout a très bien marché.

— As-tu fait cela pour nous sauver ?

— Pas pour nous éviter d'être découverts. Nous sommes coupables et nous serons pris quand le moment viendra.

— Quand cela ?

— Il viendra. Je te promets que je ne serai pas toujours habile.

— Il faut avertir John. Aussitôt après le Couronnement.

— Que veux-tu exactement que nous disions à John ? demanda lentement Unni.

— Que toi et moi nous sommes... ensemble.

— Crois-tu qu'il comprendra ?

— Qu'entends-tu par là ?

— Si j'allais maintenant le trouver pour lui déclarer : "J'aime votre femme", il me rirait au nez. Et je ne peux pas lui dire : "Je fais l'amour avec votre femme", n'est-ce pas ? Ou alors il faudrait que je t'emmène quand je vais repartir. »

Elle avait oublié :

« Repartir ?

— Retourner au barrage, Anne. Ensuite ce sera l'époque de la mousson. Je pourrai venir te voir, mais pas tous les jours. Et je crie vers toi. Jamais je n'ai désiré une femme à ce point, de toutes les fibres de mon être. Mais je ne peux pas t'emmener maintenant. Pas au barrage, nous ne sommes pas autorisés à avoir des femmes avec nous. Plus tard peut-être, quand je serai libre, mais pas tant que je travaille. Il faut que je te laisse affronter John. Alors, que pourrais-je lui dire avant de partir, avant de t'abandonner ici avec lui et avec Isabel?

— Quand pars-tu? Non, ne me le dis pas, ajouta-t-elle vivement, cela me fait trop mal.

— Le plus tard possible. Et je reviendrai. Chaque fois que je le pourrai, chaque fois que le temps s'éclaircira et que je pourrai prendre l'avion. Promets-moi que tu me crois, Anne. Je t'en prie, aie confiance en moi.»

Il se leva. John revenait. Unni s'inclina en murmurant:

«Tu es mon amour chéri.» Anne le salua froidement de la tête et il partit.

«Qu'est-ce que cet individu avait à te dire? demanda John en s'asseyant près d'elle.

— Rien d'extraordinaire», répondit Anne.

Le Roi et la Reine sortaient maintenant de la hutte. A l'extérieur, dans des paniers plats tressés, dans des noix de coco, sur des plateaux, il y avait du grain, des fruits et des feuilles: les produits de la terre qui allaient être bénis par le roi.

Les reporters et les photographes suivaient, ils s'assemblèrent en foule derrière le roi qui quittait la cour, et Enoch P. Bowers vint serrer les mains de John et d'Anne. Il paraissait accablé de chaleur, mais rayonnant, car il avait trouvé le moyen d'être placé dans la galerie des diplomates, située tout au bout de la cour. Entre cette galerie et le pavillon, le trône d'apparat se dressait sur une estrade, de sorte qu'il n'avait à peu près rien pu voir de la cérémonie. Mais c'était la place des personnages importants, et il n'était qu'à deux chaises de la délégation chinoise :

« J'aurais pu entendre tout ce qu'ils disaient, affirmait-il.

— Et que disaient-ils ? demanda John.

— Ils ne disaient rien. Ces rouges sont bougrement prudents, jamais ils ne disent quoi que ce soit en public. »

Au *Royal Hotel*, à l'heure du déjeuner, Unni était avec des amis, Anne avec John, Fred et Eudora à une autre table. Puis ce fut l'interminable après-midi. Dans l'espoir d'être seule, Anne annonça son intention d'aller se reposer, mais à peine était-elle arrivée au bungalow que Leo, fuyant Kicha et ses cousins, y arrivait avec François. Il se laissa comiquement choir dans l'herbe, désireux d'amuser Anne. François prit des photos de Leo, qu'il appelait le lion prostré, puis il alla dans les champs cueillir deux épis de blé avec leur tige et les mit dans la main d'Anne :

« Vierge, vous êtes Vierge, n'est-ce pas ? Moi je suis un Verseau, ma place est en réalité dans une pièce d'eau, avec les poissons. C'est de cette manière que je vous vois, Anne, déesse des moissons, Vierge tenant deux tiges de froment moissonné, seulement vous moissonnez des mots et non pas du blé, n'est-ce pas ?

— Je crois que c'est du foin, dit Anne en souriant.

— Impossible, dit François en hochant la tête. Vous écrivez déjà dans votre tête, je le vois en vous. Il faut en profiter, profiter du vent qui souffle, comme en ce moment. »

Autour d'eux, le vent nourrissant, seigneur du ciel, repoussait doucement leurs cheveux dans une seule direction. Leo l'écoutait, étonné. Jamais il n'avait entendu François tenir des propos de cette sorte.

« Vous êtes presque un mystique, François.

— Un mystique sans y réfléchir », répondit François. Il tapota affectueusement les flancs de la caméra et poursuivit : « Voilà mon témoin, le témoin oculaire de mes jours, comme cette brave vache, là-bas, dans la cour, le seul véritable témoin de la cérémonie et le seul muet. Avez-vous remarqué, au-dessus de la tête de la vache, ces superbes sculptures érotiques ? Quel art, quelle sensualité ! Comme ils doivent être vivants, ces Nevâris, tout au fond d'eux-mêmes ! C'est pourquoi ils sont si beaux en dépit de leur affreuse pauvreté. » Il leva l'objectif, prit un instantané d'Anne sans qu'elle s'y attendît : « Grâce à ceci, à mon témoin muet, je vois non seulement les gens, mais leur "aura". Votre aura, Anne, est toute dorée. Vierge des moissons dans le soleil doré. Vous en aviez une toute différente à Calcutta.

— C'est que je suis maintenant une personne différente.

— Pas complètement. Disons que vous êtes une personne plus importante. Mais ne soyez pas trop sage. N'ayez pas peur de sauter dans l'inconnu. »

Sur ces entrefaites, John survint, accompagné d'Isabel, de la Géographie, d'Enoch, de Pat — et aussi de Fred et d'Eudora, un peu guindés.

« Nous voilà, dit Pat, nous avons eu l'idée de passer vous voir. Rien au programme d'ici ce soir, avant la garden-party du Roi, alors nous venons vous faire une petite visite. Tout le monde s'entre-rend visite aujourd'hui. Comme c'est gentil chez vous ! s'écria-t-elle en s'asseyant dans l'herbe.

— Oui, dit John, exactement le cadre qui convient à un écrivain. »

570

On eût cru qu'il avait commandé le paysage tout spécialement à l'intention d'Anne.

« Ainsi, se disait Anne, c'est cela la tactique que compte adopter John. Il va s'infiltrer ici, il va y venir, flanqué d'Isabel, de la Géographie, d'autres encore. Bientôt il y sera aussi souvent qu'il lui plaira. Nuit et jour. »

La chaleur de l'après-midi les rendait tous un peu acerbes. Isabel discutait avec François. Elle venait de s'exclamer sur « l'absurdité » des cérémonies de la matinée :

« Elles ne sont pas plus absurdes que certaines des horreurs que nous perpétrons au nom du Christ, répondit-il.

— Mais comment pouvez-vous dire une chose pareille ! s'exclamait Isabel. Je sais que nous avons nos faiblesses, des faiblesses humaines. Mais, grâce à notre religion, nous apportons à ces gens un mode de vie infiniment supérieur au leur. Je ne vois pas comment nous pourrions y parvenir en dehors de l'idéal chrétien. Songez aux améliorations, au progrès...

— C'est là que vous faites erreur. Le progrès, les améliorations, les soins médicaux, l'instruction sont les produits de l'humanisme et non de la religion. Et, pour survivre dans le monde moderne, la religion doit adopter un programme complet de progrès social. Faute de quoi elle se serait éteinte depuis longtemps, car elle se préoccupait uniquement de l'âme, comme c'est encore le cas ici à Khatmandou. Ce sont les écoles, l'hygiène, les routes et le progrès qui détruiront les temples en ce pays, et non pas vos sermons.

— Nous ne sommes pas autorisés à prêcher le christianisme ici, répliqua Isabel. Nous nous bornons à montrer, par l'exemple, que notre religion propose à ses fidèles un idéal élevé et noble, au lieu de ces idoles abominables et de ces façons ridicules de jeter des fleurs partout.

— C'est justement ce qui me plaît tellement, s'écria Eudora. Les gens de ce pays sont si ingénus, si purs, si spontanés, complètement libérés de ce terrible complexe de culpabilité en ce qui concerne les questions sexuelles. Ils n'y pensent même pas, tout simplement.

— Ils y pensent tout le temps!» s'exclama Isabel, dont la voix tremblait de fureur.

La rougeur qui l'envahissait maintenant de plus en plus souvent empourprait son visage, son cou et ses bras.

« Ce sont des êtres immoraux. Croupissant dans l'impiété et l'impureté.

— La religion et les principes moraux sont deux choses différentes, riposta François avec une logique bien française.

— Allons donc, interrompit John d'un air jovial, vous cultivez le paradoxe! La religion et les principes moraux doivent marcher la main dans la main. Je veux dire qu'il convient d'avoir une personnalité intégrée, ne trouvez-vous pas?

— Comment? dit François. Qu'est-ce que c'est qu'une personnalité intégrée?

— Oh, je veux dire par là qu'une personne, un individu, doit toujours rester fidèle à ses croyances, agir en accord avec ses principes.

— Mais qu'entendez-vous par individu? demanda François. Qu'est-ce qu'une personne? Qu'est-ce qu'un individu? Pour ma part, je ne sais jamais au juste ce qui va sortir de moi. Tous les artistes se trouvent en présence de cette même énigme à résoudre: la recherche de leur vrai moi, ou de leurs moi. Même les gens normaux comme vous, monsieur, deviennent des êtres différents quand ils se trouvent en face de situations différentes. Nous avons peut-être un fond, un moi profond bien défini, mais les modalités que nous présentons sont infiniment variées. Je préfère considérer l'âme humaine comme un conglomérat d'éléments connexes et non pas comme un bloc — un système complexe d'électrons énergétiques tourbillonnant dans des orbites variables et sans cesse changeantes.

— Je crois être parfaitement d'un seul bloc, dit John d'un ton pincé. Dieu merci, je demeure toujours moi-même.

— Comme c'est assommant! dit François. Je veux dire que vous devez trouver assommant d'être toujours le même. Et d'ailleurs je ne vous crois pas. »

Il leva son objectif et prit un instantané de John :

« Avec ceci, dit-il en frappant du plat de la main sur l'appareil, je vous ai déjà vu devenir trois personnes différentes : l'une avec votre femme, l'autre avec moi, et une troisième avec cette dame, dit-il en montrant Isabel. Et je suis sûr que Madame, ajouta-t-il en s'inclinant devant la Géographie, pourrait tirer de vous encore un autre John Ford.

— Mais voyons, je... minauda la Géographie, rougissant sous sa peau farineuse. Vous n'êtes qu'un grand taquin.

— Eh bien, nous n'avons pas le temps d'écouter vos arguments, si intéressants soient-ils, dit John en regardant sa montre. Il sera bientôt l'heure d'aller s'habiller pour la garden-party. Tu y viens, Anne ?

— Je ne sais pas encore.

— Veux-tu que je t'attende ?

— Non, tu ferais mieux de partir devant. J'irai seule, j'ai une carte.

— Il serait plus convenable que tu y viennes avec moi, avec ton mari.

— Je ne suis pas encore décidée. »

John se tourna vers les assistants :

« A-t-on jamais vu une femme plus capricieuse ? » demanda-t-il.

Un silence suivit.

A ce moment, comme dans une revue à grand spectacle, on vit surgir du buisson de rosiers Kicha et sa demi-douzaine de Sikhs barbus et enturbannés.

« La phalène et la flamme, murmura le Feld-Maréchal. Ils ne cessent de se chercher. »

Même dans une foule aussi dense que celle de la garden-party royale, le Feld-Maréchal avait le don de découvrir les visages des gens qui l'intéressaient. Il ne bougeait pas de sa place, mais rien ne lui échappait. Le Père MacCullough riait très fort. Enoch était interviewé pour la troisième fois de la journée, alors que les journalistes avaient abordé une fois seulement le Père pour lui demander des tuyaux sur la situation au Népal. Isabel s'entretenait avec le ministre de l'Education, et l'énigmatique sourire de lotus empreint sur le visage de ce dernier suffit à révéler au Feld-Maréchal la nature des propos — certainement accusateurs — que tenait Isabel. Interviewée pour *Life*, l'Histoire semblait paralysée par l'émotion. La Géographie levait des yeux ébahis sur John, qui pérorait devant quelques officiels népalais. Mike Young ne quittait pas des yeux Rukmini, mêlée à un groupe de Népalaises agglutinées les unes aux autres. François, insaisissable et comme élastique, son appareil autour du cou, enregistrait le moment

lourd de sens, la seconde précieuse où le plisse-
ment des traits, la lueur dans les yeux, la
complexité des gestes se trouveraient réunis et
auraient acquis le sens qu'il leur voulait. On
pouvait voir aussi un Leo à l'œil éteint, qui
semblait avoir beaucoup transpiré, et une Kicha
fraîche et rebondie, très «épouse», un peu trop
débordante à tous points de vue, assurant son sari
sur son épaule en promontoire, faisant choir avec
son sac en plastique tout un plateau de rafraîchissements. Mariette, vêtue d'une robe sans épaulettes, mais portant des gants longs, une touffe de
roses nichée dans une «tournure» très bas par-
derrière (une tournure prodigieuse qui hypnotisait
le poète hindou), cambrait tout son corps vers
Unni; et les yeux d'Unni erraient de côté et
d'autre à la recherche d'Anne.

Les groupes se mêlaient et se dissociaient. Unni
se déplaça pour conduire Mariette vers Leo: par
suite de cette manœuvre, le poète hindou, tiré de
sa contemplation, se trouva, non plus en présence
des roses de Mariette, mais face à face avec elle.
Puis, se glissant de biais entre les invités pour
aller parler au Père MacCullough, Unni parvint
jusqu'à Anne qui, accompagnée d'Eudora et de
Vassili, se tenait non loin du prêtre. De nouveau
côte à côte, ils riaient tous les deux des propos que
tenait Vassili, le regard fixé droit devant eux. Ils
burent, puis, une fois le verre aux lèvres, à l'abri
de ce masque, leurs yeux se rencontrèrent.

Ranchit apparut et s'adressa à Anne, comme
s'il ne remarquait même pas la présence d'Unni.
Anne revint vers le Père, et Unni se mit à parler
au Colonel Jaganathan, puis à François. Après
avoir décrit cette courte orbite, il se retrouva
auprès d'Anne.

Fred, l'air un peu égaré, s'entretenait avec le

conservateur du musée, quand le Père MacCullough, abandonné maintenant par Anne, lui amena Eudora.

« Bien joué, songea le Feld-Maréchal, bien joué, Eudora ! »

Ranchit était revenu auprès d'Anne. Caressant sa petite moustache, il considérait avec impudence le contour des seins de la jeune femme sous sa robe. Mike Young riait avec Rukmini à quelques pas de là.

Un nouveau remous, et Fred se trouva aux côtés du Feld-Maréchal tandis qu'Eudora allait émerger dans un groupe d'Américains.

« Quelle cohue ! dit Fred.

— Un mélange bien séduisant, répondit le Feld-Maréchal.

— Je ne sais pas, dit Fred. Tout cela ne m'a pas l'air vrai.

— Permettez-moi, dit gravement le Feld-Maréchal, de vous exprimer mon admiration pour la manière dont vous prenez la situation en main. Avec une extraordinaire diplomatie. Extraordinaire. »

Fred fut tenté de protester, mais, bien qu'il le sût immérité, le compliment lui fit plaisir. Il dit faiblement : « Oh, voyons... » mais ses yeux cherchèrent Eudora. Pas mal du tout. Une ossature légère. Une conversation agréable. Sharma et le poète hindou la trouvaient sympathique. Le Général la tenait en haute estime. Unni était son ami, elle était certainement très compétente en matière de musique. Et puis elle n'avait pas l'air de s'accrocher à lui, ce qui eût été déplaisant. Elle ne l'importunait nullement, pas une seule fois elle n'avait cherché à déterrer le passé. Elle n'avait pas demandé d'explications, ni pleuré, ni rien.

Cette surprenante Eudora, si différente de

l'image qu'il avait obstinément conservée d'elle, contribuait à créer l'impression d'irréalité qu'il éprouvait depuis la scène du matin avec John. C'était une perte de contact, le sentiment de vivre dans un nuage, une agréable désincarnation, à l'exemple de ces lamas thibétains qui quittent leur corps et le contemplent à un mètre de distance ; cela ressemblait un peu à la fatigue physique qu'il éprouvait après avoir pratiqué une opération épuisante, quand il avait l'impression de flotter, de rêver éveillé.

Cette impression d'irréalité, Fred l'éprouvait souvent au sujet d'autres personnes. Ses perceptions cliniques, extra-sensorielles, lui permettaient de les juger, physiquement et moralement, comme le fait tout bon médecin. Leurs propos, leurs gestes, les rides de leur visage, le mensonge ou la sincérité qui colorait leur voix lui fournissaient, au bout de vingt années de pratique, un diagnostic sur l'individu considéré comme un tout et non pas comme un assemblage d'organes. John, par exemple, le principal personnage de la matinée, d'abord fou de rage, puis d'une humeur charmante à la cérémonie de purification, où l'on put voir un John heureux, énergique, le contraire exactement du John écumant et grossier qu'il avait été quelques heures plus tôt. Seul un médecin connaissait bien cette conjugaison des contraires qui constitue l'être humain et savait que ces deux êtres formaient un John unique. Fred songeait à la conduite de John, à son apparence si brusquement modifiée, à la gamme de ses émotions, si conventionnelles, si prévues et donc si manifestement fausses. C'est quand ils jouent un rôle que certains êtres sont le plus vraiment eux-mêmes, comme s'il leur fallait feindre les sentiments qu'on attend d'eux avant de les éprouver réellement. Dans les pseudo-sentiments manifestés par les gens incapables d'émotions sincères, on retrouve un facteur commun qui est la violence. L'exagération est le symptôme du factice, de même que les châteaux de carton sont plus crûment colorés, présentent des angles plus vifs que dans la réalité qu'ils imitent. Peut-être l'outrance semble-t-elle nécessaire pour convaincre ces gens-là d'une réalité qui n'existe pas en eux.

En présence du faux-semblant, c'était toujours cette impression d'irréalité qui s'emparait de Fred. Le matin même, quand John le malmenait, il craignait avant tout que son sweater ne fût abîmé, et maintenant, comme dans un rêve, il observait les mouvements de cette marionnette, le docteur Maltby, dont lui-même, Fred, tirait les ficelles, un personnage que ne troublait pas la présence d'Eudora, qui prononçait des phrases conventionnelles, fumait des cigarettes, allait là où il était poussé par le flot des visages, des voix, des gestes, des yeux, des caméras, perdu dans la foule d'une garden-party, jusqu'au moment où ce flot le déposa devant le Feld-Maréchal.

De là, Fred observait à loisir le spectacle et tous les jeux de scène. Il vit Anne et Unni séparés par une distance plus vibrante qu'un contact, chargée de leur mutuel désir, il vit Rukmini, un petit sourire au coin de la bouche, écoutant Mike Young, il vit Sharma s'approcher d'eux :

« Ils sont tous les deux amoureux d'elle, dit-il au Feld-Maréchal.

— Oui, mais Mike Young est le plus digne, répondit le Feld-Maréchal. Rukmini devrait divorcer pour épouser cet Américain.

— Je ne vous croyais pas aussi large d'esprit, dit Fred, stupéfait.

— Je n'aime pas voir une chose belle entre les

griffes de la bassesse, ni le talent réduit à néant par la stupidité sentimentale. »

Ses yeux découvrirent comme par magie un John hilare se dirigeant vers Anne, traînant plusieurs personnes dans son sillage. De toute évidence, il allait les présenter à sa femme.

« J'ai tiré l'horoscope de Mrs. Ford, dit le Feld-Maréchal, une belle destinée, malgré ce qu'en penseront certains. Les gens inclinent à croire qu'une femme doit tout entière appartenir à un homme. Mais il arrive parfois qu'une femme ait pour la vie une passion d'une intensité exceptionnelle. Pour elle, l'état d'épouse comblée, de maîtresse de maison et de mère est un état malheureux : elle n'est pas faite pour un bonheur aussi banal.

— J'espère que tout va s'arranger pour le mieux, dit Fred. Unni est mon ami et j'ai beaucoup d'affection pour Anne.

— Comme vous le savez, répondit Feld-Maréchal, dès le début, tout cela était inévitable. »

« Anne, je deviens fou dans des conditions pareilles. »

C'était Unni. La foule indiscrète les observait, de tous ses yeux, de toutes ses oreilles.

« C'est un supplice. Je te veux. Tenir ta main, être avec toi. Chaque minute sans toi est un siècle d'enfer. Et ce soir il y a un banquet officiel, une représentation théâtrale. Je ne pourrai venir que très tard, mais je viendrai. »

Miss Spockenweiller s'avança vers lui :

« Mr. Menon, pourriez-vous donner une confé-

rence à la réunion des dames du Point Quatre ?
Vous nous l'aviez promise, l'an dernier. »

Ils se rencontraient, se croisaient, se perdaient
comme des nageurs dans la mer.

Et jamais ils n'avaient senti le temps fuir avec
une aussi désespérante rapidité.

Il était quatre heures du matin quand il arriva,
hors d'haleine comme s'il avait couru. Anne,
éveillée, lui tendit les bras, le serra contre elle avec
avidité. Le jour allait si vite venir, le jour du
Couronnement.

Berçant Anne dans ses bras, berçant ainsi leur
peine commune, il dit :

« Crois-moi, un jour nous serons réunis, un jour
je t'emmènerai dans les montagnes.

— J'ai foi en toi », dit Anne, et elle n'ajouta pas
que ce dont elle doutait c'était de sa propre
destinée.

Il faisait grand jour quand il partit, surveillé
par quels regards aux aguets ? Ni lui ni Anne ne
s'en souciaient. Ils souhaitaient la découverte
comme une libération.

Le jour du Couronnement débuta dans l'habituel vacarme des corbeaux et le grouillement de la
foule. Les hommes, coiffés de bonnets et vêtus
d'étoffes tissées à la main, formant des lignes
grises le long des rues ; les femmes, telle une
armée en désordre, étincelante, éblouissante, en
escadrons, en bataillons, assises ou debout sur les
gradins des pagodes, les pagodes elles-mêmes
pour ainsi dire disparues, remplacées par de

massives pyramides de femmes montant jusqu'en haut des toits, des femmes couvertes de colliers, les narines et les oreilles étincelantes de pièces de cuivre, leurs noirs cheveux brillants piqués de turquoises et d'or, en lourdes jupes sombres, tenant des ombrelles, des femmes partout, entre les statues des dieux et sur les toits. Dans les rues, les soldats et les policiers veillaient à ce qu'un passage fût laissé libre au milieu, mais les enfants se glissaient entre leurs jambes, presque sous les jeeps et les voitures qui, en cornant à chaque tour de roue, se frayaient lentement un chemin vers la grande place.

De même que la cérémonie de purification, le Couronnement avait lieu dans la cour centrale du vieux palais. L'assistance semblait plus dense encore que la veille. Les diplomates étaient dans leur galerie étouffante, les généraux et les ministres sur leurs chaises, les reporters et leurs batteries de caméras, partout. Comme la veille aussi, il y avait la vache et son veau, les prêtres, une poignée de paysannes psalmodiant des chants, et le Mégalorama.

Cette fois encore, Anne, accompagnant Eudora et Fred, était assise à côté de John, mais un John maussade et distrait, comme enrobé d'une dureté nouvelle. Ranchit avait pris place auprès d'elle sans qu'elle l'en eût prié et regardait Unni d'un air insolent, comme pour le braver. John s'éloigna avec un groupe de journalistes exaspérés de n'avoir pu obtenir une explication plausible de la présence de la vache :

« Dites, John, venez à notre secours, voulez-vous ? Nous n'arrivons pas à comprendre ce que nous raconte ce type-là.

— Belle Anne, dit Ranchit, comment peut-on vous quitter ? »

Anne détourna la tête.

Une grosse femme au visage rond et heureux, aux cheveux très noirs, chantait maintenant, dirigeant, tel le chœur antique, un peloton de paysannes groupées autour de la hutte :

« C'est Suriyah, expliqua Ranchit, une courtisane en même temps qu'une chanteuse de talent. Toutes les castes et tous les métiers sont représentés, même la plus ancienne profession du monde. N'est-ce pas charmant ?

— Un signe de tolérance, en tout cas », répondit Anne.

Peut-être était-ce à cause de la présence de Suriyah que John avait l'air si gêné. Comme si Anne s'en souciait !

John revint. Il lança vers Suriyah un regard furtif. Blumenfeld l'accompagnait et lui demandait des éclaircissements.

« Qui sont ces femmes ? disait-il en désignant les choristes guidées par Suriyah.

— Des chanteuses », dit John.

Blumenfed prit un instantané.

« C'est un spectacle fabuleux, dit Enoch P. en passant devant eux pour gagner la galerie des diplomates. Nous avons même un reporter de Radio-Islande. »

On entendit une sonnerie de trompettes, une marche militaire, et bientôt s'avança une escouade de soldats en tunique rouge, précédant des porte-étendards tenant d'étincelants éventails de plumes de paon incrustés de petits miroirs, et des prêtres en robe de soie jaune. Le Roi et la Reine suivaient, montés sur un éléphant qui, arrivé à la grille, s'agenouilla pour leur permettre de descendre. Après quoi, abrité sous des parasols miroitants, rouge et or, tandis que les hérauts agitaient les éventails de plumes de paon, le couple royal pénétra dans la cour, puis disparut à l'intérieur du palais, accompagné des prêtres et de quelques hauts dignitaires. Pendant ce temps, dans la cour, les invités attendaient sous le soleil, tandis que jouaient deux orchestres — la musique militaire en tunique rouge et un autre orchestre composé de cors, de tambours et de clarinettes semblables à des chalumeaux qui exécutait des chants religieux védiques de l'Inde du Sud.

Au bout d'une heure, le Roi et la Reine ressortirent et vinrent s'asseoir dans le pavillon couvert de chaume, où la veille avait déjà eu lieu la purification, et la cérémonie se déroula, incompréhensible pour la plupart des spectateurs. Les prêtres brahmanes et les prêtres bouddhistes oignaient le Roi en psalmodiant, les correspondants de presse et les photographes se pressaient autour du pavillon, le Mégalorama cliquetait et ronronnait. Enfin à 10 h 33, à la minute fixée par les astrologues, quand le soleil, la lune et toutes les planètes déclarées favorables par les prêtres se trouvèrent dans la conjonction qui convenait, le Grand Prêtre Royal plaça sur la tête du Roi la couronne du Népal, un casque serti de gemmes précieuses, de perles et d'émeraudes, surmonté d'un oiseau de Paradis.

Le Roi et la Reine s'assirent ensuite sur le trône du Serpent à neuf têtes, élevé sur une estrade couverte d'un dais, à côté du pavillon à toit de chaume. Sous le trône, on avait étendu des peaux de buffle d'eau, de daim, d'éléphant, de lion et de tigre. La famille royale et les princes descendirent de la galerie du premier étage où ils étaient jusqu'alors assis, pour venir s'agenouiller devant le Roi, lui rendre hommage et jeter des pièces de monnaie sur le sol à ses pieds. L'un après l'autre, les envoyés extraordinaires et les diplomates vinrent également lui rendre hommage, puis les fonctionnaires ranas ainsi que les représentants de chaque caste, de chaque métier ou corporation. Emportés par le flot qui battait le trône, Anne et Unni furent une fois de plus jetés l'un contre l'autre, et ce fut assez pour qu'ils se sentissent à nouveau hors d'eux-mêmes, fiévreux, hallucinés par cette soif sans fin.

Puis ce fut le déjeuner au *Royal Hotel*, avec l'habituel mouvement de flux et de reflux. Blumenfeld parlait de Vichnou, Leo, ombre dolente de son ancien moi, tout en ressorts et en angles, était à la même table que Kicha et ses cousins. Il fallut subir la corvée du repas en l'absence d'Unni. Mike Young et le Colonel Jaganathan arrivèrent ensemble, l'un très blond, l'autre très noir, le jour et la nuit, comme les appelait Vassili. Quand il vit Ranchit, le jeune Américain chercha aussitôt Rukmini, mais elle ne se trouvait pas là. Enfin, Chérie, la fille du Rampoche, vêtue de satin brillant orange et vert, traversa la bruyante assistance dans un froufrou de soie et se dirigea tout droit vers Anne.

« Mrs. Ford, je suis si heureuse de vous voir. Mon père voudrait vous inviter, ainsi que Mr. Ford et de très nombreuses personnes, à un simple repas thibétain.

— De quoi s'agit-il ? » demanda John.

Anne fit les présentations.

Chérie avait l'air soucieuse :

« Il faut que vous veniez tous. Mon père a déjà invité une importante assemblée de messieurs et de dames. Il y aura l'ambassadeur de Chine, Mr. Bowers, des généraux, Mr. Menon et...

— Je regrette vivement, dit John, mais nous sommes déjà en train de déjeuner ici. Une autre fois peut-être.

— Alors voici une lettre pour vous de la part de mon père, dit Chérie en déposant une enveloppe dans les mains d'Anne.

— Qui est cette fille ? demanda John, soupçonneux.

— Une de mes élèves », répondit Anne, qui avait glissé la lettre dans son sac.

Le déjeuner achevé, elle alla se réfugier dans les toilettes des dames, où elle en prit connaissance.

Ma chère nièce.

Je vous envoie ce billet pour vous avertir qu'hier j'ai entretenu notre ami Mr. Menon de contrats pour la fourniture de sable et de pierre à chaux, auxquels Mr. Menon n'a pas pris un intérêt suffisant.

Diverses personnes ont précédemment obtenu des contrats de notre ami Mr. Menon. Ma chère nièce, il faut s'entraider. Je vous considère comme ma propre fille, aussi n'ai-je pas hésité le moins du monde à vous mettre à contribution. Si vous le voulez bien, faites, je vous prie, tout votre possible pour obtenir ces contrats pour la fourniture de sable et de pierre à chaux. La personne qui a besoin de ces contrats est mon ami intime. Depuis longtemps il me tourmente à ce sujet. Je lui ai promis que je les obtiendrai, sachant bien que vous m'aideriez en demandant à notre cher Mr. Menon de les accorder à mon ami. Soyez assurée que je vous serai toujours reconnaissant de ce service ainsi qu'à Mr. Menon.

Je vous en dirai plus long quand nous nous rencontrerons.

Je demeure bien affectueusement vôtre.

LE RAMPOCHE DE BONGSOR.

Anne lut cette missive avec un sourire incrédule, la déchira et la jeta dans la corbeille à papiers.

Au cours de l'après-midi, un Durbar eut lieu dans la vaste prairie de Khatmandou. Mais, bien que la solennité fût prévue pour deux heures, il en était quatre quand les invités, assis sous des tentes à l'abri du chaud soleil, virent arriver le long de la route, dans les tourbillons de poussière et les clameurs, pareils à des pagodes en marche, des éléphants peints et caparaçonnés, les ongles dorés, leurs oreilles en écran ornées d'arabesques de fleurs, portant des palanquins sur leur dos. Des danseurs masqués les précédèrent jusqu'au moment où les éléphants s'agenouillèrent devant une arche donnant accès à la prairie. Les diplomates juchés sur leur dos en descendirent (l'ambassadeur de France, superbe avec son bicorne, sauta lestement le long des flancs de la bête), suivirent le chemin garni d'un tapis rouge jusqu'au pavillon central où le roi, du haut de son trône, allait prononcer le discours du Couronnement. En bordure du chemin s'alignaient deux cents dieux ou déesses de six pieds de haut, aux visages dorés, somptueusement vêtus et coiffés de joyaux, protégés contre la lumière éblouissante par des parasols de cérémonie rouges et éventés par les serviteurs chargés de veiller sur eux. Ils provenaient des temples de Bhadgaon, de Patan et de Kirtipour, d'où on les avait transportés pour figurer au Durbar. Autour d'eux tournoyaient un millier d'invités divers et des journalistes qui se plaignaient de la chaleur et faisaient de fréquentes incursions du côté de deux petits éventaires où l'on pouvait acheter du jus d'orange.

Un nouveau brouhaha, un vacarme de trompettes et, sur le plus grand des éléphants, drapé d'écarlate et d'or, porteur de défenses magnifiques, le Roi et la Reine firent leur entrée, précédés par l'appareil du Mégalorama fixé sur un camion. Quand, descendu de son palanquin, le couple royal, en costume de cérémonie, couronne et diadème en tête, s'avança sur le chemin recouvert d'un tapis rouge, la machine marchait devant lui avec son escorte, pareille à un dieu nouveau, un dieu doué du mouvement.

« Hé, le Roi, hé, le Roi, pas si vite ! » cria l'un des opérateurs.

Le visage pâle, sévère et jeune du grave Roi du Népal ne manifesta aucune émotion, peut-être à cause de ses lunettes noires. Précédés par le Mégalorama, et suivis par la foule, le Roi et la Reine montèrent les marches du pavillon et s'assirent sur le trône.

« Je me demande si les Népalais vont finir par se fâcher », dit Eudora.

Mais les Népalais n'étaient pas fâchés. Ils considéraient la machine comme une bonne plaisanterie, ou comme une nouvelle divinité qui manifestait une curiosité amusante, mais cette curiosité ne troublait pas leur paix intérieure. Ainsi, malgré certains détails rappelant l'opéra-comique, le Couronnement demeurait une cérémonie empreinte de dignité.

Les microphones tombèrent en panne, personne ne put entendre le discours du Roi, et le Durbar se termina brusquement.

Couverts de sueur, les diplomates remontèrent sur leurs éléphants. Paul Redworth jeta vers Anne un regard d'angoisse en retrouvant le sien, qu'il partageait avec le comte de Scarborough, visage écarlate en sueur émergeant du manteau de velours et du ruban bleu, ainsi qu'avec l'envoyé chinois en casquette d'ouvrier et uniforme de mince soie noire. Un détachement de Ghurkas jouait une marche militaire, la foule commençait à s'écouler, les familles se réunissaient, les gens s'éloignaient par petits groupes.

Plus tard, quand ses souvenirs, engourdis sur le moment par la présence de John, redevinrent plus précis (il me prend mes yeux et mes oreilles, songeait Anne, regardant John d'un œil malveillant, ne trouvant pas de meilleure formule pour décrire la paralysie momentanée de ses perceptions quand il était près d'elle), Anne devait se rappeler la police repoussant la foule à coups de bâton, les jarres d'argile déposées le long du chemin, dans lesquelles le Roi jetait des pièces de monnaie, une pyramide de femmes à parasols noirs pareille à un gigantesque corbeau couvert de plumes hérissées. Elle était venue avec Eudora et Fred, mais maintenant, comme elle retournait vers la lointaine place poussiéreuse où étaient parquées les voitures, Unni marchait à ses côtés.

« Je te reconduis. »

Le temps de la prudence était passé, elle irait avec lui là où il voudrait, là où il irait. Leur jeep s'insinua dans la lente queue des véhicules qui s'en retournaient à travers les rues de Khatmandou.

« Nous avons encore quarante-huit heures à être ensemble. Je les veux toutes. »

Soudain, elle se sentit irritée contre lui et contre tout le concours de circonstances qui provoquait cette irritation, parce que Unni la bouleversait à tel point qu'elle ne s'appartenait plus : il n'avait qu'à la regarder et elle était à lui. Pendant toute la journée, leurs corps avaient eu faim l'un de l'autre et maintenant elle était lasse, lasse et prête à pleurer.

Le soleil descendait derrière les montagnes et,

sous les jeunes arbres, le vent poussait l'herbe dans la direction habituelle. Anne s'effondra sur la pelouse en disant :

« Je suis fatiguée, fatiguée.

— Repose ta tête sur mon épaule », dit Unni.

Il s'assit le dos appuyé contre un tronc, elle s'installa dans le creux de son bras ; bientôt son corps, frissonnant, endolori comme si on l'avait battue, s'apaisa. D'un instant à l'autre, elle allait s'endormir. Quelques minutes — ou quelques heures ? — s'étaient écoulées quand elle sentit se raidir l'épaule qui soutenait sa tête et, ouvrant les yeux, elle vit d'abord les souliers, puis au-dessus des souliers les jambes de pantalon, enfin les visages d'Enoch et de John.

Il y eut un silence, un moment de pétrification, la tête d'Anne reposant toujours sur l'épaule d'Unni, et, dans cet instant, tout devint clair comme du cristal : l'épaule qui soutenait sa tête, le visage d'Enoch Bowers, l'expression de John. Jusqu'alors elle n'avait pas remarqué que les dents du haut d'Enoch étaient fausses ; maintenant, en levant les yeux, ce fut la première chose qu'elle vit.

« Tiens, bonjour », dit la voix d'Unni, dont elle perçut la vibration à travers l'étoffe de son veston. L'épaule bougea légèrement. Si cette épaule se retire, alors tout cela n'est que mensonge, il a menti, c'est un lâche. Au moment même où elle se disait cela, l'épaule avait reculé, pas plus d'un centimètre, certainement pas davantage, car elle en percevait encore la chaleur. Et il ne s'était pas levé, il était toujours assis là derrière elle, si bien que, par la suite, jamais elle ne put savoir si pendant cette fraction de seconde il avait eu peur ou s'il avait simplement changé de position.

« Oh... heu... » répondit Enoch.

La bouche de John se crispa. O mon Dieu ! priait Anne, voyant les lèvres de John s'affaisser, ses yeux bleus s'embuer de chagrin, un chagrin auquel elle ne pouvait rien, faites, faites, mon Dieu, qu'Unni ne soit pas trop habile ! Car en cet instant, en même temps que le mouvement de recul de son épaule, elle eut conscience de ce qu'il y avait de ruse dans la candeur d'Unni, elle le vit tel qu'il était, prudent et gardant toujours la tête froide ; il avait d'avance envisagé cette rencontre, répété la scène, pris ses précautions, prévu les réactions de John, et il allait se tirer d'affaire, avisé et compétent, comme s'il s'agissait de réparer un pneu crevé. Cette rapidité et cette précision, qui lui donnaient l'air de demeurer toujours le maître des événements, était intolérables. Il va jouer avec John comme le chat avec la souris. Même s'il ne dit et ne fait rien, ce sera par choix, non par contrainte. Pour sa part, elle était comme hypnotisée par le dentier d'Enoch, par la souffrance sincère, affreusement ridicule, de John, elle ne pouvait que formuler dans son cœur une prière pour que l'habileté d'Unni ne dépassât pas les bornes.

« Eh bien, dit Enoch, nous sommes venus... Miss Maupratt nous a dit... enfin je voulais vous dire que le Club de la Vallée donne une soirée dans deux jours, alors nous avions pensé... »

Il regarda John.

Unni se leva. Il ne brossa pas ses vêtements dans un geste inutile destiné à meubler le silence. Debout maintenant, il faisait face à John, sans même un regard pour Enoch.

Le visage de John se glaçait. Pourtant, encore frappé de stupeur, il se refusait à croire.

« Bonsoir, dit Unni, très calme.

— Bonsoir », dit John, qui reprit brusquement

ses esprits. La douleur disparue, une incrédulité accablée subsistait: « Nous sommes venus pour parler à Anne, ma femme. »

Ces derniers mots semblèrent le mettre en colère. Il prit un air menaçant et considéra Unni de haut en bas.

« Alors, dit vivement Enoch, nous voulions vous avertir, Anne, que nous organisons une petite réunion des membres du Club de la Vallée après-demain, au *Royal Hotel*. Tout le monde y sera, pratiquement. Nous avons pensé que ce serait une bonne idée de fêter l'ouverture du Club au moment des fêtes du Couronnement. John a voulu venir ici pour vous en parler. Nous avons déjà vu Isabel.

— Merci, dit Anne, je verrai si je peux venir.

— Eh bien, s'écria Enoch, voilà qui est parfait ! Je crois qu'il faut partir, John, nous avons encore plusieurs personnes à voir et la journée a été longue. J'espère, Anne, que vous avez, comme nous, trouvé les fêtes très belles.

— J'ai beaucoup aimé le défilé des éléphants.

— Les éléphants, oh oui, c'était un cortège fabuleux. Eh bien, nous nous verrons peut-être ce soir, à la représentation de gala. »

Sans mot dire, John pivota sur ses talons. Anne et Unni s'étendirent à nouveau dans l'herbe en silence. Enfin Unni dit:

« John ne veut pas savoir que c'est moi. Tant qu'il ne le sait pas, il a l'impression de ne pas t'avoir perdue. Quand je serai parti, il fera une scène. Pas avant. »

Chapitre 11

La semaine du Couronnement s'effritait. Par un chaud après-midi, des Jeux Nationaux se déroulèrent. Le numéro le plus applaudi fut celui des « Chaises musicales[1] », à l'occasion duquel on vit Paul Redworth, le commandant en chef, le ministre des Affaires étrangères et un ou deux généraux ranas courir au soleil. Le soir de la garden-party des Redworth, les projecteurs firent brusquement défaut et pendant un quart d'heure, au cours duquel Unni demeura introuvable, une obscurité totale régna. Il y eut aussi une exposition d'art artisanal népalais et des banquets.

Les séparations, à moins qu'elles ne se produisent de façon brutale, durent interminablement dans le temps et dans l'espace. La privation redoutée de la présence physique, l'angoissante perspective des minutes finales créent un état de malaise qui dure pendant des heures et des jours. Pour Unni et pour Anne, une certaine franchise empêchait que le chagrin futur n'exaltât la joie du moment. Ils avaient conscience d'un élément corrupteur — l'appréhension de la souffrance — qui faisait pencher vers les réminiscences la balance de chacun des instants qu'ils vivaient, au moment même où ils en jouissaient. Pour Anne,

1. Jeu de société dans lequel les joueurs tournent autour d'un cercle de chaises au son de la musique. (N. du T.)

ces dernières heures étaient un fardeau, un fruit trop mûr prêt à pourrir. Quand elle était auprès d'Unni, elle en venait tout naturellement à créer des mots, car, elle le savait, elle pouvait lui expliquer tout ce qu'elle éprouvait : toujours il la comprendrait.

« C'est l'un des biens les plus précieux que nous possédions en commun, dit-elle, je peux toujours te parler.

— Ce n'est pas à moi que tu parles. Tu te parles tout haut et j'écoute. »

Leurs dernières heures scellèrent entre eux une compréhension plus étroite que jamais. Ils acceptaient le don qu'ils s'étaient fait l'un de l'autre, sans rien exiger de l'avenir. Cette séparation, en fixant une limite à la durée de leur vie commune, formait comme un cadre autour de ce fragment de vie qui, de ce fait, en venait à constituer un tout en soi.

« A certains moments, je ne puis supporter d'attendre ton départ. Je voudrais que ce fût déjà fini, je voudrais que tu ne sois plus là, que je n'aie plus à attendre ce départ, alors que pour moi il est déjà un fait accompli.

— Ma bien-aimée, repondit-il, se moquant un peu, tu te rappelleras tellement mieux chaque mot quand je serai parti. »

Ainsi fut-ce en quelque sorte rétrospectivement, comme si le départ avait déjà eu lieu, que leur printemps ensemble fut un automne fécond, qui leur apporta un plein accomplissement. Quand elle en voulut se remémorer chaque épisode pour tisser un dessin fait des fils de l'expérience, Anne devait s'apercevoir que cette partie de sa vie formait un tout explicite, avant la nouvelle étape de son voyage à la recherche d'elle-même.

Une aube aux reflets de mica, la lumière

filtrante prenant peu à peu de la force, la menue éternité d'un matin, le café et les toasts du petit déjeuner, riches d'odeur et de saveur. Puis le Général, frêle, le corps balancé comme si la brise le malmenait trop brutalement, la Maharani roulant les hanches, la tête majestueusement posée sur ses épaules, pareille à un des éléphants du couronnement, Lakhsmi comme baignée dans sa grossesse, Deepah faunesque et doré, Unni en manches de chemise et pieds nus, descendu de la chambre, jouant avec une toute petite fille de trois ans et un petit garçon de cinq ans, enfants du Général.

« Il fait un si merveilleux soleil, allons donc jusqu'à Bhadgaon, dit le Général. Si nous nous faisons un peu cahoter, ce sera très salutaire pour notre âme. »

Comme les jeeps passaient devant le bâtiment principal de l'Institut, Anne aperçut de fugitives silhouettes en robes d'été, pâles et laiteuses, qui les guettaient de la véranda.

L'antique cité de Bhadgaon, où les arbres laissaient apercevoir entre leurs feuilles des toits roses ondulés, est tout entière bâtie sur une colline. Le long des rues pavées de galets, on voyait çà et là des jarres de terre et des femmes se lavant aux fontaines. La place du marché, centre de Bhadgaon, occupait une large dépression, comme si le sol s'était affaissé sous le poids d'une énorme pagode à cinq toits tendue vers un ciel très bleu — un entassement de toits surmontant une avalanche d'escaliers garnis de dieux et d'animaux de pierre rangés par ordre de puissance, la dernière paire, située tout en bas, représentant des hommes, en l'espèce des jongleurs. Emplissant la place, une foule écoutait un haut-parleur posé sur le degré inférieur de la pagode et entouré de jeunes hommes à l'air farouche, aux traits aigus. Au-dessus d'eux flottait un drapeau rouge vif, orné de la faucille et du marteau.

« Ne troublons pas leur politique », dit le Général. En le voyant debout à l'ombre de la pagode, on ne pouvait s'empêcher de trouver une étonnante parenté entre l'édifice et sa personne : même silhouette longue et élégante, même air de vieille noblesse désinvolte. Le Général désigna du doigt la pagode et sourit :

« On dirait un arbre de Noël une fois la fête passée : c'est beau, un peu ridicule, mais toujours debout. »

L'attention facile de la foule était maintenant centrée sur les jeeps ; les enfants et les femmes commençaient à s'attrouper. Unni remit la voiture en marche et tourna autour de la place.

« Il ne faut pas déranger ces jeunes gens, dit le Général, même s'ils n'apportent autre chose que des promesses vaines pour remplir les ventres affamés. »

Ils suivirent une autre rue montante, passant devant des balcons en saillie ornés d'oiseaux sculptés, devant des frises de serpents, des perruches et des yeux peints sur des portes d'entrée, et se dirigèrent vers le petit temple de la déesse Kala Dourga, la noire tueuse de démons. Traversant une cour obscure encombrée de tout un bric-à-brac, ils montèrent un escalier branlant où une corde tenait lieu de rampe et arrivèrent dans une salle fort malpropre où se dressait une sombre image entourée de lumières brûlant dans des coupes de terre ou d'argent. Au mur étaient accrochées des rangées d'admirables masques peints, portés par les danseurs de Bhadgaon lors des danses d'automne. Sur le chemin du retour, Unni fit un crochet pour éviter, au milieu de la rue, parmi les galets, un plus gros galet plat, blanchi à la chaux et barbouillé de rouge.

« C'était le "gardien" de Kala Dourga, expliqua le Général : il en existe dix, quatre aux quatre points cardinaux et quatre intermédiaires, un neuvième au ciel et le dixième au centre de la terre. » Si les roues de la jeep avaient passé dessus, c'eût été un sacrilège. Anne se rappelait avoir un jour posé le pied contre une pierre à l'angle d'une rue. Entendant une exclamation derrière elle, elle l'avait aussitôt retiré : ce caillou informe était un dieu, deux femmes et un homme la regardaient, l'air aussi furieux que le permettaient leurs traits aimables.

Avant de repartir, ils allèrent jeter un regard sur la colonne surmontée de la statue dorée d'un roi Mallal, beau et dédaigneux (il ressemblait à Ranchit), agenouillé les mains jointes devant les portes recouvertes d'or qu'il avait offertes à sa cité plusieurs siècles auparavant.

Et puis, comme ils revenaient vers Khatmandou, on entendit soudain le Général pousser une exclamation horrifiée :

« Regardez, regardez ! »

Ils regardèrent : un taureau massif, à l'air mauvais, montrait un moignon de queue sanglant.

« Quelqu'un lui a coupé la queue, cria le Général, pâle de colère, quel crime ! »

Deepah, non moins bouleversé, enchérit :

« Oui, un crime monstrueux ! »

Le père et le fils s'approchèrent de l'animal et interrogèrent trois paysannes qui se trouvaient là.

Lakshmi était tout aussi indignée :

« On va certainement retrouver le coupable, dit-elle, et il sera battu jusqu'à ce que mort s'ensuive.

597

Au Népal, c'est un crime de mutiler un taureau ou une vache. »

Les mains sur le volant, Unni gardait le silence. Puis, d'une voix paisible, il dit à Anne :

« Il faudra du temps pour changer ceci. Si l'on tue un homme, il n'en coûte qu'un millier de roupies — c'est l'indemnité que nous versons quand il se produit un accident au barrage, — mais c'est un crime de tuer une vache.

— On attrapera sûrement·le monstre qui a commis ce forfait, répéta le Général en montant dans sa jeep, il sera mis en pièces à coups de poignard. »

Ils partirent, laissant là le taureau, sa queue souillée de sang pendant entre ses pattes.

Regmi avait fermé le bungalow au verrou.

« Il était venu, expliqua-t-il, trop de gens rôder autour de la maison : le Rampoche accompagné de sa fille, et aussi le Blanc au visage sillonné de rides comme un champ de boue séchée.

— C'est Leo », dit Anne, que cette description fit sourire.

« Il va falloir, songea-t-elle, que je pense à parler à Unni de la lettre du Rampoche. » Puis elle oublia.

François arriva avec Eudora ; tout de suite il fut à l'aise dans l'atmosphère qui régnait sous les frondaisons épaisses des noyers.

« C'est un Manet », dit François à propos du paysage.

Il parlait du Général avec enthousiasme :

« Quel homme épatant ! Qu'il est beau ! » disait-il en contemplant la toison blanche, le bonnet coquettement posé de côté, les vêtements flottant sur le corps maigre comme un épouvantail.

Eudora disait à Unni :

« Je vais bientôt quitter Khatmandou. Que faut-il faire avec Fred ?

— Laissez Fred tranquille. Il va réfléchir. Si vraiment il songe à reprendre avec vous la vie commune, l'idée fera son chemin dans son esprit en votre absence. Et puis, un peu plus tard, faites une nouvelle tentative, à l'automne peut-être.

— Patience, Madame, ajouta le Général. La rosée tombe sur l'herbe au moment où le silence de la nuit est le plus profond. »

Eudora se mit à rire (« c'est curieux, se disait Anne, elle ne ricane plus, maintenant ») : « De la patience, oh ! Général, de la patience... dans ce pays où le temps est éternel, en face de ces montagnes, la patience a un sens et le monde semble toujours jeune ; mais, là où je vais retourner, les gens mesurent le temps à leur montre, ils sont très impatients, la vieillesse est un mal terrible et j'ai peur de recommencer à avoir peur.

— C'est exact, Madame, il est des lieux où le temps est un redoutable voleur, dit le Général, mais vous êtes désormais à l'épreuve du temps et vous vaincrez.

— Oh, dit Eudora, je ne suis plus jeune, vous savez !

— Vous êtes aussi jeune que nos montagnes, répondit galamment le Général. Demandez à Unni : il vous dira que les monts Himalaya n'ont qu'un million d'années. »

On apporta le déjeuner, composé de plats népalais, chauds et épicés, en particulier du riz pilaf tellement succulent qu'on ne pouvait le manger qu'avec les doigts, car le métal d'une cuiller ou d'une fourchette en eût gâté la saveur. Le Général hocha la tête pour exprimer son approbation, humant l'arôme des plats, mais il ne toucha à rien :

« J'ai l'estomac si délicat, Madame Anne, qu'il refuse tous les aliments trop solides. »

Il but du whisky et demanda un verre de lait.

Comme tout bon Français, François Lunéville devint éloquent durant le repas :

« Ici, dit-il, je reviens pour ainsi dire au cœur de moi-même, comme vous l'avez fait, vous aussi. Je souhaiterais y rester toujours, mais il ne le faut pas. Dans le monde extérieur, il m'arrive souvent de ne pas savoir ce que je veux. Je suis partagé entre tant d'objets — les visages de la haine et de l'amour, du désir et du dégoût — que le tissu de l'attention que je porte à la vie finit par être lacéré. Mais dans ce pays-ci tout est vrai, tout devient partie de moi, et je veux devenir totalement moi-même, je veux embrasser l'étendue de mon univers. C'est quelque chose d'être sûr d'un désir, sûr comme un enfant est sûr de vivre. »

Le Général l'avait entendu :

« Dieu est ici, en personne, dit-il. Il est dans le souffle de la douce brise, il marche dans l'herbe joyeuse. »

Puis ce fut la torpeur qui suit le déjeuner, dans le grand soleil de midi, et Anne eut soudain conscience du corps d'Unni. La Maharani se leva, emmenant son mari, sa fille, Eudora, François, Deepah, et disparaissant sans s'attarder à de longs adieux. « On croirait qu'elle a deviné », se dit Anne sans honte ni gêne. Alors Unni lui prit la main, tout naturellement, comme s'ils avaient vécu ensemble toute leur vie ; mais malgré tout un faible scrupule lui vint, le souci un peu ridicule de sa bonne réputation :

« Si quelqu'un venait, que penserait-on ?

— Que pourrait-on penser ? répondit gravement Unni, si ce n'est que nous sommes un homme et une femme faisant ce qu'on attend d'eux ? »

La voyant confuse, il rit :

« Allons, Anne, ne te tourmente pas. Le cas échéant, Regmi dirait que tu es sortie. »

Et puis leurs corps prirent possession de tout leur être, les bras d'Unni avaient oblitéré tout le reste, annihilé les doutes et les questions, créé un état de non-être.

Délices. La découverte confirmée de la terre promise, la chair dans toute sa beauté, l'âme emportée avec elle dans un même élan, vibrant à l'unisson ; une grande douleur dans la poitrine et tous les mots par lesquels s'est exprimée cette douleur à travers les âges devenus une réalité ; les mots exquis, plus bouleversants, plus importants que la caresse des mains ou le contact des chairs pour éveiller le désir ardent, pour l'alimenter ; et l'émerveillement de découvrir que cet homme savait que faire l'amour c'est aussi parler d'amour, de l'entendre dire : « Avec mon corps je t'adore », de tant de manières, et que ce soit bien vrai, qu'il le prouve par la parole et par les gestes la joie enfin de comprendre la vérité profonde des mots, jusqu'alors vides et vagues.

Elle le serra étroitement contre elle et lui dit avec violence : « Garde-moi, prends-moi, je suis tienne. »

Il répondit :

« Et moi, je suis tien. »

Et elle sentit que c'était cela le véritable mariage.

Anne était maintenant redescendue sur la terre, elle se pressait contre le flanc d'Unni, se nichait la tête dans le creux de son bras, humait son odeur, à nouveau amoureuse :

« Répète-le-moi, dit-elle, répète-moi que je suis à toi.

— Tu es ma femme, dit-il, je l'ai compris pour la

première fois au temple, le soir de la fête de Siva. Tu es ma femme.»

N'était-ce pas suffisant? L'adoration de sa chair, sanctifiée par la beauté créée dans les yeux de son amant, parée des mots qu'il prononçait, cette chair qui lui devenait à elle-même plus précieuse à cause de l'amour dont la comblaient la main et l'œil, les lèvres et tout le corps. En esprit, Anne acceptait son propre épanouissement, elle acceptait d'être toute à lui, et pourtant à jamais séparée de lui par l'intérêt qu'elle portait aux choses en dehors de lui. Et dans l'instant même où ils disaient «Je suis à toi» et le pensaient absolument, se donnant tout l'un à l'autre et recevant tout l'un de l'autre, ils acceptaient en même temps tout ce qu'ils ne pouvaient partager et un avenir qu'il ne leur était pas permis de façonner.

Maintenant elle se savait libre et forte, pour la première fois de sa vie. «Il ne faut pas que j'en demande trop, se disait-elle, il ne faut pas vouloir que cet amour humain devienne une loi divine, ni même une loi d'aucune sorte, non plus qu'un moyen de m'évader de cette terre, une étape vers le paradis. Non, j'aimerai avec fort peu de prudence et encore moins de raison, car cet oiseau, l'amour, a maintenant construit son nid avec moi, maintenant il couve chez moi.» Et, pensant que cet amour, sacrement et création, était périssable et sans avenir, elle dit:

«Fais-moi un enfant, Unni, je t'en prie. Je veux un enfant de toi.»

Les fêtes du Couronnement terminées, les invités partaient. Les foules qui avaient envahi

Khatmandou s'amenuisaient, à mesure que Sherpas et Bottyas, Thibétains et Gurungs refluaient vers leurs vallées et leurs villages. Comme la salamandre à longue queue, la semaine du Couronnement se traînait tant bien que mal avec un maigre programme.

« Du moins on laisse aux gens toute latitude de s'éclipser au moment où ils en ont envie », dit Vassili.

Un tattoo[1] organisé au stade (où une partie du mur nouvellement construit s'était effondrée sous le poids des sièges vides) se déroula à grand renfort de sonneries de clairon, de feux de joie crépitants et autres manifestations martiales, jusqu'à une heure avancée de la nuit.

Le lendemain matin, Leo, qui avait retrouvé son enjouement habituel, traversa la pelouse au moment où Anne prenait son petit déjeuner.

« Anne, vous êtes superbe ! »

Vêtue d'un chemisier d'étoffe souple et d'un pantalon de toile, elle paraissait jeune et heureuse.

« Du café ? Certainement. C'est vraiment divin chez vous — à mon avis, l'endroit le plus admirable, le plus délicieux de Khatmandou. Et puis vous faites un travail passionnant. Veinarde, apprendre l'anglais à toute une bande de gamines mariées.

— Sans doute vais-je devoir renoncer à mon travail. »

Leo leva vivement les yeux :

« J'ai entendu dire, en effet, que votre présence ici avait donné lieu à des discussions. Isabel fait des histoires.

— Isabel voudrait m'amener à donner ma

1. Fête militaire se déroulant de nuit. (N. du T.)

démission, elle ne m'en a rien dit, mais je le sens bien. Et je m'attends à voir arriver John d'un moment à l'autre, résolu à me poser ses conditions, dit Anne en se versant une seconde tasse de café.

— Mais voyons, dit Leo, j'aurais cru qu'à l'heure actuelle il avait accepté le fait accompli.

— Quel est le fait accompli? John sait, mais il lui faudra faire les gestes, prendre les attitudes qu'exige la situation. Il a attendu pour cela qu'Unni ne soit plus ici. Unni m'a prévenue: "Quand je serai parti, John va faire une scène à tout casser."

— J'ai horreur des scènes, dit Leo, elles me donnent le frisson.

— Moi, elles me paralysent. Je ne trouve jamais un mot à dire, tant je suis étranglée par la peur. Mais en ce moment où j'attends que John et peut-être ensuite Isabel me fassent une scène, j'éprouve une certaine curiosité. J'aimerais savoir comment je vais réagir cette fois, me rendre compte si j'ai vraiment changé.

— Vous allez mettre John au courant, bien entendu, dit Leo, à moins qu'Unni ne vous ait épargné cette peine.

— Non, ce n'est pas le genre d'Unni — j'entends par là que ce n'est pas son genre d'aller trouver John pour lui dire: "J'aime votre femme et elle m'aime."

— J'aurais pourtant cru que c'était la seule chose correcte à faire, dit Leo, sarcastique. Surtout pour un homme qui vous a — je vous demande pardon — qui vous a compromise de façon irrémédiable. »

Anne se mit à rire:

« Mon cher Leo, vous êtes comique quand vous tenez des propos aussi conventionnels. Unni ne prononcera jamais le mot amour devant quelqu'un qui, dit-il, est incapable d'en comprendre le sens. Non, il n'a rien dit.

— Et il vous laisse affronter seule la bagarre.

— Et il me laisse agir comme il convient. Ce n'est pas à cause d'Unni que j'ai quitté John. Je l'ai quitté à cause de moi, pour moi-même. En l'occurrence, Unni constitue une incidente, si vous voulez. Même si je ne l'avais pas rencontré, je serais partie, tôt ou tard. Il parlera en notre nom à tous les deux quand le moment sera venu.

— Tout cela est très compliqué, peut-être très beau en théorie, dit Leo d'un air irrité, mais il me semble que le sieur Unni est un opportuniste qui s'est rudement bien débrouillé pour tirer son épingle du jeu.»

«La voilà, se disait-il, fraîche comme une rose, à m'expliquer le comportement d'Unni.» Le séducteur, momentanément étouffé en lui par la satiété et l'ennui, se réveillait. Il fit effort pour alimenter la conversation par des propos faciles, afin de garder le contact avec cette nouvelle Anne qui se donnait des conseils à elle-même au lieu de demeurer enfermée dans son silence. Avec quelle précision il se rappelait Calcutta, la rumeur grondante des autobus et la voix d'Anne disant: «Je suis bien gentiment morte.» Regardez-la maintenant, bien gentiment vivante, vêtue aux couleurs de la Vallée, son âme consentante exhalant par tous les pores sa connaissance nouvelle de la volupté.

«Non, ce n'est pas cela, dit Anne, il est "avisé comme le serpent et candide comme la colombe". Isabel jetterait feu et flamme si elle m'entendait ainsi citer la Bible.»

Elle se renversa dans sa chaise en riant. Leo ne l'avait jamais vue ainsi, vindicative comme un enfant. Elle ne doit pas être très amoureuse, se dit-il. Unni est parti hier et la voilà qui rit à en perdre le souffle.

«Anne, dit-il, s'efforçant de donner à leurs propos un ton moins puéril, parlons sérieusement, que va-t-il se passer? Quels sont vos projets?

— Je n'en ai pas.

— Voyons, c'est trop enfantin, dit Leo avec un sérieux germanique. Il est impossible que vous n'ayez pas de projets. Du moment que vous avez quitté John, c'est que vous êtes résolue à demander le divorce.

— Pourquoi?

— Pourquoi? Mais parce que vous êtes dans une situation impossible, impossible! cria Leo. Cela ne saurait continuer ainsi. Le pauvre John risque à tout moment de vous trouver avec Unni. Il serait capable de prendre fort mal la chose.

— Vous en êtes persuadé, n'est-ce pas?

— Je ne connais pas assez bien John pour me permettre de l'affirmer. Si au contraire vous lui parliez franchement, peut-être envisagerait-il de vous accorder le divorce. Mais vous pourriez essayer de le pincer, lui. Ce serait plus simple.

— Ah, vous voulez parler de cette professionnelle, de Suriyah? Cela ne compte pas, vraiment pas.

— Ma chère enfant, dit Leo, devenant pratique, je comprends votre attitude et je la respecte, mais réfléchissez bien. Tôt ou tard, vous serez obligée d'en arriver à une décision. Il faut absolument que vous divorciez.

— Pourquoi?»

Leo était si irrité qu'il faillit répéter: «Ma chère enfant.»

«Pourquoi? Mais, ma douce amie, parce qu'on divorce toujours quand on aime une autre personne et qu'on n'aime plus son conjoint. Si bien qu'on est libre alors de se remarier.

— Le divorce apporte-t-il vraiment la liberté ? demanda Anne. Je ne sais pas.

— Peut-être n'a-t-on pas besoin de se préoccuper de divorcer à Khatmandou, mais vous n'y resterez pas toute votre vie. C'est un trou. Vous aurez envie d'aller ailleurs et ce serait plus commode d'être divorcée, du point de vue légal, s'entend. »

Mais, à mesure qu'il parlait, il sentait que son sens pratique, la logique de ses arguments perdaient du terrain, et il ne lui paraissait plus aussi indispensable d'être en règle avec la société. Un sentiment d'heureuse folie s'infiltrait en lui, semblant sourdre de l'herbe dans laquelle il avait installé ses fesses minces, aux pieds d'Anne. Leo sentait l'humidité de la rosée, mais c'était une impression en quelque sorte immatérielle ; peu lui importait d'avoir le postérieur humide, le soleil et le vent remédieraient à cela sans qu'il eût à s'en soucier. Aussi répondit-il :

« Oh, ne parlons plus de cela, il fait trop beau ce matin pour discuter un pareil sujet. J'espère que vous êtes heureuse. Vous avez beaucoup de chance, je le sais.

— Pourquoi les gens vont-ils répétant que j'ai de la chance, alors que presque tout le monde dit : "Pauvre John !"

— Pourquoi ? dit Leo perplexe. Parce que vous... eh bien, vous êtes de toute évidence beaucoup plus forte, plus adroite, plus sûre de vous ; en fait, vous pouvez être dure comme une pierre en certains cas. Ce qui ne vous empêche pas d'être très facilement blessée.

— Oui, mais ce sont des blessures différentes. Autrefois, je battais en retraite en m'apitoyant sur moi-même, je fouillais mes plaies et je poussais de grands cris. Désormais, c'est une douleur joyeuse, et cela les gens vous le pardonnent encore plus difficilement. Connaissez-vous ce passage de la Bible où il est dit: "Si un homme te force à marcher une lieue avec lui, fais-en encore deux autres"? C'est cela qu'on éprouve si l'on est vivant. Tout devient une bonne fortune, même les tourments. Ainsi l'absence fait paraître plus éclatante l'évidence de l'amour, c'est l'autre aspect de la présence, en tout cas aussi nécessaire. La solitude est nécessaire, ne trouvez-vous pas ?

— Alors, dois-je vous quitter ? dit Leo. Désirez-vous être seule ?

— Oh, cher Leo, répondit vivement Anne, excusez-moi, je suis si entièrement occupée de moi que j'en oublie les autres. Restez, je vous en prie, j'adore votre compagnie... à propos, vous semblez plus détendu que vous ne l'étiez depuis longtemps. Kicha est-elle partie ?

— Pas partie, mais j'en suis débarrassé, dit triomphalement Leo, je voulais vous raconter cela. Michael Toast vit en ce moment ses plus beaux jours. A l'heure actuelle, elle est sans doute en train de se faire offrir son petit déjeuner par lui. Si j'ai bonne mémoire, elle est insatiable. Absolument !

— Et qu'en disent les six cousins sikhs ?

— Je ne sais pas, dit Leo, mais s'ils se montrent, je suis bien résolu à manifester une indignation de circonstance et à me plaindre d'avoir été honteusement trahi. »

Il venait de passer la nuit avec Mariette et il avait appris incidemment qu'à Pokhra elle avait rencontré non pas Unni, mais un parent éloigné de la famille royale, si soucieux de lui être agréable qu'elle avait décidé de rester encore une ou deux semaines à Khatmandou.

« Et vous, Leo ?

— Moi, ma chérie ? » dit-il en regardant autour de lui.

A ce moment, il était heureux, assis dans l'herbe humide, le postérieur mouillé. Il ne désirait même pas Anne. Et comme chez lui le désir physique était toujours l'exact équivalent de l'amour, il se sentait sûr d'être « guéri » des sentiments violents qu'elle lui avait inspirés. Car ses perceptions étaient à une seule dimension, toujours il cherchait à se comprendre et à comprendre les autres de façon rationnelle, comme il aurait rédigé un reportage. Les sensations informulées ne pouvaient exister, tout simplement parce qu'il n'y avait pas de mots pour les exprimer. Si l'on ne désirait pas, on ne ouvait pas aimer :

« Moi ? déclara-t-il, je suis presque parvenu au nirvâna des bouddhistes. Je suis idéalement heureux en ce moment. Et je pars demain, emportant l'image merveilleuse d'un petit Éden bien clos : ce bungalow, ces arbres et vous, Anne, plus ravissante que jamais, en train de prendre votre petit déjeuner et de bavarder avec moi.

— Et comme dans tous les paradis, voici que surgit l'ange armé de l'épée flamboyante, dit Anne en se levant. Bonjour, John, je t'attendais. »

Chapitre 12

« Sans doute vaut-il mieux que je parte, dit vivement Leo.

— Oui, partez. »

Anne voyait John s'avancer à grands pas sur la pelouse, redressant les épaules, bombant le torse, avec ce geste qui lui était familier, comme s'il remplissait d'air toute sa personne. En le regardant, elle se sentait lentement envahie par la peur à mesure qu'il approchait, la peur, non pas de John, mais de sa violence, cette violence humaine qui, beaucoup trop vite, la laissait la bouche sèche, le cœur battant à tout rompre, incapable de s'exprimer clairement.

« Je suis venu pour m'expliquer avec toi une bonne fois pour toutes. Oui ou non, allons-nous reprendre la vie commune ? »

Je ne puis dire oui, songeait Anne, et j'ai trop peur pour répondre non. Elle alluma une cigarette pour gagner du temps, s'appliquant de toute sa volonté à empêcher ses doigts de trembler.

« Il y a également une chose que je ne veux plus te voir faire, dit John. A partir de maintenant, c'est moi qui serai le maître, et je ne veux plus que tu fumes. J'ai horreur des gens qui fument, c'est une habitude dégoûtante. Je vais te confisquer tes cigarettes. Dorénavant, nous allons voir qui donnera les ordres. » Il lui arracha sa cigarette et l'écrasa sous son soulier. Puis il se mit à marcher de long en large en frappant du pied : « J'ai supporté cela trop longtemps, criait-il, c'est fini maintenant. Voilà six semaines que tu vis ici, que tu te conduis comme une vraie grue, tu reçois des hommes. Une catin, absolument. J'en ai assez. »

Soudain, dans un paroxysme de rage, après s'être ainsi excité par ce préambule, il lui dit, en la regardant dans les yeux à lui toucher le visage :

« Et ce Menon, ce singe noir, qu'est-ce qu'il vient faire ici ? On le trouve couché dans l'herbe, en train de te tripoter, devant tout le monde, avec ses ignobles pattes noires.

— Et alors ? » dit Anne.

Elle se méprisait d'éluder la question et pourtant elle était incapable de faire autrement, tant la peur physique la paralysait.

« Catin ! s'écria John en frappant du pied, je t'écraserai la figure, insolente, espèce de... »

Il y a des gens, se disait Anne, qui se comportent de telle manière qu'on ne peut absolument pas leur dire la vérité. Ils vous incitent au mensonge. A tout autre que John, elle aurait répondu sans fanfaronnade ni faux-fuyants : « Unni est mon amant », mais à John c'était impossible. Unni l'avait bien compris : « John ne veut pas savoir, que c'est moi, il tient à faire une grande scène, mais il tient aussi à être abusé. »

« Ne me raconte pas d'histoires, s'écria John. Je sais très bien ce qu'il te faut. Un phallus, voilà ce que tu cherches. Tu as perdu toute dignité. Cela a commencé avec Fred Maltby, et maintenant que je lui ai fichu la frousse tu te jettes à la tête de ce moricaud, de cet Indien syphilitique. Ne souris pas, je t'interdis de sourire, *tous* les Indiens sont syphilitiques. Je les connais, j'ai vécu des années aux Indes. Non contente d'avoir eu un amant, tu veux encore que ce salaud noir te... Mais tu vas voir qui compte ici. Je ne veux plus trouver d'hommes en train de fouiner ici partout, ou bien vautrés avec toi sur la pelouse, comme ce salaud de Bielfeld que je viens de pincer à l'instant même, je ne veux plus te voir te frotter contre des cochons de moricauds comme ce Menon. Il est répugnant, noir, noir, infect. Si j'étais une femme, sa seule vue me donnerait la nausée. Je ne veux plus de tout cela, entends-tu? La prochaine fois que je le rencontre, je lui casse la figure. Tu le verras pleurnicher et supplier à genoux, le lâche, quand je lui aplatirai la gueule — comme cela! affirmat-il en lançant ses poings en l'air.

— En ce cas, dit Anne, pourquoi ne l'avoir pas fait l'autre jour quand tu nous as vus?»

John se précipita sur Anne, qui recula vivement. De son poing fermé, il la frappa à la tempe. Elle tomba sur la pelouse tandis que, penché sur elle, il hurlait:

«Tu oses me dire cela à moi, espèce de catin, de sale...»

Elle se releva, mais battit lentement en retraite quand elle le vit avancer vers elle comme pour la frapper à nouveau. Maintenant la table du petit déjeuner les séparait. Les yeux de John tombèrent sur le porte-toasts, la cafetière et les toasts. Saisissant la cafetière, il la lui lança au visage, puis les tasses et le porte-toasts. Le café chaud ruissela le long du cou d'Anne et sur sa blouse. Elle s'écria: «Brute!» en s'essuyant machinalement. Soudain John s'écroula sur une chaise, la tête dans ses mains, et éclata en sanglots.

«Anne, gémit-il, Anne, tu ne m'aimes pas. Tu ne m'as jamais aimé!»

Anne continuait à s'essuyer. Le flot de la colère de John s'était épuisé, mais Anne tremblait de tous ses membres. L'un et l'autre, ils avaient d'ailleurs éludé la question. Peut-être ne l'aborderaient-ils jamais. Ils en feraient le tour, épuisant leurs forces, se plaignant de ceci ou de cela, sans oser dire la vérité. Comment Anne aurait-elle pu révéler à John que c'étaient les mots dont il se servait, sa manière de réagir qui la rendaient incapable de lui parler ? John était pour lui-même son pire ennemi, parce qu'il ne savait pas se dominer et qu'il n'était jamais maître de ses expressions. Une fois de plus, Anne se sentit envahie de compassion pour lui. Il avait peur d'elle, il en avait toujours eu peur, mais elle avait beau le savoir, elle n'arrivait pas à lui parler, à échapper aux réflexes conditionnés de leurs réactions à l'égard l'un de l'autre. Emportés dans le tourbillon dangereux de leurs gestes, ils ne voyaient pas qu'en réalité le comportement de chacun d'eux adressait, non pas au moi profond de l'autre, mais à sa coquille extérieure. Comme dans une éternelle partie de ballon, ils se lançaient l'un à l'autre leur hostilité. Ce qui faisait entre eux toute la différence, c'est qu'Anne avait assez de lucidité pour le comprendre et pour plaindre John, mais pas assez de grandeur d'âme pour n'en pas tenir compte et pour l'aimer quand même. Et parce qu'il savait qu'elle ne pouvait pas l'aimer, parce que sa vanité l'empêchait de s'avouer qu'il se conduisait comme un imbécile, parce qu'il tenait à ses maladroites manifestations de violence plus qu'il n'aimait Anne, John continuait à tout gâcher, comme une chauve-souris aveugle se heurte au plafond d'une chambre et finit par se casser l'aile. Puériles, bouleversantes, destructrices, leurs scènes se déroulaient presque selon un scénario prévu à l'avance. Pour lui, elles étaient un exutoire ; pour elle, une source de haine et, la première fureur passée, ces violences leur paraissaient toujours quelque peu irréelles.

Maintenant les larmes de John, la tête enfoncée dans ses épaules secouées de sanglots, lui semblaient écœurantes, irritantes, factices comme ses crises de rage. C'est désespérant, se disait Anne, absolument désespérant. Sans doute est-ce là ce qu'on nomme incompatibilité. Je ne puis l'atteindre, et il ne peut m'atteindre. Nous ne parlons pas la même langue.

« Anne, dit John, viens ici, je t'en prie. »

S'il n'en avait pas dit davantage, peut-être serait-elle allée à lui, en silence, peut-être aurait-elle fait un pas vers lui. Mais il fallut qu'il gâchât tout en retirant son visage de ses mains, un visage rougi et mouillé de larmes.

« Je suis ton mari, tu sais. Tu *dois* venir si je te le demande. »

Et cette phrase la figea sur place. John la regardait, la bouche ouverte, pleurant sans vergogne.

« Comment peux-tu être si dure, si froide ? Je n'ai jamais été heureux. Jamais tu n'as été gentille avec moi.

— Je ne suis pas gentille, ce n'est pas dans ma nature.

— Garce ! dit John. Tu es un monstre, jamais je ne t'aurais crue aussi vindicative. Toute autre que toi aurait pitié de moi. Quiconque posséderait la moindre trace de sentiment humain — mais tu en es complètement dépourvue. Tu es sans pitié et tu cherches à dévaster ma vie. Tu l'as d'ailleurs dévastée, physiquement et moralement. Tu as cherché à me rendre impuissant en te montrant glaciale, anormale même. Mais je ne suis pas impuissant, entends-tu, ah mais non ! »

— Je n'ai nulle intention de ravager ta vie, dit Anne.

— Mais si, bien sûr, dit John, qui se mit à marcher de long en large, repris d'un violent accès de colère, bombant le torse et faisant de grands gestes. Certainement si. D'abord tu as essayé de me rendre impuissant, ensuite tu m'as quitté. Tu refuses de me parler et tu traînes avec tous les hommes qui se trouvent sur ton chemin, n'importe qui pourvu que cela porte un pantalon. Eh bien, je me défendrai, je ne me laisserai pas aplatir et, pour commencer, tu vas me faire le plaisir de revenir avec moi au *Royal Hotel*. Je ne tolérerai pas que tu restes ici plus longtemps.

— Je resterai ici.

— C'est ce que nous verrons. Je vais donner des ordres, *moi*. Eh, là-bas, cria-t-il à Regmi, dont le visage effrayé se montra un instant à l'angle du bungalow, descendez tout de suite les affaires de Memsahib, elle rentre à l'hôtel avec moi. »

Regmi disparut. John bondit à l'intérieur du bungalow et enfila l'escalier.

« Qu'est-ce que tu fais ? cria Anne en se précipitant à sa suite. Arrête, John. Je te défends de monter. »

Elle ne voulait pas que John pénétrât dans sa chambre, mais il était déjà sur le palier. En le voyant de dos franchir le seuil de la chambre aux perruches, elle lui dit :

« Maintenant c'est vraiment fini. Tu as tout brisé. Jamais je ne reviendrai avec toi. Jamais. Même s'il n'existait plus d'autre homme que toi sur la terre. »

Elle l'entendit ouvrir et fermer des tiroirs, lancer des cintres dans tous les sens, tourner autour de la pièce, puis il ressortit, tenant à la main la *Bhagavad-Gîtâ* qu'il avait pris sur le bureau, près de la machine à écrire. Le journal intime d'Anne, sur papier écolier, caché dans un tiroir sous ses vêtements, avait échappé aux regards de John.

« Qu'est-ce que c'est que cela ? » cria-t-il en brandissant le volume. Il l'ouvrit, et l'instantané en tomba. Il le ramassa, le déchira, lança le livre du haut en bas de l'escalier en direction d'Anne.

« Ramasse cela, dit-il, tu pourras te le flanquer sur le... si ça te chante.

— Tu es fou, dit Anne, tu es fou. »

Les expressions qu'il employait lui donnaient envie de vomir.

« Appelle Isabel, dit John, sarcastique, elle te jettera dehors.

— Hé, là, qu'est-ce qui se passe ? »

C'était Leo, pâle et inquiet, mais résolu. Il n'était pas allé bien loin. Derrière le berceau de rosiers, honteux de sa lâcheté, il s'était arrêté, il avait tout vu, tout entendu. Il tremblait, et Anne savait qu'il avait peur, mais il affrontait John :

« Je suis consterné, dit-il, absolument consterné, de voir de quelle façon vous vous conduisez.

— Ne vous mêlez pas de mes affaires, sinon je vous casse la figure, espèce de...

— John, dit Leo, voulez-vous, s'il vous plaît, cesser de vous comporter comme un dément ? Souvenez-vous que vous êtes secrétaire du Club de la Vallée. »

Anne ramassa la *Bhagavad-Gîtâ*. Plusieurs feuillets s'étaient détachés, le dos était abîmé et la couverture déformée. Cette constatation lui fit plus de mal que tout ce qui avait précédé. Elle garda le livre serré sur sa poitrine tandis que John descendait l'escalier en butant dans les marches et passait devant elle. Il sortit, accompagné de

Leo qui le sermonnait à voix basse. Les yeux pleins de haine, Anne le regarda s'éloigner.

La soirée donnée par le Club de la Vallée au *Royal Hotel* ressembla davantage à de lugubres adieux qu'à une joyeuse inauguration.

«Nous aurions dû faire cela un jour plus tôt», dit Pat à Eudora.

Aux côtés de John et d'Enoch, elle accueillait les invités, vêtue d'une robe de satin noir sans manches, la bouche fardée en rouge coquelicot, les cheveux relevés en chignon au sommet de la tête ; seuls les lourds bijoux de fantaisie qui encerclaient son cou et pendaient à ses oreilles rappelaient un passé moins distingué. Le Tout-Khatmandou était là et Pat se donnait beaucoup de mal pour plaire, mais ce n'était pas pour Ranchit qu'elle se mettait en frais.

Eudora, en sari, considérait Pat d'un air plein de dignité. D'ailleurs, toutes les femmes présentes s'efforçaient par les moyens les plus divers de donner une impression de dignité, car Enoch avait maintes fois répété d'une voix solennelle que la circonstance était « unique ». A le voir serrer les mains des invités, on se serait cru au début d'une réunion politique précédant une élection sénatoriale.

Fred accompagnait Eudora — et, désormais, il ne semblait plus insolite de les voir ensemble. Fred n'avait guère envie de venir, mais le désir de revoir Eudora avait été plus fort, bien qu'il s'en voulût d'y céder.

«Heureusement que cela se passe dans un jardin, murmura-t-il, il fait une chaleur étouffante à l'intérieur des maisons.

— N'est-ce pas? dit Eudora, mais nous partirons dès que vous voudrez.

— Oh, cela ne fait rien, nous resterons tant qu'il vous plaira », répondit-il, magnanime.

Ils ne pouvaient en dire davantage, et c'est avec soulagement qu'ils se mirent à boire leurs cocktails. Vassili les avait préparés, aussi étaient-ils forts et d'ailleurs excellents : manhattans et martinis, bronx et sidecars. Le Général était auprès de lui, mais, comme de coutume, il avait apporté son whisky. La plupart des correspondants de presse avaient déjà quitté la Vallée, les autres partiraient le lendemain. Le Couronnement était terminé, et déjà ils s'entretenaient des futurs reportages qu'ils allaient faire dans d'autres pays. Sauf Blumenfeld, l'incomparable Blumenfeld, qui arriva traînant avec lui un prêtre bouddhiste, dédaigna tous les cocktails et réclama du Coca-Cola.

« Quel avion prenez-vous, Blumie? 8 h 30 ou 9 h 30 ?

— Non, celui de 10 heures.

— Eh bien, ce que la chaleur va nous paraître pénible à Calcutta après la température de la Vallée ! »

Blumenfeld avait adopté le costume népalais, les jodhpurs et une tunique fermée par des rubans posés de biais en travers de sa poitrine. Il informa Vassili et ses confrères que la tunique tirait son origine du costume porté par les Chinois au Xe siècle.

« D'autre part, dit Vassili, les Népalais vous diront que les Chinois leur ont emprunté la tunique. C'est comme pour les pagodes. Nous les avons toujours crues authentiquement chinoises, mais en réalité celles qu'on voit en Chine ont été construites par des architectes népalais. Mais buvez donc quelque chose.

— Je reviendrai dans ce pays, dit Blumenfeld, après avoir refusé héroïquement. Je sens qu'il y a ici quelque chose qui n'existe pas en Occident. Oui, Vassili, peut-être ai-je tort de m'attacher ainsi aux lieux et aux gens, mais j'aimerais assez revenir pour étudier le pays à fond. Et pour tâcher de mettre un peu en ordre ces histoires de religion, je ne m'y retrouve plus dans tous ces noms de divinités.

— Cela nous plaît ainsi, dit le Général. Que signifie un nom ? »

Leo valsait avec Hilde dans les allées dallées de pierre. Par moment; il s'arrêtait pour fouiller du regard la foule qui allait grossissant, et sa gaieté l'abandonnait.

« Vous attendez quelqu'un, Leo ?

— Je me demande si Anne va venir, répondit Leo, parce que c'était Hilde qui posait question.

— Croyez-vous qu'elle vienne ? demanda Vassili, qui agitait le champagne en regardant Hilde, vêtue de soie marron à fleurs dorées, ses longs cheveux blonds rejetés d'un seul côté retombant sur sa robe en un flot tumultueux.

— Je l'espère.

— Madame Anne ne viendra pas, dit le Général, elle dort profondément.

— Tout le monde ici guette son arrivée, dit François. Ces gens sont férocement résolus à la mettre en pièces.

— Elle ne viendra pas, dit le Général, elle est plus heureuse seule.

— S'il en est ainsi, dit François, je vais de ce pas lui écrire une lettre.

— Voyons, vous ne pouvez pas nous quitter

comme cela », s'écria Vassili. Mais François ne revint pas.

Le jardin s'emplissait et Enoch hochait la tête d'un air satisfait. De nombreux Ranas, un prince ou deux :

« Une assistance très choisie », murmura-t-il.

Le Feld-Maréchal n'était pas là :

« Je crains que plus d'une amitié ne vienne à sombrer dans votre Club », avait-il déclaré à Enoch de son air affable quand celui-ci avait sollicité son inscription.

« Oh, voyons, Excellence, ce n'est pas du tout ce que nous cherchons ! Nous voulons au contraire cimenter l'amitié traditionnelle qui unit le Népal au monde libre.

— Il ne convient pas que je trouble vos réjouissances, répondit le Feld-Maréchal. Ce serait à proprement parler périlleux de retrouver au Club des gens que je rencontre (et avec qui je m'enivre à l'occasion) presque tous les jours de la semaine. Il est néfaste de voir trop souvent ses amis. »

Kicha, qui maintenant ignorait volontairement la présence de Leo, s'accrochait au bras de Michael Toast, encadré par les six gardes du corps géants. Nul n'aurait pu les distinguer les uns des autres s'ils n'avaient porté des turbans de couleur différente : rose, jaune canari, citron pâle, blanc cru, bleu turquoise et cannelle.

« Pauvre Michael, murmura Leo à Eudora d'un air de jubilation, il a dit une fois de trop : "Si on couchait, mon petit ?" »

Michael racontait à tout le monde qu'il avait presque achevé d'écrire son livre et que bientôt il retournerait en Angleterre, où le public allait sûrement « s'en pourlécher ».

« Avec moi ! » s'écria Kicha, qui déjà se voyait

devenue star dans le film tiré du livre de Michael.

Michael regarda les Sikhs, qui le regardèrent:

«Je voudrais boire quelque chose», dit-il, et Vassili, ému de pitié, lui versa un «paradis» très fort.

Mike Young valsait gravement avec Rukmini. Il la tenait respectueusement loin de lui, comme un objet précieux et délicat, mais son visage extasié et heureux le trahissait. Rukmini s'assit, et Mike alla lui chercher un jus d'orange. Ranchit, déjà très ivre, tripotait la journaliste blonde derrière le tronc d'un margosa.

Vassili déboucha une bouteille de champagne avec un bruit formidable qui fit sursauter et s'exclamer la Géographie. Il entendait flotter autour de lui, comme du bois sur la mer, les potins qui couraient en ce moment sur le Tout-Khatmandou.

«Oui, ce sont les Maltby. Séparés pendant des années... Ils viennent de se raccommoder.

— Elle va rester ici, sans doute?

— Je me demande si je ne devrais pas lui envoyer une carte pour notre prochaine petite réunion.

— Elle pourrait avoir une situation à l'Institut.

— Surtout en ce moment.

— Oui... Avez-vous eu vent de ce que j'ai entendu dire?

— Quoi donc?»

Un chuchotement, puis:

«...Elle a la figure tellement en compote qu'elle n'ose pas se montrer.

— Qui vous l'a dit?

— Miss Newell. Elle a tout vu. Cachée dans un coin, bien entendu.

— C'est vraiment terrible. Tout porte à croire qu'il était là, lui aussi. Il s'est enfui en voyant vous savez qui.

— Le docteur ?

— Non, non, pas le docteur. Cet homme, là-bas, Leo Bielfeld. Il est venu à Khatmandou uniquement à cause d'elle. »

John et Leo s'approchèrent l'un de l'autre, et bientôt on les vit engagés dans une conversation animée. Le Tout-Khatmandou retenait son souffle, mais il ne se passa rien. Leo s'éloigna et John alla s'entretenir avec la Géographie, après quoi il invita l'Irlandaise à danser. Il paraissait très heureux.

Isabel aussi était absente :

« Elle a une migraine affreuse », expliquait la Géographie d'un air enjoué.

« Seigneur ! songeait Vassili en versant de nouveaux cocktails, quelle soirée ! Aucun entrain. Pour un beau fiasco, c'en est un. »

Il se demandait comment réchauffer l'atmosphère. Tous les invités s'enivraient rapidement, froidement, sans paroles. En dépit de la musique, des éclairages judicieusement placés, on sentait dans l'air une nervosité, une attente. Les gens restaient debout par groupes, sans bouger, collés les uns aux autres, parlant sans sourire ou les yeux dans le vague. Quand on entendait un rire, c'était celui de Ranchit, rauque et immodéré. Une soirée sinistre, morne, sans aucune animation. Quelque chose clochait. Et tout le monde débitait des méchancetés.

« Grands dieux, dit Eudora, scandalisée, écoutez les stupidités qu'ils racontent sur Anne et ce pauvre John. »

Le Général discutait avec une grande fille pleine de vivacité qui parlait avec un invraisemblable accent de Mayfair[1]. Elle venait de faire un séjour chez un fils de maharajah (nommé Pooch) et s'apprêtait à en faire un nouveau chez un prince (nommé Pet).

« C'était absolument trop chou de m'inviter, disait la voix distinguée et un peu perchée. On n'aurait pas pu être plus adorable pour moi, vraiment. Je suis complètement fauchée, et je n'aurais pas pu venir ici si Pooch ne m'avait offert mon billet d'avion.

— Notre hospitalité, Madame, sera encore plus large, dit le Général, agressif. Il est venu ici beaucoup de dames comme vous, et elles sont reparties fécondées.

— Pardon ? fit la voix à l'accent de Mayfair.

— Le Général veut dire enrichies, précisa vivement Vassili, riches d'impressions nouvelles.

— Cela suffit, dit le Général soudain furieux, mon anglais n'est nullement incorrect, mon ami. Cette femme me comprend parfaitement, même quand je crée de nouveaux mots, par copulation de syllabes jusqu'à ce jour séparées. Vous êtes la bienvenue au Népal, Madame, et puisse notre hospitalité masculine égaler celle que j'ai autrefois trouvée chez les femmes indigènes de votre glorieuse patrie. »

Sur ce, le Général s'en fut, le corps un peu penché de côté, comme s'il fonçait dans la nuit.

Dès onze heures, la situation devint désespérée. Ranchit et les journalistes avaient disparu, Mariette aussi ; le poète hindou déclamait des vers d'une voix claironnante et navrée. Assise dans une attitude gracieuse, Rukmini, la seule femme de l'assistance qui eût un air joyeux, faisait tourner ses rubis autour de ses doigts, tandis que

1. Quartier aristocratique de Londres.

Mike Young la contemplait comme en extase. De temps à autre, elle levait les yeux, ouvrait la bouche et disait quelques mots. Puis ils souriaient tous les deux.

A onze heures et demie, Enoch fit une annonce :

« Mesdames, messieurs, invités du Club de la Vallée, commença-t-il, c'est avec le plus grand plaisir que nous vous accueillons ce soir à Khatmandou, cette fabuleuse cité de l'Himalaya. »

Il avait préparé son discours et tenait un papier à la main, tandis que le complaisant Vassili projetait par-dessus son épaule le faisceau d'une lampe de poche pour éclairer sa lecture. Mais, décontenancé par la froideur l'atmosphère, il bredouilla et s'empêtra dans ses phrases :

« Dans l'esprit de ses fondateurs, dit-il, le Club de la Vallée a pour objet de promouvoir l'amitié entre tous les éléments démocratiques de cette Vallée lointaine. »

Il parla du monde libre et du bon travail effectué par une élite venue dans ce royaume « lointain et fabuleux ». Il ajouta une phrase au sujet des cotisations fixées à trente roupies par mois « que vous verserez avec plaisir, nous en sommes sûrs. »

Il se fit alors un léger mouvement dans l'assistance, car, le salaire nominal de la plupart des fonctionnaires subalternes du gouvernement népalais étant d'environ soixante roupies par mois, ils ne pouvaient songer à appartenir au Club. Aussi, quand Enoch déclara : « Nous estimons que le Club de la Vallée représente les meilleurs éléments démocratiques du pays », sa phrase ne s'appliquait-elle qu'aux opulents Ranas et à la colonie étrangère.

Pour finir, Enoch annonça « deux nouvelles que vous allez, j'en suis sûr, accueillir avec le plus grand plaisir. La première, c'est l'annonce des fiançailles de Miss Kicha Kaur et de Mr. Michael Toast... »

A ces mots, Vassili applaudit longuement et très fort et tout le monde applaudit aussi longtemps que lui.

« Et la seconde, poursuivit Enoch en s'efforçant de prendre un petit air timide, eh bien, mes amis, je voulais vous dire que ce soir je suis l'homme le plus heureux de cette assistance. Miss Arbuckle, que vous appelez tous Pat, m'a répondu oui. »

Bouleversé par l'émotion, il laissa déferler sur lui les applaudissements, tandis que Pat s'avançait et que tous deux se tenaient la main au-dessus du microphone.

John surgit, flanqué de l'Histoire et de la Géographie, et vint serrer la main d'Enoch, embrasser Pat et témoigner son plaisir par les formules usitées en pareil cas. Enoch saisit solennellement John par les épaules :

« Merci, John, et merci pour votre collaboration qui a permis le succès du Club de la Vallée.

— Mais non, mon vieux, pas du tout », répondit John avec chaleur.

Il parlait d'une voix gaie, il avait l'air heureux, mais le désespoir était dans son cœur. La vue de Pat et d'Enoch lui rappelait ses fiançailles et son mariage avec Anne. Il aurait voulu gémir tout haut tant il souffrait. Mais il éclata d'un rire nerveux. Eh bien, Anne n'était pas venue, il n'allait pas s'en tourmenter. Fermant les yeux, car il sentait les larmes le picoter, il leva sa coupe de champagne (les garçons venaient d'en faire circuler parmi les invités) pour boire à la santé de Michael Toast et de Kicha, d'Enoch et de Pat.

Depuis longtemps, Fred et Eudora s'étaient retirés sur la véranda d'où, confortablement installés, ils observaient les invités.

« Je me demande comment John peut supporter cela. Il a l'air tout à fait normal.

— Je me le demande aussi. Il ne peut pas avouer qu'il sait, car alors tout serait fini pour lui. Peut-être a-t-il adopté une position rationnelle en s'accrochant aux gens qui lui répètent qu'Anne est une méchante femme. Mais il a une peur affreuse de la perdre. Il est comme un animal en catalepsie, il n'ose pas bouger, pourtant il gronde et découvre les dents.

— C'est une situation terriblement compliquée, dit Eudora, féminine.

— Non, à vrai dire. Aussi longtemps qu'Anne, même hostile, est demeurée avec lui, il ne s'est pas senti dépouillé. Maintenant il a peur qu'elle soit vraiment partie, corps et âme. Cela, il ne pourrait le supporter, il n'aurait plus alors aucune raison de vivre.

— C'est pourquoi nous disons tous : "Pauvre John", dit Eudora. Que va faire Anne ?

— Rien, sans doute. Le meilleur service qu'elle pourrait lui rendre, ce serait de le forcer à voir la vérité, mais on ne peut vraiment contraindre les gens à voir les choses quand ils s'y refusent.

— Pourquoi pas, si c'est la meilleure solution ?

— J'ai dit : le meilleur service à lui rendre et non pas la meilleure solution. J'ignore ce qu'elle va faire, j'ai l'impression qu'elle va se contenter de ne pas bouger, avec une obstination de mule, et de laisser aller les choses. »

Comme quelqu'un d'autre que je connais, songea Eudora, mais elle se garda bien de parler.

« Pour Anne, le problème ne consiste pas à

établir une situation nette, mais à composer un dessin au moyen des éléments fournis par les faits, dit Fred. En d'autres termes, elle est plus préoccupée de l'importance de ce qui se passe actuellement qu'elle ne se soucie de peser sur le cours des événements. Peut-être estime-t-elle qu'elle ne doit pas risquer un geste susceptible de tout compromettre. Est-ce que je me fais bien comprendre ?

— Du point de vue artistique, oui, dit Eudora. Anne est comme ces gens qui ont une mélodie en tête et n'osent remuer de crainte d'en perdre le fil.

— La comparaison est juste », dit Fred.

Une fois de plus, Anne avait été pour eux un lien, un moyen d'accès. Quand ils parlaient d'elle, ils semblaient n'avoir aucun secret l'un pour l'autre. Mais ils ne pouvaient pas en parler interminablement.

« Eh bien, dit gaiement Eudora, il faut que je file me coucher. J'ai un avion à prendre demain.

— J'irai vous dire au revoir à l'aéroport, si vous voulez bien.

— Ce serait si gentil, Fred. »

Ils étaient debout l'un en face de l'autre, gênés, au bord de la détresse. Eudora dit alors d'une toute petite voix :

« Aimeriez-vous que je vous écrive de temps en temps... enfin... pour garder le contact ?

— Oui, fit Fred, j'aimerais bien... C'est très gentil d'y avoir pensé. Je dois prendre des vacances à la fin de l'année, ajouta-t-il, je n'ai pas bougé d'ici depuis des siècles, alors je pourrai faire un petit voyage.

— C'est cela, fit joyeusement Eudora, craignant d'en dire trop, je serai enchantée de connaître vos projets. »

C'était ridicule de se dire au revoir. Elle ajouta seulement:

«Alors à demain.

— A demain», murmura-t-il.

Elle le quitta et monta dans sa chambre la tête haute, en courant presque, tant elle craignait de fondre en larmes avant d'y être arrivée.

«Anne!»

Le cœur battant, Anne se pencha à la fenêtre pour scruter les ténèbres, espérant déjà que c'était Unni.

«Qui est-ce?

— C'est moi, François, dit l'ombre modestement.

— Oh, François!»

On devinait dans sa voix une légère déception, et François en fut peiné. Il la regardait. Derrière elle, une lumière diffuse, dorée, coulait, épaisse comme de l'huile, sur ses épaules et ses cheveux.

«Anne au balcon, dit-il, c'est très romantique, ça.

— Qu'est-ce qui vous amène, François?

— L'heure de mes adieux. Je pars demain.

— Ah, dit-elle, tout le monde quitte Khatmandou. La saison des adieux.»

Elle descendit lui ouvrir la porte, et il entra. Elle portait une robe de chambre en tissu doré brodé de paons. François la regarda.

«C'est Unni qui me l'a donnée», dit-elle en caressant l'étoffe.

Elle s'assit devant sa machine à écrire; une pile bien nette de papier écolier était posée sur le bureau. François promenait autour de lui un lent regard, comme il eût aspiré un parfum.

« Que c'est beau ! Comme j'aime ça ! C'est presque effrayant, Anne, votre magnifique tour d'or. »

Il s'étendit sur le tapis qui recouvrait le sol, un tapis thibétain, bleu et écarlate sur fond d'or éteint :

« C'est fou comme tout paraît beau ici, dit François. Il va falloir que je revienne afin de comprendre pleinement, de saisir, oui de saisir, au sens propre du terme, cette vision d'un instant, que toute une vie ne suffirait pas à payer. »

Tous deux, ils étaient envoûtés par le charme de ce moment merveilleux : la lumière, le tapis, la robe dorée, les oiseaux chatoyants sur les murs, le plaisir de voir, d'entendre, de tenir les délices de ce paradis dans leurs mains. Pourtant ils savaient que la connaissance d'une pareille joie exige une constante discipline de soi, une réserve délicate dont on ne peut jamais se départir, une habileté pareille à celle du pianiste astreint à exercer ses doigts chaque jour.

« Je perdrai ceci, dit François, je le perdrai, car parfois je ne suis pas moi-même, je suis mort, comme chacun de nous meurt plusieurs fois avant sa mort et naît à nouveau. Puis je reviens à la vie. Peut-être vaut-il mieux ne revenir à la vie que par moment, sinon l'on souffrirait trop.

— Tout dépend des gens, dit Anne. Certaines gens me prennent mes yeux et mes oreilles, d'autres me les rendent. J'imagine que c'est cela la vraie liberté : sentir très profondément les choses sans avoir trop besoin du secours d'autrui.

— On a toujours besoin d'autrui, dit François.

— C'est ce que dit Unni. Le contact humain qui

donne la vie. La présence de l'Autre, témoin de la vérité de ce que nous voyons.

— Unni est quelqu'un de très remarquable, dit François.

— Oh, non, dit Anne, Unni est très simple, mais il est si totalement lui-même qu'il dit des choses comme celle-là sans y réfléchir. Comme un enfant vous donne un caillou parce qu'il est joli.

— Et ensuite il n'y pense plus. Mais vous, Anne, vous prenez le caillou et, avec ce caillou, vous vous mettez à construire un monument, parce que vous êtes amoureuse.

— Suis-je amoureuse ? Je ne sais pas.

— Je crois que oui, dit François. Bien sûr, cela dépend de ce qu'on appelle amour.

— Cela dépend plutôt du genre d'amour qu'on choisit, dit Anne.

— La plupart des gens ne peuvent choisir. Ils sont obligés de partir, ou d'entreprendre quelque chose. Ou bien, ils ne consentent pas à être liés. Parfois encore, ils ne s'accordent pas le temps nécessaire à la découverte.

— Unni dit que ce sont des castrats au point de vue sentimental : ils redoutent tellement la douleur qu'ils se mutilent, pourrait-on dire.

— J'ai écrit quelque chose, dit timidement François, et surtout, je vous en prie, ne riez pas. C'est pour vous.

J'aime la pierre qui fleurit,
Sarabande érotique et sacrée, beauté dansant
               [dans le bois, le bronze,
Les lions, les griffons, les éléphants, les oiseaux,
Dorés, sereins, les rajas sur leurs hautes stèles
Priant devant leurs dons, leurs dieux,
Le délicieux arc-en-ciel des déesses en délire
Parmi les serpents phalliques.

J'en ai mal un peu partout de ce bel amour.
Poser le pied sur l'herbe joyeuse, c'est beaucoup
[trop bouger.
Les enfants sont comme les moineaux, bien moins
[loquaces, même si gais,
Ils se bousculent pour voir ceux qui regardent.
Sur une joue des trous de la vérole, dans un visage
[des yeux de pierre
Lèvent quand même leurs paupières au soleil,
Divinement heureux.

Tout tourne autour de ce nombril centre du
[monde,
Poutre qui perce le ciel;
Tout danse autour de cet axe invisible, soleil en
[soi-même.
Les gens sont comme leurs peintures dans le
[cadre de leurs fenêtres ajourées,

Leurs yeux de lotus vivent sans se mouvoir;
Yeux des Nevâris artistes et rêveurs
Créateurs fantasques et indigents des dieux.

Ils vivent émerveillés
Sans connaître autre chose que la misère de
[l'homme.
A travers les trous de leurs haillons, les étoiles de
[leurs rêves sont à l'aise,

Ils n'ont pas besoin de sens pour voir,
Entendre, sentir, toucher.
Ils aiment et cela explique tous les miracles:
Ils aiment et sont Dieu Lui-même.

Car sans amour toute parole est sale, tout zèle et
[dévotion et vérole,

632

Toute création néant[1].

« Voilà, dit-il en se levant brusquement. J'ai tenu à vous voir pour vous faire mes adieux, car je pars demain.

— Nous nous reverrons, François, dit Anne. Personne ne quitte jamais personne. Aucun être humain.

— Peut-être pas », dit François, soudain avare de paroles. Comme incapable d'en dire davantage, il fit un bref signe de tête, dit : « Au revoir » et s'en fut à grands pas.

Et, bien qu'Anne connût sa peine et son besoin, le bonheur dont elle était habitée, pareil à la robe de soie qui couvrait son corps, interposait un voile entre elle-même et la claire conscience des sentiments de François. Il devait partir, elle devait rester, et voilà tout.

Journal d'Anne   Par petits paquets, les correspondants de presse et les touristes sont partis. Les fêtes du Couronnement sont terminées. Le printemps est fini. Déjà, en scrutant le ciel de porcelaine blanche, le Général parle de la mousson prochaine.

Un seul trajet jusqu'à l'aéroport et j'en ai eu fini avec les adieux à faire : François et Leo partaient ensemble. Le laconique François a tout dit hier soir ; maintenant il erre dans la chaleur blanche en attendant l'avion. Il est déjà absent, parti.

Il n'en est pas de même de Leo, volubile, si peu perspicace, avec son imagination vagabonde et ses petits enthousiasmes périodiques. Leo revient

1. Tout ce poème est en français dans le texte.

une fois de plus sur notre dernière rencontre et la grande scène de John. Grande scène est la seule expression qui convienne. Leo, lui, n'est pas encore parti, il continue à s'extasier sur le paysage (j'ai envie de dire le décor, cela devient un décor quand Leo est là), à épiloguer sur le climat, sur les intrigues de la Vallée.

« Ma chère Anne, quand je pense que vous êtes obligée de supporter des choses pareilles. Vraiment cela m'avait mis hors de moi. Vous savez que le lendemain de la scène en question j'ai passé la majeure partie de la journée avec votre mari, pour tâcher de lui faire *comprendre* qu'il doit vous rendre votre liberté.

— Merci, Leo.

— L'autre soir, à la fête du Club de la Vallée, il avait l'air tout à fait normal. Vous savez, c'était vraiment funèbre, et que de cancans ! Je crois que beaucoup de gens attendaient votre venue et, dans un sens, je regrette que vous ne vous soyez pas montrée.

— J'écrivais. »

Sans insister, je viens de dire à Leo ce qui a le plus d'importance pour moi, mais il est distrait et la nouvelle glisse à côté de lui, le moment ailé passe inaperçu. Unni aurait su quel cadeau je faisais à Leo en lui disant cela. Mais Leo n'a pas entendu. Unni, lui, l'a su sans même que je le lui dise.

« Je crois qu'à la suite de notre conversation John va se montrer plus raisonnable, affirme Leo. Je ne pense pas qu'il recommence à se conduire comme l'autre jour. Paul Redworth a eu également un entretien avec lui. J'ai idée qu'il va se tenir tranquille.

— Merci, Leo. »

Je remercie plus facilement maintenant.

Il y a foule à l'aéroport. Blumenfeld est là, vêtu comme un moine bouddhiste, mais avec trois caméras autour du cou. Quelques autres journalistes consultent leur montre, s'assurent de leur avion, parlent de la chaleur qui doit sévir dans la plaine. Kicha et Michael Toast sont venus accompagner les six cousins sikhs. Vassili et Hilde font des signes d'adieu à une troupe caquetante de touristes et à une montagne de bagages.

Le Colonel Jaganathan est là également, en uniforme, étrangement accablé.

« J'attends deux généraux de brigade qui viennent de Delhi pour faire une enquête sur une petite affaire de viol, dit-il.

— De viol?

— Oui, mon cher. Voilà le passe-temps favori de mes bons amis népalais. Une certaine personne est censée avoir été violée par moi. Une lettre anonyme a été envoyée au quartier général.

— Ça, c'est raide! dit Leo, plein de sympathie.

— Sacristi, dit le colonel avec conviction, et dire que voilà plusieurs mois que je n'ai touché une femme! »

Leo lui propose des solutions immédiates:

« Mais pourquoi donc? Avec toutes ces touristes disponibles?

— Que d'argent gâché! poursuit le Colonel. Faire venir de Delhi deux officiers supérieurs du quartier général! Ils vont rester plusieurs jours ici, boire ma bière, et puis s'en retourner. La prochaine fois j'exigerai deux généraux de division.

— Prenez garde que vos deux officiers ne soient pas impliqués à leur tour dans une petite affaire de viol pendant leur séjour ici », dit Leo.

Cette fois l'avion est prêt et, avec une hâte

soudaine, les gens se dirigent vers l'appareil en traversant la piste. Leo me serre les deux mains. Il a les larmes aux yeux.

« Anne, ma chérie, comme cela me coûte de partir ! Vous serez prudente, n'est-ce pas ?

— Bien sûr, Leo.

— Ne perdez pas courage, Anne, tout finira par aller très bien.

— Tout va très bien », répondis-je, étonnée qu'il ait pu me croire découragée.

Je suis l'avion des yeux, je reste là à regarder le ciel. Il y a un nuage derrière les collines et les montagnes sont invisibles.

Chapitre 13

La Vallée devint grise de chaleur. Les montagnes avaient disparu. Les nuages, jungle du ciel redoutée des pilotes d'avion, cachaient les pics neigeux, séjour des dieux. Au début, des orages secs éclatèrent et les éclairs zigzaguaient par les fentes d'un ciel d'acier. Puis il se mit à pleuvoir. Une pluie épaisse, visqueuse, tombant avec un bruit de lutte corps-à-corps sur les jardins, les rues, les palais et les temples, une pluie massive, grise, éléphantine, accompagnée de rafales de vent qui se mettaient soudain à claironner. Les immondices débordaient des cours jusque dans les rues, où l'on enfonçait dans la boue jusqu'aux chevilles. Sous l'effet des eaux qui détrempaient le sol, les pentes des collines se fendirent, déversant des nappes de boue sur la nouvelle route qui se trouva finalement coupée. Parfois, une butte se boursouflait sans crier gare et glissait, entraînant dans sa chute arbres et blocs de pierre.

Dans les villes de la Vallée, les Nevâris s'entassaient, au-dessous des balcons sculptés, dans des pièces où régnait une atmosphère d'étuve, fétides et pires que des cachots. La nourriture était rare et le grain destiné à la consommation moisissait dans les sacs.

Dans les collines, les ingénieurs indiens transpiraient sous leurs tentes et dressaient le bilan des dégâts causés sur la route par la mousson.

Beaucoup de gens d'ailleurs affirmaient qu'il suffirait d'une seule mousson pour qu'elle fût entièrement emportée par les eaux, mais les ingénieurs mettaient leur point d'honneur à ce qu'elle demeurât ouverte à la circulation. Dès qu'une éclaircie de quelques heures se produisait, ils partaient avec les bulldozers. Aussitôt arrivées aux endroits éboulés, les machines entraient en action, poussant et entassant devant elles la terre boueuse jusqu'à ce que le sol fût nivelé, et rejetant l'excédent de boue dans les ravins.

En haute montagne, les vents régnaient en maîtres, l'air était une mer en furie qui déferlait parmi les crêtes. Dans les formidables masses de nuages qui roulaient à travers les pentes, il se formait des gorges, des golfes et des tourbillons. Un violent vent d'est venait se briser sur l'Everest, d'où jaillissait un panache de neige visible à trois cents kilomètres de distance. Parfois la tempête éclatait sur l'un des versants de la chaîne, mais l'autre ne recevait pas une goutte d'eau, les nuages n'ayant pu franchir le barrage des crêtes.

Au Teraï — la jungle qui couvre la plaine népalaise — les sangsues pullulaient dans la buée chaude des averses :

« Il pleut des sangsues dans ce pays-là », disait le Père MacCullough.

Les bulldozers du modèle le plus récent amenés par les Américains gisaient à demi enlisés dans la boue entraînée par les ruisseaux en crue. La rivière, cette exécrable rivière, incapable de se tenir tranquille dans son lit peu profond, s'en creusait un nouveau au cours de la nuit, laissant derrière elle trente kilomètres de pierres roulées, de vase et de désolation, sur une longueur de deux cents kilomètres.

« Oh, Seigneur, nous avons un besoin urgent de cette digue, dit le Père MacCullough à Anne. Il faut arriver à juguler la rivière. Une véritable catastrophe. Tous les ans, elle apporte ici la famine. »

Tous les ans, en effet, c'était la même chose. Pareille à un pendule, la rivière balançait sa course redoutable et magnifique entre deux rangées de collines distantes de cent vingt kilomètres. Au cours des dix dernières années, elle avait changé sept fois de lit, divergeant tantôt vers l'est, tantôt vers l'ouest. A Khatmandou, les paysans qui avaient fui les vallées inondées couchaient dans la boue en pleine rue, ils mendiaient leur nourriture, et les côtes des petits enfants saillaient au-dessus de leurs gros ventres cuivrés.

Tel était le paysage de la mousson : sous un ciel gris invisible, la terre se transformait en cloaque, la Vallée devenait une sorte de chenal où flottaient des villes noyées d'eau, entourées de collines détrempées.

« Si cela continue il va bientôt me pousser des champignons sur le cerveau, disait le Père, désignant du doigt, avec un amer plaisir, la moisissure grise qui envahissait ses chaussures, les livres de sa bibliothèque, les statues pieuses et le mobilier de son école (installée elle aussi dans un ancien palais rana). C'est la période la plus pénible de l'année, elle dure jusqu'en septembre. A ce moment-là on chasse solennellement le dieu de la pluie, après quoi le temps demeure beau et ensoleillé jusqu'à la mousson suivante. »

Comme un prisonnier, il regardait le ciel par la fenêtre :

« Pas d'avions aujourd'hui, ajouta-t-il. On se sent complètement coupé du monde quand on reste plusieurs jours sans recevoir de courrier. »

Il accompagna Anne jusqu'au rez-de-chaussée, lui désigna au passage les cartes fixées aux murs indiquant les dérivations du cours de la rivière, établies année par année, et la suivit des yeux tandis qu'elle regagnait sa jeep.

« Vous devriez acheter un parapluie ! lui cria-t-il.

— Je n'aime pas cet instrument-là !

— Ah, les artistes », murmura-t-il.

Pour sa part, il ne serait pas sorti sans parapluie, mais certaines gens se plaisent littéralement à se faire transpercer par l'eau du ciel. Unni, par exemple, faisait de longues promenades sous la pluie, il rentrait trempé comme une soupe et gardait sur lui ses vêtements mouillés sans paraître en ressentir aucune gêne : « Si quelqu'un m'avait raconté cela, j'aurais eu peine à le croire. » Mais le Père avait lui-même été témoin de la chose, comme il venait de le dire à Anne. Avec un soupir, il revint dans son bureau. La tasse où Anne avait bu était là, avec un mégot taché de rouge à lèvres qu'il jeta dans la corbeille à papier : « Il ne faut pas que je manque de prier pour eux », songea-t-il. Tout cela était triste, très triste. Il se disait : « C'est de la fornication, un péché mortel. » Il aurait dû être beaucoup plus choqué qu'il ne l'était. Mais si le Père MacCullough avait été aisément choqué, il n'aurait pu tenir longtemps à Khatmandou, et d'ailleurs ce n'est pas en se montrant choqué qu'on pratique la charité chrétienne. Pourtant il ne fallait pas qu'il manquât de prier pour eux. Les voies du Seigneur sont insondables. A l'exemple des grands fils de la Sainte Eglise, le prêtre connaissait le cœur humain, et il était assez généreux pour se demander si grâce à cet amour — illicite et immoral certes, mais beau par son caractère passionné —

Dieu ne pourrait pas ouvrir à ces âmes péche-resses, par l'intermédiaire même de leur péché, le chemin de la Grâce. On aurait pu citer des exemples. Les voies merveilleuses du Seigneur. Déjà Anne était beaucoup plus abordable, elle entrait parfois chez lui pour prendre une tasse de thé, ce qu'elle ne faisait jamais auparavant.

Le Père MacCullough se laissa aller à une rêverie dans laquelle Anne et Unni étaient tous deux convertis à la vraie foi et mariés, mais, au moment même où il s'y abandonnait, il savait bien que c'étaient là des chimères.

Seule dans son living-room, Isabel aussi rêvait. La mousson exerçait sur elle de curieux effets. Elle n'avait pas beaucoup de travail pour le moment, et la saison était vraiment très éprouvante. Pour la qualifier, Isabel employait toujours cet adjectif. Il était certes éprouvant de trouver ses chaussures pleines de champignons, les flocons d'avoine trempés à la cuisine, la confiture moisie, le beurre ruisselant, son matelas humide, et de se voir environnée de nuages de moustiques le soir, quand la pluie s'apaisait. L'Institut était fermé, les élèves restaient chez elles, les femmes mariées, qui s'y trouvaient en majorité, commençaient de nouvelles grossesses, et, quand l'école rouvrirait ses portes, ce serait comme si elles n'y avaient jamais mis les pieds. Tout serait à refaire, elles auraient oublié jusqu'aux paroles de leurs prières.

On ne voyait guère d'étrangers de passage pendant la mousson. Pas d'explorateurs, pas d'ascensionnistes, pas de touristes. Chacun était irritable et fatigué. Vassili lui-même se plaignait de son foie plus que de coutume. Isabel, elle, se plaignait de son cœur. Elle avait des palpitations, des crises de larmes, cette lourde humidité ne lui valait rien. Dans un coin d'une armoire monumentale, au milieu d'un pêle-mêle de chaussures qui moisissaient dans une odeur de chien mouillé, s'alignaient les bouteilles qu'elle gardait en réserve en vue de ces crises. Une goutte, rien qu'une petite goutte, puis une autre. C'est ainsi que cela avait commencé, quelques années plus tôt. Un médecin lui avait conseillé de prendre une goutte de cognac quand elle se sentirait essoufflée ; elle avait en effet eu des crises d'essoufflement dans sa jeunesse, la fièvre rhumatismale laisse souvent une faiblesse du cœur contre laquelle le cognac est un remède souverain. Pendant la mousson, il n'y avait guère d'autre distraction, et le cognac la faisait rêver.

Cet après-midi-là, assise dans sa chambre, Isabel jetait vers l'armoire des regards furtifs et se demandait si ce n'était pas le moment de prendre encore une petite goutte d'alcool, quand elle entendit la jeep. La jeep de cette femme. Elle sortit sur la véranda et vit Anne au volant se dirigeant vers son bungalow par le jardin de derrière. Sous les roues de la voiture, l'eau jaillissait avec une sorte d'insolence.

« Sale garce ! grommela Isabel, tremblant d'une fureur passionnée qui la ravageait toute. Comme je la hais, cette affreuse femme, perverse et tellement arrogante. Et dire que c'est moi qui l'ai fait venir ici, moi qui lui ai procuré une situation et donné ce bungalow. »

Maintenant, Anne n'entrait plus voir Isabel en passant, elle ne venait même pas dans le courant de l'après-midi ; pourtant elle devait bien savoir qu'au long de ces interminables après-midi de pluie Isabel restait là seule, toute seule, à jeter des regards vers l'armoire. Elle ne montait même pas frapper à la porte pour dire un petit bonjour. Non, elle filait tout droit au volant de sa jeep, comme si le palais entier lui appartenait.

Isabel ouvrit l'armoire.

« La prostituée de Babylone », « la femme adultère », était maintenant dans son bungalow en train de se moquer d'Isabel; elle se refusait d'ailleurs à quitter la place, sachant fort bien pourtant qu'elle y faisait figure d'intruse. Mais non, elle restait là, et dans le silence des nuits, quand il ne pleuvait pas trop fort, Isabel entendait sa machine à écrire cliqueter, cliqueter pendant des heures. Parfois, le soir, Isabel, vêtue d'un imperméable, allait rôder autour du berceau de rosiers pour écouter le bruit de cette machine.

Maintenant, grâce à l'eau-de-vie, Isabel se sentait un peu réchauffée. Livrée à ses chimères, elle se voyait se lever, aller chez le ministre de l'Éducation. Il la recevrait, bien entendu. Le soir de la garden-party royale, ne lui avait-elle pas dit quelques bonnes vérités sur son pays et n'avait-il pas reconnu, avec une extrême courtoisie, l'exactitude de ses assertions? Oui, elle irait le trouver pour lui parler d'Anne.

Le ministre, grand, mince, lui ouvrirait la porte, enchanté de sa visite:

« Miss Maupratt! Mais entrez donc! Je suis ravi de vous voir. Je me demande ce que nous deviendrions ici sans vous. L'Institut Féminin apporte une si précieuse contribution au développement du progrès dans notre pays.

— A mon grand regret, dirait-elle, je suis venue vous entretenir d'un sujet très pénible. Il s'agit d'un de nos professeurs, Mrs. Ford. »

Les sourcils du ministre se rapprocheraient:

« Mrs. Ford ? dirait-il. Que se passe-t-il donc ? »

Alors Isabel répondrait :

« Sa présence à l'Institut est extrêmement déplacée. Elle a quitté son mari et se conduit de façon scandaleuse. »

Et le ministre indigné :

« C'est en effet inadmissible. Connaissez-vous la tierce personne qui est en cause dans cette déplorable affaire ?

— Oui, il s'agirait du fameux Unni Menon.

— Il sera expulsé du Népal dans les quarante-huit heures », déclarerait alors le ministre d'un ton tranchant, peut-être en agitant la sonnette d'argent posée sur son bureau.

Ensuite Anne viendrait trouver Isabel en pleurant, cette fois elle ne filerait plus tout droit chez elle au volant de sa jeep, elle s'arrêterait, monterait l'escalier (Isabel revoyait les longues jambes de la petite Anne qui s'enfuyait pour ne pas voir sa propre mère, il y avait de cela tant d'années), elle frapperait à la porte en sanglotant : « Isabel ! »

Le visage empourpré, brûlante, inondée de sueur, Isabel, triomphante, se laissait emporter par sa rêverie. Cette fois, il ne s'agissait plus d'Anne, mais d'elle-même. Substitution qui avait été précédée par la déportation d'Unni, d'ordre du gouvernement : maintenant Isabel s'imaginait penchée à la fenêtre de la chambre d'Unni ; il était derrière elle et il refermait sur elle l'étreinte de ses bras.

Inexorable comme la pluie qui crépitait telle une gigantesque machine à écrire, sa pensée la ramenait au point de départ de tout cela, trois ans auparavant : un après-midi étouffant, la chaleur tombant du feuillage, le ciel blanc et un silence que troublait le clac-clac de ses souliers sur le

gravier, tandis qu'elle se dirigeait vers le bungalow.

(Mais, comme si la caméra fonctionnait à
rebours, le film se dévidait vers le passé et non
vers l'avenir ; il y avait eu aussi la scène du matin,
seulement cette scène n'avait pas trouvé place
dans le rêve ; comme un fugitif, elle restait tapie à
la lisière de ce rêve, se refusant obstinément à être
chassée.)

«Elles font un peu de musique devant le
bungalow d'Unni Menon.»

Toujours laborieuse, Chérie, installée dans la
salle de classe, fournissait des explications sur la
fuite de ses compagnes. Toutes les autres s'étaient
égaillées comme des oiseaux, dans le soleil saturé
du parfum des chèvrefeuilles. Isabel se dirigea
vers le bungalow, et la terrible douceur de cette
matinée de printemps lui ravagea l'âme, mais, à
la vue de la scène qui se déroulait sur la pelouse,
cette douceur se mua en une rage aveugle.

Vice, perversité, débauche...

Des rires, de la musique, des danses, des
femmes avec des fleurs dans les cheveux, Unni
frappant sur un tambourin, ses longues mains
brunes tenant le corps ovale de l'instrument,
caressant la peau tendue aux deux bouts, jouant
avec une grâce légère.

A ce moment-là, quelque chose s'était brisé dans
le cerveau d'Isabel.

Revenue chez elle, elle s'était mise à arpenter sa
chambre, de long en large, pendant des heures...
comme elle l'arpentait maintenant, trois ans
après, — seulement, cette fois, le ciel déversait des
flots de pluie grise, les sombres rideaux de pluie
enserraient étroitement le passé, sans jamais
lâcher prise, sans jamais lui laisser un instant de
répit, jamais, sauf pendant les moments où, grâce

au cognac, elle parvenait à s'évader dans le rêve.

Isabel avait cessé ses allées et venues. Bien qu'elle fût inondée de sueur, elle tremblait. Alors, elle était sortie dans la chaleur de cet après-midi de printemps. Trois heures. Elle entendait le clac-clac de ses chaussures, tandis qu'elle se dirigeait vers le bungalow, résolue « à en finir une bonne fois pour toutes ».

« Et j'avais raison, j'avais raison... c'était abominable d'avoir quitté la classe sans permission pour s'en aller danser au soleil. »

Emprisonné dans les arbres, le bungalow semblait plongé dans la torpeur. L'endroit était désert. L'herbe même se dressait toute droite, sans qu'on pût y discerner l'empreinte de ces corps pervers, coupables, qui s'y étaient assis le matin. La porte était ouverte. Isabel, astucieuse et agile, monta l'escalier à pas de loup. La porte de la chambre était tout contre. Sournoisement, les doigts d'Isabel exercèrent une pesée pour l'ouvrir.

Unni était étendu sur le lit, nu, son long corps luisant de sueur. Et sous le sien gisait un autre corps, celui d'une femme aux cheveux blond cendré. Ce qu'Isabel aperçut alors lui transperça la vue comme aucun spectacle ne l'avait encore fait. Aujourd'hui même, à cette évocation, il lui semblait sentir sa pupille traversée d'une flèche, si bien qu'elle poussa un gémissement de douleur ; elle vit le sein blanc de la femme enveloppé dans la main d'Unni : seule la pointe apparaissait comme un bouton de fleur que cette main aurait cueilli.

Soudain les yeux d'Unni s'ouvrirent, regardèrent Isabel. Avant qu'elle ait pu faire un mouvement, il était debout. Il rabattit le drap sur la femme en disant: «Quelqu'un est là, ne bouge pas», ramassa sur le plancher un vêtement qu'il tint devant lui, marcha vers Isabel, la saisit par le poignet et l'entraîna dans l'escalier.

Elle l'avait suivi, à demi consentante. La main qui retenait son poignet ne lui faisait pas mal. Unni l'emmenait quelque part et elle le suivait. Ils pénétrèrent dans la pièce du rez-de-chaussée qu'il utilisait à la fois comme salon et salle à manger, ainsi qu'Anne le faisait aujourd'hui.

«Chère Miss Maupratt, c'est très mal d'entrer chez les gens sans frapper.

— Vous êtes ignoble, avait-elle murmuré, de vous vautrer là avec cette femme; c'est un péché, c'est horrible. Qui est-elle?

— Votre question est parfaitement déplacée. Et de quel droit êtes-vous venue jeter dans cette chambre un coup d'œil indiscret? Conduite tout à fait indigne d'une missionnaire. Maintenant vous allez rester ici jusqu'au départ de la dame qui est là-haut. Je ne veux pas qu'on jase à son sujet.

— C'est immonde, immonde, dit Isabel, frémissant de la tête aux pieds. Comment pouvez-vous, comment pouvez-vous? Et en plein après-midi.

— J'adore faire l'amour dans l'après-midi, avait-il répondu. Attendez ici que je vienne vous libérer.»

Quand il s'était détourné pour partir, elle avait vu ses fesses nues. La porte fermée, elle était restée là, à attendre, guettant son retour avec impatience. Elle entendit des pas rapides: la femme s'en allait. Puis la porte s'ouvrit, c'était Regmi, le domestique qu'Unni avait depuis lors procuré à Anne. Haletante, ruisselante, Isabel était rentrée au Palais de Rubis dans l'air brûlant. Le soir même, elle avait eu une crise cardiaque.

Le lendemain, Unni était parti, il avait déménagé.

Mais le Général était venu la voir, et de son air paisible, comme s'il ne s'adressait pas à elle en particulier, il avait déclaré que tout étranger qui ne respectait pas les convenances en usage au Népal s'exposait à être immédiatement déporté : «La noyade est également possible», avait-il ajouté.

Aussi le bungalow était-il demeuré inoccupé, en l'état même où Unni l'avait laissé, si ce n'est qu'Isabel avait mis au rebut, dans la pièce du bas, quelques meubles hors d'usage.

«Immonde, immonde, immonde...»

Inexorables, les longues lances de la pluie transperçaient la terre, éclaboussaient des étoiles d'eau.

Affalée sur le canapé, sa bouteille vidée, Isabel modifiait toute la scène ; cet après-midi d'il y avait trois ans, elle le recréait à son gré, y ajoutait la fin véritable, nécessaire, telle qu'elle devait être, telle qu'il fallait qu'elle fût. Dans cette nouvelle version, le corps de femme était celui d'Anne (les cheveux blonds devenaient bruns dans une sorte de radieux Jugement dernier qui remettait toutes choses en place), et Unni chassait de son lit le mince corps flasque qui tombait à terre avec un bruit sourd, le visage grimaçant de douleur : «Je ne veux pas de toi», disait-il. Puis il tendait les bras à Isabel qui volait vers lui, piétinant au passage le corps d'Anne effondré sur le sol.

«Viens, ma bien-aimée, ma bien-aimée !»

Une autre scène se déroulait ensuite. Par la fenêtre de la chambre d'Unni, Isabel voyait Anne s'enfuir (elle reconnaîtrait n'importe où ces jambes brunes), et les mains d'Unni debout derrière elle se refermaient sur ses seins : «Des

648

colombes, des colombes jumelles », et les boutons de fleur des mamelons étaient les siens, les siens, et une délicieuse angoisse se répandait en elle, comme un eau brûlante.

Inexorables, les coups sourds de la pluie s'abattaient, martelant le sol. Pan ! pan ! des coups de marteau résonnant quelque part.

« Viens, oh, viens ! » cria-t-elle, haletante.

Une bouche s'ouvrait, s'ouvrait au secret d'elle-même, tordant son corps sur le canapé. Si seulement il venait, tel qu'elle l'avait vu, s'il surgissait de la pluie, tout mouillé, et levait les mains.

La porte s'ouvrit, le visage de la personne qui avait frappé s'y encadra — le visage olivâtre, surpris, du fiancé de Suragamy McIntyre.

Journal d'Anne Je vais prendre le thé avec le Père MacCullough et je crois que cela lui fait plaisir. Timide, mais pourtant agité, il me montre ses livres, ses cartes de géographie. Sur la table de bois blanc (le mobilier a, comme on peut s'y attendre chez un prêtre, un caractère monacal), je vois un exemplaire de *Pics montagneux*.

« Vous recevez sans doute *Pics montagneux* ? me dit le bon Père.

— Non », dis-je, mais, hypnotisée par son évident désir de me le voir lire, je m'empare de la revue.

« Le Père MacCullough parle du Népal. *Mercredi, à l'occasion du thé organisé conjointement par les Dames du Point Quatre et par le groupe culturel du Club de la Vallée, le Comité, après avoir obtenu, non sans difficulté, l'accord du Père MacCullough, l'a présenté à nos membres réunis.*

Quelle manifestation admirable de la coopération du monde libre! Quelle victoire, quelle foule!

« *Le Père MacCullough prit donc la parole, non sans s'être vu offrir auparavant du thé et des sandwiches, servis de façon charmante par Miss Spockenweiler, Miss Potter et plusieurs autres dames membres des deux groupements.*

« *La conférence du Père avait pour sujet l'histoire du Népal. L'orateur s'appliqua à démontrer que le Népal est un grand pays et cela depuis de longs siècles.* »

« Oh, il ne faut pas croire tout ce qu'on raconte là-dedans », dit modestement le Père.

Malgré tous mes efforts, je ne trouve rien de mieux à répondre que :

« Je regrette de n'avoir pas été là.

— Il m'a fallu laisser de côté les parties les plus... heu... inavouables de l'histoire du Népal », ajoute-t-il, avec cette simplicité qui me coupe le souffle.

Etant donné que l'histoire du Népal n'est qu'une longue suite d'intrigues de palais, d'assassinats, d'adultères et d'atrocités, intimement mêlés à tous les grands événements, je me demande ce qu'il en restait, une fois expurgée par le Père MacCullough, qui fût susceptible d'exciter la curiosité de ces dames.

Je poursuis ma lecture :

« *Quand les auditeurs ont quitté la salle, l'intérêt déjà considérable qu'ils portaient au Népal s'était encore accru et ils sont partis bien résolus à parfaire leur connaissance de ce pays, tant par la lecture que par tout autre moyen.* »

« Quel dommage que je n'aie pas été informée à temps!

— Voyez-vous, je crois que vous devriez sortir davantage, aller dans des réunions, garder le contact. Je suis sûr que nos dames du Point Quatre seraient enchantées de vous accueillir, absolument enchantées. Elles sont vraiment très cultivées, dans l'ensemble. Et je crois qu'elles ont conscience de leurs responsabilités. Tout Américain est ambassadeur du Point Quatre, telle est ma devise. Je la leur ai transmise depuis longtemps déjà.»

Autour de nous, la pluie étend un épais rideau. Le Père parle des inondations. Je ferme les yeux — et à moitié les oreilles. Hier, pour me rapprocher d'Unni, je suis allée en jeep dans les collines et j'ai été surprise par un orage. On eût dit que des charrues déchiraient les collines, déformaient leurs contours; la falaise répandait des coulées bourbeuses, de profondes entailles s'ouvraient soudain dans les pentes, laissant échapper des torrents de terre et de pierres tendres. C'était effrayant de constater combien le sol était friable et la force de l'eau irrésistible. Puis la tempête cessa, et un soleil bossu brilla sur les mares où semblaient se noyer un millier d'autres petits soleils. Et les arcs-en-ciel surgirent, enjambant les collines.

Sur le ton le plus naturel, le Père MacCullough me parle d'Unni:

«Il se plaît à marcher sous la pluie. L'an dernier, le croiriez-vous, je l'ai vu arriver ruisselant, sous le plus violent orage auquel j'aie jamais assisté. Il est entré, il s'est assis sur cette chaise avec ses vêtements trempés. Comment n'est-il pas mort de pneumonie, voilà ce qui me stupéfie.»

Cette anecdote, c'est une récompense, qui m'est donnée comme à une enfant bien sage parce que je suis venue prendre le thé avec le Père, parce que je suis restée là à l'écouter patiemment. Et je sais que cet homme est bon, qu'il m'a parlé ainsi avec intention. C'est pour cela que je viens chez lui, que je vais m'installer au *Royal Hotel* ou m'asseoir dans l'un des sièges géants qui ornent l'extravagant grand salon du Général : pour les entendre parler d'Unni. Et ils m'en parlent toujours. Ils savent que cela me réconforte.

Fracassant le lourd silence de la nuit, j'entends des coups violents qui se confondent d'abord avec le déchaînement furieux de la pluie, puis je distingue là voix de Regmi et quelqu'un crie :
« Mrs. Ford, Mrs. Ford !
— Qui est là ?
— C'est moi, Suragamy. »
C'est Suragamy McIntyre. Regmi déverrouille la porte. Un canapé et deux fauteuils ont transformé la pièce du rez-de-chaussée en une réplique réduite du salon du Général. Mais pourquoi exigerais-je de vivre dans un cadre « de bon goût », me privant ainsi de la sagesse et de la vivacité d'esprit, de la courtoisie et de l'humeur aimable des gens qui viennent me voir et qui se sentent davantage chez eux assis sur cette hideuse peluche prune ?
Echevelée, Suragamy se tord les mains dans un geste de supplication :
« Mrs. Ford, Mrs. Ford, il faut absolument que vous veniez à mon secours. Il n'y a que vous qui puissiez m'aider.
— Que se passe-t-il ?
— C'est Mutti, dit-elle, il a des ennuis, des ennuis terribles. »
Elle roule les *r* et les yeux, elle se tord les mains sans arrêt. Son cou serpente sur ses épaules et ses cheveux se balancent sur son dos.

« Mutti ?

— Mon fiancé, Mutti Aruvayachelivaramgapa-thy. Et Miss Maupratt. C'est une mauvaise femme, oui, mauvaise, rusée, perfide. Le docteur est là, la police aussi. Miss Maupratt prétend que Mutti... »

Sa voix se brise dans un sanglot.

« Elle prétend que Mutti a tenté de la violer ?

— C'est un mensonge, un grossier, un infâme mensonge, il y a longtemps qu'elle lorgne Mutti, dit Suragamy, complètement différente de son personnage habituel, je vous le dis, elle est folle des hommes.

— Oh, voyons, voyons, fais-je.

— Vous dites cela parce que vous êtes aussi une Blanche ! crie Suragamy. Vous autres Blancs, vous vous soutenez toujours. Et on va mettre mon Mutti en prison, oui, et on va le fusiller ou le pendre, parce qu'il n'est pas blanc.

— Oh, pour l'amour du Ciel, Suragamy, vous retardez, croyez-le bien. Nous sommes en Asie. Il est beaucoup plus vraisemblable que demain Isabel sera accusée d'avoir voulu le violer.

— Mais c'est exactement ce qu'elle a essayé de faire ! » s'écrie Suragamy.

La scène que je découvre en arrivant à l'Institut justifie l'émoi de Suragamy.

Il y a un petit groupe d'agents de police dans le corridor, devant la porte de la chambre d'Isabel ; l'un après l'autre, ils viennent appliquer l'œil et l'oreille au trou de la serrure. J'arrive avec Suragamy, je dis « pardon » et je frappe. Un autre représentant de la loi ouvre, hésite à nous laisser entrer. J'aperçois Fred, et je lui fais un signe de la main. On nous introduit.

Isabel est étendue sur le divan, enveloppée dans des couvertures ; elle respire bruyamment. La Géographie a le doigt posé sur son pouls. L'Histoire verse du thé. Fred est debout, un stéthoscope autour du cou. Le Général et la Maharani sont assis dans des fauteuils, comme au théâtre. Deux policiers en civil — jodhpurs et veston — rôdent dans la pièce, un personnage corpulent, en uniforme et botté, écrit devant une table. Un magnifique jeune homme, coiffé d'un bonnet désinvolte et muni d'un appareil photographique tout neuf, se glisse derrière le divan et prend de nous des clichés au magnésium. Il nous glisse ensuite sa carte de visite : « reporter en chef au *Khatmandou Times* ».

« Isabel ! » dis-je.

Pas de réponse.

« Elle a subi une violente commotion, dit l'Histoire.

— Ne touchez à rien, dit l'un des policiers en civil.

— Empreintes digitales », précise l'autre d'une voix sifflante.

La caméra fait entendre son cliquetis.

Le Chef de la Police (l'homme botté) donne un ordre en népalais. Avec précaution, un mouchoir enroulé autour de sa main l'un des deux agents en civil prend la bouteille de cognac vide posée sur une table. Le Chef l'examine avec attention, puis fait un signe de tête affirmatif et se remet à écrire. On lui apporte une autre bouteille, il la flaire et hoche à nouveau la tête.

« Docteur, dit la Géographie, le pouls s'accélère.

— Madame, me demande le Chef de la Police, vous connaissez cette dame depuis longtemps ?

— Miss Maupratt ? Oui. J'ai... nous étions camarades d'école.

— Ah, dit-il en notant ma réponse. Est-ce une personne de bonnes mœurs ?

— Oh, oui, dis-je, excellentes.

— Le viol, déclare-t-il d'un air solennel, est un crime révoltant — si du moins il a été commis.

— Combien de fois l'aurait-il été ? demande le Général.

— Nous ne savons pas encore, répond le chef de la police, notre enquête ne fait que commencer, mon Général, elle se poursuivra jusqu'au bout.

— Ah, dit le Général, admiratif, que notre démocratie est donc heureuse de vous voir, Monsieur !

— Mon indigne personne est confuse, Excellence, répond le Chef de la Police en se levant pour saluer.

— Si j'ai bien compris, dit le Général, il s'agit de savoir qui a violé et qui a été violé.

— Naturellement », dit le Chef de la Police.

Suragamy éclate à nouveau en sanglots bruyants.

« C'est là en vérité toute la question, poursuivit le Chef, penchant la tête à droite et à gauche.

— Dans ces relations entre un homme et une femme, qui peut déceler la vérité ?

— Qui donc en effet ? »

Le Général et le Chef de la Police se regardent gravement. Fred, tout entier à son rôle de médecin, est complètement hors du jeu.

« A-a-a-a-ah, mon Mutti, je ne te reverrai jamais ! gémit Suragamy.

— Bien sûr que si, dit le Chef, dans sa prison ;

les visites sont autorisées tous les trois jours, de cinq heures à minuit, pour les proches parents. »

Suragamy a une crise de nerfs, et l'Histoire lui donne une tasse de thé.

« Docteur, dit le Chef de la Police, cette dame est-elle en état d'être transportée ?

— Je ne le crois pas, elle est encore sous l'effet de la commotion, dit Fred, regardant avec appréhension la petite montagne que forme Isabel ronflant sous ses couvertures.

— En ce cas, dit gravement le Chef, nous pourrions attendre. Les crimes ne sont pas nombreux à Khatmandou à l'époque de la mousson.

— Les viols, m'apprend le Général, ont le plus souvent lieu au printemps ou en automne. L'affaire actuelle est tout à fait hors de saison.

— Il se peut que d'autres éléments soient entrés en ligne de compte, dit le Chef de la Police, qui regarde les bouteilles, le sourcil froncé. Nous allons faire analyser le contenu de ces flacons — pour voir si l'on n'y découvrira pas un aphrodisiaque ou du poison. »

La caméra se remet à cliqueter. Les policiers en civil jettent eux aussi vers les bouteilles un regard mauvais. Le Général hoche la tête d'un air approbateur et nous rappelle qu'il fut autrefois Juge Suprême au Népal, « en un temps où l'on employait des méthodes moins scientifiques. A cette époque, Madame, nous aurions plongé les deux parties en cause dans la mare de justice. Procédé infaillible. »

Deux domestiques surgissent, apportant du thé pour la Maharani, le Chef de la Police, les policiers et le reporter. Le Général murmure : « Whisky. »

La porte s'ouvre brusquement. Vassili, Hilde, Enoch et John font leur entrée.

«Isabel... dit Vassili, puis il s'arrête court. Est-elle gravement atteinte ? demande-t-il à Fred.

— Non, non, dit Fred, ce n'est que la commotion. Heu... »

Les yeux de Vassili se posent sur les bouteilles et se détournent.

Le Chef de la Police s'est levé, il bavarde et rit avec Hilde :

«Quel plaisir c'était pour moi, Madame, d'avoir Vassili dans ma prison ! »

John est auprès du divan :

«Isabel, Isabel ! » crie-t-il d'une voix angoissée. Puis il demande à la Géographie : «Sa vie est-elle en danger ?

— Bien sûr que non, répond-elle d'un ton acide, ce n'est que la commotion.

— Oh, je suis si heureux », dit John.

L'émotion qu'il a apportée avec lui en entrant se dégonfle d'elle-même.

«C'est terrible, terrible, dit Enoch.

— Oh, je vous en prie, je vous en prie, Mr. Bowers, dit Suragamy en joignant les mains, il est innocent, je vous jure qu'il est innocent. Je le jure par tous les dieux !

— Suragamy, songez que vous êtes chrétienne ! s'écrie l'Histoire, indignée.

— C'est *elle* qui l'a violé, affirme Suragamy avec véhémence, elle l'a induit en tentation. Il est innocent, il est pur. Jamais il n'aurait de lui-même songé à une chose pareille, jamais, jamais.

— Que va-t-il se passer, Chef ? demande Vassili.

— J'ai déjà arrêté l'une des parties, dit gravement le Chef de Police. J'attends que Miss Maupratt soit assez remise pour l'emmener aussi. *Corpus delicti,* c'est, je crois, l'expression que vous emploieriez en la circonstance.

— L'emmener! s'écrient en même temps Fred, John et Enoch. Où cela?

— En prison, dit le Général. Ici, nous mettons toujours les deux parties en prison.

— Mais c'est impossible! disent d'une seule voix Enoch, John, l'Histoire et la Géographie.

— Elle bénéficiera d'un régime de faveur, le même que pour vous, Vassili, dit le Chef, j'y veillerai personnellement.

— Mais c'est épouvantable! s'écrient l'Histoire et la Géographie.

— C'est monstrueux, déclara John, il faut informer le Résident.

— M. le Chef de la Police, dit Enoch, je vous prie de considérer que Miss Maupratt est en possession d'un passeport britannique. C'est une Européenne. »

C'était là évidemment la dernière chose à dire. Le Chef de la Police semble changé en statue de pierre. Il est furieux. Hilde fait signe à Enoch et à John de se taire.

Suragamy recommence à se tordre les mains et crie:

« Je vous l'avais dit, je vous l'avais dit, ils vont user de leur autorité de Blancs et mon Mutti va mourir.

— Allons donc! réplique Vassili, dans ce pays-ci, les gens ne sont pas mis à mort pour viol, mais pour avoir tué une vache.

— Il va perdre sa bourse, sa bourse de l'U.S.I.S., dit Suragamy, c'est terrible. Oh, Mr. Bowers, dit-elle en se tournant vers Enoch, promettez-moi de l'aider. Il est pur, innocent! »

Enoch prend un air très froid.

Isabel gémit, se tourne et recommence à ronfler.

Fred, Hilde et Vassili s'approchent du Chef,

devenu glacial. Une discussion s'engage à voix basse. Hilde sourit. Il se déride peu à peu. Pendant ce temps, John marche de long en large, les mains derrière le dos, comme un futur père pendant un accouchement.

« Je crains que l'affaire ne soit sérieuse, très sérieuse, dit Enoch, et je vais m'y trouver mêlé. »

Enoch est l'un des deux parrains du fiancé de Suragamy, qui postulait une bourse d'études en Amérique : « Ce garçon me paraissait réunir toutes les conditions souhaitées, et avoir des idées très démocratiques, poursuit-il, mais il devait pourtant y avoir en lui un côté pervers pour qu'il se soit attaqué à une femme sans défense. »

La bourse de Mutti est à l'eau.

Le Chef de la Police donne un ordre. Il a décidé qu'en raison de son état de santé Isabel demeurerait à l'hôpital sous la surveillance de la police. Vassili et Hilde se confondent en remerciements.

« Et si vous buviez quelque chose, Chef ? » dit Vassili.

La bouteille de whisky du Général fait son apparition. Autour d'Isabel étendue sur son divan, la scène prend l'aspect d'une réunion amicale au *Royal Hotel*. Déjà des serviteurs circulent, des verres à la main. Mais Hilde entraîne Vassili d'une main ferme, et nous partons tous à regret.

Dehors c'est le déluge. Enoch nous rattrape, Fred et moi, il nous annonce que John va rester ce soir à l'Institut.

« Ces demoiselles ont très peur, dit-il, elles seront plus tranquilles s'il y a un homme dans la maison. Je devrais peut-être lui tenir compagnie, ajoute-t-il d'un ton hésitant, mais cela pourrait ennuyer Pat. Vassili va faire porter à John sa literie et ses couvertures dans une jeep.»

Le Général rit tout seul et se frotte les mains :

«Madame, dit-il, quand un viol se produit en dehors de la saison, cela donne beaucoup à penser.»

Et bientôt, abrités sous d'énormes parapluies noirs, la Maharani et lui disparaissent sous l'averse.

«Sale histoire, dit Paul Redworth. Empoisonnant.»

Anne, Fred et le Général avaient été convoqués par Paul à la Résidence pour y tenir une réunion confidentielle, huit jours après ce qu'on appelait «l'affaire Maupratt» dans la colonie étrangère de Khatmandou. Le *Khatmandou Times* titrait, de façon un peu différente, «l'affaire de l'Institut Féminin». Des coupures de la presse népalaises, avec les traductions, s'éparpillaient sur le canapé et le parquet. Cette presse se composait de trois ou quatre petits journaux paraissant irrégulièrement, mais qui pour le moment menaient grand bruit autour de ce que le Général dénommait «cette copulation intempestive».

«Je viens de relire *Passage to India*[1] ! dit Paul. Vraiment incroyable, vous savez. Aujourd'hui, trente ans plus tard, c'est exactement le contraire qui se passe.

— Et à Khatmandou par surcroît, dit Fred. Comme si les Népalais n'avaient jamais entendu parler de l'amour physique !

1. Roman de E. M. Forster, 1924.

660

— Il y a quelqu'un derrière tout cela, dit le Général. Je soupçonne bien des choses. »

Ecœurée et sentant aussi la crainte s'infiltrer en elle, Anne lisait la traduction d'un article intitulé : FEMMES BLANCHES, QUE FAITES-VOUS ICI ? *Incapables de satisfaire leurs appétits luxurieux avec leurs eunuques d'Occident, ces créatures diaboliques viennent dans notre pays où les hommes sont virils...*

« Pouah ! »

Elle déposa avec soin le papier sur le tapis, comme s'il se fût agi d'une cartouche de dynamite.

Fred regardait une autre coupure où l'on voyait deux bouteilles (les bouteilles de cognac d'Isabel) accompagnées de cette légende : *Flacons contenant les philtres d'amour qu'on a fait prendre à Mutti Aruvayachelivaramgapathy.*

« Grands dieux, dit Fred, je n'en crois pas mes yeux. Ce n'est pas la façon d'agir des Népalais. De toute évidence, nous sommes en présence d'un coup monté.

— Peut-être n'en est-ce que plus grave, dit Paul, très ennuyé. Comme vous le savez, il y a déjà eu des campagnes de ce genre. Pour des raisons politiques. Par exemple contre les Indiens, les ingénieurs qui construisent la route. Également contre les Américains et le Point Quatre. Vous souvenez-vous, dit-il en se tournant vers Anne, comme nous avions ri de tout cela quand nous sommes allés voir la route en construction ?

— Oui, je me souviens. »

Anne avait trouvé aussi fort comique la « petite affaire de viol », dont lui avait parlé le Colonel Jaganathan quelques jours après le Couronnement. Seulement, cette fois, ce n'était plus drôle du tout. C'était affreux, sordide, sinistre.

« Le peuple népalais n'est pas en cause, affirma le Général, cette campagne est menée par des politiciens. Des agitateurs. Des gens qui voudraient voir le Népal redevenir un pays fermé. Très peu de Népalais savent lire ; alors, si c'est une affaire politique, nous ne tarderons pas à voir apparaître des fauteurs de trouble qui viendront haranguer la population. Nous sommes heureusement à la saison des pluies, les manifestations et les émeutes ne sont pas très faciles à organiser.

— Seigneur ! dit Paul Redworth, que va dire le Foreign Office ? »

Anne ramassa une autre coupure :

Que viennent faire dans notre pays ces soi-disant amis du Népal ? Sous prétexte de nous aider, ils font de l'espionnage, ils prennent des photographies, ils font sauter nos montagnes, tuent nos ouvriers, ils traitent le Népal en pays conquis. Des hauts fonctionnaires violent nos femmes, et voici maintenant que leurs femmes dépravent honteusement nos hommes. Pourtant elles viennent ici en qualité de professeurs, pour dispenser leur enseignement à nos vertueuses vierges ! Nous comptons publier prochainement de nouveaux détails sur les véritables orgies auxquelles se livrent ces étrangers.

« Je sais que le gouvernement fait de son mieux pour mettre fin à cette ignoble campagne, dit Paul, j'ai reçu l'assurance que des mesures allaient être prises. La tempête s'apaisera, mais c'est bougrement déplaisant. Il va falloir nous montrer très prudents, très. A propos, demanda-t-il d'un ton irrité, qui donc est allé chercher la police avant de m'avertir ?

— Je l'ignore, dit Fred. J'ai été appelé par l'Histoire et la Géographie toutes deux dans un état de surexcitation terrible. J'ai trouvé Isabel étendue sur le divan, sans connaissance. Elle était, je le dis en toute franchise, en état d'ébriété ; ses vêtements étaient en désordre, mais pas de manière à... pas assez pour qu'on pût supposer qu'il y ait eu viol.

— Je n'étais pas présent, dit le Général, mais je puis vous dire comment cela a commencé. Les domestiques me l'ont raconté. Miss Maupratt se réconfortait au moyen de son tonifiant habituel, quand elle entendit frapper à sa porte. C'était le jeune homme en question (un grand coquin, comme vous le savez ; en d'autres temps, je l'aurais fait fouetter), accompagné de deux amis. Ils venaient demander à Miss Maupratt l'autorisation d'acheter des vivres pour l'Institut. Bien entendu, ils cherchaient à accaparer, au nom de l'Institut, le peu de denrées disponibles. Il règne une grande pénurie en ce moment et les affamés sont nombreux. Les amis restèrent à la porte tandis que le coquin pénétrait dans la chambre. Soudain les amis entendirent des lamentations et des cris, puis les deux autres demoiselles anglaises et l'Indienne accoururent. Les cris se firent plus violents ; elles ouvrirent la porte, et le jeune homme s'enfuit en courant. Miss Maupratt criait : "Appelez la police, appelez la police !" Les demoiselles se mirent à en faire autant et les domestiques étaient si effrayés qu'ils coururent au poste de police sans réfléchir. Le jeune homme et ses amis avaient peur, eux aussi ; ils se précipitèrent à la police, car, dans notre démocratie, c'est celui qui a porté plainte le premier qui gagne le procès. Par malheur, le Chef de la Police inspectait pour la première fois le nouveau poste. Quand il vit arriver tous ces gens en jeep, il fut obligé d'agir, au lieu d'ignorer l'affaire comme il l'aurait fait en d'autres circonstances. Il dut arrêter le jeune homme et ses amis, et aussi Miss Maupratt.

— On aurait dû m'appeler d'abord, dit Paul. Je n'ai été mis au courant que beaucoup plus tard, par Vassili.

— Madame, dit soudain le Général, il est heureux, je crois, que votre nom n'ait pas été prononcé. Toutes les autres dames sont nommées, sauf vous. C'est une chance.

— Certes, dit Paul. Espérons que cela va continuer. »

Il s'exprimait sur un ton bref, mais tempéré par un bon sourire :

« Excusez-moi d'avoir l'air fâché, mon petit, vous n'y êtes pour rien, expliqua-t-il, mais étant donné que les juges sont... assez inexpérimentés dans ce pays, moins il y a de gens impliqués dans l'affaire, mieux cela vaut, ne trouvez-vous pas ?

— Bien sûr, Paul. »

Anne savait à quoi il pensait. Elle y pensait aussi. Une crainte vague l'envahissait lentement. Son cas personnel. Elle le voyait déjà exposé dans les journaux : orgies nocturnes, une femme blanche et un homme de couleur. Quelle abomination ! Et cette fois la situation était renversée. Ce n'était plus John, un blanc, qui l'injuriait et traitait Unni de moricaud, mais au contraire des Asiatiques, des gens de la race d'Unni, secoués eux aussi par ce frisson sadique provoqué par le mélange violent, entêtant, de la couleur et du sexe. Mais pas à Khatmandou, pas dans cette Vallée bénie et souriante, si instruite des façons des humains et des dieux ! Non, dans ce pays, ce n'était pas possible.

Mais bien sûr on pouvait aiguillonner ce sentiment, là comme partout ailleurs. La lubricité invertie provoquée par le mélange Couleur-Sexe est une perversion créée par l'homme. L'homme parvient à se persuader lui-même des mensonges les plus extravagants, que ce soit à Johannesburg, dans le Tennessee ou à Khatmandou. En tous lieux, avec de l'imagination, on peut toujours donner à une quelconque différence un aspect monstrueux ou criminel. Et la différence de pigmentation est sans doute la plus facile à transformer en un crime, son évidence l'expose à la condamnation. Il n'y aurait aucun élément d'excitation malsaine dans la différence de couleur sans le frisson sadique que donne la barrière des sexes. Il *faut* donc que les deux aillent de pair. Où que ce soit, il *faut* que l'amour physique entre deux êtres humains prenne l'aspect d'un vice hors nature pour que la folie du racisme puisse se déchaîner.

« Tout s'arrangera, j'en suis sûr, dit Paul, mais je crains que nous ne puissions échapper à un interrogatoire ou à quelque autre procédure de ce genre ; cela se passera à huis clos, du moins je l'espère, mais on ne peut jamais savoir. Vous comprenez, il n'existe pas de loi à ce sujet, la nouvelle Constitution n'est pas très précise là-dessus... alors ça va être joli ! »

« Le temps s'améliore », dit le Général en sortant de la Résidence.

Anne regarda autour d'elle. Le soleil luisait faiblement, comme humide de rosée, et l'herbe dégageait un peu de vapeur.

« Une accalmie dans la mousson, nous allons avoir deux journées claires, dit Fred.

— Les avions vont pouvoir venir jusqu'ici, dit Paul, le mauvais temps les en empêchait. »

C'était pour eux une façon détournée d'avertir Anne. Une accalmie entraînerait peut-être la venue d'Unni. Or Unni risquait de se trouver mêlé à cette affaire. On fouillerait le passé, on ferait état des accusations d'Isabel, de l'attitude de John.

En pilotant sa jeep à travers les rues de Khatmandou, Anne avait déjà l'impression que les Nevâris lui adressaient des sourires moqueurs. A l'entrée de l'Institut, le portier se mit vivement au garde-à-vous, et sa femme, qui allaitait son dernier-né, rit au passage de la jeep. Ils étaient tous au courant de ses amours avec Unni. Oui, tous. Puis son cœur s'arrêta. Il y avait là une jeep inconnue, peut-être un messager apportait-il une lettre. Chaque fois que le petit avion de Bongsor atterrissait à Khatmandou, elle recevait au moins une lettre d'Unni.

La porte du bungalow était entrouverte. Pas de Regmi ni de Mita. Elle monta l'escalier. Quelqu'un était là.

« Unni ? dit-elle, encore incertaine, mais pleine d'espoir.

— Vous vous trompez de nom, mais je suis malgré tout content de vous voir », dit une voix, et Anne découvrit le beau visage fat de Ranchit.

Journal   Je n'avais pas revu Ranchit depuis
d'Anne   un mois. L'époque de la mousson
            est aussi celle des réunions mondaines — thés et cocktails — mais ma « situation » me permet d'échapper aux nombreuses « réceptions » où nous ne sommes pas invités ensemble, John et moi, et c'est bien agréable, car le temps passe vite quand je ne m'arrache à ma machine

que pour aller dormir et me remettre à taper dès le lendemain matin.

« Que faites-vous ici ? dis-je.

— Est-il besoin de le demander, déesse ? Je suis venu vous voir. Vous devez vous sentir seule en l'absence de... John. »

John est en effet absent depuis trois jours. Il est allé à Delhi pour consulter un avoué. Son frère est mort célibataire, lui laissant de l'argent, l'appartement de Calcutta... et des tas de papiers à signer. John est maintenant devenu un véritable héros, non seulement en tant que protecteur de la vertu d'Isabel (il a passé deux nuits à monter la garde à l'Institut), mais aussi parce qu'on raconte qu'il est devenu fabuleusement riche grâce au legs de son frère le baronnet, qui comporte également un « vaste domaine » dans le Sussex.

« J'ai pour habitude de recevoir dans la salle du rez-de-chaussée, pas ici, dis-je en me dirigeant vers la porte.

— Mais je me plais ici. Dans cette pièce, dit-il avec un geste de la main, où les murs sont couverts de peintures dues au talent de mon épouse bien-aimée et où, sur ce lit, la ravissante femme dont je rêve repose la nuit. Il est triste de songer qu'une beauté comme la vôtre est négligée, déesse.

— Ranchit, vous êtes grossier.

— Grossier ? Moi ? Alors que je viens m'offrir à vous ! Pour devenir votre amant », précise-t-il gravement.

J'ai envie de rire, mais le rire est dangereux. Ranchit crée autour de nous une lourde atmosphère sexuelle. Et je suis à demi fascinée. Depuis Unni, je suis devenue sensible aux hommes, consciente et curieuse d'eux. Dans l'univers souterrain de la sexualité, je connais maintenant à fond le regard méditatif, l'indifférence excitante, les tentacules experts de la prescience qui enveloppent, évaluent, dédaignent. Habileté du chasseur de la jungle capable de déceler le passage de l'animal et la direction qu'il a prise rien qu'à voir une branchette courbée, une feuille tordue. Cette lucidité, plus ancienne et plus profonde que toute connaissance morale ou intellectuelle, je la possède : grâce à elle, je sais que Ranchit est troublant, quoique vaguement répugnant, fascinant et repoussant à la fois. Il sait que je sais. Il s'avance, près, pas trop près, veillant à ce que la distance qui nous sépare devienne un attrait de plus, comme l'écart exact entre deux aimants.

« Dites-moi, demande-t-il doucement d'un air rêveur, que vous fait donc Unni ? Quelle chance il a, déesse, de vous avoir tirée de ce tombeau des sens où John vous retenait prisonnière et morte, pour vous rappeler à la vie... et voyez maintenant comme vous êtes belle ! Heureux Unni ! Mais je puis faire mieux. Je puis vous révéler des plaisirs que vous n'avez jamais connus. Je peux vous enseigner des choses que votre naïf Unni ne rêverait même pas de faire. Et vous êtes tentée, je le sais. Car vous êtes curieuse et douée d'imagination. Je vous ai vue absorbée, allant au plus profond des choses, indifférente à vous-même. Je veux voir cette extase sur votre visage, dans mes bras. Ne voulez-vous pas essayer, déesse, ne voulez-vous pas que je vous révèle les grands mystères de l'amour ?

— Vous parlez comme un vendeur de magasin, Ranchit, cela vous va mal. »

Ma réplique interrompt brusquement son hymne érotique :

« Oh, fi donc, dit-il en minaudant un peu, vous

êtes brutale, Anne, comme toutes les étrangères. Et je vous croyais différente. La plupart d'entre elles sont tellement... sommaires en amour. C'est parfois amusant, mais je vous croyais capable de devenir une véritable artiste. Vous possédez le charme caché des grandes courtisanes. Dommage de ne pas cultiver vos dons à cause d'un stupide attachement à un homme unique. »

Je ne puis répondre. Ses paroles me rappellent Unni, le bref délire d'il y a cinq semaines, quand il est venu à moi, à peine arrivé de Bongsor. Je le vis à nouveau en proie à cette passion furieuse, totale, qui ne connaît ni raisonnement ni frein. Le plaisir charnel a son innocence, et avec Unni je peux toujours être totalement moi-même. Je lui ai parlé de ma curiosité à l'égard des autres hommes (chose que je n'aurais jamais pu dire à John). Comme toujours, il m'a accordé une attention totale et détachée :

« C'est curieux, lui dis-je, maintenant que je t'ai, il m'est plus facile d'envisager une aventure banale avec quelqu'un d'autre, alors que l'idée ne m'en serait jamais venue auparavant.

— Je ne crois pas que tu ferais cela, dit-il. Pourtant l'occasion t'en serait certainement offerte, c'est si merveilleux de faire l'amour avec toi ! Mais, en général, les femmes aiment rester fidèles à un seul homme. »

Maintenant donc, voici Ranchit. Séduisant et repoussant à la fois. Je sais que je devrais être indignée, épouvantée, au lieu de me sentir simplement fascinée et curieuse. Je suis incapable de lui répondre, et il insiste.

« Et si vous m'offriez quelque chose à boire ? dit-il gaiement. (J'ai tout le temps devant moi, semble proclamer son visage.) Avez-vous du whisky ?

— Non, dis-je (et je mens). Mita et Regmi... mais à propos, où sont-ils donc?

— Ma chère, je les ai bouclés dans la cuisine, afin qu'ils ne viennent pas interrompre notre conversation. Je suis un Rana, vous savez, et ces gens-là gardent encore beaucoup de respect pour nous, beaucoup. Je vais envoyer mon domestique chercher du whisky au *Royal Hotel*, n'est-ce pas? Avec de la glace, bien entendu. »

C'en est trop:

«Sortez, dis-je, sortez immédiatement. Sinon je crie à faire écrouler la maison.

— Déesse, que se passe-t-il? demande Ranchit, sincèrement surpris.

— Sortez, vous dis-je, ou je crie. »

Il rit, de son affreux rire grinçant:

«*Vous*, appeler au secours, déesse? Mais qui viendra, qui vous entendra? Vous enfuir, courir à la police, peut-être? Auriez-vous envie qu'on recommence à parler des dames de l'Institut? De vous et des hommes qui viennent vous rendre visite? Vous êtes-vous demandé pourquoi seul votre nom ne figurait pas dans les journaux? Eh bien, c'était grâce à moi, grâce à mon influence. Je suis un Rana, ne l'oubliez pas.

— Ainsi vous êtes à l'origine de tout ceci, dis-je. Pourquoi? Pourquoi avez-vous fait cela à Isabel?

— Je n'ai rien fait du tout, dit Ranchit. Je ne l'ai pas violée, n'est-ce pas? Mais la saison de la mousson est si ennuyeuse, déesse. Seulement, dit-il en s'étirant voluptueusement, les journaux pourraient bien se mettre à parler de vous, pour changer. Et tout le monde est au courant de vos relations avec Unni. Je n'aurais qu'un mot à dire... Alors, ma chère, il faut être raisonnable et gentille. Soyons heureux l'un par l'autre, et je vous promets qu'il ne se passera rien. Mais, si vous m'opposez un refus, vous n'aurez qu'à lire les journaux demain, vous verrez ce que vous y trouverez sur vous, sur l'enseignement que vous donnez à vos élèves, et aussi sur Unni. Quand je vous aurai réglé votre compte à tous les deux, il perdra sa situation, je vous le garantis.

— Comme vous le haïssez! dis-je.

— Bien sûr, dit Ranchit, le teint plombé par la haine. Il m'a volé Rukmini. Il vole toutes les femmes avec ses airs faussement chevaleresques et nobles. C'est un menteur et un voleur. Je peux faire ce que je veux du corps de Rukmini, mais je ne puis avoir son amour. Cet homme l'a envoûtée, elle est incapable de l'oublier.

— Il ne l'a jamais touchée, dis-je.

— C'est encore pire, dit Ranchit. Prendre une âme, c'est pire que de prendre un corps. Vous ne savez pas ce que c'est que de tenir dans ses bras la coquille vide d'une femme, une coquille dont son cœur est absent, emporté par un autre. D'ailleurs, je me suis déjà vengé, ajouta-t-il, tandis que ses yeux faisaient le tour des murs de la chambre, elle avait peint tout cela pour lui, mais elle ne touchera plus à un crayon, j'y ai veillé. Et je ferai disparaître Unni, un jour je le tuerai sous vos yeux, je...»

La folie luit dans son regard.

«Vous vous fourvoyez complètement, Ranchit; je voudrais vous faire comprendre ce qu'il en est. Unni ne cherche nullement à séduire les femmes.»

Mais il ne peut en entendre davantage. Il pousse un cri de colère, un cri de femme, il serre les poings, se mord les lèvres. Une véritable crise de démence.

Nous pourrions rester là indéfiniment, emprisonnés par notre mutuelle présence, si par la fenêtre je ne voyais approcher deux silhouettes. Nous descendons ensemble pour les accueillir. C'est Chérie et son père le Rampoche de Bongsor.

« Ah, ah, dit le Rampoche d'une voix qui monte vers l'aigu, la voici, et en compagnie de Sri Ranchit. Quel plaisir ! »

De toute évidence il imagine ce qui vient tout naturellement à l'esprit des gens en pareil cas, à Khatmandou ou ailleurs.

« Mrs. Ford, voilà si longtemps que je ne vous ai vue, et maintenant mon papa a dit qu'il fallait profiter de notre séjour à Khatmandou pour aller vous voir et j'apprends que vous donnez des leçons particulières pendant les vacances de la mousson ; il faut que j'en prenne et mon papa vous considère toujours comme de la famille.

— Comme une nièce, précise le Rampoche avec un sourire épanoui. Chère Mrs. Ford, je ne serais pas plus soucieux de votre santé et de votre bonheur si vous étiez la plus jeune fille de mon frère aîné.

— Mon papa désire que vous veniez passer huit ou dix jours à Bongsor, ce serait excellent pour votre santé, vraiment, Mrs. Ford, beaucoup d'amis viennent nous voir tous les ans, nous sommes très nombreux et cette année il y aura Mr. Bowers, Mrs. Bowers et la dame française, Miss Valport, peut-être encore d'autres comme le Major Pemberton, le Père MacCullough et le professeur Rimskov qui connaît cinq mots de thibétain, tous faux, et nous espérons que vous pourrez vous joindre à nous, bientôt la mousson sera finie et il fera beau.

— Nous sommes venus de Bongsor en avion la semaine dernière, ajoute son père. Oh, les pluies ont été terribles. Une calamité générale. Les déesses sont courroucées. Je crois qu'une grande partie des travaux du barrage a été emportée par les eaux. Les montagnes sont irritées par cette intrusion. La peur et la maladie règnent parmi les ouvriers. Je crois qu'il va y avoir la peste.

— Rien d'étonnant à cela, dit Ranchit, avec tous ces infects travailleurs qui souillent les vallées. »

(C'est d'Unni qu'ils sont en train de parler.)

« Vraiment, dit Chérie, enjouée, ces gens des basses classes sont des fainéants, nous sommes parfois obligés de les battre pour les faire travailler.

— Joignez-vous donc au petit groupe de touristes qui vont venir à Bongsor, me dit le Rampoche, vous ne le regretterez pas. Ce sera un excellent stimulant pour votre travail d'écrivain. Bien que de graves troubles aient éclaté au barrage, tout n'est que paix et sainteté dans notre monastère. »

Ils partent tous les trois ensemble.

Je vais à la cuisine délivrer Regmi et Mita, qui en sortent contrits et en larmes comme s'ils y avaient été enfermés par leur faute, puis je m'en vais, aussi vite que je le peux sans courir vraiment, trouver le Général et Fred au Palais Sérénissime.

Quand j'y arrive, une conférence se tient dans le grand salon. Le Général, la Maharani et Lakshmi occupent l'invraisemblable siège à trois places. Fred et le Feld-Maréchal sont enfoncés dans de profonds fauteuils.

« Qu'on lui coupe la tête, dit le Général d'une

voix forte au moment où j'entre, introduite par la servante tibétaine.

— Nous parlions d'un directeur de journaux, Madame, et de sa plus récente canaillerie. Voilà qu'il réclame la fermeture de l'hôpital, sous prétexte qu'on y débauche les infirmières. »

Fred ne dit mot.

« Il n'y a pas lieu de se tracasser, docteur, dit le Feld-Maréchal, c'est une cabale, une intrigue, tout simplement. Il ne faut pas vous laisser affecter à ce point par de simples mots imprimés ; vous n'ignorez pas que leur valeur est douteuse. D'ici une semaine à peu près, cette machination se sera effondrée. Vos malades d'ailleurs n'en connaîtront pas l'existence, ajouta-t-il avec un éclair de malice dans les yeux, puisque par bonheur ils ne lisent pas les journaux.

— Les gens ne lisent pas, dit le Général, mais je n'en ressens pas moins une pointe d'inquiétude. Quand la campagne de presse aura été arrêtée, des bruits commenceront à courir dans le bazar et ailleurs. Les paroles que prononce la bouche ont plus de puissance dans notre pays que dans beaucoup d'autres ; et un beau jour, après la mousson, des troubles pourraient bien éclater brusquement... surtout si les gens ont trop faim. »

L'article concernant Fred vient de paraître dans un journal du soir, c'est pourquoi nous ne l'avions pas vu ce matin à la Résidence. La Maharani et Rukmini sont en train de le lire, elles semblent le trouver extrêmement amusant et éclatent de rire, voilant et dévoilant tour à tour leur visage.

Brièvement, sans entrer dans les détails, je raconte la visite de Ranchit. Il est difficile d'en donner une version cohérente, et la façon dont le Feld-Maréchal détourne de moi son regard pour contempler le tapis me donne à penser qu'il devine tout ce que j'omets de dire. Au cours de ces dernières semaines, je suis souvent allée le voir pour lui emprunter des livres, discuter poésie, philosophie, parler de la vie au Népal et dans les autres pays du monde. Mais nous avons évité d'aborder les questions personnelles, parce qu'en raison même de notre amitié il m'était difficile de lui parler d'Unni.

Le Général raccompagne le Feld-Maréchal jusque chez lui. Les vastes proportions du salon écartent pour ainsi dire les murs, nous isolent du reste du monde, Fred et moi.

« Quelle sale histoire, Anne !

— Ne vous tourmentez pas trop, Fred, je crois qu'il ne se passera rien de vraiment grave.

— Je l'espère. A propos, Isabel est tout à fait à plat, vous devriez allez la voir, cela la remonterait peut-être.

— Je crois plutôt que cela l'aplatirait davantage.

— Nous sommes dans un beau pétrin, dit Fred. Ce n'est pas en réalité Isabel qu'on cherche à atteindre, non, cela va beaucoup plus loin. L'affaire va prendre de l'envergure. Si elle est d'origine politique, alors les prochaines victimes seront des gens comme Unni, Mike Young et les ingénieurs de la route. Tous ceux qui osent créer du nouveau. Dans ce pays où règnent encore une mentalité féodale et l'ignorance, il est facile de prouver que les fléaux naturels — inondations ou mauvaises récoltes — sont provoqués par notre ingérence. Tout cela ennuie beaucoup Paul. »

Il suce sa pipe d'un air méditatif. Il a envie de parler d'Eudora. Elle lui manque.

« Il va falloir que j'écrive à Eudora de ne pas se tracasser, au cas où cette histoire lui viendrait aux oreilles. Vous savez combien il est difficile d'étouffer une affaire dès que les journaux en ont parlé. En déformant les faits, d'ailleurs.

— Il paraît que les choses ne vont pas très bien au barrage.

— C'est Unni qui vous l'a dit ?

— Non, le Rampoche de Bongsor.

— A votre place, je ne me fierais pas trop à ce qu'il raconte. C'est tout à fait le genre d'individu qui se plaît à fomenter des troubles. Il craint de perdre son empire sur les gens de Bongsor. On ne peut pas édifier un barrage, payer convenablement les ouvriers, construire un petit hôpital, des latrines, une école et des habitations convenables sans que cela constitue une petite révolution. Le barrage pourrait bien signifier la fin du Très Précieux, du moins en ce qui concerne son influence.

— Unni a fait tout cela ? dis-je, gonflée d'orgueil. Il ne m'en a jamais parlé. Je voudrais tant aller là-bas. Pas vous, Fred ?

— Oh, oui. Après la saison des pluies, quand Unni reviendra, je crois qu'il pourra vous emmener. »

Le lendemain matin, je suis allée voir Isabel, maintenant soignée à l'hôpital. Elle était au balcon, en robe de chambre, les bras croisés dans son attitude favorite.

Isabel a vieilli. Elle semble avoir franchi la frontière qui sépare un âge mûr encore vert du royaume incertain où sont relégués ceux dont la jeunesse est perdue sans retour. Ce n'est pas tant un changement physique qu'une expression. Le regard qu'elle dirige sur moi est à la fois effrayé et plein de rancune. Je le souhaiterais moins puéril.

« Fred me dit que vous allez mieux, Isabel.

— Je n'ai jamais été malade, réplique-t-elle d'un ton acerbe, il s'agissait uniquement d'un choc nerveux. Mais je vois bien qu'il me faut renoncer à poursuivre ma tâche. J'ai fait de mon mieux, mais je crains que ce pays ne soit entièrement livré à Satan et à ses œuvres.

— Oh, voyons, dis-je, ce sont des choses qui arrivent. Cette histoire est extrêmement désagréable, mais je crois que bientôt tout cela sera oublié.

— Si vous voulez parler de la tentative de ce monstre, répond Isabel, s'empourprant plus largement que jamais (même le dos de sa main change maintenant de couleur), ce n'est pas à cela que je songeais. Je parle de tout ceci (elle balaie de la main le paysage), la traîtrise, la bassesse, dit-elle en frissonnant. Mes collaboratrices, oui, mes collaboratrices, achève-t-elle, tragique.

— Suragamy... dis-je.

— D'autres aussi. Il n'y a pas que Suragamy. »

De toute évidence, c'est à moi qu'elle fait allusion. Suis-je d'humeur combative ? Pas du tout. Je n'ai nulle envie de fabriquer une tempête artificielle, de déchaîner sur ma tête toute sa haine refoulée. Je m'aplatis comme de l'eau, les mains dans les poches de mon pantalon, le regard, vague comme un brouillard, posé sur le jardin et les champs.

« Rien de tout cela ne serait arrivé, dit Isabel d'une voix tremblante, si seulement... si les gens s'étaient conduits décemment au lieu de... »

Elle cherche la bataille. Et maintenant cela m'est égal de me battre, la curiosité me pousse à poursuivre. A vrai dire, Isabel me fascine. Elle fait partie des personnages qui sont en train de se composer en moi, au cours de cette double grossesse. Car en même temps que la semence humaine a pris racine dans mon corps, le besoin est né aussi en moi de créer par l'intermédiaire des mots, de façonner, quelque chose qui sera autant partie de moi-même que mon enfant, une œuvre tirée de moi par l'ardent besoin de répandre la vie sous une autre forme que celle de la cellule biologique. Et ce besoin de s'exprimer, le seul titre peut-être qui nous autorise à revendiquer le rang d'être humain, un échelon au-dessus de toute autre créature, est venu d'abord, avant l'enfant d'Unni.

« Au lieu de quoi, Isabel ?

— Ah, vous le savez bien dit-elle, en secouant la tête à la manière d'un cheval. Rien du tout cela ne serait arrivé si je n'avais été trahie, si *vous* n'aviez pas profité de ce que...

— Moi ?

— Vous savez fort bien ce que je veux dire, répond Isabel en balançant de nouveau la tête, comme pour chasser des souvenirs déplaisants. Sans doute n'allez-vous pas vouloir m'écouter, mais j'estime que si l'œuvre accomplie ici par moi a été *démolie*, c'est vous la responsable. J'espère que vous comprendrez un jour quel mal vous avez fait... Ce n'est pas pour moi, je ne compte pas, mais nous accomplissons ici l'œuvre de Dieu en nous efforçant de venir en aide à la population. Et maintenant tout est détruit, détruit. Un fiasco complet.

— Alors pourquoi m'avoir offert cette situation ? Pourquoi avoir mis à ma disposition la chambre d'Unni ? »

Nous voici revenues au point de départ, à cet après-midi où elle m'a fait pénétrer dans un univers orange et doré, l'univers du fruit défendu.

« Voilà que vous recommencez, dit Isabel, vous essayez de dégager votre responsabilité. Vous vous êtes toujours refusée à regarder les choses en face. Je le sais. Je déplore, oui, je déplore vivement d'avoir appuyé votre candidature. Mais ce n'était qu'humain de ma part... je pensais que vous aviez besoin de travailler, puisque vous aviez écrit pour vous mettre sur les rangs.

— Mais non, Isabel, tout cela remonte plus loin, au temps où nous étions écolières.

— Oui, bien sûr, nous avons été à l'école ensemble, c'est pour cela que je vous ai recommandée au comité... Comme j'ai eu tort !

— Vous rappelez-vous, Isabel, la nuit où vous êtes venue, avec plusieurs de nos compagnes, danser autour de mon lit, en m'appelant bâtarde ?

— Moi ! Danser autour de votre lit ! Mais jamais je n'ai fait cela. Êtes-vous bien sûre de ne pas avoir inventé cette histoire ?

— Très sûre. Je me rapelle fort bien la scène.

— Moi pas, dit Isabel, et je m'en souviendrais si la chose était exacte. Ce n'est là qu'un produit de votre imagination, je le crains. Car vous *imaginez* des choses, vous savez. Des choses qui n'existent pas. Parce que vous avez donné libre cours à votre imagination. Vous ne connaissez pas réellement les gens, si intelligente que vous vous croyiez. Vous ne l'êtes pas, en fait. Vous commettez des erreurs. Vous trompe-t-on ou bien vous leurrez-vous vous-même, je ne me risquerais pas à le dire. Je ne veux pas en venir à des détails personnels, et de toute manière c'est pour moi un sujet extrêmement répugnant — il le serait pour toute personne douée de sens moral — mais j'avais raison quand j'affirmais que vous couriez à la catastrophe. Ma prédiction s'est réalisée, et je crains que nous n'ayons tous à souffrir à cause de vous.

— Cela dépend de ce que vous appelez une catastrophe, dis-je. Je considère mon mariage avec John comme une catastrophe. Et je ne vois pas comment un quelconque épisode de ma vie pourrait être à l'origine des récents événements.

— Mais si, dit Isabel, nous souffrons tous à cause de vous.

— C'est faux.

— Faux ? Si vous n'étiez pas aussi aveuglée, Anne, aussi égarée, parce que vous menez une vie déréglée, une vie... une vie de péché, vous discerneriez plus clairement les conséquences de vos actes. J'espère que le Seigneur vous pardonnera.

— La vérité, c'est que vous avez envie de coucher avec Unni. Vous me haïssez parce que c'est moi qui suis dans sa chambre, dans son lit, et pas vous. Voilà pourquoi tout cela est arrivé. »

Isabel n'a pas rougi. Elle respire très fort, une fois. Alors que je demeure confondue de ma cruauté, elle sourit.

« Moi, pas vous... pas moi... vous vous imaginez qu'il s'en soucie, vous croyez qu'il vous aime ! Il faut que vous le sachiez, cet homme-là ne tient à aucune femme. Sauf à Rukmini. C'est Rukmini qu'il aime, pas vous. N'oubliez pas qu'il est indien, il prend les choses comme elles viennent, les femmes aussi. Je l'ai constaté de mes propres yeux... Je vous l'affirme, je l'ai vu là-bas, couché sur ce lit, votre lit, avec une femme sous lui... et il était couvert de sueur. Vous croyez être la seule... Tenez, au barrage, en ce moment, il est sans doute couché avec quelque Thibétaine.

— Peu m'importe qu'il ait vingt femmes, pourvu que je sois l'une d'elles. »

Nous voici retombées sur la terre, retombées à la

femelle primitive, amorale, féroce, plus impitoyable qu'aucun homme ne serait capable de l'être.

Quand je reviens chez moi, le soleil brûle. Il n'y a pas un souffle d'air sur la pelouse où Regmi, encore tout penaud, dispose une table et deux chaises à l'ombre des arbres pour mettre le couvert du déjeuner.

« Le maître est revenu », dit-il.

Unni est là. La scène est presque conjugale. Autrefois, j'attendais ainsi que John vînt déjeuner.

Je prends une douche, je me change, je me recoiffe et, par la fenêtre, je regarde Unni qui se dirige vers le bungalow.

J'entends sa voix qui interroge Regmi. Le domestique lui dit que je suis en haut. Son pas... il est là, à la porte, il attend un peu, puis il entre, souriant, heureux, en disant :

« Oh, comme tu sens bon ! — aussitôt amoureux.

— Oh, Unni, non, pas avant le déjeuner.

— J'ai plus faim de toi que du déjeuner. »

Je cède. Mais il m'est arrivé quelque chose. Nous nous embrassons. Il est plein d'impatience et d'ardeur, j'entre dans le jeu, mais sans m'abandonner tout entière. Un autre moi, lucide, bien trop lucide, froid et insensible, nous observe. Je m'adapte comme il convient aux mouvements de son corps, à ses caprices. J'ai fermé les yeux, mais je les rouvre de temps à autre, rapidement, pour voir à quelle étape il est arrivé. Je m'aperçois que son expression, d'abord tendre, ardente, change lentement, à mesure qu'il multiplie les efforts pour me donner du plaisir, sans parvenir à son but. Je n'éprouve absolument rien. Ce n'est pas désagréable, ce n'est pas le pénible viol qui me donnait la nausée au temps de John. Je ne sens rien, tout simplement. Pendant un moment je pense à jouer à nouveau un rôle, à feindre l'orgasme auquel je sais bien que je n'atteindrai pas... mais, si je fais cela, il le saura et ne me le pardonnera pas.

« Chérie, dit-il en s'arrêtant, qu'y a-t-il ? Je ne te donne pas de plaisir ?

— Je ne sais pas, je suis fatiguée. »

Rapidement, sans un bruit, il achève et se lève en rabattant le drap sur moi. Quand il se tourne pour mettre ses vêtements, je vois son dos luisant de sueur.

Il me donne une cigarette, l'allume, demande :

« Est-ce que tu vas descendre pour déjeuner, tout à l'heure ? »

Il sort. Je le trouve qui m'attend sur la pelouse, lançant en l'air son amulette, l'œil fixé sur la montagne en face de nous. Le déjeuner est agréable, je mange avec appétit. Je découvre un nouvel Unni, ou plutôt je redécouvre l'ancien, celui des premiers jours : réservé, tenant de menus propos, courtois, inaccessible. Quel homme charmant il serait, dans tous les pays du monde ! Je le lui dis :

« Tu sais, Unni, tu es vraiment très séduisant. »

Il sourit et je sens à nouveau à quel point il est en effet séduisant, physiquement.

Après le déjeuner, je ne sais que faire. Pour la première fois nous n'avons rien à nous dire. Unni fume. Je l'entends littéralement penser. Mais je ne peux rien pour l'aider. A la fin, il me demande :

« Peux-tu m'expliquer ce qui se passe ?

— Je ne le sais pas moi-même.

— T'ai-je peinée d'une manière quelconque ?

— Non, Unni. Je... je crois que c'est Isabel. Mais je ne peux pas en parler. »

Il regarde la montagne. Des nuages sombres

montent. Avant ce soir, la pluie va recommencer à tomber et la chaleur sera moins forte.

« Que t'a-t-elle dit ?

— Tu sais qu'elle te désire, j'imagine ?

— Je sais. C'était d'ailleurs dans les journaux.

— Dans les journaux ?

— Oui, Ranchit a mis ses menaces à exécution. Une demi-page consacrée aux ravages exercés par moi parmi les professeurs de l'Institut. Songe donc : Isabel, la Géographie, l'Histoire, Suragamy... et toi.

— Alors tu sais que Ranchit est venu ici ?

— Le Général me l'a dit ce matin, pendant que tu étais auprès d'Isabel. Mais ce qu'Isabel t'a raconté, je l'ignore.

— C'est trop affreux, je préfère n'y pas penser.

— Laissons cela, donc. Il va falloir que tu assistes à l'enquête qui aura lieu demain matin.

— Je ne le savais pas.

— Je le sais. J'ai vu également le Chef de la Police, pendant que tu étais avec Isabel. Et j'aurai demain matin un entretien avec Ranchit.

— Comme de coutume, tu as songé à tout.

— Pas à tout, puisqu'il semble que j'aie perdu quelque chose au cours de cette affaire.

— Ne fais pas de mélodrame », dis-je d'un ton sec.

Je ne sais pas ce qu'il y a, je sais seulement que c'est à cause d'Isabel.

Nous allons faire un tour en jeep et, en revenant, nous nous arrêtons au *Royal Hotel*, où Hilde et Vassili accueillent Unni avec de grandes exclamations de joie.

« Unni, crie Vassili, qu'est-ce que j'apprends ?

Tous les professeurs de l'Institut Féminin ! Que de succès !

— L'Histoire et la Géographie ne survivront pas à cette épreuve », dit Hilde.

Les serviteurs sourient, béats d'admiration. Mariette Valport se drape, pourrait-on dire, autour d'Unni.

« Unni, je suis si heureuse de vous rencontrer, vous avez été si longtemps absent... pourquoi ne venez-vous plus jamais me voir, méchant ? »

Puis Mariette me serre dans ses bras :

« Anne, comme vous avez bonne mine... Puis-je vous appeler Anne ? Comme elle est jolie ! Rien d'étonnant à ce que je ne sois arrivée à rien avec vous, Unni ! »

Unni se dégage doucement et lui donne une tape sur la croupe :

« Sauvez-vous, Mariette !

« Elle a les hanches bien faites », dit-il, rêveur, en réponse au regard que je lui lance.

Je suis à la fois mortifiée, jalouse et peinée.

Enoch Bowers nous adresse un signe de tête très froid. Pat survient, fait semblant de ne pas nous voir et va s'asseoir auprès d'Enoch qui l'accueille avec effusion, lui avance une chaise et semble boire chacune de ses paroles.

« Deux vrais tourtereaux », dit Hilde.

Entre les sourcils de Pat, deux rides profondes se creusent et lui donnent une expression de perpétuelle perplexité.

Nous dînons, nous dansons. Unni danse aussi avec Mariette et avec Hilde, moi avec Vassili. Quand il tient d'autres femmes dans ses bras, j'ai terriblement envie de lui, mais, dès qu'il s'assied près de moi, il y a entre nous quelque chose de dur, une sorte de ressentiment. Qu'est-ce donc ? Nous rentrons ensemble, nous nous mettons au lit. Je repose dans ses bras, mais il ne me fait pas l'amour et je le déteste à cause de cela ; pourtant, s'il essayait, je le repousserais. Dans les ténèbres palpables, il respire régulièrement en me tenant dans le creux de son bras. Je suis en sécurité avec lui, pourtant j'ignore ce qu'il pense, j'ignore ce qu'il va dire. Moi aussi j'ai perdu quelque chose. A cause d'Isabel.

Chapitre 14

L'enquête judiciaire eut lieu le lendemain, dans le grand salon du Général.

« Ne vous tourmentez pas, ma chère, dit Paul Redworth à Anne qui était d'abord passée à la Résidence. Dans cette affaire, nos amis népalais se montrent parfaits, vraiment parfaits. Ils tiennent à ce que la lumière soit faite, mais discrètement. Ce sera une petite conversation strictement privée : en pareil cas, vous savez, moins on parle, mieux cela vaut. J'ai passé quelques instants avec Isabel et je lui ai dit que tout cela n'était qu'un simple malentendu. J'espère qu'elle se rangera à mon avis. »

Deux greffiers qui ne possédaient qu'une plume en commun étaient assis devant la table monumentale à dessus de marbre. Trois agents de police armés de parapluies ruisselants gardaient la porte. L'Histoire et la Géographie, assises sur un canapé, affectaient de ne pas voir Sugaramy, accompagnée d'un grand jeune homme mince (son « conseiller juridique », dit-elle) et d'une foule de femmes de sa famille, parlant toutes en même temps, munies de flacons de sels, de sacs en plastique, de châles de renfort, de paletots, de cigarettes, de bouquets de fleurs et de plusieurs de ces couronnes enveloppées de cellophane qu'on passe, aux Indes et au Népal, autour du cou des héros, des visiteurs, des mariés, de M. Nehru à l'arrivée ou au départ de son avion et des diplomates de toutes les parties du monde. Toutes ces femmes formaient une phalange massive, solidement installée sur ses positions, affrontant ouvertement l'Histoire et la Géographie. Elles ne manifestaient aucune hostilité contre Anne, à qui la plus volubile de la bande expliqua que les guirlandes et les bouquets étaient destinés au fiancé « quand il aura triomphalement gagné son procès contre cette méchante femme ».

Le Général et le Feld-Maréchal arrivèrent, accompagnés d'un petit homme tout rond que le Général présenta comme étant un magistrat :

« Mon neveu, Madame, on l'a nommé magistrat parce qu'il est affligé d'une nombreuse progéniture. »

Finalement arriva le fiancé, l'air fanfaron, ses cheveux huileux ruisselant de brillantine parfumée, flanqué de deux jeunes gens (des hommes de loi, d'après leur odeur, affirma le Feld-Maréchal) et des deux amis qui l'accompagnaient lors du « viol ». Regmi, venu par curiosité, se joignit à d'autres serviteurs qui se mirent à remuer des chaises, des canapés et des fauteuils, et bientôt une rangée de sièges se trouva disposée contre les murs, de distance en distance. Devant la grande table, deux fauteuils gothiques étaient occupés par le Magistrat et le Chef de la Police. On vit alors entrer, se suivant de près, Fred, Isabel et le docteur Korla, le petit médecin népalais, ami de Fred, qui opérait et soignait ses malades dans la cour d'un temple. Enoch Bowers et Vassili arrivèrent à leur tour et refermèrent la porte derrière eux.

« Où est Unni ? Ne vient-il pas ? demanda le Général.

— Il m'a amenée en voiture, mais il avait un rendez-vous », répondit Anne.

Les policiers entreprirent de pousser dehors quelques-unes des amies de Suragamy, qui protestèrent avec volubilité. L'une d'elles revint en courant pour passer une couronne autour du cou du fiancé, et toutes les autres applaudirent.

« Elles peuvent attendre en bas », dit le Magistrat.

Il invita le Général et le Feld-Maréchal à s'asseoir aux deux bouts de la table en qualité d'arbitres, et l'audience fut ouverte.

« C'est vraiment la procédure la plus étrange que j'aie jamais vue, dit Anne à Fred. Pourquoi le magistrat commence-t-il par Vassili ?

— Uniquement pour s'échauffer, répondit Fred. Cela peut paraître bizarre, mais, croyez-moi, ces gens sont intelligents et avisés à leur manière. Ils font de leur mieux, leur système judiciaire n'est encore qu'à l'état d'ébauche, aussi ne devons-nous pas le comparer au nôtre. Mais la mise au point nécessaire ne tardera pas à se faire.

— On croirait entendre Unni, dit Anne.

— Nous sommes en général si intolérants à l'égard des gens qui ne se comportent pas comme nous ! Mais ils obtiennent des résultats aussi rapides et aussi bons avec des méthodes différentes des nôtres. »

La déposition de Vassili fut très brève. Il avait, dit-il, été appelé par un domestique et il était parti « avec ma femme qui est occupée en ce moment », et à leur arrivée l'enquête était déjà, dit-il, entre les mains expertes « de Son Excellence le Chef de la Police ».

Celui-ci inclina la tête d'un air satisfait et passa au témoin suivant, le Général.

« Mon digne ami a tout dit, déclara le Général.

Moi aussi on m'a fait appeler et, quand je suis arrivé, Son Excellence le Chef de la Police était déjà là.

— Promptitude fort louable », dit le Magistrat.

Le Chef de la Police se leva et salua.

Il se fit un mouvement à la porte. Paul Redworth entra en s'essuyant le front et s'excusa d'être en retard. Le Chef de la Police lui adressa un large sourire.

« Vous êtes le témoin suivant, lui annonça aimablement le Magistrat, dites seulement ce que vous avez vu.

— Je n'ai rien vu, dit Paul, car j'ai été appelé très tard, et l'affaire était déjà entre les mains de notre excellent Chef de la Police. »

Tout marchait à souhait. Le Magistrat et le Chef de la Police hochaient la tête et échangeaient des sourires. Puis le Magistrat donna la parole à Anne, qui dit avoir été appelée par Suragamy.

« Et qu'avez-vous vu ?

— Je... » commença Anne.

Paul Redworth toussa discrètement pour l'avertir.

« Son Excellence était là, dit-elle, tout semblait parfaitement calme et en ordre. »

Le Chef de la Police se frottait positivement les mains de joie.

« Témoignages des médecins, maintenant », dit le Magistrat.

Fred et le docteur Korla se levèrent.

On demanda au docteur Korla quel était le résultat des analyses du liquide contenu dans les deux bouteilles (que présenta l'un des greffiers).

« Après avoir procédé aux analyses — et non sans avoir aussi beaucoup prié et médité — j'ai conclu, répondit-il, qu'il s'agissait d'un tonique pour le cœur. J'ai examiné la dame, avec le concours de mon éminent confrère le docteur Maltby, et j'ai diagnostiqué une maladie de cœur, ainsi qu'un état de faiblesse générale. »

Fred confirma qu'Isabel était « sous l'effet de la commotion » quand il l'avait vue :

« Je n'ai rien à ajouter à ce que vient de dire mon excellent confrère. »

Les deux médecins échangèrent un salut et se rassirent.

« Oh, Fred, murmura Anne, c'est merveilleux !

— Chut ! dit Fred. Le Père MacCullough vous dira que l'art de mentir sans mentir est l'un des grands talents des gens d'Eglise. Les Jésuites sont passés maîtres dans cet art.

— Pourquoi a-t-on interrogé le docteur Korla ?

— Témoignage impartial d'un Népalais. Nous sommes tous des Blancs, n'est-ce pas ? Il est bien naturel que nous soyons solidaires, que nous mentions pour sauver l'un des nôtres... cela s'est fait souvent autrefois, quand l'Inde était dominion britannique. Les Népalais s'en souviennent. Voilà l'explication. Ils font cela pour nous sauver de nous-mêmes.

— Comme ils sont chics ! dit Anne.

— Madame Maupratt, appela le Chef de la Police. Elle peut déposer assise, je crois savoir qu'elle est trop faible pour demeurer debout. »

Les trois hommes de loi, le fiancé, ses deux amis et Suragamy reniflèrent de dégoût et presque à l'unisson.

Comme le reste de l'assistance, Anne se pencha un peu en avant pour mieux entendre Isabel.

« Miss Maupratt, dit le Magistrat, prenant à son tour la parole, avez-vous donné à cet homme l'autorisation d'acheter des vivres pour l'Institut ?

— Absolument pas », dit Isabel.

Suragamy laissa échapper un flot de paroles indignées :

« C'est un mensonge, mon Mutti lui a permis de se procurer des quantités de choses. A l'époque du Couronnement, mon Mutti...

— Ah, ah, dit le Chef de la Police, toute la question est là. Nous avons ici, signée de Mutti Aruvayachelivaramgapathy, la facture de deux mille litres d'essence, achetés au prix imposé, durant les mois d'avril et de mai. Madame, avez-vous acheté deux mille litres d'essence par l'intermédiaire de ce jeune homme ?

— Certainement pas, dit Isabel, indignée, je lui ai seulement demandé de m'en procurer deux cents.

— Ah, ah, firent ensemble le Magistrat et le Chef de la Police, en échangeant des sourires plus épanouis que jamais, comme pour dire : "Voyez comme nous sommes malins !"

— Mais Monsieur, mais Votre Honneur... dit l'un des hommes de loi en se levant d'un bond.

— Nous protestons, dirent les deux autres.

— L'affaire est close, déclara allégrement le Magistrat. Mutti Aruvayachelivaramgapathy, nous vous incarcérons : 1° pour avoir commis un faux et obtenu par des moyens frauduleux, pour vos besoins personnels, deux mille litres d'essence au prix imposé ; 2° pour vous être livré à des voies de fait sur la personne de cette noble dame quand elle vous a refusé l'autorisation d'acheter, au nom de l'Institut Féminin, des denrées destinées à votre usage personnel ; 3° pour avoir calomnié cette noble dame et porté de fausses accusations contre son honneur. Je crois que c'est tout, ajouta-t-il en se tournant vers le Général et le Feld-Maréchal.

— C'est tout », dirent d'une seule voix le Feld-Maréchal et le Général, fort soulagés.

« Mais, dit l'Histoire à la Géographie, on ne nous a même pas demandé *notre* témoignage.

— J'aurais cru... dit la Géographie, déconfite, j'aurais cru que les choses se passeraient de façon toute différente.

— Différente en quoi, Madame ? demanda le Général.

— Oh... vous savez bien.

— Madame, dit le Général d'un air sévère en rendant tour à tour l'Histoire et la Géographie, vous ne vous attendiez *sûrement* pas à ce que le Chef de notre honorable police, un être si délicat, fasse allusion à ces choses ignobles que sont les rapports sexuels devant des vierges comme vous et Mrs. Maupratt. D'ailleurs, ajouta-t-il, les voyant complètement abasourdies, il n'y a jamais de viols pendant la mousson. »

Dans le ciel, les nuages étaient épais et sombres. Les pluies allaient recommencer.

Anne se hâtait vers son bungalow. Un intense soulagement l'inondait. Maintenant elle avait hâte de voir Unni, de courir vers lui pour tout lui raconter. Comme elle avait été sotte !

« Unni ! appela-t-elle, Unni ! »

Mais il n'y avait là que Mita en train d'épousseter la chambre :

« Le maître est sorti, dit-elle.

— Je vais attendre. »

Il allait venir plus tard, comme la veille, mais

cette fois ce serait tellement différent. Elle lui dirait : « Oh, mon chéri... » et elle lui raconterait tout ce qu'elle avait refoulé au fond d'elle-même. Elle se sentait un peu étourdie, frissonnante et étrangement fatiguée. Elle lui montrerait les feuillets qui s'empilaient lentement, son nouveau livre : « Vois, mon chéri, à cause de toi, à cause du bonheur que tu m'as donné, je peux recommencer à écrire. Car elle recommençait à écrire, à vivre, corps et âme. Fleur du corps et fleur de l'imagination s'ouvraient en même temps. Elle lui révèlerait, lentement, le merveilleux, le doux secret, la vie qui commençait en elle... comme si (elle souriait de cet émerveillement), comme si c'était la première fois au monde que des êtres humains eussent un enfant. Mon âme glorifie le Seigneur. Comme Anne comprenait bien maintenant ces paroles ! Toutes les mères devraient éprouver le même sentiment. Seigneur, voici devant vous une femme comblée !

Elle éprouvait une impression de vertige. Le matin, en se levant, elle avait eu un bref évanouissement. Soudain tout était devenu noir, mais seulement l'espace d'une seconde elle avait aussitôt repris connaissance. C'était la deuxième fois depuis quarante-huit heures. Cela provient de mon état, se dit-elle, je vais m'étendre un peu. Une fois couchée, elle s'était sentie mieux et même étonnamment lucide ; elle raisonnait et jugeait avec une extraordinaire clarté.

Mon bien-aimé, songeait-elle, comme j'ai été aveugle, mauvaise et égoïste. Je suis venue à toi pour te demander de m'aider et tu m'as donné l'amour, la tendresse, ta chaleur et ta sympathie humaines. Et maintenant, à cause de quelques paroles échappées à Isabel, à cause d'un passé plein de craintes et de haines puériles, il a fallu que je te fasse du mal, que j'essaie de te faire du mal. Pour quelle raison, je l'ignore... est-ce parce qu'Isabel m'a dit t'avoir vu ici avec une autre femme? Et qu'importe, puisque je n'existais même pas alors, pourquoi cela nous séparerait-il? Et même si en ce moment il y avait aussi quelqu'un d'autre que tu aimes en dehors de moi, je crois que je comprendrais, il me faudrait apprendre à accepter... pourtant ce serait dur, car je suis femme et je t'aime. Mais je ne voudrais pour rien au monde t'imposer des limites, te tailler à mes mesures comme un vêtement, car tu es toi-même et il faut que je t'aime tel que tu es. Il faut que j'apprenne à aimer, je ne sais pas aimer, pas vraiment, pas comme Unni. C'est de là en vérité que vient tout le mal, aussi bien pour Isabel, pour John, pour Leo que pour moi-même. Mais Unni et Rukmini *savent*. Ils savent aimer avec générosité, douceur et abnégation, sans exiger de lendemain, sans exiger rien... Il faut que je suive leur exemple.

Son pas... et il était là avant qu'elle eût pu se lever.

« Oh, mon chéri, dit-elle, presque en larmes, tendant les bras pour qu'il la serrât contre lui, protège-moi, je t'en prie, pardonne-moi et protège-moi, je suis si ridicule!

— Tu es riche de dons merveilleux et tu demeures toujours toi-même. Je te suis si reconnaissant de m'avoir choisi, dit-il en lui caressant les cheveux.

— Tu ne sais pas, Unni, tu ne sais pas!

— Mais si, bien sûr, je sais, mais j'ai foi en toi et cela suffit.

— Je t'ai fait de la peine.

— Non, dit-il, sincèrement non. Comment pourrais-tu me peiner puisque je t'accepte telle que tu es ? Comment pourrais-tu me peiner puisque je t'aime ? Même si tu me renvoyais maintenant, même si tu me disais : "J'en ai assez de toi", je m'en irais souriant et heureux, parce que cet amour m'a été donné et ne peut m'être repris. J'ai dû faire quelque chose de merveilleux dans une vie antérieure pour mériter le bonheur de t'avoir.

— Comment peux-tu m'aimer ? dit-elle. Tant d'autres femmes sont plus belles et plus séduisantes que moi.

— Je n'en sais rien, mais je n'ai pas aimé profondément jusqu'à ce jour. C'est la vérité, il faut me croire.

— Je te crois, dit-elle.

— Et ne va pas imaginer que tu me doives la réciprocité, ajouta-t-il en l'éloignant de lui. Tu n'es en rien coupable ou responsable de ce que je puis éprouver ou faire. »

Elle rit, leva la tête et voulut quitter son lit, mais elle se sentit à nouveau prise de vertige, à tel point qu'elle manqua tomber.

« Qu'est-ce qu'il y a ? dit Unni, tu ne te sens pas bien ?

— Ce n'est rien, je suis un peu étourdie. La faim sans doute ; descendons déjeuner. »

Mais elle ne put avaler une bouchée, tant elle avait mal au cœur.

« Je crois que je vais retourner m'étendre », dit-elle, retardant le moment délicieux où elle lui apprendrait qu'elle attendait un enfant.

Il fit le tour de la table pour lui tirer sa chaise : elle remarqua alors qu'il avait la main gauche enflée et marquée de rouge.

« Oh, qu'est-ce que c'est ?

— Une discussion que j'ai eue ce matin avec Ranchit.

— J'avais oublié. Que je suis étourdie ! s'écria-t-elle. Il t'a fait mal ?

— Nous nous sommes un peu malmenés, bien que je me sois efforcé d'observer le plus longtemps possible les règles de la politesse. »

Anne trouvait drôle tout ce qu'il disait ou faisait. En riant, elle se mit à monter l'escalier et soudain, au moment où elle soulevait le pied, elle se sentit tordue par une douleur si aiguë qu'elle se plia en deux et poussa un cri. En une seconde il fut auprès d'elle et la soutint, sinon elle serait tombée. Ravagée par une souffrance intolérable, elle était incapable de parler.

« Qu'est-ce qui se passe, mais qu'est-ce qui se passe ? demanda Unni.

— ... me... coucher », murmura-t-elle à grand peine.

Il la porta jusqu'au premier étage, la déposa sur le lit. Elle gardait les mains sur son ventre, où la douleur s'apaisait peu à peu, mais elle sentit la lente pulsation de son sang qui s'écoulait dans son corps et lui emplissait le ventre — et elle comprit. Elle leva la main vers le visage d'Unni et se mit à le caresser doucement en suivant le contour du front, des pommettes, de la bouche, puis elle lui dit :

« Mon chéri, je suis navrée, il va falloir que tu appelles Fred. J'ai une hémorragie. C'était ton enfant, je crois bien. »

Les vagues de la douleur se succèdent comme un flot montant ; la Géographie, une seringue hypodermique à la main, dit : « Là, là » avec une apaisante douceur et, au bout d'un moment, la douleur s'éloigne, puis le sommeil vient sous l'effet du narcotique.

Des cauchemars, la vision obsédante du flacon rouge plein de sang qui se balançait au-dessus d'elle et soudain la pleine conscience revenue, en même temps que la souffrance et la silhouette de Fred en blouse blanche, comme fluide, disant :

« Eh bien, vous allez être sur pied en rien de temps.

— Fred, c'est dans l'autre trompe qu'était l'enfant, n'est-ce pas ?

— Oui, Anne. Une grossesse de quelques semaines. Extra-utérine.

— Cela signifie que je ne peux plus avoir d'enfant... une femme n'a que deux trompes.

— Ne vous tourmentez pas pour cela en ce moment, Anne.

— Où est Unni ?

— Il a été obligé de retourner au barrage dès qu'il vous a su hors de danger, aussitôt après l'opération. Il reviendra dès qu'il le pourra. »

Anne est en sueur, déjà fatiguée au bout de quelques mots. Elle ferme les yeux, mais elle entend chuchoter la Géographie et saisit le sens de ses paroles.

« Et John ?

— Il est revenu de Delhi, il vous a envoyé des fleurs.

— Est-il au courant ?

— Non, nous avons dit à tout le monde que c'était une crise d'appendicite. »

La Géographie infirmière et la Géographie professeur sont deux êtres différents. En la voyant remonter adroitement les oreillers, Anne songeait : Le Feld-Maréchal affirme que les dieux sont des projections de nous-mêmes et que chacun de nous est en réalité une foule. La Géographie infirmière est merveilleuse et bonne, elle répand le bonheur dans cet hôpital ; ses pâles mains couvertes de taches de rousseur sont adroites et douces, douées d'un pouvoir calmant, presque guérisseur.

« J'espère que vous n'avez pas mal aux pieds aujourd'hui, lui dit Anne.

— Non, mon petit (pour la Géographie, tous les malades s'appellent mon petit), mais comment savez-vous que j'ai souvent mal aux pieds ?

— Depuis le jour où nous sommes toutes allées en pique-nique. Vous vous rappelez le bébé aveugle ?

— Les parents ne sont jamais venus à l'hôpital pour le faire soigner. Il est certainement mort à l'heure qu'il est, pauvre petit être. »

Elle recoucha doucement Anne sur les oreillers qu'elle venait de remonter, prit un peigne et se mit à la coiffer, arrangea sa chemise de nuit. La pièce était remplie de fleurs.

« Voyez comme on vous aime, dit la Géographie d'un petit air espiègle. Quelles fleurs ravissantes ! Et si difficile à se procurer à Khatmandou. »

Elle désignait une gerbe d'iris des montagnes et un bouquet de petites pâquerettes blanches :

« Il a fallu monter très haut pour les cueillir. Pas de nom ni de carte. Je me demande qui vous les a envoyées. Vous ne voyez pas qui cela peut être ? Sans doute aurez-vous des visites aujourd'hui, le docteur les a autorisées.

— Comment va Isabel ? demanda Anne.

— Très bien », répondit avec empressement la Géographie. La seule mention du nom d'Isabel la transforma, lui rendit brusquement son autre moi : « Vous savez, les journaux ont été condamnés à verser des amendes. On a étouffé l'affaire, et cet affreux homme a été expulsé du Népal. Nous sommes en train de réorganiser l'Institut, les cours reprendront le mois prochain. Isabel cherche activement une remplaçante pour Suragamy. A propos, votre mari a demandé à vous voir. Je pense que...

— Certainement, fit Anne, j'aimerais beaucoup voir John. » La Géographie eut soudain l'air fâché et sortit.

Anne regardait les iris, les bouquets serrés de petites pâquerettes blanches. Quelle que fût la personne qui les avait envoyées, ces fleurs évoquaient tant de visions merveilleuses : les pics neigeux, le ciel bleu, les crêtes glacées... Anne dut s'endormir, car elle se réveilla brusquement toute saisie, pour voir Unni debout auprès du lit qui la regardait et John faisant son entrée dans la chambre.

C'est seulement dans la vie qu'on trouve des situations pareilles, se dit Anne : une rencontre entre le mari et l'amant au chevet de l'épouse malade. Jamais un romancier n'oserait en écrire autant, de crainte d'être accusé d'invraisemblance.

« Comment ça va ? demanda John.

— Bonjour, John.

— Je reviens de Delhi, dit-il en tournant le dos à Unni. Désolé d'apprendre que tu as eu une crise d'appendicite. Tu m'as l'air tout à fait d'aplomb. Fred Maltby affirme d'ailleurs que tu seras bientôt sur pied. Voilà une bonne nouvelle. »

C'était le moment ou jamais.

« Je n'ai pas eu l'appendicite dit Anne, c'était... une nouvelle grossesse extra-utérine.

— Allons, ne raconte donc pas d'histoire, Anne. Tu rêves, tu le sais bien.

— Je ne rêve pas. »

Elle était déjà épuisée par l'effort qu'il lui fallait

faire pour parler à John, épuisée de se retrouver une fois de plus en face de ce mur qu'était John, un mur qui lui bouchait la vue, lui barrait tous les chemins de l'aventure, les libres grand-routes de l'imagination, épuisée par la seule présence de John. Il m'a toujours fait cette impression, songeait-elle, rien qu'en étant lui-même, en parlant et en pensant comme il le fait, toujours j'ai éprouvé devant lui ce sentiment de rage impuissante. Elle se tourna vers Unni, et ses yeux lui dirent :

Il faut faire ce que tu crois être le mieux pour nous deux.

« John ! dit Unni, c'est mon enfant que nous avons perdu, Anne et moi.

— Oh, sans blague ! dit John. D'ailleurs, que fait ici ce grand singe ? demanda-t-il à Anne. Dis-lui de sortir, c'est moi qui suis ton mari, pas lui.

— Sortons tous les deux, dit Unni. Anne n'est pas bien, nous parlerons dehors.

— Je ne sortirai pas, je resterai ici. Je suis son mari, j'ai des droits et je tiens à les exercer.

— Sans blague ! comme tu dis, murmura Anne, riant de rage et d'épuisement.

— Vous me trouverez sans doute vieux jeu, dit John, mais j'estime qu'une femme doit rester fidèle aux vœux du mariage. Moquez-vous de moi si vous voulez, mais je crois au caractère sacré du mariage.

— Avec combien de prostituées avez-vous couché à Delhi ? demanda Unni.

— C'est un ignoble mensonge ! cria John. Comment osez-vous me parler de la sorte ? Je m'en vais fichtre bien vous casser la figure.

— Allons, allons ! » La Géographie apparut, active, empressée : « Qui fait tout ce bruit ? Oh, John... je regrette, mais il ne faut pas parler si fort, Anne est encore très faible, vous savez. Je crois que vous feriez mieux de partir. Vous aussi, ajouta-t-elle, lançant à Unni un regard hostile. Ma pauvre enfant! dit-elle en se précipitant vers Anne. Regardez-la, elle est couverte de sueur. Voulez-vous que je vous passe de l'eau de Cologne sur le front? Cela vous serait-il agréable?

— Je voudrais que John ne parle pas comme il le fait, dit Anne, cela me donne vraiment envie de tout lâcher.

— Oh, il ne serait pas si terrible s'il était en bonnes mains», répondit la Géographie.

«J'ai à vous parler, dit Unni, sur les talons de John qui descendait rapidement l'escalier.

— Mais moi je n'ai aucune envie de vous parler, répondit John en accélérant l'allure, je n'ai rien à vous dire, je compte faire les démarches qui s'imposent auprès des autorités, je vais écrire à la Direction des services de l'Aide pour vous faire congédier.»

Unni allongea la main et le saisit par sa cravate:

«Nous allons avoir un entretien, tout de suite, sinon je vous arrangerai de telle façon que vous ne quitterez pas l'hôpital.»

John se précipita sur lui. Unni recula. John fit un pas en avant et Unni lui assena un coup qui glissa sur sa tempe. John lui donna un coup de pied dans l'estomac et, quand il fut plié en deux, lui lança son poing dans l'œil gauche. Mais Unni saisit les jambes de John, tira et le fit tomber brutalement, puis il lui mit le genou sur la poitrine et, le saisissant par les oreilles, lui cogna violemment la tête, par deux fois, sur les dalles de pierre.

« Maintenant, dit-il, allez-vous parler, oui ou non ?

— Brute ! cria John, assommé. Espèce de brute. »

Ses poings se tendirent et atteignirent Unni à l'estomac.

Unni se releva et lui allongea deux coups de pied dans les côtes.

« Bon Dieu ! hurla John, qui se roula sur le flanc en gémissant.

— Maintenant, allez-vous parler ou vous en faut-il davantage ?

— Brute ! répéta John haletant. Frapper un homme à terre !

— Nous allons parler, sinon je vous démolis les dents à coups de pied. »

Autour d'eux, à distance respectueuse, des employés de l'hôpital et des malades, formant le cercle, battaient des mains devant ce spectacle et criaient : « Encore, encore ! »

John se releva, courbé en deux par la douleur :

« J'ai une côte cassée, gémit-il.

— Peu importe, dit Unni. Parlons.

— Donner des coups de pied à un homme à terre !

— Entrons ici, la pièce est vide. »

Il poussa John dans une chambre semblable à celle d'Anne. Une infirmière accourut en protestant.

« Je suis entré ici pour avoir avec ce monsieur quelques minutes d'entretien, dit Unni.

— Mais c'est une chambre particulière.

— Il pourrait bien y avoir un malade dedans quand notre conversation sera terminée », répliqua Unni.

L'infirmière népalaise éclata de rire, tandis que les malades les plus valides sortaient dans le jardin pour aller se grouper autour du balcon de la chambre, dans l'espoir d'assister à une nouvelle bataille.

John se laissa tomber dans le fauteuil. Unni s'assit à califourchon sur une chaise, les mains posées sur le dossier qu'il avait tourné face à John.

« J'aime Anne et je suis son amant. Cet enfant était de moi. Consentez-vous au divorce ?

— Jamais de la vie, dit John, je veux sa perte et la vôtre. Le méchant doit être châtié. Anne est une dévergondée, une vicieuse, elle mérite d'être punie.

— Si je recommence à vous frapper, dit Unni, je vais sans doute vous tuer. Est-ce votre dernier mot ? Consentez-vous à divorcer et à me citer en justice comme complice ?

— C'est cela que vous voudriez, n'est-ce pas ? Sale moricaud, ça vous plairait, à vous et à tous vos salauds d'amis, d'aller partout raconter que vous avez... un Blanc et que vous lui avez pris sa femme. »

Unni se leva :

« Sortez, dit-il en ouvrant la porte, sortez vite avant que je ne vous assassine. »

Maintenant qu'il se savait en sécurité, John ricana dédaigneusement :

« Menon, dit-il, ce n'est pas fini. Vous me paierez cela. Attendez un peu. »

Fred était dans la chambre d'Anne quand Unni y entra.

« Oh ! dit Anne avec un faible rire en voyant le visage enflé d'Unni.

— Je viens d'avoir une discussion avec John.

— Vous semblez avoir beaucoup discuté ces

704

jours-ci, dit Fred. J'ai dû soigner Ranchit à la suite de votre altercation de l'autre jour. On m'a dit qu'il avait pris l'avion pour Calcutta afin de se faire remplacer quelques dents. Qu'avez-vous fait à John ?

— Je lui ai donné des coups de pied alors qu'il était à terre. Procédé fort peu loyal, ainsi qu'il me l'a fait observer.

— Croyez-vous qu'il ait besoin de mes soins ? J'ai consultation cet après-midi.

— Il prétend avoir une côte cassée.

— Eh bien, dit Fred, les malades et le personnel de l'hôpital ont dû joliment s'amuser. Ne vous fatiguez pas trop, ma petite Anne, toutes ces émotions ne vous valent rien.

— Qu'a dit John ? demanda-t-elle quand Fred fut parti.

— Le mariage est revêtu d'un caractère profondément sacré, les liens du mariage sont indissolubles. Enfin, il ne veut pas te lâcher.

— Pauvre type, dit Anne. Au fond cela n'a pas d'importance, n'est-ce pas ? Je suis à toi et non à lui.

— Cela aurait de l'importance si tu avais des tas d'enfants et que tu dépendes de lui au point de vue financier — et si d'autre part je risquais d'être renvoyé comme il m'en menace. Mais en l'occurrence ce sera simplement désagréable. Certaines personnes rompront toute relation avec nous. Ce qui ne nous privera pas outre mesure.

— Il va sans doute falloir que je donne ma démission, dit Anne.

— Dis-moi, demanda brusquement Unni, est-ce que cela t'ennuie beaucoup que nous ne puissions pas nous marier ?

— Non, dit Anne, et d'ailleurs tu n'avais pas l'intention de m'épouser ?

« — Uniquement parce que j'estimais qu'il n'était pas juste de t'enchaîner à nouveau dans les liens du mariage. Mais maintenant je t'épouserai dès que ce sera possible. Je le veux. Et je te promets de ne jamais te tenir en tutelle. Jamais. Je t'aime trop pour cela. »

Anne lui dit alors d'un air rêveur :

« J'aurais bien aimé avoir ton enfant. Mariée ou pas. Et maintenant, je n'en aurai plus jamais. Jamais. Je n'en souffre pas, pas encore. Mais toi ? Tous les Asiatiques désirent des fils, n'est-ce pas ?

— Dans ce domaine, j'ai une fois de plus été trop habile. J'ai déjà deux fils. »

Anne se dressa si brusquement qu'elle retomba aussitôt en gémissant ; elle avait oublié son ventre douloureux :

« Tu ne me l'avais jamais dit !

— J'ai si peu de choses à cacher que parfois je ne parle pas, sinon tu te lasserais trop vite de moi. J'ai été marié à seize ans et veuf à dix-huit, après avoir tué, par des excès amoureux et deux naissances en deux ans, l'enfant à qui ma famille m'avait marié. Elle avait une maladie de cœur et nul ne le savait, moins que personne le jeune mâle impatient que j'étais alors.

— Il ne faut pas te faire de reproches, dit Anne, ce n'est pas ta faute.

— Je ne me fais pas de reproches et je ne me sens pas coupable. Dans notre pays, une grande part du fardeau de nos fautes est attribuée au destin, au cycle de la réincarnation, aussi exigeons-nous moins de la vie et sommes-nous plus disposés à accepter ce qui nous advient. Nous ne nous sentons responsables de rien, si ce n'est de veiller à rester fidèles à nous-mêmes. Mais ce mariage et sa triste fin m'ont empêché de tomber amoureux par la suite, jusqu'au jour où je t'ai connue. C'est une brève et simple histoire. Je t'en prie, consens à me croire.

— Je te crois, dit Anne.

— Je t'aime, Anne, c'est un sentiment qui ne cesse de croître en moi. Fassent les dieux que je demeure à jamais sans égoïsme en amour. C'est la seule prière que je leur adresse.

— Juste avant que tout ceci n'arrive, dit Anne, je pensais à toi et à l'amour. Je voulais te dire : Enseigne-moi à aimer, je commence seulement à comprendre... ou plutôt j'apprends à connaître un nouvel aspect de cette chose formidable, infinie. Je me dis c'est cela, c'est cela le véritable amour. Le véritable mariage. Puis je découvre autre chose, et maintenant il semble que je commence seulement à voir, comme sur une grande vitre obscure, et je veux que tu m'enseignes à aimer.

— Mais il en va de même pour moi, dit Unni. Chaque jour m'apporte de nouvelles révélations. La première fois que je t'ai vue, j'ai eu le sentiment que nous entreprenions un voyage ensemble. Je ne me suis pas demandé s'il serait long ou court, et je ne savais certainement pas jusqu'où nous irions. Mais le chemin ne serait jamais ennuyeux et je ne voulais pas d'autre compagnon que toi. Que cela dure jusqu'à la mort, c'est beaucoup trop exiger. Il suffit que je t'aie trouvée pour faire route avec toi un bref instant ou pendant un temps très long. Et toute ma vie je t'aimerai à cause de ce moment que nous aurons passé ensemble. Le soir où nous sommes allés au temple de Pashupatinath, j'ai dit au gardien de la porte : "C'est une femme à moi." Je l'ignorais alors, mais c'était vrai, pour autant que les choses humaines soient vraies, dans les limites de leur réalité. Tu étais ma femme, mon amante et ma compagne parfaite, et, même si tu n'avais jamais dormi dans mes bras ou si tu ne m'avais jamais aimé, ma vie était changée, du seul fait que tu existais. C'est ce soir-là, dans le temple, que tu m'as été révélée ; l'expression absorbée de ton visage, ce total oubli de soi, cette attention en éveil que chantent nos poètes. C'est à ce moment-là que j'ai aimé ton esprit, solitaire et qui, dans cette solitude, écoutait, attendait, cherchait. Je n'ai pas une sensibilité aussi aiguë que la tienne. Je ne possède pas comme toi le don d'expression. Et je voulais me donner à toi pour que tu puisses nous découvrir tous les deux dans les mots que tu crées, pour que tu puisses être révélée à toi-même, pour que nous accomplissions nos destinées l'un par l'autre, pour que j'entende ta voix l'affirmer. Je ne savais comment atteindre à ce but. Et c'est alors que tu es venue à moi et que tu m'as demandé de t'aider.

— Pourquoi en ce cas m'as-tu répondu : "Alors je vais être pris au piège, nous allons jouer le jeu inéluctable ?" dit Anne. Pourquoi avais-tu peur ?

— Qui de nous n'est pas saisi de crainte en présence de l'amour ? J'avais peur d'éprouver à ton égard un sentiment de possession. Car avec la connaissance du corps naît la passion et, si elle est belle, elle est également exigeante, rusée, mesquine ; elle signifie attachement, avidité, crainte et souffrance. Or on nous enseigne que le détachement est la suprême vertu et que la douleur, qui n'est qu'illusion, vient de ce qu'on s'attache trop fortement, qu'on désire posséder ce qu'on a simplement reçu en dépôt. Je craignais de souiller, de froisser, d'écraser la fleur que j'avais dans la main, en la serrant trop fort. Je prie sans cesse les dieux de ne m'accorder la possession d'aucun bien, mais de faire que nos âmes s'épanouissent et que nous accomplissions notre destinée, ensemble ou non.

— As-tu encore peur maintenant, es-tu encore inquiet ?

— Je ne crois pas, dit Unni. Faire l'amour avec toi, corps et âme, ma bien-aimée, c'est maintenant pour moi comme une prière. Et cet amour qui naît avec le commerce des corps peut durer, imprégnant toutes nos pensées et nos actions, jusqu'au moment où il devient plus grand que le moi. Du moins je me plais à le croire, ajouta-t-il, hésitant.

— Poursuis, dit Anne, je veux t'entendre me dire cela et davantage encore.

— C'est, je crois, une femme, sainte Thérèse, l'une de vos saintes chrétiennes (tu vois, parce que je te connais, j'ai dû élargir mon horizon, je me suis mis à lire les saints aussi bien que les poètes), qui a dit qu'il existe quatre sortes de prières : la première, un pénible effort, mal récompensé ; la seconde, la prière intérieure, pareille à un arbre qui se couvre de feuilles et bourgeons ; la troisième, l'amour de Dieu qui nous permet de Lui parler face à face, prière naturelle comme un arbre fleurissant au soleil ; enfin une quatrième, que les mots ne sauraient décrire : alors il n'y a plus de labeur, les saisons ne changent plus, les fleurs s'épanouissent sans cesse, l'amour connaît une totale certitude, le cœur aime et ne sait même pas qu'il aime.

« En lisant cela, je songeais à toi, au voyage vers les cimes qu'entreprennent tous les poètes et tous les chercheurs, voyage heureux ou malheureux, selon qu'ils tombent très vite au bord de la route ou qu'ils atteignent les sommets. Je me disais qu'il y avait peut-être aussi de nombreuses étapes en amour. D'abord le désir charnel, brutal

709

et fastidieux, qui consiste à posséder une femme, et puis c'est tout. Puis le sentiment de propriété, pris le plus souvent pour une affection profonde, vampire agrippé à sa victime, crime sanctifié par les lois, pierre tombale enfermant le cadavre de l'amour. Puis encore un autre sentiment, comblant l'esprit aussi bien que le corps, un tout psycho-physique, la plus belle réussite qui soit en amour entre un homme et une femme. Enfin, à un échelon plus élevé, une tendresse profonde, le désir de comprendre, d'être intégré à la vie des autres êtres, sans rien exiger, en devinant tout sans effort, l'amour des saints pour l'humanité. Mais, encore au-delà, peut-être, il y a la béatitude parfaite, le sommet inaccessible, éternel objet des désirs de l'homme, seule chose qui semble donner un sens et un intérêt à sa vie, source de tous les mythes, croyances et religions, but de toutes ses recherches, en lui-même et hors de lui-même. Ce qu'est cet amour, je l'ignore, et nous ne sommes certainement pas prêts à le connaître. Pas encore.

— Dans mon pays, dit Anne, et dans beaucoup d'autres pays occidentaux, nous ne sommes pas loin de rendre un culte à l'ennui et au cynisme. Nous connaissons l'amour-ennui, l'obsession allant de pair avec l'obscénité, l'amour émoustillant, l'amour cérébral, l'amour charnel. Plus on décrit et détaille à satiété le processus physique et les faiblesses mentales relatifs aux activités que nous exerçons sous le nom d'amour, moins l'on a de plaisir, plus on se lasse, si bien que l'on finit par avoir honte d'être vraiment amoureux, de "se prendre au sérieux". Certes, il arrive encore que des gens s'aiment vraiment, mais alors on a aussitôt envie de conserver cet amour, de l'embaumer, de le garder au frais dans le Frigidaire. En pareil cas, nous redoutons tellement le déclin de notre amour que nous le momifions, nous le confinons dans des demeures grillagées, nous fermons portes et fenêtres pour empêcher l'intrusion du cambrioleur — en l'occurrence la vie — si bien que l'amour finit par périr étouffé. Et maintenant je suis effrayée, j'ai peur qu'on exige de nous beaucoup plus que je ne veux donner. Je suis si heureuse que moi aussi je voudrais que rien ne changeât jamais plus.»

Unni dit alors, mais ce n'était pas véritablement une réponse:

«Je t'aime comme un homme aime une femme, et il m'est dur de ne pas te considérer comme mon bien, car je ne suis qu'un homme.»

Ils se regardèrent en souriant, et Anne comprit quel don merveilleux elle avait reçu en la personne de cet homme.

Elle connaissait sa présence, elle contemplait son visage, éphémère et pourtant, à ses yeux, immortel. Ils ne prenaient pas d'engagement à long terme, leur mutuel attachement était déjà éternel. C'était arrivé, cela suffisait à jamais. Anne comprenait maintenant qu'en leur prenant leur enfant les dieux n'avaient pas été cruels, mais exigeants. A elle-même ils avaient donné place parmi les bienheureux, ceux que la vie a rendus détachés et légers en leur apportant la souffrance et la perspicacité, les maux du corps et l'élargissement de leur horizon, afin qu'ils ne puissent être enchaînés par un bonheur banal. Elle pouvait dire: J'habite au pied de la montagne; à quelle hauteur s'élève le sommet, nul ne me l'a jamais dit, mais je connais maintenant ma vallée et mes profondeurs.

«Unni, je suis si heureuse que tu aies des fils.

— Ils sont robustes et intelligents, l'avenir est à

eux. Je ne les considère pas comme mon bien, aussi nous aimons-nous beaucoup. Tu les verras un jour. Peut-être pendant les vacances, quand ils viendront au Népal.»

Anne sourit à nouveau. Elle désirait ardemment aller voir le barrage. Sans doute ne pouvait-elle y séjourner auprès d'Unni, mais, quand elle serait rétablie, elle irait passer quelques jours à Bongsor avec un groupe de touristes, profitant d'un des voyages organisés par le Rampoche. Oui, dès que je serai remise, se promit-elle en agitant la main pour dire au revoir à Unni (il repartait immédiatement, mais il tâcherait de revenir dans quinze jours), je lui en ferai la surprise, j'irai à Bongsor.

La convalescence est un phénomène qui revêt toute chose des couleurs les plus séduisantes. Les visiteurs d'Anne lui parurent extrêmement intéressants, sympathiques et en même temps follement amusants. Tout était embelli, il lui semblait vivre une enfance à la Wordsworth.

Cela commença avec le Père MacCullough et son livre *Comment aider votre mari à réussir*. Anne parvint à hoqueter : «Merci» entre deux gémissements de rire. Chaque fois qu'elle riait, elle souffrait le martyre. Le Père avait donné un demi-litre de son sang pour Anne, ce qui la lui rendait plus chère encore :

«Comment va ma parente? lui cria-t-il de la porte. Et comment va John? ajouta-t-il d'un ton un peu hésitant.

— Il a une côte cassée, répondit Anne en s'étranglant de rire.

— Pas de chance! dit le Père, qui d'ailleurs était

au courant. Pourtant mieux vaut toujours essayer de s'expliquer. »

Par devoir, Isabel vint avertir Anne que les cours allaient bientôt recommencer à l'Institut.

« Je compte donner ma démission, répondit Anne.

— Sans doute préférerez-vous quitter Khatmandou ?

— Je n'en sais rien. »

Fred vint lui enlever les fils. Il avait pris soin de pratiquer l'incision sur l'ancienne cicatrice, si bien que la nouvelle était propre et nette :

« Vous avez cicatrisé magnifiquement, dit-il, ce sera à peine visible.

— Cela m'est égal si cela ne fait rien à Unni. »

A cette déclaration d'une franchise déconcertante, Fred répondit en rougissant :

« Oh, je crois que cela ne lui fera rien du tout. »

Hilde et Vassili apportèrent un panier d'iris de montagne et de camélias.

« Il paraît que John s'est cassé une côte dans l'escalier de l'hôpital en venant vous voir, dit Vassili.

— Non, dit Anne, vous savez fort bien qu'Unni lui a donné un coup de pied.

— Parfait ! dit Vassili. Excusez-moi, Anne.

— Je suis désolée que vous ayez perdu l'enfant, dit Hilde.

— Oh, il semble que cela ne me chagrine pas beaucoup, dit Anne, il est même curieux de constater avec quelle facilité j'en ai pris mon parti. »

Ils parlèrent alors d'Isabel.

« Je voudrais pouvoir faire quelque chose pour elle. Lui trouver un homme, une espèce de grand taureau. Elle deviendrait tout à fait charmante.

— Il est bien certain, dit Hilde, que l'air de la

montagne a de drôles d'effets. Khatmandou est l'endroit du monde qui convient le moins à Isabel. Maintenant que la mousson est terminée, les gens vont recommencer à songer aux plaisirs des sens.

— Ils n'ont jamais cessé d'y songer, dit Vassili ; pas de danger de devenir détraqué à Khatmandou du moment qu'on porte un intérêt majeur à cette question. »

Michael Toast vint à l'improviste faire à Anne une visite d'adieu. Il raconta que Kicha s'était enfuie avec un Américain du Texas. « Il lui a promis de faire d'elle une star. Elle suit déjà un régime amaigrissant. » Il ne semblait pas bouleversé outre mesure et ajouta qu'il avait perdu beaucoup de poids mais qu'il était en train d'en reprendre. Maintenant il rentrait en Angleterre pour écrire un nouveau livre sur le Népal. Kicha y figurerait en bonne place.

Pat fit son entrée en souriant :

« Salut !

— Salut, dit Anne, comme c'est gentil à vous de venir me voir.

— Je suis allée consulter Fred, alors j'en profite pour vous dire bonjour en passant. Comment va ce petit ventre ?

— Parfaitement bien.

— Drôle de truc, l'appendice. On m'a enlevé le mien quand j'avais neuf ans. A cette époque-là, on ne connaissait pas les sulfamides, ni rien de ce genre, et j'ai dû garder un drain pendant je ne sais combien de temps. C'est sans doute pour ça que je n'ai jamais pu avoir d'enfant. Oh, après tout, si j'en avais eu, je n'aurais pas mené une vie aussi intéressante. Dites-moi, ça vous ennuierait que je vous pose une question ?

— Allez-y.

714

— Eh bien, c'est peut-être indiscret, mais... est-ce qu'il y avait entre vous et John une sorte d'incompatibilité, ou quoi ? Je sais que c'est extravagant de vous demander cela...

— J'ai horreur de coucher avec lui, dit Anne, j'ai essayé, mais je n'ai pas pu. Et maintenant je n'essaierai plus, jamais.

— C'est curieux, n'est-ce pas, comme ces choses-là arrivent ? Est-ce que vous... était-il impuissant ou quoi ?

— Non, c'était moi. Je ne pouvais supporter son contact, je le redoutais. Je me contractais toute et cela me faisait mal. Et, bien sûr, je prétendais que c'était naturel : je vieillis, me disais-je, ces choses-là ne m'intéressent plus... vous savez que les femmes se trouvent toujours des excuses. Quant aux hommes — je parle des maris — ils sont trop heureux de déclarer que c'est la femme qui est anormale, froide et ainsi de suite. Comme si c'était là une vertu, une garantie de chasteté. Ce qui est bien sûr faux.

— Mais vous aimez faire l'amour, pourtant ?

— Oui, avec Unni. Avec lui j'adore ça, dit Anne, et elle sentit à nouveau la douce brûlure mordre dans son corps.

— Moi j'aimais ça avec Ranchit. C'était délicieux. Mais avec Enoch, cela m'est intolérable. Oh, c'est affreux ! gémit-elle, éclatant soudain en sanglots, j'ai l'impression d'être un matelas, pas autre chose.

— Alors pourquoi l'avez-vous épousé ? Je suis désolée, Pat, mais pourquoi avoir fait cela ?

— Que voulez-vous, je ne rajeunis pas et il faut bien avoir quelqu'un dans sa vie... Vous savez comment est Ranchit, il n'y avait pour moi aucune perspective d'avenir avec lui. J'aimais bien Enoch, je le trouvais vraiment gentil. Je me suis dit que c'était un type sérieux, qui serait aux petits soins pour moi et ne courrait pas trop les jupons. Il a une belle situation. Bien sûr, je me doutais qu'au lit il ne ferait pas d'étincelles, mais je ne pensais pas que je deviendrais un cube de glace.

— C'est à ce sujet que vous êtes venue consulter Fred ?»

Pat rougit, comme si maintenant seulement cette démarche avait quelque chose de honteux :

«Eh bien oui, je pensais que Fred pourrait peut-être arranger les choses... j'avais entendu parler d'une opération... mais Fred me dit qu'on ne la pratique plus. Il n'existe aucun remède, m'a-t-il déclaré, aussi n'y a-t-il que trois solutions possibles : pratiquer la résignation comme au temps de nos grand-mères, s'adonner à la dévotion ou changer de conjoint : "Essayez d'avoir un entretien à cœur ouvert avec Enoch", m'a-t-il conseillé. Mais c'est justement ce qui serait le plus difficile : je ne peux absolument pas lui *parler* de cela. Comment dire à Enoch que je ne peux supporter son odeur ? Car c'est le pire, son odeur. Jamais je ne l'avais remarquée avant.»

Le lendemain, John, pâle, lourdement appuyé sur une canne, entra dans la chambre d'Anne et se laissa choir dans le fauteuil en grimaçant avec ostentation.

«Aïe ! fit-il avec un rictus de douleur.

— Tu souffres encore ?

— Cette canaille m'a donné des coups de pied dans les côtes pendant que j'étais à terre. J'ai une fracture — simple heureusement.»

La tête renversée en arrière, les yeux clos, il respirait bruyamment.

«Je suis venu, dit-il, haletant, pour m'excuser d'avoir perdu patience à un moment où tu n'étais pas bien. J'aurais eu des tas de choses à te dire si cet individu ne s'était pas trouvé là. Il m'a agacé. Vraiment, il faudra que je lui donne un jour une bonne leçon.

— Oh, cela suffit, John! A quoi bon jouer cette comédie avec moi?

— Je ne joue pas la comédie, je suis sincère, comme de coutume. Tu m'accuses toujours de jouer un rôle, c'est toi qui en joues un, tu te donnes la comédie à toi-même. Tu es extrêmement nerveuse, alors voilà que tu t'imagines que tu es amoureuse de ce personnage et qu'il répond à ta flamme! Eh bien, permets-moi de te dire que tu n'es pas amoureuse du tout. Et, maintenant que tu t'es mise dans ce sacré pétrin, il ne va pas tarder à te plaquer.

— Ce sacré pétrin, dit Anne, en colère, désespérée en même temps de se voir retomber une fois de plus dans l'ornière des querelles, ce sacré pétrin, comme tu dis, c'est le paradis, c'est le ciel, comparé au sacré pétrin où j'étais quand je vivais avec toi. Unni, du moins, *désirait* un enfant, nous en désirions un tous les deux, il ne m'a pas injuriée comme tu l'as fait il y a six ans.

— Moi! s'écria John, incrédule, moi! Ma pauvre petite Anne, tu as inventé tout ça, jamais je ne t'ai injuriée le moins du monde. »

Il parlait sur le ton de la plus absolue sincérité, et Anne comprit que chez lui comme chez Isabel le mécanisme d'autodéfense morale avait fonctionné, effaçant les souvenirs déplaisants. Il avait vraiment oublié, tout comme Isabel, et Anne demeurait seule avec une gerbe inutile de souvenirs exacts. Moi, je me souviens, se disait-elle. Ils ont oublié, rien de tout cela n'existe plus pour eux.

« Qu'es-tu venu faire ici? Me tourmenter, chercher à m'émouvoir en me faisant une scène de plus ? Me montrer ta côte cassée ? Je ne veux plus te revoir, John, je ne veux plus vivre avec toi.

— Je te reconnais bien là, dit John, quand les choses ne marchent pas à ton gré, tu prends la fuite. Isabel a raison, j'en ai peur, quand elle dit qu'il y a en toi de la faiblesse.

— Le diable emporte Isabel ! Pourquoi ne l'épouses-tu pas ? Vous feriez un couple parfaitement assorti.

— Ne prononce pas de paroles injurieuses, dit John. Parce que Isabel est bonne et raisonnable, tu ne peux pas la sentir. Mais j'ai bien peur qu'elle n'ait raison. Tout comme moi quand je disais que tu es mal conformée. La preuve est faite, maintenant.

— John, tu n'es pas un homme, tu es une garce. »

Pleurant d'épuisement et de dégoût, elle retomba sur ses oreillers. Cela ne va donc pas finir, se disait-elle, je n'ai aucun moyen de forcer John à partir. Les gens vous disent en pareil cas : « Pourquoi ne lui ordonniez-vous pas de sortir ? » Mais les femmes sont bien obligées de subir cette sorte de contrainte ; seule la force physique, la force brutale, pourrait chasser John de ce siège où il est installé dans ma chambre. John, un mari venu voir sa femme malade. Il est inutile que j'essaie de me consoler en évoquant tant d'autres femmes, partout dans le monde, plus malheureuses que moi, plus affligées encore, subissant cet abominable commerce que peut devenir le mariage, le supplice étouffant qu'est la vue de *l'autre*, assis là sur la chaise. Etant donné que, dans les rapports entre homme et femme, entre époux, la force physique est inégale, il m'est impossible de le repousser s'il lui plaît de venir me tourmenter. Dans une civilisation comme la nôtre, qui va proclamant les droits de la femme, l'égalité des sexes et ainsi de suite, le fait persiste. Combien de femmes, je me le demande, sont retenues par crainte autant que par l'incapacité physique, quand elles ont envie de jeter un homme dehors ? Combien de femmes meurent d'envie de le faire ? Soudés l'un à l'autre par la haine, nous continuons à nous quereller, John et moi, à échanger des propos amers et avilissants, à gaspiller la vie. Et je n'ai aucun moyen de le repousser.

Chapitre 15

Le Feld-Maréchal ne quittait guère son palais où, en compagnie de ses livres et de sa Maharani, la plus belle femme de la terre, il se sentait suffisamment en contact avec les événements et les agitations de ce monde. Pourtant, quand, dix jours après son opération, Anne rentra chez elle, le Feld-Maréchal vint la voir, accompagné de Sharma. Ils s'assirent sous les noyers pour contempler le mont Phulchoah, demeure de la déesse des Bonnes Fileuses, paysage chinois enveloppé d'une légère brume bleue.

« Je crois vraiment, dit Sharma, que jamais un artiste ne se lasserait de ce spectacle. C'est la perfection même ; les champs, les petites fermes et la montagne au fond.

— Dieu est un grand artiste, dit le Feld-Maréchal, il n'est que de voir les merveilleux dessins qu'il crée avec tout ce qui existe et vit. Toute vie peut être une œuvre d'art. C'est là, me direz-vous, un lieu commun, comme toutes les vérités que nous connaissons tellement bien que nous les oublions toujours.

— Il n'est pas difficile de voir la beauté, dit Sharma, si l'on accepte sans crainte tout ce qui existe.

— Il est difficile d'accepter, dit le Feld-Maréchal, car c'est l'éternel problème de l'être que chacun de nous doit résoudre pour lui-même. Que faut-il faire, quand et comment, pour *devenir* soi-même? La question préoccupe les philosophes depuis que l'homme a inventé le langage pour se perpétuer dans le temps et dans l'espace. Voici deux millénaires. Confucius a établi dans leurs moindres détails, les règles d'une existence correcte et harmonieuse. Pour les Chinois, la grande question a toujours été celle des relations avec les autres humains. Peut-être est-ce pourquoi l'esprit de groupe, le bien de la collectivité, devient si facilement la base de leur système social. Pour les Européens du Moyen Age, comme pour nous autres Népalais d'aujourd'hui, le thème de l'existence se ramène aux rapports de l'homme avec le divin, à une exploration spirituelle. La Renaissance, cependant, a réduit et desséché cet attrait pour le Divin, en le remplaçant par un extraordinaire intérêt pour les phénomènes du monde extérieur. Pendant des siècles, ce nouveau but donné à son existence a permis à l'homme de parvenir à des réussites admirables. La Nature, le monde, les êtres humains, tout devint une matière solide, condensée, qu'on pouvait comprendre si on la décomposait en ses parties constituantes. Les mouvements mécaniques de la vie ainsi pris à part pouvaient être reproduits par des machines, extensions de l'homme. Alors on vit l'Homme Blanc sûr de lui, plein d'une arrogance spirituelle propre à le persuader qu'il avait toujours raison quand il asservissait les autres races. Puis soudain le monde devint pour lui fragile et précaire, car toujours il y avait quelque chose, au-delà de l'atome désintégré, qui voilait la connaissance; toujours des sables mouvants sous la mécanique trop solide; je pense que l'Europe, l'Amérique aussi, reviendront à Dieu, à la recherche du sens du moi dans la vie.

— Oui, dit Sharma, mais, tant que la famine et la misère régneront en Asie, nous n'aurons pas le droit, nous autres Asiatiques, de nous consacrer égoïstement à la recherche du moi en Dieu. C'est notre tour, maintenant, de traverser l'Age de la Machine et de connaître la Révolution industrielle, à l'exemple de l'Europe. Nous ne pouvons pratiquer le détachement; ce serait égoïste et inhumain, alors que autour de nous tant de nos frères doivent consacrer la somme entière de leur énergie à la recherche de la nourriture. Bref, nous n'avons pas le droit de parler du Royaume de Dieu avant d'avoir fait de la terre le Royaume de l'Homme. Il nous faut devenir matérialistes à notre tour.

— Cette attitude vous honore, mon ami, dit le Feld-Maréchal. Vous êtes poète et par conséquent la cruauté de l'homme envers son semblable vous émouvra toujours. N'êtes-vous pas heureux de constater qu'à notre époque tous les peuples du monde ont conscience de cette nécessité de justice sociale ? Je suis un vieil homme et l'on me sait conservateur, pourtant je ne crains ni le communisme ni le socialisme, car il me semble qu'en Asie ce sont des étapes — rudes certes, mais nécessaires — vers l'abolition de la misère qui nous entoure. Mais les credos politiques tels que ceux-là suffisent à prouver que nous ne réussissons pas à nous montrer humains. Si nous avions vraiment conscience des besoins de nos frères et que nous agissions en conséquence, la nécessité de telles doctrines ne se ferait pas sentir. Mais puisque nous sommes égoïstes et ignobles, que nous amassons des richesses pour nous-mêmes et que nous assassinons nos semblables pour des gains réels ou imaginaires, il nous faut passer par le crible de ces dogmes afin de réapprendre que c'est en traitant les corps avec humanité qu'on fait le premier pas vers la divinité de l'âme. »

Cette dernière phrase n'agréa point à Sharma :

« Au Népal, dit-il, les yeux flamboyants, les retards du progrès sont précisément dus à cette foi en la divinité, à la religion, avec tout son cortège de gaspillage et de cruauté, de superstition et d'ignorance. Si nous voulons réaliser de véritables progrès, il faudra balayer tout cela, tout.

— Je crois que certains des aspects les plus choquants de ce gaspillage vont disparaître, dit le Feld-Maréchal, car on va construire des usines, des écoles, des routes, entreprendre de grands travaux, comme le barrage de Bongsor, qui transformeront notre pays bien plus que tout ce qui a été fait jusqu'à présent. La révolution industrielle entraînera nécessairement des changements d'ordre spirituel.

— Les ingénieurs ont des ennuis au barrage, dit Sharma d'un air lugubre. Rien d'alarmant, d'ailleurs.

— Je ne savais pas, dit Anne, Unni ne m'en a pas parlé.

— Oh, ce n'est pas grave, dit Sharma, qui regrettait maintenant ses paroles. Simples préjugés locaux. Religion et superstition, c'est tout. D'ailleurs ce sont des bruits qui courent. Très exagérés, j'en suis sûr.

— Racontez-moi tout, dit Anne, sinon je vais me faire du souci.

— Cette agitation est provoquée par la faim, dit le Feld-Maréchal. Les vallées sont inondées, la famine règne, comme d'habitude, comme toujours. Et ventre affamé n'a pas d'oreilles.

— Il n'y a rien eu de sérieux jusqu'à présent, affirma Sharma, quelques petites manifestations seulement. Les gens ont toujours besoin d'un bouc émissaire. Des agitateurs sont venus raconter aux habitants de Bongsor que la construction du barrage provoque la colère des déesses. Bien sûr, il n'en est rien, mais les humains sont déraisonnables, ils préfèrent se cramponner à leurs préjugés et à leurs passions plutôt que de penser clairement.

— Le barrage sera construit, dit le Feld-Maréchal. Ce n'est pas la première fois que des manifestations se produisent, et Unni a toujours ramené les émeutiers à la raison sans que le sang fût versé. Il manie aussi admirablement les gens que les machines.

— Je ne suis pas inquiète, sincèrement, et je vous suis reconnaissante de m'avoir mise au courant», répondit Anne, mais l'inquiétude tremblait dans sa voix.

Sharma se mit alors à expliquer comment, au Népal, l'envoi d'une simple lettre se heurtait à toutes sortes de difficultés :

«Le courrier en provenance de l'extérieur est acheminé par le Service Postal Indien, mais à l'intérieur du pays c'est différent. Notre poste locale ne vend pas de timbres, et pour le moment le docteur Korla est parti broyer des perles et du miel de montagne pour le Swami de Bidahari, qui attend la mort dans une des cours du temple de Pashupatinath. Il n'y a plus de postiers, parce qu'ils n'ont pas été payés depuis deux ans. J'enverrai ma lettre par un coureur.

— Quel rapport y a-t-il entre la vente des timbres et le docteur Korla ? demanda Anne, surprise.

— C'est lui qui en détient le monopole. Le bureau de poste a dû renoncer à en vendre tant il en disparaissait (on les volait). Les postes ont donc vendu leur monopole au docteur Korla. Un homme d'avenir, dans notre démocratie, dit Sharma avec un humour amer.

— Il existe dans notre pays de grandes iniquités, la corruption y sévit, tous les maux enfin qui affligent une démocratie où l'esprit civique fait défaut, murmura le Feld-Maréchal. Quand cela aura trop duré, nous aurons, nous aussi, la révolution.

— Nous sommes dès maintenant en révolution, dit Sharma. Le mécontentement bouillonne dans les vallées. Nous importons des denrées alimentaires venant de l'Inde même ici, dans cette vallée, l'une des plus fertiles du monde. J'ai foi dans les barrages, les usines, et non dans le secours des dieux ou les vertus des hommes. L'alpinisme spirituel est de toute façon périmé. Ce qu'il nous faut, ce sont des pioches, des pelles, des bulldozers, des seringues de Pravaz, pour abattre les hautes falaises de la misère, de l'injustice et de la maladie. »

Après le départ de Sharma, le Général resta un moment à contempler les montagnes.

« Je me sens bien vieux jeu en présence de ce charmant jeune homme, dit-il.

— Je suis inquiète au sujet d'Unni, dit Anne.

— Ne vous tourmentez pas, il ne lui arrivera rien, j'en suis sûr.

— J'aimerais aller à Bongsor, dit Anne, je voudrais voir le barrage, et aussi Mana Mani, cette montagne si hostile ; vous vous souvenez ?

— Toutes les montagnes sont ainsi, dit le Feld-Maréchal, surtout dans l'Himalaya, car elles sont jeunes, actives et malfaisantes. Pour le moment, d'ailleurs, ce n'est pas Mana Mani qui est inquiétante. Mais Unni sait s'y prendre, et il vaincra.

— J'aimerais aller là-bas, répéta Anne.

— Je ne puis vous donner de conseil, dit le Feld-Maréchal. Ce n'est peut-être pas raisonnable d'y aller, mais c'est peut-être lâche de rester. Je ne sais pas.

— Unni dit que la présence des femmes n'est pas autorisée au barrage.

— Oui, par mesure de précaution. Le travail y est dangereux et il y a d'autre part l'élément émotionnel. Les femmes sont toujours une source de distraction et de difficultés, dit le Feld-Maréchal en souriant, surtout dans les montagnes, où les gens ont tendance à être *très* émotifs. Bien entendu, les ouvriers et les gens du pays ont leur famille avec eux, mais pas le personnel de direction. Je crois pourtant que vous pourrez y aller. En automne, après la mousson, le Rampoche organise des voyages à Bongsor. Pourquoi n'iriez-vous pas à ce moment-là, en touriste ? Cela, c'est autorisé. »

Anne, songeant à la lettre du Rampoche relative à la fourniture des pierres, lui répondit :

« J'aimerais beaucoup cela, mais je ne voudrais pas que ma venue pût nuire à Unni. Le Rampoche est très intéressé, n'est-ce pas ?

— Bien sûr. Les lamas et les prêtres thibétains sont tous d'excellents hommes d'affaires. Or le barrage tarit la source des revenus du Rampoche, car la mentalité des habitants évolue. Jusqu'alors, ils lui fournissaient cent cinquante journées de travail gratuit par an et maintenant ils reçoivent un salaire pour travailler au barrage. Le Rampoche n'aime pas Unni, mais je ne pense pas qu'il veuille chercher à vous nuire. Il n'y aurait aucun intérêt. »

Anne se sentit rassurée. Elle se demandait si elle allait écrire à Unni pour l'informer de son projet. Mieux valait peut-être attendre quelques jours. Unni lui avait promis de revenir bientôt. S'il allait arriver par le prochain avion ?

« Peut-être pourrais-je alors m'en retourner avec lui à Bongsor ? Il faut que je me rétablisse vite pour être capable de faire le voyage. »

Deux jours plus tard, dans la matinée, les rues s'emplirent d'une brusque rumeur. On voyait circuler une foule de femmes, des fleurs dans les cheveux, les narines et les oreilles étincelantes d'or, portant chacune sous le bras un paquet de vêtements propres.

Mita n'était pas là. Ce fut Regmi, les yeux respectueusement baissés, qui apporta discrètement le thé du matin à sa maîtresse encore au lit. Il avait fixé à son bonnet une fleur d'hibiscus qui se balançait sur son front.

« Où est Mita ? demanda Anne. Est-elle malade ?

— Elle va bien, Memsahib, mais c'est aujourd'hui la Fête des Femmes », dit Regmi.

Il existait un grand nombre de fêtes de ce genre au Népal, expliqua-t-il à Anne : au printemps, la Fête des animaux, jour où les vaches, les chèvres et les chiens étaient ceints de guirlandes de fleurs et nourris ; la Fête des Images, où les familles sortaient et vénéraient les photographies, peintures ou chromos qui garnissaient habituellement les murs de leur maison ; la Fête des Pères, celle des enfants. Aujourd'hui donc, c'était la Fête des Femmes. Pendant vingt-quatre heures, les femmes ne travaillaient pas, elles allaient se baigner dans le fleuve sacré pour se purifier, mettaient des vêtements neufs, des fleurs dans leurs cheveux, chantaient et dansaient dans les temples. Pour honorer les femmes, les hommes portaient à leur bonnet une fleur d'hibiscus, la fleur de l'amour :

« Car il est bon de se réjouir, Memsahib, dit Regmi, alors que la vie est si belle à vivre. »

Anne restait debout le moins possible, tant elle désirait être rétablie quand Unni reviendrait : « Je veux qu'il fasse l'amour avec moi », se disait-elle avec une sorte de violence, et à cette pensée elle se sentait devenir du feu liquide. Alors tout irait bien, il lui dirait si oui ou non elle pouvait venir passer quelques jours à Bongsor. Soudain, elle prit l'Institut en horreur, elle redoutait de rencontrer John ou Isabel.

« Tout cela est complètement fini, je ne veux plus de compromis, je ne pactiserai plus avec ces gens-là. »

Rien que d'y songer, la haine l'envahissait.

Elle décida de sortir en jeep, mais avec le chauffeur :

« Allez d'abord chez le Général, ordonna-t-elle, j'y prendrai peut-être un ami. »

A la grille du Palais Sérénissime, le Général lui-même était en train de parler au portier, respectueusement incliné, les mains en coupe devant la bouche. Le Général vit Anne, et elle crut s'apercevoir qu'au lieu de manifester le plaisir habituel il avait un mouvement de recul, mais déjà il lui adressait un sourire, peut-être un peu contraint.

« Ah, Madame Anne ! Je me réjouis de vous voir. Désirez-vous faire une visite à ma femme ?

— Oui, Général, dit Anne, un peu surprise par le caractère familial — et inusité — de cette proposition. On me dit que c'est aujourd'hui la Fête des Femmes. Puis-je accompagner la Maharani là où elle doit aller ?

— Certainement, dit le Général, les dames de ma famille sont réunies dans le grand salon ; quelques-unes d'entre elles sont encore en train de se coiffer. Aujourd'hui, nous ne comptons pas, nous autres hommes, et nous devons nous retirer modestement.»

A ce moment, Anne vit Fred s'avancer le long de l'allée de gravier, accompagné de Mike Young et du Colonel Jaganathan.

«Bonjour», dit-elle, contente de les voir.

Fred lui fit un signe de la main. Ils approchaient. Était-ce une illusion? Anne leur trouva un air lugubre. Mike paraissait même malade, ses yeux bleus étaient bordés de rouge, sa peau avait un aspect sableux, comme gratté. Le front de Fred se creusait de rides profondes. Seul le Colonel Jaganathan montrait sa physionomie habituelle. (C'est peut-être parce qu'il a la peau si brune, se dit Anne, je sais mal discerner les émotions sur des visages plus sombres que le mien.)

«Bonjour, Anne, quel bon vent vous amène?» dit Fred.

Dieu, comme cet enjouement est artificiel! se dit Anne. C'est terrible. La panique s'empara d'elle. Il était certainement arrivé quelque chose de très grave. Jamais Fred ne s'exprimait de cette façon-là. Un seul malheur pouvait arriver dans le vaste monde, une seule chose d'une importance suprême...

«Qu'y a-t-il? demanda-t-elle d'une voix étranglée. Il est arrivé quelque chose à Unni?»

Fred la regarda fixement, puis il dit:

«Allons, allons!

— Il lui est arrivé quelque chose, gémit-elle, il lui est arrivé quelque chose et vous ne me le dites pas...»

Sa phrase s'acheva presque dans un cri.

Elle descendit de la jeep comme si, une fois à terre, elle allait pouvoir se rapprocher de la vérité:

«Dites-le-moi, supplia-t-elle, dites-le-moi!

— Voyons, voyons, dit le Colonel Jaganathan, du calme, du calme.»

Il allongea ses grandes mains, saisit Anne par les épaules :

«Vous n'êtes pas encore très solide. Il n'est rien arrivé à Unni, je vous le jure.

— C'est bien vrai, Fred?

— Mais naturellement. Vous n'êtes en effet pas encore bien d'aplomb. Non, il n'est absolument rien arrivé de fâcheux à Unni.»

Elle tremblait des pieds à la tête :

«Excusez-moi, dit-elle, cela va mieux maintenant, mais c'est votre air à tous deux qui m'a effrayée.

— Madame, dit le Général, je vais appeler ma Maharani et lui dire de venir vous trouver ici. Nos escaliers sont fatigants.

— Oh non, dit-elle, ne vous dérangez pas, je vous en prie.»

Mais il était déjà parti, laissant Anne auprès des trois hommes. Il y eut un silence embarrassé.

«Pardonnez-moi, dit Anne, je suis insupportable.

— Voyons, ne dites pas cela, répondit Fred avec chaleur. Seulement il ne faut pas vous surmener. Vous feriez mieux d'aller vous étendre, vous n'êtes pas encore vraiment remise.»

Mais elle hocha la tête avec obstination :

«Je vais très bien, je suis seulement un peu émotive. Vous comprenez, j'avais entendu dire qu'il y avait des troubles au barrage et je pensais...

— Quelle idée! dit Mike Young. Bien sûr, les ingénieurs ont souvent de petits ennuis avec les ouvriers, mais sans aucune gravité. Unni est parfaitement capable de s'en sortir. Il a vu bien pire. »

Il s'exprimait avec une telle conviction qu'Anne se sentait pleine de remords.

« Je suis terrible, dit-elle, j'ai vraiment honte de moi, je n'ai aucun cran. Comment ai-je pu m'effondrer comme cela ?

— Vous êtes tout simplement femme à cent pour cent, dit le Colonel avec enthousiasme ; nous autres Asiatiques, nous aimons cela.

— Mais voici venir la femme la plus sereine du monde, dit Mike, s'efforçant de paraître gai. Bonjour, Maharani. »

La Maharani, un paquet de vêtements sous le bras, se dirigeait majestueusement vers eux, voguant comme un navire. Elle sourit à Anne, lui prit doucement la main dans les deux siennes, ses grands yeux noirs rayonnant d'affection.

« Elle va vous emmener au temple, Madame Anne, dit le Général, pour voir les vierges se baigner ; c'est un fort agréable spectacle.

— Cette Fête des femmes, c'est charmant, dit Fred. Eudora aurait été ravie d'y assister. Je viens de recevoir une lettre d'elle, poursuivit-il timidement.

— J'en suis bien contente », répondit Anne.

Pendant ce temps, la Maharani parlait avec animation, et sur un ton narquois, au Colonel Jaganathan, qui éclata de rire et parut se défendre avec énergie.

« *Nai, nai* » (le non indien), disait-il en secouant la tête.

Le Général sourit et dit en anglais, d'un air lugubre :

« Il en est toujours ainsi, les bons sont bafoués par les mauvais.

732

— Jaganathan aurait-il été bafoué? demanda Mike Young. Il n'en a pas l'air.

— Le Colonel est un enfant des dieux heureux, dit le Général, il échappe aux malheurs qui devraient le frapper. Le viol est, selon moi, un mot déplaisant, chargé d'un sens calamiteux.

— Quoi, encore un viol? dit Anne.

— Pas *encore*, Madame, une fois seulement, répondit le Général. Comme vous le savez, un coquin qui souille la terre de ses forfaits, un lointain neveu à moi — je l'avoue à ma grande honte — a accusé le Colonel d'avoir eu des rapports charnels avec sa Maharani en lui faisant violence — mensonge infâme, bien entendu. Depuis cela, ma Maharani et moi, nous l'avons démoli, elle s'est assise sur sa poitrine jusqu'à ce qu'il ait fait des excuses; moi, pendant ce temps, ajouta-t-il d'un air rêveur, je l'ai quelque peu mutilé en lui appliquant dix coups de pied soigneusement médités.

— Bravo! dit Fred. J'espère que vous ferez état de ces excuses, Colonel.

— Ah, s'écria le Général, enthousiasmé au souvenir de ses exploits, donner des coups de pied, c'est *tellement* artistique! Comme vous le savez, Madame, les boxeurs siamois pratiquent le coup de pied avec délices. Il convient que le régime démocratique soit parfois renforcé au moyen de tels procédés, terrifiants, pernicieux et pleins d'audace. Je me rappelle un championnat de boxe qui eut lieu dans mon jeune temps, dit-il en s'appuyant contre la jeep comme s'il allait rester là toute la matinée. A cette époque, j'avais acquis quelques éléments des arts culturels siamois. Ce fut un vrai régal: certes je fus vaincu et emmené à l'hôpital, mais mon adversaire ne put exercer ses fonctions viriles pendant de longues semaines et

733

sa vie devint un enfer, car il dut supporter les plaintes de ses épouses. Oui, vraiment, conclut le Général, tout heureux à l'évocation de ses souvenirs, son sort n'aurait pu être pire.

— Dans mon pays, dit Mike avec un manque de tact prouvant qu'il ignorait les exploits d'Unni, on ne donne pas de coups de pied à un homme à terre.

— Pas de coups de pied à un homme à terre ! s'écria le Général, stupéfait. Mais alors, dites-moi, je vous en prie, quand convient-il d'en donner ?

— Mon Général, promit le Colonel, toujours riant, je vous donnerai dix bouteilles de whisky, une pour chacun des coups de pied soigneusement médités.

— Merci, dit le Général, mais j'estime que vous devriez accepter la jeune fille que vous propose ma Maharani : elle se pâme d'amour pour vous. Tous les diplomates, même certains des Américains et des Indiens qui ont l'infortune de vivre dans notre Vallée, finissent par avoir recours à de semblables transports, afin de conserver une humeur égale. »

Mais le Colonel riait toujours en hochant négativement la tête. Anne comprit qu'il était timide, car il rougit, ou plutôt il devint d'un ébène plus luisant. Le Général s'exclama que la chasteté était une vertu mal récompensée :

« A vous les calomnies, aux autres le nectar », affirma-t-il, et il s'en fut, paraissant, comme toujours, flotter dans l'air.

Anne remonta dans la jeep, cette fois avec la Maharani, et elles partirent, tandis que les trois hommes agitaient la main. Quelle folle je suis, se disait Anne, tout va bien, je suis trop émotive... suites de mon opération. Je m'imagine des choses. De toute la personne de la Maharani, assise à ses côtés, il se dégageait une impression de réconfort et de bonté maternelle. Bientôt elles arrivèrent au temple de Pashupatinath.

Sur les ghâts de pierre, à l'endroit où la rivière s'étrécissait, entre le temple principal et la colline sacrée des lingams, on voyait des centaines de femmes assises, debout, ou qui marchaient dans le courant en aspergeant d'eau leur visage, leurs cheveux et tout leur corps.

« Nous nous lavons ainsi trois cent soixante-six fois, dit la Maharani, autant de fois qu'il y a de jours dans l'année. »

D'un pas agile, elle descendit les degrés, revêtue de tous ses habits, et alla se placer dans la rivière, entre une très vieille femme à la peau sombre et une jeune fille qui tressait ses longs cheveux, ses seins lourds soulignés par le sari mouillé qui lui collait au corps.

Trois cent soixante-six fois, la Maharani s'inonda d'eau afin que tous les péchés de l'année fussent lavés. Elle sortit de la rivière toute ruisselante, mais elle trouva le moyen de se sécher et de revêtir ses autres habits sans montrer un pouce de sa peau, à part son visage, ses bras et son cou. Tout autour d'elle, d'autres femmes arrivaient, entraient dans la rivière, s'aspergeaient d'eau, se plongeaient et se replongeaient, puis changeaient de vêtements de la même façon, sans rien révéler de leurs corps.

Anne et la Maharani revinrent vers la jeep, croisant au passage des groupes et des cortèges de femmes chantant en chœur, dansant, leur chevelure luisante ornée d'hibiscus, de camélias, de fleurs rouges et jaunes, et parées d'une profusion de bijoux en cuivre doré.

Dans les rues étroites, sur la place du marché, sur les degrés de pierre des temples, les femmes nevâris, leurs lourdes jupes plissées ramassées à la taille pour former une sorte de sac-ceinture d'où surgissaient des poulets et parfois un petit agneau, vendaient des bracelets. Et quels bracelets! Rouges et verts, or et bleus, ou d'un rose éblouissant, d'interminables alignées de bracelets en grandes flaques de couleur. Devant ces étalages, les clientes s'accroupissaient, les bras tendus: la marchande de bracelets leur pétrissait les poignets pour les amenuiser, poussait et comprimait les os des mains repliées et parvenait à glisser un par un, sur l'avant-bras, une douzaine de bracelets et même davantage. Accrochés à des cadres de bambou, on voyait des nattes et des glands de cordonnet rouge destinés à l'ornement des chevelures. D'innombrables éventaires de fleurs offraient à foison camélias, hibiscus, roses sauvages et iris des montagnes. Tout n'était qu'éclat, éblouissement et rires gazouillant comme une rivière amusée, tandis que le flot des femmes s'écoulait dans les rues et que les hommes, ombres vêtues de terne lainage, passaient inaperçus.

En raison du caractère sacré de la fête, nul ne devait sacrifier de volailles dans sa maison, et la Maharani ne put inviter Anne à déjeuner. Soudain désireuse de compagnie, Anne alla jusqu'au *Royal Hotel*. Elle se sentait rompue, car elle se fatiguait encore très vite, mais la souffrance physique n'était rien en comparaison de son désir éperdu — dévorant comme la faim et la soif — d'avoir des nouvelles d'Unni, à défaut de sa présence. Ce silence était tout de même bizarre. Il devrait y avoir bientôt un avion. Cet après-midi peut-être. Unni ne serait-il pas à bord? Il avait promis de venir bientôt. Pour le moment, Anne éprouvait quelque réconfort à rester assise sur la véranda avec Hilde, et c'était pour elle, une espèce de soulagement de voir là le fou qui posait sur les touristes un regard solennel et leur adressait des saluts courtois. John ne parut pas. Si elle le rencontrait, Anne aurait désormais la force de ne faire aucune attention à lui, cela elle le savait. Plus jamais elle ne s'assiérait en face de lui pour faire semblant de manger.

Pourtant même là, en compagnie de Vassili et de Hilde, expansifs et bruyants, ou plus tard en mangeant du *soufflé merveille* et en buvant une eau-de-vie balkanique, elle ne parvint à se défendre d'un sentiment de malaise.

« Quand recommencent les cours de l'Institut ? lui demanda Vassili.

— Bientôt je pense, mais j'ai donné ma démission.

— J'en suis navrée, dit Hilde.

— Moi aussi, j'aimais bien mes élèves.

— Si vous restez à Khatmandou, dit Vassili, elles prendront des leçons particulières avec vous.

— Ce serait très bien, mais je ne voudrais pour rien au monde faire de la peine à Isabel — elle en a déjà tellement.

— Elle ne retrouvera pas de sitôt un nouveau professeur d'anglais, dit Vassili.

— La question financière va se poser pour vous, dit Hilde, toujours pratique. J'imagine que John ne vous donne pas d'argent.

— Oh! Je me débrouillerai, dit Anne, j'ai quelques petites économies.

— La vie n'est pas bon marché à Khatmandou, dit Vassili.

— Je sais, dit Anne, dès que j'irai mieux, je songerai à gagner de l'argent. »

Elle ne voulait pas leur dire :

« Mais je vis toute cette aventure, je vis et j'écris, et il faut que je la vive, que j'emmagasine de la vie, une énorme quantité de vie, pour pouvoir la répandre ensuite sous forme de mots. »

Après le déjeuner, elle se sentit épuisée et revint chez elle au bungalow. Elle s'étendit sur son lit, écoutant les chants des femmes, la musique des petits tambours et des flûtes qui passaient sous les murs du palais.

Je manque peut-être de cran, se disait-elle. En évoquant ses souvenirs, elle ne se rappelait pas avoir jamais fait quelque chose de positif... si, une fois, se reprit-elle, quand j'ai décidé de venir à Khatmandou. Les dernières années qu'elle venait de vivre lui apparaissaient brouillées, comme dans un demi-sommeil. Il lui semblait être un objet passif, flottant au courant des événements, et pourtant peut-être fallait-il qu'il en fût ainsi.

Illogiquement, tout au fond d'elle-même, elle savait que cette passivité était indispensable, que la conscience de cette passivité était comme une préparation, une gestation, dans laquelle on est à la fois témoin et participant d'une chose qui se passe au dedans de soi, mais sur laquelle on ne peut exercer aucun contrôle une fois qu'elle a commencé. La gestation... elle avait fait une tentative, son corps avait été habité par la semence du bien-aimé, mais maintenant c'était fini à jamais; jamais plus cela n'arriverait. Et soudain la tragédie lui apparut dans toute son ampleur, déchirante et horrible. Je suis stérile. Désormais je suis stérile, à jamais. Trop faible pour pleurer, elle ferma les yeux pour laisser déferler le paroxysme de la douleur. Quand la vague reflua, elle se sentit moins malheureuse qu'elle n'aurait cru. Peut-être suis-je en train d'apprendre la résignation, se dit-elle. Mais pour le moment il lui fallait demeurer telle qu'elle était, faible et vulnérable, et accepter cette insécurité contre toute logique, contre toute raison. Accepter. Elle prit sur la table la *Bhagavad-Gîtâ*. Bien qu'un petit artisan népalais l'eût adroitement réparé, il demeurait encore un petite bosse sur la belle couverture ornée de joyaux, et il lui fallait un violent effort de volonté pour ne pas remarquer cette petite bosse — sinon la haine la submergeait, une haine épuisante et vaine, qui la bouleversait toute. Elle lut :

Ainsi parla le Seigneur Krichna : Contemple mes formes divines, par centaines et par milliers, diverses par la sorte, la couleur et la forme. O vainqueur de l'illusion, tu contempleras l'univers entier fait Un.

Car je suis le commencement, la durée et la fin, le soleil radieux et le dieu-vent ; parmi les étoiles je suis la lune, parmi les montagnes je suis la plus haute, et l'océan parmi les eaux. Je suis le dieu-amour, créateur de la progéniture, et je suis la Mort, qui distribue à chacun le fruit de ses œuvres. Parmi ceux qui mesurent, je suis le Temps ; je suis la connaissance de celui qui connaît, la logique de ceux qui discutent, la force des forts. Mes manifestations ne connaissent pas de limites, car je suis la Vie.

Dans la soirée, reposée par quelques heures de sommeil, mais écrasée par le sentiment de sa solitude (pas d'Unni, pas de lettre de lui : le besoin de le voir, de le toucher, devenait presque intolérable), Anne retourna en jeep au temple de Pashupatinath.

Comme au printemps, le soir de la fête de Siva, l'éclat doré des torches illuminait la nuit. Les rues pavées de galets retentissaient de chants, une foule rieuse s'y écrasait.

Sur la pelouse, un groupe d'hommes étaient assis en face d'un autre groupe composé uniquement de femmes. Ils improvisaient des poèmes d'amour qu'ils chantaient à voix alternées. Chacun des deux groupes avait son protagoniste. Assis en avant de leurs supporters, l'homme et la femme choisis par leurs compagnons chantaient sur le thème de l'amour des vers de leur composition et faisaient assaut d'esprit :

Ahah, je t'ai attendue à l'ombre de l'arbre des
                [conseils, près de la fontaine
Dans la chaleur de midi, brûlé par le soleil
Ou sous la pâle clarté de la lune
Mais toujours en vain, en vain,
Car tu ne m'es pas apparue et mon miel,
Le beau miel doré que j'avais été chercher pour toi
                [en escaladant les collines
Le miel que j'avais dérobé pour toi
Il m'est resté
Pour être dévoré par les fourmis...

Ahah, psalmodiait à son tour la femme,
Pourquoi irais-je me brûler au soleil
Pour te retrouver à la fontaine ?
Pourquoi irais-je blanchir mes os à la lumière de
                [la lune
Pour te chercher sous l'arbre des conseils ?
N'y a-t-il pas assez d'eau
Dans les jarres de ma maison ?
Et quel besoin ai-je de ton miel
Car j'en ai à moi
Et le tien pourrait bien me donner
Mal au ventre.

Cette réplique déchaîna des éclats de rire. Plusieurs hommes s'empressèrent autour de leur champion, lui soufflant tout bas des idées, tandis que les femmes entouraient de même leur porte-parole, en qui Anne reconnut la grosse Suriyah, la prostituée, assise comme une déesse dorée, tachetée de lumière et d'ombre par les torches vacillantes, parée de bagues et de bracelets, des bijoux dans une narine, les cheveux et les oreilles. Le Jour de la Fête des Femmes, il n'existait plus ni classes ni castes. Prostituées et maharanis se baignaient ensemble, priaient ensemble au temple. Aujourd'hui, toutes étaient lavées de leurs péchés.

L'adversaire de Suriyah n'avait pas l'esprit de repartie, le temps passait tandis qu'il écoutait anxieusement les avis chuchotés de ses amis et semblait réfléchir. Finalement les femmes crièrent : « Assez, assez ! » se répandirent en invectives contre les hommes en battant des mains, joyeuses de la victoire de Suriyah, et les deux groupes se levèrent pour se diriger vers le temple.

Dans la cour intérieure, les femmes se mirent à tourner, toujours dans le sens des aiguilles d'une montre, autour du temple principal abritant l'énorme lingam de Siva (sur lequel étaient aujourd'hui refermées les portes miroitantes). Des femmes couvraient les degrés, les escaliers, emplissaient les galeries, dormaient, chantaient ou bavardaient entre elles. D'autres dansaient autour du grand taureau ou des oratoires. Un tapis de pétales, épais et humide, jonchait le sol.

Anne sentit qu'on la tirait par le bras :

« Mrs. Ford, disait une voix, Mrs. Ford ! »

Au premier abord, elle ne reconnut pas la jeune fille qui s'accrochait ainsi à elle.

« Je suis Devi, dit celle-ci, Devi, la sœur de Rukmini.

« — Oh, Devi! dit Anne, comme vous avez grandi! Comment allez-vous? Et Rukmini?

— J'aimerais avoir une conversation avec vous, dit Devi. Allons dans votre maison.»

Anne, dont les forces s'épuisaient, acquiesça de la tête. Pour s'éprouver, Anne allait jusqu'à l'extrême limite de sa résistance, mais venait un moment où elle était obligée de se reposer. S'appliquant à ne pas marcher courbée en deux (sa cicatrice recommençait à lui faire mal et donnait l'impression d'être prête à se déchirer quand les muscles, encore faibles, s'engourdissaient), elle sortit à pas lents du temple avec Devi, monta dans la jeep et fit signe au chauffeur de rentrer à la maison.

«Ma mère et mes sœurs vont peut-être me chercher tout à l'heure, dit Devi. Elles sont au temple. Pourrez-vous me reconduire?

— Mais certainement», dit Anne.

Devi craignait de s'en retourner seule avec le chauffeur — un homme. Sa réputation en souffrirait. Elle ne cessait de jeter autour d'elle des regards effrayés:

«Mes sœurs sont en train de prier, dit-elle.

— Rukmini aussi?

— Non, pas Rukmini... Il faut que je vous parle de Rukmini, il faut que vous l'aidiez.

— Bien sûr, Devi, si je le peux. »

La jeune fille se mit à pleurer.

Ce fut pour Anne un terrible effort de grimper l'escalier jusqu'à sa chambre et, arrivée là, elle se jeta sur son lit, n'en pouvant plus.

«Excusez-moi, dit-elle à Devi, je ne suis pas encore bien solide. »

Devi s'assit sur une chaise. Comme elle est jolie! songeait Anne. Ses traits étaient moins délicatement modelés que ceux de Rukmini, il y avait en elle quelque chose de plus robuste, de moins extatique. Sous la lampe, sa peau luisait doucement. Ses cheveux, coiffés en nattes, pendaient sur son dos. Elle était encore vierge, mais bientôt elle serait mûre pour le mariage : treize ans accomplis.

« Aimeriez-vous prendre quelque chose, du thé ou du café ? demanda Anne.

— Non, répondit Devi en se tordant les mains. Mon père ne souhaite pas que je parle, les autres personnes de ma famille non plus, ils ne veulent pas vous dire, mais j'ai peur... j'ai peur que Ranchit ne soit très fâché. Ranchit sera cruel avec elle.

— Pourquoi ? Qu'a donc fait Rukmini ? demanda Anne.

— Rukmini est partie. Elle est allée à Bongsor retrouver Unni Menon. »

A l'Institut, Isabel avait entrepris ce qu'elle appelait un grand nettoyage. La route de l'Inde était maintenant ouverte à la circulation, et les marchandises entraient au Népal en quantités plus importantes et à moindre prix. Sel, balles de coton, denrées alimentaires, grain, machines venaient de la frontière, dans des camions népalais dangereusement chargés. Isabel fit ouvrir quelques-unes des pièces jusqu'alors inutilisées, mais se hâta de les refermer, s'apercevant qu'il en coûterait trop cher pour les nettoyer et les meubler. Deux nouvelles salles de bains furent installées. Une armée de serviteurs grattaient, épongeaient et balayaient, sous la surveillance d'un nouveau professeur de gymnastique, une jeune Anglo-Indienne à l'œil de biche, mais d'une rare laideur. Isabel affirmait que l'Institut devait s'attendre à un afflux d'élèves à l'automne et en hiver. Chaque jour, elle s'embarquait dans sa jeep pour aller voir les notables et leur révéler les attraits de l'instruction qu'elle dispensait.

Mais bien qu'elle parût très occupée, débordante d'activité et tout entière tendue vers son but, Isabel était en réalité en train de s'effondrer. On ne s'en serait jamais douté à lui voir des façons toujours aussi péremptoires. Aux côtés de l'Histoire, de la Géographie et de l'Anglo-Indienne terrorisée, elle présidait la table du petit déjeuner avec sa coutumière autorité, renforcée en quelque sorte par les vases de verre garnis maintenant de fleurs en papier orange, cadeau de l'Eurasienne : « Ce que ça peut être coco ! » avait soupiré l'Histoire, s'adressant à la Géographie. Toutes deux projetaient d'aller faire un tour à Delhi pendant les vacances d'hiver, avec les Bowers, et peut-être John les accompagnerait-il.

« J'estime que John devrait se ressaisir et prendre une décision le plus tôt possible, dit l'Histoire pour tâter le terrain.

— Je suis sûre qu'il est précisément en train de se décider.

— Un petit voyage à Delhi en hiver lui ferait du bien.

— Certainement, sinon je n'aurais pas osé lui en suggérer l'idée. »

Elles regardaient Isabel à la dérobée, lançant de petites phrases pour voir de quelle humeur elle était. Depuis quelques semaines, toute la personne d'Isabel semblait s'être durcie. Ses cheveux étaient devenus cassants, ses mains rugueuses, une espèce de rudesse l'imprégnait toute.

La Géographie se sentait vaguement inquiète. Une pensée lui traversa l'esprit : il se passait quelque chose de très grave dans la vie d'Isabel. Mais la table du petit déjeuner offrait son aspect habituel, les tasses se choquaient contre les soucoupes avec un bruit familier, la pluie fine qui tombait au dehors, épilogue de la mousson, créait un engourdissement douillet :

« Il fait moins humide aujourd'hui, n'est-ce pas ? » dit-elle gaiement, rentrant dans la peau du personnage qu'elle préférait, celui de la femme sérieuse, utile, vertueuse, bonne, à qui rien ne manquait dans la vie — sûrement pas un homme. Les hommes, quel fléau !

Isabel inclina la tête :

« Oui, dit-elle, il va falloir que nous repartions sur de nouvelles bases. »

Ses compagnes se mirent à boire leur café sans un mot, frappées de stupeur par son sérieux, par sa réponse hors de propos à la réflexion de la Géographie sur le temps.

Après le petit déjeuner, Isabel s'installa dans son salon et ouvrit un ou deux registres, mais il n'y avait pas grand travail à faire, si ce n'est d'écrire au Conseil d'administration pour l'informer de la décision d'Anne et le prier de chercher un nouveau professeur d'anglais. La lettre de démission d'Anne était dans son tiroir, et elle l'inséra dans sa lettre au Conseil d'administration avec un sentiment de soulagement : « Bon débarras ! » dit-elle tout haut. Après avoir donné quelques ordres à l'Eurasienne et inspecté les dos courbés des ouvriers qui grattaient la crasse et la moisissure sur les dalles des corridors, elle partit en jeep pour rendre visite à quelques importants personnages, soutiens puissants de l'Institut.

Tout ce qu'elle faisait lui donnait la curieuse impression d'une absence de profondeur, elle avait la sensation de choir dans un abîme sans

745

fond, hors de l'espace. Les actions réfléchies, l'enthousiasme, tout s'envolait comme autant de ballons, soudain réduit à néant. Qu'ai-je fait hier ? Pourquoi suis-je en train de faire ceci ? Tout cela n'avait aucun sens, tout disparaissait dans un vide béant, affreux. L'Institut... que s'était-il donc passé pour qu'elle s'y sentît maintenant étouffer ? C'était pour elle un supplice de prendre le petit déjeuner en regardant les visages mornes et fades de l'Histoire et de la Géographie, en les écoutant rire comme des gamines, échanger des banalités. Il lui fallait se raidir pour les affronter, donner des ordres, paraître savoir ce qu'elle faisait. Pourquoi, vraiment, alors que tout ce à quoi elle tenait lui était arraché, que tout devenait effroyablement vide de sens ? Et le chaos actuel semblait maintenant s'étendre jusque dans le passé. Il n'y avait rien eu dans sa vie, rien qui comptât, il ne restait qu'un grand tas de cendres, dépourvu de forme, d'odeur, de sens. Elle se sentait imprégnée de cendres au-dedans comme au-dehors. Tant d'années, tant d'années réduites en cendres. Depuis quelque temps, elle souffrait de fréquents maux de tête. Quand cela lui arrivait, elle marchait de long en large, interminablement, étourdie à la fois par cette obsédante idée de cendres et par ses douleurs de tête. Le plus terrible, c'est qu'en même temps que les maux de tête l'envie lui prenait de crier des mots, des mots qu'elle sentait rouler dans sa bouche avide de les prononcer, des mots obscènes (et la seule idée de leur obscénité était une délectation, lui faisait venir l'eau à la bouche et lui donnait envie de se lécher les lèvres), des mots jaillissant en rafales comme l'écume au bord de la mer, la harcelant grondant et grognant au fond d'elle-même. Au ministère de l'Éducation, où elle était allée annoncer la démission d'Anne au

fonctionnaire de service (Et nous ne la regrette-
rons pas, Excellence, la présence de cette femme
parmi nous a été une véritable catastrophe), elle
avait été soudain prise d'une sorte de frénésie,
d'un irrésistible besoin de lâcher un flot de propos
injurieux. Elle avait lutté contre cette envie
jusqu'à la suffocation, cramoisie, véhémente,
haussant de plus en plus le ton, s'indignant de ne
recevoir aucune aide du ministère de l'Education
nationale, «pas même la considération que nous
sommes en droit d'attendre». Le fonctionnaire
avait été aussi mielleux et exaspérant que de
coutume, tout sourires et hochements de tête de
droite à gauche, prodigue de compliments évasifs
pareils à des bouffées de brise, aimable, insaisissable et tout à fait déroutant. Il avait acquiescé à
tous les propos d'Isabel, puis, d'un air absent,
avec un geste caressant de sa main ondulant
comme celle d'une danseuse, il avait ajouté cette
phrase qui, d'un coup, réduisait à néant l'approbation qu'il semblait accorder aux attaques d'Isabel contre Anne: «Ma femme aime beaucoup
Mrs. Ford. Sans doute lui demanderons-nous de
donner des leçons d'anglais à nos filles.» Et, avec
force courbettes, il avait congédié sa visiteuse.
    Après l'enquête judiciaire et pendant le séjour
d'Anne à l'hôpital, Isabel avait entrepris une
tournée de visites chez tous les gens qu'elle
connaissait: au *Royal Hotel*, à la Résidence, au
palais du Point Quatre, expliquant, accusant,
grossissant les faits, noyant le récit des événements sous une avalanche de mots: «Ailleurs
qu'ici, pareille chose ne serait jamais arrivée.»
Partout elle s'attardait pendant des heures, éprouvant un réel soulagement du seul fait que ses
hôtes, rétifs, mais polis, l'écoutaient: «Je tiens à
ce qu'ils connaissent tous la vérité», disait-elle.

Mais c'était un effort qu'il lui fallait constamment renouveler, et peu à peu elle se rendit compte que beaucoup de gens l'écoutaient par curiosité, pour se moquer d'elle ou parce qu'ils ne pouvaient faire autrement, mais qu'en réalité leur conviction était déjà faite sur cette «scandaleuse affaire». En l'occurrence, les gens avaient compris d'instinct la vérité, très vite et sans se tromper, et pourtant, pour une fois, les commérages avaient été singulièrement discrets.

En dépit du penchant naturel qui la poussait à colporter les nouvelles, la Géographie savait parfois se montrer d'une fermeté à toute épreuve. En tant qu'infirmière, elle était incorruptible. Elle racontait partout qu'Anne avait eu une crise d'appendicite aiguë, et l'Histoire elle-même ne put lui tirer un mot de plus. Mais en dépit de la réserve héroïque de la Géographie, la bouche fermement serrée sur son secret, le Tout-Khatmandou sut, sans qu'on le lui eût dit, qu'Anne avait eu un enfant, que cet enfant était d'Unni, qu'Isabel était furieuse parce qu'elle aurait voulu coucher avec Unni, que John, le mari complaisant, était si follement amoureux d'Anne qu'il se refusait à faire la moindre démarche, même après avoir été attaqué par Unni et frappé à coups de pied de la façon la moins sportive qui soit, alors qu'il gisait sur le sol de l'hôpital. On ajoutait qu'Isabel, en proie à une véritable folie amoureuse, ferait un éclat «d'un moment à l'autre».

Isabel se heurtait à un solide édifice de faits, étayé par un instinct sûr et que sa prolixité n'aurait su ébranler. Alors, ne sachant plus à qui se vouer, elle monta ce matin-là en jeep pour se rendre au musée, sous prétexte d'informer le conservateur de la prochaine réouverture de l'Institut et de solliciter son aide.

Elle trouva en lui l'auditeur le plus complaisant qu'elle eût rencontré jusqu'à présent. Son bureau, de dimensions exiguës, était encombré de livres anciens, écrits à la main, en népalais, sur d'épaisses feuilles de parchemin, et de livres de prières thibétains ornés de feuilles d'or battu. La voix d'Isabel, crépitait dans la pièce et les murs en renvoyaient l'écho, elle éclatait et déferlait, tandis que le conservateur, son charmant visage mongoloïde figé dans un immuable sourire, l'écoutait, assis comme un Bouddha dans la position du lotus, qui est celle de la patience inaltérable. Grisée par le bruit de ses propres paroles, Isabel éprouvait la profonde satisfaction d'être écoutée, tandis qu'elle s'acharnait à décrire la dégradation spirituelle d'Anne et d'Unni. Son indignation croissait à mesure qu'elle racontait au conservateur qu'elle avait trouvé Unni chez lui couché avec des femmes, en plein après-midi, au grand jour, qu'on voyait des hommes sortir de la chambre d'Anne à toute heure de la matinée; la réputation de l'Institut en avait beaucoup souffert, mais, Dieu merci, cette femme allait partir. Maintenant qu'il connaissait la vérité, ajouta-t-elle, le conservateur devait lui apporter son aide, il devait démentir les rumeurs colportées par les mauvaises langues.

Quand elle se tut, presque à bout de souffle, le conservateur hocha la tête et se leva:

« Voilà une histoire morale absolument passionnante, chère Madame, dit-il, je regrette que le budget du musée ne nous ait pas encore permis d'acquérir un magnétophone, mais nous espérons bien en avoir un l'an prochain. Vous serait-il agréable de prendre une tasse de thé ? »

Isabel déclina l'offre:

« Il faut que je parte », dit-elle, feignant de

consulter sa montre. Sa surexcitation était un peu calmée, mais elle débordait de satisfaction et d'énergie.

« Pas avant d'avoir jeté un coup d'œil sur nos collections, répondit aimablement le conservateur. Nous avons fait l'acquisition de sculptures et de peintures originaires du Thibet. Comme vous le savez, les lamas sont de remarquables contrebandiers. Les Chinois leur interdisent de laisser sortir du Thibet des œuvres de valeur, mais ils le font pourtant quand ils ont besoin d'argent. Pratique en vérité extrêmement répréhensible. »

Il la conduisit vers les vitrines, fit un vague signe de la main, s'excusa d'être obligé de la quitter « pour quelques instants » et disparut.

Isabel ne connaissait pas la partie du musée où elle se trouvait à ce moment. Elle était encore toute palpitante, elle tremblait d'émotion jusqu'au plus profond d'elle-même, tendue et pourtant en proie à une vive exaltation, le pouls battant avec rapidité. Elle se dirigea vers la salle que le conservateur lui avait indiquée de la main et se trouva dans les régions que le Père MacCullough avait soigneusement évitées lors de sa visite organisée.

Les acquisitions récentes y étaient exposées. Il s'agissait d'une suite de peintures thibétaines montrant toutes la même scène. Entourées d'une flore paradisiaque, de démons, de dieux et de flammes, les noires silhouettes d'un dieu et de sa compagne étaient représentées dans l'attitude de la copulation, la déesse soulevée sur une jambe, l'autre jambe incurvée autour du corps du dieu ; un halo de multiples bras les environnait.

« Oh, fit Isabel. Oh, oh ! »

A cette vue, quelque chose d'effroyable avait surgi en elle, comme un cri assourdissant. Elle jeta vivement dans la salle un regard circulaire, surprise que personne n'eût entendu ce cri, mais elle était seule. Avidement, elle s'approcha pour examiner la scène en détail. Puis, à pas lents, elle alla se planter devant l'un des dieux-taureaux qu'elle n'avait jamais vus. Haut d'environ soixante centimètres, ses trois têtes et ses multiples bras se tordaient, exprimant la puissance et la gloire. De son ventre sortait un phallus de dix centimètres de long, à l'extrémité badigeonnée de rouge. Un personnage féminin, vêtu comme le sont d'ordinaire les déesses, le visage extasié, se traînait vers lui, les jambes prêtes à l'enlacer, les bras ouverts pour l'étreindre.

Combien de temps Isabel demeura-t-elle là, seul le conservateur le sut. Quand il estima qu'elle en avait eu assez, elle entendit une toux discrète et, sursautant, elle se détourna pour considérer avec attention un Bouddha au visage serein, assis sur une feuille de lotus, absorbé dans la prière, qui se trouvait immédiatement à côté du dieu-taureau.

« Ce sont là, n'est-ce pas, Madame, des ouvrages du plus haut intérêt. Admirez ce travail, c'est véritablement une merveille. Et tellement vrai. Le sacré et le profane côte à côte. Car sans l'acte de fusion, qui est l'essence de l'être, nous demeurerions pour ainsi dire ignorants de nous-mêmes, tels des atomes désintégrés, des éléments sans synthèse. N'est-ce pas votre avis ?

— Je... c'est absolument abominable ! cria Isabel, absolument abominable ! »

Et le conservateur la vit s'enfuir en courant, comme si les dieux-taureaux et les démons, si préoccupés de l'acte d'amour, la poursuivaient. Son visage et ses bras étaient devenus rouge brique.

« Pauvre dame, soupira le conservateur en la

regardant prendre la fuite, pauvre chère dame ! »

Isabel était venue à lui pleine de rage et de colère, avec ce regard dévorant qu'on voit aux démones en tourment : « J'ai essayé de lui venir en aide, songeait le conservateur, et peut-être ai-je eu tort. Que dit le Chant de Dieu ? "L'action m'appartient, mais les fruits de l'action ne sont pas miens, ils appartiennent à Dieu." » Réconforté, il revint vers son bureau pour y prier. C'était l'heure de la prière, de l'absorption de son esprit dans l'Esprit de l'Unique. Au contraire du Père MacCullough, le conservateur ne prierait pas Dieu pour Isabel ni pour personne d'autre. L'humilité l'en empêchait. Il savait que nul ne peut impunément s'immiscer dans la vie d'un autre être, se mettre en travers de sa destinée. Cependant, Isabel était venue à lui. Pendant qu'elle parlait, il avait prié, puis il avait fait ce qu'il croyait être son devoir. Il lui avait offert la possibilité de regarder ou de s'abstenir. Dieu pourvoirait au reste.

Mais ce fut John qui provoqua la désagrégation finale d'Isabel et détermina, comme le font souvent les événements malheureux et les calamités, un dénouement que, par la suite, chacun s'accorda pour considérer comme inévitable et même fatal.

John vint prendre le thé à l'Institut. La Géographie, Isabel et l'Histoire l'attendaient, l'air un peu guindées. Avec un petit rictus de douleur, il s'assit. Il ne souffrait plus du tout, et il était obligé de s'observer pour ne pas oublier de faire la grimace :

« Fred vient de changer le plâtre, dit-il, c'est en train de s'arranger. Trois côtes défoncées. Mais je suis solide, je guéris très vite.

— Mais... » fit la Géographie.

Sa phrase resta en suspens : la radio n'avait révélé qu'une seule fracture, d'ailleurs douteuse.

« Bien sûr, je ne suis pas médecin, je crois que Fred a parlé de trois côtes, ajouta John un peu trop vivement, et elle se garda bien de le contredire.

— Pourquoi tout ce branle-bas dans les rues ? » demanda Isabel. Elle souffrait d'un violent mal de tête, mais elle passait les tasses de thé avec de gestes précis.

« Ah, vous ne savez pas ? Bien sûr, vous vous êtes levée tard ce matin, répondit la Géographie avec une joyeuse audace, c'est la Fête des Femmes. Elles défilent dans les rues, elles dansent, elles chantent, etc.

— Elles se plongent dans la rivière pour laver tous les péchés commis dans l'année. Peut-on croire une chose pareille ! dit l'Histoire.

— Pour elles, c'est comme une espèce de baptême, dit John, conciliant.

— Le baptême est *tout à fait* autre chose, répliqua l'Histoire d'un ton sec. Je veux dire... ce ne sont que des païennes, et ce bain ne les lavera pas de leurs péchés, je le crains.

— Certainement pas, ajouta Isabel. Pourtant cette coutume vaut mieux que certaines de leurs autres pratiques. Et de toute façon, c'est un bain. (Tout le monde rit). Encore un sandwich, John ?

— Merci, dit John. Quand les cours reprennent-ils à l'Institut ? »

Il laissa flotter sur les trois femmes un regard plein de supériorité et d'affection. Comme elles l'aimaient ! Quelles excellentes personnes c'étaient ! Auprès d'elles, il se sentait mâle, sûr de soi. Elles l'admiraient tellement.

« Nous ouvrirons dans une dizaine de jours, après les cérémonies d'adieu au dieu de la pluie, dit Isabel. Une fête n'attend pas l'autre dans ce pays-ci. Aujourd'hui donc, c'est la Fête des Femmes, ensuite la Fête des Pères, puis encore une autre (j'ai oublié laquelle), et enfin une semaine entière sera consacrée au dieu de la pluie. Mais, pour le moment, nous manquons de professeurs... »

Elle se mordit les lèvres comme si la phrase lui avait échappé, alors qu'en réalité elle l'avait dite à dessein :

« Anne a démissionné, précisa-t-elle, vous le savez sans doute.

— Non, je l'ignorais. On ne me dit jamais rien, répondit John d'un air triste et doux. Je souhaiterais parfois qu'Anne fût plus... confiante.

— Je me demande ce qu'elle va faire maintenant, dit Isabel.

— Je ne sais pas, dit John, toujours avec la même réserve triste et douce. J'ai très peur que, faute d'une influence capable de la freiner, elle ne... coure à sa perte. »

La Géographie et l'Histoire écoutaient en retenant leur souffle. Elles poussèrent un soupir à l'unisson.

« C'est tragique, dit Isabel, mais vous n'y pouvez certainement rien, John. Vous avez fait tout ce qu'il était possible, absolument tout. Sans doute y a-t-il en elle une lacune. »

Pendant un moment elle redevint l'Isabel d'autrefois, quasi royale et vibrante.

« Elle a été terriblement punie, dit l'Histoire en hochant la tête d'un air solennel, terriblement. »

La Géographie glissa vers John un regard timide et soupira à nouveau :

« Eh bien, maintenant, dit allégrement Isabel en reposant sa tasse, il s'agit de savoir ce que *vous* allez faire, John. Vous ne pouvez passer votre vie à veiller sur elle. Il *faut* songer à vous. J'estime que vous avez droit à un peu de bonheur. »

Un chœur d'approbations chrétiennes s'éleva.

John regarda les trois femmes d'un air douloureux :

« Vous êtes très gentilles, très. Peu de gens semblent... se faire du souci pour moi. Il est bien vrai que je n'ai pas été heureux. Mes sentiments, mes espoirs, bref, ce que chacun peut espérer trouver dans le mariage, tout cela a été mis en pièces... J'ai connu des années... »

Il semblait revoir son passé, à mi-distance au-dessus de leurs têtes, avec des yeux qui ne cillaient pas.

La Géographie toussa avec une espèce d'entrain joyeux.

Isabel étendit la main vers lui :

« Allons, John, il ne faut pas regarder en arrière, mais vers l'avenir, il faut faire des projets. Cette déception ne doit pas peser sur toute votre vie. Si vous m'en croyez, vous tournerez la page.

— Vous prendrez un nouveau départ dans la vie, murmura la Géographie.

— Oui, dit John, rêveur, j'y ai songé. Si vous saviez combien j'y ai réfléchi. Je sais bien ce que ferait à ma place un homme *ordinaire* : il divorcerait. J'ai des motifs suffisants pour demander le divorce. C'est d'ailleurs, je le sais, ce qu'espère cette canaille, il pourrait alors rabaisser Anne à son niveau. Mais ma décision est prise. »

Sa voix se raffermit et il se redressa sur sa chaise. Jusqu'alors, il était affalé, les jambes écartées, position qu'il avait adoptée depuis quelque temps et qui lui allait mal, car elle faisait saillir son gros ventre, écartait ses fesses, lui donnait un air veule et niais. Il engraissait rapidement et sa tête semblait d'une grosseur anormale quand il la lançait en avant, par habitude plutôt que par humeur batailleuse.

« Quoi qu'elle m'ait fait, reprit-il, elle n'en reste pas moins ma femme et je ne manquerai pas à mes engagements envers elle, même si elle a manqué aux siens. Je suis peut-être vieux jeu en estimant qu'une femme doit rester fidèle aux vœux du mariage, mais j'estime également qu'un mari doit protéger sa femme contre vents et marées. Non, je n'ai pas l'intention de divorcer. Je sais qu'Anne est en train de gâcher sa vie et la mienne, je sais qu'elle court à sa perte. Tout ce que je puis faire, c'est d'attendre qu'elle ait retrouvé son bon sens, un point c'est tout. »

Il se représentait Anne, pauvre, en loques, des mèches blanches dans les cheveux, venant l'implorer, le suppliant de la reprendre et finissant par l'aimer, lui, lui seul, et désormais rien d'autre au monde n'existerait plus pour elle ; il ne lui verrait plus cet air absorbé qui était tellement exaspérant, cette façon de considérer les arbres ou les gens, de rester assise devant sa machine à écrire, l'esprit absent, comme si elle avait complètement oublié l'existence de son mari.

Il jeta un regard autour de lui pour constater l'effet produit par ses paroles. Isabel le dévisageait, l'œil étrangement fixe, en mordillant sans arrêt sa lèvre inférieure. Il entendit la Géographie dire d'une voix faussement enjouée :

« Eh bien, Martha Redworth m'a demandé de l'aider à arranger ses chrysanthèmes. Il faut que je parte, sinon je vais être affreusement en retard. »

Un moment après, en quittant l'Institut, John, mortifié et stupéfait, se demandait ce qui avait bien pu déplaire à ses interlocutrices. C'était étrange, elles n'avaient pas apprécié à sa valeur la noblesse de ses sentiments... Peut-être étaient-elles seulement un peu abasourdies. La main d'Isabel tremblait, sans aucun doute. Belle femme, mais elle n'était plus de la première jeunesse. Elle avait un mauvais teint. Certes, le cognac n'arrangeait rien... Si Isabel l'intéressait davantage, il la forcerait à y renoncer. John redressait les épaules en fendant la foule des femmes, tandis qu'il regagnait à pied le *Royal Hotel*. La Fête des Femmes. Des fleurs, des bracelets et de la couleur partout. Des rires autour de lui. Taquine, une femme lui lança une fleur, et il sourit de plaisir. Dommage que Ranchit ne soit pas encore revenu. Encore en train de jouir des délices de Delhi ou de Calcutta, où il se faisait soigner les dents. La chaleur devait être pénible dans la plaine. Ici le temps se remettait au beau. Ma foi, il s'était, pour sa part, bien amusé à Delhi pendant que les hommes de loi réglaient ses affaires... et les jeunes Indiennes ont toujours de beaux gros seins, bien que leurs os soient si menus.

Paul prenait congé de Mike Young sur le seuil de la Résidence quand la Géographie apparut dans l'allée, marchant à grandes enjambées.

« Bonjour, dit Paul en agitant sa pipe, vous cherchez Martha ? Voulez-vous que je l'appelle ? Elle est en bas dans le jardin, du côté des chrysanthèmes. Mais si vous preniez d'abord une tasse de thé ?

— Non, merci, dit la Géographie d'un air agité, je viens d'en prendre. »

Une heure plus tard, au crépuscule, Martha vint

retrouver Paul, qui lisait dans son bureau. Il la regarda par-dessus ses lunettes.

«Tu as passé un bon moment avec la Géographie?

— Terrible, dit Martha d'un air accablé. La mousson est passée et tout le monde redevient nerveux. La pauvre fille a pleuré et reniflé à travers tout le jardin. A cause de John, pourrais-tu le croire! Elle s'est si bien monté la tête qu'elle se croit amoureuse de lui.

— Il ne faut plus s'étonner de rien, dit Paul. J'aurais cru que la Géographie était une personne raisonnable.

— Bien sûr, elle ne me l'a pas avoué franchement. Elle a commencé par me dire que John est un être exceptionnel, d'une telle noblesse d'âme, qu'elle l'admire énormément. Elle m'a expliqué en long et en large qu'il est en train de se sacrifier pour Anne. Il paraît qu'il se refuse à divorcer: il aime toujours Anne, et il attendra qu'elle lui revienne.»

Un mot cru, insolite à la Résidence, se fit entendre derrière la pipe.

«Il me fait suer avec sa noblesse d'âme. John ne cesse de jouer un rôle. Il n'y a pas en lui un atome de sentiment vrai. S'il ne divorce pas, c'est un égoïste et un salaud. Il veut s'accrocher à elle, voilà tout. Une vraie sangsue. D'ailleurs, ce gars-là m'a toujours déplu.

— Peut-être aime-t-il vraiment Anne? dit Martha.

— Ce n'est pas de l'amour, c'est du vampirisme, répliqua Paul. Cette façon de se coller à elle, c'est une manière de vengeance. Quel plat personnage! Et j'imagine qu'il se croit sublime, tout comme le type dans ce roman, tu sais bien, le mari qui refuse de divorcer... comment cela s'appelle-t-il donc ?

— *Anna Karénine,* dit Martha. Tu me l'as donné à lire aussitôt après notre mariage, tu te souviens ? Maman était scandalisée.

— C'est pourtant vrai, dit Paul en souriant. Quelle façon de se conduire avec une jeune épouse ! J'ai moi aussi des nouvelles à t'apprendre, chérie, dit-il, soudain rembruni. Je viens de voir Mike Young. Le pauvre garçon est bouleversé. Tu sais qu'il est amoureux de Rukmini, la femme de Ranchit ?

— Tout le monde sait cela, mon chéri. Sharma aussi est amoureux d'elle.

— Oui, mais en ce qui concerne Mike, c'est sérieux. Or Rukmini a quitté Ranchit. Elle est partie la semaine dernière, sous prétexte de faire un séjour chez une parente dans une autre vallée, mais elle ne s'y est jamais rendue. Au lieu de cela, elle est en ce moment à Bongsor. Où se trouve également Unni. Tu sais quels sentiments elle nourrit pour lui. Si Ranchit vient à être informé, toute la Vallée va exploser. J'ai conseillé à Mike Young d'aller discrètement à Bongsor pour tâcher de la ramener. Sans rien dire à Anne. Elle doit tout ignorer. Pour elle, ce serait le coup de grâce.

— Je n'arrive pas à le croire, dit Martha. Unni n'est pas homme à faire cela.

— Bien sûr que non, mais Ranchit l'admettra-t-il ? Et les autres ? Ils ne seront que trop empressés à accuser Unni. Ah, les femmes, les femmes ! Incapables de se tenir tranquilles. Pour l'amour du Ciel, tâchons qu'Anne demeure ignorante de tout ceci, elle a déjà eu assez d'épreuves à supporter.

— Cet après-midi, elle se repose chez elle, m'a dit la Géographie, j'irai la voir demain. »

Mais le lendemain, quand Martha arriva au bungalow, Regmi lui dit que le Rampoche et sa fille étaient venus à l'aube chercher Anne en jeep et l'avaient emmenée prendre avec eux l'avion pour Bongsor.

Elle avait entendu la jeep d'Anne s'éloigner dans le crépuscule, puis revenir à la nuit en haletant, comme si ce bruit déchirait les douces ténèbres.

« Ohoh ohoh ! gémissait Isabel. Ohohohoh ! »

Aussitôt après le départ de John, elle avait couru à son armoire.

Il lui semblait encore entendre le glouglou du cognac, tandis qu'elle buvait en se demandant pourquoi elle faisait cela. Car elle n'avait ressenti aucune douleur : comme une maison délabrée qui s'écroule brusquement dans un fracas de matériaux volant en éclats, de briques écrasées et de poussière, elle avait senti quelque chose céder en elle, et maintenant elle contemplait les ruines et les gravats : elle-même.

« Isabel Maupratt, Miss Maupratt, l'élue du Seigneur. »

Elle ricana. Les blasphèmes vinrent facilement après le ricanement. Des mots qu'elle ne croyait même pas connaître :

« Oh, Seigneur, comme Tu me frappes ! » cria-t-elle, puis elle se mit à hurler des injures.

Le domestique venu pour lui annoncer que le dîner était prêt s'enfuit. Se rappelant le précédent esclandre et ses suites, il ne dit pas un mot à l'Histoire, à la Géographie et à l'Anglo-Indienne en train de manger leur potage à la tomate avant de se rendre à une réunion pieuse.

«Où est la Grande Memsahib? demanda l'Histoire entre deux cuillerées de soupe.

— La Grande Memsahib pas faim», répondit le domestique.

Les professeurs de l'Institut poursuivirent leur repas.

Maintenant Isabel sortait à son tour, longeait la véranda, gagnait la porte de derrière; elle allait vers le bungalow, toujours vers le bungalow. Il était éclairé, animé d'un bruit de voix, mais on ne pouvait distinguer les paroles.

Tapie dans l'obscurité, près du buisson de rosiers, Isabel levait le visage vers les fenêtres, vers la lumière dorée.

C'était toujours comme cela. D'une écœurante injustice. Dieu est injuste. Il est injuste.

«Oh, mon Dieu, mon Dieu, pourquoi m'avez-vous abandonnée?»

Isabel passait sa vie à attendre, à guetter, elle attendait quelque chose et rien n'arrivait jamais, rien; ou, si quelque chose arrivait, cette chose était aussitôt engloutie dans l'ineptie et l'absurdité, elle éclatait en morceaux informes — quoi que pût faire Isabel.

C'est injuste, injuste, soyez maudit, Seigneur, maudit. Vous lui avez donné tout, à *elle*, tout. Elle vous a nargué et vous continuez à la combler. Vous lui donnez même la souffrance. Du moins elle souffre, il lui arrive des choses... sans qu'elle fasse un geste, la souffrance et le bonheur viennent à elle, des choses, des hommes viennent à elle, la vie vient à elle, radieuse et merveilleuse, riche de beauté et aussi d'abjection, qui a aussi sa beauté — et cela sans qu'elle ouvre la bouche, sans qu'elle lève un doigt. Elle est perverse et luxurieuse, égoïste et dure. Et moi? J'ai observé tous vos commandements, j'ai travaillé pour la gloire de votre Nom, et voici comme vous me traitez !

Debout dans l'obscurité, avide, elle levait un visage empourpré vers la lumière de *l'autre*.

Elle entendit les voix se rapprocher, descendre l'escalier, puis la lumière éclaira une jeep rangée devant la porte. Anne apparut, mince silhouette en pantalon. Dans le halo clair, Isabel vit le cou, l'attache de la tête, et gémit de douleur. Anne était accompagnée d'une jeune fille en sari.

Des femmes, maintenant ! Les hommes ne lui suffisent plus...

Où allaient-elles à cette heure tardive, dans la douce nuit lourde ? Les phares de la jeep s'allumèrent brusquement, cônes découpant une brèche dans l'ombre. Le moteur ronfla et s'anima. Isabel s'accroupit derrière les rosiers... Si elles me voient, je les frapperai, je lui arracherai les yeux.

Elles ne la virent pas. Elles passèrent sans la voir. Personne ne la voyait jamais, personne ne s'arrêtait à cause d'elle. Personne.

« Elle a tout ! cria Isabel aux étoiles. Elle a Unni et John. Je ne compte pas pour John, elle seule compte et pourtant elle l'a traité comme un chien. »

Elle courait presque quand elle franchit la grille d'entrée. Le portier la regarda passer, terrifié et amusé à la fois. Elle se trouva dans la rue, au milieu d'une foule de femmes qui tournoyaient au son des tambours et des tambourins.

Le corps d'Isabel se heurta à ceux des femmes, entra en contact avec des étoffes, des cheveux, des fleurs et des chairs. Des femmes basculèrent contre d'autres avec de petits cris, puis des rires ; d'un mouvement souple, elles plièrent sous la pression, empêchant Isabel de tomber, et maintenant elles la redressaient, la soutenaient, s'excusant avec des rires, croyant s'être heurtées à elle dans l'emportement de la danse, ivres de gaieté et de chants, ivres aussi de la douceur de cette nuit délicieuse comme l'amour, ivres enfin du plaisir d'être femmes.

Elles entourèrent Isabel, l'appelant ma sœur, ma sœur. Bientôt elle se joignit à leur multitude, marchant d'abord, puis esquissant un pas de danse. Elles tournaient autour d'Isabel, leurs mains, ouvertes comme des fleurs au-dessus de leurs têtes, pivotant sur le poignet, leurs bras pareils à de beaux serpents, leurs lourdes jupes en forme de cloches emportées dans un tourbillon.

Poursuivant leur marche en avant, elles traversèrent la place des temples illuminée, où des couples d'amants sculptés les regardaient en souriant du haut des toits, passèrent devant Mahadeo, incarnation de Vichnou, couleur d'ambre, le bras passé autour de la verte Parvati aux beaux seins, devant la tête de Bhairab armée de crocs, devant Kala Dourga, noire et avide de sang, piétinant les démons. Bientôt elles furent dans la campagne. Maintenant elles couraient presque, les chants devenus des clameurs, et Isabel hurlait avec ses compagnes. Elles rattrapèrent un autre cortège, monstre grotesque fait d'un pêle-mêle de gens entourant un bizarre instrument pareil à une petite pagode en marche, projetant de larges ombres sur les arbres. C'était une chaise à porteurs renfermant une sombre déesse parée de colliers de fleurs. La chaise était portée à la fois par des hommes et par des femmes. Le groupe des porteurs de devant poussait dans une direction, ceux de derrière dans une autre, aussi voyait-on la chaise tournoyer, sauter et se balancer, dans l'odeur violente de cet alcool de la Vallée obtenu en distillant du miel et de l'orge.

Maintenant, elles piétinaient en longues files dans des sentiers tracés à travers champs, prenant garde de ne pas abîmer les récoltes dont les longues tiges frôlaient leurs jupes, à droite et à gauche du chemin. Le sentier se bombait pour escalader une petite colline boisée. Là s'élevait un oratoire à trois toits, illuminé, retentissant des cris d'une foule de femmes qui refluaient tout autour, se poussaient pour y entrer ou en sortir.

Les tambours battaient à coups réguliers, interminablement, sans arrêt. En longues rangées, noires dans l'obscurité, les femmes pénétraient dans l'oratoire en criant et en chantant. Il y avait là des marches qu'Isabel descendit, descendit, jusqu'à un trou carré d'environ deux mètres de côté creusé dans le sol si profond qu'un homme aurait pu s'y tenir debout, éclairé par des torches.

Le sol était formé d'une boue d'un noir profond, lisse et douce à force d'avoir été foulée par des pieds nus, et mêlée de pétales de fleurs. Les niches ménagées dans les trois murs renfermaient des images de pierre, déesses ou démones, se tordant frénétiquement, les bienfaisantes et les méchantes toujours indivisibles, en une seule incarnation. Accroupis au centre du carré, deux prêtres étaient en train de sacrifier un agneau mâle; ils lui ouvrirent la gorge, répandirent le sang sur les pierres noires, puis jetèrent dessus des plumes, des fleurs, des œufs et du lait. Le long d'un des murs, d'autres agneaux mâles attendaient leur tour, blancs, tondus et tout petits.

«Aaaaiiiiah! criaient les femmes, aaaaiiiiah!»

Elles se contorsionnaient comme les statues des déesses. Les prêtres se tournèrent du côté d'Isabel et l'aspergèrent avec le sang de l'agneau.

Isabel criait avec les autres. Quelqu'un lui mit dans la main une coupe d'argile et elle but. Encore, encore et encore.

Maintenant, elles étaient remontées et dansaient à la lumière d'un mince croissant de lune, sur la pente d'une colline. Et elles poussaient de grands cris.

« Le sang de l'agneau, clamait Isabel, je suis purifiée, purifiée ! »

Elle empoigna sa blouse, dont l'étoffe céda facilement. Les femmes qui l'entouraient riaient, battaient des mains, criaient. Elle entendit craquer le tissu ; avec un frémissement de plaisir elle perçut le bruit de fer rouge qu'il faisait en se déchirant. Les femmes se rassemblèrent autour d'elle. Les tambours battaient.

Quatrième partie

La Montagne

Ainsi parla Krichna, Celui qui nous éclaire : « Le monde est emprisonné dans sa propre activité, sauf quand les actes sont accomplis dans l'intention d'adorer Dieu. Aussi convient-il d'accomplir toute action comme un sacrement, sans attacher le moindre prix aux résultats. »

(La Bhagavad-Gîtâ.)

Chapitre premier

Journal   Au bord de la mer, dans la plaine,
d'Anne   dans les vallées, les gens parlent
          des montagnes, ils lèvent la tête
pour les contempler, sans connaître ce sentiment
d'un destin immense que donnent les cimes quand
elles s'emparent de l'horizon tout entier. Ici, dans
les montagnes, il n'y a aucun refuge contre la
sensation d'écrasement qu'elles engendrent. On
se sent perdu dans sa petitesse sous un ciel
vacillant.

Les vrais monts Himalaya, qui s'élèvent à des
kilomètres au-dessus du niveau de la mer, sont
encore dans les douleurs de la création. Les
montagnes sont jeunes, très jeunes, adolescentes,
bien qu'elles datent de l'époque dinosaurienne,
terribles de jeunesse impitoyable.

Ici l'homme a sous les yeux le spectacle des
tumultueuses transformations de la terre depuis
que sa croûte s'est pliée, tordue et a poussé vers le
ciel ce plateau de l'Asie Centrale où se trouvent le
Thibet et le Népal. Nous devenons bien insigni-
fiants à l'échelle des énormes roches lancées vers
les nuées. Les vents violents et les pluies, la glace
et la neige, le soleil brûlant les ont sculptées à
mesure qu'elles s'affaissaient, leur donnant les
formes que nous voyons et qui, comme les

mammouths, après des éternités de lent enfantement, disparaîtront pour prendre des figures nouvelles.

Dans l'avion, j'apprends à connaître cet aspect des montagnes, non pas leur beauté, leur splendeur, leur apparence de vision céleste, mais leur insensibilité primitive, terrible. Nous nous trouvons pris dans les derniers remous d'un orage himalayen, et l'avion est secoué à tel point que nous n'espérons plus rien que l'écrasement rapide et miséricordieux. Ma curiosité est vive en ce dernier moment — persuadée que je vais mourir, la perspective ne m'inspire plus aucune crainte — et, tandis que le Rampoche se tasse sur lui-même en égrenant son chapelet et que sa bouche s'ouvre en silence (nul ne peut l'entendre crier, sa prière dans le fracas du cyclone déchaîné autour de nous), je m'agrippe à la vitre gelée, curieuse de savoir si nous allons périr dans la neige, sur la roche nue ou dans les tourbillons d'une rivière. Chérie est si malade qu'elle finit par s'évanouir. Mike Young est livide et malheureux, et le professeur Rimskov a renoncé à tout. Quant à moi, je jette un nouveau coup d'œil au dehors, mais c'en est trop : je rejoins Chérie sur le plancher.

Et puis, soudain, nous arrivons. Un grand calme semble éclater, comme si nous étions déjà morts. Nous descendons trop rapidement pour que ce soit agréable, le vent s'atténue autour de nous tandis que nous plongeons dans la bruine et la brume. Le Rampoche est le premier à sortir de l'avion en titubant. Nous le suivons, cohorte lugubre, Chérie, moi, le professeur Rimskov et Mike Young. Le Rampoche nous regarde descendre l'échelle de l'avion. Quoiqu'il ait lui-même le teint d'une curieuse nuance vert-de-gris et qu'il oscille un peu sur ses courtes jambes, il nous serre gravement la main quand nous posons le pied à terre en disant: «Bienvenue à Bongsor. Tout ce que je possède vous appartient.»

Je suis maintenant accoutumée à ces rapides changements de personnalité de la part du Rampoche et de tout le monde. L'homme crée des dieux à son image, et il est logique que le Rampoche possède de multiples identités, aussi heureusement distinctes que possible. Je sais que la schizophrénie est l'état normal de l'homme. Comment pourrait-il exprimer ses multiples complexités, sinon au moyen d'agents divers et farouchement incompatibles?

L'aéroport de Bongsor est minuscule, une sorte de fichu carré, plat et brun, encerclé maintenant par le brouillard, mais on devine aisément les dos penchés des crêtes les plus proches.

«Nous sommes ici à trois mille mètres d'altitude, dit le professeur Rimskov, la plaine où nous nous trouvons est un ancien glacier qui a entraîné une trop grande quantité d'apports de ruissellement et s'est trouvé pris au piège, puis, en bouillonnant, il a cherché une autre issue plus loin. Dès que le brouillard se lèvera, vous verrez les montagnes, c'est fantastique, fantastique! (Il prononce le mot en détachant les syllabes, ce qui le rend encore plus impressionnant.) Bongsor se trouve à six kilomètres d'ici, à vol d'oiseau, dans la vallée, de l'autre côté des crêtes.»

On voit alors émerger de la brume une troupe d'hommes à l'aspect effrayant: robes de peau de chèvre s'arrêtant au genou, poignards à la ceinture, fusils à la main, boucles d'oreilles ornées d'une turquoise ou d'une agate rondes comme un petit œuf.

Le Rampoche frappe dans ses mains:

« Mes serviteurs », dit-il.

Ils nous entourent avec une menaçante amabilité, le fusil pointé, mais ils se bornent à nous débarrasser de nos sacs de voyage. D'autres grimpent dans l'avion. Deux jeeps apparaissent ; sur chacune flotte un drapeau de soie orange foncé, le pavillon du Rampoche de Bongsor.

« J'ai fait venir ces jeeps par avion au printemps dernier, dit le Rampoche, cela m'a coûté beaucoup d'argent. »

Des entrailles de l'avion, on extrait des paquets à l'aspect vaguement familier, enveloppés de paille et de papier retenus par des ficelles, et d'où saillent des courbes lisses aux blancheurs de porcelaine. Il est aisé de deviner ce que c'est : signes évidents du progrès, des appareils sanitaires acquis par le Rampoche, non pour son monastère, nous assure-t-il, mais pour l'hôtel qu'il projette d'installer à Bongsor. « Il sera administré par une société à responsabilité limitée, explique-t-il, je l'appelle l' *Hôtel de la Vue du Barrage,* peut-être un peu trop tôt, qu'en pensez-vous ? »

Une autre jeep nous croise, gris kaki, avec deux hommes à bord. Les yeux de Mike Young s'illuminent.

« C'est la jeep de l'Aide Américaine, Anne, dit-il, surexcité. Je vais leur donner un message pour Unni, n'est-ce pas ? Ils pourront l'emporter en s'en retournant. Je lui demanderai de se mettre en rapport avec nous. »

À ce moment, le Rampoche se frappe le front, ou plutôt sa coiffure (il porte une casquette de tweed avec son habituel complet très épaulé), et il pousse un gémissement douloureux :

« Hélas, quelle abomination ! La lettre ! s'écrie-t-il en se tortillant. Je devrais m'étriper, ma chère nièce (ceci à mon adresse), la lettre de notre cher ingénieur, Mr. Menon! Le pilote me l'a confiée et j'ai oublié de vous la remettre avant de quitter Khatmandou. La voici, je crois, dit-il en fouillant fébrilement dans ses poches. Non, elle n'est pas là, elle doit se trouver dans les bagages. Sapristi, si cela continue, je finirai par oublier mon propre nom!»

Je ne puis rien faire. Pas même manifester mon indignation. Les jeeps frémissent et se mettent en route, montent la colline en toussant. Le Rampoche m'a joué un mauvais tour. Pour quelles raisons? Je l'ignore. Si j'avais lu cette lettre hier soir, peut-être ne serais-je pas partie. Mais Rukmini est ici, sa sœur Devi m'a demandé de la voir, et Mike Young, sévère et jeune, mais rassurant, est assis à mes côtés, de sorte que je me sens protégée. Dès l'instant qu'il n'arrive rien à Unni, que puis-je redouter?

Pendant le long et abominable trajet en jeep sur le sentier de mulets élargi qui relie l'aéroport à la ville (ou au village) de Bongsor et franchit deux montagnes en faisant des boucles et des zigzags, tandis qu'au-dessous de nous un torrent fait entendre un tonnerre mélodieux, je m'enfonce dans une rêverie fiévreuse. L'inquiétude et l'inconfort matériel donnent un caractère irréel à tout ce qui m'entoure, et je revis les scènes de la veille au soir.

Devi est assise dans ma chambre. Allongée sur le dos, je m'entends dire d'une voix blanche et glacée:

«Rukmini est à Bongsor?

— Oui, elle est partie en avion voici douze jours. A ce moment-là, vous étiez encore à l'hôpital.»

Peut-être est-elle partie dans l'avion qu'Unni a pris pour regagner Bongsor après être venu me voir à l'hôpital, il y a douze jours.

«Je vous en prie, dit Devi, ne pourriez-vous aller à Bongsor et la ramener?

— Moi, Devi?

— Oui, vous, il n'y a que vous qui puissiez y réussir.»

Bien sûr, il le faut. Je ne puis faire autrement.

«Quand part le prochain avion?

— Je ne sais pas, dit Devi. Une seule personne le sait, c'est le Rampoche. Il est ici depuis deux jours, il fait très souvent le trajet pour ses affaires.»

Ainsi il y a eu un avion voici deux jours, et il n'a apporté ni Unni, ni apparemment une lettre d'Unni. Il n'est pas venu et il ne m'a pas écrit. Soudain un désespoir atroce s'est emparé de moi, une impression de totale impuissance, vertigineuse, immense, effrayante comme les sombres orages qui éclatent ici, effaçant le ciel et la terre:

«Je vais aller trouver le Rampoche et m'informer du départ de l'avion.»

Devi se lève, me regarde longuement:

«Vous verrez Unni. Je vous en prie, demandez-lui d'être bon pour ma sœur Rukmini.

— Je ne crois pas qu'Unni soit capable de faire du mal à Rukmini, de quelque manière que ce soit.»

Je ne pense pas un mot de ce que je dis, mais le ciel ne s'effondre pas. Il ne s'effondre jamais. Les hommes ne sont pas aussi importants qu'ils l'imaginent.

«Aux yeux de Rukmini, Unni est un dieu, le Seigneur Krichna. Mais il la considère comme une enfant, il nous considère toutes deux comme des enfants. Dites-lui... que Rukmini et Devi ne sont plus des enfants, mais des femmes.»

J'ai ramené Devi au Temple, puis mon chauffeur m'a conduite chez le Rampoche. Tout y était sombre, tranquille, au sortir des rues pleines de chants. Peut-être n'allais-je trouver personne, peut-être l'avion était-il déjà reparti, emmenant le Rampoche (comme tout le monde dans ce pays qu'on qualifie à tort de primitif, il sautait en avion aussi allégrement qu'un Londonien dans son autobus), et il me faudrait attendre le suivant pendant des jours.

Mais la servante qui m'ouvrit les lourdes portes cloutées me dit que le Rampoche et sa famille étaient là, et comme je montais, les jambes raides, l'étroit escalier, je me heurtai presque à Chérie, le visage enduit d'argile blanche (un masque de beauté pour le teint).

« Mrs. Ford ! Quelle joie, quel plaisir ! Mon papa sera ravi, vraiment. Voulez-vous entrer au salon ? Mon papa achève ses prières. »

Sur un lit aux rideaux de soie jaune, le Rampoche est assis dans l'attitude de la contemplation, les jambes croisées, les pieds retournés la plante en l'air et reposant sur ses cuisses. Sa main posée sur son genou fait glisser les grains lisses de son chapelet entre le pouce et l'index. Son visage est serein et doré. Derrière lui, sur le lit parfaitement propre, sont entassés ses édredons, celui du dessus artistement replié en vagues pyramidales, comme une chaîne de montagnes chinoise, en équilibre parfait. Sur une petite table, j'aperçois un Bouddha d'or d'environ trente centimètres de haut, devant lequel brûlent quatre lampes à beurre.

J'esquisse un mouvement de retraite en murmurant que je ne veux pas le déranger, mais Chérie clame joyeusement : « Rien ne dérange mon papa quand il est en état de sainteté. » Je m'assieds donc sur une chaise basse et je bois du thé dans une tasse d'argent, tandis que le Rampoche achève ses dévotions. Puis il agite une sonnette, afin de sortir de cet état de sainteté, s'incline devant le Bouddha, le front touchant la table où repose la statue, verse du beurre fondu dans les lampes et se tourne vers moi. Son visage, jusqu'alors aussi lisse que celui du dieu, s'anime, la gaieté plisse ses tempes et de grands rires s'échappent de sa bouche.

« Ma chère nièce, s'écrie-t-il, quelle joie de voir que vous vous portez si bien ! »

Il frappe dans ses mains et crie aux domestiques de servir le dîner :

« J'espère, me dit-il, que vous partagerez avec nous un repas simple et frugal. »

En vain, je protestai, affirmant que j'avais déjà dîné. On dressa des petites tables, on apporta des plats d'argent, contenant poulet, caille, viande, fruits de l'arbre à pain, radis et aussi ce que Chérie appelle « des herbes de l'Himalaya, propres à donner une santé vigoureuse et une intelligence rayonnante ». Mais j'eus à point nommé un étourdissement, et l'on m'étendit sur le divan bas qui courait presque tout le long d'un des murs.

« Je ne suis pas encore très bien, dis-je quand je repris mes sens, au bout de quelques minutes, je ne dois faire que deux repas par jour.

— Ma chère, chère nièce ! s'écria le Rampoche et, tirant de sa manche une pâte brune à forte odeur de menthe enfermée dans une minuscule boîte d'argent, il m'en frotta les tempes. C'est le fameux baume du tigre des Chinois, expliqua-t-il, j'en ai toujours sur moi quand je voyage. »

De son côté, Chérie m'apporta une poudre rouge, un remède thibétain, qu'il me fallut prendre avec mon thé.

Je pouvais maintenant refuser de dîner, et je demandai au Rampoche quand partirait l'avion pour Bongsor.

Ses yeux prirent soudain l'aspect de petites huîtres dans leurs coquilles, les blancs encerclant la pupille sombre. Ce regard exprimait à la fois une feinte surprise, le triomphe, mais aussi la ruse et le calcul. Il savait pourquoi je désirais aller à Bongsor et il évaluait rapidement les effets que produirait mon arrivée.

«Eh bien, s'écria-t-il, voilà une excellente idée, vraiment excellente. Oui, grâce à l'air pur des montagnes, vous allez redevenir forte et jeune en un rien de temps. Moi-même je me sens vraiment malade quand je viens dans la Vallée, je suis un homme des montagnes, il me faut l'air des sommets. Là-haut, ma chère nièce, la communion avec le divin est à notre portée, alors qu'ici, dans la corruption de la ville... dit-il avec un geste d'indignation, tel qu'aurait pu en avoir un évangéliste secouant la poussière de ses sandales au sortir d'une cité luxurieuse.

— Quand part le prochain avion? répétai-je, obstinée.

— Mais demain matin, dit le Rampoche avec un grand rire, demain matin de bonne heure, ma chère nièce, et vous arriverez à point nommé pour assister aux cérémonies en l'honneur du dieu de la pluie, qui auront lieu la semaine prochaine. C'est à ce moment-là que les gens bien informés viennent à Bongsor. Car nos cérémonies sont beaucoup plus belles que celles qu'on peut voir à Khatmandou. Si vous partez demain, vous serez là-bas un peu trop tôt, mais sans doute êtes-vous obligée de venir dès demain, dit-il, acceptant l'inévitable.

— Oui, je voudrais retenir ma place.

— Entendu, dit le Rampoche. Le prix, fort modique, est de quatre-vingts roupies, et le trajet dure à peine quarante minutes, une heure tout au plus, selon le temps qu'il fait. Ah, ma chère nièce, dit-il, rayonnant, comme nous allons prendre soin de votre santé ! Mon humble domaine sera honoré par votre visite. Et nombreux seront les cœurs qui s'en réjouiront. »

Sur cette déclaration ambiguë, ou plutôt à double sens, je quittai le Rampoche pour rentrer chez moi faire mes valises, aidée de Mita et de Regmi. Mes vêtements les plus chauds, ma machine à écrire, du papier. Cela se passait hier soir. A l'aube, Chérie et le Rampoche sont venus me prendre pour m'emmener à l'aéroport. Là, j'ai vu Mike Young qui attendait le même avion, pour accomplir le même dessein. Nous n'avons pas eu besoin d'échanger une parole. Il m'a pris la main pour m'aider à monter l'échelle. Je n'ai laissé de mot pour personne. Les gens seront bien assez vite informés.

La Société des Drogues et Potions de l'Himalaya, la Société des Fourrures de montagne (yaks, chèvres et autres animaux utiles), la Compagnie de la Cure de repos de l'Everest et des Boissons agréables. Ces emblèmes du progrès nous accueillent au passage le long de la grand-rue en pente, pêle-mêle hétéroclite de pierres à prières, de nids de poule, de *chortens,* de stupas, de masures de pierre, de fientes de yaks. Chacune de ces sociétés plus ou moins embryonnaires, avec leurs énormes enseignes en anglais et (du moins je le suppose) en tibétain et en népalais, appartient au Rampoche de Bongsor.

« Mon papa est parfois tellement progressiste, mais parfois aussi tout à fait préhistorique, comme vous pouvez en juger, Mrs. Ford, et quel dommage qu'il y ait encore du brouillard, sinon vous en verriez bien davantage, mais bientôt tout va devenir clair et les montagnes seront avec nous. »

Les montagnes sont cachées, mais Bongsor s'étend autour de nous avec ses pentes brunes, ses maisons thibétaines noires et blanches percées d'étroites fenêtres, empilées les unes au-dessus des autres sur les escarpements. Le vent qui nous fouette le visage, le sol jonché de pierres roulées donnent une impression de violence rude et inflexible. Nous sommes passés devant de maigres champs d'orge et de blé pareils à ces peaux de léopards mangées aux mites qu'on voit aux murs des palais ranas, à Khatmandou. La route serpente à peu près à mi-hauteur au-dessus des champs et, au fond de la gorge, un torrent bouillonnant fait rage. Au bout d'un moment, son bruit nous emplit à ce point les oreilles que nous ne l'entendons plus. Une file de yaks nous croise ; ils avancent à pas lents, chargés de thé et de borax, et leur noire toison tressée exhale une odeur puissante. Des chèvres à longs poils sont attachées dans des enclos pierreux et nus, entourés de murs, au flanc des maisons. Les femmes aux visages plats, carrés et luisants, portent des tabliers rayés, et des châles couvrent leurs nattes épaisses. Les ceintures des hommes sont abondamment garnies d'armes, mais les gens sortent sur leurs seuils pour s'incliner, les mains jointes, devant le Rampoche qui les bénit du haut de la jeep.

Tout en haut de la rue en pente, au-dessus des maisons de Bongsor, se dresse le monastère, imposante forteresse avec ses remparts crénelés à l'aspect branlant, ses lourdes portes en bois bardées de fer, ses quatre tours de guet aux angles, un amoncellement de pierres montant vers le ciel, un Potala[1] en miniature. Car nous sommes maintenant tout près du Thibet et, du point de vue spirituel, Lhassa est plus proche que Khatmandou.

Les portes du monastère sont ouvertes, mais elles se referment derrière nous avec bruit ; je remarque la présence d'hommes armés, gardes du Rampoche. Nous sommes maintenant dans une vaste cour carrée, pavée, bordée sur deux côtés par des galeries sur lesquelles s'ouvrent des fenêtres. Je vois des poneys sellés, un petit feu dans un coin, des moines accroupis buvant du thé, d'autres hommes armés, des jeunes garçons au crâne rasé, vêtus de robes sales, sans doute de futurs lamas. Là se trouvent les étables et les communs destinés aux serviteurs ou aux hôtes sans importance du Rampoche. La jeep pénètre dans une seconde cour, où elle s'arrête. Je vois un garage pour trois jeeps, toute une alignée de pièces espacées le long des murs et une maison thibétaine fraîchement blanchie à la chaux, adossée aux remparts et dont les fenêtres à encadrement donnent sur la cour.

« Voici notre nouvel hôtel pour les touristes bienvenus », dit fièrement Chérie.

Au-delà de cette cour, il y en a encore une autre, plus petite, autour de laquelle s'élèvent des édifices de pierre en forme de pyramide, auxquels on accède par des degrés, comme à la cathédrale Saint-Paul à Londres. C'est le monastère proprement dit, la résidence du Rampoche et de ses dieux, de ses lamas, disciples, acolytes et soldats. Ici aussi se trouvent ses réserves de vivres, ses dépôts d'armes et ses trésors. Une forteresse médiévale adossée à la colline où elle s'érige,

1. A Lhassa, le palais du Dalaï-Lama. (N. du T.)

dominant la ville de Bongsor étendue à ses pieds.

Avant de descendre de la jeep, je m'arrange pour dire à Chérie :

« Je voudrais voir Rukmini le plus tôt possible.

— Bien sûr, dit Chérie sans manifester la moindre surprise, je suis sûre que mon papa va arranger cela. Comme vous le savez, elle est notre invitée pour le moment, quoique mon papa ait essayé de lui expliquer que chez nous la vie serait trop rude, mais Rukmini vit comme derrière un voile, en extase, dans un état d'enchantement, à force de prier pour Unni Menon, et, tenez, voici maintenant mon papa avec la lettre qu'il *croit* avoir oublié de vous remettre hier soir. »

Le Rampoche descend de sa jeep et, après avoir béni un certain nombre de lamas en robes fort sales, couvertes de taches, apparus par des orifices (le mot porte n'en rendrait pas l'exiguïté) creusés dans les murs de pierre de la forteresse, il s'approche de moi et me tend, enfin, la lettre d'Unni.

Mike, le professeur Rimskov et moi nous entrons dans l'hôtel, où nos chambres nous attendent. Chaque pièce semble creusée à même la pierre ; des fenêtres étroites, aux volets de bois, donnent sur la cour et sur l'ensemble des bâtiments du monastère. Il n'y a absolument aucune vue ; c'est sans doute pourquoi le Rampoche, avec un humour bien thibétain, a baptisé son hôtel *La Vue du Barrage*. Le sol de pierre est recouvert de tapis grossiers en poil de yaks ou de chèvre. Chérie nous accompagne pour nous montrer avec un extrême orgueil, de l'autre côté du corridor, les salles de bains, toujours si appréciées des touristes, garnies chacune d'une auge de pierre à côté de laquelle est posé un seau de fer-blanc. Les lavabos portent l'indication «Messieurs» et «Mesdames», ils sont à la turque, faciles à nettoyer, mais d'un usage quelque peu pénible pour des membres non habitués à cet effort. On y trouve un seau d'eau avec une boîte de conserve en guise de broc. C'est presque moderne, et d'une rigoureuse propreté.

«Maintenant vous allez tous vous laver et vous reposer, dit gaiement Chérie, ensuite le gong sonnera pour le déjeuner, mais ce soir vous êtes invités par mon papa à un dîner de bienvenue.»

Demeurés seuls, nous nous sentons peu à peu envahis par un curieux sentiment; nous avons l'impression d'être emprisonnés, paralysés, plongés dans une demi-catalepsie. Les murs épais, la pénombre, la situation du bâtiment enserré dans les remparts, à l'intérieur de ce monastère-forteresse, la vue sur la cour, les énormes portes qui se sont refermées en claquant, les petits groupes d'hommes armés suggérant de soudaines attaques nocturnes, des razzias et des guerres médiévales, les édifices pyramidaux d'aspect plutôt sinistre escaladant la pente au-dessus de nous, avec leurs fenêtres étroites comme des brèches derrière lesquelles on imagine des arcs et des flèches perfides, des gueules de fusil, des seaux d'huile bouillante... Nous restons debout dans le corridor, Mike Young et moi, sans oser nous regarder, de crainte de nous révéler mutuellement notre peur. Tous deux, nous éprouvons la même oppression (et parce que l'altitude est plus élevée que celle de la Vallée, nous sommes tous deux un peu haletants, après avoir monté l'escalier et circulé dans la maison), nous manquons d'air, moralement autant que physiquement. Chauve, le visage épanoui dans un large sourire, le professeur Rimskov sort de sa chambre en se frottant les mains, et sa voix haut perchée dissipe notre malaise.

Ici, il est le Grand Spécialiste.

« Ah, Mrs. Ford, Mr. Young ! Comment trouvez-vous les chambres ? Pas mal, n'est-ce pas ? »

Il a un air décidé, heureux et tout à fait chez lui :

« Je me permettrai seulement d'appeler quelques serviteurs, dit-il, ils sont dans la cour, on crie pour les appeler. J'ai pensé que vous aimeriez l'un et l'autre avoir un domestique, mais il faut en louer, il n'y a pas de personnel attaché à l'hôtel. »

Le professeur Rimskov parle un mélange de tibétain (il n'en sait pas seulement « cinq mots tous faux », comme le prétendait Chérie) et du dialecte de Bongsor ; aussi, en un rien de temps, trois nains armés, à l'air farouche, nous apportent à chacun un seau d'eau chaude.

« D'abord, un bon bain bien chaud, puis nous déjeunerons. Ensuite, si vous le voulez bien, je vous ferai faire un tour. Entendu ?

— Je voudrais voir une amie qui se trouve ici.

— Je suis entièrement à votre disposition, Mrs. Ford, je connais mon chemin dans tout le monastère. Si elle est ici, nous la découvrirons. »

L'eau chaude exerce un effet calmant, elle lave la fatigue et l'abattement. Il me semble être en sécurité dans la petite chambre. Je me rhabille, je m'étends pour me reposer, car, à plus de trois mille mètres d'altitude, à la suite de l'effort qu'il m'a fallu fournir, j'ai non seulement le souffle court, mais la tête vide. Après avoir passé une demi-heure dans la position horizontale, je me sens beaucoup mieux. Mais voici que revient l'impression d'être en prison et, n'y tenant plus, je me lève.

On frappe à la porte. C'est encore le professeur Rimskov. Au lieu d'être agacée, je me sens tout heureuse. Vraiment, il est indispensable. Il entre, tenant à bout de bras un grand pot de cold-cream.

« Voici, pour vous, une crème contre les coups de soleil. Vous avez oublié d'en prendre, les touristes oublient toujours. Pour ma part, je ne voyage jamais sans en emporter. Au Thibet, j'utilisais du beurre. Ici, vous serez obligée de mettre de la crème, sinon, pardonnez-moi, votre peau (il bafouille en prononçant ce mot) sera complètement abîmée. »

Avec une extrême satisfaction, il me regarde mettre de la crème ; il m'a recommandé de bien la faire pénétrer dans le nez, la bouche et autour des yeux :

« Et maintenant, reprend-il, le soleil est en train de dissiper le brouillard, montons sur le toit pour contempler les montagnes. »

L'hôtel est couvert d'une terrasse à laquelle on accède par une échelle de bois ; nous poussons une trappe et nous émergeons dans un soleil aveuglant. Pendant quelques instants, éblouie, je cligne les yeux, puis je regarde autour de moi.

J'ai devant moi un vaste fer à cheval de pics enneigés, les uns proches, les autres lointains, séparés de nous par une clôture de pentes brunes et vertes, dévalant jusqu'au torrent d'un vert laiteux qui bouillonne au-dessous. Toute la chaîne semble très proche, on distingue le reflet bleu de la glace sur les crevasses, l'ombre emplissant les creux, l'écume de neige, vaporeuse comme une fumée, que le vent souffle autour des sommets et qui se détache en clair sur le saphir profond du ciel. Le spectacle de cette immensité nous rend plus que jamais conscients de notre insignifiance et pourtant nous exalte comme rien d'autre ne saurait le faire.

L'émotion adoucit la voix de fausset du professeur Rimskov :

« Ne sont-elles pas d'une incroyable beauté ? Voilà pourquoi je ne puis partir d'ici, voilà pourquoi je passe pour fou. Je le suis, d'ailleurs. Fou des monts Himalaya, car il n'y a rien de pareil au monde, sauf peut-être l'Antarctique ou la lune. On éprouve, il me semble, à la vue de ces montagnes, un choc d'une extraordinaire violence, un ébranlement si profond qu'on ne s'en remet peut-être jamais. Plus bouleversant que la rencontre de la femme, de l'amour, de quoi que ce soit. Jamais je ne pourrai aller vivre ailleurs. Pouvez-vous comprendre cela ?

— Laquelle est Mana Mani ? » demandai-je.

C'est d'une voix presque tremblante d'exaltation que le professeur Rimskov me répond : « La Belle Dame sans Merci ? Juste derrière vous. »

Les yeux fixés vers le nord, vers l'énorme demi-cercle des montagnes, je n'avais pas tourné la tête jusqu'alors, pensant n'avoir derrière moi que le monastère. Maintenant, je regardai. Au-delà du monastère perché sur la colline, au-delà de la colline brune embroussaillée, pareille à une peau de loup, à laquelle il s'adossait, elle était là, Mana Mani, s'élevant d'un seul jet dans le ciel. Une haute flèche d'église toute blanche, une montagne extraordinaire, si ravissante, si inattendue, si élancée et si dangereusement ciselée que je craignais presque, en la regardant trop longtemps, de la voir soudain basculer et s'abattre sur nous.

« Mana Mani, la demeure de la déesse qui protège Bongsor, dit le professeur Rimskov. Mais, si l'on interroge les gens du pays, on apprend qu'en réalité il existe cinq déesses. Elles appar-

785

tiennent à une ancienne religion, bien antérieure au bouddhisme et à l'hindouisme. Vous trouverez également leur culte en Mongolie, au Thibet et à Khatmandou, dans des oratoires de campagne où on leur offre des sacrifices au cours de cérémonies nocturnes. Cinq déesses possédant chacune deux noms, deux personnalités, l'une bonne, l'autre mauvaise. Mais leurs noms sont si terrifiants qu'il est interdit de les prononcer, si bien que Mana Mani sert à désigner les déesses et non pas la montagne seulement. »

Je ne pouvais détacher mes regards de Mana Mani. Elle vous coupait le souffle. Rien d'étonnant à ce qu'Unni fût hanté par elle : Mana Mani a fait ceci... cela... elle a détruit la moitié de la route. Il était facile d'attribuer une malignité surhumaine à cette perfection éblouissante, inflexible, à qui le ciel entier servait de toile de fond et que semblait adorer le monastère, accroupi à ses pieds dans l'ombre.

« Elle n'a pas l'air commode, n'est-ce pas ?

— Aucune déesse ne l'est. Elles sont si avides de sang ! Le sang des animaux mâles, vigoureux et forts, voilà ce qu'elles réclament. »

A ce moment, un gong de cuivre résonne et le professeur s'interrompt.

« Le déjeuner, dit-il. Je crains qu'il ne soit fort mauvais, mais le repas du soir est toujours meilleur, parce que le Rampoche dîne avec nous. »

Brusquement tenaillé par la faim, il cesse de s'intéresser à la montagne et réagit au bruit du gong comme un chien soumis à l'expérience du repas fictif de Pavlov.

« Je viens dans un instant », dis-je, et il descend le premier par la trappe. Je reste à contempler Mana Mani et, plus je la regarde, plus je me sens inquiète, effrayée, désolée. Je la devine impitoyable. D'une cruauté suffocante. La Belle Dame sans Merci. La Belle Dame d'Unni. Unni... Rukmini. Je relis la lettre d'Unni qui est dans ma poche, je l'ai déjà lue au moins quatre fois, simplement parce qu'elle en dit si peu : « *Anne, il m'est impossible de venir te voir par cet avion. Attends-moi, veux-tu ? Je viendrai le plus tôt possible.* »

C'est tout. Pas un mot de plus ; j'ai beau regarder et regarder. Si j'avais reçu cette lettre à Khatmandou, serais-je venue à Bongsor ? Serais-je venue quand même parce que Devi me l'avait demandé ? Et je sais que oui. Je replie la feuille, mais bientôt mes yeux la fouillent à nouveau, espérant un miracle, un mot d'amour, mais il n'y en a pas, il n'y a pas un mot d'amour pour moi, pas un mot au sujet de Rukmini. Pourtant Rukmini devait se trouver à Bongsor quand cette lettre a été écrite. Unni devait le savoir, ils avaient même dû voyager dans le même avion. Il n'en dit rien. Bien sûr, il ne faut pas oublier qu'il y a eu des troubles au barrage, c'est cela qui a empêché Unni de venir me voir, ce n'est pas la présence de Rukmini. Voilà pourquoi je n'ai trouvé que ces deux lignes cruelles, impitoyables, sur le papier bleu que je tourne et retourne entre mes doigts.

Je lève encore une fois les yeux vers Mana Mani. Elle me guette. Sous l'effet de son hostilité glacée, je sens mes pensées se disloquer, un autre moi apparaît, un moi aussi impitoyable qu'elle. Le gong retentit à nouveau et je descends pour déjeuner, sachant bien que je ne mangerai rien.

Le professeur Rimskov a devant lui un potage couleur chamois, un hachis, dégageant une curieuse odeur (buffle, chèvre ou yak), et un dessert d'aspect gélatineux, souillé par les mouches. Le professeur mange avec un plaisir bruyant, bien plus pour nous prouver qu'il est insensible au mal des montagnes et très à son aise dans un milieu thibétain que par véritable appétit. Il finit nos deux entremets avec entrain, puis réclame du thé au beurre à la mode thibétaine.

« En réalité, nous sommes ici en pays thibétain, bien que la région soit rattachée au Népal, dit-il. Il faut quelques jours pour s'y acclimater. Cette gorge est située à plus de trois mille mètres d'altitude, quinze cents mètres de plus que Khatmandou. C'est l'un des défilés les moins élevés donnant accès au Thibet. »

Il continue à bavarder tandis que je me demande où Mike a disparu. Son déjeuner est servi, mais pas de Mike. Et une fois de plus reflue en moi la peur, cette sensation d'isolement, la certitude d'un danger imminent. Je voudrais tourner la tête pour voir si Mana Mani est toujours derrière moi à me guetter, car mon anxiété est indissolublement liée à l'existence de cette flèche hautaine, hostile, s'élevant toute blanche au-dessus de nous.

Nous sommes en train de boire notre thé — moi, du thé ordinaire — quand un grand bruit se répercute dans tout l'hôtel, un effroyable tintamarre qui gronde, tonne et rugit, envahissant les collines où l'écho l'amplifie.

« Sapristi, s'écrie Rimskov, les grands tambours du monastère ! Mais pourquoi donc ? »

Ce vacarme est suivi des bruits les plus étranges ; on dirait des sirènes hurlant d'une voix forte et sauvage, terrible et suave à la fois, et s'entre-répondant.

« Cette fois ils soufflent dans les cornes de bélier, dit le professeur, inquiet. C'est l'appel à la prière en cas de grande calamité. »

Quelle qu'en soit la cause, le tumulte qui

s'ensuit ne fait aucun doute. On entend éclater des appels, des cris qui s'enflent en un véritable hourvari. La cour est emplie de gens qui s'agitent en tous sens, de chèvres qui galopent, de poneys qui hennissent. Une confusion apparemment sans fin, mais au milieu de laquelle quelqu'un parle en ce moment très fort, d'une voix glapissante, un lama en robe ambre agitant les bras au-dessus de sa tête rasée.

« Que dit-il ?

— D'ici je ne peux pas entendre », répond Rimskov.

Il a beau écouter, de toute évidence il n'est pas possible qu'il comprenne. La foule se remet à crier, saisie d'une frénésie nouvelle, parcourue de remous. Le lama se tourne vers le monastère, lève les bras, les autres se tournent dans la même direction, lèvent aussi les bras et poussent des clameurs. Sur les murailles crénelées, les gardes du corps armés traînent de longues trompes dans lesquelles ils soufflent, tournés vers Mana Mani.

« Je crois qu'ils adressent des prières aux déesses, me glisse à l'oreille le professeur, mais je ne sais pas pourquoi. »

Je vois alors Mike Young se frayer un chemin à travers la foule, laissant derrière lui une vague de huées, mais sans que nul ne cherche à l'arrêter. Il nous rejoint sur le seuil de l'hôtel et de là regarde la multitude qui grouille dans la cour, les sonneurs de trompe perchés sur les murs médiévaux.

« N'est-ce pas fantastique ? dit-il. Vraiment inimaginable.

— Où êtes-vous allé, Mike ?

— Inspecter les lieux. Je n'avais pas très faim. Tout le monde semble avoir disparu. Pas de

Rampoche, pas de Chérie, personne. J'ai été partout, jusque dans le village. Je comptais recueillir quelques renseignements, mais bernique ! Rien. C'est un pays de fous. Pourquoi font-ils tant de bruit ? J'espère qu'Unni ne va pas tarder à se montrer. J'ai essayé de découvrir un moyen de transport pour me rendre au barrage, mais rien à faire. Il paraît que toutes les jeeps sont employées à transporter les marchandises arrivées ce matin dans l'avion. »

Je regarde Mana Mani. La partie inférieure de la flèche est dans les nuages, des nuages qui semblent l'envelopper comme des mains. Je suis comme étouffée par l'appréhension et en même temps étrangement détachée. Tel un lama thibétain, je flotte moi aussi autour de mon corps, je ne suis plus dedans. Un détachement effroyable : à l'extrême bord d'un précipice, on se sent tenté d'y laisser choir sa misérable guenille.

Maintenant la cour se vide, les hommes s'en vont sans raison apparente, les femmes ramènent les enfants vers leurs tabliers. Tous franchissent les portes, et bientôt il ne se passe plus rien. Seules les montagnes environnantes se couvrent de nuages, ce qui donne une impression de fin du jour et de curieuse désolation.

« Nous ne pouvons rester ici toute la journée, dit Mike. Qu'allons-nous donc faire ?

— Oh, s'écrie le professeur Rimskov, vous autres, Américains, vous voulez toujours *faire* quelque chose. Ici il vaut mieux *être*, méditer sur l'être. Venez, je vais vous faire faire le tour du monastère, il y a des choses fort intéressantes à voir.

— Je l'ai déjà fait, dit Mike, j'ai été partout. »

Néanmoins il nous suit. Nous traversons la cour et nous pénétrons dans l'imposant édifice principal. Ici les portes sont étroites, en bois épais, renforcées de bandes métalliques, de verrous et de barres de fer. Une triple ceinture de remparts, de murs et de portails entoure le monastère intérieur. Quelque part là-dedans habite le Rampoche. Quelque part aussi se trouve Rukmini.

Mike frappe du poing, soudain en proie à la rage, pitoyable jeune furie :

« Je voudrais faire sauter toute la baraque, je suis sûr qu'ils se cachent quelque part. Si je pouvais mettre la main sur le Très Précieux, je lui tordrais le cou. »

Il divague, il est furieux, et c'est bien sûr à cause de Rukmini, mais il ne le dira pas.

« Mike, lui dis-je, Rukmini est venue ici de son plein gré. C'est une amie de Chérie. Il est absurde de croire que le Rampoche la retient prisonnière. Peut-être est-ce *elle* qui ne veut pas nous voir.

— C'est possible, bien sûr. »

Il a l'air si malheureux que je glisse ma main sous son bras. Il me jette un rapide regard de gratitude et serre mon bras contre lui :

« Oh, Anne, dit-il, je l'aime tant, et un jour, au printemps dernier, j'avais cru... je commençais à croire... qu'avec le temps elle pourrait en venir à m'aimer un peu.

— Je sais, Mike.

— Vous croyez que Rukmini est amoureuse d'Unni, n'est-ce pas ?

— Je ne peux pas vous dire, ce n'est pas si simple que cela.

— Oui, je sais, dit Mike, à ses yeux Unni est un dieu. C'est très exactement le culte du héros. Elle est encore très jeune. »

La pitié me serre le cœur :

« Quant à son mari, poursuit Mike, mieux vaut parler de lui le moins possible. Oui, il me semblait que je pouvais avoir un peu d'espoir. J'aurais essayé de la rendre heureuse, de lui donner tout ce qu'elle désirait... Unni est un grand bonhomme, mais, voyant qu'il n'aimait pas Rukmini, que c'est *vous,* Anne, qu'il aimait, je croyais avoir une chance. »

Je ne réponds pas. Que pourrais-je dire ? Le fait qu'Unni m'aime change-t-il quoi que ce soit aux sentiments de Rukmini pour lui ou à ceux qu'il éprouve pour elle, s'il en éprouve ? Je hâte le pas, le professeur nous attend avec impatience sur les marches qui conduisent, comme vers une cathédrale, aux pyramides massives, à qui leur structure compliquée donne un aspect si impressionnant. La plupart de ces édifices de maçonnerie et de pierre sont à quatre étages, qui vont en diminuant à mesure qu'ils s'élèvent ; autour de chaque étage court une étroite terrasse crénelée. Les fenêtres sont des meurtrières et l'arrière de la forteresse se trouve protégé par la masse même de la colline. Rien d'étonnant à ce que le père du Général, conduisant ses troupes à l'assaut de cette citadelle médiévale, n'ait réussi qu'à provoquer un effroyable carnage, sans retrouver la mâchoire de baleine. Je me demande vaguement si l'objet se trouve encore quelque part par là, tandis que nous pénétrons à l'intérieur, où règne une odeur de musc et de beurre rance et où les reflets d'une quantité de petites lampes fumeuses dessinent çà et là de grotesques formes dansantes.

Nous allons de salle en salle, perdus dans une brume d'encens, parmi les lumières mouvantes, les lamas circulant à pas feutrés ou perdus dans leurs prières. L'architecture intérieure ne semble répondre à aucun plan, avec ses corridors de pierre aboutissant à des niches à colonnes où, sur des tables d'autel, s'érigent les dieux du lamaïsme tantrique. Nombre d'entre eux représentent le terrible couple, le Père et la Mère de Toute Chose, unis dans l'étreinte symbolique, Origine de Toute Chose. Couronnés de crânes, ils dressent leur passion de bronze dans une auréole de bras. D'autres sont les reflets sereins, contemplatifs, du Bouddha, les mains dans la position de l'enseignement ou de la prière, négation et affirmation de l'Être, de même que l'étreinte est le sommet de la sensation et en même temps sa fin, un achèvement qui aboutit au néant.

«Comme vous pouvez le voir, dit le professeur Rimskov, qui nous fait un cours avec la ferveur d'un homme sûr de n'être pas interrompu, le culte pratiqué ici est une forme défigurée du bouddhisme, mêlée de tantrisme, et dans le tantrisme on trouve à la fois des pratiques magiques, le culte de Siva et un animisme primitif. Il existe à Khatmandou, surtout dans la campagne, de nombreux oratoires tantriques où l'on pratique des rites semblables aux messes noires d'Europe, au sabbat des sorcières ou aux bacchanales de la Grèce antique. Le caractère principal du tantrisme, c'est l'introduction des dieux féminins, le principe femelle remplaçant le principe mâle. La région où nous sommes est entièrement vouée aux déesses, elles sont toutes des incarnations les unes des autres, des manifestations matérialisées sous deux formes, l'une bénéfique, l'autre malfaisante. Quand j'étais au Thibet, ajouta-t-il en faisant machinalement tourner un énorme moulin à prières de cuivre plus haut qu'un homme, qui se dressait dans un coin de la salle, j'ai essayé à maintes reprises de connaître les noms de ces formes malfaisantes, mais nul n'a voulu me les révéler. Seuls les noms bénéfiques sont prononcés ou écrits, car le seul fait de prononcer les autres permettrait à la méchanceté *d'être*, de prendre forme et vie. Partout dans le monde, vous retrouverez cette croyance», dit le professeur en nous guidant plus avant dans le labyrinthe.

Nous passons devant des centaines de moulins à prières portant la formule qui doit éviter au monde d'être détruit par le Mal Total : *Om Mani Padme Hum* :

«Oui, partout, poursuit le professeur, vous retrouverez cette crainte que les mots ne *soient* la chose qu'ils représentent. Au commencement était le Verbe, et le Verbe fut Dieu, et le Verbe s'est fait chair. C'est dans saint Jean. Il était bien près du bouddhisme quand il a dit cela. Le Verbe fait chair. C'est cela que chacun redoute. Le pouvoir créateur du Verbe, susceptible de devenir réalité dans notre esprit. C'est pourquoi la répétition de la prière, des mots, permet au fidèle d'accumuler des mérites pour l'autre monde — et cela dans toutes les religions.

— Et l'on invoque le nom de Dieu pour chasser les démons, dis-je.

— Exactement, dit le professeur, rayonnant, je crois que ce sentiment presque magique de respect et de crainte à l'égard des mots et de leur puissance est essentiel chez l'être humain. C'est pourquoi les écrivains ont parfois l'impression de posséder un don quasi monstrueux, dit-il en me regardant avec un rire gentiment narquois. C'est un très vieux sentiment que ce respect du langage. Ce qui a été prononcé existe, ce qui n'est ni parlé ni écrit n'existe pas... n'en sommes-nous pas tous persuadés ?»

Fascinés, sans volonté, nous suivons le professeur, Mike et moi. Je remarque les silhouettes furtives des acolytes et des lamas avec leurs robes rougeâtres et crasseuses, leurs hautes bottes de feutre, les murs ornés de fresques ternies par la fumée, les marches qu'il faut monter ou descendre, les frises de personnages qui se contorsionnent au-dessus des portes et, çà et là, agenouillés sur des coussins de cuir de yak tressé, ou versant du beurre fondu dans les petites coupes des lampes votives, des hommes et des femmes, les uns bien vêtus, les autres en haillons. Et partout, sans arrêt, comme dans une énorme ruche, bourdonne l'éternelle incantation : *Om Mani Padme Hum Om Mani Padme Hum.*

« Ce que je n'arrive pas à comprendre, dit Mike, faisant un brusque effort pour échapper à l'envoûtement, c'est que cette vieille fripouille de Rampoche soit toujours en train de nous dégoiser des boniments sur le détachement, la béatitude et le nirvâna. Je l'ai entendu parler de l'anéantissement de l'être dans la béatitude et cinq minutes après, sans avoir remué un cil, il offrait un pot-de-vin ou une femme à un type avec qui il voulait conclure un marché. »

Le professeur fait entendre son rire gloussant, tandis qu'il franchit un seuil et descend quelques marches avec agilité, puis nous traversons une petite cour où règne une forte odeur d'urine, et il nous entraîne à sa suite dans un escalier qui s'enfonce dans le sol :

« Tout n'est qu'illusion, dit-il. Pour le Rampoche, rien n'existe, ni argent, ni femmes, ni objets matériels d'aucune sorte, tout cela appartient à son moi organique, voué à la destruction, ce moi auquel ressortissent les illusions de la chair ; il peut être aboli par un effort de la volonté, par la concentration de la pensée sur l'Unique ou par la répétition des mots *Om Mani Padme Hum,* formule qui *crée* la substance du Bien. C'est la casuistique chère aux lamas, grâce à laquelle ils peuvent jouir de ce qu'il y a de meilleur dans l'un et l'autre monde. »

Nous sommes maintenant devant un rideau rouge sombre orné d'un dessin composé de croix. Le professeur soulève le rideau. Au contraire des autres pièces plongées dans une obscurité où seules quelques lumières se détachent, ici les lampes sont nombreuses : des centaines de petits récipients de terre ou de verre, alignés sur la table d'autel, disposés dans des niches, illuminent d'énormes tambours dressés sur des supports ; des trompes tibétaines plus longues qu'un homme, le pavillon reposant sur le sol, et d'énormes cornes de bélier, tordues et contournées, luisantes à force d'être maniées, garnies d'argent à l'embouchure. Sur l'autel se dresse une figure fantastique, celle de l'Unique et Multiple, démone et déesse, couronnée d'une pyramide de têtes, entourée d'un hallucinant tourbillon de bras, les pieds posés sur un monde d'humains et d'animaux.

« C'est Mana Mani, ou plutôt les déesses de Mana Mani, les Cinq-en-Une, ou plutôt les Dix-en-Une, dit le professeur. Remarquez les dix têtes entassées l'une sur l'autre. Son nom est sacré, c'est pourquoi seul le nom de la montagne est employé pour la désigner. Détail curieux, c'est un nom hindou porté par une déesse tantrique. »

Dans cette pièce brillamment éclairée règne une atmosphère hostile, peut-être parce que les comes, les tambours pour le moment silencieux, nous rappellent le brusque tumulte, la terreur qui avaient envahi la forteresse il y a si peu de temps. Dans cette lumière fantastique, la statue aux formes tourmentées paraît se mouvoir et danser, il semble que les têtes s'agitent et oscillent. La déesse porte un collier de crânes autour du cou.

« Rukmini ! s'écrie soudain Mike, Rukmini ! »

Avec les yeux de l'amour, Mike l'a vue le premier et le bruit de sa voix, déchirant le silence ennemi qui nous entoure, nous tire de notre étrange demi-torpeur, de cette léthargie effrayée et effrayante qui nous ligote comme dans ces cauchemars où, les pieds empêtrés, on est dans l'incapacité de s'enfuir.

Une cruche d'étain à la main, Rukmini verse du beurre fondu dans les lampes qui entourent la déesse. Elle est venue du fond de la salle, derrière l'autel. Du moins *on dirait* que c'est Rukmini. Elle se tourne vers un tout jeune lama portant des lampes sur un plateau (est-ce un garçon? sous la crasse du visage, l'épaisseur de la robe, les bottes de feutre, je devine un corps de jeune fille), elle allume chaque lampe avec une allumette de papier, puis l'élève vers Mana Mani dans un geste de supplication, avant de la déposer sur l'autel. C'est bien Rukmini, mais elle ne semble pas entendre l'appel de son nom. En une seconde, Mike est auprès d'elle, il la regarde et dit: «Rukmini», paralysé de la voir si loin de lui, en extase, perdue dans un autre univers, annihilée en présence de la divinité. Le robuste individualisme américain de Mike est impuissant à la toucher. Il ne cesse de répéter:

«Rukmini, vous êtes là, écoutez-moi, je vous en prie. Ma bien-aimée, je vous en prie, regardez-moi, accordez-moi seulement un regard.»

Je crois que jamais il n'a autant souffert qu'au moment où elle tourne vers lui son ravissant visage rêveur, ensorcelé. Elle porte une longue jupe rayée, plate devant, avec une tunique boutonnée à la mode tibétaine, d'où sortent les manches claires d'une robe de dessous. Elle n'a aucun ornement dans les cheveux. A chaque geste qu'elle fait, ses bracelets tintent doucement — ce charmant bruit d'or, intimement associé à la présence d'une femme, subtil et vivace comme un parfum.

« Mon Seigneur est-il venu ? demande-t-elle, mon Seigneur est-il enfin venu me chercher ?

— Oh ! » fait le professeur Rimskov, qui éclate de rire, un rire nerveux, sans gaieté, un rire de pitié et d'horreur.

Mike est jeune, fort peu enclin au mysticisme, et ses réactions sont strictement celles d'un Occidental. Je me demande ce qu'il va faire. Du fond de mon état cataleptique, je le vois en esprit tourner les talons et s'enfuir, prenant les mots à la lettre, sans chercher à aller au fond des choses.

Mais Mike aime Rukmini et pour cette raison, parce que l'amour rend clairvoyant et compréhensif, parce qu'il plane bien au-dessus et au-delà de l'égoïsme, parce que Mike a, lui aussi, connu l'enfer des amants, qu'il a été ravagé par un amour impuissant et sans espoir, parce que derrière son visage épanoui, son rire joyeux, il dissimule des trésors inemployés de tendresse et de dévouement, il comprend aussitôt. En l'espace de quelques secondes, je le vois atteindre à un état de pur désintéressement, transfiguré par la seule vertu de l'amour.

« Pas encore, ma bien-aimée, pas encore, mais il va venir. Bientôt.

— Vous me l'amènerez, Mike, dit-elle, plaçant d'un air rêveur une nouvelle lampe aux pieds de la déesse. Car vous m'aimez, n'est-ce pas ? ajoute-t-elle, cruelle et insouciante.

— Oui, Rukmini, je vous aime. »

Elle lui sourit sans le voir, le regard extasié :

« Je vous verrai ce soir au dîner, dit-elle, mon Seigneur sera là, peut-être. »

Puis elle s'éloigne et disparaît.

Alors Mike sort de l'univers de l'amour, de ce moment d'exaltation, d'extase, qu'il n'a pas partagé avec Rukmini, situé au-delà de la convoitise et du désir, un moment susceptible de racheter la corruption d'un monde tout entier. Il est redevenu ce qu'il appellerait « lui-même » :

« Bon dieu, dit-il, ce que je peux avoir soif. On étouffe ici. Sortons. »

Le professeur Rimskov n'a plus le cœur de faire le guide ; la douleur de Mike a été si violente qu'il l'a sentie et souhaite s'en évader, comme l'a fait Mike lui-même. Nous sommes sortis dans la cour inondée de soleil, mais l'impression de malaise demeure en nous comme des ténèbres intérieures. Pendant toute la visite du monastère, je me suis sentie fatiguée, presque en léthargie, à demi étourdie, mais j'ai agi comme projetée hors de moi-même, si bien que par la suite cet épisode devait demeurer pour moi comme un rêve, posé en équilibre sur un sommet montagneux, pourtant un rêve qu'il me faudra traîner avec moi partout, toujours. Maintenant, nous avons quitté le monastère, nous suivons la rue au sol bombé qui descend dans Bongsor. Une troupe d'enfants en haillons, pareils à une volée de moineaux, nous repèrent et nous suivent tandis que nous nous dirigeons vers la Compagnie de la Cure de repos de l'Everest et des Boissons agréables, qui s'avère être une sombre caverne creusée dans le roc, meublée de chaises et de tables boiteuses, toutes inoccupées. Au-dessous de l'énorme enseigne neuve que j'avais vue de la jeep, je lis l'explication suivante :

*Pour la fameuse
Liqueur rose
Cognac et whisky népalais*

et autres boissons délicieuses
Venez dans notre café.

L'une des parois de la grotte est décorée avec les affiches illustrées d'un film indien, on voit une nuée de danseuses aux charmes plantureux et la longue légende suivante :

Représentation de grand gala
en somptueux technicolor.
Film sensationnel pour toutes
les masses et les classes.
Une troublante histoire d'amour agrémentée
d'un grand succès musical, contée au milieu
des rires et des larmes

« Je me demande comment cette affiche est parvenue jusqu'ici ?

— Oh, dit le professeur en clignant de l'œil, je vous l'expliquerai plus tard. »

Par la suite, il me mit au courant : la nuit venue, le prétendu café était un bordel, d'où l'affiche, image aussi proche de la pornographie qu'elle pouvait l'être en dehors du monastère (à l'intérieur, bien entendu, ce n'était pas de la pornographie, mais du mysticisme).

Notre entrée fit surgir le propriétaire de derrière un épais rideau. C'était un homme rond comme une boule, si huileux qu'on le soupçonnait de s'enrouler le soir dans une couverture imbibée de beurre fondu. Le professeur et lui s'étaient connus l'année précédente et renouèrent connaissance avec des exclamations de joie.

« Mon ami, le lama Tenzin, présenta le professeur.

— Kushog Rimskov (*kushog* signifie seigneur en thibétain), c'est en vérité un jour insigne que

celui où vous venez visiter ma pauvre demeure»,
s'écria Tenzin.

Il frappa dans ses mains et trois jeunes filles à
l'air revêche, très pâles, avec de gros cous de
goitreuses, des petites nattes serrées et raides de
crasse, soulevèrent à leur tour le rideau et reçurent
l'ordre d'apporter du whisky et de la bière tibétaine.

«Elles viennent de la vallée voisine, expliqua le
lama, ce sont des réfugiées. Il y en a des quantités
ici, à la suite des terribles inondations qui ont
ravagé le pays. Je les nourris et je les traite
comme mes nièces.»

Il éclata d'un rire qui se voulait joyeux pour bien
montrer quelle était la situation exacte des jeunes
filles dans son établissement et hocha la tête pour
signifier combien il déplorait les malheurs causés
par les inondations :

«Nous n'avons jamais éprouvé de telles calamités auparavant, Kushog. Vous avez senti le
tremblement de terre, cet après-midi ?

— Un tremblement de terre ? Mais il n'y en a
pas eu !

— Oh, mais si, mais si, affirma solennellement
le lama Tenzin, beaucoup de gens l'ont senti.

— L'avez-vous senti, vous ? demanda Mike.

— Je dormais, et je ne suis pas assez saint pour
sentir dans mon corps tout ce que veulent les
déesses quand elles secouent la terre dans leur
colère. Mais d'autres l'ont senti. Sinon pourquoi
les grands tambours auraient-ils battu, pourquoi
aurait-on sonné les trompes ? Oh, c'est grave, les
déesses sont très en colère. Nous aurons la peste,
aussi bien que les inondations et la famine, et tout
cela à cause du barrage.

— Ah, dit Mike, abattant son poing sur la

lourde table, nous y voilà! C'est là qu'ils veulent en venir, tous, le barrage!

— Ecoutez, lama Tenzin, dit le professeur, vous êtes un homme instruit. Vous avez vu des barrages et des routes dans d'autres pays. Quant aux inondations, il y en a eu dans la région avant même qu'il fût question de construire un barrage. Alors comment pouvez-vous dire une chose pareille?»

Tenzin parut gêné:

«*Moi* je ne dis pas cela, Kushog. Bien sûr, j'ai voyagé, je suis même allé jusqu'à Singapour pour y vendre des turquoises et des agates. J'ai vu le monde. Mais dans nos montagnes, c'est différent. Vous savez, c'est ici la terre des dieux et des déesses, et leurs désirs font loi. Or, Mana Mani est courroucée. Certains même, ajouta-t-il d'un air à la fois détaché et circonspect, certains disent même que les déesses s'agitent parce qu'elles veulent un homme, Kushog, un nouvel époux.

— Un sacrifice humain? demanda le professeur Rimskov, choqué.

— Je ne fais que répéter ce que j'entends dire, affirma Tenzin. Chacun sait que les déesses ont leurs moments d'avidité, comme les femmes. Et bien sûr, étant femmes, que peuvent-elles désirer sinon le sang et la semence du mâle? D'un beau jeune homme. C'est du moins ce que disent certaines gens. Autrefois, dans notre vallée, on pratiquait des sacrifices de ce genre, et les déesses étaient alors satisfaites.

— J'aurais cru, dit Mike, qu'en leur qualité de femmes elles aimeraient voir hacher menu une femme pour changer.

— Oh, Sahib, dit Tenzin, fort effrayé, je vous en prie, ne dites pas cela, c'est terrible.»

Sa main tremblante disparut dans sa robe,

ouverte pour former une large poche de poitrine retenue par sa ceinture : il en tira un chapelet de perles d'ambre qu'il se mit à égrener, en murmurant des prières destinées à contrarier les effets maléfiques des paroles de Mike.

« Non, dit-il, pas une femme. Dans notre vallée, nul ne *peut* faire du mal à une femme ou à une jeune fille, ni même à un animal femelle. Les déesses veillent sur les créatures de leur sexe. Mais chacun sait que les femmes aiment le sang, le sang des jeunes mâles. Les dieux sont moins cruels, dit-il en riant, ils ne veulent que des fleurs, des fruits et du grain. Mais Mana Mani est très cruelle », s'écria-t-il, et sous sa couche huileuse de beurre et de gaieté on le devinait malade de frayeur.

L'ascension de la rue en pente nous a laissés haletants quand nous repassons devant la garde armée de la première cour carrée, sentant que des visages nous épient derrière les deux rangées de fenêtres, saisis d'angoisse à la vue des hauts remparts enfermant le ciel au-dessus de nous, réemprisonnés, étouffés par cette atmosphère de soupçon et d'hostilité, par ce mystère et cette incertitude, par une crainte enfin, qui submerge tout autre sentiment, tout autre désir et nous amène à douter de notre propre réalité, si bien qu'à peine savons-nous pourquoi nous sommes venus à Bongsor et ce que nous y faisons.

« Je crois que je commence à voir clair, dit Mike, essoufflé. Ils sont en train de manigancer quelque chose. Ils ont peur du barrage, alors le Rampoche a entrepris de monter la tête aux gens en leur faisant croire à des tremblements de terre et autres balivernes.

— Mike, dis-je, qu'allons-nous faire ?

— Je crois que nous ne pouvons rien faire avant l'arrivée d'Unni.

— Pensez-vous qu'il viendra ?

— J'en suis sûr, il ne peut manquer de venir, dès qu'il le pourra. Ce soir, à mon idée. Si seulement je pouvais me procurer une jeep, j'irais jusqu'au barrage. Ce n'est guère qu'à douze kilomètres d'ici, mais douze kilomètres en montant. S'il ne vient pas, je crois que j'essaierai d'y aller demain matin. Quand je respirerai mieux, je pourrai même faire la route à pied.

— Peut-être le Rampoche nous prêtera-t-il une jeep ?

— J'ai essayé d'en obtenir une, il n'y avait pas moyen aujourd'hui.

— Demain peut-être, dis-je, si Unni n'est pas venu.

— Il ne peut manquer de venir, dit Mike avec simplicité. S'il a reçu mon message, il sait que vous êtes ici. »

Le professeur nous appela alors pour aller revoir une fois de plus Mana Mani. Nous montâmes sur le toit en terrasse. Le monastère était déjà dans l'ombre, mais derrière lui Mana Mani flamboyait sous les flots d'or du couchant, le cirque des montagnes était une splendeur de glace rose et dorée se détachant sur un ciel magenta strié de longues flèches d'ombre, reflets projetés dans l'air par les pics. Dans toute leur beauté, les montagnes s'élevaient autour de nous et, en regardant en bas dans la cour, nous vîmes des petits feux autour desquels des gens, accroupis dans le froid, humaient l'odeur de la viande en train de bouillir et la puanteur fumeuse de la fiente en combustion. Nous entendions dans le lointain le brouhaha des psalmodies, un tintement de clochettes, des battements assourdis de tambours, des bruits multiples et divers, annonciateurs de la vie et de la prière. Dans la Vallée que nous avions quittée, de tels bruits étaient infiniment réconfortants, nous avions l'impression d'en faire partie intégrante, mais ici dans la montagne, tout était étrange et désespéré, maléfique et hallucinant, nous étions dans le domaine de l'horrible et il semblait qu'un sort eût été jeté sur nous. C'étaient des êtres vivants que nous observions du haut du toit en terrasse et cependant nous nous sentions devenus étrangers à tout ce que nous étions, à tout ce que nous avions connu.

« Tout s'arrangera quand Unni sera ici », répéta Mike.

A ce moment, Chérie nous appela de sa voix joyeuse et le monde reprit son aspect ordinaire :

« Mrs. Ford, Mrs. Ford, disait en passant la tête par la trappe une Chérie en lourde robe ouatée. Oh, il fait si froid la nuit, Mrs. Ford, et bien sûr vous n'avez pas de vêtements chauds, alors je vous en ai apporté, ils sont à moi, mais nous sommes de la même taille. Mon papa a terminé ses prières, alors nous pouvons aller dîner, je suis si contente que vous soyez venue, vraiment, Mrs. Ford. Elle me pressa le bras, sincèrement heureuse, débordante d'affection : J'espère que vous allez pouvoir rester longtemps, pour que je puisse parler anglais et Rukmini aussi, bien qu'elle vive maintenant comme derrière un voile et l'esprit en extase, mais, quand Unni Menon viendra, elle sera de nouveau un peu plus XXᵉ siècle. »

J'étais si lasse que j'en aurais volontiers pleuré, là, debout. Oui, braillé comme un bébé. Rukmini, Unni, moi. Moi, Unni, Rukmini. Quelque chose m'inquiétait, me tourmentait, quelque chose que j'étais seule peut-être à pouvoir exprimer par des mots, mais je m'y refusais. Exprimée par des mots, cette chose qui n'avait pas existé deviendrait réelle, mes mots lui donneraient forme et vie.

En redescendant par la trappe avec Chérie, j'étais lasse à pleurer, mais ce n'était pas seulement la fatigue physique : la véritable raison, je ne voulais pas l'avouer, même pas à moi-même.

Le Rampoche pérore. Vêtu d'une robe doublée de fourrure, assis sur un long canapé chinois recouvert de tapis, il nous offre avec insistance du thé vert parfumé, excellent, affirme-t-il, pour dissoudre le gras des aliments, et il disserte, expansif et fanfaron, en proie à cette soudaine envie de se confier qui s'empare des gens les plus astucieux et les plus machiavéliques quand ils ne se contraignent plus et éprouvent l'irrésistible besoin de se vanter devant des subalternes ou des gens qui ne peuvent leur faire tort, dussent-ils révéler leurs machinations, leurs vilenies et leurs rapines.

Si fier qu'il soit de son ascendance chinoise, le Rampoche n'en a pas moins une forte dose de sang thibétain dans les veines, il est par conséquent plus violent et plus vantard qu'un véritable fils de cette race scrupuleuse et modeste. Il aime aussi la bière thibétaine, ou *chang*, et il en boit, alors qu'il offre du thé de Chine à ses hôtes. L'odeur de cette bière détruit presque le parfum délicat du thé dans la pièce hermétiquement close, au sol couvert de tapis épais, mais, après en avoir bu, le Rampoche devient exubérant.

« Pendant des années, des centaines d'années, nous avons possédé toutes les terres dans la région de Bongsor et même au-delà, vers le nord, de l'autre côté des défilés. J'ai de nombreux domaines, tant au Thibet qu'au Népal. Le monastère a toujours pris soin des populations de nos collines et de nos montagnes. Populations dociles, très pieuses, du moins jusqu'à ce jour, précise-t-il en buvant une nouvelle rasade de bière. Hélas, les temps sont changés. La piété abandonne leurs cœurs et il va s'ensuivre de grands malheurs. Les gens n'ont plus de considération pour ceux qui les protègent, et les Esprits sont courroucés.

— J'ai en effet cru remarquer qu'il y avait beaucoup moins de lampes à beurre sur les autels que l'an dernier, dit le professeur Rimskov avec une expression madrée sur son visage rubicond. Il s'est habillé pour dîner, et il a un air très prussien et très correct.

— Ha, ha! s'écrie le Rampoche, avec la voix rauque des Thibétains, une voix que la colère rend gutturale (et soudain je comprends de quelle dangereuse violence est capable ce petit homme si cordial), vous avez remarqué cela, honoré monsieur, j'en suis très heureux. »

Le visage cramoisi, il boit une nouvelle gorgée de chang. Une sombre haine envahit ses traits. Chérie se met à ricaner. Elle est assise à côté du professeur, tandis que nous leur faisons face, Mike et moi, et le Rampoche se trouve au bout de la pièce. Chacun de nous a en effet devant lui une petite table sur laquelle sont disposés les mets. Le centre de la pièce, où la table aurait été dressée en Occident, est vide, et recouvert d'un magnifique tapis.

« Moins de lampes à beurre, beaucoup moins de beurre pour les lampes. Oh, c'est déplorable, déplorable, dit le Rampoche. Au lieu de nous apporter le beurre de leurs troupeaux, les gens le gardent pour eux. Je ne trouve plus personne pour couper mon bois, personne pour s'occuper des chèvres du monastère, nos champs sont négligés. Les gens sont devenus cupides. C'est terrible. Ils aiment mieux travailler pour de l'argent que pour les déesses et pour moi, dit-il en hochant tête, et il pousse un gémissement: la punition viendra, prophétise-t-il. Hélas, hélas!

— C'est joliment bien fait pour vous, Rampoche, dit Mike. Un homme ne doit pas être traité en esclave et forcé à travailler gratuitement cent cinquante jours par an, pour qui que ce soit, même pas pour une déesse, affirme-t-il en saisissant sa tasse de thé.

— Oh, Mr. Mike, dit Chérie, ne bouleversez pas mon papa, il est déjà si ennuyé parce que tout le monde maintenant exige de l'argent, et bientôt je suppose qu'on verra ici des syndicats ouvriers, ajoute-t-elle avec un charmant air de dépit.

— C'est la faute du barrage, déclare le Rampoche sur un ton d'abord paisible. Mais à mesure qu'il parle, sa voix monte et finit par gronder et tonner: J'ai été patient, très patient. Au début, j'ai pensé: ils ont raison, ce barrage sera un bienfait pour la population. J'ai même tenté d'apporter mon concours pour les questions de contrats (je me rappelle alors la lettre qu'il m'a écrite au moment du Couronnement, pour obtenir un contrat d'Unni par mon intermédiaire). C'est moi qui ai dit aux gens du pays: allez travailler pour l'honorable ingénieur du barrage. J'ai voulu faciliter le ravitaillement du personnel, j'ai dit aux brigands et aux voleurs: n'attaquez pas les convois de vivres à destination du barrage, j'ai dit aux gens: voyons, soyez bons, ne devenez pas brigands ou bandits pour vous emparer du ravitaillement. Jamais je n'ai refusé de transporter quoi que ce soit dans mon avion, tout ce dont ils avaient besoin. Et voilà maintenant qu'ils se plaignent au gouvernement que je leur prends trop cher, ils m'accusent d'organiser des bandes qui attaquent les convois. Mais ce barrage n'est pas une bonne chose, c'est un projet mal conçu, il détruit l'équilibre dans les montagnes, c'est une entreprise dangereuse, nullement scientifique. Voyez, jamais il n'y a eu autant de tremblements de terre. Cet après-midi encore.

— Oh, quelle blague !» dit Mike brutalement.

Rukmini était assise à quelques mètres de lui, belle et absente ; il la regarda, et les jointures de ses phalanges blanchirent :

«Il n'y a pas eu de tremblement de terre, Rampoche. De grands roulements de tambour, oui, mais pas autre chose. Quelqu'un, j'imagine, aura essayé d'hypnotiser les gens pour leur faire croire qu'il y avait eu un tremblement de terre, c'est tout !

— Sapristi ! dit gaiement Chérie, auriez-vous l'intention de psychanalyser mon papa, Mr. Mike ?»

Le Rampoche lança à Mike un regard chargé de colère, d'hostilité et aussi de calcul. Il laissa s'établir un silence, meublé seulement par le tic-tac de la pendule, puis il poursuivit lentement, posément :

«La déesse est furieuse contre le barrage. Vous qui riez maintenant, bientôt vous vous lamenterez et vous pleurerez des larmes de sang. La déesse ne permettra pas que ses montagnes et ses rivières soient polluées par le barrage. Par deux fois, il y a eu des éboulements et tout le travail a été emporté par les eaux. Désormais les hommes refuseront de travailler, à moins...»

809

Il se tut, jeta sur nous un regard circulaire, lourd de menace.

« ...A moins que ne soit accompli un sacrifice humain. Un homme doit mourir. J'ai essayé d'empêcher cela, j'ai prévenu Unni Menon. Il ne m'a pas écouté. Maintenant il est trop tard. Aujourd'hui l'astrologue a tiré l'horoscope : quelqu'un mourra dans cette Vallée. Bientôt. Et nous pleurerons tous. »

La prédiction était déplaisante et mélodramatique. Dans cette pièce close, éclairée par des lampes à huile, elle semblait affreusement convaincante. Nul ne dit mot. Et puis nous entendîmes les tambours rouler lentement, doucement, comme les lourds pas d'un paisible géant. Le Rampoche leva les yeux. Boum, boum, boum, grondaient sourdement les tambours. Puis ce fut le long ronflement mélodieux des grandes portes qu'on ouvrait l'une après l'autre.

« Un visiteur », fit Chérie.

On entendit un brouhaha de voix au rez-de-chaussée, au pied du long escalier conduisant à la pièce où nous nous tenions.

Mike et moi, nous gardons les yeux fixés sur la porte, nous entendons monter les pas, et je les reconnais, je reconnais son pas et pour la première fois j'ai peur, peur d'Unni, peur d'avoir eu tort de venir à Bongsor, peur qu'il n'arrive quelque chose de terrible parce que je suis venue.

« Ah, ah ! s'écrie le Rampoche, vous voici enfin, Kushog. »

Il se tourne d'un air moqueur vers Rukmini et moi.

« Votre Seigneur est venu, nous dit-il, sarcastique, c'est en vérité un honneur pour moi. »

C'était Unni, et mon cœur bondit à le voir sur le

seuil, si grand, si paisible. Et soudain tout malaise disparut, toute crainte aussi. Unni était là, je me sentais en sécurité. Voici quelques semaines, peut-être me serais-je avancée vers lui, toute joyeuse, en prononçant son nom. Mais j'ai beaucoup appris depuis, j'ai appris que les Asiatiques comme Unni n'aiment pas les démonstrations centrées sur leurs émotions personnelles. Ils veulent qu'une femme, si passionnée qu'elle se montre dans l'intimité, fasse preuve en public d'une extrême réserve. Sinon ils se sentent gênés, et Unni serait gêné par toute manifestation extérieure de ce qui doit demeurer délicat, muet, secret, surtout si cette manifestation avait pour témoin un ennemi comme le Rampoche. Je n'avais donc pas bougé de ma place (bien que nous nous fussions tous levés comme l'exige la courtoisie) et nous demeurions là debout, Rukmini et moi, tandis que le Rampoche nous raillait et appelait Unni notre Seigneur. Mais je savais que le visage de Rukmini était maintenant radieux, je l'entendais respirer doucement, inondée de bonheur. Je savais qu'en ce moment elle avait exactement la même expression que le soir des fêtes du mariage, quand, par-dessus mon épaule, elle avait aperçu Unni au moment où Hilde venait vers nous, avant que j'eusse jamais vu Unni, alors qu'il n'existait même pas pour moi. Je n'avais vu entrer que Hilde, mais elle avait vu Unni...

Si Unni avait été un Américain comme Mike, les convenances auraient exigé qu'il vint vers moi d'abord, pour manifester publiquement son affection, mais ici un pareil comportement serait insultant pour moi, car seules les filles de joie sont ainsi traitées. Unni ne nous regarda pas, ni moi, ni Rukmini. Il regarda le Rampoche et joignit les mains pour le saluer respectueusement, à la manière indienne. Le Rampoche alla à lui en se dandinant, un Rampoche soudain démonstratif, empressé, ressemblant trait pour trait au Petit Roi des dessins humoristiques ; il posa les deux mains sur la tête d'Unni pour le bénir, en murmurant une prière.

Puis Unni se détourna, et à son mouvement correspondit alors un mouvement de mon cœur, tant mon être tout entier est lié à ses moindres gestes. Il salua l'épouse du Rampoche, entrée en même temps que lui et qui, les mains sous son tablier thibétain à rayures, le dévisageait, sans chercher à dissimuler qu'elle le trouvait très beau. Il salua aussi Chérie, serra la main du professeur Rimskov, dit à Mike :

« Bonjour, quel plaisir de vous voir ! »

Puis il se tourna vers nous, s'inclina, les mains jointes, et toutes deux nous en fîmes autant.

« Qu'on apporte un siège, un siège ! » cria le Rampoche.

Unni s'assit, étendit ses longues jambes en face du Rampoche, de sorte que le rectangle dessiné par nous se trouva fermé, en parfait équilibre géométrique. Le Très Précieux n'était plus un tyran féroce et redoutable, mais un petit homme jacassant et tout sourires. Car, en même temps que son long corps et ses gestes aisés, Unni avait apporté une puissance nouvelle, souple, aimable et qui pourtant commandait le respect. Désormais le machiavélisme du Rampoche semblait anodin, et Mike, détendu, riait ; il avait maintenant un compagnon, un autre homme pareil à lui, sans mystère et en qui il avait entière confiance.

« Ça fait rudement plaisir de vous revoir, Unni, j'ai cru que vous ne viendriez jamais.

— Je suis venu dès que j'ai pu, Mike.

— J'en étais sûr. »

Le Rampoche rit, mais cette bruyante gaieté était entièrement feinte :

« Notre noble ingénieur est toujours très occupé, dit-il. Il a vraiment une grande, une formidable responsabilité, le soin de tant d'âmes, au barrage.

— Ma responsabilité serait moins formidable si vous cessiez de vous évertuer à me créer des difficultés, Très Précieux », dit Unni sur le ton de la conversation.

Il prit sa tasse de thé et but, à la chinoise, en soulevant la soucoupe qui la recouvrait.

« Moi ! dit le Rampoche, je vous crée des difficultés ! Très honoré monsieur, c'est vraiment injuste de dire cela. Que de fois ne vous ai-je pas prié de daigner me faire visite afin que nous puissions discuter certaines questions et aplanir quelques petites difficultés ! La confiance est une belle vertu. Regardez-moi. Les gens ont confiance en moi parce qu'ils me savent juste et bon, disposé à les aider. »

Unni but à nouveau et soudain je m'aperçus qu'au-dessus du bord de la tasse ses yeux se fixaient sur moi, mais, quand il la reposa sur la table, ils étaient arrêtés sur le Rampoche.

« J'espère qu'un jour viendra où je pourrai avoir confiance en vous.

— Ho, ho, ho ! fit le Rampoche, ha, ha, ha ! vous m'insultez, mon ami. »

Unni sourit avec bonne humeur :

« Vous savez fort bien, Très Précieux, que vous m'avez donné aujourd'hui de quoi m'occuper pendant toute une semaine. Cet après-midi, vous avez tenté d'organiser une belle petite émeute, Rampoche. »

Le Rampoche soupira, pourtant je le devinais satisfait et agréablement flatté :

« En vérité vous vous abusez, dit-il en hochant tristement la tête, j'ai fait de mon mieux pour calmer les gens à la suite du tremblement de terre.

— Un formidable tremblement de terre, vraiment! Prenez garde, Rampoche, de ne pas être un jour victime de votre fourberie. Si les gens, pris soudain de fureur collective, exigent un sacrifice humain à Mana Mani, vous ne vous sentirez pas très à votre aise.

— Comme je suis mal compris! s'écria le Rampoche. Mais il en est toujours ainsi, les bonnes intentions sont méconnues. Je me plains, mon ami, que vous me preniez toute ma main-d'œuvre. Ne vous ai-je pas moi-même fourni des ouvriers? Mais ils sont devenus orgueilleux, ils refusent de travailler pour moi, comme l'exige la tradition. Aussi les déesses sont-elles négligées, ainsi que leurs champs et leurs troupeaux, il n'y a plus personne pour me faire des petites constructions à titre gratuit, conformément à la loi et aux coutumes, ou pour me fournir le beurre destiné aux lampes d'autel. Il faut que je paie, cria le Rampoche, saisi d'une violente indignation, oui, que je paie pour avoir de l'eau, du bois pour mes feux, pour tout!

— Ne vous inquiétez pas, Très Précieux, songez à quel point vous serez riche quand le barrage sera construit. Vous pourrez placer votre argent dans toutes sortes d'entreprises quand nous aurons la force hydro-électrique et que Bongsor deviendra une ville. C'est bien sot de votre part de fomenter des émeutes au nom de la déesse, ce n'est pas cela qui vous donnera plus de beurre pour vos lampes.

— Vous ne traitez pas bien les ouvriers, soupira le Rampoche, vous avez fermé la cantine.

« — Uniquement parce que vous les escroquiez. Quand vous nous vendrez des denrées de bonne qualité, nous vous rendrons la cantine. »

Le Rampoche se tourna en souriant vers Mike Young :

« Je crois, dit-il, que Mr. Menon est communiste. Tant de changements, et si rapides, ce n'est pas naturel, cela ne vaut rien. Les changements devraient se produire lentement, sinon les gens deviendront arrogants et irréligieux. Communistes, comme de l'autre côté de la frontière.

— S'il y avait davantage de gens comme Unni, il y aurait moins de communistes, j'imagine, répondit Mike.

— Ah, dit le Rampoche, encore une illusion ! Le jour viendra, mon ami, où vous vous rendrez compte à quel point j'ai essayé de vous aider, combien j'ai travaillé à écarter les obstacles de votre route tout en maintenant les traditions. Ah oui !

— Oh, oh, dit Chérie en ricanant, mon papa tient des propos terriblement féodaux, ce soir. »

Les invités du Rampoche se levèrent, leur hôte leur ayant donné à entendre qu'ils étaient libres de se retirer.

« Pourquoi ne resteriez-vous pas ici ce soir, dit-il aimablement à Unni, il y a de la place dans mon hôtel. Je l'appelle *La Vue du Barrage*, voyez-vous, en prévision de l'avenir.

— Vous êtes très aimable, dit Unni. Quand le barrage sera achevé, Très Précieux, je ferai un séjour chez vous.

— Hahaha ! dit le Rampoche en riant à nouveau avec une feinte gaieté, cela ne sera pas avant dix ans ! J'avais pourtant pensé que, par exception, vous resteriez cette fois, sinon pour moi, du moins pour vos amis. »

Ses yeux ne bougèrent pas, mais l'allusion était claire.

« J'aimerais avoir un entretien de quelques instants avec Madame Rukmini, dit Unni.

— Mais certainement, répondit vivement le Rampoche, soudain grave, mais certainement. Ici même si vous le désirez.

— Mike, demanda Unni, voulez-vous rester ?

— Vous êtes bien sûr de souhaiter ma présence ? demanda Mike, devenu blême.

— Oui. »

Le Rampoche et sa famille prirent congé de tous et descendirent l'escalier ; nous les suivîmes, le professeur Rimskov et moi. Telle était la volonté d'Unni et j'obéis, parce que maintenant j'étais sûre, je savais, et il n'y avait rien d'autre en moi qu'une grande clarté, comme si j'étais assise sous un arbre, le cœur en paix, ayant soudain reçu l'illumination. Unni allait parler à Rukmini. Et je savais ce que serait cet entretien.

Au-dehors, le froid nous lacéra le visage comme un coup de fouet. Nous nous hâtâmes de regagner l'hôtellerie, haletants de l'effort. Dans l'air glacial, notre respiration dégageait une brume autour de nous. Les chambres étaient chaudes, les serviteurs thibétains y ayant apporté de petits braseros garnis de bois. Je remis du cold-cream, puis l'essuyai, je me recoiffai. Après avoir parlé à Rukmini, il viendrait vers moi. Je m'étendis sur le lit pour l'attendre. Tous mes os me faisaient mal et j'étais très fatiguée.

Il fut là avant que j'en eusse conscience : je m'éveillai pour le trouver penché sur moi.

« Oh, Unni, dis-je, je m'étais endormie. »

Il ne répondit pas, il restait là debout à me regarder.

« Assieds-toi, veux-tu ? »

Il s'assit au bord du lit, m'offrit une cigarette, et je retrouvai ses mains tant aimées. Leur seule vue me remuait déjà: refermées en coupe, elles retenaient la lumière, près de mon visage. Puis il alluma sa cigarette. Je le regardai, le contemplant tout mon soûl, comblée par cette seule vue.

Toute parole était inutile entre nous. Que pouvions-nous dire? J'étais venue, j'étais là, Rukmini était là. Maintenant je savais que Rukmini serait toujours là, toujours avec nous, qu'elle ferait toujours partie de nous, alors que pouvais-je dire?

«Que pense Mike de tout ceci? demandai-je enfin.

— Rien, dit Unni. Par bonheur, il ne comprend pas très exactement.»

C'est alors que je remarquai combien Unni avait maigri depuis quinze jours. Il semblait accablé de soucis, et cette découverte m'émut à tel point que j'aurais voulu me jeter dans ses bras au lieu de rester là étendue, trop fatiguée pour m'asseoir.

«Oh, Unni, fis-je, désolée, je ne comprends que trop bien.»

En un instant il fut sur le lit, sur moi, ses bras passés autour de moi, son visage pressé contre le mien, à me faire mal. Et moi aussi je mis mes bras autour de lui, sachant qu'il était malheureux, qu'il avait besoin d'être consolé. Car, pour la première fois depuis que nous nous connaissions, c'était lui qui avait besoin de tendresse, de réconfort et de consolations, et non plus moi.

«Je ne suis pas venu ici pour la voir. Jusqu'à ce soir je ne l'ai pas vue, tu le sais, Anne.

— Je sais, cela ne le rend que plus solide. Ton amour, veux-je dire. Pour Rukmini.»

Il m'avait forcée, forcée à dire tout haut ce qui

était entre nous, ce qui avait toujours été avec nous, dans notre connaissance mutuelle, forcée à élucider, pour lui et pour moi, ce qu'il ne savait pas sur lui-même. Et du même coup il m'obligeait à fouiller tout au fond de moi pour découvrir ce que je ferais de cette connaissance nouvelle, pour savoir si quelque chose serait changé pour nous, le *Nous* qui n'était ni Unni ni moi, mais cette émotion commune. L'amour, comme on l'appelait. Cet amour m'avait ramenée à la vie. Allais-je devoir maintenant y renoncer? A cause de Rukmini? Ou plutôt parce que maintenant je connaissais — et Unni aussi connaissait — ce qui avait toujours existé, mais qui était resté latent, caché, inconnu, jusqu'au jour où mes paroles nous l'avaient révélé.

Oh, Unni, me disais-je amèrement en moi-même, quelle folle je suis de toujours exprimer les choses par des paroles et ce faisant de leur donner vie! Le verbe fait chair — c'était bien cela. Rukmini. Unni l'aimait, il l'avait toujours aimée, et maintenant non seulement il le savait, mais encore il le savait par moi. Sans moi, sans ma présence, il ne l'aurait peut-être pas su. Mes paroles ont imprimé sur cette révélation un sceau parfait. *Cet amour existe*, il est venu à notre connaissance, non seulement pour ce soir, non seulement pendant que Rukmini est ici, mais pour toujours, jusqu'à la fin de notre vie.

Ainsi, tandis que ses mains caressaient mes cheveux, que son corps pesait sur le mien, qu'il était là muet et fort et pourtant si atteint, si vulnérable, sensible comme nulle femme ne saurait l'être, il me fallait me demander enfin quelle sorte d'amour j'allais choisir. Jusqu'alors je m'étais contentée de prendre ce qu'Unni m'avait donné, d'accepter la tendresse sûre, le plaisir physique, d'incarner mon amour dans les sentiments qu'il me portait. J'avais sans cesse usé de lui, de sa sérénité et de sa compréhension, de sa passion, de son détachement et de sa patience, j'avais toujours pris et maintenant il me fallait donner.

Au-dehors, la nuit glaciale nous enveloppait comme dans un cocon, nous sentions rôder l'hostilité du Rampoche et, près de nous, au-delà des murs, opaques au toucher, mais transparents pour nos sentiments, la douleur tangible de Mike nous assaillait, tandis que nous nous serrions étroitement l'un contre l'autre pour nous protéger. Dans cette chambre thibétaine où nous étions enfermés, plus proches en esprit que nous l'avions jamais été, il me fallut apprendre comment donner de l'amour à Unni parce qu'il en avait besoin.

« Tu ne m'as pas demandé pourquoi je suis venue ici ? dis-je avec précaution.

— Mike me l'a dit.

— Tu es fâché contre moi ?

— Non, il fallait que tu viennes.

— Crois-tu que je suis venue parce que j'étais... jalouse de Rukmini ?

— Non, je n'ai jamais cru cela.

— N'ai-je pas de raison d'être jalouse ?

— Anne, tu sais que tu as de bonnes raisons.

— Oui, tu t'es trahi quand tu m'as dit : "Je ne suis pas venu ici pour la voir, je l'ai vue aujourd'hui pour la première fois."

— Oui, dit-il simplement, mais je l'ignorais moi-même, j'ignorais que j'aimais Rukmini, jusqu'au moment où je vous ai vues toutes les deux ensemble. Tu viens de me le dire et je te crois. Vois-tu, ajouta-t-il d'un air réfléchi, Rukmini est si jeune, je ne pouvais imaginer cela. »

Et, perdant soudain mon importance, je cessai d'être la *mater consolatrix* pour n'être plus qu'une femme, sa femme, avec qui il dormirait s'il voulait quand il aurait achevé de parler.

« Elle a la moitié de mon âge, dis-je, impitoyable, mais ce n'est plus une enfant. Devi a tenu à ce que je te le répète: "Dites à Unni que Rukmini et moi nous ne sommes plus des enfants, mais des femmes." »

Il soupira, se leva, alla mettre une autre bûche sur le brasero. Déjà il acceptait les faits, il réfléchissait tout en lançant en l'air sa petite amulette. Il revint vers moi en retirant sa veste de cuir sous laquelle il portait un sweater de laine tricotée.

« C'est un joli travail », dis-je en désignant le sweater.

Il inclina la tête.

« D'où vient-il ?

— Une femme l'a tricoté pour moi. »

Il y eut un silence. Que pouvais-je dire ? C'était vrai, et il se montrait aussi impitoyable que moi. Toujours nous serions ainsi, incapables d'échapper à notre habileté d'esprit, à notre duplicité. Autrefois j'aurais pu me mentir à moi-même, mais maintenant, après avoir connu Unni, c'en était fait du mensonge.

« Rukmini était dans le même avion que toi quand tu es venu ici ?

— Oui.

— Que vas-tu faire maintenant ?

— Je l'ignore, Anne. Cela dépend de toi. Je t'aime très sincèrement.

— J'en suis certaine.

— Mon cœur et ma chair ont besoin de toi, dit-il. Je ne puis parler avec Rukmini comme avec toi. Mais elle me hante, elle fait partie de moi-même ;

elle est faible, et tout ce qui est mâle en moi veut la protéger et prendre soin d'elle. Je ne puis m'en empêcher. »

Puis il se mit à m'embrasser, et bientôt nous fûmes submergés sous un flot doux et torride que nous ne pouvions empêcher de déferler sur nous. Comme toujours, Unni connaissait mon corps mieux que moi, il me savait lasse et endolorie, mais avide et un peu craintive. Et il fut farouche et doux à la fois, impétueux et patient jusqu'au moment où il n'y eut plus aucune barrière entre nous et où, transportée au-delà de l'extase, je le trouvai encore avec moi me tenant étroitement serrée entre ses bras. Jamais l'amour n'avait été aussi merveilleux, aussi parfait, et je ne pus m'empêcher de comprendre plus tard, entre le sommeil et la veille, que c'était peut-être à cause de Rukmini. J'avais accepté la présence en lui de Rukmini et ainsi exorcisé tout ce qui pouvait encore se trouver entre nous pour nous séparer. Dans l'obscurité, tandis qu'il respirait doucement, son ardeur calmée (et bientôt il se lèverait pour retourner au barrage, ne voulant pas rester jusqu'à l'aube de crainte d'être découvert par le Rampoche), je songeais combien il était étrange que la félicité de l'une fût nécessairement le malheur de l'autre. Parce que Rukmini aimait Unni pour d'impossibles raisons, au plus profond de sa douleur les oiseaux du bonheur chantaient pour moi : « C'est de toi, Anne, de toi, que mon cœur et ma chair ont besoin. » Je ne dois pas en demander davantage. Je ne puis rien ôter à Unni de ce qui est lui en le dépouillant, je nous dépouillerais du même coup. Il n'y a d'autre issue que l'acceptation totale. Quel est donc ce vers qui me trotte par la tête de façon si agaçante ? « L'erreur profonde, c'est de vouloir être seul aimé. » Eh bien, il n'en est certainement pas question dans l'Asie polygame. De multiples amours, me disais-je, à demi endormie dans les bras d'Unni, de multiples sortes d'amour ; peut-être est-il toujours difficile de demander à un être de n'aimer que vous.

Et n'en était-il pas de même pour moi ? N'avais-je pas exercé mon emprise sur l'esprit et le cœur d'Unni ? N'avais-je pas exigé de lui qu'il connût et acceptât mon autre amour, l'amour des mots, démon exigeant qui m'éloignait de lui, qui, même dans l'éblouissement de découverte, m'avait amenée à me détourner de lui, à lui dire : « Pars, j'ai envie d'être seule ce soir », qui me vouait à des émotions secrètes que je ne partageais pas avec lui et qui m'éloignaient de lui.

Aimer vraiment, c'était non pas s'emmurer et s'ensevelir dans l'égoïsme, mais combler les vœux de l'aimé, le libérer et lui offrir, non pas une cage, mais la liberté dans le vaste monde. Unni m'avait été donné totalement parce que j'avais accepté de renoncer à lui. Il aimerait Rukmini sans en faire mystère, tendrement, parce qu'elle était douce et belle et que, victime désignée, elle avait besoin de protection. Ensuite, qu'arriverait-il ? A vrai dire, je ne m'en tourmentais pas outre mesure, car aujourd'hui Unni était mien, il était près de moi.

Je m'endormis, et c'est pendant mon sommeil que survint la transformation : je m'éveillai, non plus douce et indulgente, mais muée en démone, torturée par la jalousie. Et Unni était parti.

Une femme ne doit-elle pas pleurer à mesure que la nuit s'avance ? A mesure que la nuit s'avançait, ma noblesse d'âme s'évanouissait. Le détachement presque inhumain, la sérénité avaient disparu quand je m'éveillai pour m'apercevoir qu'Unni était parti. A cette heure qui précède l'aube, l'heure où l'on meurt le plus, où l'on s'éveille désespéré en se disant que la vie n'est autre chose qu'une longue attente de la mort, je me sentis en proie à la jalousie, à la rage, à la douleur, torturée par les démons de la haine ; créature mauvaise, je haïssais ce moi qui avait joué le jeu de la générosité et qui me paraissait maintenant irréel parce qu'il existait plus. Le temps et le sommeil l'avaient détruit, remplaçant son sentimentalisme usé, désormais ridicule, par une sorte de bête féroce et rusée, que la haine et la convoitise rendaient redoutable. Mais bien sûr, à ce moment-là, je ne donnais pas à ce sentiment le nom de convoitise. Je venais de pénétrer dans mon enfer personnel, mais tout cela me semblait naturel et juste, à cette heure morte de la nuit qui est pour l'âme comme une eau stagnante. Il n'existait plus personne au monde que moi, moi, et l'on m'avait fait une injure mortelle. Même en ce moment, quand j'écris ceci, maintenant que la Montagne n'est plus avec moi, maintenant que, faillible mais éclairée, j'attends le retour de l'amour, je me rappelle encore combien mon sentiment me paraissait juste, vrai, combien je m'estimais fondée à m'indigner du grand tort que me faisaient Unni et Rukmini.

Je me blottis dans le lit vide, à l'endroit même où Unni avait couché, encore baignée de sa chaleur, écoutant sa voix, cette voix sensuelle qui semble vous caresser les reins et dont l'évocation suffit à susciter en moi un désir obsédant. Un spectre d'amour était étendu blême à mes côtés, tout mon corps lui répondait et s'émouvait, ma peau frémissait, et pourtant je débordais de haine et de jalousie. Unni est à moi. C'est trop exiger de moi que de m'obliger à renoncer à lui, à le partager avec une autre. Je le veux. Je le veux tout entier. On m'a déjà pris mon enfant, notre enfant. On m'a tout pris. On n'aura pas Unni.

Et peu à peu me voici engagée dans un déchirant dialogue avec moi-même.

« Prendre, c'est être dénué ; donner, c'est recevoir.

— Je ne veux pas, je ne veux pas. Tout cela est ridicule, ce n'est pas réel. Ce qui est réel, c'est qu'Unni m'aime et que je l'aime. Rukmini... elle n'est pour lui qu'un rêve, fruit de son imagination. Demain, au grand jour, il aura oublié. Sans aucun doute.

— Toute la nuit il se souviendra d'elle, à tes côtés.

— Non, parce que j'ai déjà stérilisé le souvenir de Rukmini, embaumé Rukmini, en faisant preuve hier soir de si nobles sentiments, d'une si adroite générosité. Celle qui parlait ainsi ce n'était pas moi, ce ne fut à aucun moment mon véritable moi, mais un moi possédé par quelque chose dont je ne veux pas, par une abnégation ridicule qui maintenant me terrifie. C'était de l'hypocrisie. Pas moi. J'en ai assez d'avoir faim dans mon âme et dans mon corps. Maintenant je suis lucide, je vois clair. Je veux ma part de bonheur, je veux mon plaisir et mon amour. Je veux être jeune et belle, je ne veux plus redevenir aride et desséchée. Je veux vivre. J'ai droit à tous ces grands lieux communs du sentiment, ressort moteur que chacun de nous doit redécouvrir chaque fois. Cela c'est vrai. Rukmini n'est pas vraie. C'est une petite fille qui joue aux dieux et aux déesses, qui joue à l'extase. Marie aux pieds du Seigneur. Mais je ne veux pas me faire meilleure que je ne suis ; peut-être suis-je Marthe, mais Marthe n'était pas une hypocrite. Je garde les pieds sur la terre, je ne veux pas renoncer à lui.

— Loin de chercher à emprisonner l'aimé, le véritable amour souhaite au contraire qu'il jouisse d'une liberté plus grande.

— Sottises que tout cela : il me l'a dit lui-même, son cœur et sa chair ont besoin de moi. Ce que je lui apporte, nulle autre que moi ne peut le lui donner. Que peut lui donner Rukmini ? Je ne permettrai pas qu'une gamine, une illusion, le bref songe d'une enfant en extase rêvant d'un dieu, vienne se mettre entre nous. Unni prend la chose beaucoup trop au sérieux. C'est un homme, elle est belle et douce, il éprouve le besoin de la protéger. Il ne peut pas l'aimer, et moi en même temps, c'est impossible, nul homme ne peut aimer deux femmes à la fois.

— Mais si, cela arrive tout le temps, partout. »

Je demeurai silencieuse, épouvantée à l'idée que ce pût être vrai.

« Tu agis avec Unni comme John l'a fait avec toi. Tu fermes les volets de la maison de la vie, tu en chasses la vie comme s'il s'agissait d'un cambrioleur, tu lui interdis de pénétrer dans ta maison nette, bien ordonnée ; où tu gardes Unni enfermé à clef. Il est *à toi*. En ta possession. Prends garde.

— Fort bien, dis-je. Alors je vais jouer le rôle de la femme généreuse. De toute manière, les résultats sont meilleurs. Mais tu sais que c'est faux. Tu sais que je ne puis faire cela, que je ne puis renoncer à lui. Tu sais que je vais souffrir des tortures, un enfer créé par moi peut-être, mais un enfer tout de même, désormais et pour combien de temps ? »

Je me sentais devenir retorse, impitoyable, aussi astucieuse que le Rampoche, mais infiniment plus habile. Incapable de trouver la paix, je montai sur le toit pour respirer, car je suffoquais dans la chambre, je voulais revoir Mana Mani, la montagne perfide d'Unni. Comme je la comprenais bien, maintenant, cette femelle, cette déesse jalouse et noire de cœur, rusée et complotant de garder pour elle les vallées et la rivière, exigeant un sacrifice humain, le sang d'un homme robuste et fort. Bien sûr. C'est pour cela qu'elle restait jeune.

C'était bien vrai. Ici l'incrédulité n'était pas de mise. Extase, visions. L'air grouillait de démons et d'esprits malins ; non seulement c'était possible, mais j'y croyais fermement. Si la veille j'avais été la proie d'une illusion, j'étais redevenue moi-même maintenant.

Mana Mani accueillait l'aube, enveloppée comme d'un manteau dans une splendeur rose. Elle était plus hautaine et plus arrogante que jamais. Bientôt, dans un flot doré, le soleil dévala le long de ses flancs escarpés, alors que le monastère demeurait plongé dans une obscurité mauve. A l'endroit où les maisons de Bongsor dégringolaient en pente raide vers la vallée, un épais brouillard masquait la rivière dont le doux grondement perpétuel était lui-même un silence. Il existait maintenant une parenté entre la montagne et moi, car nous avions conclu un pacte secret.

Mana Mani... La voix d'Unni parlant de la montagne sur un ton affectueux, amusé. Après avoir vécu pendant des années en face d'elle, il reconnaissait son pouvoir. Comme le barrage devait paraître petit, dérisoire, quand on voyait Mana Mani se profiler derrière lui, ce barrage qui détournait d'elle la rivière, paisiblement, sous son regard hautain. Travail de fourmis. Travail de l'homme. Des fourmis qui se traînent à terre et qui pourtant finiront par remporter la victoire : « Un jour, je la materai. » Unni avait-il jamais essayé de l'escalader ? Il faudra que je le lui demande. Mais je connais d'avance la réponse : « Quand le barrage sera achevé, pas avant. »

Et Rukmini adressait des prières à Mana Mani, Chérie me l'avait dit. Des prières pour la sécurité d'Unni. Je riais presque. Je savais que la montagne n'aimait pas Rukmini, elle était trop douce, trop bonne...

Le monastère s'éveillait comme en bâillant, j'entendais une rumeur, un roulement de tambours, des psalmodies et, vaguement, le son des cloches. Puis, comme une affirmation triomphante, la grande voix grave des trompettes. Ils étaient à nouveau sur les toits, les sonneurs de trompes, portant de sombres coiffures pointues à oreillettes. Ce fut ensuite le bruit sec, comme celui que font les poules en picorant, des seaux à demi pleins où l'eau clapotait contre les parois, les cris d'appel, le ronron des moulins à prières, les petits acolytes affairés portant des pots de fer sombre, la fumée piquante des feux. Et soudain, traînant les pieds, des lamas en rangs comme des soldats, bottés, sortirent du monastère et traversèrent la cour en psalmodiant.

Om Mani Padme Hum, Om Mani Padme Hum. En bas, devant notre hôtel, une voix clamait la formule magique grâce à laquelle le monde continue d'exister, dans la route perpétuelle de l'illusion. Et qu'était-ce que l'amour, sinon une formule, des mots chargés d'une réalité cruelle, pénible, affreuse, un coup de poignard dans le cœur et dans l'esprit, une formule propre à évoquer la vie, à nous garder de la nuit menaçante du néant, l'unique défense de l'homme contre l'irréalité de la mort, la preuve de la réalité de l'existence, mais en même temps une blessure mortelle?

Puis je vis Rukmini sortir d'un de ces passages qui semblaient jaillir dans la cour. Rukmini, enveloppée dans un souple châle népalais, une figure biblique, mais encore Rukmini. Il me semblait entendre tinter ses bracelets. Peut-être venait-elle de prier une fois de plus la déesse.

Mes yeux suivirent la forme brune qui traversa la cour d'un pas glissant et sortit du monastère. Il n'y avait pas à lutter contre ce mystérieux enchantement.

Je regardais Mana Mani l'insolente. Si Unni ne m'aime plus, je mourrai. Il faut que je le revoie, qu'il choisisse. Avec une ténacité de vampire, je m'agrippais au mot amour et je me refusais à renoncer à Unni.

Au petit déjeuner, contrairement à mon attente, Mike semblait épanoui. Je voyais bien qu'il avait hâte de me parler, tandis que nous sortions de l'hôtel et de la cour carrée toujours plongée dans le froid et l'ombre, dans l'intention d'escalader la pente derrière le monastère. Le chemin, raide et escarpé, sinuait entre des chortens, ces petits monuments bouddhiques pareils à des stupas en miniature, construits au hasard le long des routes et parmi les grosses pierres. La fatigue accumulée me rendait l'effort pénible, mais la douleur cuisante qui brûlait mon âme était proprement intolérable, et sa fureur me harcelait.

« Je suis vraiment très content. Unni est un type formidable.

— Qu'a-t-il donc fait de si merveilleux?

— Rukmini a promis de retourner à Khatmandou par le prochain avion. Et ce matin, vers dix heures, nous devons aller nous promener ensemble. Il est encore très tôt, elle doit dormir, j'imagine, et d'ailleurs je ne sais pas où elle habite. Sans doute avec Chérie. Cela va être terriblement long d'attendre jusqu'à dix heures. »

Haletante, les pieds douloureux, je m'arrêtais à chaque instant pour respirer. L'air froid et raréfié pénétrait dans mes poumons comme un alcool glacé. Des chèvres et des mules paissaient parmi les chortens qui jonchaient la colline. Au pied des remparts qui serpentaient sur la colline, une procession d'hommes et de femmes défilait autour du monastère, dans le sens des aiguilles d'une montre, psalmodiant *Om Mani Padme Hum* et faisant tourner des moulins à prières.

Mike s'arrêta :

« Asseyons-nous ici », dit-il, et nous nous adossâmes à un chorten plus grand que les autres, souillé de suie par les feux rituels, sans doute un monument funéraire : « Je n'étais pas très heureux hier, n'est-ce pas ? Je sais qu'Unni n'a pas *d'amour* pour Rukmini, qu'il la considère comme une petite sœur, mais Rukmini l'aime et je n'étais pas très heureux. »

Avec des mots hésitants, simples, maladroits, à la fois sincère et incapable de décrire la scène, il la revit. Dans la salle ornée de tapis, parmi les relents de bière tibétaine, de thé de Chine et de cuisine à l'huile, ils s'étaient donc trouvés réunis tous les trois la veille au soir.

Je me représentais le tableau, non pas comme le peignait Mike, mais tel que je le voyais, en y ajoutant couleur et émotion, avec les contradictions déroutantes, inconciliables, que comportait cette inextricable situation. Unni et Rukmini enfin face à face. Assise sur le chorten, la main machinalement levée pour recueillir le rayon oblique du soleil levant, sentant mon cœur battre douloureusement contre mes côtes, je savais de quelle manière Unni l'avait regardée, longuement, très longuement, alors qu'il s'était détourné d'elle pendant tant d'années, un regard pensif, réservé, qui semblait l'éloigner d'elle, mais qui éloignait aussi mon souvenir, déjà relégué à l'arrière-plan. Même aveuglée comme je l'étais alors par la fureur, je savais combien Unni devait avoir souffert à ce moment-là. Froid et lucide, revoyait-il les estampes du passé, ces matins de printemps sur la pelouse où ses longs doigts agiles frappaient sur le tambour ? Et, en cet instant, je devins presque folle de jalousie. Je sus soudain pourquoi Isabel le détestait, et détestait aussi ce qu'elle éprouvait en le voyant. En regardant les miennes, je voyais les mains d'Unni, ces mains patientes, paisibles, qui jouaient avec mes cheveux et mon corps jusqu'à ce que mon sang bondît en un doux flot grondant. Ces mains, elles étaient maintenant à moi, avec leur connaissance du grain de la peau et des caresses, leur contact sur la chair consentante, fondant sans résistance à l'instant d'atteindre à cette unité entre l'homme et la femme qui fait toute la différence, le choix entre l'extase et le coït, entre la splendeur de l'heure merveilleuse et le lent dépérissement dans l'indifférence. Unni avait dû savoir cela, debout en face de Rukmini, en évoquant les rires insouciants, les perruches et les tournesols peints dans la chambre, la brusque séparation, les fêtes du mariage, moi...

« Elle est ici depuis environ douze jours, mais

Unni n'était pas encore venu la voir. Il ne voulait pas qu'on parlât d'elle.

— Je vois », dis-je, laissant filtrer le soleil à travers mes doigts. Un côté de ma main était chaud, l'autre froid.

(Je vois, Mike, je vois ce que vous ne voyez pas. Je vois qu'il l'aime tellement qu'il ne se risque pas à venir la voir. Il est à douze kilomètres de là, au barrage, et il ne veut pas venir, il ne s'en sent pas le courage. Il a tellement peur de cet amour qu'il lui faut s'abriter derrière vous, Mike, derrière votre présence, pour parler à Rukmini.)

« Je vois, répétai-je à voix haute. Unni n'était pas encore venu au monastère. Peut-être ne savait-il pas qu'elle s'y trouvait.

— Oh si, ils étaient partis par le même avion, on me l'a dit à Khatmandou. Mais, affirme-t-il, têtu, je sais bien qu'il s'agissait là d'une simple coïncidence. Unni est amoureux de vous. Il venait de vous faire une visite à l'hôpital. »

Ainsi tout le monde était au courant à Khatmandou, mais personne ne m'en a rien dit. Personne.

« En fait, peu de gens le savaient, dit Mike, comme s'il lisait dans ma pensée, et ceux-là gardaient la chose pour eux. Bien sûr, tout le monde connaissait l'adoration enfantine que Rukmini a vouée à Unni. Elle l'a toujours considéré comme un dieu. Mais il s'agit d'un amour purement platonique. Absolument pur », dit Mike, devenu à ce moment l'Américain-type, candide et chaste, qui place la Pureté sur un piédestal et n'est aucunement troublé par les mille visages de l'amour, du moment qu'il ne porte pas en même temps le masque du désir. « Je sais, cela semble bien naïf, de la part de Rukmini, de croire qu'Unni est un dieu incarné, mais je considère la chose tout à fait objectivement : pareille conviction résulte de la formation culturelle qu'elle a reçue.

— Mais non, dis-je, ce n'est pas naïf. »

Le jour des fêtes du mariage, Unni ne l'avait pas regardée. Sur quelle souche profonde avaient germé cette négation, ce refus, pourrissant jusqu'au jour où ils avaient éclaté ici : « Je l'ai fuie au long des arches des années[1]. » Fuite dans la chair corrompue, fuite loin de la racine et de la sève de l'homme, fuite vers moi. Et maintenant chacune de ses paroles est pour moi amère, sinistre, lourde d'hypocrisie : « Crois-moi, crois-moi. » Oh, comme il désirait que j'eusse foi en lui et cela uniquement pour se persuader que Rukmini n'avait aucune importance, que c'était une enfant, que moi j'étais tout. Comme l'avait dit Ranchit, Unni était un menteur et un voleur. Unni, menteur et voleur.

« Alors Unni lui a dit : "Rukmini, je vous demande de retourner dans la Vallée." Et elle a répondu : "Mon Seigneur, quoi que vous m'ordonniez, j'obéirai." Il a ajouté : "Rukmini, souvenez-vous que je ne suis pas un dieu, mais un homme." Et elle : "Oui, maintenant je le sais, maintenant que je vous ai vu, je le sais." J'aurais dû être au supplice, dit Mike, mais non. Pas du tout. On aurait dit qu'ils chantaient une sorte de duo, et autour de nous tout chantait aussi, un univers de chant, plein de tant de choses que je ne peux exprimer par des mots... Oui, j'aurais dû être furieux, furieux et malheureux, mais je n'étais ni l'un ni l'autre.

— Non, dis-je, comprenant si bien ce qui s'était passé, bien sûr que non !

— C'était si beau, dit Mike, avec une véritable

1. Citation tirée du poème *The Hound of Heaven*, de Francis Thompson (1860-1907). (N. du T.)

révérence. Une sorte de splendeur lumineuse... dans de pareils moments, le monde est soudain si merveilleux que sa beauté vous fait mal.

— Oui. »

La poussière dans un rayon de soleil, les souvenirs dans les coins.

« Il lui a dit : "Pardonnez-moi, Maharani." Et elle a répondu : "Puissiez-vous connaître une route paisible, je ne vous reverrai plus qu'une seule fois." Puis elle nous quitta, mais auparavant elle se tourna vers moi et me dit : "Mike, je vous demande de prendre soin de moi désormais. Je vous verrai demain matin à dix heures."

— Je vois. »

Je ne vois rien que ma main, légère, froide, engourdie, attendant le vent mortel qui souffle quand monte le soleil.

Mike se releva, et nous poursuivîmes notre ascension.

« Je lui ai dit que je serais extrêmement heureux de prendre soin d'elle toute ma vie, et elle a répondu : "Oui", dit Mike en rougissant. Il s'arrêta et jeta un regard autour de lui avant de reprendre : Elle a dit : "Oui, Mike, vous prendrez soin de moi." Je ne mérite pas cela, je suis si heureux. C'est le plus beau jour de ma vie. »

Et pour confirmer ces paroles, pour remplir jusqu'au bord la coupe de son bonheur, tandis que nous contournions une grosse pierre où sont gravés les mots : *Om Mani Padme Hum* ainsi que des effigies du Seigneur de la Lumière rongées par les intempéries, il s'écria : « Rukmini ! » dans un transport de joie. Car Rukmini était là, debout comme un arbre sombre dans la merveilleuse lumière du soleil, telle une apparition, et derrière elle la montagne sur laquelle coulait le blanc éblouissant des glaciers.

Ah! quelle n'était pas la splendeur du monde, tandis que la nature déployait à satiété ses trésors pour Mike, tandis que Rukmini s'avançait vers lui, Chérie à ses côtés. Il demeurait là, ivre de félicité. La rencontre avait lieu au sommet d'un monticule. Au-dessus de nous s'élevait la grandiose chaîne des pics, au-dessous, les bosses brunes des premiers contreforts s'attroupaient, l'eau des glaciers, d'un vert laiteux, se transformait en torrent, le soleil ne teintait encore que les toits plats du monastère et, dans la vallée de Bongsor, la rivière bouillonnante s'enfuyait en chantant.

« Ah, Mrs. Ford, c'est merveilleux de vous voir, regardez tout ceci, il n'y a rien de pareil dans aucun autre pays, on se sent comme une fourmi plongée dans une méditation passionnée, dit Chérie, en qui l'air de la montagne éveillait la veine poétique. Ici l'air est si pur qu'il libère les sources de l'esprit, c'est ce que disait un ami qui est venu nous voir, mais, quoique poète, ce n'était pas un homme aimable, toujours il se plaignait de la nourriture et ne faisait que médire de notre hospitalité, finalement il est parti sans jamais nous manifester sa reconnaissance, non, même pas par un simple instantané.

— Regardez là-bas, dit Mike à Rukmini, le barrage se trouve dans cette direction. La construction en est à peine commencée, on ne voit pas encore grand-chose. Presque tout le travail se fait pendant l'hiver et au début du printemps, quand le niveau de la rivière est le plus bas. Voyez ces deux croupes brunes, avec Mana Mani juste derrière...

— Oui », dit Rukmini, docile.

Bien entendu, elle savait où était le barrage,

tous les jours elle montait jusqu'ici pour l'apercevoir.

Ainsi, alors que toute la splendeur du monde s'étendait autour de moi, je demeurais aveugle et sourde, en proie à la désolation et à la colère, fourmi captive plongée dans la méditation passionnée non pas du Chant de Dieu, mais de mon animosité. Et je me cramponnais à cette animosité consolatrice, car la perdre maintenant, c'était renoncer du même coup au solide bouclier de mon moi, soupçonneux mais sûr, pour acquérir un moi irréel dont je ne voulais pas. C'était donner Unni au monde, à tout et à tous, à quiconque lèverait seulement un doigt pour l'avoir. Cela signifiait l'insécurité perpétuelle, l'abandon. Je ne voulais rien abandonner. Je voulais Unni, tout menteur et voleur qu'il était.

Il faut que je le voie, que je lui jette ces mots au visage. Que je haïsse. Il le faut. Plus je projetais de l'asservir, de l'assassiner derrière les barreaux de ma cage, plus je sentais l'amour et le désir affluer en moi. Posséder et garder. Il faut que j'aille vers lui ce matin, à tout prix. J'ai tant de choses à lui dire. La nuit dernière... je ne parviens pas à me rappeler quelles choses folles, insensées, ont été dites la nuit dernière. Il faut que je voie Unni maintenant, tout de suite.

Il y avait une jeep dans le hangar où le Rampoche garait ses véhicules. Elle était en assez piètre état, mais le lama Tenzin, directeur des Boissons agréables, qui flânait dans la cour, me dit qu'elle était à la disposition des touristes pour dix roupies l'heure, « essence en plus », ajouta-t-il d'un ton tranchant.

La piste sinuait en pente raide au-dessus de la Vallée, avec des déclivités où s'accrochaient dangereusement des maisons de pierre et de maigres champs d'orge qui frissonnaient au vent. Le soleil brillait sur les pierres avec un éclat de verre en fusion, mais il faisait froid à l'ombre et l'on passait ainsi du froid au chaud avec une fréquence désagréable, si bien que je redoutais toujours d'aborder une nouvelle boucle de ce chemin défoncé, surplombé de falaises branlantes. La vue des pics me causait une sorte de vertige, une fascination contre laquelle je luttais pour éviter la catastrophe. Les virages succédaient aux virages, cette piste semblait grouiller de replis autant et plus qu'un nœud de vipères. Elle grimpait toujours, et soudain ce fut l'hiver, la gelée mordait le sol, si bien que je dus m'arrêter, mettre mes lunettes de soleil à cause de la réverbération de la neige, puis je pris un nouveau virage et j'eus devant moi Mana Mani et le barrage, ainsi que les ouvriers qui le construisaient.

Un royaume de fourmis, le camp d'une armée de fourmis accrochées au rocher et tout le désordre créé par le travail : des derricks et des grues, des bull-dozers et de larges terrasses creusées à vif dans les collines brunes, des gravats, des cendres grises comme des peaux de loups en broussaille éparpillées sur la pente, tout le chaos du travail humain qui, ce matin, nous était caché par le cours tortueux des crêtes s'emboîtant en queue-d'aronde.

Bouleversant la nature, le travail de l'homme venait s'inscrire dans cette large brèche creusée par lui entre les crêtes, presque une plaine, mais qui s'étrécissait à l'endroit où des constructions insolites, pareilles à des colonnes entourées de tranchées et qui étaient l'amorce du barrage, obstruaient l'horizon et barraient route à la chute tumultueuse des eaux d'un vert laiteux. Au-delà de ce chaos d'activité, on voyait la Vallée qui, bientôt, deviendrait un lac, un réservoir d'eau, d'ailleurs déjà large comme un lac. Mana Mani, un peu penchée de côté, observait toute la scène. Avec rochers saillants, comme sculptés au ciseau, anguleux, tranchants comme un rasoir, elle semblait lancer des regards de colère. Une montagne impossible, avec ses surfaces verticales de granit, nues comme des lames, à ce point polies par les vents qu'elles semblaient étinceler, plus effrayantes encore à regarder d'ici que du monastère caché dans un repli à douze kilomètres de là.

Sur les pentes, de part et d'autre du terrain, s'étageaient des rangées d'innombrables baraquements militaires à toit de tôle.

La route maintenant était en palier, et je croisais des groupes d'hommes de plus en plus nombreux, passant devant de vastes terrasses où s'alignaient des baraques Nissen en tôle ondulée, en forme demi-cylindres. A mesure que j'avançais, j'étais frappée par le calme bizarre qui semblait régner sur les chantiers. On y voyait bien des ouvriers, mais personne ne travaillait.

Des groupes qui allaient grossissant restaient là à attendre, regardant passer ma jeep. Je m'aperçus que j'approchais d'une sorte d'amphithéâtre creusé dans la falaise et rempli d'hommes, trois ou quatre mille au moins, vêtus de gilets de peau de mouton, la fourrure à l'intérieur, enroulés dans des couvertures, portant des boucles d'oreilles. Ils considéraient ma jeep d'un air étonné et se reculaient pour lui livrer passage.

Je vis alors venir à moi la jeep de l'Aide, celle

même que nous avions rencontrée la veille se dirigeant vers l'aéroport. Trois hommes l'occupaient, dont deux armés de fusils. Debout dans le véhicule, l'un de ceux-ci, cramoisi de colère, me cria:

« Que diable faites-vous ici, Madame ? Partez, s'il vous plaît, faites demi-tour.

— Je veux voir Mr. Menon.

— C'est impossible, il est occupé. Voulez-vous, je vous prie, repartir à l'instant.

— Voilà Mr. Menon ! m'écriai-je. Je le vois.

— Je vous en prie, partez, cria l'homme, qui semblait prêt à éclater. Il y a une manifestation. C'est dangereux. »

Mais j'avais vu Unni qui descendait la pente, émergeant d'une rangée de baraques construites un peu au-dessus des autres, sous une roche en surplomb.

« Regardez, dit l'homme, qui était si furieux contre moi tout à l'heure, il va encore aller haranguer la foule.

— Logan le suit, il a un revolver.

— Mais non, voyez, c'est le haut-parleur. »

Derrière Unni venaient deux hommes portant les objets qu'on voit aujourd'hui le plus communément dans toutes les foules du monde: une batterie, un amplificateur et un microphone.

« Madame, il faut faire demi-tour, répéta l'homme, il y a du danger. Les ouvriers sont en grève, c'est une manifestation. »

Déjà la voix d'Unni passait au-dessus de nous, transmise par l'amplificateur. Le sens des paroles m'échappait, bien entendu, je n'entendais que le son de cette voix, les vibrations basses, si particulières, très profondes et graves, douées d'un étrange pouvoir calmant, une voix détendue, raisonnable, qui vous donnait envie de vous renverser dans votre siège et de fermer les yeux ; on y sentait une chaleur sans passion, elle était reposante comme un abat-jour vert. Heureux homme, me disais-je, amère et amusée, né heureux avec cette voix et ce corps. Un homme qui inspirait confiance.

Une vague de rires s'éleva autour de moi. Unni prononça encore quelques phrases, il y eut de nouveaux rires, hésitants, à demi rétifs. Les femmes surtout riaient en mettant leurs manches devant leurs bouches. Dans la jeep, l'homme en colère riait aussi :

« Quel type ! dit-il, quel type ! Il a la langue rudement bien pendue.

— Que dit-il ?

— Il tâche de les persuader de reprendre le travail. Il y a eu récemment ici des troubles assez sérieux. Hier, une émeute a éclaté et deux des nôtres ont été frappés. Le calme semblait revenu, mais ce matin cela recommence, expliqua-t-il, devenu soudain loquace. Hier, notre sous-ingénieur nous a distribué des armes à feu, mais Mr. Menon se fait fort de ramener les hommes à la raison en leur parlant. Il ne croit pas aux fusils, mais à la persuasion.

— Mais pourquoi font-ils grève ?

— Ils ne le savent en réalité pas, dit l'homme, les yeux toujours fixés sur la foule maintenant agitée de remous. Il y a ici environ douze mille personnes, y compris les porteurs, les hommes qui traînent les wagonnets, etc. Nos convois de vivres ont été attaqués par des bandits, et nous avons constaté quelques actes de sabotage, des vols de pièces détachées, mais le pire, c'est la déesse, Mana Mani, là-haut, dit-il avec un mouvement de tête en direction de la montagne, les ouvriers sont superstitieux. »

Une nouvelle vague de rires déferla. Unni avait repris la parole. Je m'efforçais de l'écouter, tout en demeurant attentive aux paroles de mon interlocuteur.

« Vous les entendez maintenant rire comme des enfants, parce qu'il leur parle des choses qui les concernent directement. Le Rampoche et quelques-uns des gros propriétaires de la région sont hostiles à la construction du barrage. Pour diverses raisons, mais surtout à cause de la *tola*, du travail gratuit. Voyez-vous, autrefois, tous les habitants de la vallée, hommes et femmes, devaient fournir au monastère cent cinquante journées de travail gratuit pour la construction, le ramassage du bois, la fabrication du beurre, le cassage des pierres, le portage. Mais l'argent détruit les traditions. Quand les gens reçoivent un salaire chaque fois qu'ils ont travaillé, leur attitude ne tarde pas à se modifier. Maintenant, ils se refusent à travailler pour rien, aussi le Rampoche leur raconte-t-il qu'il va y avoir la peste et la famine. Je parie que c'est lui qui a organisé les attaques des bandits contre nos convois.

— On pourrait citer encore d'autres faits, dit l'un des jeunes hommes armés d'un fusil. Voyez, par exemple, la déesse de la petite vérole. Il y a quatre ans, nous avions réussi à persuader les femmes de la région de se laisser vacciner, elles et les petites filles. Les hommes, eux, s'y refusaient ; ils prétendaient que cela les rendrait impuissants — la pire des catastrophes pour un homme des collines. Mais, maintenant, nous avons établi une règle : pas de vaccin, pas de travail (c'est facile parce qu'avec les inondations il n'y a que trop d'hommes affamés, errants, qui viennent ici demander de l'embauche). En conséquence, la déesse ne reçoit plus d'offrande cette année, puisque personne n'a la petite vérole, et il rentre moins d'argent dans la bourse du Rampoche. »

Ils ne songeaient plus à me faire partir. Même, ils me considéraient avec une visible admiration et une insistance marquée. Je commençais à comprendre pourquoi le règlement interdisait la présence des femmes au barrage. L'un d'eux me dit :

« Nous voyons très rarement des dames ici ; parfois, tout à fait exceptionnellement, dans un groupe de touristes.

— Mais cela aussi va changer, dit l'homme qui m'avait interpellée le premier ; l'an prochain, nous aurons une femme médecin. Une missionnaire, précisa-t-il avec un imperceptible soupir. Et nous espérons bien pouvoir aussi amener ici une petite amie de temps à autre au lieu de payer cent soixante roupies le billet d'avion pour Khatmandou aller et retour. »

Les rires étaient la réponse tout indiquée. Je m'y joignis sans fausse pudeur. Ces hommes parlaient sans détour. Quand ils avaient envie d'une femme, ils allaient à Khatmandou... tout comme l'avait fait Unni, comme il le faisait maintenant, avec moi.

Unni avait repris la parole. Quelques hommes poussaient des cris qu'on devinait menaçants et s'efforçaient de couvrir sa voix.

« C'est au sujet du tremblement de terre, dit l'un des jeunes gens, d'un air inquiet, reprenant son fusil.

— Mais il n'y a pas eu de tremblement de terre.

— Nous le savons fort bien, mais il semble que le Rampoche ait persuadé certains des ouvriers qu'il y en a eu un... or un tremblement de terre implique un sacrifice. Un homme doit mourir pour apaiser la déesse.

— Unni vient de ce côté maintenant, je crois qu'il vous a vue », dit l'homme qui m'avait parlé tout à l'heure avec colère.

Unni s'éloignait du haut-parleur et s'avançait vers nous. Il portait la même chemise que la veille et le sweater qu'une femme lui avait donné. Il marchait d'un pas nonchalant, comme s'il n'avait aucun souci au monde, et je sentis la foule surprise, figée par la stupéfaction. Je ne savais s'il était fâché ou content, on n'aurait pu le dire, à cause de cette sorte de sérénité qui lui était propre et qui, chaque fois que je le voyais, me donnait l'impression d'un nouveau commencement. Il ne se prévaudrait pas du passé pour faire valoir ses droits, de sorte que rien n'était jamais considéré comme admis.

Tandis qu'il s'avançait, lentement à cause de la foule qui l'entourait, j'éprouvais cette douleur dans la poitrine qui m'envahissait chaque fois qu'il venait vers moi, et je me sentais réduite à l'impuissance, soumise d'avance à sa volonté, heureuse d'ailleurs dans cette soumission. Peut-être le Général disait-il vrai quand il affirmait qu'à un homme vraiment viril la femme se fait une joie d'obéir, car c'est un plaisir et même une façon déguisée d'exercer sa domination, que d'obéir uniquement par amour.

A mesure qu'il s'approchait, ma colère s'enfuyait loin de moi, je me sentais exorcisée. Il ne faut pas que je l'emprisonne, me disais-je, que je le harcèle de mes doutes et de ma peine. Rukmini était là avant moi. J'étais allée vers Unni en lui disant : « Aidez-moi, aidez-moi ! » Aujourd'hui je découvrais un autre Unni, le créateur avec son œuvre autour de lui. Et, dans cette œuvre qui était aussi pour lui un amour, je n'existais pas. Pourtant il me fallait accepter cela aussi, il me fallait accepter le barrage et tout ce qu'il signifiait: la séparation, les jours sans Unni qui fuiraient rapides comme l'eau verte, sans qu'on pût en arrêter le cours.

Maintenant il était près de la jeep; il me tendit la main, et je descendis.

«Marche droit devant toi, murmura-t-il, ne souris pas trop, n'aie pas l'air d'avoir peur. Il va falloir que tu m'aides.»

Côte à côte nous avancions, environnés par la foule. Sur un ton courtois, indifférent, comme s'il s'adressait à une touriste en visite, il me donnait des explications sur le barrage, de manière que les ouvriers pussent entendre.

«Comme tu le vois, les travaux sont amorcés. La rivière que voici, l'un des principaux affluents du grand fleuve, est alimentée par les glaciers, en particulier par le glacier de Mana Mani, la belle montagne qu'on voit là-bas (non, ne la désigne pas du doigt, c'est irrespectueux); elle appartient à une noble confrérie de déesses qui, semble-t-il, nous protègent. Quand le barrage sera construit, tout le terrain au-delà formera un vaste lac, flanqué de deux lacs plus petits créés dans les gorges adjacentes. Grâce à quoi nous serons à même de capter au moins un tiers de l'eau qui se déverse dans le fleuve (car il y a plusieurs autres affluents, nous nous attaquerons à eux par la suite). Et maintenant montons jusque chez moi, en haut de cet éperon. Lentement, sinon, tu vas t'essouffler.»

Il se détourna pour donner des ordres, agita la main pour indiquer qu'on pouvait emporter le haut-parleur et, sans un regard pour la foule intriguée, il me guida vers les marches renforcées par des madriers qui conduisaient aux baraquements.

« Veux-tu entrer ? dit-il en m'ouvrant la porte de l'un d'eux. J'habite ici. »

Je pénétrai dans une pièce confortable, mi-chambre à coucher, mi-bureau. Il y avait là une table de travail jonchée de papiers, deux lampes-tempête ; le sol de toile goudronnée était recouvert de plusieurs tapis thibétains en laine rugueuse et d'une peau de tigre. Un canapé thibétain en bois garni de fourrure s'adossait au mur. Unni me fit signe de m'asseoir, et je m'aperçus alors qu'il était aussi proche de la colère que le permettait son caractère.

Ce fut la manière dont il alluma sa cigarette qui m'en avertit. J'étais honteuse, mais en même temps trop orgueilleuse pour chercher à me disculper, pour manœuvrer de façon à l'émouvoir, pour être tendre. Je ne pouvais éviter ce qui allait suivre.

« Puis-je savoir pourquoi tu es venue ?
— J'étais très malheureuse.
— Pourquoi étais-tu malheureuse ?
— A cause de Rukmini. »

Il baissa les yeux.

« Unni, il faut que je tâche de t'expliquer. Ce matin, je n'ai pas pu supporter... »

Et je me mis à lui raconter minutieusement les moindres nuances, les variations de mes sentiments, la fureur et le désespoir qui m'avaient assaillie au réveil, l'affreuse rancœur qui m'habitait, la montée de la colline, les paroles de Mike, tout enfin, sans rien lui épargner.

« C'est inutile, Unni, je sais que j'ai tort. Oh, c'est l'esprit, non la chair, qui est faible et jaloux. Pardonne-moi, je suis égoïste, je sais bien que je suis en train de construire pour nous une prison, une prison dans laquelle je me sentirai plus solitaire (ce sera justice) et plus dépossédée que jamais ; pourtant, je ne puis m'empêcher de penser et de sentir ainsi. Il fallait que je te le dise. Et puis je suis venue... et je t'ai vu. J'ai vu un autre *toi* que je ne connaissais pas. J'ai honte de ma mesquinerie ; pourtant je sais que je recommencerai, je ne puis m'en empêcher.

— Anne, dit-il, tu n'as aucune raison d'avoir honte. Je pensais que ce pouvait être à cause de Rukmini.»

La façon dont il prononça ce nom m'irrita, je redevins amère et mauvaise.

«Tu *pensais* que ce pouvait être à cause de Rukmini. Ou bien à cause de notre enfant. Quelle chance que je l'aie perdu ! Ce pouvait être aussi parce que tu m'as demandé tant de fois de te croire. A vrai dire, les raisons ne manquaient pas.

— Anne, dit-il, d'une voix plus sourde que jamais, quel mal es-tu en train de nous faire ?

— Nous ? Est-ce que ce *nous* a jamais existé, Unni ? Dis-le-moi. Voyons, cela valait-il les cent soixante roupies du voyage à Khatmandou, aller et retour, hein ? Oh, m'écriai-je, pourquoi t'ai-je dit une chose pareille ?

— Ma chérie, dit-il, pardonne-moi.

— Te pardonner quoi ? Je t'ai demandé de m'aider, je me suis jetée à ta tête.

— Pardonne-moi d'être ce que je suis, il n'y a rien d'autre à pardonner.

— Ce que tu es... dis-je. Oh, Unni !»

Mais c'était justement ce que je ne pouvais accepter, cet homme tout entier, tel qu'il était. J'avalai péniblement ma salive. Voilà ce que nous oublions toujours, avec notre manie d'émettre des hypothèses simples alors que les faits sont compliqués : il était lui-même, riche de l'expérience que lui avaient apportée les années, et j'étais moi-même. Aucun de nous ne devait être entièrement modelé par l'autre, nous ne pouvions que donner et recevoir, pareils à deux étrangers qui se rencontrent sur la grand-route au cours d'un voyage et se portent mutuellement secours.

« M'as-tu acceptée tout entière, telle que je suis ?

— Oui, le soir où tu m'as demandé de m'en aller, après la réunion musicale d'Eudora, tu te souviens ? Tu avais envie d'écrire. Il m'a fallu tout accepter. Bien sûr, cela m'a fait mal à moi aussi. Laisser sa pleine et entière liberté à l'être aimé, ce n'est pas facile. Certainement pas.

— Que je suis donc sotte et mesquine ! dis-je.

— Il faut, je crois, dit-il, répondant comme toujours au-delà de ma question, que nous vivions maintenant ensemble pendant un long moment. Nous avons tant à nous donner l'un à l'autre. Je vais tâcher d'arranger cela, dès que ces stupides émeutes seront terminées.

— Stupides ?

— Oui. J'ai presque réussi à persuader les ouvriers de reprendre le travail, mais ils veulent avoir l'air de tenir bon, pour le plaisir. Ton arrivée aussi, je l'ai mise à profit. Trop habile, dit-il en m'imitant. Ne crois-tu pas, chérie, que tout le drame est là, je suis trop habile. Pourtant je ne puis m'empêcher de l'être, car il faut que je construise ce barrage, avec tout ce que je suis et tout ce dont je puis me servir. Et je me suis servi de toi. Je pouvais me servir de ta venue pour frapper les imaginations, c'est ce que j'ai fait. Si vraiment ils décidaient de nous tuer, nous n'y pourrions pas grand-chose. Faire usage de nos armes ? Si nous en tuons un, les autres ne voudront plus travailler pour nous. Je ne peux les tenir qu'en les traitant comme des êtres raisonnables, honorables. En les hypnotisant, pour ainsi dire, par mon attitude apparemment impavide. Quand je t'ai vue dans la jeep, j'ai d'abord eu un mouvement de colère, car tu courais de gros risques en venant seule ici. D'une part la route est mauvaise, d'autre part quelques-uns des bandits payés par le Rampoche pouvaient fort bien rôder dans les environs.

— Mais c'est toi, souviens-t'en, qui m'as montré comment conduire une jeep sur une route de montagne en construction. »

Il se leva de sa chaise et vint vers moi, me plongeant du même coup dans ce climat d'ardeur et de sensualité candide qui était le sien :

« C'est en effet vrai, Anne. »

Il riait très fort et m'embrassait, nous ne pouvions nous arrêter de rire et je ne souhaitais rien de meilleur.

A trois heures de l'après-mdi, Unni me reconduisit en jeep à Bongsor. Je me rappelle l'heure avec précision, parce qu'il avait attendu jusque-là au cas où le Rampoche déclencherait un autre tremblement de terre. La nouvelle en serait relayée par les paysans qui gardaient les troupeaux agrippés le long des pentes, elle serait psalmodiée de colline en colline et parviendrait au barrage en une demi-heure.

Mais il ne se passa rien, si ce n'est qu'au déjeuner, en mangeant le curry chaud et le riz, nous entendîmes ronronner un avion — Unni, en effet, m'avait présenté les autres ingénieurs travaillant au barrage, au nombre d'une demi-

847

douzaine environ, appartenant à autant de nations diverses.

« Un avion, fit un Danois, le visage levé.

— Bizarre, dit celui qui m'avait enjoint de repartir, un Américain de l'Arkansas.

— Nous n'attendions rien, n'est-ce pas? demanda l'un des plus jeunes, un Gallois.

— Je saurai ce que c'est en allant reconduire Anne », avait répondu Unni.

Maintenant la piste traversait les contreforts de l'Himalaya dorés par le soleil de septembre, où les trembles tachetés comme une robe de tigre avaient déjà leur aspect automnal. Nous roulions sous des jets alternés d'ombre glaciale et de soleil brûlant. Les arbres projetaient sur le sol de longues répliques d'eux-mêmes en plus sombre, les nuages s'amoncelaient comme des oreillers autour des pics neigeux, de sorte qu'ils semblaient flotter et se déplacer au gré de la brise. Le ciel était d'un turquoise sans défaut. Mana Mani s'élevait toute mince derrière nous, ni amie, ni ennemie.

Dans une courbe où le soleil frappait l'éperon de la colline, Unni s'arrêta :

« Etendons-nous un moment au soleil. »

Les grosses pierres étaient brûlantes, mais sur leur autre face, exposée à l'ombre, le lichen et la mousse demeuraient d'un bleu humide. Avec un plaisir inexplicable, je palpais les deux surfaces, chair autre que la mienne, matière, substance, belle à toucher en soi, satisfaction à laquelle l'esprit et l'âme demeuraient étrangers. Mais, en réalité, jamais on ne vit les mouvements de l'âme se manifester en dehors du corps ; et cette chaleur agréable à mes paumes était-elle plus immatérielle, moins spirituelle que les pensées de mon esprit ?

Quand je sortis de ces pensées, ce fut pour voir

Unni me regarder. Il s'était étendu près de moi, et mes yeux s'attardèrent sur la beauté de son long corps mince avec ce même plaisir émouvant que j'avais éprouvé l'instant d'avant au toucher de la pierre. La chair, substance, délices. Délices tout autour de nous, dans un merveilleux équilibre, moment parfait, faillible et mortel. Non pas l'extase du saint, mais le plaisir de l'être humain passionné : des yeux pour voir, des oreilles pour entendre.

« Tu me plais quand tu es ici au loin, complètement partie d'avec moi, m'ayant totalement oublié, voguant sur les ailes de l'imagination.

— Quel poète tu es parfois, Unni !

— Si c'est être poète que d'apprendre à vivre, peut-être en suis-je un, mauvais, d'ailleurs.

— Les poètes sont des êtres sans coquille, des embryons sans enveloppe, leur chair est à nu, leur esprit s'écoule d'eux-mêmes comme une source. Ils sont très vulnérables.

— Ici, nous disons qu'un poète est celui qui n'a pas de secret pour Dieu dans son cœur et qui, en chantant ses chagrins, ses craintes, ses espoirs et ses souvenirs, les purifie et les lave de tout mensonge. Ses chants sont les miens et les tiens.

— Mais pour cela il faut qu'il éprouve des chagrins et des craintes, il faut qu'il ait des attachements. Ce ne peut être un saint, comblé par l'amour de Dieu seul. Il doit être imparfait.

— Oui, dit Unni, c'est cela. Pour être poète, il faut qu'il ait des besoins et des désirs. »

L'herbe était rugueuse et toute raide à force d'avoir lutté contre le vent. Le long grondement du torrent couvrait le chant des oiseaux. Tout cela appartenait à la terre, la terre magnifique, comme lui appartenait notre amour, coupable, humain, d'une beauté souvent imparfaite.

Il ne nous était pas donné de connaître le plus haut sommet de l'extase, domaine de la béatitude, mais non pas des chants du bonheur, apothéose de l'âme, mais non pas enchantement de son compagnon de chair et de sang, le corps, austère renoncement, mais non pas acceptation de la joie et du malheur.

Notre apanage, c'était la lutte et les défaillances, les perplexités et les doutes, l'immonde et le splendide, l'horreur tapie derrière le banal, le tourment de l'amour, la hideur de la haine, la magnificence de la création et l'éclat trompeur de la rancune. Car le corps est lui aussi créateur, il crée le désir et le chagrin, et toutes nos vertus naissent des passions de notre corps, dans cette antique vérité, à jamais niée, du bien et du mal. A tout moment nous étions d'autres que nous-mêmes, et nous pouvions devenir des êtres différents, sans autre certitude que celle de marcher sur des sables mouvants.

Notre apanage, c'étaient les moments parfaits et périssables, arrachés à la mort trompeuse. Des moments pareils à celui-ci.

« Comme tu te cramponnes à la vie ! dit-il. Comme tu es avide de vie, ma bien-aimée !

— Et toi ?

— Pas autant que toi, je suis plus résigné. Toute action est inévitable, mais elle dépend moins de ma propre volonté que de celle de la source d'énergie qui est en moi. Pour l'instant le barrage façonne, si je puis dire, ma destinée. Mais ton avidité de vivre est telle qu'elle semble déborder de toi. J'aime ton démon insatiable, je l'aime avec mon moi le plus irréel — comme dirait le Rampoche, ajouta doucement Unni, car jamais il n'oubliait de garder le contact avec la terre, ne serait-ce que du bout du doigt.

— Et Rukmini ? » dis-je.

J'ai pu prononcer son nom avec calme.

« Si quelque jour la beauté revêt pour nous un visage, la sienne en sera l'un des éléments. »

Car Rukmini, portée par des ailes d'ange, avait atteint d'emblée le véritable sommet, la haute montagne. Mais pas nous. Nous avions encore un rude trajet à parcourir sur le chemin des hommes, à travers leurs illusions. Rukmini savait aimer au-delà de la connaissance et Unni avait eu raison de lui montrer qu'il l'aimait, car, si ravie en extase qu'elle fût, elle n'en avait pas moins eu besoin d'une confirmation avant que vînt pour elle le moment suprême, une confirmation donnée par un autre être humain, le consentement, l'affirmation de la réciprocité. Nous avons tous besoin de *l'autre,* de l'être humain pareil à nous, témoin et réacteur, pour nous permettre d'atteindre au-delà de nous-mêmes. C'est seulement par l'intermédiaire d'autres êtres que nous pouvons connaître la plénitude. Seul le contact humain peut créer Dieu pour nous ; sans les paroles de l'homme, le Chant de Dieu ne serait point chanté.

Quant à Unni et moi, notre lot, ce serait la lutte contre l'incertitude et l'imperfection, dans la privation et la douleur, les espoirs déçus et l'inévitable insensibilité de l'oubli. Ce qui nous attendait, c'était le dur labeur dans l'obscurité, pareil à celui des montagnes qui ne cessent d'élaborer des formes nouvelles. Les aspirations insatisfaites nous réservaient leurs longues faims, et le désir l'inépuisable soif de demain.

Bongsor n'était qu'ombre violette et fumée quand notre jeep monta la grand-rue.

Le lama Tenzin se tenait sur le seuil de la Société des Boissons agréables. Unni s'arrêta et le héla :

« Est-il arrivé un avion de Khatmandou cet après-midi ?

— Comment le saurais-je, Kushog ! » répondit le lama d'un air revêche ; puis il nous tourna le dos et rentra dans sa caverne.

Les portes du monastère étaient ouvertes. Il me sembla qu'Unni hésitait un moment avant de les franchir :

« L'atmosphère m'a l'air fort peu amicale, dit-il.

— C'est toujours comme cela.

— Pas autant qu'aujourd'hui, il me semble. »

Nous étions maintenant dans la seconde cour. J'entendis alors derrière moi le bruit, bien reconnaissable, des grandes portes qu'on refermait.

« Oh, Unni, regarde, regarde, ils ont refermé les portes.

— Oui », dit-il, mais, au lieu de se retourner comme moi, il regardait droit devant lui.

Debout sur les marches de l'*Hôtel du Barrage*, botté, portant une courte veste de fourrure, un coutelas à la ceinture et balançant dans ses mains un grand fouet noir à lanière épaisse pareil à un serpent, Ranchit, théâtral et presque grotesque, aurait prêté à rire, n'eût été l'expression de son visage cruel où la lèvre supérieure se relevait pour grimacer un effrayant sourire qui découvrait deux dents plus blanches que les autres.

« Ah, Menon, et vous, déesse, vous arrivez à point nommé. Je vous attendais. »

Il y eut, bien entendu, de la résistance, un soudain tumulte, des coups sourds et des souffles haletants, un envol frénétique et ridicule de bras et de jambes, et je me trouvai prise dans la mêlée parce que quelqu'un me frappa et que je tombai, mais aujourd'hui encore je suis incapable de me rappeler où j'ai été frappée, je n'ai senti aucun mal.

La lutte prit fin ; elle s'acheva dans un cauchemar interminable et ridicule, préfiguré, vide de toute signification. Les sens engourdis, je voyais Unni ligoté comme un ballot par les quatre hommes qui l'avaient assailli (comme il est difficile, maintenant que tout est fini, de ne pas me les représenter comme une horde, de ne pas ajouter, si peu que ce soit, à leur nombre), Unni, mains et pieds liés, jeté à terre, et s'efforçant de se redresser, soulevé sur une épaule, la joue sur les pierres, tandis que Ranchit le bourrait de coups de pied.

« Unni ! criai-je, Unni ! »

J'entendais ma voix, qui me semblait avoir un son étrange, tant elle exprimait de stupéfaction et paraissait venir de très loin. Quelqu'un me retenait, et je cherchais à me dégager avec rage, sans regarder ce quelqu'un, dont je ne vis jamais le visage, mais, j'avais beau me débattre de toutes mes forces, je ne pouvais parvenir jusqu'à Unni.

Le Rampoche aussi était là — toujours cérémonieux, entouré d'une foule de lamas sortis à contre cœur de leurs pyramides de pierres. Les mains voltigeant comme des papillons, le Rampoche disait :

« Non, voyons, Sri Ranchit... Je vous en conjure, Sri Ranchit... »

Derrière lui piétinaient les lamas, robes grenat, faces de beurre et crânes chauves ; les acolytes et les gardes, les serviteurs et les femmes s'attroupaient autour de nous.

« Ranchit, criai-je, Ranchit ! »

Il me regarda ; jusque-là il avait paru hypnotisé par le spectacle d'Unni tentant de se relever et retombant à chaque fois. Quand je vis de quel air recueilli Ranchit lançait contre lui ses jambes bottées, le frappant au ventre, à l'entrejambe, choisissant les endroits sensibles, je compris qu'il était fou, que tout appel serait vain. Puis je crus que j'étais folle aussi, car à côté du Rampoche, impassible, magnifique dans sa robe rayée de couleurs vives, je découvris Rukmini qui regardait Unni, puis moi, le visage lisse comme la soie ou les perles, lumineux et serein.

« Rukmini ! criai-je, retenez-le, Rukmini, retenez Ranchit ! »

Mais Rukmini demeura imperturbable ; puis elle ramena paisiblement sur ses épaules son châle de laine tissée.

Ranchit riait. Son visage s'approcha tout près du mien. Je ne pus éviter son souffle, ses traits qui me frôlaient, la caresse de sa main, le fausset de sa voix, un cri dément qui s'étrangla.

« Ah, déesse, déesse, vous voyez maintenant qui est le plus fort. Maintenant, maintenant...

— Rukmini, criai-je, je vous en prie, je vous en prie ! »

Mais elle n'écoutait pas, elle ne disait mot, figée dans quelque étrange rêve, presque souriante. Je voyais ses petites mains, des mains d'enfant, allongées paisiblement le long de son corps. Ranchit se détourna pour la regarder et se remit à rire.

« Vous voyez, dit-il, je suis le plus fort. Cette nuit, je coucherai avec vous, déesse, et je vous apprendrai bien des choses. »

La bouche du Rampoche se mit à trembler. Chérie, étouffant ses sanglots, fit un mouvement vers moi, mais son père, toujours prudent, la retint.

« Vous voyez maintenant, dit Ranchit, vous voyez... Amenez les autres », cria-t-il.

Les hommes du Rampoche amenèrent alors, en les poussant brutalement, Mike Young et le professeur Rimskov, ce dernier bégayant : « Mais... mais... » Ils étaient ligotés et leurs vêtements formaient des plis entre les minces cordes. Mike, les lèvres serrées, aperçut Unni à terre et s'écria :

« Bon dieu, Ranchit, vous paierez cela ! »

De son côté le Rampoche gazouillait :

« Voyons, voyons, Sri Ranchit, je vous en supplie... enfin je veux dire... »

Alors Unni se mit à rire. Un faible rire, mais prodigieux, extraordinaire, parce que la douleur le faisait un peu gémir en même temps. Couché sur le visage, il riait.

« Vous allez voir, vous allez voir », dit Ranchit.

Le fouet noir claqua dans l'air, retomba avec un bruit sourd sur ce rire :

« Maintenant vous allez voir... vous allez voir... je suis un Rana, je vais le fouetter comme un esclave, ce manant, cet individu de basse caste... »

Un coup, encore un autre. J'entendais crier quelqu'un, mais ce n'était pas Unni, c'était moi. Moi et aussi Mike qui vociférait, et Chérie qui sanglotait plus fort à chaque coup de fouet. Clac, clac, je voyais le fouet monter et redescendre. Ranchit avait presque l'écume à la bouche, il grondait : « Hou ! Hou ! » à chaque coup, puis soudain, épuisé, il lança le fouet au loin et resta là, hors d'haleine, à regarder autour de lui.

« Vous voyez, haleta-t-il, vous voyez maintenant qui est le plus fort.

— Lâche, criai-je, abominable lâche !

— Et maintenant, dit Ranchit, je vais l'émasculer.

— Rukmini, hurlai-je, Ranchit est fou ! Je vous en supplie, faites-le cesser. »

Rukmini se tourna vers le monastère. Elle avait levé les yeux et, machinalement, je les levai à mon tour vers la montagne, vers Mana Mani toute dorée dans la lumière du couchant.

« Non, non, s'écria le Rampoche, c'est interdit, Sri Ranchit ! »

Le rire de Ranchit éclata à nouveau, pareil à un croassement.

« Vieux fou, si je le faisais, toute la Vallée croirait que j'ai été cocufié.

— Oui, oui, balbutia le Rampoche, je veux dire non, non, Sri Ranchit, il n'a pas touché la Maharani.

— Je le sais. Dommage, cela aurait été bien agréable, mais un Rana ne se déshonore pas. Vous vouliez qu'on offrît un sacrifice à la déesse, Rampoche. Elle réclame un homme. Je me plais toujours à combler les désirs des femmes.

— Oh, mais pas un ingénieur, voyons ! s'écria le Rampoche au paroxysme de la terreur. Sri Ranchit, je vous en prie, songez donc, le Gouvernement.. le barrage... je ne voulais pas parler de l'ingénieur.

— Anne, dit Ranchit se tournant vers moi, ce soir la tête de votre amant nous regardera faire l'amour.

— Oh non, non, non, non ! hurla Chérie. Papa, empêchez-le, empêchez-le !

— Maharani, dit Ranchit à sa femme, regardez votre dieu mourir comme un esclave ! »

Deux des quatre hommes qui avaient jeté Unni à terre le maintenaient; l'un d'eux le saisit par les cheveux, le remorqua vers lui, de sorte que le cou s'étira; l'autre lui ramena les bras en arrière sous les cordes serrées qui le ligotaient. Ranchit soupesa le lourd coutelas, se mit en position et fouetta l'air de son bras armé comme pour faire un essai.

« Maintenant regardez bien », dit-il en brandissant la lame.

Quelqu'un poussa un cri. Peut-être moi, je ne sais. Je ne le saurai jamais, car je m'effondrai dans les bras qui me garrottaient, et l'instant d'après je gisais sur les pierres de la cour. Les mains qui m'empêchaient d'approcher d'Unni m'avaient lâchée. Oh, Dieu du Ciel, me dis-je alors, je vais tuer Ranchit. Et je me relevai.

Mais le cri continuait, continuait, une énorme clameur poussée par tout le monde à la fois, un cri horrifié, horrifiant, un tissu de cris, affreux à entendre : les lamas qui criaient tous ensemble.

Et la voix de Chérie dominant toutes les autres :

« Rukmini, Rukmini, Rukmini ! »

J'étais debout.

A mes pieds gisait Rukmini, les yeux encore ouverts, regardant le ciel avec un sourire triste, crispé. Autour d'elle, tout autour de moi, nous éclaboussant tous, son sang vermeil glissait sur les dalles de la cour.

Cinquième partie

Le Retour

Quand on aime un être, on ne l'aime pas
toujours de la même façon, à chaque instant. La chose est tout à fait impossible.
C'est même mentir que de le prétendre. Et
pourtant c'est exactement ce qu'exigent la
plupart d'entre nous. Tant nous avons peu
de foi dans le flux et le reflux de la vie, de
l'amour, des actions humaines.

ANNE MORROW LINDBERGH.

Chapitre premier

«Incroyable! dit Enoch Bowers.

— Ça me paraît ahurissant, dit Pat, les mains étroitement croisées.

— Et *elle,* comment va-t-elle? demanda Enoch avec un accent de vénération dans la voix.

— Anne? Oh, elle va bien, dit Paul Redworth. Un peu éprouvée par toutes ces allées et venues. Une grande fatigue, vous comprenez, les trajets en avion et ainsi de suite, sinon elle va très bien.

— C'est étrange, dit Enoch en hochant la tête, j'aurais cru qu'en découvrant...

— En découvrant quoi? dit Paul, sur un ton de courtoisie glacée.

— Eh bien, on dit ici que l'autre jeune femme était allée là-bas pour y retrouver quelqu'un.»

Paul se renversa sur son siège, une lueur de malice dans les yeux:

«J'aurais cru, dit-il, que, dans l'intérêt même du Club, moins on en dirait sur cette affaire, mieux cela vaudrait. Ranchit était l'un de vos membres les plus influents.

— Je crois, en effet, que nous avons épuisé la question», déclara Pat d'une voix blanche.

Ses mains, toujours en mouvement, se tordaient nerveusement. Après la brève période qui avait suivi son mariage, pendant laquelle elle avait un air correct et soigné, on lui voyait à nouveau des ongles sales :

« Je ne me sens pas très bien, chéri, je vais aller peindre un peu.

— Oui, c'est cela, mon amour. »

Plein de sollicitude, Enoch se leva aussitôt pour aller lui ouvrir la porte :

« Je suis content que Pat recommence à peindre, dit-il à Paul d'un air attristé et admiratif. Je suis moi-même si occupé que je n'ai guère de temps à consacrer à la culture créatrice. Heureusement que Sharma est là pour la distraire ; en ce moment elle fait son portrait. »

On lisait sur son visage désolé l'amour nostalgique qu'il éprouvait pour Pat.

Quand Enoch revint chez lui, Pat était couchée dans la chambre où elle avait fait le noir.

« Tu te sens mieux, mon amour ?

— Oui, merci.

— Tu as peint ?

— Non, j'ai voulu d'abord m'étendre un peu.

— Tu as très bien fait. Je me demande, poursuivit-il après avoir marqué un temps, s'ils vont ramener le... les restes ici par la suite... Tu ne crois pas que notre Club devrait faire célébrer un service funèbre ? Je veux dire... c'était l'un de nos membres les plus influents. Un grand personnage. Il nous manquera. »

Pat enfouit son visage dans l'oreiller et ne répondit pas.

Le Père MacCullough avait prié Anne et Fred de l'accompagner à la fête du Dieu de la Pluie qui se déroulait à Khatmandou. Sans doute Anne n'était-elle pas sans reproche, mais un prêtre ne doit pas porter de jugement prématuré. Tout rentrerait dans l'ordre quand il plairait à Dieu. Qu'Anne se rendît à la cérémonie dans la jeep du Père, c'était pour lui symbolique. Symbolique de quoi, il n'aurait su le dire, mais il sentait que Dieu, invisible promoteur des actions humaines, avait voulu qu'il en fût ainsi, et Ses projets sont à longue échéance. En attendant, que le Tout-Khatmandou potine donc à perdre haleine! Les gens étaient loin de connaître la vérité.

Quand Anne, Mike Young et le professeur Rimskov étaient revenus de Bongsor, leur retour avait apporté dans la Vallée une atmosphère dramatique. Moins d'une heure après leur arrivée par avion, le récit de la tragédie circulait déjà — version à l'usage du public et qui, d'ailleurs, ne satisfaisait personne. Mais ni Anne, ni Mike, ni le professeur (pris d'une crise de dépression nerveuse à peine débarqué et actuellement soigné par Fred à l'hôpital) n'avaient accordé une parole au Tout-Khatmandou, aussi la malignité publique s'en donna-t-elle à cœur joie.

Au lendemain de ce retour, le Père se rendit au palais du Point Quatre pour voir Mike Young. Le jeune ingénieur faisait ses valises pour aller reprendre son travail sur la route construite par les Américains.

« Nous sommes en train de reconstruire le grand tronçon que la rivière a emporté. Je compte activer les travaux cet hiver, continuer la route le plus loin possible; peut-être atteindrons-nous le barrage d'ici un an ou deux... »

Mike parlait de son métier, machinalement, d'un ton neutre. Il espérait s'étourdir à force de besogne.

« Vraiment, dit le Père, vous faites là du beau

travail, Mike, du beau travail pour le bien de ce pays.

— Ouais », fit Mike, qui venait de boucler sa valise et regardait fixement la clef qu'il tenait à la main.

Devenu soudain pourpre, le Père dit :

« Vous aimeriez peut-être savoir, Mike, que je dis quelques messes pour... pour elle. C'était un ange, Mike, un ange du Seigneur.

— Oh, mon Père, dit Mike les dents serrées, je vous en prie, ne parlons pas d'elle... je vous en prie !

— Eh bien, Dieu vous bénisse, mon fils », dit le Père MacCullough, traçant sur lui le signe de la croix.

Mike hocha la tête. Quand le prêtre fut parti, il demeura un long moment le regard perdu dans la nuit douce et pleine d'étoiles. Rukmini, Rukmini, Rukmini. Son nom chantait dans les oreilles de Mike, il l'avait sans cesse sur les lèvres, obsédant à tel point qu'il souhaitait mourir. Il pleura sans honte, seul. Aucun souvenir tangible ne lui restait d'elle, à part une petite fleur de souci desséchée qu'elle avait cueillie et longtemps gardée entre ses doigts à la garden-party du Club de la Vallée, il y avait de cela longtemps, si longtemps, dans le jardin du *Royal Hotel,* à la fin du printemps. Ses tendres doigts avaient touché la fleur, la tournant et la retournant, jouant avec elle comme avec les bracelets de son poignet. Elle avait souri et la pastille rouge peinte sur son front luisait sous la lumière comme un rubis... Quand elle avait laissé tomber la fleur, il l'avait ramassée, espérant n'être vu de personne, honteux, heureux et boule-versé. La fleur n'était plus qu'une sorte de brindille jaunâtre, tombant en poussière dans l'enveloppe où il l'avait placée, mais c'était tout ce qu'il lui restait d'elle, de ses doigts et de son sourire; cela et des souvenirs, des souvenirs auxquels il s'accrochait farouchement, redoutant le moment où ils commenceraient à se ternir, souvenirs d'une journée toute pleine de joie, là-haut dans les montagnes de Bongsor. Une journée illuminée par son visage heureux, un matin délicieux où, le souffle coupé par le bonheur autant que par l'air des montagnes, il avait rêvé d'une vie entière passée avec Rukmini. Il entendait encore sa voix: «Vous veillerez sur moi, Mike.» Certes, il connaissait son amour pour Unni, il savait... mais cela n'avait pas d'importance, c'était Rukmini, cela faisait partie d'elle-même, il l'avait accepté. Et, avec le temps, peut-être eût-elle fini par l'aimer un peu, car il lui aurait tout donné, il aurait tout fait pour lui plaire. Mais c'était trop, c'eût été trop beau, cela ne pouvait pas être. Puis, brutalement, l'horreur, la torture, l'élan rapide, le sang qui jaillissait — spectacle intolérable — une fin parmi les cris, une fin à peine concevable, même après avoir vu son corps brûler, se consumer, après avoir vu les cendres, les fleurs, les bracelets, l'or, partir au fil de l'eau avec Rukmini. Jamais il n'oublierait. Un seul jour de bonheur, au lieu d'une vie entière, durerait pour lui toute sa vie. Farouchement il se raccrochait à ses souvenirs, souhaitant la douleur, la torture mêlée à la joie, plutôt que le lent oubli, l'usure et l'indifférence.

En descendant vers la place du marché avec le Père MacCullough et Fred qui l'encadraient à droite et à gauche comme deux gardes du corps, Anne se sentait sans volonté, incapable de la moindre réaction. Il lui semblait être en possession d'un amas d'images brisées, comme des pierres entassées au hasard ; la peur demeurait en elle ainsi qu'un dépôt de poussière, une douleur aussi, insinuante comme une odeur, en même temps qu'un profond détachement, une réserve qui endurait la souffrance, mais demeurait invulnérable, coulant comme un silencieux filon d'argent qui eût ondulé à travers la lassitude de son esprit. Ces événements avaient existé, ils avaient été subis, ils étaient maintenant passés au crible, transformés, remodelés, travaillés par le démon de la création, dans la paix retrouvée, dans l'attente. Anne se sentait tout entière absorbée dans son labeur souterrain, dans le travail obscur et continuel de la racine qui se développait en elle, qui allait s'emparer de ce chaos d'événements pour lui donner une forme et un sens, l'ordonner pour créer un dessin de mots. Et elle savait maintenant que, pour faire naître cet instant de vision totale qui se préparait dans la solitude, comme une vie nouvelle, la souffrance, la peine et la joie n'avaient été que la matière brute de la création et qu'un jour tout cela semblerait inévitable, auguste même et cohérent, là où l'on n'avait cru voir que tragédie inexplicable, horreur confuse, douleur vide de sens.

A Khatmandou, pour clore les cérémonies d'adieu au Dieu de la Pluie, on dansait depuis sept nuits sur la place du Durbar. Sous l'auréole de lumière qui l'entourait, on voyait rougeoyer le visage doré de la terrifiante Bhairab, énorme masse de cuivre mesurant plus de deux mètres du menton à la coiffure, couronnée de serpents et de crânes, portant sur son front, comme un troisième œil, Yama, le seigneur de la Mort. Munie de crocs, laissant pendre une longue langue rouge, roulant

ses féroces yeux rouges sous les lumières cligno-
tantes, elle était nourrie de fleurs et d'herbes
odoriférantes, de lait et d'eau pure. Les Nevâris
étendaient les mains pour recevoir, tombant d'un
tube de cuivre placé dans sa bouche ouverte, des
gouttes d'eau magique. Les danseurs masqués de
Bhadgaon dansaient sans arrêt, pendant toute la
nuit, la danse de Bhairab, protectrice de Khatmandou qui massacrait les démons, puis donnait
leur sang à boire à ses serviteurs et à des dieux
inférieurs. Les danseurs portaient de petites clochettes d'argent attachées aux jambes et aux
bras, des colliers de clochettes autour du cou.

« Ce sont, en réalité, trois fêtes réunies en une
seule, disait le Père MacCullough, toujours bien
informé. Bhairab massacrant les démons, c'est la
fête religieuse primitive. En plus, nous avons une
fête bouddhiste et une fête hindoue. Autrefois, on
sacrifiait à cette occasion des buffles d'eau, mais
c'est interdit maintenant, parce que trop cruel. »

En face de Bhairab, on était en train de dresser
une haute perche, une sorte de mât de cocagne
couronné de fleurs rouges, d'où partaient des
banderoles flottantes sur lesquelles étaient ins-
crites des prières. C'était cela, la « poutre qui perce
le ciel », le phallus érigé, corne du pouvoir, serpent
dressé au front du pharaon, salamandre de feu ; le
lingam, symbole de l'éternel désir, aspiration,
sexe déifié, transfiguré, sublimé en une prière,
transperçant le ciel grâce à l'invocation, grâce à
cette attention passionnée de l'âme et du corps
que sont l'amour et l'art. Tout gracieusement
décoré qu'il était, se disait Anne, il était là, jamais
oublié, le symbole priapique, le monstre merveilleux de la vie. *Tout tourne autour de ce nombril
merveilleux...* oui, tout tournait autour de lui,
poutre qui perce le ciel, comme François Lunéville

l'avait écrit dans son poème. Et cela aussi reprenait sa place naturelle, on admettait maintenant cette réalité cachée derrière les conventions et les illusions. La vie était aussi simple et aussi compliquée à la fois que cette racine verticale tendue vers le soleil.

La jeep s'arrêta, et Anne s'éclipsa, désireuse d'être seule, tandis que le Père MacCullough prenait un instantané du mât fleuri, sans la moindre arrière-pensée.

Une foule bariolée, enjouée et docile, emplissait la place, les pagodes disparaissaient sous des pyramides de femmes pressées les unes contre les autres, tenant au-dessus de leur tête des parasols noirs pour se protéger du vif soleil de septembre. Trois chars aux lourdes roues de bois plein décorées d'yeux peints, ainsi que trois dais de satin surmontés de cuivre doré, attendaient les enfants-dieux qui allaient s'y asseoir et faire le tour de la cité de Khatmandou, traînés par cinquante prêtres.

Devant les chars encore vides, les prêtres sacrifiaient un chevreau. Ils aspergeaient de sang, pour les bénir, les roues, les brancards, l'avant relevé, orné du visage de Bhairab tirant une langue rouge comme pour lécher le sang. Le chevreau égorgé gisait à terre, et son sang coulait sur le sol pavé de galets.

Anne fit rapidement demi-tour, une flambée de souffrance jaillit en elle. Il faudrait du temps pour qu'elle eût le courage de voir du sang.

« Eh bien, eh bien, dirent deux voix espiègles, affectueuses, celles de l'Histoire et de la Géographie, armées de jumelles et d'appareils photographiques et visiblement résolues à bien amuser.

— Eh bien, eh bien, il y a des siècles qu'on ne vous a vue.

— Quand êtes-vous revenue de l'endroit où vous étiez allée ? demanda la Géographie.

— Cela a dû être terrible, dit l'Histoire. Quelle affreuse tragédie ! Pauvre Rukmini. Et Ranchit aussi. C'est épouvantable.

— Oui, c'est affreusement triste, dit la Géographie d'un air allègre, et elle se hâta de changer de sujet. Tout va bien à l'Institut. Nous allons avoir un nouveau professeur, deux en réalité, car je ne vais sans doute pas tarder à partir, moi aussi, dit-elle avec un soupir mutin.

— Miss Potter s'en va à Bongsor, elle sera infirmière dans un petit hôpital qu'on vient de créer là-bas. N'est-ce pas *palpitant* ? dit l'Histoire.

— Imaginez cela ! dit la Géographie. Jamais je n'aurais songé que je pourrais aller aussi près de la frontière du Thibet. Mais les services de l'Aide ont demandé par annonces un médecin et une infirmière pour soigner le personnel employé au barrage. C'est, je crois, une idée de Mr. Menon, c'est lui qui a voulu qu'il y eût une femme parmi les médecins attachés à l'hôpital et qui a engagé deux infirmières. »

Elle prononçait le nom d'Unni sans aigreur, mais elle guettait Anne comme un épervier.

« J'ai pensé, ajouta-t-elle, qu'un changement me ferait du bien. Comme je le dis toujours, il faut changer pour rester jeune.

— Vous vous plairez là-bas, répondit platement Anne, sans chercher d'ailleurs à dire autre chose qu'une platitude.

— Oh, j'en suis sûre, dit la Géographie avec conviction. Je me réjouis à l'avance d'y aller. »

Amicales, mais l'œil aux aguets, elles auraient aimé se promener avec Anne, dans l'espoir que celle-ci laisserait échapper un mot, leur fournirait la clef de cette tragédie énigmatique et passionnante qui s'était jouée à Bongsor. Mais Anne était partie, elle les avait perdues facilement en se perdant elle-même dans la foule.

Il y eut une sonnerie de trompettes à vous fracasser les oreilles, une brusque clameur pareille à un vent de tempête se ruant parmi les champs couverts de récoltes, tandis que les enfants-dieux, une petite fille de quatre ans et deux garçons de huit et onze ans, parés de joyaux, les yeux peints, la tête ornée d'une coiffure dorée, le visage grave et solennel comme il convient à des divinités, furent emportés vers les chars sur les épaules des prêtres.

« La *Kumar,* la *Kumar!* » (La vierge.) Les cris heureux de la foule étaient un chant de joie, mais pour Anne ils évoquaient avec trop d'acuité une autre foule, d'autres cris qu'elle avait encore dans les oreilles, les hurlements de loups des lamas vêtus de grenat ; ils recréaient la scène qui s'était déroulée dans la cour glacée entourée de remparts croulants : le Rampoche prononçant des mots inarticulés, Ranchit, l'œil fixé sur Rukmini étendue sur les pierres de la cour et ce flot luisant, sinistre, qui s'écoulait d'elle, le sang brillant et silencieux ; puis les cris qui s'élevaient de partout tandis que, pareils à une pieuvre aux multiples tentacules, à un énorme animal grenat en fureur, les lamas s'avançaient sur Ranchit.

« Profanation, profanation, profanation ! »

La clameur des lamas semblait s'élever encore autour d'Anne, debout dans le soleil de ce bel après-midi, éloignée dans le temps et dans l'espace, mais pétrifiée par le souvenir.

« La *Kumar*, la *Kumar!* » chantait la foule épanouie en regardant les enfants divins passer sur les épaules des prêtres. Mais Anne ne l'entendait pas.

« Aaaaaaaah ! »

Le Rampoche était soudain devenu immense, comme gonflé par l'ampleur de son cri :

« Ranchit, Ranchit, vous êtes maudit, vous êtes maudit, Ranchit ! »

L'un des acolytes du Rampoche coupait les liens d'Unni, et Mike étreignait Rukmini en criant : « Rukmini, Rukmini ! » mais seuls les mouvements de ses bras agitaient le corps de la jeune femme, et Mike ne parvenait pas à croire qu'elle fût morte, bien qu'Unni et lui fussent éclaboussés de son sang, jailli de cette énorme entaille qui la transperçait de l'épaule à la poitrine. Debout, Unni ne détachait pas ses yeux de Rukmini dans les bras de Mike, il avait du sang de Rukmini jusque dans les cheveux.

Les lamas ne mirent pas Ranchit à mort dans la cour, car il était agile et la peur lui donnait des forces. Ils le pourchassèrent à travers le labyrinthe du monastère, dans les couloirs tortueux, les cours irrégulières, le long des murs brusquement surgis. Les lampes à beurre s'éteignaient au vent de leur course, les déesses aux formes contournées les virent faire maint détour, les entendirent haleter autour des moulins à prières. Ils montèrent un escalier en poussant des cris rauques, cohorte malodorante, féroce et terrible, jusqu'au dernier toit en terrasse, avec ses rangées de chortens aux flèches dorées, pareils à des crachoirs cannelés, où reposaient les cendres des précédents Rampoches. La horde impitoyable s'empara enfin de lui. Ce fut une exécution rapide et secrète, qui ne devait par la suite susciter aucun commentaire quand on découvrit qu'il ne restait rien de Ranchit à envoyer dans la Vallée. Il ne restait rien de son beau corps qui pût être incinéré au cours d'une cérémonie de funérailles, et cela aussi il fallut bien l'admettre, car nul ne souleva jamais la question, bien qu'il s'agît d'un Rana de la classe A.

Sous les yeux d'Anne, les enfants-dieux furent hissés sur les chariots. Une douzaine de prêtres s'affairèrent à disposer leurs mains, leurs membres et leurs vêtements jusqu'à ce que tout fût parfait. D'immenses plateaux dorés, chargés de fruits et de grains, de pain et de fleurs, furent placés autour des petits dais sous lesquels se tenaient les dieux, et l'énorme machine, splendide et dangereuse avec ses grotesques roues primitives ornées d'yeux peints, se mit en marche, traînée par des hommes, à qui était réservé cet honneur par droit héréditaire, chacun à sa place désignée; ils portaient des gilets noirs garnis de boutons d'argent en forme d'oiseaux ou de poissons. Venait d'abord le char de *Kumar*, où la fillette de quatre ans demeura impassible comme une statue d'or, même quand son lourd véhicule, tiré trop brusquement au départ, fut lancé d'une secousse dans la foule, tandis que les hommes qui le traînaient s'écartaient vivement, de peur d'être écrasés.

Anne se trouva repoussée par le soudain mouvement de recul de la foule devant les roues de *Kumar*. Deux femmes nevâris, agitées de rires pareils à un battement d'ailes de papillon, furent d'abord projetées sur elle, puis ce fut une autre femme, plus lourde, qui retrouva son équilibre avec moins de souplesse: Mariette Valport, littéralement éclatante de surexcitation et de santé.

«Ma chère, ah, mais c'est Anne, c'est bien vous!»

Il y eut des embrassades, actives de la part de

Mariette, reçues passivement par Anne : « Permettez ! » Mariette prit un cliché d'Anne, elle ne perdait jamais l'occasion d'en prendre un :

« Et comment ça va ? reprit-elle. Et ce cher Unni ? Comment va-t-il ? J'ai appris la tragédie, un drame, un véritable drame. Vous devriez écrire cela. J'aurais tant voulu y être... ce beau Ranchit, cette belle petite Rukmini... »

Peut-être Mariette ne connaissait-elle que la stupide version officielle imaginée par le Rampoche, Unni et les officiels de Khatmandou, bien faite pour qu'on n'y crût pas : en jouant avec le kukri de son mari, Rukmini s'était blessée mortellement ; Ranchit, fou de douleur, s'était jeté dans la rivière, son corps n'avait pas été retrouvé.

« Bien entendu, dit Mariette, de méchantes langues racontent que Ranchit l'a tuée parce qu'elle... enfin parce qu'elle s'était enfuie avec... Mike Young. »

Mais c'était à un autre nom qu'elle pensait.

Versatile, Mariette leva les yeux au ciel, haussa les épaules, laissant de côté la tragédie dans laquelle elle n'avait joué aucun rôle en faveur d'une autre, celle-là totalement sienne. Ses yeux ronds brillaient au souvenir de cette histoire pathétique qui la concernait personnellement :

« Ah, j'ai eu mes ennuis, si vous saviez. Une histoire stupide et épouvantable. Comment vous expliquer ? Vous savez, le petit Suisse, mon ami, je vois que vous ne vous souvenez pas de lui... il portait toujours mes appareils photographiques. »

Anne gardait un souvenir, confus, vague, une image en noir et blanc, brumeuse comme l'évocation d'un rêve, d'un petit homme corpulent qui contemplait Mariette avec des yeux extasiés, marchait à sa suite, croulant sous une montagne d'accessoires, ou se tenait debout à côté d'elle dans la cour du Vieux Palais pendant la cérémonie du couronnement au mois de mai.

« Eh bien, il est mort, lui aussi, il est mort ! cria Mariette. Et savez-vous de quelle manière ? Il a pris quarante-huit comprimés de somnifère, quarante-huit d'un coup, comme ça ! »

Son bras rond fit le geste de jeter quarante-huit comprimés de somnifère entre ses lèvres. Elle regarda Anne :

« Horrible, n'est-ce pas ? Et savez-vous pourquoi il a fait cela ? C'est trop rigolo, trop ridicule. Il a raconté que c'était par amour ! cria Mariette d'un air incrédule en riant très fort. Par amour pour *moi*. Oui, il a laissé une lettre dans laquelle il l'affirme. Je n'arrivais pas à le prendre au sérieux, c'était un si drôle de petit homme... alors, vlan, les comprimés ! Imaginez cela, au XXᵉ siècle, des gens qui prennent encore l'amour au sérieux, dit Mariette en riant aux éclats. Cela n'existe pas, c'est cocasse, se tuer par amour, voyons ! »

Mais c'était son drame à elle, son bien propre, qui la parait d'un inexplicable prestige ; elle éprouvait un plaisir mêlé d'indignation à la pensée de l'obsédante passion du Suisse, et elle se sentirait encore désirée alors que son adorateur serait depuis longtemps retourné en poussière. Un jour peut-être, seul resterait dans ses souvenirs le petit Suisse, cocasse, ridicule, avec son cœur trop sensible pour un si prosaïque petit homme, venu d'un pays si posé, si peu sentimental ; ses traits se brouilleraient peu à peu, mais il serait toujours là, d'une façon ou de l'autre, jusqu'à la fin de ses jours... et Mariette riait très fort pour chasser son fantôme.

« Oh, voyez, regardez, dit Mariette, dont l'attention pirouettait brusquement, toutes ces fleurs, comme un nuage. »

Du haut des trois chars qui avançaient lentement en grinçant, dans un halo de poussière, vers l'apothéose des dieux, les prêtres jetaient des pétales de fleurs à poignées ; elles voltigeaient dans l'air comme des oiseaux, venaient se poser sur les vêtements, les cheveux, les bonnets, et les Nevâris se bousculaient pour recevoir leur averse multicolore.

Rukmini avait eu, elle aussi, sa pluie de fleurs. On l'avait descendue de l'avion, Rukmini, toute droite dans l'étroit cercueil, et on l'avait placée sur une civière recouverte d'une somptueuse étoffe de soie blanche. Voilée de la tête aux pieds dans l'un des plus beaux saris de Chérie, elle n'avait certainement pas l'air d'une morte. On avait déposé sur elle des monceaux de fleurs, camélias, jasmin, amarantes et roses, puis, ainsi couverte de fleurs, on l'avait emportée au temple de Pashupatinath, où le bûcher était dressé pour son incinération sur les ghâts. Et, quand ce fut fini, les fleurs, le bois odoriférant et ce qui avait été Rukmini, tout glissa dans la rivière, flotta dans le courant rapide, tandis que les chants funèbres et la fumée montaient dans l'air de l'après-midi. En s'en retournant, doux, tristes et résignés, les membres de sa famille parlaient de sa prochaine incarnation :

« Son esprit est devenu plus parfait et autre, elle a vu ses liens se dénouer. Puisse-t-elle, désormais sans désir, parvenir à la béatitude éternelle et infinie et y demeurer. »

Mike Young était là, les mâchoires serrées, écrasé sous le poids d'une douleur qui faisait peine à voir, et Devi, voilée, ressemblant étrangement à

Rukmini. Ainsi la beauté de Rukmini avait été répandue, dispersée, comme la pluie sur le sol.

Les chars disparaissaient dans un nuage de pétales et de poussière, la multitude s'effaçait, emportée par ce mouvement fluide d'une foule qui s'éloigne à pied. Le Père MacCullough et Fred réapparurent, dans un groupe clairsemé de spectateurs attardés. Ils attendaient Anne, accompagnés cette fois d'Enoch qui semblait posséder le don d'ubiquité.

« Voilà ce que j'appellerai un spectacle avec participation du public, la foule semblait comprendre exactement ce qui se passait. »

Les jeeps et les voitures officielles s'en allaient maintenant l'une après l'autre, cornant et grondant, emportant le souverain, les officiels, les diplomates qui avaient assisté à la cérémonie du haut de la terrasse du palais du Durbar. Dans l'une des jeeps, Anne aperçut John et l'Irlandaise, celle qui ne pouvait supporter le champagne. Depuis longtemps, Anne ne lui avait pas vu un air aussi insouciant. Seul le Père MacCullough montra quelque gêne et proposa à Anne de partir. Comme s'il y avait encore quelque chose entre John et moi, se dit-elle. Bien sûr, il y avait le saint sacrement du mariage, un engagement autrefois valable et qui l'était peut-être à jamais, mais cela se passait dans un autre univers, et, en ce moment où elle allait atteindre à son propre accomplissement, elle savait qu'elle n'éprouvait pour John aucun sentiment d'aucune sorte, car elle était curieusement délivrée à la fois de la compassion et du ressentiment, de la crainte et de la haine ; un dessèchement implacable des tiges et des feuilles, tandis que la racine, forte, avide, qui était en elle, émettait de nouvelles pousses.

Fred s'approcha d'elle :

«Voulez-vous venir boire quelque chose chez moi, Anne?»

Elle se tourna vers lui avec gratitude, heureuse d'avoir sa compagnie. Cela avait été pour elle une cruelle épreuve que de se retrouver dans la chambre dorée, sa chambre, la chambre d'Unni, la chambre de Rukmini, où chaque panneau semblait murmurer, chanter, soupirer le nom de Rukmini, où elle et Unni étaient de pâles fantômes dans le rayonnement doré des tournesols et des oiseaux de Rukmini. Pourtant Anne y était retournée, directement, en revenant de voir Rukmini se perdre dans la rivière:

«Il me faut, maintenant et à jamais, apprendre à accepter, à comprendre, à recevoir.»

Et bien que ce fût un soulagement d'être avec Fred, là aussi les ronces du souvenir la déchiraient, les épines aiguës des réminiscences lui tendaient des embuscades: le lit de camp poussé dans un coin, incompréhensiblement vide, n'éveillait pas en elle le désir, mais cette douleur implacable, sans fin, qui l'habitait, à tel point que rien de ce qu'elle voyait ou entendait n'avait plus de sens pour elle. Elle restait assise là, le visage lisse, l'air détaché, mais l'amour ranimait en elle les mouvements de tendresse d'autrefois, cette étrange nostalgie à jamais insatisfaite.

Fred parla de John sans contrainte. Si le Père MacCullough avait paru gêné en le voyant, c'était, apprit-il à Anne, parce que depuis peu John songeait à se convertir. Il prenait avec le prêtre des leçons de catéchisme pour complaire à la jeune Irlandaise, dévote et très bonne:

«C'est une brave fille, fort intelligente, elle saurait se montrer maternelle avec lui. Malheureusement, il s'est mis dans la tête de ne jamais divorcer et de renoncer à son bonheur personnel.

Peut-être l'amènera-t-elle à changer d'avis, mais, d'autre part, il serait sans doute un peu trop roublard pour elle. Dommage. Elle lui aurait flanqué une tarte s'il avait essayé de faire une de ses crises de colère, et il aurait beaucoup gagné à ce régime. »

Par la porte ouverte, ils regardaient tomber la nuit, qui retirait toute couleur aux arbres et à l'herbe. Le Général apparut, accompagné de sa petite servante portant le whisky, et aussitôt il leur parla sans détour de son cher ennemi le Rampoche de Bongsor.

« Maintenant le Très Précieux est sombre et hagard, sa puissance est en miettes », annonça le Général, avec une expression de joie maligne tout à fait insolite sur son visage de saint homme.

Le monastère de Bongsor était souillé, racontait-il avec un vif plaisir, profané parce que le sang de Rukmini, le sang d'une femme, avait été versé : dans les vallées, en effet, la femme est sacrée, alors que le mâle, la semence volante, peut être détruit par le meurtre. Et cet état d'impureté durerait au moins cent quarante-neuf jours. Pendant bien longtemps il ne serait plus célébré de fêtes à Bongsor. Le Rampoche brûlait des tonnes de beurre dans les lampes votives, les lamas lavaient et grattaient les dalles de la cour et les chortens sept fois par jour, ils entretenaient des feux, psalmodiaient des oraisons, et les moulins à prières tournaient sans répit, sans fin, dans un véritable cyclone d'invocations, afin d'apaiser la déesse et d'expier la mort de Rukmini.

« Les dieux sont vraiment très malins. Depuis assez longtemps, le Rampoche courait à sa perte, dit le Général d'un air satisfait. Et maintenant il est obligé de payer des gens pour faire tourner les moulins à prières. Ils se refusent à les manœuvrer gratuitement. »

Quant à Unni, il était désormais revêtu d'un caractère divin, comme d'un manteau à jamais collé à lui.

« Réellement, affirma le Général. Unni est devenu un dieu. Il n'aura plus d'ennuis au barrage, ses adorateurs ne seront que trop nombreux. Déjà la légende se crée, un récit se propage de colline en colline à la gloire des déesses, il est parvenu jusqu'au bazar de Khatmandou et devient la vérité pure aux yeux de beaucoup de gens. Ils racontent qu'Unni est un être enchanté, sans doute Krichna réincarné, le Dieu de l'Amour et de la Vie, puisque les divinités femelles l'aiment et le protègent. Une déesse n'est-elle pas venue en jeep au barrage pour l'avertir du danger ? Quand ses ennemis ont voulu le tuer, une autre déesse, cachée sous la forme d'une femme, ne s'est-elle pas jetée sous le coutelas ? A la vérité elle a *semblé* mourir, de même que le meurtrier a *semblé* la frapper, et le sang, prompt et cruel, a *semblé* jaillir sur les pierres et doit être racheté de crainte qu'il n'engendre des démons ; mais ce sont les déesses immortelles qui ont voulu ce miracle. Maintenant le Rampoche verse des larmes, et les lamas gémissent comme des oiseaux de malheur, tandis que les gens de Bongsor se rendent au barrage pour apercevoir le nouveau Seigneur, et ils s'en retournent heureux, sanctifiés comme après un pèlerinage.

— Un ingénieur devenu dieu, dit Fred. Quel anachronisme !

— Mon ami, dit le Général, vous avez des idées trop conservatrices. Dans notre démocratie, pourquoi un dieu ne pourrait-il être ingénieur, puisque dans les temps anciens il était bouvier, prince ou charpentier ? Unni est très habile à tirer avantage de tout, car il a la tête froide et l'esprit subtil. Il ne démentira pas cette histoire, car il tient par-dessus tout à la construction de ce barrage. Désormais les travaux vont se poursuivre avec le plus grand succès.

— Oui, Unni est habile», dit Anne d'un ton neutre.

Encore une chose qu'il lui fallait accepter. La destinée d'Unni, cette habileté, partie intégrante de sa lucidité, fruit d'une constante discipline comparable à celle de l'artiste qui observe en même temps qu'il souffre ou est heureux.

Mais, après le départ du Général, Anne ne put s'empêcher d'avouer à Fred la dure vérité, qu'elle avouerait également à Unni quand ils se rever-raient, car il leur faudrait se revoir, bien que pour le moment Anne dût se borner à attendre, sans savoir quand cette réunion serait possible.

«Je crois que jamais je n'aurais pu faire ce qu'a fait Rukmini. Même pas pour Unni.

— Qui sait ? dit Fred, qui peut savoir ? L'aurais-je fait, moi, pour Eudora ? Unni aurait-il pu le faire pour vous ? D'après ce que vous m'avez dit, Rukmini était en extase. Pour elle, le mur qui sépare le monde matériel du monde surnaturel avait sans doute été abattu, et la fin a été rapide. C'est à nous, les vivants, qu'il appartient de nous accommoder de notre propre destinée, d'accepter les défaillances, l'effritement de l'amour, le mau-vais usage qu'on en fait, le lent renoncement à la perfection. Nous autres, Anne, qui ne pouvons mourir au sommet de la montagne, il nous faut prendre la route du retour, et, puisque nous nous savons incapables d'accomplir le geste suprême, il nous faut continuer à vivre. »

Anne devait faire encore une autre rencontre, presque inéluctable, certainement attendue. En regagnant son bungalow, alors que la lune, pareille à un moulin à prières, brillait dans un ciel clair, elle découvrit derrière le buisson de roses une forme blanche accroupie, et ses yeux rencontrèrent le regard de folle d'Isabel.

«Mais, Isabel, vous n'avez pas de vêtements!»

Les deux femmes haletaient, luttaient corps à corps, en proie à une haine avide. Isabel, grondant, cherchait à tâtons la gorge et les yeux. Anne la repoussait avec une horreur inexprimable; elle aurait voulu crier, mais elle ne parvenait à articuler que des sons hésitants, paralysée qu'elle était par la nudité d'Isabel.

Malheureuse Isabel, pour qui toutes les sources de la vie, désormais taries, n'étaient plus qu'aride désolation! Entendant un bruit de lutte, Regmi accourut au moment où Anne renonçait à se défendre. Loin d'être effrayé à la vue du corps dévêtu d'Isabel, il la renversa d'un prompt croc-en-jambes, ce qui eut pour résultat immédiat de provoquer chez elle des sanglots et un état de soumission larmoyante.

Quand Anne reprit conscience, et vit Fred penché sur elle, elle se demanda avec étonnement pourquoi le secours lui était toujours accordé dans le danger, pourquoi ses épreuves connaissaient toujours une fin propre, heureuse, et elle ferma les yeux, triste à mourir de ce dénouement plus affreux que tout et plus amer. Rien n'avait réussi dans la vie d'Isabel, rien ne réussirait jamais. Anne déplorait qu'il en fût ainsi, que le destin d'Isabel fût aussi vain, voué à la futilité, et cela sans qu'il y eût de sa faute.

« Je savais qu'elle était bizarre depuis quelque temps, mais je ne pensais pas qu'elle deviendrait dangereuse », murmurait Fred, comme pour s'excuser, apportant son secours à Anne, celle des deux femmes qui en avait le moins besoin. Anne fut seule à entendre les lamentations d'Isabel qu'on emmenait, comme elle était seule à connaître le tort monstrueux qui avait été fait autrefois à Isabel, la faute première, irréparable.

Egaré à travers les épais fourrés d'une souffrance muette et inutile, l'esprit d'Isabel avait sombré : « Vois, Seigneur, j'ai observé tous Tes commandements », semblait-elle crier, désemparée et trahie, trahie par tout ce à quoi elle tenait, par ses propres qualités morales, les services rendus à autrui, les vertus pratiquées avec une telle rigueur qu'elles s'étaient adultérées en elle. Isabel s'était peu à peu acheminée vers sa perte, et ils étaient tous coupables : chacun d'eux, subtil ou brutal, l'avait poussée vers la catastrophe : Unni en étant simplement Unni, le mâle sensuel, sûr de soi, faisant l'amour à d'autres femmes mais repoussant Isabel, Fred, replié sur lui-même, la rejetant à sa solitude, en refusant qu'elle l'accompagnât dans ses promenades, Anne, la plus cruelle, acceptant le don d'Isabel, la chambre dorée, pour la faire servir à ses propres fins — peut-être le destin le voulait-il ainsi, mais Anne ne s'était-elle pas montrée insensible, impitoyable — et enfin John, le moins coupable de tous, prenant une attitude avantageuse et, par ce dernier coup, acculant Isabel à la catastrophe finale... tous, tous, ils avaient contribué à sa perte. Cette nature vibrante s'était égarée dans le labyrinthe de la vertu, et la folie exerçait maintenant son empire sur cet esprit fier, désormais inutile. Quelle perte, quel gâchis, quelle désolation, et pourquoi ? Oh, mieux valait cent fois être Rukmini. Rukmini avait connu son extase et vécu sa mort. Rukmini, à qui étaient réservés l'heure lumineuse et le bref oubli. Ce long supplice, cette attente morne et vaine lui avaient été épargnés.

« Pauvre Isabel. Paul va s'occuper d'elle, il la fera rapatrier, c'est la seule solution », dit la voix de Fred, lointaine comme une épitaphe.

Avec le temps, ce souvenir aussi perdrait son caractère douloureux, mais pour le moment Anne pleurait sur Isabel comme elle n'avait pleuré sur personne d'autre, sachant que le drame d'Isabel était de tous le plus affreux, parce qu'il n'avait aucun sens.

A la fin d'octobre, en cette saison délicieuse et fraîche qu'est l'automne dans le nord de l'Inde, Anne revint à Agra, accompagnée cette fois de Fred Maltby, pour y retrouver Eudora.

« Ce n'est qu'une expérience », répétait Fred avec insistance.

Le temps et l'absence avaient accompli leur œuvre imprévisible, et le besoin de revoir Eudora était maintenant si fort qu'il avait poussé Fred à quitter la Vallée pour se rendre dans la plaine autrefois détestée afin d'y rencontrer Eudora dans un véritable décor de comédie. Fred se rendait compte de ce qu'il y avait de ridicule et de bouffon dans le choix du lieu de leur réunion : Agra, la cité du Taj Mahal, accrochée à la tombe blanche d'une femme dont nul ne se rappelait les traits, à un monument évoquant la pétrification de l'amour et enseignant à tous les amants que le marbre dure longtemps après que la créature qu'il immortalise est entrée dans le grand royaume de la poussière.

Fred n'avait pas demandé franchement à Anne de l'accompagner, mais il éprouvait manifestement le besoin de l'avoir à ses côtés pour tenter son expérience, de crainte qu'elle ne manquât, de crainte que le premier regard, la première parole, comme un mouvement maladroit imprimé à un mécanisme de précision, ne cassât le ressort de sa tentative, si bien qu'Anne lui avait dit :

« Puis-je aller avec vous, Fred ? J'aimerais revoir Agra. »

Débordant de joie, mais prenant grand soin de n'en rien laisser paraître, il répondit :

« Oh, ce serait si gentil, mais êtes-vous sûre de pouvoir venir ? Je suis certain qu'Eudora serait extrêmement heureuse... »

Nul n'osait interroger Anne, nul ne lui demandait : « Que devient Unni ? Qu'allez-vous faire maintenant tous les deux ? » Nul n'osait, pas même Fred.

Anne se borna à répéter :

« J'aimerais revoir Agra. »

Il fallait qu'elle y allât, non pas pour s'acquitter envers Fred, mais pour jouer son rôle dans cette interdépendance des êtres qui avait fait que Fred s'était heurté à elle sur la colline sacrée de Pashupatinath, qu'il l'avait emmenée prendre le thé chez lui où elle devait rencontrer le Général, que le Général l'avait invitée aux fêtes du mariage ; et à ce mariage un homme, debout à côté du piano, s'était tourné vers elle... rien qu'en y songeant elle en avait le souffle coupé. Un enchaînement de circonstances, dont chaque maillon, banal et infime en lui-même, s'engrenait jusqu'au jour où c'était le tour d'Anne d'accomplir les actes et les gestes nécessaires pour que Fred et Eudora pussent arriver au but.

Un matin, le DC-3 familier les emmena à Patna. A mesure que l'appareil prenait de la hauteur, Khatmandou pivotait, puis s'éloignait au-dessous d'eux, avec ses rues pavées de galets, où l'on distinguait les grands carrés rouges et jaunes de piment ou d'orge étalés au soleil. Puis la Vallée s'étrécit, dorée et roussie par l'automne, pareille à un beau léopard, étendue parmi des collines brunes et dorées, et, quand l'avion eut atteint son altitude, Fred dit d'une voix mal assurée:

« Regardez, Anne, les Seigneurs des neiges sont tous là dans le ciel. »

Et c'était vrai.

Ils avaient quitté la Vallée, où les dieux qui habitent les lieux élevés se plaisent à venir goûter le plaisir et l'harmonie. Enfoncée dans son fauteuil, Anne se dit que les dieux sont toujours attirés vers l'homme, vers les vallées. Dieu a toujours voulu se faire homme, s'incarner dans la frêle et faillible chair ; il doit y avoir quelque chose de fascinant dans l'humaine faiblesse pour qu'elle attire ainsi les seigneurs majestueux et hautains du surhumain. Parce que ce fut l'homme, créateur de complexité, source débordante de création, qui les découvrit et leur donna forme.

En sécurité dans l'avion, coupée du passé par les collines qu'elle voyait fuir au-dessous d'elle, Anne pouvait maintenant songer avec sérénité, et avec un sentiment de l'insolite légèrement ironique, au caractère divin que venait d'acquérir Unni. Qui sait si un jour Unni ne serait pas un personnage légendaire sculpté dans le bois ou la pierre, franchissant les montagnes à pas de géant, tout-puissant, doré et formidable ? On l'appellerait Unni le constructeur du barrage, le

Vainqueur des inondations. Jusqu'à présent, Anne avait écarté d'elle la pensée d'Unni, nuit et jour elle refusait de s'approcher de lui, ne se sentant pas encore prête à l'affronter à nouveau. Maintenant elle pouvait évoquer son souvenir, le faire bruire comme une feuille d'automne, légère et sèche, qu'on froisse entre ses doigts ; sa douleur était adoucie par la distance, atténuée par une impartialité qui pourrait bien un jour devenir de l'indifférence. Mais cela aussi il fallait l'accepter, car rien n'est à l'épreuve du temps, du changement et de la décadence, le temps mûrit toute chose pour l'acheminer vers la ruine, car le temps est le véritable vainqueur de l'amour et du malheur, il met fin à la souffrance, il émousse la joie, jusqu'au moment où seul émerge le destin inéluctable, clair et intact comme la pellicule sur l'eau quand tout le sédiment est tombé au fond.

A Agra, l'hôtel où John, Leo et Anne étaient descendus au printemps accueillit les deux voyageurs. Anne n'en connaissait pas d'autre, et elle était curieuse de revoir la véranda, les palmiers en pots, les charmeurs de serpents, les diseurs de bonne aventure. Rien de tout cela n'avait d'ailleurs changé. Elle chercha le devin Sikh, qui lui avait prédit l'avenir pour six roupies en lisant dans les lignes de sa main, mais elle ne le retrouva pas.

Eudora était là et — regrettable note discordante — son ricanement était revenu, si bien que pendant la première demi-heure, ils ne firent qu'échanger des banalités et ne réussirent à échapper à une pénible impression de gêne que grâce à un moyen fort peu original : en écoutant la Danse de Siva diffusée par le poste de Radio-Inde. Les yeux d'Eudora brillaient de plaisir à cette évocation de sa soirée musicale, et Fred se sentait ému, attiré vers elle, amusé, intéressé; il l'aimait davantage en la voyant se passionner pour quelque chose qui lui permettait de sortir d'elle-même. Un peu plus tard, ils allèrent ensemble visiter le Fort Rouge, tous les deux pleins de douceur et sans impatience.

Huit jours plus tard, Leo Bielfeld était lui aussi de retour à Agra, venant de Pnom-Penh, après une aventure avec une délicieuse danseuse cambodgienne «exactement pareille aux sculptures khmères d'Angkor-Vat».

«Je suis si content que vous m'ayez écrit pour m'avertir de votre séjour ici! Bien sûr cela ne me gêne en rien de passer une semaine ou deux à Agra, dit-il en riant d'un air suffisant. J'ai inventé une nouvelle technique, une unité de «bon vouloir efficace», par opposition à l'aspect théorique que je mettais jusqu'alors en avant. J'ai besoin de repos après les études intensives auxquelles je me suis livré au Cambodge.»

Toutes ses dépenses étaient payées par l'O.N.U. et il resterait à Agra aussi longtemps qu'Anne le voudrait.

Ils formaient un quatuor agréablement ennuyeux, agréablement chaste, un peu léthargique. Anne dormait longtemps et tard, elle avait grand besoin d'une cure d'hibernation. Puis, comme novembre s'avançait, que le froid était venu, avec de délicieux matins piquants, et que les touristes commençaient à parler de Noël, Anne s'éveilla un jour en criant le nom d'Unni. Elle avait besoin de sa présence, de son long corps musclé, de son esprit ferme, de son rire profond. Sa voix lui résonna aux oreilles tout au long de la journée.

«Unni, Unni!» Comme s'il avait pu se matérialiser à l'appel de son nom. A mesure que les jours passaient, le désir de revoir Unni l'habitait, ne cessait de croître en elle.

En compagnie de Leo, elle regardait le soleil se coucher derrière le Taj Mahal, laissant dans le ciel comme une traînée de colimaçon dorée. La rivière, maintenant très haute, aux eaux bondissantes, atteignait presque la terrasse de marbre. Au printemps dernier, elle était basse et stagnante, mais les pluies de l'été l'avaient gonflée. Anne était redevenue silencieuse, on entrait difficilement en communication avec elle, et Leo se rappelait son rire, pendant ce mois de mai de bonheur serein, comme une chose délicieuse, hélas disparue. Bien qu'il la trouvât plus belle que jamais, il ne cherchait pas à se poser auprès d'elle en amant éventuel ; pourtant il s'attardait là, comme si lui aussi il vivait dans l'attente, et il parlait beaucoup parce que seules les paroles maintenaient un lien entre eux, dans ce climat d'expectative rêveuse où il lui fallait demeurer auprès d'Anne.

« Anne, je vais vous raconter une histoire au sujet du Taj Mahal, une histoire poétique, qui vous plaira sûrement dans l'humeur où vous êtes en ce moment. Elle a pour héros le Shah Jehan, l'empereur qui a construit ce pâle et colossal joyau, d'une architecture à la fois si pure et si compliquée, pour sa bien-aimée, Nour Mahal. Il faut qu'elle ait été bien séduisante, car elle lui donna treize enfants, en dépit des charmes de toutes les autres dames du harem. Ce qui m'enchante, ce n'est pas ce présomptueux édifice, mais l'autre Taj, celui qui devait s'élever sur la rive opposée et qui ne fut jamais construit.

« Quand, au bout de vingt-deux ans, le Taj que nous voyons ici fut terminé, la passion de l'empereur pour l'exhibitionnisme architectural ne fut pas pour autant apaisée. Comme il contemplait cette blanche perfection, son regard chassieux de vieillard se tourna vers le vide de l'autre rive, et soudain l'idée lui vint d'édifier un monument, exactement pareil à celui-ci, pierre pour pierre, mais du noir le plus pur, une réplique couleur d'ébène, qui serait son tombeau. Aussitôt les ouvriers se mirent à creuser des fondations, mais le trésor était vide, les provinces en rébellion, et son fils Aureng-Zeb mit un terme aux folies ruineuses de son père en l'enfermant dans le Fort Rouge pendant les sept années qui lui restaient à vivre. C'est à cet autre Taj, noir comme la nuit, sombre comme les cheveux de Nour Mahal, que je songe, rêve irréalisé, plus fascinant et plus mystérieux que la beauté froide de cette tombe devant laquelle nous nous attardons en ce moment. »

Anne lui lança un curieux regard pensif, mais ne répondit rien. Leo comprit alors qu'il était temps pour lui de partir, de quitter Agra. Jamais il ne reverrait Anne. Il s'en fit à lui-même le serment. C'était tout à fait inutile. Elle ne pouvait que le rendre malheureux, elle demeurerait à jamais inaccessible. Il lui en voulait d'être venu sur son invitation, et il comprit que leur rencontre serait stérile, qu'elle ne pouvait aboutir à rien.

« Quels sont vos projets ? lui demanda-t-il.

— Rester ici et attendre.

— Attendre Unni ? Vous allez vous marier ?

— Je ne sais pas.

— Vous a-t-il écrit ?

— Non, c'est inutile.

— Dites-moi, demanda Leo, exaspéré, pourquoi êtes-vous tombée amoureuse d'Unni ? Qu'a-t-il fait pour vous conquérir ?

— Je l'ignore, dit Anne. Sans doute devrais-je tout simplement vous répondre ceci parce qu'il m'a confié sa jeep à conduire sur une route de montagne en construction. C'était une véritable folie. Ensuite je lui ai demandé de m'aider, car j'étais à bout de forces, humainement parlant. Et il l'a fait.

— En tout cas, il a bien réussi! dit Leo, ironique. Et c'est pour cela que vous êtes ici à attendre. Qui vous assure qu'il viendra?

— Il arrivera... quand le temps en sera venu pour nous deux.

— Et comment devinera-t-il que le temps est venu, difficile Anne?

— Il le saura, dit Anne simplement, comme je sais moi-même qu'il viendra. D'ici là...»

Elle se tut. Un jour, dans la Vallée, elle avait dit à Leo qu'elle recommencerait à écrire, et il ne l'avait même pas écoutée. Aujourd'hui elle ne lui parlerait pas de cette vision, de ce dessin qui prenait forme, miracle essentiel aux yeux de l'artiste, qui exige parfois le sacrifice d'une vie et pour lequel une vie est parfois trop courte. Elle ne lui dirait pas que c'est seulement dans la solitude que pareil miracle peut se produire, que c'est seulement au solitaire que peut être accordé le sûr instinct ardemment convoité par tous les hommes, et que c'était pour cette raison qu'elle était seule à Agra, sans faire un geste, un mouvement, tout entière vouée à l'accomplissement du travail intérieur qui s'élaborait en elle.

Quelques jours plus tard, au dîner, Fred dit avec précaution:

«Je viens de recevoir une lettre du Général. Tout va bien dans la Vallée. Il est fortement question de demander à Eudora d'assumer la direction de l'Institut, maintenant que la pauvre Isabel est retournée en Angleterre.»

Il regarda Eudora, calme et heureuse comme il

aimait la voir. Il ne subsistait plus entre eux aucun obstacle. Fred aurait voulu lui presser la main, mais la timidité l'en empêchait. C'était formidable d'être amoureux de sa femme. Quelle chance il avait ! Et dire qu'il s'était enfui à la vue d'Eudora ! Mais ils ne s'étaient jamais vraiment connus.

Maintenant Fred aurait aimé être utile à Anne, comme on met une pièce en ordre avant de la quitter, car le moment allait venir où Eudora et lui devraient retourner à Khatmandou. Aussi ajouta-t-il :

« Le Général m'écrit qu'Unni vient d'arriver de Bongsor en congé. Cela devait être... voyons donc... il y a trois jours. La lettre n'a mis que trois jours à venir de Khatmandou, dit-il en examinant l'enveloppe avec attention.

— Je pense qu'Unni ne tardera pas à arriver ici, dit bravement Eudora. Vous ne croyez pas, Anne ?

— Oui, dit Anne, je crois qu'il va venir. »

Journal   Je me rappelle dans quelles cir-
d'Anne   constances nous nous sommes
        séparés, Unni et moi. Aucun de nous n'avait dormi cette nuit-là, à Bongsor. La vengeance des lamas s'était accomplie ; toute la nuit, les trompettes, les tambours et les lamentations clamèrent la profanation du monastère. Toute la nuit, le Rampoche ne cessa d'aller et venir, vaincu, ordonnant qu'on fît tourner les moulins à prières le plus rapidement possible et répondant : « Oui, Sri Menon », quand Unni lui réclama les clefs de son dépôt d'armes clandestin et désarma ses affidés. Bientôt une pile d'armes s'éleva dans la cour. Peut-être les convois de

vivres destinés au barrage ne seraient-ils plus attaqués désormais.

Toute la nuit, Chérie et moi nous demeurâmes à veiller auprès de Rukmini. Nous l'avions lavée et habillée, enveloppée des pieds à la tête dans le plus beau sari de Chérie :

« Elle était infiniment plus belle que je le serai jamais, Mrs. Ford, il faut qu'elle l'emporte. »

A l'approche de l'aube, Unni entra dans notre chambre et dit quelques mots à Chérie, qui se leva et sortit :

« Je viens d'envoyer Chérie chercher un baume thibétain. Voudras-tu m'en enduire le dos ? »

C'était stupide de lui demander : « Cela te fait-il mal ? » Bien sûr cela lui faisait affreusement mal. Il se dévêtit, et je vis son dos ouvert de meurtrissures sombres. Chérie poussa de grandes exclamations de commisération et de pitié. J'appliquai le baume et Chérie lui donna une chemise propre appartenant à son père.

Des coups de marteau résonnaient dans la cour : on était en train d'assembler l'étroite caisse de bois dans laquelle Rukmini retournerait dans la Vallée. Mike Young y déposa Rukmini, prérogative que nul ne songea à contester. Unni prit le couvercle et le posa sur le cercueil, que Mike et lui chargèrent sur une jeep. Mike prit le volant et emmena Rukmini. Je montai dans l'autre jeep avec Unni ; sur le siège arrière avaient pris place le Rampoche, Chérie et le professeur Rimskov. Tel fut le cortège funèbre de Rukmini depuis le monastère jusqu'au terrain d'aviation de Bongsor.

Jamais je ne saurai quelles étaient les pensées d'Unni, tandis que nous roulions ainsi derrière Rukmini. Elle avait dû tomber en travers de son dos en se jetant sous le coutelas de Ranchit.

Nous arrivâmes au terrain d'aviation sous un soleil éclatant. Unni se tourna vers moi :

« Je viendrai te rejoindre. Veux-tu m'attendre ?

— Oui, Unni. »

Il viendrait. Après nous avoir laissé le temps, le temps indispensable, de recréer chacun notre propre univers, notre sphère humaine, dépouillée de toute subtile confusion.

Maintenant il peut arriver d'un moment à l'autre, ici, à Agra, pour me retrouver. Peut-être reviendrai-je d'une promenade engourdissante sous les mohurs dorés pour le voir assis sur la véranda, lançant en l'air sa petite amulette, écoutant Fred ou Leo (s'ils sont encore là), m'attendant comme il m'attendait sous les noyers ce printemps, dans la Vallée. Il viendra, et il sera pour moi un être bien connu et pourtant un étranger qu'il me faudra découvrir. Et pour que s'établisse entre nous ce commerce dont nous avons le besoin et le désir — non pas un climat étouffant de soumission et de domination, un emprisonnement étroit et mutuellement pernicieux, mais une liberté vivante et complète — il importe que nous nous rencontrions, lui et moi, comme si nous étions encore des inconnus l'un pour l'autre. Je voudrais prier maintenant, comme Unni doit avoir prié, pour que l'amour nous soit accordé, beau et clair, un amour qui nous lie et nous libère en même temps, un amour infiniment prévenant et courtois, où chacun de nous aura son monde séparé et où pourtant, ensemble, nous atteindrons à la plénitude.

Comme tous les êtres humains, nous sommes des solitaires, Unni et moi. Cette évidence, nous l'acceptons, alors que d'autres en repoussent la pensée, car tous les humains ont peur de leur solitude. Pourtant c'est seulement dans la solitude que l'homme peut apprendre à se connaître, à bien employer son éternité de solitude. Et l'amour ne peut être que le rapprochement de deux solitudes qui se sont reconnues et s'apportent l'une à l'autre protection et réconfort.

Unni va venir, sinon aujourd'hui, du moins demain. La journée est presque achevée, mais d'autres aujourd'hui s'agitent dans le sein fécond du mot «demain», d'innombrables autres jours qui luiront quand celui-ci aura cessé d'être. Et parce que je songe à Unni, invoquant son nom dans cet aujourd'hui sans cesse recommencé, pour moi il est déjà là.

Table

I. La Plaine 7

II. La Vallée 39

III. L'Ascension 321

IV. La Montagne 767

V. Le Retour 859

Du même auteur
aux Éditions Stock

Autobiographie, Histoire :

L'ARBRE BLESSÉ. UNE FLEUR MORTELLE.
UN ÉTÉ SANS OISEAUX. MA MAISON A DEUX
PORTES.
LA MOISSON DU PHÉNIX.

Romans :

MULTIPLE SPLENDEUR. AMOUR D'HIVER.
LES QUATRE VISAGES. TON OMBRE EST LA
MIENNE.
ET LA PLUIE POUR MA SOIF. JUSQU'AU MATIN.
LA CITÉ DES SORTILÈGES.

Esssais, témoignages :

DESTINATION TCHOUNGKING. LA CHINE EN
L'AN 2001.
L'ASIE AUJOURD'HUI. LE DÉLUGE DU MATIN.
LE PREMIER JOUR DU MONDE. LHASSA, ÉTOILE-FLEUR.
S'IL NE RESTE QUE L'AMOUR.

Composition réalisée par COMPOFAC - PARIS

IMPRIMÉ EN FRANCE PAR BRODARD ET TAUPIN
Usine de La Flèche (Sarthe).
LIBRAIRIE GÉNÉRALE FRANÇAISE - 6, rue Pierre-Sarrazin - 75006 Paris.
ISBN : 2 - 253 - 05423 - 2   ✧ 30/6848/3